復刻版

記録映画作家協会会報

第1巻

不二出版

〈復刻にあたって〉

一、復刻にあたっては、日本記録映画作家協会にご協力いただきました。
また、底本は左記の所蔵原本を使用しました。記して深く感謝申し上げます。
日本記録映画作家協会、川崎市市民ミュージアム、
コロンビア大学C・V・スター東亜図書館、阪本裕文氏、佐藤洋氏

一、本復刻版は、より鮮明な印刷となるよう努めましたが、原本自体の不良によって、印字が不鮮明あるいは判読不可能な箇所があります。

一、資料の中には、人権の視点から見て不適切な語句・表現・論もありますが、歴史的資料の復刻という性質上、そのまま収録しました。

（不二出版）

〈第1巻　目次〉

『教育映画作家協会会報』

第一号　一九五五（昭和三〇）年三月……1
第二号　一九五五（昭和三〇）年三月二九日……3
第三号　一九五五（昭和三〇）年五月一日……7
第四号　一九五五（昭和三〇）年六月一〇日……11
第五号　一九五五（昭和三〇）年七月二一日……15
第六号　一九五五（昭和三〇）年一〇月三一日……21
号外（＊①）　一九五五（昭和三〇）年一一月一〇日……27
第七号　一九五五（昭和三〇）年一一月三〇日……29
第八号　一九五五（昭和三〇）年一二月三〇日……35
第九号　一九五六（昭和三一）年一月一四日……43
号外（＊②）　一九五六（昭和三一）年一月一七日……49
第一〇号　一九五六（昭和三一）年二月二〇日……55
第一一号　一九五六（昭和三一）年三月三〇日……61
第一二号　一九五六（昭和三一）年四月三〇日……67
第一三・一四合併号　一九五六（昭和三一）年六月一〇日……79
第一五号　一九五六（昭和三一）年七月一〇日……99
第一六号　一九五六（昭和三一）年八月一〇日……121
第一七号　一九五六（昭和三一）年九月二〇日……139
第一八号　一九五六（昭和三一）年一〇月二五日……159
第一九号　一九五六（昭和三一）年一一月二五日……175
第一九号別紙……195
第二〇号　一九五六（昭和三一）年一二月二五日……197
第二一号　一九五七（昭和三二）年一月二五日……219
第二二号　一九五七（昭和三二）年二月二五日……255
第二三号　一九五七（昭和三二）年三月二五日……283
緊急号外（＊③）　一九五七（昭和三二）年四月一日……305
第二四号　一九五七（昭和三二）年四月二五日……307
第二五号　一九五七（昭和三二）年五月一五日……331
第二六号　一九五七（昭和三二）年六月二五日……347
第二七号　一九五七（昭和三二）年七月二五日……365
第二八号　一九五七（昭和三二）年八月二五日……387
第二九号　一九五七（昭和三二）年九月二五日……403
第三〇号　一九五七（昭和三二）年一〇月二五日……423
第三一号　一九五七（昭和三二）年一二月二〇日……435
号外（＊④）　一九五七（昭和三二）年一二月三〇日……453
第三二号　一九五八（昭和三三）年二月一〇日……457
第三三号　一九五八（昭和三三）年三月二五日……461
第三四号　一九五八（昭和三三）年五月二五日……465
号外（＊⑤）　一九五八（昭和三三）年七月一日……471
第三五号　一九五八（昭和三三）年七月三〇日……473
第三五号号外　一九五八（昭和三三）年七月三〇日……477
第三六号　一九五八（昭和三三）年八月二七日……479
第三七号　一九五八（昭和三三）年九月二七日……483
第三八号　一九五八（昭和三三）年一〇月二七日……487
号外（＊⑥）　一九五八（昭和三三）年一一月五日……491

第三九号　一九五八（昭和三三）年一一月二八日……493
第四〇号　一九五九（昭和三四）年一月……499
第四一号　一九五九（昭和三四）年二月一〇日……505
第四二号　一九五九（昭和三四）年三月一〇日……511
第四三号　一九五九（昭和三四）年四月一〇日……517
第四四号　一九五九（昭和三四）年五月一〇日……525
第四五号　一九五九（昭和三四）年六月一〇日……533
第四六号　一九五九（昭和三四）年七月一〇日……541
第四七号　一九五九（昭和三四）年八月一日……549
第四八号　一九五九（昭和三四）年九月一日……557
第四九号　一九五九（昭和三四）年一〇月一日……563
号外（＊⑦）　一九五九（昭和三四）年一〇月二〇日……571
第五〇号　一九五九（昭和三四）年一一月一日……575

教育映画
作家協会々報
1955.3.29
No. 2
東京都中央区銀座西八ノ五日吉ビル四階
(57)二八〇一

会員の動静

菅家 まり　"東京ニュース"(映研)三月三一日完成予定
間宮 則夫　"新しい米作り"演補(東京シネマ)一〇月末完成予定
島本 隆司　全農映作品演出六月上旬完成予定
厚木 たか　"機械の中の青春"脚本(中央映画)一〇月末完成予定
矢部 正男　"本を読むお母さん"(三井プロ)三月末完成
西尾 善介　"木登り"(東映十六ミリ)三月一五日完成
西沢 豪　地理大系"雪国の生活"(日映新社)岩手作品来年まで地理大系"新しい土地""黒汐の流る地方"秋、完成予定
[illegible] 功二　"火薬の話"(日本観光、写真)脚本編集三月末予定
秋元 憲　"チンゼルはいつでも"(東宝プロ)演出三月末完成
[illegible]　"ポレグズペ・ヒー・アンビ[illegible](日映)七月末完成予定
[illegible]　[illegible](新理研)
[illegible]定
丸山 章治　"新しい米作り"(東京シネマ)演出一〇月末完成予定
苗田 康夫　"本を読むお母さん"演補(三井)三月末完成
岩佐 氏寿　"考える谷間"(岩波自主)脚本執筆中
西沢 周基　新理研作品演出五月中旬完成予定
中村 敏郎　"川崎重工総合篇"(日映新社)演出 九月末完成予定
松岡 新也　"日本の農機具"(三井)脚本執筆中
伊勢長之助　"日本の鉄鋼"脚演(岩波)
"佐久間ダム第二部"(岩波)編集
"ブラジル移民"(日映新社)編集
竹内 信次　東京シネマ作品演出待期
柳沢 寿男　岩波作品演出待期
京極 高英　"考える谷間"(岩波)演出待期
大沢 鉄郎　東京シネマ作品演補待期
吉見 泰　東京シネマ作品脚本待期
菅家 陳彦　"オーケストラの楽器"(日映科学)演出三月末完成
下村 健二　全農映作品 準備中

〈以上三月二十五日現在。御報告洩れの方は、事務局まで至急お知らせ下さい。仕事の動静報告は 仕事があいている方の斡旋の資料ともなりますので、作品経歴と共に是非お願いします。

作家協会報告

委員会報告

一、各プロダクション並びに関係先への協会成立の御挨拶まわりをしています。三月二十五日現在まで左記をまわりました。

日映科学。日映新社。共同映画社。教配。読売映画。電通。東京シネマ。東京映画。映教。教材映画製作協組。視覚教材。内外映画。東京東映十六ミリ。

一、事務局では、健康保険の問題など、いろ〱と事業を立案しています。毎月に最低一回は必ず事務所にお立寄り下さい。

委員の分担

各委員の仕事の分担が左記のようにきまりました。

仕事斡旋……秋元 憲、事務局(吉見・原子)
試写・研究会……西沢 豪、富沢幸男
機関誌・会報……加藤松三郎、柳沢寿男、菅家陳彦、新井宗俊
作品の企画活動……八木仁平、吉見 泰

新入会員

村田達二君　(フリー)
大橋春夫君　(英映画)
吉岡宗阿彌君　(日本漫画)
諸橋 一君　(〃)
長井泰治君　(〃)

各方面から・・・げきれいの言葉

作家協会の発足にあたって、協会外の方々からもさまざまな激励やお祝いの言葉をいたゞきました。本会報をかりて御披露いたします。

気笛

加納竜一

先だって、信州の下伊那地方である季節大学へ呼ばれて話をする機会があった。「法隆寺」だとか「鎌倉美術」だとかを映写し、その後で「美術の鑑賞について」と言うような話をした。近くこの春、修学旅行に鎌倉や関西方面に行く予定の高校生も加えて中々の盛会であった。天竜峡からその会場のある駅まで、私としては始めて例の飯田線でいくつものトンネルをくぐって行ったので、若い聴衆の諸君によく判るように、トンネルの例をひいて美術と時代の話を始めた。電車がトンネルに入り、トンネルを出る度に、急にあたりの景色が変化する。然しそのレールの通っている山も山狭も――それらは急に変化するのでなく、一つの続きの地形の変化であることは言うまでもない。芸術の歴史もトンネルで区切られたように別々の時代の区分だけを見ていたのでは実体はつかめないと言うようなことを多少の例で話をした。

我々の職業である教育映画の事業についても、このようなことが言えそうである。戦争と言う長いトンネル、戦後の十年でも、日映・東宝教育の分散など言ういくつかのトンネル、しかし、教育映画そのものは、それを貫いて次々に進んで来たし、また進めなければならぬと思う。いくつかのトンネルをくぐり抜けている内に、乗客の知らない間に行先が変り、後ろ向きになっているようでは困ると思う。私が伊那の電車でもう一つ気がついたことは、トンネルに入るにも出るにも気笛の声を聞かなかったことである。（そう言えば他の場合もこのごろは無音のことが多い。）

教育映画作家協会が生れ、七十名を越す会員諸君が集ると言うことは大変結構なことだ。私の友人の諸君も少くないし、他人の会のような気はない。心からその発展を祈りたい。そして、私たちの乗っている列車がトンネルに入ろうとする時には一つ忘れずに気笛をならしてもらいたいと思う。どこの駅弁がうまいとか、安いとか言うことも切実な問題ではあろうが、列車がどこへ向っているかは、もっと大切なことがらであろうと思う。私はわが国の教育映画界など、まだまだ単線運転の時代が続くであろうと思うから、多少のダイヤの狂い位は当分気にかけないつもりである。（一九五五・三）

教育映画作家協会へ望む

教育映画綜合協議会組織委員　石本統吉

現在、我々の仕事の九割はスポンサード映画だ。

この発注も発注主も不定なのだから、我々の立っている基盤が甚だ不安定だといっても差し支えあるまい。

しかも、この受注は必ずしも実績通りとはいかず、営業マンのウデが相当にモノを言う。ここいらから、製作者は浮足たって、スポンサーに仰合を事とする。作家も間違いない既成の人をえらぶ。作家もこの空気を受けて、卑屈になったり、職人になったりするようだ。

劇場、非劇場のマーケットが未だ幼弱で、公開の結果の収入が我々を支えるのでなく、スポンサーの保証する当面の製作費がアテなのだから無理もない。大衆に背を向けて、スポンサーのオヒゲのチリをはらう。

このところが実にコワい。コギレイにまとまった無気力な作品が続く。製作者も作家も利己的な小商人になり切る。その日暮しだから、次の時代の養成など手が廻らない。

しかし、徐々ではあるが大衆が我々の仕事を必要とし初めた。これが組織化された暁はシメタものである。

我々は、内に外に、この大衆を基盤とするマーケットの確立に力を合せて努力しなければならない。

君たちの協会は、その意味で転落への防塞であり、理想への登山口の一つとして期待する。

この際、自分だけの保身でキュウキュウとし、我々全体の動きを考えないような個人または団体は置きざりにされても仕方がないことを銘記してもらいたい。

会員の広場

協会の創立に当って

われわれの協会が遂に生れた。会員七十名という数字は、一応予想されていたものではあったが、現実にそれだけの人が集ったのを見て、私は感銘を新たにしない訳には行かなかった。私自身が今まで、いかに孤独の中で仕事をして来たかゞ省みられたのである。

私は、この七十という数字の持つ可能性についていろいろと考えて秘かに楽しんでいるのであるが、この間、こんな夢を見た。

一寸した木立に囲まれたさゝやかな丸太小屋風の家。それは、われわれの仲間の一人、A氏が設計し、彼の指揮の下でわれわれが交替で勤労奉仕をして建てた協会の事務所である。その中の一室にわれわれが三々五々とどぐろを巻いている。室に満ちている香気は、今、一隅で湯気を上げているコーヒー・サイフォンから発している。談論風発。B氏が提出した企画、「生活」と題する奇想天外な形式の映画詩をめぐる活発な議論。この製作を希望するプロダクションが多いので、その交渉にもわれわれは頭を悩ましている。

何といじらしい夢であることか。しかしこんな夢ですら、協会が出来たからこそ私は見たのである。その創立を心から慶び、諸賢の御指導を得て出来る限りの協力を誓う次第である。

（矢部正男）

みんなで話合いを

最初の会報を手にして、まず七十名という多数の方々が参加されたことを大変うれしく力強く思いました。

一人では解決の出来ない沢山の問題を抱えてうろうろしながら仕事を進めているので、こんなに沢山の会員諸兄姉と創作方法のことや、生活のことなども交流し合えるなら、私も、もう少し発展出来るのではないかと、希望を新たにしている訳です。

そこで思いついたことを二つ三つ――

まず、あらゆる職場で作家が気持よく働けるよう、協会が強く大きくなりたいこと、そのために、会員同志の話合いを数多く持ちたいと思います。このような話合いのなかでこそ、フリーの作家たちは経済的、社会的な地位を向上させ、また経営内の作家たちは有利な製作条件などを確保出来るばかりでなく、それぞれの作家が、その貴重な体験や創作方法を交流させることが出来、私たちの間から必ずよい作品も生れるに違いありません。

次に、協会独自の企画活動を盛んにし、幅広い企画を通して教育映画、記録映画の発展のために各製作者と話合いを深めていくのも大切だと思います。このような活動は、日本の教育映画、記録映画の在り方に一つの方向を見出していく糸口にもなると思います。

この困難な時期に発足した協会を立派に発展させていくために私も一会員として微力をつくして参りたいと思います。

（かんけ・まり）

二時間半に反対する

鳩山内閣成立以来、政府の映画に対する関心が急激に高まってきているようです。

たとえば、一月一五日には映倫（委員長 渡辺鉄蔵氏）が「青少年にむかぬ映画の選定規準をきめることにし、そのため政府や裁判所、警察等の参加する諮問機関を設けることになった」と発表しました。

一月一八日の閣議では映画の三本立長時間興行は衛生上有害なので一回二時間半に制限したいという厚生大臣の意見を認めました。

一月一九日には内閣は映画産業代表十三名を招いて懇談し、内閣に映画委員会を設けることをきめました。

そしてその目的とするところは――青少年不良化防止、安全衛生、日本映画産業の健全化、作品の質の向上等であるとしています。

二時間半に制限することによって、映画館の換気装置が完備され、定員制が守られ、不良青少年がいなくなり、芸術的なすぐれた作品が安くみられるようになれば、こんな程いゝ話はありません。そして「佐久間ダム」「お猿の王国」「月の輪古墳」「赤ちゃん」のようにのる教育映画がふえるのなら、誠に天下泰平教育映画万々才です。

けれども、「戦力なき軍隊」だとか、「日本国内に原水爆の貯蔵もやむを得ない」とかいう保守党内閣のいうことは、そう額面通り受け取る訳には参りません。

一体何故二本立、三本立になったかといえば、市場の1/3（邦画と洋画の配給収入の比率は現在六・五対三・五となっています）を洋画（そのうち八五%以上がアメリカ映画）に占められた映画会社が、急速な資本回転にせまられて、いゝ映画を安くみたいという観客の逆手をとって、拡速低劣な濫作をもって、二本立、三本立にのり出したからではないでしょうか。だから、どうも二時間半もその看板の裏をひっくりかえして吟味してみれば、映画資本がいままでの儲けを確保し、更に、儲けを大きくしようとする狙いがあるのではないかと思います。

「一本立にして、企業合理化、裁切りをする」がかくされ、戦争中のように、本数を制限する、製作する者は許可を受ける、映画人は登録する。つまり「作家の思想を統制しようとするたくらみ」でもあるのではないでしょうか。

だから私達は二時間半に反対しきう。二時間半になっても、いゝ映画を安くみることは出来ないでしょうし、青少年不良化防止もお題目に終るでしょう。

私達は観客、中小独立興行者、大映、東宝、松竹、東映、新東宝、日活の撮影所員、配給、興行担当者、独立プロの関係者、教育映画の製作者、演出者、技術者 みんなで、どうしたら日本映画がよくなるか話合いをしなければならないと思います。

（月曜会）

《旧日映作家集団助監督グループ》

「視聴覚教育」へ原稿を送ろう

映教の宮永編集長のご好意によって、当作家協会に対して「視聴覚教育」誌が全面的に解放されることになりました。

即ち、現場の生きくとした声をきゝたい、そして実際の映画作家と利用者、又は読者との交流を促進したい、というねらいです。

しかし、ただ書いてくれと漫然といわれても困るはずだから、会員諸氏には当係が中間連絡いたします。お願いの節は奮ってご執筆下さい。

五月号には吉見委員長の協会成立経過、会員名簿、京極高英君の一作家としての感想といったものをお願いしました。

「視聴覚」誌の一頁はペラ十枚当り、〆切は毎号、前々月の二十日、有志の方は当係又は事務局まで申出られゝば幸いです。

なお作家協会「会報」をもかねて出版物の係は柳沢寿男、菅家陳彦、新床宗俊、吉見泰、加藤松三郎の五名が担当します。

（加藤）

おいおい四月に入ります。四月分の会費を十日頃までに頂きたいと存じます。御持参下さるか、お送り下さるか、よろしくお願いします。

（事務局より）

試写会を盛んに！

一、運営委員会の決定により試写を含めた研究活動は毎月二回、最少一回行います。

二、試写室は一六ミリの際は映教三階、三五ミリは岩波を借用ときまり、またプリントも教配と視覚教材の快諾を得ました。

四、右の試写例会及び会員の完成試写等は随時ご通知します。

五、このほか毎月、映教（白木屋ホール）教配（毎日ホール）の定期公開があり、それは事務当局にお問合せ下されば判ります。

消息欄

○かんけ・まり君 去る二六日、配島英二氏、阿部慎一氏と共に、日本の教育映画の現状について「日本短波放送」から放送。

○杉山正美君 今月より三鷹市下連雀一八七平岡方にて病気静養中、会員諸氏の激励をのぞみます。

編集後記

作家協会No.2をお手許にお届けします。この会報を皆んなのものにして、現場での苦労話にしても、創作方法についての意見でも、いゝたいこと、話したいことをどんどん投稿して下さい。紙面も限られている訳ではありません。投稿が盛んになれば拡げてゆくつもりです。

（柳沢）

教育映画
作家協会々報
1955.5.1
No. 3
東京都中央区銀座西八ノ五
日吉ビル四階
(57)二八〇一

談論風発のなかに貴重な批判

—第一回研究試写会—

去る三月廿一日、映教試写室で協会初の研究会をひらき、三〇名の会員が集って盛会でした。「本を読むお母さん」(矢部君作品)「教室の子供たち」(羽仁君作品)「朝鮮の子」(京極、荒井作品)について合評。これまでは作家が一堂に集り、意見を交わすことは絶えてなかったことと、談論風発、和やかで、しかも貴重な批判も出、最初の滑り出しに成功しました。当日の記事は四〇枚程度の原稿にして、"視聴覚教育"に投稿しておきました。

文部省も喜ぶ 作家協会の誕生

各プロダクション、各団体のあいさつ廻りの一つとして、去る四月二十四日、文部省にいった。視聴覚教育課の本田課長、工藤氏らと会談、作家の統一体としての作家協会が生れたことを喜ばれた。そして、いままで作品のことについて色々と相談したいにも相談相手がなくて困っていたが、これからは作家協会と相談してゆきたい、試写室の便宜もできるだけはからう、と種々激励された。

新入会員

丹生　正(フリー)
日高　昭(フリー)
馬場英太郎(フリー)
諸岡青人(フリー)
岩崎太郎(フリー)
平田繁治(日漫)
中川順夫(フリー)
北　賢治(フリー)
岡本昌雄(視覚教材)

以上九名。これで会員数は八四名です。(四月廿七日現在)

賛助会員
西浦伊一、稲村喜一両君。

会員の動静

秋元　憲　千葉県教員組合自主映画の技術指導。五月上旬までの予定。

桑野　茂　岩波"ボーイズ・ビ・アムビシャス"演出。七月完成予定

島内利男　新理研"大林組"(三一年六月まで)"ダム物語"(三一年×月まで)演出。

豊田敬太　新理研"二人は晴れて"演出。四月末完成予定。

大久保信哉　森動画、記録映画社共同で"漫画"猿蟹合戦"

菅家陳彦　記録映画製作協議会から一九五五年メーデー映画製作委に参加。プロデューサー。

中川順夫　電通"この手"演出。五月中旬完成予定。

間宮則夫　東京シネマ"新しい米作り"演補。十月完成予定。

高本薩司　全農映"みのりへの前進"演出。六月中旬完成予定

厚木たか　中央映画"機械の中の青春"準ビ

矢部正男　東映製作所"米作り日本一"演出。十月完成予定。

西沢　豪　日映新社、"地理大系""新しい土地""黒汐の洗う地方"演出、秋完成予定。"雪国の生活"三一年一月完成予定。

河野哲二　記録映画製作協議会から一九五五年メーデー製作委に参加。

岡野　薫　新理研"造船記録"三一年一月完成予定。

丸山章治　東京シネマ"新しい米作り"演出。十月完成予定。

岩佐氏寿　岩波"考える人間""発明物語"脚本。

中村敏郎　日映新社"川崎重工"九月末完成予定。

松岡新也　三井芸術"日本の農林具"脚本脱稿。

伊勢長之助　岩波"日本の鉄鋼"脚演。"佐久間ダム第二部"編集。日映新社"ブラジル移民"編集。

桑木道生　"印刷""小児マヒ""ゴルフ教室""夜学生自主映画"それぞれ企画準ビ中。

片岡　薫　東映十六ミリ"トランペット少年"完成。新理研"労災保険"演出。

竹内信次　東京シネマ"三共映画"演出待期。

大沼鉄郎　〃

杉原せつ　〃

吉見　泰　〃。下記に転居。練馬区小竹町二七五五。

京極高英　岩波"考える人間"演出待期。

「記録・教育映画製作協議会」について①

野田真吉

記録・教育映画製作協議会について、紹介文をかくようにと編集部からのご注文なので、よろこんでおひきうけしました。紙数がないので要点のみにふれ、いずれ協議会の会合でお話合いの機会を得て話しあいたいと思います。記録・教育映画製作協議会（以下「協議会」と略す）のいままでの運動について、京極高英君が映協の機関紙「視聴覚教育」五月号に、作家の立場から自己批判としてかいていますので、それをよんでいただくこととして、ここではばぶかせていただきます。主として協議会の性格を規約にそってあきらかにしてゆき、運動の現段階で新しい体制をととのえねばならない点をふれ、みなさんの参加をおねがいしたいと思います。このことによって、教育映画作家協会とのちがいも同時にあきらかになり、その相互関係にもふれたいと思います。

分裂した「芸術と生活」

協議会の目的を規約では『日本の民主的記録・教育映画製作推進母体で、民主的記録教育映画の製作を具体的に促進させ、民族文化としての日本映画の発展向上に努力する』といっています。このことは、協議会が国民のための、国民の要求する記録映画・教育映画の製作運動を、国民とともにおしすすめる運動団体であって、それ自身が、製作母体、つまり、製作事業をする団体でないことです。もちろん、運動の前進と発展は私たち作家技術者の生活の場を、国民とのむすびつきのなかできずきあげることで、私たちの生活をまもることになります。なぜ、さきに製作運動に重点をおいたかといいますと、私たちはいままで、いや、いまもさらに、私たちがつくりたいとねがう作品がつくられないで、大多数が私たちの自主性をうしなった政府、大会社の宣伝映画をつくるしか生活の場がないことです。芸術と生活の問題の分裂した矛盾として、協議会の発足した五三年のはじめに主として、旧日映作家集団、旧新映画作家集団、日映技術者集団、第一映画の作家グループの間で討論されました。

私たちは、そのなかで完全といってよいほど、記録映画、教育映画を資本主義の社会機構のなかで、利じゅん追求を目的とする映画配給組織は映画館上映をしないということを話しあいました。一方じょじょにひろがりつつあった教育映画の県や地区の社会教育関係のフイルムライブラリー（前のナトコ映写機）もその限界にき、行政機関にその実権がにぎられているということは私たちが上映組織についての認識をあらたにしなければなりませんでした。そして、M・S・A・再軍備政策は中小企業である記録教育映画製作会社をほとんど経営難におとしいれ、手も足もでない状態にしてしまいました。

国民の斗いこそが「芸術と生活」を守る

私たちは、そこでどうしても、民主的な上映組織、とくに労組や民主関係を中心とした製作運動のなかで独自な移動映写組織をつくり、発展させなければならず、その製作運動、移動映写活動によってしっかりと国民とむすびつかねばならないと思いました。その実行のつみかさねで国民の支持を得逆に劇場上映を、そして前記の社会教育の上映網をもうごかしていくようにしなければならないと思いました。

そうしたとき、「五二年メーデー」がかってない国民の支持と成果をあげました。私たちはその成果について深く考えさせられました。上映組織をつくることこそ、まず、私たちが国民の立場にたって、国民の要求しているものをつくり、それが国民の利益になるようなものであることが大切であると思いました。私たちはそうした映画をつくっていただろうかと反省せざるをえませんでした。国民の支持をうること、国民とともに映画をつくること、それは平和を独立のためにたたかっている国民をはげますものであり、団結させるものであります。私たちはその点、作家として努力がたりなかったと思いました。また、国民の斗いこそが、私たちの芸術と生活をまもることであると思いいたりました。私たちは芸術と生活という問題を仏字や技術だけのワクのなかでは何も解決しないし、一方、芸術と生活の統一が、実は国民の斗いに一致することも話し合いました。私達にとつ（次頁に続く）

（前頁より続く）
小熊　均（岩波）〃考える谷间〃　演補
羽仁　進（〃）〃双生児〃　準ビ
吉田六郎（〃）〃蛙〃〃小川の微生物〃　演撮
榛葉豊明（〃）〃ボーイズ・ビ・アムビシヤス〃　演補

カズンズとジョンストンは論争
私たちは日本映画をまもり

月　旺　△

この箇所は原紙において破損しています。（不二出版）

（一）

現在、日本国内の映画館は四千余りあるそうです。その観客数は八億をこえ、配給収入約三百億円。このうち、外国映画が、本数の上では五四%、配給収入は百三億（三五%）をしめています。またその外画の中でも、アメリカ映画が八五%を独占しています。

（二）

一九五〇年のはじめに、アメリカの週刊文学雑誌「土曜評論」（サタデー、レヴュー）誌上で同誌の主幹ノーマン・カズンズと、ハリウッドの天皇、映画製作者協会々長エリック・ジョンストン会長がものすごい論争をしたということです。カズンズは、「アメリカ映画は、世界の大部分の人たちにアメリカのことをしらせる主要な源である。」それなのにハリウッド映画がアメリカを「人殺し、ギャング、怠け者、無頼漢、アルコール中毒者、泥棒、淫売、詐欺師の国」のように描いているのは残念だと嘆きました。これに対して、ジョンストン会長はイデオロギー的お説教のない娯楽映画をつくる点で、ハリウッドはよい仕事をしている。と答え「軽快こっけいな音楽もの、喜劇、家畜泥棒がカウボーイに追跡される活劇映画」これがハリウッド映画であり「映画のアメリカ国民に……影響と外国の観客に与える影響を区別して考える必要はない」といいました。カズンズはそれを突拍子もない意見だと攻撃し、次のように主張しています。「どんな宣伝材料も、映画のように毎週毎月と継続的に数百万もの人間の注意をひきつけることはできない ― 映画ほど効果的な宣伝道具はないのだ」と。

（三）

去年あたりから日本で上映されるアメリカ映画は（次頁に続く）

会員の広場

国民とともに考えるテーマを

（日高昭）

この世界に入ってから数年の仕事をしてきましたが、みなPR映画というものです。そして、それなりに映画の製作について勉強してきましたが、よく考えてみると、教育映画乃至記録映画についての創作方法というものはおそらく殆んど判っていないのです。それは私が映画を、主題（思想性を含む）の表現のためのものとして今まで考えられなかったからです。そのために身についてくるのは単なる仕事の要領だけなのです。勿論それだけでも新米の私にとって必要な筈ですが、しかし私はこの頃何となくPR映画ばかりやっている事に大きな疑惑と不安を感じているのです。

本当の記録映画を作りたい ― あのイタリヤのネオ・リアリズム映画にみたダイナミックな刺激、「月の輪古墳」に対する瞠目 ― そこから真に今日の私たち国民が共々に考えていくテーマを用意していかなくてはならないのではないか、さしてまず、私はこゝに脚本がない事を知りました。金がないというのは弁解にすぎません。労組、民主団体などの大衆的基盤を支えにした製作以外に記録映画への志向は果されないと思います。

作家協会に加えて頂いたのは右の様な私の念願からで、その為に先輩の脚本家監督さんと一緒に考えていきたいと思っています。

て芸術と生活の問題・記録教育映画全体としては製作と上映の問題さらに映画全体としては民主的な映画との斗いの結びつきの問題 ― こうした当面した問題の中で私達はまず、民主的な記録映画教育映画の製作を促進する運動が以上の問題の輪っぱになっているのをたちきり前進させるカギであるという結論をえました。私達は協議会をそうした目的に賛成する企業内の作家・フリーの作家総ての人々の参加をえて運動の主目標を次のようにたてました。「民主的記録映画製作の積極的援助」（大衆団体の製作企業での製作援助などを意味します。例えば「月の輪古墳」「一九五四年九州炭田」「永遠なる平和を」「タネまく人」「日本のうたごえ」「日鋼室蘭」「メーデー映画」など）「協議会の目的にそうた自主映画の企画製作」（現在迄は企画活動をしましたが、製作の形態としては前項のなかに含まれています）その他関係友誼団体との緊密な提携、平和と友好の為の映画運動の国際交流などであります。

以上であてられた枚数がつきましたので、次の機会に二年間の協議会の運動の成果と欠かんをお知らせする事は、皆さんに何か役立つかと思います。そして、協会と協議会の相互関係にふれたいと思います。

（以下次号）

殆んど天然色になり、更に立体映画、シネマスコープ、シネラマ、ヴイスタヴイジョン、パースペクタ立体音響装置、等々の新しい方式をとってきています。その為に、洋画の座館はスクリーンをはじめ、映写装置一切を昔のものから切りかえています。それらの映画館でハリウッド映画がどんどん上映されている訳です。その映画が日本の「観客に与える影響」を考慮したかどうかなどという論争は土匪評論におまかせするとしても、「毎週毎月と継続的に数百万もの人間の注意をひく「効果的な宣伝道具」であり、「娯楽映画」であることは確かです。

（四）

この不景気な世の中で映画でも見ようという時に、一般の人々はどんな映画を選ぶでしょうか。白黒よりは天然色の方が楽しめるし、音だって前からだけでなく横から後からきこえてきた方がいゝに違いありません。上映時間を二時間半に制限して、一本勝負の興行になった場合、つまらない日本映画があっさり見捨られてしまうのは目に見えています。本当に大資本をもった製作会社は得するでしょうが、現在の日活を入れた六社の中にもつぶれるのがでるだろうし、中小座館はひとたまりもない所が多いのではないでしょうか。そして、アメリカ映画が日本中に氾濫すると思うのです。昨年末、来日したジョンストンがアメリカ映画が今日迄日本で儲けた二十数億の金を日本の防衛道路を造る為に投資するのとひきかえに米画の輸入割当本数を増やせと要求していった事も忘れられません。

（五）

私達はこう考えています。日本の観客が心の底でみたがっているのはやはり日本の映画だ、日本国民の生活感情にぴったりくるのは、ハリウッドの宣伝道具ではなく日本人の作った映画しかない。そういう映画はきっと支持される。映画大資本は、ハリウッドとこそこそ話をやって、アメリカ流のアチヤラカとドタバタを日本の観客に押しつけようとしているけれど、これには反対せざるを得ない。と考えているのです。

三月 会計報告

一、収入の部

前納会費(入金分)	二〇・一〇〇円
維持会費	五・七〇〇
寄附金	一五・〇〇〇
計	四〇・八〇〇

一、支出の部

前納会費(返却分)	一、五〇〇
結成の為の準備費	八、一三五
交通々信費	四、一八五
消耗品費	三七五
文房具費	一、六二〇
プリント費	一、〇五〇
雑費	、七八〇
事務所費	[illegible]七
立替金	
諸手当	
計	

この箇所は原紙において破損しています。（不二出版）

一、差引本月不足金(赤字) 一、一五三

スライドのアルバイト

秋元憲（談）

東宝時代からの仲で目下は目黒のオートスライド・プロの代表である岡田敏雄氏から、オートスライドの脚本が毎月不足しているから当作家協会の会員に頼みたいという話がありました。つまりトーキー化されたスライドですが、カットも百以上あって普通スライドと映画の中間的なものです。

それを事務局にはかったところ希望者があるかどうかは疑問なふうでしたが、とにかく先方の希望もあり会員名簿だけは送っておきました。ぼく自身は希望者なわけですが勉強よりアルバイトしにいうことは確実と思われます。

委員だより

次の映教誌「視聴覚教育」六月号には、四月のオ一回新作試写会の河野君担当記事、西尾君と新理研豊田君のロケ隋感といった三篇を出しました。▽映教では原稿の歓迎はむろん、会員各位の駄べりにいらっしゃるのも大歓迎の由です。▽それは当協会事務局としても同称ですが、せめてお電話連絡などあれば、試写会の有無ぐらいは判ります。▽いろいろ委員としても画策はありながら、早くも五月！

（加藤）

編集後記

遅ればせながら会報No3ができあがりました。お願いした原稿が来なかったり、あてにしていた専家割付け氏がメーデー撮影準備でダメになったり散々でしたが、今度は桑木ベテラン君に割付けを頼みました・毎度ながら会報の形式内容については、決して型にはまりたくないわけですが、お気付きの点は、どしどしご注意くだされば幸いです。われわれの協会であり会報なのですから、やはり、みんなの力で育てようではありませんか。

（メーデーの前夜、柳沢）

教育映画
作家協会々報
1955.6.10
No.4
東京都中央区
銀座西八ノ五
日吉ビル四階
電(57)二八〇一

学校の要求と作品の喰違いを正そう

オ三回研究会

作家協会研究会オ三回例回は五月三十一日映協会館で開かれた。上映作品は「原生動物」（視覚教材）「水と人間」（東映）「写真巻」（岩波）「腐敗」（日映科学）「海辺の動物」（視覚教材）「耳のはたらき」（E・B）「消化」（G・B）で、今までの研究会はたゞ出来たものを見るということにとゞまっていたが、この回から全体として研究会として一つのテーマをもって行うことにし、「自然科学映画の会」とした。その意味で各社の自然科学映画五本、E・B（エンサイクロペディア・ブリタニカ＝米国）、G・B（ゴーモン・ブリティッシュ＝英国）を一本づつ観た。

出席者は文部省視聴覚教育課工藤氏をはじめ協会員二十数名、ほかにとくにプロデューサーとして加能竜一、配島英二両氏を招請した。

討論は各作品について細かく突込んだ意見が出されたが、とくに全体的な問題として学校側の教材映画に対する要望や、製作者、作品とのくい違いを正してゆかねばならないという点が重要な集中点だった。この討論の詳報は「視聴覚教育」誌に掲載されるはずである。なお、次回研究会については「カラー映画」をという方がある。

記録映画を見る会「発足」 京都

職場の人々、主婦、学生、先生が中心になって、自主製作をも標傍して、記録映画を守り、オ一回試写会を五月三十日、ヤサカ会館で行った。会から吉見委員長が招請され、当日講演と座談会をした。将来ともに、協会との密接な協力を要望、毎月の試写例会に作家を招待する由。

新入会員

樋口源一郎
山岸静馬
永富映次郎
小野春夫

会員の動静

岩佐氏寿 〝大工〟（三井芸術）脚本執筆中
衣笠十四三 〝味〟（日映）脚演
野田真吉 〝ベンベルグ〟（日映）脚本
京極高英 〝考える谷間〟（岩波自主）演出
丸山章治 〝新しい米作り〟（東京シネマ）演出
吉見泰 〝クロロマイセチン〟（東京シネマ）脚本待機
桑野茂 〝ボーイズ・ビ・アムビシャス〟（岩波）演出
道林一郎 〝遠足〟（東映16ミリ）脚演完成・〝肥料映画〟（理研科学）演出
島本隆司 全農映作品演出
秋元憲 千葉県教組映画指導
下村健二 全農映作品演出
八木仁平 日映科学社会教材映画演出
厚木たか 〝村の中の青春〟（中央映画）
柳沢寿男 〝青年団の誓〟（岩波）待機
矢部正男 〝米作り日本一〟（東映製作所）演出
竹内信次 〝クロロマイセチン〟（東京シネマ）演出待機
加藤松三郎 東京シネマシノプシス
伊勢長之助 〝新しい神通川〟（岩波）完成。〝ブラジル移民〟（日映）編集
西沢豪 地理大系（日映）演
菅家まり 〝見本市〟演
川本博康 〝新しい神通川〟演助完成
杉原せつ 〝クロロマイセチン〟進行待機
間宮則夫 〝新しい米作り〟（東京シネマ）演助
清家武春 日映科学 八木組演助
森田実 〝二七時間〟（電通）演助
河野哲二 〝薬学七五年〟（電通本社）完成・スライド脚本（電通写真部）
富沢幸男 岩波 桑野組B班
山添哲 全農映・下村組演助
杉山正美 広尾病院にて胸部疾患療養中・経過良好。
苗田康夫 岩波 富沢B班演助

『漫画映画について』

漫画映画社

現在、漫画映画の占めている位置は、同じ教育・短篇の部門でも、最も低い所にあり、協会の方々でも、漫画映画については、ほとんど知られていないのが、現状ではないかと思います。――と云うのも、今までの日本の漫画が、他の映画に較べて僅かしか製作されなかったこと、また、製作されてもその大半が殆んど問題にならないくらいお粗末であったこと。などが、その理由ではないでしょうか？

こゝにその不振の原因と、今後について、製作者の立場から皆さんの御参考までに――。

徒弟関係がガンの一つ

漫画映画では、一駒々々の動画を描き、背景を描くという手工業的な製作工程を経なければならないので、莫大な時間と経費が必要です。ところが、過去の短篇映画がおかれていた刺身のツマ的な位置は漫画においては、芸術的意欲の低下となり、結果アクションの安っぽい漫画となって現われてきたのです。

手工業的な漫画では、仕事にたずさわる人々の間で、徒弟関係が強く、それが創作の面で、作家にも赤本漫画的ナンセンスな態度をとらせ、発展を遅らせることになったようです。

ですから今までは、教育の点からも、かけ離れた作品が多く、従って一般の人だけでなく、映画関係者にすら関心がもたれないため協力がえられず、それが企画、シナリオの貧困となって現われてきました。

生活難で技術の継承できず

また、たとえどんなよい企画、シナリオがあっても、それを適確に表現する作画の技術が必要なことは当然です。多分に劇的な要素を持つ漫画では登場人物に演技をさせます。そのためには、一枚一枚の絵をどの様にAnimateさせ連続させるかという演技以前の問題をまず習得せねばならぬのです。

私達の先輩には、漫画映画と四ツに組み、動画（アニメーション）・撮影の技法を創り出し、良い仕事をされた方々もいましたが、それらを継承すべき作家が、生活難から次々と他に転向し、現在では、残された僅かな人によって技術を細々と保っていることで精一杯の有様でした。

日本人のための日本の漫画を！

資金難については、他の教育映画の場合と同じく、社会的助成の枠構のないことが、その最大の原因ではありますが、経済的に困難だからといって、いつまでもPR映画に頼っているわけにもゆきません。

視聴覚教育の重要性が叫ばれる今日、子供は勿論、大人にも正しく親しまれる。よい漫画映画の役割が、当然クローズ・アップされてきました。それを集団的に製作するための運動も起りつゝあります。今後、私たちは正しい社会的観点に立ち、日本人のための日本の漫画映画を創るべく、大衆と一緒に困難な問題と斗かう心算ですが、そのためにも、諸先生方の御指導をも是非お願いする次第です。

（文責・長井）

大沼鉄郎 〃クロロマイセチン〃（東京シネマ）演助待機。〃無限の壁〃（成城高校自主）参加完成。
日高昭 〃日本の運搬機械〃（インタ）演助
樺島満一 〃太陽と月と星〃（視学教材）完成
岡本昌雄 〃霜と霜柱〃（視覚教材）完成
豊田敬太 〃晴れて二人は〃（新理研）完成
吉田六郎 〃蛙の発生〃（岩波）
片岡薫 〃労災保険〃（新理研）
羽田澄子 〃青年団の話〃（岩波）脚本
桜葉豊明 岩波 桑野組演助
高村武次 〃佐久間ダム〃（岩波）第二、第三部
羽仁進 〃双生児〃（岩波）準備
小熊均 〃双生児〃（岩波）演助
桑木道生 〃印刷の歴史〃〃小児麻痺の話〃〃ゴルフ教室〃企画中、夜学生自主映画準備
島内利男 〃北海道の屋根の下で〃（新理研）
大久保信哉 漫画〃猿蟹合戦〃（森動画、記録映画）
岡野薫 〃造船記録〃（新理研）
中村敏郎 〃川崎重工〃演、〃ベンベルグ〃（日映）演準備。

健保などの具体化を

かねて県案の健康保険、理論研究、企画シナリオ研究の具体化をはじめる。なお、協会の対外的諸事業も考究中。

「記録教育映画製作協議会」について ②

野田真吉

前号で、かんたんに「協議会」のなりたちと目的にふれました。私の原稿が乱ざつだったので印刷のまちがいなどがおこり、よみにくかったと思います。ふかくおわびします。

※

「協議会」は前号にのべました運動目的と構成のもとで五三年に結成しました。「五五年メーデー記録映画」まで、十数本の作品に協力し、運動として、一応の方向をみいだし、いくたの経験をえました。それは九州や北海道に、また各地域での記録映画製作運動へ(「月の輪古墳」や「土の歌」など)を促進させました。一方「原爆の図」「死の灰」「広島−原爆第一号」「タネまく人」「轟ダム」「基地の子」などが、たかまった平和への国民の関心とむすびあって、多勢のなかでつくられ、また自主作品をつくる努力がつゞけられるようになりました。

労働組合や民主団体の方も、記録映画を活用する自信をえて、総評を中心に「永遠なる平和」「日鋼室らん」をまた「日本のうたごえ」「一九五四年九州炭田」「たゝかう女子労働者」(全せんい)などがつくられ、国鉄労組、東武電鉄労組などは積極的に映画を教育、宣伝につかっています。

以上のように「協議会」の運動は多くの作家たちに、また企業に関心をよび、労組、民主団体の運動の一翼としてとりあげられるにいたりました。一連の作品は良心的な劇映画とともに移動映写活動を拡大、発展させました。

しかし、三年間にわたる「協議会」の運動は多くの成果をかぞえることができるとしても、年間製作本数四百本にあまる短篇記録教育映画のなかで、ほんとうに国民のために役立つものはまったく微々たるものです。

このことは「協議会」の運動が発展の大きい芽をもっていることを示してはいますが、まだ／＼、ほんの一部の人たちによってなされていたので、経済上で一部の人たちの生活のぎせいによって進められている事です。製作上映運動がまだ財政上、再生産の点でも片手落である事です。つまり、「協議会」の目的とするものがすべての映画作家のものとなっておらず、運動が広く国民のものとなっていない事です。

この点をどうして発展さすかについて私個人の考えをのべますと、

偶感

中村敏郎

最近ふとした機会でP.R映画コンクールの試写会を二三日続けて見ました。そして余りにも増えたカラー映画の数にびっくりさせられました。而もその殆んどがイーストマンカラーフイルムを用いたものだったのです。

現在の国産カラーフイルムの性能では、スポンサー側でも技術者の側でも、高性能フイルムを使用したがるのは止むを得ないとは思いますが「矢張り淋しさとくやしさを感じました。一日も早く各社が一各技術者が安心で国産のカラーフイルムを使用する日の来るのを待ちのぞむ気持に強くとらわれた次才です。

カラー映画の増加に伴って、キャメラマンも演出者も、カラー映画研究に懸命のようです。当然のことだと思います。そして其の成果もまた上って来ているように思います。試写会でも感心させられたカラー映画が数本はありました。美しい画面と色彩に充分留意した演出はいくつかの評判作を作ったと云ってよいと思います。確かにカラーと共に映画技術は進歩したと思います。それにもかゝわらず私は、不遜かも知れませんが、心からうたれた作品には、お目にかゝることができませんでした。これは作品がP.R映画ばかりだったからでしょうか。あるいはカラー映画としての効果にまどわされたからでしょうか。私は今その結論を急ごうとは思いませんが、何か考えるべき問題をふくんでいるのではないか、と考えています。

色を重大なモメントとして新しい映画形式追求の時代は、もう卒業してもよいのではないでしょうか。無論作家は、内容追求とはなれて形式をもとめたのではないでしょう。

また、P.R映画の内容にはいちじるしい限界があるとは思います。でも白黒のP.R映画の中にはいくつかのすぐれた内容の映画があることを私達は知っています。それがカラー映画ではむつかしいのでしょうか。皆さんと一緒に考えてみたいと思います。

教育映画作家協会の結成は作家の芸術の自由と生活の確保を目的として自主的になされました。まったく、画期な事だと思います。「協議会」の運動も、私の意見としては「協[redacted]会」の運動のなかにその一部がふくまれていると思います

私はいままでの「協議会」の運動は一つの試練期、出発時の運動としての一段階の活動が終ったように思っています。各地域におこっている記録映画製作運動に応え、また、たかまっていく国民の斗いからくる要請、現在ではヘルシンキの世界平和愛好者大会へおくる日本の平和運動の記録や、労組や現地より富士山演習地反対問題の記録映画などに対応するにはどうしても全映画作家、全映画人によってうけとめなければならない問題だと思います。そして、各経営の中で、国民の為によい映画を色々な種類の映画をできるだけたくさんつくりだし、数的にも質的にも前進させ、国民の平和と生活を守る斗いを進めねばなりません・その為にはその映画を国民にひろくみてもらわなければなりません。私たちは劇場上映と非劇場上映をともに進めねばなりません。同時にみんなでそれがとりもなおさず作家の芸術の自由と生活を守る事と一致するものである事を、又「協議会」のいまゝでの経験を伝え、話し合いの中ではっきりさせる努力が必要であると思います。

いまゝでの「協議会」の運動を右のような方向に発展させていくには教育映画作家協会、映演総連に結集している映画労仂者、ニュース、短篇企業労組、更に技術関係団体、配給関係団体、移動映写団体、それに地方製作上映センターなどによって、運動団体を組織していくことだと思います。

もちろん、それまでには色々な困難があると思いますが忍耐強く一つ一つの製作運動や、製作上の問題で話しあいたがいに手をむすびあって行動をともにする事をくりかえしながらゆけば、必ず一つに結集されると信じます。結集していかねばならない事だと思います。

このような運動の発展は教育映画作家協会の本来の目的にかなうものでないかと思います。

現在、私はこのように「協会」と「協議会」の関係を考えています。どこまでも私見なので、問題について、今後の討論をねがいたいと思います。貴重な紙面でなが〳〵とのべさせていただいた事を感謝いたします。

ヘルシンキへ牛原虚彦氏

▽ヘルシンキ「世界平和愛好者大会」のわが映画界代表は石本統吉と代って牛原虚彦氏ときまった。▽国際会議といえば、いままで雲上人の独占物で、われ〳〵はそのイヌの下じきにされていた観があった。その永い歴史が終って額に汗する人々のみの国際会議がしばしばもたれるようになった。▽だが、日本人がそのような会議に出席するようになったのはついこの頃なので思いがけなく招かれればあわてもするし間違えもする。▽折角「平和のために」の一点で石本を一致して送り出すことになったが、二、三の通信から間違った印象をうけた向もあって、その誤解をとくために石本氏は辞退された。▽ヘルシンキの牛原氏のイスは平和を愛する映画人のすべてに与えられたイスであり、世界の人々は牛島氏のうしろに記録、劇を向わず日本の全映画人の姿をよみとるであろう。われ〳〵もその期待にそうべく一人々々の力を集めて御足労願う牛原氏を力強く送り出そう。

（くわき）

四月会計報告

一、収入之部	円
前納会費（入金分）	三、四八〇
維持会費	二二、五九〇
立替金（返金分）	一、五〇〇
計	二七、五七〇
一、支出之部	
前月繰越不足金	一、一五二
前納会費（返金分）	四、六〇〇
交通々信費	三、五八五
文房具費	三四五
消耗品費	一五
プリント費	四〇〇
雑費	一六〇
事務所費	一一、五五九
諸手当	九、〇〇〇
計	三〇、八一六
一、差引本月不足金	三、二四六

編集後記

一、またおくれて申訳ありません。私のズボラの故です・

記録映画製作協議会について、色彩映画について漫画映画についてそれ〴〵の方々に書いていたゞきました・

どれも皆大切な問題ですから意見のある人達はどんどん投書して下さい・

話がひろがって会報が討論の場になればいゝと思います・柳沢生、

教育映画作家協会々報
1955.7.21
No. 5
東京都中央区銀座西八ノ五
日吉ビル四階
電(57)二八〇一

東京都映画協会と当作家協会との新契約について

従来、東京映画技術研究所で製作されてきた、東京都広報部の東京ニュース（一巻）は、昭和三〇年度（四月）から東京都映画協会で直接製作をすることになった。従来の東京映研の東京ニュース製作には、作家協会員が交替に演出、編集に参加していた。今回の新しい作り方を始めるにあたって東京映画協会側より吉部事業部長、吉田製作部長、作家協会から吉見、宮沢両運営委員が出席して、月一本製作される、東京ニュースと不定期に製作される、短篇について話合われた。

一、東京ニュースの演出者について映画協会としても、きまった一人の演出者でなく随時、作品に合った人にお願いしたいと云う希望があり、運営委員会と協議し決定することにした。尚今后一ケ年十二本の作品を作家協会と契約したいとの申し出を、映画協会としては大体六ケ月契約がならわしになっているということで、これを了承六本については作家協会から演出者を出すことになった。先ず第一回作品"水道"には、荒井英郎と決定した。

二 作り方及契約金について

映画協会としてもはじめての製作なので、従来の予算で出来るものかどうか、契約金についても従来通りで良いのか、疑問であるとの意見を基礎に、第一回作品をテストケースとして製作し第二回作品の前にこのデータを両者協議することにした。取り敢ず人件費は従来の予算通り演出料三万八千円（税込み）で第一回は了承するが、この額は、作家協会の基準額とは大分差があるので、次回から五万円位まで引揚げるよう希望した（尚数字はすべて演出料と脚本料である）

三、短篇について

年間大体、三、四年の短篇を作る予定であるが、具体的に決った時に運営委員会と話し合う、が取敢ず"小河内ダム"（第三集）は一年間少しずつ撮って行く計画である。最低の人員を一年間契約する予定であるが、演出者に付いては第一集、第二集を演出した、八木仁平氏にお願いしたいとの希望が出された。

四、東京映研の未払人件費について

東京映研で東京ニュースを製作していた当時、作家協会からは三名が東京映研と契約していたが、その他技術部門の人を含めて約十〇名で三〇万ほどの未払を残して、製作は映画協会に引きつがれてしまった。東京都映画協会としては、東京映研に人件費としては、すでに支払ずみで、その責任の所在は東京映研と云うことにはなるが、東京映研の代表者が映画協会の製作部長であるということからみて今后映画協会と作家協会の関係を正常に運営することを考えると、この未払問題は、徐々にでも解決する努力をしなければならないのではないかと申入れた、今后出て来る短篇の予算の中で処理出来れば処理をしたいとの回答を得た。

このような経過の中で第一回、第二回の会議を終り、七月上旬の第一回作品の完成を待って、第三回目の交渉をする予定です。

（運営委員会）

会員の動静

衣笠十四三 "味"（日映）脚演

野田真吉 "旭化成 ベンベルグ"（日映）脚本

京極高映 "考える谷間"（岩波自主）演出

丸山章治 "新しい米作り"（東京シネマ）演出

吉見泰 "クロロマイセチン"（東京シネマ）脚本

桑野茂 "ボーイズ・ビ・アムビシャス"（岩波）編集中

道林一郎 "肥料の話"（村上プロ）演出

島本隆司 "全農映作品" 演出

秋元憲 "私たちの先生"（千葉県教組自主）指導完成、"久保田鉄工映画"（電通本社）脚本

下村健二 "全農映作品" 編集中

八木仁平 "交通道徳"（日映科学）完成。"小河内ダム"（東

補導とゆう仕事

―「私たちの先生」の記―

秋元憲

アマチュアの映画製作の補導という話があった時、瞬間ちょっとたじろいだ。出来上った映画の批評なら、どんな素人の素人臭さい意見であっても、彼らが観客である限り、その意見には充分耳を傾けなくてはなるまい。だが、あの複雑な製作を一緒にする――これはちとシンドくさすぎないか。

これは、決して、自分をクロウトとして高く評価し、相手をシロウトとして軽蔑する職人根性から出た感じではない。スポンサ相手の仕事の経験が私にそう感じさせたのである。あの、サイレントのラッシプリントから、音が加わった完成の姿を理解させることの困難さ、あれ一つ思い出すだけでも心が重くなる。

然し、話をきいてみるとスタッフが気に入った。原作は千葉県の田舎の小学校六年生の作文で、脚色、演出は県の社会党系の教育委員、撮影は県の視聴覚教育室の技師、出演は作文を作った子供の学校と村、それに県の教育組合が全面的に協力するという。

映画の題名は「私達の先生」最初の脚本は二十四の瞳のようなものであった。ホロリとさせられるような場面もあって、面白いものであったが、七、八巻を要する大物で、又アマチュアがこなせるような代物ではなかった。私が乗り出した時には、この第一稿が石本統吉氏の意見に従って、短篇向けに整理された第二稿が出来ていた。

この第二稿にもまだ二十四の瞳的な劇的部分が多分に残っていた。私の補導という仕事の第一歩は、この第二稿に残っていた劇的な部分を更に削除して、その中にいわば骨であった「視聴覚教育への勧誘」という部分だけを浮び上らせた。これを「教室の日常生活の描写」という材料で組上げるよう忠告することから始った。自分達の力の限界を知り、手なれたホームグランドで勝負すべきだという考えで――。

筆を取って第三稿をまとめたのも脚色兼演出の時田先生で、先生の好みは多分に残った。私としてはアマチュア映画はもっと記録映画風なものであってほしかったが第一稿からの劇的な味が払い切れず、セミドキュ風な芝居臭さがまだ〱残っているようなのが気にかゝる。

撮影の段階にはいっても、出しゃばりすぎて自分の演出になってしまわないよう補導の限度を守ることに絶えず注意していた。前の晩に、演出の時田先生にコンテを作ってもらい、それにもとづいて討論をし、先生が書き直す。この時も、脚本の時と同様、取捨では先生に一任した。

私はふだんから余りルーペをのぞかない方だ。夫々のキャメラマンの持ち味を殺したくないし、まかせておけないほどのキャメラマンとなら始から組まないことにしている。私のズボラな性質がそうさせるのかも知れないが、私自身演出者にまかせる度量のないスポンサーやプロデューサーのもとでは熱意と創意を失ってしまうからでもある。

でも今度の場合ばかりは一カットごとにルーペをのぞいた。そしてカメラマンが採った位置に対して「別にこうした位置のとり方もあり得る、Aの位置では画面のこういう点が強調されるが、Bの位置ではこうなる、更にCの位置もとれるし、そうすると画面の表す

京都映画友の会）編集
厚木たか 〃杉林の中の青春〃（中央映画）
柳沢寿男 〃青年団の話〃（岩波）演出
矢部正男 〃米作り日本一〃（東映製作所）演出
竹内信次 〃クロロマイセチン〃（東京シネマ）演出
加藤松三郎 東京シネマ脚本
伊勢長之助 〃ブラジル移民〃（日映）編集、〃鉄鋼〃（岩波）演出
西沢豪 〃地理大系〃（日映）
菅家まり 〃見本市〃（東京映研）完成、〃北海道メーデー〃（北海道メーデー映画製作委）完成
杉原せつ 〃クロロマイセチン〃（東京シネマ）進行
向宮則夫 〃新しい米作り〃（東京シネマ）演補
清家清春 〃交通道徳〃（日映科学）演補完成
森田実 〃赤ちゃん体操〃（電通本社）演補
河野哲二 美容子の日記（電通本社）脚本完成、第五回世界青年学生平和友好祭映画、日本青年学生平和友好祭映画製作参加
山本升良、中島日出夫 右、事務局
高島一男
山添哲 〃全農映作品〃下村組演補
杉山正美 広尾病院にて胸部疾患

意味がこんなに変ってくるしと指摘して、一々演出者とカメラマンとにのぞかせて、最後の決定は二人の間にまかせた。このため時間は倍もかゝったかも知れないが、スタッフのためには一否、私自身にとっても色々の意味で一いゝ勉強になったと信じている。

はじめ、セリフと音楽のアフレコは専門家をわずらわす予定だった。しかし、どうせ素人だけで作り上げるなら、これも現地の子供たちにやらせた方がいゝと提案した。背広姿の大人を見ても固くなるほどの田舎の子供たちだから、無理かとも思ったが、思い切ってやらせて見ることにし、そのかわり、ラッシユを学校に持ち込んで、まる十日間、セリフと音楽を画面に合わせる練習をやってもらった。選曲と編曲については学校の先生と、演出者と、私とで放課から深夜まで、何回となくわたり合った。

器楽や合唱の子どもたちも僅かの間によくあれだけの曲をこなしてくれたものと感心もし、感謝もしている。

シナリオ決定まで六ケ月、クランクインしてから二ケ月目の六月二十八日に完成試写、千葉県下の教育関係者からは好評だったが、私の補導という仕事はあれでよかったのであろうか。機会を得て作家協会のスクリーンにのせ、批判を得たいと思っている。

謝辞

このたび千葉県の自主作品「私たちの先生」製作に関して、教育映画作家協会が全面的に協力し、適当な時に適当な人を送って下さったことを心から感謝します。

この作品の製作中及び完成を通じて教育映画作家に対し、深い尊敬と信頼をもつにいたった事実が何よりの収穫である。なお、これにともない、従来ままあった映画関係者にたいする誤解を一掃しえたことは、御同慶にたえない。

七月十三日

千葉県視聴覚教育運営室顧問

石本統吉

すばらしい平和友好祭

―皆さんの御協力をお願いします―

教育映画作家協会新入会有志

ポーランドの首都ワルシャワでは、今、世界中の青年男女の代表五万人がおとずれるのをまっています。七月三十一日から八月十四日まで第五回世界青年学生平和友好祭が、ポーランドの青年男女をあわせ延数百万人の人々によっておこなわれるのです。この友好祭は一年おきにひらかれ、平和と友情をめざして、文化とスポーツとリクリエーションの一大デモンストレーションとなるのです。この祭典がどんなにすばらしいものであるかは第四回のブカレスト祭典の記録映画「平和と友情」（天然色、九巻）をごらんになった方に

準備中。経過良好。

苗田康夫　〃佐久間ダム〃（岩波）演出

大沼鉄郎　〃クロロマイセチン〃（東京シネマ）演出

日高昭　〃日本の農業機械〃（インタ）演出

片岡薫　〃労災保険〃（新理研）

羽田澄子　〃青年団の話〃（岩波）脚本

榛葉豊明　桑野組演出（岩波）

高村武次　〃佐久間ダム〃第二部（岩波）

羽仁進　〃双生児〃（岩波）

小熊均　〃双生児〃撮影

桑木道生　〃大学生自主映画〃〃新しい物質〃〃僕は歩ける〃準備（中央文化映画社）

島内利男　〃北海道の屋根の下で〃（新理研）

大久保信哉　漫画〃猿蟹合戦〃（桑動画、記録映画社）

岡野蔵　〃造船記録〃（新理研）

中村敏郎　〃川崎重工〃演、〃ベンベルグ〃（日映）演準備

荒井英郎　〃東京都ニュース〃（東京都映画協会）、〃僕は歩ける〃（中央文化映画）準備

落合朝彦　〃キャンプのやり方〃（日映）脚演

亘家康彦　〃日本鋼管〃（岩波）演出

は、よくおわかりのことゝ思います。

ワルソー祭典には、日本から百人におよぶ代表を送り出そうとして運動がすゝめられています。残念なことには、私たち映画の仕事をしている青年の力が弱く、一人の代表をも送りだすことができない有様ですが、一九五七年に開かれる才六回祭典（モスコーの予定）には、多数の代表を送りたいと思っています。

しかし、五つの映画作品が既にワルシャワに送られ、祭典で上映されることになっており、ます。青年の運動や、青年の手になる自主作品「日本のうたごえ」「土の歌」「九十九里浜」「流木ばなし」「無限のひとみ」です。

ワルシャワ祭典と時を同じくして東京では七月三十一日から八月三日まで日本青年婦人学生平和友好祭が開かれます。この東京祭典には全国各地から、タバコ代を節約し、マッチを売り、村の人々からカンパを仰いで旅費をくめんしたり、休の日も働いて野良仕事をまにあわせたり、また、山形からは旅費のない青年が野宿して自転車で東京までやってくるなど、万をこえる青年男女が集ってきます。そして、五十をこえる催し、演劇映画、舞踊、ファッションショー画や写真の展示、スポーツ、音楽……に参加して、ともに笑ったり、うたったりおどったり、経験を語りあうなかで、青年の苦しみや悩みを解決し、青年の幸福と希望を実現する道をみいだしてゆくのです。この東京祭典は、かつておこなわれたどの祭典よりも規模の大きいすばらしい祭典となるでしょう。

この祭典の仕事の中に映画祭と二つの映画製作の仕事があります。映画祭は七月三十一日から八月二日まで三日間、渋谷、芝、日本橋、中野、浅草、荒川の各公会堂において内外の優秀な劇・記録、ニュースを上映したり、映画人との懇談会を計画しております。

映画製作の一つはワルシャワ祭典の記録映画の製作に協力する仕事で、ワルシャワから送られてきた一〇〇〇呎のアグファーカラーフィルムで、日本の美しい風景、働いている労働者や農民、広島からワルシャワにゆく代表、平和と権利を守り原爆に反対する青年の運動などを撮影してワルシャワにおくることです。

もう一つは、日本祭典のもようや、祭典をもりたてゝきた青年の力強い運動を記録して「日本の青春」（仮題）をつくりあげることです。「日本の青春」は祭典に参加できなかった人々に祭典のもようをつたえるばかりでなく、明るい未来をめざしてすゝむ青年運動の発展に大きな役割を果し、未来の日本祭典をもっとすばらしいものとするために、一九五七年のモスコー祭典に数百人の代表を送りだすために大きな力となるでしょう。

これらの映画関係の仕事は、平和友好祭実行委員会映画委員会がこの衝に当っています。多くの映画人がこの祭典の映画の仕事に協力して下さって映画祭も映画製作も進められております。特に教育映画作家協会からは若い人々が参加して中心となって活躍しています。この祭典は若い人々の祭典ですが、若い人々のみの祭典ではありません。平和と友情の中に明るく楽しい生活を築くことはすべての人々の願いであるからです。この祭典をすべての人々に知らせすべての人々の力で成功させることが必要です。映画祭も映画製作も青年の力だけでは充分な成果を収めることはできません。

教育映画作家協会の皆さん、映画界における長い経験と豊な創造力とをおもちの先輩の皆さんぜひ、この祭典に御協力下さらんことをお願い致します。

× × × × ×

永富映次郎　〃播〃長話記（新理研映画）準備、〃形成性尿崩症〃（産経映画）脚本準備中

村田達二　〃標茶町〃（北日本視覚教材作品）

樋口源一郎　〃金製映作品〃　演出

新入会員

高島一男（フリー・演補）

中島日出夫（フリー・演補）

落合朝彦（日映新社・演出）

山本升良（フリー・演補）

上野大梧（フリー・演出）

松本茂助（電通映画社）

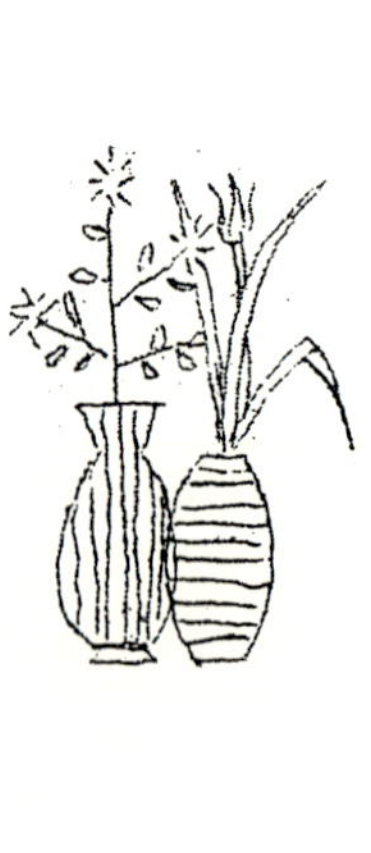

報告

〃記録映画を見る会〃関西（京都）について

去る五月、京都に「記録映画を見る会」が発足、〃真のドラマや事実の叙事詩を迫真的な感動をもって描く記録映画を見よう〃〃私たちの生活や問題を、私たち自身の手で映画にする製作運動をおこそう〃〃私たちは、私たちの生活の中で、真実のうた声である記録映画と作家の精神を守る運動を起し、俗悪に流されやすい私たち自身の心の生活をしんのある豊かさにする一つの機会としたいのです〃——会はこうした趣旨で発足した。職場の人々、学生、先生、主婦たち、九〇〇名で第一歩をふみ出した。一人が一人を誘い、二人が二人へと語り合い、同じ考えの人々が集った。中でも、一番熱心に活動をつづけているのは夜間の高校生です。

会から当協会にきん密な提携について要請があり、第一回の「見る会」には、私（吉見）が招かれて講演と座談会を持った。講演では、記録映画とその作家の現状、そして、全体としてどの方向に進もうとしているのかということを話した。上映された映画は、「真空の世界」「蚊」「谷間の歴史」「日本ザルの自然社会」「月の輪古墳」である。座談会では、はじめて記録教育映画を見たという人が多かったが、普通ではなかなか見られない世界に触れることができ、生活の面が広くなり、新鮮で感銘が深かったと語られた。しかし、これだけの本数を一度に見せられると頭が痛いとも云われた。

私たちの作品についての観客の反応が直接にはなかなか知られない現在、こうした会と作家とが直接に結びついて、お互いに希望と意志を通わせてゆくことは大切なことだと思う。その点「見る会」でも、作家との交流を切望していた。そして、協会が会の後援団体になってほしいとの要望があったので、独断でしたが結構ですと答えた。

第二回の例会は去る六月廿七日行われ、作家側から岩波の羽仁君に出てもらった。

僕（羽仁進）は、第二回の会合には、撮影の都合で二十八日に京都に着き、翌日の夜行で帰りましたから、座談会は開けなかったかわり、会を主催している人々からいろいろなはなしをきく機会をえて、大へん興味深いものがありました。

上映されたのは、「結核の生態」「高村光太郎」「阿寒湖のまりも」「教室の子供達」などでした。

ひとりごと

樺島精一

思いつき程度のことを走り書きいたします。短篇映画と云うとPR映画と同意語のようにとられる程ですが、それでもどうやら、最近 児童劇映画や教材映画の線が出てきたようです。

そう云う一般の短篇映画の水準は、一頃から比べて、どう評価されるのだろう。また、その作られ方など、そしてスタッフの方々の作品に対する心構えなど。こう云ったようなことを一度、協会あたりで討論し、また一般にアンケートなど出してみるなど、どうだろう。短篇映画の関係者は、唯、スポンサーの線だけで連っている技術提供者と云うことが強いのでしょう。社会的立場も弱く、もろもろ生活基盤も薄弱で、自己それぞれを批判の場にさらけ出すことも少いのでしょう。完成作品個々の利用されかたが、したがって、商から商へと云った生かされ方。皆な不満を持ちながら、その中で胎動しているものが、今一つの線に連ろうとしている。そう云う動きかけがどこまで押し進められることだろうか。

ゆがみの多い日本の生長。本当のことが、発表の機会のないまゝに睡っている。社会教育の上から云っても、その本当のことが、どんどん映画になればと願う。記録精神＝記録主義と云うことが、もう一度、再登場しなければならないのだが。残念でならない。

六時から二回で千二―四百名程度、前回よりふえていました。京大・人文科学研究所の平岡教授のような方々が前回に引続き熱心な観客なのですから、正直のところどうもうまくしゃべれません。しかし会後、平岡先生はわざく控室にきて、励まして下さったのには恐縮しました。こういう熱心な人たちの反響を直接身に感じることは僕たちにとって大へんうれしい件会です。

前回はアンケートをとったのですが、「真空の世界」や「蚊」があんがいおもしろがられたそうです。主催者の時木氏へ氏は戦時中日映で文化映画製作の前歴がありますしのはなしでは、観客の大半である社会人、あるいは大学生にとって、「理科」の世界は忘れられていたものだけに珍しいのだろう、ということでした。

「月の輪古墳」は前回のメイン・ピクチュアであり、また、達実人々の期待も大へん大きかった。それだけいろくな批判もあったようです。もう少し「画そのものに語らせ」てほしいということだったようです。

時木氏の他、浅井氏はじめ、若い十人足らずの人々が会を推進し、組織をひろめようと大変熱心に努力して居られます。僕が一寸うかがい知ったはんいでも、それは涙ぐましい感じで、これはよほどおもしろい写真を提供する義務があるとおもいました。こゝでも面しい雑誌をもてないかという声でした。京都の会の内部に料関誌をほしいという要望があるそうですが、このようなサークル単独では経済的にも全く不可能でしょう。むしろこれらの組織とむすびつくことによって作家協会の料関誌を成功させる可能性を感じました。

京都はとくに今村太平氏の個人雑誌ともいうべき「映画文化」を主としてバックしていたところだけに、かなりの実力もあるもようです。とにかくこれらの組織とさらにきんみつに提け、することはドキュメンタリ運動にとって一つの欠かせぬ要素ではないでしょうか。

事務局だより

事務局は今の処一人であれこれ一切をやっていますので、手不足の為転手古舞いをしています。

財政状況は今の処、可もなく不可もなしと云うところでしょうか。会計報告で御覧の通り、五月迄は六千円程赤字となって了いましたが、六月には少しばかり好転する見透しです。そして七月には又少し良くつになるでしょう。

五月会計報告

一、収入の部		円
	前納会費（入金分）	二、五〇〇
	維持会費	二三、八二〇
	計	二六、三二〇
一、支出の部		
	前月繰越不足金	三、二四六
	前納会費（反金分）	五、六〇〇
	交通信費	二、四四一
	文房具費	一六五
	雑費	八五〇
	事務所費	一一、〇八五
	消耗品費	一五
	諸手当	九、〇〇〇
	計	三二、四〇三
一、差引本月迄不足金		六、〇八三

事務局としましては、事務所の設備も少しずつ整えて行きたいし事業活動も活発にして行きたい。その反面又財政の基礎も早く固めて、協会の組織を強固、安定化の方向に持って行きたい希望で、運営委員会にも御苦心を願っています。

会員名簿（住所録兼用）も、会員章も、早く早くと思い乍ら事務局の手不足と、財政状況の為、遅れていますが、これは是非今月中に実現したいと努力しています。

編集後記

☆編集後記は毎度おくれた申し訳はかりですが、こんどみたいに内容の充実したのも、いさゝかマレと思います。

☆ところで、今後は当「会報」を各プロダクション関係にもお送りすることにしました。

☆カラつゆの盛夏、各位の御健斗を祈ります。

（七月十五日　加藤）

1955.10.31

教育映画作家協会々報

教育映画作家協会　No. 6

東京都中央区銀座西8ノ5日吉ビル4階　TEL(57)2801

協会推せん作品の選定などを決める
運営委員会の報告

去る十月八日の運営委員会で左のことをきめました。

一、作家協会推せん作品の件

近頃、教育映画作品に対して、××賞、○○賞の選定が各方面で行われているが、この際、作家の立場から何本かの推せん作品を選定して、公表することにした。作家が作家の目で選賞した作品というのはかってなかったし、これを権威あるものにしてゆくことで、作家協会の社会的な位置を高めてゆく一つの手だてともしたい。年末にかけての行事として計画し、具体的なやり方は、もっと相談してきめる。

一、批評家との懇談会

同じく年末行事として行う。従来ジャーナリズムの頁を通しての批評家の批評活動は作家に対しても一方交通で、なか〱交流し合えない。一年間の作品を省みて、批評家と交流し合って作家は何を考え、何を目指しているかを伝えておくことは、記録、教育映画の批評の方向に大切な役割を果すと思う。

一、製作者連盟との談合

かねて、懸案になっていたことですが、教育映画祭が終った頃をねらって、双方の意思の疎通をはかりたい。

一、教育映画総合協議会作品の製作に参加

今年度教育映画祭に際し、総合協議会で、視聴覚教育振興のため、フイルム・ライブラリーのモデルケースを紹介する映画を作ることになり、作家の照会があったので、丸山章治君を送り、協力する。十一月八日完成予定。

一、健康保険の件

発会当初からの、協会の重要な事業の一つとして計画されながら、種々の事情で準備がおくれ、申訳ないことをしていましたが、積極的に推進することにし、十一月中には結成できるよう計画する。

一、カラー映画大会

今年に入ってカラー映画が急にふえた。われ〱が作ったカラー映画の代表的なものを集め、技術的権威者との座談会を持ち、カラーについての経験の交流をはかる。

一、専門部会の件

科学映画研究、企画研究、シナリオ研究等専門的な部会を積極的に推進する。

一、事務局増強の件

協会も九八名という大世帯になり、日映技術集団の事務を兼任している原子英太郎君一人では事務局の仕事が過重で、活発な事業活動も推進できないので、若手で行動力もあり、協会の仕事を理解して協力してくれる人を一人増員することにした。

一、委員会としてのお詫び

この三ケ月会報もとどこおり、毎月一回の試写研究会も定期には開けず、委員会として遂行すべき最少限の仕事を果せなかったことを委員会全員が深く反省した。委員会はこの遅れを取返す為に責任をもちます。各委員の反省と事務局の増強によって前記各項の仕事を着実に実行する決心です。監視と御べん撻をお願いします。（運営委員会）

石器時代の村

西尾善介

人類が、まだきまった家もなく、村もなく、食べものを探し乍ら、尾根づたいを放浪した時代からやっと一ケ所に住みつくようになった頃は、海に近い台地を選んで村を作った。約五千年前といわれるその頃の村、「南堀貝塚」一村を全部発掘することは、日本で初めての企てゞあった。家の在り方とその関係、原始集団生活の存否など、幾多の未解決な問題を明らかにし、日本原始の歴史を、正しいものにしてゆく貴重なカギになるのではないかと云う大きな期待を抱いて発掘を記録映画に撮ることが、共同映画社の第一回自主製作としてとりあげられた。しかし、どの程度のものが、明らかになるのか、それは掘ってみなくては全く解らない。平たい台地なので、先ず三十尺の移動出来るヤグラを作り、南の端と北の端にしかない五十尺の木のテッペンに大ロングの為のヤグラを二ツ組んだ。何時何処で、何が、どのように出てくるか解らない。何と何がどのように出てくるか解らない。何と何がどのようにむすびつくものかも解らない。順序よろしく出てきてはくれない。何人の予告もなく、ものは出てくる。油断なく毎日交代で待機しているのは、張り込みの私服刑事に似た仕事であった。結論が解っていないのに、しかし、全部掘り終った時は解るだろう結論の為に、一つ一つのカットの積み重ねを計算しなくてはならない矛盾の中で、作業はどしどし進んで行くのだった。一つ一つ撮ってゆくものが、後でどのように役立ち、生きたカットになるか、死んだカットになるか、それは発掘が終る頃に、はっきりしてくる……なんていう性質の仕事は、やっかいなものだ。発掘は上から下え新しい土の歴史から古い土の歴史え掘り進む、そこで、はじめの十日位は、主として発掘以前の原形と、発掘の作業過程の順序を記録しておく外、殆んどカメラを廻さず、フイルムをストックしておくことに務めた。あっちこっちと、前ぶれもなく出土される遺物の出土状態は、ライカでとっておいた。ライカでとっておけば、そのシーンが必要なとき、そのスチールを基にして、生々しい再現も出来るし、また、スチールそのものをフイルムにとることも出来る。制限あるフイルムのワクの中では、どのような事件が将来出てくるかわからないので、出来るだけ倹約した。何んでもかでも、一つ一つ撮影していたのでは、いくらフイルムがあっても足りるものではない。こうゆう仕事では、コンテがあってとってゆく仕事よりもフイルムのNG率は多く、許用呎が同じ率では、苦しい。これはという以外のものは、フイルムを使わなかった。人間入れ込みでないものは殆んどライカですました。一コマで一シーン、一カットの役に立てられるし、後で、好きなように、カッティング（サイズの大小）出来るし、トラックアップ、トラックバックも後処理でできる。スーパーも入れられるし、線画などとのダブリの小細工もできる。映画のカメラは、主として、人間の動き表情、無技巧の真実、カメラのシュート・チャンスを逸さないという、一貫した態度をとった。だからカメラは、三脚も使わなかった。

会員の動静

厚木たか　〝村祇の中の青春〟準備中

荒井英郎　〝中国見本市〟（中央文化映画）演出

山本升良　〃仝〃演補

高島一男　〃仝〃演補

桑木道生　〃仝〃製作

〝売春禁止映画〟製作、企画中

大沼鉄郎　〝抗生物質その后〟（東京シネマ）演補

杉原せつ　〃仝〃進行

竹内信次　〃仝〃演出

加藤松三郎　〝健康工房〟（日映科学）脚本

菅家陳彦　〝せき〟（日映科学）演出

雪家まり　〝武蔵野〟（自主作品）脚本準備　〝食品衛生〟（津村プロ）演出

衣笠十四三　〝修学旅行〟（英映画）演出

京極高英　〝ひとりの母の記録〟（四巻・岩波映画自主）演出完成、〝造船の記録〟（岩波映画）演出

河野哲二　〝信濃の歌声〟（自主）演出

下村健二　〝柔道〟（日映）演出　〝日光〟（日映）演出

発掘する人々は、俳優ではないからできるだけ、そのまゝの真実の姿を狙ひうちする工夫をした。それを補足するために男女の子供を七、八人何時も手許において臨機応変に使えるよう手なづけておいて使った。画面の背景となる人の動きや作業状態をそのまゝ使って、その中に手なづけた子供にアクションを与え、みんなに気がつかないように放ち、チャンスをつかんで撮るようなこともした。

五千年前のものが、今でも残っているというのは、石か骨位のもので骨でも貝層の中だと、貝のカルシュームによってよく保存されるが、そうでない場所だと、くさり、土化して解らなくなってしまうそうである。僅かなものを手係りとして、五千年前の生活面を判断し追求して、確かな歴史を復原することは考古学者自身可成り六ケ敷しいことらしかった。

発掘された物は、従来の例からみて、想像以上に少なかったし、又反面想像もしない発見もあった。そうした結果をつなぎ合し、五千年前の生活面を、視覚的に復原するのは苦労した。犯人の人相をつなぎ合しで作るようなものだったからだ。それは嘘、イツワリのない確かなものでなければ何んの役にも立たない。家の柱となる木の太さ、そのつなぎ合せ方、構造、家の中で火をたいていた当時の煙りの立ち方、そんなものは何も現在残っていないのだけれど、住の穴から寸法を割り出し、炉の跡から割り出して画を作って行った。

その点は、決していゝ加減に復原していないと云える。動物の骨は鹿しか出てこなかった。これでは話にならないので、六年前に、この一部を堀った人を、探して、つきとめ、その人の家に行って、こゝから出た、イノシシ、イヌ、タヌキの骨など、其の他追加した。未熟な小生に御助力下さった方々に感謝致します。

ひとこと

杉原せつ

私たち演補仲間の杉山正美さんが結核で倒れてから、この十月で早くも八ケ月たちます。その間、皆様の御尽力で、今では病状も快癒の方に向い、後、半年もすれば退院できるだろうという見透しもつく迄になりました。最近では、御見舞に伺うと、大てい元気で碁など打っている時が多くその姿に、私共もどうやらホッとさせられています。

それにつけても、こうして病魔に倒れた一人の友をみるにつけ、私共も自分の生活のことを振り返らずにいられません。

健康保険に入らぬまゝ、病に倒れた場合の私共の惨めさ——。それは、誰でも知って、又、経験していることであり乍ら、之について、協会発足以来まだ実現をみる程に取上げられていない称です。無理な私共の日常生活であればこそ、尚の事。病に犯され易い条件だらけ……現に協会の事務に日夜専心して下さっている原子さんも遂に御体をこわしてしまわれました。その都度今迄は特殊な場合だけ便宜的に解決策をとっていられた称な始末ですが、つくづく之ではいけないのではないかと思われます。協会内では、この他にも体が弱く、或いは悪く、人知れず馬鹿高い医療代に苦しんでいられる方が何人いられるか解りません。

協会では、何卒一日も早くこの健康保険の問題を取上げて解決して下さる称、私共もその為にはどんな骨もおしまず御協力致します故。

杉山正美　病気療養中
清家武春　“農村電化”（日映科学）演補
田中庄次　“仝”　演出
丹生　正　“国運映画”（日映）編集完成
富沢幸男　“レーヨン”（岩波映画）演補
中島日出男　“仝”　演補
苗田康夫　“明るい生活”（岩波映画）演補
西尾善介　“日映作品”　演出
西沢　豪　“地理大系”（日映）演出
野田真吉　“利根川”（日映）演出
間宮則夫　“新しい米作り”（東京シネマ）演補完成
丸山章治　“仝”　演出完成
　“長岡市視聴覚ライブラリー”（綜合技評会）演出
道林一郎　“明日は天候になれ”（東映製作所）演出
森田　実　“トヨタ自動車”（内外映画）演補
八木仁平　“小河内ダム”（東京都映画協会編集
柳沢寿男　“東洋レーヨン”　岩波映画）演出
矢部正男　“日本一の米作り”（東映製作所）演出完成。
　“自転車”（新理研）演補
山添　哲　“嫁の来るまで”（仝農映）演補
吉見　泰　“農村家庭電化”（東

☆☆☆ 委員のことば

▽戦后この仕事に働らくようになった新米の一人として委員の末席をけがしているわけですが、ときどき富沢さんなどから提案が出て委員会で検討される「新人グループの研究的な集会を何とかもちたいと思っています。僕自身は前に普通写真循果の仕事をしていた関係で、マッコムの仕事などが好きだったのですが、最近のファミリイ・オブ・ザ・マン展示に集められた写真をみると、そういう傾向のものがかなりあるような気がしておもしろく、僕達の仕事にも少し参考になるようでした。こんなことに興味をもたれる会員とおしゃべりしたいなと考えてもいるのですが。（羽仁　進）

▽この三ケ月、協会が協会としての動きを進めず、最低守るべき二つの仕事（会報・試写研究会）もねむってしまったことに就いて、弁解の余地は何一つありません。ただ、怠慢の二字につきます。

協会の運営に誠実でありたいといつも思っていますが、まだく誠実が足りないのだと反省します。忙しいからというのは、自分の場合、理由にはなりません。忙しいなら、忙しいで、その対策の手を早急にうつ。運営上の困難がくれば、その対策を早急にたてる――この当り前のことを着実に行うことから、自分の怠けぐせを叩きなおします。

皆さんの遠慮のない御批判を手きびしく頂きたいと思います。（吉見　泰）

▽仕事で忙しいのひと言につきるが、協会発足以来試写合評会を二三度やった程度という実績で、運営委員の一人として責任を感じている。もっといろく、やらなければいけない。なるべくみんながあつまる集会を一つでも余計につくりたいと思う。こちらでもあれこれ考えているが、とくに若い人達からよい企画を聞かせて頂ければと願っています。（八木仁平）

▽約二ケ月の間、毎月定例の試写研究会と会報がと切れてしまいました。特に研究会担当の委員として深くおわび致します。過去五回の研究会を見ても最低十数名の方々が集り熱心に討論を重ねてきました。協会員が多数集り交流する集会は今の所この会をのぞいては他にないのではないかと思われます。その意味で大変重要であると思います。幸い、事務局も増員され、今后、懸案の理論、企画、シナリオ研究なども、試写研究会を糸口に具体化をはじめようと考えております。会員各位の御支援を切にお願い致します。（富沢幸男）

▽毎月一回は開かれる筈の研究会が仲々その通り実行出来ず、又時折予定した上映作品が揃わなかったり、充分な検討時間が取れなかったり、種々運営上で会員諸兄に御迷惑をかけて居ります。担当幹事としてこの誌上をかりてお詫び致します。研究会は協会の公的な会合であり、より良き作品を生み出す為の場でもありますので、皆さんの忌弾のない御意見を頂いて今後もっともっと充実したものにして行きたいと考えて居ります。（西沢　豪）

▽いくらいそがしいとはいえ、われながら委員会の運営ぶりはダラシがない。それで今后は、たとい二人きりの出席者でも委員会をひらいて実行にうつし、あとは後日の委員会で再討することにした。また会報や対外活動の面は、あらたに事務専従の小高美秋君（日映技術集団と兼務）を迎えて処理をねがうことにした。むろん計画や

京シネマ）脚本準備　〃文部省映画〃（東京シネマ）脚本
羽仁　進　演出　〃双生児〃（岩波映画）
演出　〃児童画〃（岩波映画）
中村麟子　〃文部省音楽映画〃（日映科学）演出
落合朝彦　〃新生広島〃（日映新社）演出
中村敏郎　〃カラコルム〃（日映新社）編集　〃川崎重工〃（日映新社）演出
大橋春夫　〃佐久間ダム〃（英映画）演補
赤佐政治　〃佐久間ダム〃（英映画）演出　〃神戸港〃（産業映画）演出
岩堀喜久男　〃ろう唖教育〃（オー映画）脚本
秋元　憲　〃ナイロン〃（三井芸術）完成
岩佐氏寿　〃北極物語〃（独映）日本語版作成

新人会員

肥田侃　墨田区横川橋五ノ一都営アパート（岩波映画）「（フリー）
渡辺亨　渋谷区竹下町二五松月内
相川竜介　渋谷区代官山町十（下村
田中兵次（賛助会員）（内外映画）「プロ）

住所移転

島本隆司　中野区小淀町三十一（転居

結果については委員会が責任をもつ。とにかく前進である。

（加藤松三郎）

▽優秀な教育映画が生れても、一般大衆の鑑賞には供されない。昨今教育映画の要望が、学校関係者や心ある大衆の心の奥深くから切実に求められ乍ら、そういう作品も数多く生れても来ない。児童の情操教育と高い人格をつくりあげて行く様な短篇児童映画が、毎週の様に映画館にかけられていいのではないか。私は絶えず心の中でそう願っている。それには教育映画製作者への国家的な保護政策が欲しいもので、こんなことなど、教育映画作家協会が、いや作家達自体が音頭をとって行きたいものですね。

（大野芳樹）

スポンサード映画の宣伝媒体としての考察

諸岡　青人

宣伝媒体としこの映画は、声の出るポスター、或は新聞広告であり、又、目で見えるアナウンス広告である。つまり、視覚と聴覚に同時に訴えることのできる極めて効果的な訴求媒体と云えよう。又、五百万円の映画をつくったとしても、五百万人の人に見せることが出来れば、一人当りの広告単価は僅か一円である。一体、一円で出来る広告媒体というものにどんなものがあるだろうか？　広告マッチ一ケでも二円位はする。こんな安い媒体が、又とあろうか。宣伝映画を大いに作りなさい。と私はいつも吹聴する。

短篇映画の大部分が、その製作費をスポンサーに依存しなければならないという現状は、大変に悲しい。しかし、この現状を無視するわけにはゆかないので、他人の褌で、いかにうまく角力をとるかと云う事を私は考えている。スポンサード映画と云えば、直ぐに〝シ出来る迄映画〟を押しつけられてへいこうして来たが、しかし、三四本以上製作している会社では、漸やく映画的成長を見せはじめている。即ち宣伝の媒体として映画を利用する場合、内容広告でゆくか、印象広告でゆくか、という事で、甚しく映画の質を上下するものであると認識しはじめたのである。もりだくさんに、いかにスポンサーの欲望を満たしうるようなものを作ったとしても、観客に、よい印象を与える事が出来なければ何にもならない。そこで、宣伝臭をできるだけ押えて、セリングポイントを極く淡白にあつかい、映画そのものに充分腕を振るえるようなスペースを獲得出来るようにスポンサーを仕向けてゆくべきだと思う。

健康保険ができました

※〝運営委員会の報告〟のなかにある（健康保険の件）について、去る十月二十四日、吉見委員長が東京芸能人国民健康保険組合（出向いて種々話し合った結果、当協会を加盟団体として認めることになり、会員中の希望者は該健保の被保険者となることができるようになった。またこの健保の内容と詳細を分りやすく書いた〝東京芸能人国民健保組合はあなたの健康と生活を守ります〟というチラシを本紙にそえて会員のお手許へ配ることにしたから、健保加入希望者は来る十一月一〇日までに、事務局へその旨申込んで下さい。尚申込者はその際、被保険者（本人及び家族）の住所、氏名、男女別生年月日、続柄を適宜の用紙に記入して提出して下さい。不明の点がありましたら協会事務局へお尋ね下さい。

（小高）

事務局だより

※事務局の増強

新しく、行動的で有能な人を得て事務局が活発になりました。

小高美秋君（32才）中野区野方町一丁目九八二番地居住、です。原子さんもこれで助かります。事務局へお立寄りの節、お見知りおきを願います。

※東京シネマより寄付金

今回、東京シネマ（代表取締役岡田桑三氏）では、三共株式会社のPR作品製作に当り、種々の困難な準備で着手が長らくのびていました。その間契約スタッフ（当協会員、竹内、大沼、杉原二君）がよく事情を了解してその困難に協力的であったことにつき、当協会に対し、感謝の意を表され、寄付金の申出でがありました。協会としても有難くお受けすることにしました。右御報告と共に、東京シネマへの御礼を申し上ます。（吉見）

※原子英太郎さんへの医療費カンパを！

事務局の原子英太郎さんは数ヶ月前より病魔に冒され、現在療養を続けながら事務局活動に精出しておられますが、近く協会では同氏への医療カンパを始めますからその節は宜しくお願い申します。

新人会の発足にあたって

間宮則夫

現在教育映画作家協会に加入している演出助手は、フリー、企業所属者を含めて全部で二五名おります。協会が設立されて日が浅いとはいえ、私たち演出助手同志でまだお互いに親しく顔を合せて語り合う機会がありませんでした。又一倍学ばなければならないはずの私達演出助手は職務の性質上仕事をしている時はその場を離れる事が仲々出来ず、恒例の研究会などにも欠席しがちなのが現状です。

私達新人は、新しい立派な作品を創作する作家となる事を目的としている以上（勿論先ず第一に立派な演出助手となる事が先決問題ではあると思いますが）現在のままでよかろうはずがありません。

そこで、このまゝでは駄目だ、何んとかして学ばなければならないという気持が集って今度新人会を作りました。この新人会はあくまでも自由な集りであり、勉強会として毎月一回会合を持ち、脚本の創作上の問題、映画理論や映画製作における基礎技術の問題などを中心にして研究しあい、又各人が直面している経済上の問題なども話しあいながらお互いの発展に努力して行きたいと思います。

新人会を作るにあたって最も深く反省させられた事は、私たち新人の大部分が頭では常に"作家になる"という立派な目的を持っていながら現実には安易な気持で製作に従事していたという事です。今后はこの様な事がないよう心掛け、先輩の脚本家、演出家の皆さんの御指導を得て大いに勉強して行きたいと思います。

去る八月に第一回の集りを開催して準備をすゝめていた新人会（当時仮称）は、ひきつづき去る十月十七日、午后六時より神田昇竜閣にて第二回の会合を開催し、種々懇談の結果、大要次の事項を決定して、運営委員会の了解を求める事にした。

。名称は〈新人会〉とする。

。教育映画作家協会に所属する演出助手を中心とするグループで、グループ内の親睦と技術および理論研究のための活動を行う。

。当分の間、世話役に間宮則夫（会長）苗田康夫、杉原せつ、が当り、事務連絡を小高美秋が担当する。

会計報告（昭和30年3月創立より8月末迄）

一、収入之部

前納会費	二九、三八〇
維持会費	一七〇、七一〇
寄附金	一五、〇〇〇
立替金	一、五〇〇
雑収入	一、三〇五
合計	二一七、八九五

一、支出之部

前納会費	一五、四〇〇
本会結成準備費	八、一三五
交通々信費	二一、〇四四
消耗品費	四三〇
文房具費	二、八〇六
雑費	六、五四〇
事務所費	七一、八四六
諸手当	六三、〇〇〇
プリント費	四、〇〇〇
立替金	
合計	一九四、七〇一

差引現在高　二三・一九四

当日は、目下製作中の「中国見本市」演出助手担当の山本升良、高島一男くんより、具体的な現場作業を例にした研究課題が提出され、これに対して種々発言討論が行なわれて有意義であった。今后は毎月一回の定期会合を持ちながら脚本の創作研究や関係方面との提携会合などを併せて行うことを話し合って散会した。

当日出席者、富沢幸男、高島一男
山本升良、大沼鉄郎、杉原せつ
苗田康夫、間宮則夫　日高昭
中島日出男、渡辺　享（事務局）小高美秋のほか、部外から豊宮靖、が参加した。次回会合は十一月に開催するが、より多くの人達の参加が望まれている

（小高）

編集後記

すっかり会報がおくれて何んとも申訳ありません。おくれたために、いろいろと報告もたまったわけですが、それは吉見さんの巻頭言でごらん下さい。だいじこれはダイヂエスト的な総論ですから、各論は追ってお知らせいたします。

ついで西尾君の長文杉原、諸岡両君の短文をいただきました。殊に杉原女史の健保問題は重大ですが、これは見透しがつきそうです。あとはしばらくごぶさた委員達の言葉におきゝねがいます。今後は絶対に会報を遅らせません。台風一過の月（加藤）

1955・11・10

教育映画作家協会々報 号外

教育映画作家協会
東京都中央区銀座西8ノ5日吉ビル4階 TEL(57)2801

協会推せん作品とその公開映画会の開催きまる！

かねて懸案であった〈教育映画作家協会推せん作品の件〉について去る十一月二日に行なわれた運営委員会において種々討議の結果次のことがらがきまりました。

▼この企画を考えついた当初は協会の手による作品コンクールという考えがありましたが、作品コンクールは観客の手によって行われるのが本筋だと話し合われ、当初の考えを改めました。

▼従って今回は、作家協会が一般の観客に見てもらいたい映画を推せんし合って、その公開試写会を持ちたいと思います。これは作家協会のデモンストレーションにもなると思います。

▼右についての大体の案を左に記します。

①昭和二九年度以降の本年度作品の中から各自十本以内を推せんする。

②この推せん票数に基き、また少数意見も尊重して、公開用の十本をきめる。これをきめるのは運営委員会で代行します。きめた経緯は公表します。

③公開試写会の期日は十二月十日（土）を目標とする。

④会場は新宿か丸の内を候補地とする。

⑤有料試写会とし、十本を五本づつ二回に分ける。料金は前売方式で一回二十円より三十円程度。二回通しで五十円程度を予定している。

⑥協会最初の対外行事を成功させるために、会員は全員が前売券の責任額を負担する。責任額は後刻お知らせします。

⑦なお動員は、各映画観客団体その他の団体にも彷らきかけて協力を願うことにします。

⑧なお試写のあと、観客と作家との交流をはかるため、座談会の開催や作品についてのアンケートをとると共に、来年度からは、観客によるコンクールをしたい旨、提案したいと思います。

以上について、御意見御批判があったらお寄せ下さい。

☆おねがい☆

本紙に同封した推せん作品投票用はがきに必要事項記入のうえ十一月十九日までにお送り下さい。

協会当面の活動スケジュール

また前記の運営委員会で大要次のような当面の活動スケジュールがきまりました。

▼十一月末＝才八回試写研究会をカラー映画研究大会として開催する。

▼十二月十日＝上記公開映画会

▼十二月中旬＝会報No6で既報の批評家とのこん談会を開催する。

▼十二月末＝協会の総会を忘年会を兼ねて開催する。

▼十二月末＝全会員の寄稿による会報年始特集号を発行する。

動静をおしらせ下さい

つぎに毎度同様なおねがいで恐縮でありますが、協会では会員各位の動静を常に適確に把握し、協会運営の資料としたいので、同封の返信用はがきに必要事項を記入して下さるようおねがい申しあげます。

会報原稿募集！

会報No7を十一月末に発行します。奮って原稿を送って下さいませ。

教育映画作家協会々報

1955.11.30

教育映画作家協会　No. 7

東京都中央区銀座西8ノ5日吉ビル4階　TEL(57)2801

これだけは見てもらいたい　映画の会について

来る十二月十一日（日）にひらく映画会の上映作品推せん投票をかねてお願いしておきましたところ、十九人の会員から投票を頂き五三本の推せん作品を得ました。委員会ではお約束にしたがつて、頂いた票数を尊重しつゝ、当日のプログラムを才一部才二部に分けて編成しました。即ち――

才一部　教室の子供たち　3巻、ビール誕生　2巻　砂川の人々　2巻　芦沼　4巻

才二部　たのしい版画　2巻　かえるの発生　1巻　くじらとり　2巻　ひとりの母の記録　4巻　です。

この決定についての経過は、一、推せん投票数が十九票なので、（趣旨宣伝の不徹底と作品を総体的に見ていないためと思われる）これは全員の意志を反映していないと考え、映画会をやるか、やらぬかを討論し、その結果、対外事業として遂行した方がよいということになつた。一、前記の十九票を尊重しつゝ、また一応の基礎として委員会で責任をもつてプログラムを編成した。即ち、推せん作品五三本のうち投票点数六票以上の作品、（ひとりの母の記録　十五票　教室の子供たち　十二票　かえるの発生　八票　朝鮮の子　六票）を採択し、あとは散票のなかから映写時間の関係などを考慮しながら四本を採択した。これは一般に見てもらいたくても、なかなか見てもらえない作品という点に主眼をおいた。そしてジャンル別では、社会問題、児童教育、農村記録、異色篇に分けて考えた。一、その後委員会で再び検討を重ね、この会が広く一般に受けいれられ、また宣伝効果をねらうために、朝日新聞社その他の後援団体を種々接衝することになり、その討論中〝朝鮮の子〟が問題となり、委員会としてこれを〝ビール誕生〟（PR映画の一好例として）と入れかえることにした。この最後の問題は、協会の将来の自主性の問題として協会の力を涵養すべく委員会は努力することになる。一、朝日新聞社の後援を得た。以上が経過です。

会員券の前売りに協力して下さい。

この映画会の予算計画は後記の通りでありますが、はじめての協会事業であるこの映画会を運営の面でも成功させるために、会員ひとりひとりの御協力を頂きたく思います。方法としては会員一名が当日の会員巻四枚（一枚三十円）を責任をもつて売り捌きをお引受ねがいたいのです。会員の方は当日協会々員証で入場出来ますが、小児以外の家族の方は、この会員券を買つて頂きます。会員券はとりあえず本紙とともに会員各位のお手許へ四枚（才一部二枚才二部二枚）を御送付いたしましたから、よろしくお引受をおねがいします。尚この精算は九日迄に必ず済ませて下さい。また当日はキネマ旬報社の誌上掲載用の記念撮影がありますから、会員は是非参加して下さるよう、おねがいします。

映画会予算計画表

支出の部		収入の部		
会場使用料	6.000	一般前売	440	11.000
映写料	8.300	会員負担売捌	400	12.000
プログラム会員券印刷代	3.500	当日売予備	60	――
入場税	2.700	招待券	100	――
[illegible]	2.500			
計	23.000	計	1000	23.000

本紙と同封して協会々員証をお送りしましたから御承知下さい

追悼　島本隆司

島本隆司さんのこと

厚木たか

教育映画作家協会にからんで島本隆司さんをおもいだすとなると、やっぱり「教室の子どもたち」の研究会のときの彼にふれないではいられない。ましてこの映画が、今年の教育映画祭での第一位作品におされた事と思いあわせて、今こゝに彼のあの時の特異な発言をふりかえってみることは無駄ではないと思う。

「教室の子どもたち」の試写後の合評会は、出席しなかった人たちも推測できるだろうように、全体として讃辞にみちみちていた。その中で彼一人が断乎として反対した。「誰にみせ、何の目的で作られた映画かさっぱりわからん」といゝ、教育の方法に結びついていない心理主義だともこきおろした。彼に対する反ぱくも様々だったが、演出者の羽仁進さんが児童の観察という点で新しい発見があると専門の教育者からむしろ好評だと述べられると、少し忠実な教師ならあの程度の観察なしに教育はできないと、一昨年日本に帰るまでの数年をあたらしい中国で直接教育の仕事にたづさわってきた人間としての見識をみせて譲らず、子供たちをどう教育して行ったか、或いはどう教育して行くべきについて描いていないということについて大変不満だった。

彼がはじめから多少高びしやにやっつけたもんだから私などは、戦後十年の教育映画作家の苦労を彼は知りもしないくせになどとひがんだりもし、戦後派の若い人の中から出たこの作品を一応評価してやってもいゝだろうにといった人情論もあって、彼の意見には賛成しなかった。尤も私は、あの映画の試写を見おわった直後、隣席にいた羽仁さんに何故か、「あゝこの映画のつゞきがみたい」といったものである。

それから数日後だったと思う。新聞だったかで、今のアメリカでつまりアメリカの民主主義がのびのびと太陽に向って行けない今、心理学が大変はやっている、そしてそれは、いかに生き、どうなすべきかを抜きにした現状分析に低迷したまゝだ、といった記事をみた。そういえば、今の日本にもこんな傾向の一端があるのではないかと思い、このとき突然「教室の子供たち」のことがドキンときた。

「この映画のつゞきがみたい」といった私の気持は、底を割ってみるならば二巻や三巻の短篇なのだから、第一段階の序論としては、これはこれで仕方がなかろう、切角、集団教育の問題にふれているのにそれは描写不十分で残念だから、私たちは肝心のそこがみたいので、続篇でそれをみせて欲しいということに尽きる。島本さんの意見は、少々きびしすぎるようだが、その辺を鋭くついているのだといえる。

考えてみれば、われわれは、今まであまりに序論、総論的なものばかり作りすぎている。

☆教育映画作家協会々員　島本隆司氏は、去る十一月八日午后六時二十分脳溢血のために急逝された。これは目下演出中であった全農映作品〈村の仲間〉のロケ先での出来事であり、急逝の地は山梨県日下部市であった。協会へは翌九日故人の知人であり協会々員である上野大梧氏より悲報が知らされ、十一日に全農映製作者中山直氏宅（新宿区柏木）にて行なわれたお通夜には協会を代表して菅家陳彦が参加し、翌十二日牛込南蔵院（新宿区箪笥町）にて行なわれた全農映・記録映画社合同社葬による告別式には協会を代表して岩沢幸男が参列し、岩崎太郎が弔辞を読み、地方出張中であった協会運営委員長吉見泰より弔電が寄せられ、また故人と親交のあった知人としても協会々員の厚木たか、上野大梧が他の知人とともに追悼のことばを霊前に捧げた。尚協会では故人の霊前に生花一基と御香でん一封を捧げた。

△島本隆司氏略歴▽

明治四十一年七月朝鮮釜山に生る。広島中学卒業。昭和十四年芸術映画社に入社して映画製作に従事し、昭和十七年渡満、満映に入社し農村映画の製作に従事。昭和十九年三十六才にて応召入隊、戦后は中国解放運動に参加して数々の土地改革に関する作品を発表し、

そして、この十年ひどい苦労をしてきたということで、少し感傷的になったり、云いわけ的になったりしているところはあるまいか。われわれというよりわたしといった方が適切かもしれないけれど。

弔辞

日本の教育映画作家たちが、自分たちに負わされた任務をより十分に果すために、研鑽と助けあいの組織をつくる必要を感じたのは数年来のことであった。この願望はようやく今年四月実を結び、教育記録映画作家たちの殆んどを網羅して教育映画作家協会が発足した。島本隆司君は発起人の一人として、協会誕生の原動力となった。協会は発足以来、いろいろな困難とたたかいながら会員の製作になる作品を中心に、内外の教育記録映画の試写、批判、研究等の活動、会報の発行その他を行ってきたが、そういう中で、われわれは島本君がわれわれに与えてきた刺戟と指導とを忘れることは出来ない。

君は病弱の身体でありながら、よく仕事もしたが、また研究、批判の集まりにもよく出席した。よく作品を見、またよく発言した。君の意見は清新であったし、君の態度はつねにかわらず誠実であった。そういう君の態度や意見は、戦中戦後の永い混乱の中からようやく立ちあがりかゝっている教育、記録映画作家たちに、どれほどいい刺戟となったことだろう。

特に戦後新中国の建設の中にあって、教育の仕事にもあたってきた君は、帰国以来も教育の問題には大きな関心を持っていた関係から、教育手段としての映画のありかた、また教育の諸問題をテーマとした映画の創作方法には独自の見解を持っていた。

こんどの教育映画祭第三部で推薦となった岩波の「教室の子供たち」が協会の研究会でとりあげられたとき、君は、出席者の殆んど全員が無条件に近い賞辞を呈したことに、必ずしも賛成しなかった。君の意見は教育の本質に関連するあの作品の基本的な弱点をついたものであった。その君の発言も、出席会員の全部に十分に理解されたとは云えないが、少くとも製作者たちには大きな感銘を与えたように見受けられた。それほど君の意見は本質的で鋭利だったのだ。農民問題への打ちこみかた、農民への愛情、農村映画に対する熱意についてはほかに語る人もあるだろう。君を失なったいま、われわれは君に接する限りの人が君に抱いた敬愛と信頼の情をしみじみと思い返さずにはいられない。教育映画は最近ようやく活気を呈しはじめ、作家たちの活動も旺盛になろうとしている。それにつれて作家協会もこれから活動期に入ろうとしているところだ。われわれが君に期待しているところも大きかったし、君もきっと心に期するところがあったにちがいない。

それだのに、突然とも何とも言いようのない唐突さで、君は逝ってしまった。われわれは君を惜しむ情を述べるのに適当な言葉を見つけだすことが出来ない。

ただ、ただ残念だ。

この上は、われわれは、銘々がいゝ仕事をするように努めると共に、君の遺志を生かして、協会を、日本の教育、記録映画の推進力となるような、りっぱな組織に育てあげることに努力しなければならないと思う。

ねがわくば島本君！

われわれの、貧しいながらも才能と努力とを傾けてする仕事を、寛容とはげましをもって見戍っていてくれたまえ。ではさようなら。

一九五五年十一月十二日

教育映画作家協会を代表して

岩崎太郎

昭和二十八年帰国、以后は主として全農映、記録映画社にあって〈米の統計〉〈泥炭地開発〉〈農村文化と家の光〉〈みのりへの出発〉〈肥料の共同計算〉などの作品を発表した。昭和三十年十一月八日急逝。亨年四十七才

★島本隆司氏の急逝について、自由映画人連合会より、次のような弔辞が寄せられました。

謹啓、貴協会員島本隆司氏急逝の報に接し、一同非常に驚いております。殊に氏は新中国建設の目撃者としての貴重な体験を日本記録映画界に大きく反映され、その前進に必ずや大きな役割を果されるものと期待しておりましただけに真に残念でなりません。ここに略儀ながら書面をもちまして謹んで哀悼の意を表します。

十一月十五日

自由映画人連合会

教育映画作家協会御中

★島本隆司氏の葬儀について、東京都中野区小淀町三十一番地の喪主島本秀子さん親族代表田村定夫氏より、教育映画作家協会御一同様に対して礼状がよせられました。

○　○　○

教育映画祭記念映画についての報告

丸山章治

今年の教育映画祭記念映画として「視聴覚ライブラリーの運営」と題する十六ミリ一巻物をつくるために、私が呼び出されたのが十月十九日、初号プリントが出来上つたのが十一月の五日。だから二週間程で映画が一本出来上つた勘定になります。パンフレットをつくる程の日数で映画が出来た、といえるでしよう。教育映画（視聴覚教育）を盛んにするには、地域視聴覚ライブラリーを盛んにすることが第一で、そのためにはライブラリーに対する認識をひろめる必要がある、というので教育映画綜合協ギ会が、此の映画をつくることを決めたのです。製作は教育映画製作者連盟がうけもち、教育映画作家協会へ協力を要請してきたわけです。教育映画作家協会はまだ綜合協ギ会に加入をみとめられてはいませんが、とにかく此映画の製作をとほして綜合協ギ会の仕事を一緒にやり、その関係を一歩前進させることが出来たのですから、そういう意味でも大切な仕事でした。しかし準備期間が殆んどなかったことと、日頃私が此方面は不勉強であつたためとで、撮影が了るころになつて、どうやら視聴覚ライブラリーの現状や、その問題点がわかりかけてきた、という有様で、出来上つた映画は平凡なものになりました。

ロケは六日間。場所は新潟、長岡、小千谷附近の村、貝付附近の村の四箇所。殆んど室内の撮影ばかりで、ライトはアイランプ十箇もつて行きました。キャメラはボレックスで安中さんがまわし、フイルムは千二百位まわりました。

此の映画は、フイルムは富士と小西六が出し、キャメラは日映科学が提供し、現像はPCLが引うけ、動画は村田さんが買つて出る等々みんなの力でつくられたものです。視聴覚ライブラリー運動について不勉強なのは私だけではなく、教育映画作家全体にわたるものだと考えられますので、此映画がつくられた機会に、協会としてもこの運動の理解とその推進のために考えていたゞく必要があります。恐らくこの方面の不勉強が教育映画綜合協ギ会加入の問題とからんでいるのではないでしようか。

虚しさだけがのこっている、だが……

道林一郎

村の保育園、その保育園を中心に村中の人々が力をあわせて、就学前の子供たち全部を収容し、いわゆる全村保育を徹底しようとして一生けんめいになつているすがた——そうしたすがたを浮きぼりにしたい思いでとり組んできたのが「あした天気になあれ」であつた。そして、その録音も終り、昨日（二十五日）は初号が完成した。

見終つたあとの……言いようもない虚しさ。またしても問題の中心をとらえそこね、力の抜けた作品になつてしまつた。

×

●会員の動静●

▽この動静は前号掲載のもの以後、変更のあつたもののみであります。

秋元　憲＝〃ナイロン〃完成
相川竜介＝〃ある日の草むら〃（東映教育映画）完成
〃花々の世界〃（香港映画）演補　十二月よりフリーとなる
上野大梧＝〃セメント〃（記録映画社）演出
小野春男＝〃赤谷川〃協力製作
〃しろがね学園〃準備中
加藤松三郎＝（東京シネマ）脚本
片岡　薫＝（東映教育映画）脚本
比　賢治＝〃山峡の青年たち〃〃修学旅行〃（ファースト映画社）演出
京極高英＝〃造船の記録〃（岩波映画）演出〃汽車の切符〃（三木映画社）準備
桑木道生＝〃売春禁止映画〃〃電子けんび鏡〃〃松尾鉱山〃製作
河野哲二＝〃信濃の歌声〃完成
高島一男＝〃売春禁止映画〃演補
永富映次郎＝〃鉄道信号〃〃色彩調節〃〃珪肺〃（産経映画）脚本
樋口源一郎＝〃佐久間幹線〃（新理研）演出
日高　昭＝〃セメント〃演補
西尾善介＝〃テレビ映画〃（日映新社）演出〃造船〃（電通）

思えば日映時代・二十四年にはじめて一本撮りだしてからもう丸六年――数えてみるとちようど二十本の作品を手がけてきた。その一本一本に決して、手を抜き、投げてきたものはない。しかも「作品」という言葉が、内にあくなき創意性を臓し、更にきびしい表現意欲でつらぬかれていなければならないことを知るとき、すでに手がけてきた二十本のその中に「作品」と呼ばれるべきもののないのを、われながら残念に思うのである

×

二十七年から八年にかけて、子供に一日五円の小遣いもあたえてやることの出来なかった、あの当時の凍てつくような貧困。その貧困のなかで、とうとう女房を働きに出した。共稼ぎというには、あまりに深刻だった。他に行くべき何等の道もなかったからではあるが、そんなにしてでも堪えてきた今の道である。伊達や酔興で通ってきた道ではない。にも拘わらず「作品」がない。

×

こんども「作品」たり得なかった。

わが胸の底のここには、いま、うすぼんやりと、白っちやけた虚しさだけがのこっている。手を貸し、力を貸してくださった沢山の人達に申訳ない思いで一ぱいである。虚しさを振りすて、虚しさを踏みこえ、早く心の「虚しさ」をとり戻し、やがて「作品」に立ち向いたいと念ずるのである。

教育映画の企画について

松岡新也

短篇、教育映画の企画は重要視されなければならない。教育映画にあたっては、企画が生命であるといっても過言ではない。

表現上の欠点や、技術上の欠点は部分的なものであるけれども、企画そのものの失敗は致命的なものになるからである。従って短篇、教育映画の企画は、主観的な興味や、趣味に左右されず、社会の実状に即して有効適切なものでなければならない。

映画的に面白い素材から順に取上げられて、企画が立てられるということは、製作者側の誰しも欲する自然の欲求であるが、そこには最も必要な客観性が必要なのである。

私達は社会、現実の社会のあり方に即して、「より必要な」ものから先に取り上げてゆかなくてはならない。客観性のないところに正しい企画はあり得ないのである。

企画の方針にも新たな出発がなされるならば、作品の価値批判にも新たな基準と理論がたてらるるべきは当然である。企画が社会の要求と、必要に即応してたてらるべきであるならば、批判も亦その点にむけられねばならない。企画の態度が対象と目的へのはっきりした自覚に出発しているなら、批判の重点もまたそこにあるべきである。限定された対象に対して企画された目的が達せられているか否かを検討することが批評の中心であり、專尚的な技術に対する批判の中心であり、専尚的な技術に対する批判はそれが目的を達するために効果的であったか否かを基準として論ぜられなければならない。短篇、教育映画が時代の要求に応じてきつゝある現在――。

その製作をうけもつ私達作家達は、各自の使命を再びあらためて認識しつゝ、新らしい精神で生きたいものである。

（つれづれなるまゝに
昭和三二、二、二三、佳節の日にあたりて）

脚本

野田眞吉＝〝この雪の下に〟（東京シネマ）演出

馬場英太郎＝〝日立造船〟〝赤谷川開発〟〝しろがね学園〟準備中

岡宮則夫＝〝この雪の下に〟演補

村田達二＝〝村づくり〟〝北のうたごえ〟（HBC映画社）演出

諸岡青人＝〝文化をむすぶきずな〟（日映科学）演出

八木仁平＝〝厚生省PR映画〟〝国税庁PR映画〟脚本

矢部正男＝〝自転車〟（新理研）

演出

吉見泰＝〝この雪の下に〟（東京シネマ）脱稿〝義務教育〟（文部省）脚本準備

古川良範＝（新理研）脚本

大方弘男＝〝愛の鍵〟（大方プロ）完成

小熊均＝〝双生児〟（岩波映画）待期

羽仁進＝〝双生児〟待期、〝児童画〟（岩波映画）演出

肥田侃＝〝佐久間ダム3〟（岩波映画）演補

豊田敬太＝〝明けゆく海〟（新理研）演出〝農村のグループ活動〟（新理研）準備

岡本昌雄＝〝雲のいろいろ〟（視覚教材）演出

樺島清一＝〝根のはたらき〟（視覚教材）演出

原子英太郎さんの医療費カンパを！

▽会報NO6でおしらせした事務局の原子英太郎さんへの医療費カンパを始めました。方法としてはカンパ帳を廻すとか、集金して廻るなどの案もありましたが、事実上分散している百名に近い会員に対して、それも困難なことなので、会員各位の自発的な意志に訴えることにしました。事務局へお寄りの節、又は会費を御送金なさる際などに、一諸にお届け下されば幸甚に思います。この取扱は事務局小高美秋が担当しますから、御賛同の方は小高まで御連絡下さい。

尚、第一回のカンパとして次の方々が賛同され、直ちに原子さんに届けました。加藤松三郎二〇〇円菅家陳彦二五〇円菅家まり二五〇円京極高英二〇〇円小高美秋一〇〇円　計一、〇〇〇円

"健康保険"についての報告

▽会報NO6および号外でおしらせしました"健康保険加入の件"についてのその后の経過を報告します。御承知の通り十一月十日〆切をもって健康保険加入者の募集をしたところ加入希望者の申出が十五名ありました。事務局では、この十五名の加入者をもって、ひとまず芸能人健保に加入するべく、該保険事務局に連絡したところ、「百名の会員をようする貴協会が十五名のみの加入では少し困る。他の健保をもっていない人全員が加入してくれることが、当方の趣旨なので、少くとも五〇%は入ってもらえないものか。もし十五名だけなのなら、加入の可否について当組合の理事会で採決をするから、それまで待ってもらいたい」という返事でした。事務局では「加入の希望はあるが、うっかりしている人や、申出の遅れている人たちがかなり居る」旨を説明して、再募集をすれば、まだ、多少の人が加入申出することを伝えてあります。したがって、加入希望の方で、未だに申込をしていない人は至急に事務局小高まで申込んで下さい。

尚すでに申込れて、十一月分の保険料を支払われた方々は、前記のような事情で、組合への加入が遅れておりますし、多分、十二月よりの加入が決定することと思われるので、すでに十一月分として支払われた保険料は、それを十二月分とするようになりますので、事情御了解の上承知して下さるよう御願い申します。（事務局 小高）

編集後記

▽会員島本隆司君が急逝された。会員の死亡などは思ってもいなかったので大変おどろいた。本号を島本君の追悼特集とし、故人と親交のあった厚木さんに追悼文を書いて頂いた。あとはごらんの通りの原稿をそれぞれ寄せて頂いて、本号が出来上ったわけです。原子さんのカンパ。御協力願いたいし、健保も少しもつれていますが、よろしく御了解下さい。（加藤）

会員死亡

島本隆司　十一月八日急逝

新入会員

大方弘男　品川区中延一ノ二七三（フリー）

住所移転

水木荘也　文京区森川町一〇一へ転居

小熊　均　豊島区高田本町一ノ三 入沢方へ転居

会計報告

九月分

收入之部	
前期現金繰越高	二三、一九四
前納会費	三〇〇
維持会費	八、一四〇
小計	三一、六三四
支出之部	
交通々信費	三、六九〇
文房具費	一二〇
雑費	一、〇〇〇
事務所費	一四、〇七六
消耗品費	一五
諸手当	九、〇〇〇
小計	二七、九〇一
差引現金十月繰越高	三、七三三

十月分

收入之部	
前期現金繰越高	三、七三三
前納会費	九〇〇
維持会費	六一、三一〇
寄附金	一〇、〇〇〇
小計	七五、九四三
支出之部	
前納会費	一、二〇〇
文房具費	六〇八
交通々信費	五、二三九
雑費	三〇〇
事務所費	一二、八八七
諸手当	一三、〇〇〇
プリント費	一六五
小計	三三、三九九
差引現金十一月繰越高	四二、五四四

1955 12 30

教育映画作家協会々報

教育映画作家協会 No. 8

東京都中央区銀座西8ノ5日吉ビル4階 TEL(57)2801

第二回総会について

運営委員会報告

この三月に発足した作家協会が最初の年を越します。七二名ではじまった協会はこの十ケ月の間に百四名になりました。

バラバラになっている教育映画作家が一つにまとまる場を持とうと話合いをはじめたのが昨年の夏。まだ充分とは言えませんが、ここに、その当初の目的は一応果せたと思います。

この十ケ月の間、月例の試写研究会、月報の発行を最底これだけは守るべき仕事としてつづけました。けれど、七、八、九の三ケ月にわたつて、それが守られませんでした・委員が仕事に出て、満足に委員会もひらかれないという事情も起りました・このことに就て委員会は重大な責任を感じ、そのおくれを取もどすために、反省会を持ち、運営の強化に各自がもつと積極的になることを申合わせると共に、事務局員を一名増員して大世帯を切りもりできる態勢を強化しました・そして、健康保険も芸能人健康保険組合に加盟することができ、去る十一日には対外事業として映画会をひらき、大成功のうちに、観客との交流の第一歩をふみ出しました・

しかし、私たちは、協会の強化のために、まだまだなすべき多くを残しています・教育映画の作家が一つにまとまりの場をもつたという所までは来ましたが、今度はその場を強化し、充実して行く仕事が残されているということです。

例えば仕事の斡旋の強化、技術的な研究活動の強化、創作方法の研究の強化、企画研究の強化、新人教育の問題、協会員の意思統一の強化、観客との結び付きの強化、協会の社会的地位の強化など、それは沢山残されています。そのためには映画界の動きについても広く深い視野をもつて常に現状判断の努力を重ねると共に、あわせて生活と創作を守るにはどうしたらよいかということをもつと深く考え合つてゆかねばなりますまい。

委員会はこうした協会の歩んできた道、どう運営してきたか、成果と残された課題、会計等の報告をし、それをみなさんで批判して頂き、来年度の方針をたて、新しい役員を選出するために、来る十二月廿六日、すでにお知らせしたようなやり方で、第二回総会を開くことにしました・

この十ケ月の間に、急に膨脹した協会なので、同じ協会員でありながら、顔も知り合わない方たちがふえてきています。年をおくるに当つて、久し振りでみんなが顔を合わせ、お互いに知り合い、ふだん話し合えなかつたことを話し合い、交わりを深め、お互いに協会への註文と期待を出し合つて、自分たちのまとまりの場である協会を、もつと頼りになるもの、もつと力強いもの、もつと暖かいもの、もつと有用なものとするために、この総会を最も有効に活用して頂きたいと思います。

なお、総会は半数以上——即ち五二名以上の出席がないと成立いたしません。できるだけ多勢出席して頂きたいと思います。萬止むを得ず、欠席なさる方は、さきにお送りした委任状を是非お送り下さる様、重ねてお願いいたします。

当日が盛会であるよう希望してやみません。

× × × × ×

これだけは見てもらいたい映画の会特集

〈これだけは見てもらいたい映画の会〉の報告

当日までの経過はすでに御報告したとおりです。

当日以後の御報告に当って、まず何よりもお知らせしたいことは、映画会が大成功だったということです。

実は何分にもはじめての試みだし、正直なところ、委員会はふたがあくまで不安でした。その不安を消すために、会員諸氏の積極的な協力に支えながら、前売切符の売りさばきに狂奔（？）しました。当日の進行や観客の入れ替えの手筈についても、前日まで、念には念をいれ、けんけんがくがくをやりました。そして前の晩は期待と心配こもごもでよくは寝られないほどでした。

当日は晴・幸先よしとまずは胸なでおろす。定刻が近づくにつれ朝日新聞で見てきたという人々や前売券の人々が続々つめかける。変な話だが、一階から七階までのエレヴェーターが一分とすこしかゝる。その度に五人から八人の人がおりてくる。定刻まであと廿五分。――その間のエレヴェーターの回数とおりて来る人々の人数を勘定して、あゝこれなら満員近くなるとそこではじめて安心したものだ。準備期間は短かったし、どうなることかと思っていたが、熱心な人人がつめかけてくれて、有難いことだと何度思ったか知れない。つづいて第二部も盛況。

観客との交流と結びつきをはかる第一歩として、その日の映画会の感想と、上映作品に就ての意見を求めるため、アンケートの葉書を手渡した。観客の大部分――学生・主婦・一家の主人たち――が進んで手を出して受けとってくれた。

翌日から早速アンケートが届きはじめた。回収率も、これまで多くのアンケート回収の前例を破って四割近い。これがまた感動的なものばかり。みんな口を揃えて、よい催しをしてくれた。何度でもやってくれと書いてある。それに、主催者側の態度が真剣で自信に満ちているのに共感したとか、観客に応待してくれた係の人の態度が好感が持て、心暖まる思いがしたと書いてある。作家協会一同が心を揃えて、観客と結ぼうとした真実のあふれとしてお互いに喜び合いたいことです。

それに、こんなのもあった。よくぞ日曜日にやってくれた。ウイークデーは朝から晩まで働いていて、見に行きたくても見にゆけない。日曜だったらどこへでも行くから、是非会をつゞけてくれ。

大体、どのアンケートを見ても、〃優秀短篇を見る会〃や〃短篇試写会〃を知らない人たちです。記録・教育映画の支持層がこんなにふえていることを身をもって知りました。そうした人々にどんな作品をもってこたえるか、私たちの作家の課題に真剣にとり組んで前進しなければなりません。

なお、アンケートは今度、全部を集めて記念にパンフレットを作

●会員の動静●

秋元　憲＝〃真珠〃（新理研）演出

厚木たか＝〃機械の中の青春〃脚本準備

荒井英郎＝〃中国見本市〃完成

伊勢長之助＝〃カラコルム〃（日映）編集

岩佐氏寿＝

岩崎　太郎＝

上野　大梧＝〃セメント〃（記録映画社）演出

大沼　鉄郎＝〃坑生物質〃（東京シネマ）演補

大野　芳樹＝国際教育映画社にて準備中

小野寺正寿＝

小野　春芳＝〃赤谷川〃協力製作〃しろがね学園〃準備中

相川　竜介＝

尾山　新吉＝

加藤松三郎＝（東京シネマ）脚本

片岡　薫＝（東映教育映画（脚本）

川本　博康＝

菅家　陳彦＝〃せき〃（日映科学）演出

かんけ・まり＝

北　賢治＝〃山峡の青年たち〃〃修学旅行〃（ファースト映画社）演出

衣笠十四三＝〃修学旅行〃（英映画社）演出

京極　高英＝〃造船の記録〃（岩

ります。そして、会員は勿論、アンケートを寄越してくれた人々に頒ちたいと思っています。そうして、観客との交流と結び付きを深くしてゆきたいと思ってます。

このヤ一歩の成功をみなさんと共に喜び合うと共に、この成功をもたらした会員諸氏の様々な御努力に深く感謝します。

なお、会のあと、当日集った四0名の会員は、キネマ旬報の写真班によって記念撮影。一月下旬号のファクター欄のグラビアに載るそうです。

終りに、収支報告をのせます。

これだけは見てもらいたい映画の会　収支報告

12月23日現在

収入の部	会員券売上	会員負担売捌	44名 173枚	5.190	
		一般前売	399〃	9.980	
		当日売	253〃	7.590	
	寄附金			430	桑木30 成城高校200 稲村200
	合計			23.190	
支出の部	国鉄労働会館ホール使用料			7.000	
	35mm 映写機 技師代			4200	
	16mm 〃 〃			2500	
	会員券印刷代			4.100	
	アンケートはがき代			1.000	
	入場税			1.380	
	雑費			2.356	下欄参照
	合計			22.536	
差引額				+654	12/23 現在収益金

未精算会員券代金			雑費内訳	
会員売捌	51名 204枚	6120	交通費	1.580
			電話代	60
			雑品購入	465
一般前売	98枚	2450	招待券発送費	248
			消防署届書用紙代	3
合計	302枚	8570	合計	2356

波映画）演出〝汽車の切符〟（三木映画社）準備
桑木　道生〃〝売春禁止映画〟製作準備
河野　哲二〃
桑野　茂〃
下村　健二〃〝柔道〟〝日光〟（日映）演出
新庄　宗俊〃
杉原　せつ〃〝抗生物質〟演補
杉山　正美〃病気療養中
清家　武春〃〝農村電化〟（日映科学）演補
高島　一男〃〝売春禁止映画〟演補
高見　貞衛〃
竹内　信次〃〝抗生物質〟演出
丹生　正〃
富沢　幸男〃〝レーヨン〟（岩波映画）演補
中川　順夫〃
中島日出夫〃
永富映次郎〃〝鉄道信号〟〝色彩調節〟〝珪肺〟（産経映画）脚本
苗田　康夫〃
樋口源一郎〃〝佐久間幹線〟（新理研）演出
日高　昭〃
西尾　善介〃〝テレビ映画〟（日映新社）演出〝造船〟（電通）脚本
西沢　豪〃〝地理大系〟（日映）演出

"善意"

加藤松三郎

「これだけは見てもらいたい映画の会」は、当作家協会としても最初のものだったが、いろいろと思わぬ「善意」に打たれた。

映画会の以前としては、やはり会員券の問題が忘れられない。

いよいよプログラムも本ぎまりとなり会員券もすりあがると、とたんに協会内の東側へき面に小さなハリ紙がみられた。技術集団の助手さんたちの手になったものでさっそく映画会第2部の研究会をやりたいとか、映画会の当日は会三〇円也を各自持参のこと、といった意味なのである。つまり、われわれとは同室の同柄でも自弁で見ようというのだ。

なんと心にくいヤカラなのだろう。ハリ紙をつくるだけでも、いいかげんの手数なのに……。だらしなくも私は目がしらがヘンになった。カンパだ、カンパだ、一つたのみますよ、と思わずいった。

またも「集団」の話だが、その中の高橋佑次さんなどは、一人で三〇枚ちかくの券をさばいてくれた。たのまれたわけでもないのに残夜もあちこちと足をはこんで。

だれかにきいたところでは、かれはいろいろな組織の中に顔見知りが多いらしい。キップ一枚をはくにも組織の力がものをいうのだ。少なくとも通りがいいのである。とんだところで「組織」といったものについて、あらためて私は考えさせられた。

これも会員券の話で恐縮ながら、岩佐君には坊やがある。坊やといっても新制高校生とかだが、かれは、あとあとまでもオヤジのキップを売るためのグループを学校につくったというのだ。

それでキップが売れたかどうかはまだきかないが、とにかく話だけでも親孝行にはちがいない。岩佐君はしあわせである。

こんどはオカネの話である。もしか映画会なんかで損でもしたら（内心その公算は大であった）会計の立場とすれば原子ダンナなどはどう思うだろう？

そっとせぶみしてみたら、かれはダンコとしていう、多少の損はあってもやるべきです、やるべきですよと。その意気に私もほっとした。そして今は、その「多少の損」もなかったことを喜ぶ。

映画会当日の会場になると「善意」もかなりにぎやかである。

受付は羽仁岩波、松本電通、かんけ、羽田時枝の三女史に小高事務局の六氏だが、その応待ぶりはデパートの案内係よりも丁重なのだ。むしろおどろいた。やはり「すこしでもよく」見てもらいたい映画の会だったのである。

プリントの借出し返却のいっさいは河野、苗田、中島の若手三君が活躍してくれた。そして会場では中島進行、苗田整理、河野案内といったとっさの二役で働く。

ことに河野君は第2部のおわり近くまでも、たゞひとり懐中電灯を手に案内係をつゞけてくれた。「まるで「趣味」でもあるかのように。またその懐中電灯（二個）は、すんだあと自家用にすることで、時枝小高の両君が自発的に買って使わしてくれたものだ。

諸岡 青人〃〝緑の谷間〟（南映
脚本演出準備中
野田 真吉〃〝この雪の下に〟（
東京シネマ）演出
馬場英太郎〃〝日立造船〟〝赤谷川
開発〟〝しろがね学園〟準備中
松岡 新也〃〝魚と缶詰〟（東宝
プロ）脚本
間宮 則夫〃〝この雪の下に〟（
東京シネマ）演補
丸山 章治〃
道林 一郎〃〝牛乳〟（東宝プロ）
演出
村田 達二〃
森田 実〃〝トヨタ自動車〟（
内外映画）演補
森永健次郎〃日活作品演出
八木 仁平〃〝厚生省PR映画〟
〝国税庁PR映画〟脚本
古川 良範〃〝新理研〟脚本
柳沢 寿男〃〝東洋レーヨン〟（
岩波映画）演出
矢部 正男〃〝銀輪〟（新理研）
演出
山岸 静馬〃
山添 哲〃〝嫁がきてから〟（
全農映）完成
山本 竹郎〃〝中国見本市〟（中
央文化映画社）完成
吉見 泰〃〝義務教育〟（文部
省）脚本
渡辺 享〃
中江 隆介〃
原口 光人〃

菅家陳、諸岡、大野、豊田、小熊、岡本その他の諸氏は場内整理にあたつた。当初に案じられた混雑がなかつたのは幸か不幸か、それでもアンケートでは好評をはくしたのである。もち味？を生かした丸山司会と吉岡ポスターの両君は共に舞台係ではたらいた。

マイクがなくてもあわてない丸山司会、閉会後の舞台で黙々とひとり自分の描いたポスターをたたむ吉岡君の姿などは、いつまでも目にのこる。あわただしい中に体感した最後の「善意」であつた。

まだいろいろとあつたことだろうが、ことに映画会の以後など、ほとんど知らないのは残念でならない。ただこんどの終始をつうじて、あの地味な中島日出夫君がくるくると奮斗してくれたことは特に印象的だった。また小高事務局君がなかつたら映画会の成立もどうなつたことだろう。

あとは会員ではないが朝日の大内後援氏がある 当初は私も後援をたのむつもりでなく、ただ映画会の案をはなすと、かれは社で後援しようというのだ。テンからきめてるみたいである。

あとになって入場税もはらうことにきまつたといつたら、それはよかつたと彼は晴々となつて、お茶でものもうという。かれは税務署の手先ではない。なにかオトナの世界をみせられた思いだつた。

最後に忘れてならないのは、アンケートのことだろう。アンケートのもどりは一割が通例の由だが今回は二〇〇枚のハガキが十日ので三割七歩からも着到している。しかもその内容はどうか。近く〝アンケート集〟として各位におくられるのである。それがどんな「善意」にみちているかは発会ヵ一年最後のお楽しみとされたい。

「もうひとりではない」

京極高英

みんなが、こんなにも集り得たということ、しかも、あのような素晴しい映画の会が、私たちの手で出来たということ、全く愉快なことである。各人に創作的な意欲が、確信と自信にみちてきた現れとも云えるのではないだろうか。私たちの創造が、種々の作品を通して、観客の前に投げ出し、その批判を受ける作家としての自信と余裕が出来たことこそ私たちの生涯の第一歩であらねばならない。これは作家として思いあがりであろうか。国民の中に自分を投げ出すその確信こそ、私たちの創造の前進であり、その創作が誰のためにするかの前提でなければならないし、その転換となるであろう。

このような感動は、あの映画の会を通じてひとり私だけが感じとつたものではなかつたに違いない。各作家の心の中には来年こそは自分の作品をこの映画の会に持ち込もう、この作品以上のものを創造しようとそれぞれ決意したに違いない。考えてみれば、戦争という奴は、よくもまあ、こんなに十年もの長い間、私たちの創作意欲をヒンマゲてくれたものである。船底に大きな穴のポッカリとあいていたのも知らず、しかも沈むその瞬間まで真実を知らずにいた自分であつたことを考えると、全くあきれかえらざるを得ない。とはいえ、今日、ここに仲間が集り、そしてその集団作家生活の第一歩を終戦十年の後に、踏み出すことが出来たのは、なんといっても愉快そのものである。こんなことは、

清水　信夫＝（東映教育映画）演出
大方　弘男＝
小熊　均＝〝双生児〟（岩波映画）待期
各務　洋一＝（岩波映画）
黒木　一夫＝　〃
榛葉　豊明＝　〃
高村　武次＝　〃
時枝　俊江＝　〃
羽仁　進＝〝双生児〟待期、〃
羽田　澄子＝〝児童画〟（岩波映画）演出
吉田　六郎＝　〃
肥田　侃＝〝佐久間ダム３〟（岩波映画）演補
岡野　巖＝（新理研）
島内　利男＝　〃
下坂　利春＝　〃
富岡　捷＝　〃
豊田　敬太＝〝明けゆく海〟（新理研）〝農村のグループ活動〟（新理研）演出
西沢　周基＝（新理研）
原本　透＝　〃
長井　泰治＝（日本漫画映画）
平田　繁治＝　〃
諸橋　一＝　〃
吉岡宗阿弥＝　〃
大久保信哉＝（森動画）
奥山大六郎＝（日映科学）
中村　麟子＝〝文部省音楽映画〟（日映科学）演出

ノスタルヂアであり、センチメンタリズムだといって、新人諸兄は笑うであろうが、そうしたセンチメンタリズムに立ってこそ、新人諸兄と肩をならべ、共に進み得るリアリズムへ向う條件だと私は考える・あの映画の会が、私にとつてそれ程の深い感動、新たな発想に向わしめたことは全くありがたいことであつた。

一九五五・一二・二。

うれしくたのしかつた映画の会

畦枝俊江

切符売りとモギリをつとめて、ともかく大変楽しかつた、というのが本音です。日曜日でもあるし、見にきてくれる人が少かつたら？・という不安もありましたが、二部の始めにモギつた時は、手と切符がちようど多角レンズで撮したようにみえてきて、気ばかり焦つても、手が思うように動かなくて（今度やる時は、少し早くモギレルように練習しておこうと思いますが）随分、緊張してしまいました。始めの内、モギルかモギラナイカで、お歴々が熱心さのあまり、すごい理論斗争をはじめて、お客様がいささか呆気にとられていたのには、楽屋裏をみせた申しわけなさやら、おかしさやらで何とも云えない感じでした。どうやら黒字らしいときいた時には、何だか儲けて申訳けないような気持と、うれしさとでウキウキと心が弾んでしまいました。同じ協会員でも、ふだんよく知らない方で、スゴクえらくみえて近寄り難いと思っていたような方達が、愉快そうに椅子を運んだり、案内をしていられるのをみて今度からはもっと気軽にお喋りできそうな気がします。

今度又やる時には、オッリの十円玉をもっと用意しよう。待っている人に腰かけのようなものを準備して上げようなどと、私なりに考えてたのしんでいます。そして何よりもお客様を現実にみたことで、私自身の勉強の励みになつたことはうれしいことでした。切符売りとして少しでもお客様のお役にたつたことと合せて、うれしくもあり、たのしかつた会でした。

映画会の感想

相川竜介

これだけは見てもらいたいと銘打つて、催された教育映画の会。まる三年も短篇界を離れ、その育成発展振りにうとかつた小生などには得がたい機会で、今日の教育映画がどれだけの質的成果をあげ、どの方向へ進みつゝあるかと云うことに、大きな興味を抱いてのぞみました。そして、与えられたものは驚きと喜びであり、何かしら身内のひきしまる様な厳粛な気持に満たされたことを先ず申しのべます。正直なところ、たかが三四年の間に、こゝまで進歩していようとは期待しなかつたことです。今更ながら自分の不勉強に気付くと共に、先輩諸兄の不断の努力に圧迫をさえ感じたことを白状しま

落合　朝彦〃〃新生広島〃（日映新社）演出
中村　敏郎〃〃川崎重工〃（日映新社）演出
水木　荘也〃（三井芸術プロ）
大橋　春夫〃〃佐久間ダム〃（英映画）演補
赤佐　政治〃〃神戸港〃（産業映画）演出
岩堀喜久男〃〃ろう唖教育〃（ヤ一映画）準備中
岡本　昌雄〃〃雲のいろいろ〃（視覚教材）演出
樺島　清一〃〃根のはたらき〃（視覚教材）演出
松本　治助〃（電通映画社）
稲村　喜一〃
西瀬　伊一〃
田中　喜次〃

会員総数　一〇一名

会員脱退

草間　達夫〃十二月二十四日脱退

新入会員

清水　信夫〃世田谷区代田一ノ三九三（フリー）（演出）
原口　光人〃品川区大井北浜川九九五村上方（フリー）（演補）
中江　隆介〃浦和市太田窪八九〇（フリー）（演出）

訂　正

前号既報の小熊　均の新住所移転

す。いきなり見せつけられた作品が、送ばれた優秀作品ばかりだっただけに、受けたショックは大きいものでした。

——"教室の子供たち"における新しい映画のねらい方。——"ビール誕生"がPRか自主かとまどわせる様な作り方の利巧さ。——"砂川の人々"をとりあげた良心の健全さ。——"芦沼"と戦い抜いた不撓不屈な努力。——"たのしい版画"の絢爛さ。——"かえるの発生"の神秘をひもといた高度な技術。——"くじらとり"のオ気ある演出。——"ひとりの母の記録"の訴える力。特にこの作品×

×には感銘を受けました。

新人会ニュース

▽新人会では、十一月二十五日夜六時より、神田駿河台下昇竜館別館で、第三回の会合を開いた。先ず研究課題と、その研究方法について取決めを行った。

○当面の課題として記録映画を取りあげ、その本質と歴史的発展について学習を行う。

○方法としてはポールルーターの文化映画論を基本テキストとして採用し、それについての会員相互の質疑応答および先輩作家に意見をきくという方法で次回(十二月下旬)より実施する。

当日は、ひきつづき記録映画についてのフリートーキングに入り、記録映画とニュース映画、劇映画との相違などについて、相当活発な意見の交換があり、十時すぎ散会した。当日の出席者は大沼鉄郎、杉原せつ、高島一男、冨沢幸男、中島日出男、苗田康夫、間宮則夫、山本竹良、榛葉豊明、のほか、部外から豊富靖が出席した。

(苗田康夫)

★健康保険について

▽前号既報の"健康保険加入の件"については、その右加入希望者の十五名の方が十二月一日付をもって、正式に加入承認となりました。各人には事務局から通知してありますが、今后所定の期日に確実に保険料を払込んで頂くことと、三ケ月経過した三月一日より、この保険が使えることを承知して頂きます。尚その後二名の加入希望申出がありましたがこれはその日付で加入承認となっており、今后は、会員の方で加入希望の方はいつでも加入できますから、事務局まで、姓名、生年月日、住所(家族のある場合はそれも含めて)を申告し、印鑑とその月分の保険料を持参して、申込んで下さい。

十一月会計報告

一、収入之部	
現金前月繰越高	四二、五四四
前納会費(入会金分)	一、九〇〇
維持会費	五一、九〇〇
寄附金	二、〇〇〇
計	九八、三四四
一、支出之部	
前納会費(返却分)	一、一〇〇
行事費	三、〇〇〇
交通々信費	四、〇一八
文房具費	一七五
雑費	五、〇〇〇
事務所費	一三、八一三
プリント費	一、〇五〇
消耗品費	三〇
新人会費	八〇〇
諸手当	一三、〇〇〇
計	四一、九八六
一、差引残(借方)之部	
現金翌月繰越高	五六、三五八

先は豊島区高田本町一ノ二二七入江方が正当につき訂正します。

★動静を事務局へ知らせよう。

▽協会が百余名の会員をようして、その運営を行って行くには、まず緊密な内部連絡が果されねばなりません。協会が、常に会員の近況動静などを、適確に詳細に、把握していることが、協会運営の基礎でもありましょう。事務局では、会員の動静把握のために、従来も、たびたびお願いしてきましたが、その成績はよいものとは言えませんでした。会員の動静把握のためには、事務局が精力的な調査活動を充分に行えば、もっとも正確な結果を得られるのでありますが、それもなかなかに困難なことであります。そのために、ぜひ、会員の方々の自発的な協力をお願いしたいのです。葉書でも、電話でも口頭でも結構でありますから、移りかわる近況や動静をついでの折に事務局まで知らせて下さることをお願い申します。住所の移転、その他についても同様であります。

(事務局 小高)

原子英太郎さんの医療費カンパについて！

▽前号既報の事務局原子英太郎さんへの医療費カンパが、その右次のように集つたので、報告します。

第二回　高島一男二〇〇円河野哲二一〇〇円中島日出夫一〇〇円豊田敬太二〇〇円道林一郎二〇〇円　計八〇〇円　累計一八〇〇円

第三回　松岡新也二〇〇円西尾善介二〇〇円丸山章治二〇〇円相川竜介一〇〇円大野芳樹二〇〇円樋口源一郎三〇〇円新庄宗俊二〇〇円　計一四〇〇円　累計三二〇〇円

第四回　日高昭二〇〇円矢部正男二〇〇円山本竹良一〇〇円樺島清一、一八〇円菅家陳彦二五〇円かんけ・まり二五〇円吉見泰三〇〇円　計一四八〇円　累計四六八〇円

▽外部からの原子さんカンパとして、自由映画人連合会加盟各団体の事務局担当者一同（代表岡野敏子さん）より、十二月二十四日、一金八〇〇〇円届けられました。

お礼

原子英太郎

▽このたびは、私の病気療養について、会員の方々から、いろいろと有難い御配慮をよせられたことを、お礼申します。現在は通院治療を続けながら事務局勤務を行つておりますが、治療の効あつて、病状もかなり快方に向いつつあります。正月を過ぎるころには、常態に復する見込でありますが、これも会員の方々のお蔭と厚く感謝しております。とりあえず紙上をもつてお礼申しあげます。

これだけは見てもらいたい映画の会 会員負担売捌会員券の清算について！

▽本号の特集記事にもあるように、〈これだけは見てもらいたい映画の会〉は、あらゆる点で大成功のうちに終りました。収支報告にもあるように、若干の黒字を生んでおりますが、会員各位におねがいした、一名四枚づつの会員負担売り捌会員券の代金を、まだ清算されていない方々が、かなりおります。この対策と処理について、過日の運営委員会が討試したところ、「たとえ券が売れていなくても、カンパの意味ででも、極力、納入して頂こう」ということになりました。ついては、この件について、未清算の方は、早急に清算していただきたいのです。

十二月三十日までに、代金をお払いこみ下さるか、払いこみの出来ない方は、その旨連絡して下さいますよう、よろしくお願い申します。

（映画の会・会計担当　小高美秋）

編集後記

▽一九五五年最後の会報をおくります。今回は先般の私たちの映画祭特集版とした▽吉見君の経過報告、事ム局の収支決算、京極時枝相川三君の三色随想、加藤の楽屋ばなしなど各面から第1回映画会を記録してみる▽いよいよ向寒、事務局では茶道具一式をそろえてくれた。いつでも暖いお茶があるのはありがたい。せいぜい御利用下さい▽この会報が出る頃は年一回の定時会員総会だが次号ではまたその特集を予定▽そして迎える一九五六年とは？・（加藤）

▽ぼくが教育映画作家協会の事務局の仕事をはじめてから、二ケ月経つた。その間、会報の編集発行は本号で三回目である。こんどの会報は、たまたま〈映画会アンケート集〉と、その発行が重なつたために、かなり忙がしかつた。大体の原稿が揃つたのが二十二日、それで二十六日の総会の日には、会員のお手許へ配りたい・というわけだ。印刷所の人たちにも事情を話して協力してもらい、ぼくも印刷所へ出かけて、こつちが原稿を書く、むこうが原紙を切る。終つた分から刷り出す。といつた具合に追いうちをかけながら、その製作を急いだ。この会報は最初は六頁の予定のものが、編集しているうちにスペースが足りなくなつて八頁に切りかえたものである。

▽二ケ月間、事務局の仕事をして会報の編集発行やら、映画会の開催やらをしたわけだが、これだけの経験のなかでも、いろいろと感じいることがある。じつは本号のうめぐさに、そんなことを少し書いてみようと思つていたのだが、もはやうめぐさの入る余裕はなく、紙面一杯である。感じいることと云えば、時枝さんの書いているように、〈うれしくたのしかつた映画の会〉のことであろう。ぼくたちのやつた仕事によせられた〈みなさんの声〉ほど、威大な圧力感をもつて、ぼくたちを励ましてくれるものが他にあろうか。（小高）

1956・1・14

教育映画作家協会々報

教育映画作家協会　No. 9
東京都中央区銀座西8ノ5日吉ビル4階　TEL(57)2801

年頭に当って

（運営委員長　吉見　泰）

去年の暮れのオ二回総会できめられた今年度の方針の大綱は、協会の内部の充実と、社会的地位の向上をはかつてゆくことにある。

協会内部の充実という点では、フリー作家の仕事の斡旋、ギャラ水準の確保の実績を着実にあげてゆくことは勿論だが、作家の質の向上——互いに啓発し合い、研さんし合つて、作家として互いに高め合つてゆく努力を中軸に考えたい。作家協会はなんと言っても作家の集まりである。そして作家は居眠りしたり、或一点で安住したりしていることは許されない。作家は自分自身に対しても、常に己れを高める責任がある。われ／＼の映画会をあれほどまでに支持し、アンケート集に寄せられた観客の声を読めば読むほどその責任を痛感する。観客は常に、より高いもの、より真実なものを求めている。そしてそれは観客の作家に対する期待である。作家はそれにこたえ、観客と共に当代を生き抜いてゆかねばならない。いかにして真実に近ずくか、そしていかにして真実を描くか——作家はみんなでそのことに体当りしなければならない。それをせずにいては、仕事の斡旋も、ギャラ水準の確保も何ら意味のない所業となる。今年、協会の内部充実のオ一歩をふみ出すに当つて、作家がみんなで、互いに高まり合うという仕事を真剣に考えたい。すべてはそこを土台にしてすゝむものと考えるのである。

協会の社会的地位の向上、社会的な発言権の強化ということも、そうした作家的な努力を土台にしない限り、恐らく果し得ないだろう。真実を中にして、作家と観客の結び付きが深く且つ強大になればなるほど、作家の社会的地位は向上するし、それが協会の社会的地位の向上ということになる。観客にうとんじられ、観客にそむかれて、それでも作家でござるは通らない。そしてそんな所には、発言権も、社会的地位の向上もあり得ようわけはない。観客と作家との相互信頼を深め、拡げてゆく所にこそ、われ／＼の発展の基礎を求めたい。

協会が新たなオ二年目をふみ出すに当って、協会が本当に、作家的な研さんで貫かれた協会となり得るよう努力したいと思う。それこそが内部的にも、対外的にも協会が協会たる真価を発揮できる道だと考えるのである。

☆協会の名称変更に就いて

▼〈オ二回総会議事録〉（会報号外）でも報告してあるようにオ二回総会にて「協会の名称を変更すべきか」という件が提案され総会席上でいろ／＼と討論された。当日出された代表的な意見としては「われわれ作家の目標は記録映画にあるのだから、記録映画作家協会とすべきだ」「教育映画という名称は配給関係や世間の慣用語であるから、それを利用すべきで変更する時期ではない」という賛否両意見であった。そして、今すぐ変更するかどうかは別にして、今の名称に不満だということは明らかになった。更に当日、もし名称を変更するとしたら、何が適当か、という案に対しては「記録映画作家協会（以下同じ）」「記録教育」「文化映画」「短篇映画」「悲劇映画」などが挙げられた。当日の討論では決定的な結論が出ないので、これについての全会員の意見をきくことを決め、その方法は運営委員会に任せることになった。その后一月七日に開かれた運営委員会で次のことがきまつた。

○ハガキ・アンケートによつて、全会員の意見をあつめる。

○集つた積極的な意見を、順次「会報」に発表する。

○全会員の意見を基にして、次期総会にて更に討議し、決定する。

謹賀新年
新春にラッパを吹く

中村勝子

明けましておめでとうございます。

新春のラッパをということでしたが、私はいまだかつてラッパを吹いたこともないし、又吹ける性格でもありませんので――

でも夢(?)は人なみ以上にいろいろもっています。その中の一つ――自分のやりたいと思っているもののうち、一つでいいから製作費のことも、長さのことも、製作日数のことも、勿論内容についても何一つ制約をうけないで、思うようにつくってみたいなアと考えます。

そしてそれが自分自身快心の作だったら、命ととりかえっこになっても悔いることはないと思います。

それからもう一つ――物事を何でも必要以上に深く考えすぎる自分を省みて、書くことやしゃべることをたの　まれて、すぐ「ハイ」とよい返事の出来る性格と能力を持ちあわせたら、とつくづく思います。

小野寺正寿

明けましてお目出度ございます。

今年は猿年「悪運去って幸運来るの年」とか、此んな文句を聞いている中「ひょっとすると、本当に幸運が？」などと、少々お目出度い考えを起して見た、しかし満更でもなさそうである。

此の道を歩む者誰れでもが通らねばならない、あらゆる面での圧迫、迫害、そして苦悩、又寒さと飢に終始する事には変りがないのだが――。何の一面をとってしても、幸運などとは義理にも言えないのだが、唯一つだけ・師・先輩諸兄の暖かい眼射しがあると言う事である。

たった此れだけの事ではあるが私にとっては最大の強みであり、勇気でもある。「サア、頑張ゾ！」新春の空に向って声のある限り叫んで見た。若さと情熱のほとばしるまゝに、新春の門出を祝する意味で。「芸術はパッショナである」ロダン

中島日出夫

「編集部から電話です」

「やあ、今日は……あれネ、来月上旬ロードショウ決定……OK。じゃ宣伝の方はよろしく、さようなら」

「〝南極ものがたり〟の件ですか？」

「うん、次号の機関誌でね〝南極〟の特集をするから、シナリオと資料を送ってくれというんだ。監督のA君を呼んでくれないか」

「プロデューサー、何か用？」

「あ、A君、編集の調子はどうだい」

「うん、あと四万切らにやあ……」

「あわてる事ないさ、来月完成するサークル座の落成記念ロードショウ迄に間に合えばいいよ。独立の〝浮世日記〟同時公開と決ったよ。ところで、機関誌にシナリオ送っておいてくれよ、A君、オイ君、A君たら……」

「あの……お休み中すみませんプロデューサー。Aさんからお電話です。ロケ先は今日も雨だそうで……」

西本祥子

「このぬるいお茶は、丁度君の情熱のようだよ」

「君は小さいからいつもいばって歩いている」

いたくも恥かしくもある某先輩の私に対する評である。

小さな時計も、大きな時計も、正確な時を報せる能力に於て、いさゝかの差もない筈だ。

人間は、時計の歯車のくるいなく、たゆみなき生命の営みの他に、情熱と気力という素晴らしくも厄介な代物を背負っている。

小さな私は小さな時計。けれど、大きな時計の中にも入り切れない程の情熱と気力を、仕事の上に注いで行かうと考えている。

中江隆介

あらたまのラッパを吹くはいずくの街のならいぞや。しばらく仕事をしないので、ただただシナリオが書きたいのです。とにかく見ているうちはおもしろくて、あとで「主題の積極性」がジーンとくるような、そういうものが書きたいのです。ディズニイに負けている現状を確認し、それに打勝つ方法を見つけなければなりません。「教育」の名をはずかしめないように。

★★ 新役員の声

山岸静馬

新春に吹くにふさわしい立派なラッパではないが — 我々の手にかゝるのは殆どがPR映画、私はそれで結構だと思う。少くとも現在の日本では、只、多くの人々がPR映画を作っているのに、出来上ったものがPR映画でないのが淋しい。宣伝映画でないPR映画それが私の念願、そのほかに、子供に夢を与える楽しい映画を作ること、これが最大の念願。併も自分で作ろうというのだから……漫画でも人形でもない新しいもの……詳しいことは出来上るまでおあづけにして置こう。

※本稿は、会員の方の中から、十二名をえらんで指名し、原稿の執筆をおねがいしたもので、〆切日までに到着した分であります。

▼委員長再任に当って —— 僕のどこがよくて再送されたのかよく分らない。けれど、協会運営のために、より誠実をつくしたいと思っている。しかし、事務的能力が僕には欠けている。幸い今度は、新機構のもとでよい事務局長を得たし、委員会の頭脳の力も見事だし、そうした力に支えられて、どしどしよい立案を産み出し、それを着実に、そしてスピーディに実行にうつしてゆきたいと念じている。立案し、きめられたことをキチンキチンと実行してゆく爽快を、みなさんと一しょに今年は楽しみたい。（吉見　泰）

▼質と量 —— どうにか昨年度は、われわれ委員もゴマかせたふうだけど、とても今年度はそうはいくまい。もはや作家協会としては質的な問題がおこりつつあるからである。いま考えつくことだけでも会費収納の問題、企業内所属会員の問題、興業短篇副策の問題（説明省略）等、どの一つをみてもナマナカの問題ではない。あれこれと考えると、いまから頭がいたむ。

しかしである。昨年度は九名の委員だったが、今年度は事務局長をいれると十二名となる。活動可能のものを最少三分の一とみても四名である。この四名だけでも動けたら、あきらかに力であろう。かくて質的な難問も、われわれの量の力で、なんとか処理できないものでもあるまい。しかもわれわれ十二名のほかに、こころある会員の直接協力や、全会員の間接声援があったなら、先々の難関突破も可能ではないだろうか。私の夢である。（加藤松三郎）

▼今年の短篇映画界はどう動いて行くだろうか。皆が何とかたべて行けるかという塩っぱい経済問題をも含めて、相変らず多事多端と想像する。

この近親的な、それだけわれわれにとって最も切実な未来とは別に、世界は美しい未来に向って動いているようだ。

南極に一本の草花を発見したと探険隊は報告して来た。地球は確実に温暖化に向って進んでいる。それが世界の平和を物理的にあたためるであろうこともたしかである。

われわれの仕事も結局人間の幸福のためにつくられるものでなければならない。

こういう確信は一つ一つの仕事について必ずしももてるものでないことは白状するが、われわれのいろんな苦しみも、すべてここにつながるものであることを見失いたくない。（八木仁平）

▼教育映画、記録映画、文化映画それらの名称はどうでもよいがそれらの仕事が社会的に恵まれなかった……或いは認められない云々は、認められるような作品を作らない……作る気持ちがボケているから……作家が作家らしくないから誰も認めないし黙殺されているだけの話だ。いゝ加減な態度で作られたものは誰が見たって、ねむたくなる。大衆も社会もいゝ加減は認めない。（西尾善介）

▼先だって催された協会の映画会に寄せられた観客のアンケート集をひとつひとつ読んでみて、僕は思わず襟を正さずには居れませんでした。今僕達がやっている仕事がどんなに重要な意義を有っているか、僕自身が考えていた以上にそれは大変なことだと気づいたのです。

仕事に追われ通しで例会にも余り出たことのない僕が、今度運営委員の末席を汚がすことになったことに付いて、僕自身そういった意味も含めて実際心改まる思いで居る次才です。（吉岡宗阿弥）

▼私のような、いゝかげんな男が、運営委員にえらばれたとは、全く困った事です。実のところ、私の心の中には、余計な厄介な仕事が一つふえたという考えなんです。こんな考え方が先にたつ始末では、はたしてこの一年、この責任ある委員が、やりとげられるだろうか、の悩みです。この仕事と自分の演出生活と、どこで、どのような一致点を見つけだして行けばよいのやら、全くどどらい創作

にぶつかったものです。助けて下さいよ、皆さん！（京極高英）

▼企業所属の会員は、とかく会社の雑事に追われて、他の企業所属、或はフリーの諸兄と話し合いを持つということが仲々困難でした。ほんの一部の会員諸氏の顔しか知らないという状態です。（これは私達の会社だけの事かもわかりませんが――）

今后は出来るだけ会員间の交流を図り、もっと気安く話し合い、親しみあうあつまりにしてゆきたいと思います。お互いに歯に衣をきせず、思いのまゝを話しあえる時こそ協会を作った意義の、先づ一つが達成されたといえるのではないでしょうか。（島内利男）

▼協会の内容を充実させてゆこう、作家の社会的地位を向上させよう　こんな重要なことがらが旧臘の総会で今年の新しい方向として話し合われたあと、さてその運営とゆう段になって委員長、事務局長制とゆうことになった。はからずも私がその片棒に送出されたわけですが、とてもそのような大任に耐える柄ではありません。たいへん、まごまごしている次ォですが、ただゞ「枯木も山のにぎわい」とか。何とぞ御しっ吒、御べん撻のほどを。

（事務局長　菅家陳彦）

▼昨年暮ロケより帰って来て「今度運営委員だぞ」と云われた時正直なところ驚きました。一体若輩の僕などに責任ある運営委員など出来るのだろうかとも思いました。今年で二年目をむかえる協会は為すべき事が山積していると思います。企画、創作上の研究、技術の検討、新人養成の強化及協会員の经済上の諸问題など、以上あげた諸課題を果すことは会員個人にとってプラスになるばかりでなく、あの誠意ある熱烈なアンケートをもって声援を送って呉れた人々に対しても立派な作品をもってこたへることが出来るのだと、こう考へて来ると、兎に角やらなければならないという気持になりました。誠意と努力をもって事にあたって行きたいと思います。

（向宮則夫）

▼仕事の関係で、昨年は殆んど山から山へのロケで過し、協会の会合は暮の総会に出席しただけの仕末でした。その会で会計監査という役をおゝせつかり、とまどっています。

教育映画界にも漸く春が近づいたような感じですがそれだけに却って作家にとっての危険性もあると思います。その意味でいゝ映画をめざして集まり、気楽に語りあいながらお互に高めてゆく――これでは会計監査新任の挨拶にはなりませんね。

まあともかくやって見ましょう。

（樋口源一郎）

▼前期の会計監査役をおゝせつけられ、総会の前に原子さんから会計の説明を全く冷汗を流しながら聞きました。

およそ会計のことには縁のなかった私にとっては逆に試験をされている生徒みたいなものです。こんな私がまた監査役をつとめることになってしまいました。

でも試験をうけながら思ったことは、予想はしていたものゝ、協会の世帯は随分きりつめた可愛らしい世帯だということです。この世帯がもう一まわり大きくなるようにならなければ、協会の活動が充分になされていると言えないのではないでしょうか。

会費にしても、会員全員が協会の活動に関心をもつようになればもっと納入率がよくなるでしょうし、そのことでもっと協会の活動もひろがることでしょう。

どうすれば会員全体が協会を自分自身のものとできるかしら。

これは私が会計の説明を聞きながら今後の協会について考えたことでした。

（秋田澄子）

会員の動静

▽新入会員

西本　祥子＝杉並区東田町二ノ一五〇萩野方（日本視覚教材K K所属）（演補）

▽住所移転

諸橋　一＝船橋市海神町二ノ七八〇へ転居

▽その他

大方　弘男＝賛助会員に変更

〇本号では仕事の動静らんを掲載しませんでした。

会計報告

（昭和三十年十二月分）

一、現金前月繰越高　五六、三五八

一、收入之部

前納会費	三、四〇〇
維持会費	五六四八〇
寄附金	一、〇〇〇
雑收入	五九〇

一、支出之部

前納会費	一、四〇〇
交通々信費	七、〇八五
消耗品費	九三三
事務所費	一一、八一四
プリント費	九、一〇〇
雑費	二、三五〇
文房具費	五八五
行事費	二、六三〇
諸手当	一三、〇〇〇
特別手当	一三、〇〇〇

一、差引現金翌月繰越高五六、〇三一

事務局だより

☆映画会の記念写真ができました。

▽去る十二月十一日の映画会の際に、参加した会員が集って撮影した記念写真がこのほど出来上ってまいりました。キャビネ型一枚五十円でお頒けしておりますが、写真に撮っている方々には、本号と同封してお送りしましたが、折返し実費五十円を事務局までお届け下さいますようおねがい申します。尚撮っていない方でも御希望の方には前記の実費でお頒けいたしますから、お申込下さいませ。またこの写真は、すでにお知らせしたように〝キネマ旬報〟一月下旬号「映画のファクター」欄に〝教育映画の顔〟と題して掲載されます。

☆映画会の会員券清算について

▽前号でもおしらせし、おねがいもしましたへこれだけは見てもらいたい映画の会〉の際の、会員各位におねがいした一名四枚づつの会員負担売り捌き会員券の代金の清算でありますが、いまだに未清算の方が三十五名おります。この会員券の負担売り捌きや、その清算などについてはすでに度々会報で発表した通りであります。未清算の方々は何卒一日も早く、清算して下さるか、連絡して下さるよう重ねておねがい申します。

☆原子さんカンパ

▽原子英太郎さんへの医療費カンパのその后集った分を報告します。
弟五回　厚木たか　二〇〇円中村敏郎三〇〇円北貢二、二〇〇円　計七〇〇円　累計五三八〇円

☆健康保険のその后

▽健康保険の加入については、その后十二月一日付にて同保険への加入が正式に認められて、更にその后の加入希望者の申出もあり、現在本人十九名家族二十三名計四十二名が同保険に加入しております。今后は加入希望の方は、いつでも加入することが出来ますから事務局まで申込んでください。尚一月二十日現在で保険料の滞納者が早くも四名あり、その保険料一二八〇円が立替えてあります。滞納が重なると加入者全員がその資格を失うような事があるので、滞納のないよう特に御注意下さい。

同封のはがきでアンケートを送って下さい！

――協会名称変更について、と、最近の動静を――

▽本紙一頁の記事にあるように、協会の名称変更についての会員各位の意見をアンケート形式で募集いたします。名称を変更した方がよいか。しない方が、よいか。変更するとしたらどんな名称か。といった内容のもので結構であります。〆切は特に定めませんが、御意見のある方は、どしどしおよせ下さいませ。次にいつもお願いしているように最近の会員各位の動静を、同封のはがきに記入して是非おしらせ下さいませ。最近の完成作品、仕掛け作品、準備中のものなどについて、ぜひお願い申します。

新役員名簿

運営委員長		吉見泰
運営委員		加藤松三郎
〃		八木仁平
〃		京極高英
〃		西尾善介
〃	（新理研）	島内利男
〃	（日映）	中村敏郎
〃	（岩波）	羽仁進
〃	（日漫）	吉岡宗阿弥
代理運営委員		富沢幸男
〃		間宮則夫
事務局長		菅家陳彦
会計監査		樋口源一郎
〃		羽田澄子

編集后記

▼みなさん新年おめでとう。当分また会報を受持つことになりましたが何とぞよろしく▼今回は初の「新春特集」として委員長の今年度抱負、新人女流先輩など各位会員の年頭所感、新役員の声々といったにぎにぎしさである▼ご寄稿いただいた方々には厚くお礼を申し上げ皆さんの御愛読をまつ▼また昨年末の会員総会については特に別紙の「議事録」をお送りすることに決定▼われわれの『総意』はどんな理想にすすもうとするのか？総会の出欠にかかわらず、ぜひともご一読いただきたい▼協会の窓から見える空はもう春だ。
（加藤）

教育映画作家協会々報

1956・1・17

No. 号外

教育映画作家協会

東京都中央区銀座西8ノ5日吉ビル4階　TEL(57)2801

第二回総会議事録要旨

とき・昭和三十年十二月二十六日

ところ・中央区役所銀座東出張所集会室

午后一時五〇分開会

出席三五名委任二八名　計六三名

議長団　丸山章治

西尾善介

一、委員長、経過報告

委員会の任務を次の五項目に大別、その一々に就て経過報告あり。

①組織の拡大

②会報の発行

〃視聴覚教育〃誌を通じての作家と読者との交流

③月例試写研究会

④フリー作家の仕事の斡旋

ギャラ水準の確保

⑤健康保険加入

①に就て

発足当初の七二名から総会当日現在で一〇一名（企業所属三三名、フリー六四名、賛助会員四名）と成つた。まだ、入会を呼びかけねばならぬ作家があり、組織の拡大をはからねばならぬが、組織活動の一応の段階をみた。

②に就て

会報の発行は、最低これだけは守るべき重要な仕事の一つとしてやつてきた。

委員会報告、会員の動静、協会に対する会員の要望、を主として編集した。

発送先は会員、関係プロダクション、友誼団体。

月一回発行すべきところ、六月から三ケ月にわたつて休刊した。これに就ての委員会の自己批判（後述）

③に就て

これも最低これだけは守るべき仕事の一つとしてやつてきた。

会員の新作を主としてプログラムを組んだ。

特に研究テーマを持つたのは三回。

その一回は自然科学映画研究（議事録は〃視聴覚教育〃誌に発表）

その二回は、素人の映画製作活動への専門映画人の参加の仕方に就て

（試写作品「無限の瞳」「私たちの先生」）

その三は、ドキュメント研究

（試写作品「ひとりの母の記録」「世界の河は一つの歌をうたう」ーヨリス・イヴエンス」

試写研究の中から、作品合評にとゞまらず、作家の創作態度の問題や創作方法研究の問題が出、分科会で研究討論を行うべき機運が生れたが、具体的には未着手のまゝとなつた。月一回の研究会の定期化が実現できず、しかも六月から三ケ月は穴をあけてしまつた。これに就ての委員会の自己批判（後述）

②③に関する委員会自己批判。

②③ともに、三ケ月の穴をあけたのは、委員が殆んど仕事に出てしまい、委員会自体、満足に持たれなくなり、委員会がその機能を失つてしまつたばかりか、そうした状態に

対処すべき措置を敏速にとることを怠ったからだ。この点委員会は反省会をもって討議対策をたてた。その対策──在京する限り委員二名でも委員会を成立させ　その決定は全委員が承認し、責任を持つ。委員会の時間を夜にずらしても、集まり得るように工夫する。日常の運営を円滑にするため有給事務局員を一名増強する。

この結果、おくれをとりもどして今日に至った。

④に就て

仕事の斡旋問題

仕事の斡旋については、会員中にはプロと個人的なコネクションがあって続いて仕事のある人もあるが、フリーで仕事の斡旋をする必要のある方が四七名おり、重点的に考えたが、そのうち十六名の方には全然お世話出来なかった。

これは、

(イ)プロが、知っている人を使いたがる。

(ロ)仕事の絶体量が足らぬ。

点に問題がある。

そこで、新しい仕事場の開拓のためにも、プロめぐりをする必要がある。プロの開拓に重点をおく。この点、発足当時から関係のあったのは岩波、東京シネマ、日映新社、新理研、東映製作所、東映教育映画部、三木映画、第一映画、視覚教材、記録映画、全農映、読売、日映科学等であるが、その後プロから仕事が持ち込まれたり、会員の開拓によって東京カラーフィルム、東亜発声、北欧映画、テレニュース、中央文化映画、国際教育映画、大方プロ、桜映画、英映画、日本文化映画　東京都映画協会、電通映画を拡げることが出来たが、まだコネクションがついた程度である。

特殊な斡旋としては

秋本氏〝私たちの先生〟(千葉県)

西尾氏〝石器時代の村〟(共同映画)

数名〝五五年のメーデー〟(全製作委)

数名〝五五年のうたごえ〟(全製作委)

数名〝日本の青春〟(日本青年婦人学生平和友好祭)

丸山氏〝視聴覚ライブラリーの運営〟(教育映画綜合協議会)

二、ギャラ問題

ギャラは、発足当時、原則として協会の窓口を通してとりきめることになっているが、個人的にとりきめられたものは事後通告することになっている。この事後通告は一〇〇%ではない。

ギャラ水準の確保の問題は窓口交渉の場合は水準が保たれている。

それは主として大手筋(岩波、東京シネマ、三井芸術、日映新社、全農映)であるが、小プロの場合は製作費のワクが少いことなどで手取水準が税込になる程度の差異が出てくる。

ギャラ水準を守る問題の一例として、ある作家は、協会水準と合わない仕事を蹴っているが、これが協会全体に徹底していなかったうらみがあった。この点と、小プロの製作費のワクの問題がからみあって相当な困難がある。

又、東京都ニュースの例では、以前、東京映研が下請けしていたが、これが、三月より東京都映画協会が直接製作することに変り、協会との間に契約の申込みがあった。六ケ月契約ということをきめ、ギャラは一本手取り五万(仕事内容、企画、構成、編集)の線で交渉した。従来は三万でやっておったため、四万で手をうとうという事にして交渉を続けたが、その交渉が長期化している間に、協会員以外の人が割り込み、税込四万で仕事を始めてしまった。当協会員も、企画、編集だけを受持ち、税込み四万で仕事をする人も出た。結局、ギャラが折り合わないことが理由で、当協会との六ケ月契約も解消してしまった。但し、来年四月、映協が新機構で新発足するので、その機に即応して再交渉するが、現状は協会の敗北であった。

⑤に就て

芸能人健康保険が我々の加入しやすいところであるが、この保険は経済的な行きづまりと、規約改正の問題が出ていたことと、旧日映作家集団の滞納による集団除名問題とがからんで、加入に相当困難があり、委員会は積極的に処理しなかったが、旧日映作家集団で新加盟を遠慮する事で、他会員の加盟促進をはかり、十月末組合と交渉し、十一月加入受付となったので会報により募集したところ、応募者が僅か十五名であったところから、又々組合ともめたが、漸く十二月一日を以て加入を承認された。但し、加入の翌日から入院という例が多かったため、経済的に行きづまったので規約が改正されて、三ケ月間の会費納入後、始めて保険の実効が発効することになっている。

その他について

一、教育映画綜合協議会への参加問題は、三月申入れたところ、製作者連盟の賛成を得たが、配給者側の拒否を受けて、保留され、実現を見るに至らなかった。

二、大阪のフリー映画作家七、八名から関西で協会を作ることで相談があったので、関西支部としてはどうかという事で了解したが、その後の報告がないので現状は不明である。

三、新人問題は、新人ということで仕事の場がなく、その開拓や教育面で、協会は無力であった。なお新人会は、新人としての研究活動と懇親を兼ねた研究専門部会として承認したもので、ドキュメントとは何かというテーマでその研究を始めている。O・Bの諸氏も、必要に応じてこれに参加していただきたい。

四、映画会の報告

経過は会報で知らせたが、観客との結びつきが重点であった。相当な反響を捲き起し、アンケート七三通を受けとった。経済的にも成功をもたらした。アンケートは、パンフにして、発信者へ発送し、観客との交流を深め、更に来年には座談会をもって、このしめくくりとしたい。会員四枚負担の入金が未納となっている。この負担分は黒字になるので、座談会の費用にあてたい。早急に納入して欲しい。

会員およびその家族の不幸

死亡〔島本隆司氏
中村敏郎氏母堂
羽仁進氏祖父

謹しんで御哀悼申し上げます。

質問（要望）

ギャラ水準の確保のために仕事を蹴った問題が、会報にのらなかったが、これはのせて周知徹底させるべきであった（岩崎氏）

経過報告……万場一致承認

次年度一般方針説明（吉見委員長）

の組織の拡大は一段落を見たものとし、これからは内部を充実させる段階である。その目標を、研究活動と生活権確保におく。

②協会の社会的地位を高めること。会報、定期的試写研究会が研究活動の場であるがその方法は、テーマをしぼった研究に向けられる。

例えば、●創作方法の問題●科学映画の所在とその方向を学者との交流の中で研究する●教材教育映画の問題を教育学者と交流して研究する●脚本の討議●各プロの自主製作の気運に則応して企画を作りプロとの連けいを深める。

これらを会員各自が活動することによって、作品の質と作家自体が向上し、この事がプロとの連けいを間接的に深める結果となる。この活動を会員に知らせ、観客との結合を深めるためにも機関誌発行を実現する。

③仕事の斡旋、ギャラ水準確保の問題は、事務局が各プロとの連けいを深めるためにも、プロめぐりを継続して行い、会員同志で仕事を融通し合うこと。ギャラ問題が起った時は、早く会員に知らせ、会員の統一した意見をもつこと、運営委員会の交渉によって水準を確保するよう努力する。

④運営委員会は、今後、映画界の動き、見通しと分析を通して生活を守り高める研究をする。これが協会の社会的地位を高める基礎になる。そのためにもプロとの提携が重要となってくる。例えば、教育映画の映画館上映問題にしても、現実に文部省認定作品に限って上映させるという動きが出ている。この事に異論を持つ製作者連盟では民間の認定機関を作る話がある。この問題について協会は、プロと提携して行かなければならぬ。それが協会の社会的地位を高める結果となる。そのため、平常企画などの研究活動をプロと行い提携を深めておかねばならない。又、観客と提携した形による発展も、社会的地位を高める。綜合協議会の加盟問題の促進も、プロ、教材の協力なくしては不可能であるが、丸山氏の参加の例もあり、望みなきにしもあらずである。

⑤規約上の会長（現在委員長兼任）をどうするか。

⑥名称問題

⑦フリー作家と企業所属作家との集まりであるため運営上の重点がフリー作家に傾き、企業所属作家の利益がとりあげられないのではないか新理研草間氏の脱会に現われているように思われる。

⑧新人教育は、OBは脚本、シノプシスを書かせてみ、現場にも進んでつけるように、

⑨自映連との交流はギャラや仕事の面で交流する必要がある。

⑩会費のフリー四%、企業一%をどうするか、運営委員会としては維持したい。

⑪冠婚葬祭の基準

討議

。試写会の上映作品はどういう基準で選定されるか（諸岡）

○会員の作品を網羅する態度ではなかつたが、月々の目ぼしいものの、見当らぬときはテーマをもつたものを見てきた（吉見八木）

○会員の作品は全部見るようにしたらどうか。（諸岡）

○会員作家は完成試写の時、協会へ通知することで可能な限り見る方法。（丸山）

○テーマ別に試写会をする（京極）

○会場問題であるが、夜なども使う。

○今後運営委員に対する要望を出して欲しい・特に企業所属者の意見を。

○草間氏の脱会理由は、協会が、フリー作家に有利で企業所属者には恩典がないため（豊田新理研）

○ギャラ問題での力にはならないが、私たちの間では、作家が気持の上で一緒になつている点や作家の交流の上で協会の意義を認める。又、新人が多く作家と一諸になつて早く一人前になりたい・従つて研究活動の面で協会に期待するところが大である（羽田、岩波）

○自動に話したが、何のために入るか判らない、得がないという（加藤）

○教養のためという理由

○企業は宮仕えだから、協会の意見を企業に持ち込むとクビになる？ という点がないか？・そういう点があれば、協会の援助（？・）

○企業内の作家間で解決出来ない問題を協会へ持込むという方法をとれ（諸岡）

○岩波賃上げ斗争の時、組合から申入れがあつて、協会代表で経営者と話合つた。又、作家の意志が、経営上の問題から曲げられることが将来出てくるので、企画に協会員が参加出来るよう協議会を持つように、組合、会社側に申入れた。

○新理研の場合、企業作家の待遇が悪いという申入れが出ているが、運営委員会は取上げていなかつた。

○各社の特殊條件があつて公式的に処理出来ない。新理研の場合、組合規約とのふり合いもある（脚本手当の要求などの場合）

○試写研究会の後、企業同志が話合い、データーを出し交流することで待遇改善の一助としては如何

○維持会費は、企業所属者に於て、その納入率は六〇％、フリー作家のうち二四名が不払、事務所費等は技術集団と折半している等の現状に於ては現行のフリー四％企業二％を維持することは止むを得ないとし、全員一致現行維持を可決。

回収上の技術的方法を検討する余地ありとして、東京シネマに於ける給料天引きが例に挙がる

○冠婚葬祭の基準

その範囲｛冠婚――本人／葬祭――一親等

金額は、次回運営委員会へ

○会長制にするか、委員長書記長制にするか（加藤）

○現在は会長を必要としない。今後も必要としないのではないか、

○委員長の負担過重を避けるため、書記長をプラスし、会長を削除する。運営委員会の名稱を統一する件は、次回運営委員会へ持ち越す、以上可決、

○協会名稱をどうするか

○PR映画が教育映画として上映されている現状は遺憾だ、作家の目標は記録映画にあるのだから、記録映画作家協会とすべきだ。

○教育映画という名稱は、配給関係や世間の慣用語であるからそれを利用すべきで、変更する時期ではない。

○アンケートを出して決定することに決る。

当協会に出た意見は

1、記録映画作家協会
2、記録教育映画作家協会
3、文化映画 〃 〃
4、短篇映画 〃 〃
5、非劇映画 〃 〃
6 教育映画作家協会

名稱に出て来る記録映画、教育映画の概念をはつきりさせることによつて、名稱を明確にすること・

○運営委員会改選

方法、企業所属は岩波、日映新理研、日漫の各社一名宛の推薦を全体確認する・計四名、

フリーは運営委員会で上げた一一名の候補に追加候補をたて、六名の委員を全体投票によつて選出する。

委員長、事務局長は全員選挙による。運営委員会に白紙委任の一三票は当選の結果に準ずる・

結果

委員長

吉見	四〇
西尾	四
京極	三
岩佐	二
厚木	二

事務局長

菅家	三七
丸山	六
吉見	五
河野	三
西尾	一
加藤	三
岩佐	一
大沼	一

運営委員のあげた委員候補

岡本昌雄
八木仁平
鶴沢幸雄
加藤松三郎

西尾善介
矢部正男
向宮則夫
山岸静馬
京極高英

追加候補
かんけ・まり
樋口源一郎
厚木たか
辞退
秋本憲
永富映次郎

（吉見・菅家は委員長事務局長当送により取消し）

前委員は行動力に欠けていた点を反省し、行動力をもたせること、新しく参加した方々からも加わってもらうことを考慮して上記候補者を推薦する。

更に追加候補、かんけ以下五名を加え計一四名中四名の委員を全員選挙により決定、若い人が出ていないので富沢・向宮両氏を次点でもあるし、委員代理とする。

○	加藤	三六
○	八木	二八
○	京極	二六
○	西尾	二二
○	富沢	二一
○	向宮	二〇
	樋口	一五
	かんけ	一二
	矢部	一〇
	山岸	五
	永富	三

会計監査
秋木 二
厚木 一

運営委員提出の候補羽田澄子氏樋口源二郎氏二名の他追加候補なく挙手によって万場一致して二氏を決定

○前委員に感謝、新委員に期待の拍手を送る。

○会報に対する意見及び一般運営委に対する希望はないか（加藤その他より）

○映画会の負担切符の納金を出来るだけ早く解決すること、

○委員長挨拶

以上をもって閉会午后七ゝ。

第二回総会の決定による

新役員名簿

運営委員長	吉見泰
運営委員	加藤松三郎
〃	八木仁平
〃	京極高英
〃	西尾善介
〃（新理研）	島内利男
〃（日映）	中村敏郎
〃（岩波）	羽仁進
〃（日漫）	吉岡宗向弥
代理運営委員	富沢幸男
〃	向宮則夫
事務局長	菅家陳彦
会計監査	樋口源一郎
〃	羽田澄子

教育映画作家協会々報

1956 2 20

教育映画作家協会　No. 10

東京都中央区銀座西8/5日吉ビル4階　TEL(57)2801

PR映画と作家

吉見　泰

昨年度、教育映画の本数は五七〇本を越えた。このところ、逐年うなぎのぼりである。

その殆んどがPR映画だということは、われわれ協会員の仕事から見ても容易に推察がつく。

所が一方、PR映画を作るのは〝いやでたまらない〟という作家の声がしきりにあがっている。殆んどの作家が例外なしに〝いやだいやだ〟と言ってPR映画を作っているのである。

中には〝PR映画など本気になって作れない。そんなのは軽くあしらって、自主映画に精力をかける〟という考えもある。などもらしく聞えるが、果してそんなことができるのだろうか。

〝いやだ…いやだ〟と言いながらも、PR映画と取組み、作家の良心に立って、スポンサーと渡り合い、話合って、作品の質を高めよう（少しでも社会に役立てよう）と、多くの作家は努力して来たのだし、今も努力しつゝある。作家はどんな場合でも、作品に対する態度は一貫すべきだと思う――PRはおざなりに作って、自主映画に専心するというふたまたは許されまい。

殊に、今日のように、教育映画作家の仕事の殆んどがPR映画だという時に、そのようなふたまたは許されまい。

PR映画をどうするか――社会に有用なパブリック・リレイションズ本来の機能を、PR映画を通じてどう果すか。協会はこのことをみんなで考えたい。個々のPR映画に就ての個々の作家のたたかいを、そのままにしておかないで、みんなのものにするよう努力すること――個々のPR作品をどうするかということを、みんなで考え合うこと。こうしたことに協会は協会としてもっと注意を払って運営したい。それは作家の自主性をみんなで確立し合ってゆく才一歩になると思う。

会員の動静

秋元　憲〃
厚木　たか〃
荒井　英郎〃
相川　竜介〃
伊勢長之助〃
岩佐　氏寿〃
岩崎　太郎〃
上野　大梧〃
大沼　鉄郎〃〝クロロマイセチン〟（東京シネマ）演補
大野　芳樹〃国際教育映画社にて準備中
小野寺正寿〃
小野　春男〃
尾山　新吉〃
加藤松三郎〃〝株式〟（東京シネマ）脚本
片岡　薫〃
川本　博康〃
菅家　陳彦〃〝雨にも負けず〟（東京シネマ）演出
かんけ・まり〃〝むさし野〟脚本完成、日漫作品の改訂編集中
北　　賢二〃
衣笠十四三〃
京極　高英〃
桑木　道生〃〝売春〟〝きりしたん〟〝学校劇〟（中央文化映画）製作
桑野　茂〃

当協会名の変更可否に関する　アンケート集

昨年末の会員総会で、あらためて向題となった当協会名の変更可否に関し、かねておねがいしていたアンケートの一部が集まった。今回から逐次、連載していくことにしたい。

実は協会の発会当初においても協会名は散々向題になったのだがやはり適切妥当なものがなかったために、現在名で一応発足したわけであった。従ってそれが再燃したのはむしろ当然だろうが、いつかは本質的な検討はさけられないのである。かくて向後——

なるべく全会員のアンケートをいただいた上、約半年後あたりで再び総会をひらいて決着にはこびたい予定である。ふるってアンケートをおよせくださるよう、特におねがいしておく。（事務局）

▽協会の名称については、とくに変更しなければならない重大な繁桎があるとは承知しませんので現在のままでよいと思います。（桑木　道生）

▽希望名

「教育記録映画作家協会」（日高　昭）

▽てきとうな名称がありませんから、当分現在の名称がいいと思います。（河野　哲二）

▽この問題は、大変デリケートなものがありますので、充分シンチヨウにとりあつかって下さるよう是非願上ます。（理由について書く余白なし）会報の「新役員の声」のなかで、西尾善介君の云っていることに、ぼくは全面的にさんせいするものです。向題は立派な作品をつくることです。恐らくこの向題をだされた方々も、何かそれぞれ自分流によい作品をつくろうと考え、そういう意慾にもえ、そういう考えや意慾を、名称をとりかえようという考えや意慾としてあらわしたのだ、と思われます。だから今名称をとりかえることよりも、吉見君の年頭の辞にある方向に会を運営してゆくことが第一ではないでしょうか。ぼくは当分は今の名称でさしつかえないと思います。まづ実力をつくることです。（丸山　章治）

▽「文化映画作家協会」（永富映次郎）

▽現状にかんがみ、当分その侭がよろしい。（豊田　敬太）

▽変更すべきで、その名称は「記録映画作家協会」がよいと考えます。（西沢　周基）

▽現名称で差しつかえなし、当分……（西尾　善介）

▽名称の件、「記録映画作家協会」を支持いたします。いわば曼を名前だけにでもと。しかしそれがわたくしたちの窓口を狭くし、協会の巾を弱めることがあってはどうかとも思います。外部的の向題は仕事の結果が解決して呉れるものと思い、それ程に重要視しなくてもいいのではないかと思います。（揖島　清一）

▽現在の教育映画作家協会を支持します。一般劇映画に対してハッキリするのは文化映画……かも知れません。（村田　達二）

▽協会の名称は現在のままでよいと思います（下坂　利春）

▼前号会報で「協会名称変更について」のアンケートを会員各位におねがいしたところ、現在までに十八通集りました。御意見のある方は、今右ともどしどしおよせ下さいますようおねがい申します。

▼アンケート発表の順序は到着順であります。

▼前号会報の一頁、協会の名称変更に就ての記事中、「悲劇映画」とありますが、これは「非劇映画」の誤りなので、訂正いたします。

河野　哲二＝

下村　健二＝

新庄　宗俊＝

杉原　せつ＝〃クロロマイセチン〃（東京シネマ）演補

杉山　正美＝広尾病院にて入院療養中

清家　武春＝〃へき地教育〃（日映科学）演補

高島　一男＝〃売春〃（中央文化映画）演補

高見　貞衛＝

竹内　信次＝〃クロロマイセチン〃（東京シネマ）演出

丹生　正＝

富沢　幸男＝〃中部電力五ケ年の歩み〃（岩波映画）演出

中川　順夫＝

中島日出夫＝〃雨にも負けず〃（東京シネマ）演補

永富映次郎＝〃珪肺〃（産経映画）準備中

苗田　康夫＝

樋口源一郎＝

日高　昭＝〃子供の遊び〃（桜映画社）演補

西尾　善介＝〃テレビ映画〃（日映）完成

西沢　豪＝〃雪国の生活〃（地理大系）二月中完成、〃サラン〃二月中完成

野田　真吉＝〃この雪の下に〃（東京シネマ）演補

馬場英太郎＝

待望の「協会機関誌」

季刊としていよいよ今春から

かねて懸案の協会機関誌（季刊）が、いよいよ今春四、五月頃を目標にお目みえする。旧臘廿六日の定例総会に於いて、この問題についての具体的処理を委托された運営委員会では、一月十四日、二月十三日の二回にわたって発行に関する可能性を種々検討していたが、このほど映画雑誌の編集に経験の深い山内達一氏の協力を得ることとなって、漸く実現のはこびとなったもの。

運営委員会では、今后同氏を中心に機関誌編集委員会を設けて、発刊の具体的準備にあたるが、同編集委員会は運営委員会、事務局の外に、広く全協会員から委員を募って構成する方針である。

なお、同誌のレパトリーについては、まだ充分な検討が行われているわけではないが、製作者による創作理論の確立、戦後十年間における短篇映画のあゆみ、現場からの製作ルポ、また作家の立場からみたフィルム、ライブラリー等の時事問題が話題にのぼっているが、なかでも短篇映画の国際交流が活発となるにつれて、外国における短篇映画事情の紹介などが同誌をにぎわすものとして、特に期待されている。（ヨーロッパに於ける記録映画の現状と理論については、さきにヘルシンキ平和大会から帰国された、牛原虚彦氏などから伺った資料を逐次発表してゆきたいと考えています）

協会員相互の理解と、創作理論の向上のために、そしてまた協会の意義ある対外活動として同誌の発刊が成功するよう、運営委員会では会員諸兄姉の積極的な御意見と御協力を念願している。

カラー映画を十九巻

・本年第一回の研究会終る

今春第一回の協会主催試写研究会は、一月二十日、短篇各社と文部省視聴覚教育課の御好意によって、文部省試写室で行われた。今回は研究のテーマも「短篇カラー映画の諸問題」におき、イーストマンカラー、コニカラーなど十九巻が一時に上映されて五十余名の参加者に深い感銘をあたえた。

当日上映された作品は、フランスの美術（日映新社）＝イーストマンカラー、新しい米作り（東京シネマ）＝〃、染料（日映科学）＝〃、日本の鉄鋼（岩波映画）＝〃、国有林（全農映）＝コニカラー、中国見本市（中央文化映画）＝イーストマンカラーのネガによるフジカラーのプリントで、それぞれのジャンルに於けるカラー映画の代表作品であった。プリントの少いカラー映画をこれだけ一堂に集めてくれた研究会担当の委員諸氏には全く感謝の外はない。しかしながら、参加者のうち会員諸兄は二十名程度にすぎず、これを機会に各社の技術者たちと交流を深めようとして努力された趣旨にも充分こたえる結果とはならなかった。

お互に忙しい日常ではある。しかし、月に一度の研究会だけは何とか膝を交えて話し合いたいものである。一人の会員の経験が、明日はすべての会員の出発点となって、会員一人々々が前進し、われわれの創作活動を豊なものにしたいからである。

そして、どうすれば研究会が活溌にもてるか、より多くの会員が参加出来るか、みんなの創意や考えを、どしどし運営委員会に反映してもらいたいと念願している。

松岡　新セ＝
間宮　則夫＝〃この雪の下に〃（東京シネマ）演補
丸山　章治＝〃児童会〃シナリオ執筆中
道林　一郎＝〃運動靴〃（東映教育映画部）演出完成
村田　達二＝〃缶詰物語〃（東宝プロ）脚本完成〃アイヌ文化財〃（東京カラーフィルム）脚本執筆中
森田　実＝〃この雪の下に〃（東京シネマ）演補
森永健次郎＝
諸岡　青人＝〃緑の谷間〃（南映）演出脚本
八木　仁平＝
柳沢　寿男＝
矢部　正男＝〃ガス〃（岩波）脚本演出
山岸　静馬＝
山添　哲＝
山本　竹良＝〃点字の世界〃（第一映画社）演補
吉見　泰＝〃雨にも負けず〃（東京シネマ）脚本完成
渡辺　亨＝
古川　良範＝
中江　隆介＝
原口　光人＝
清水　信夫＝
小熊　均＝
各務　洋一＝
黒木　和雄＝〃東芝貿易〃（岩波

よびかけ

去る二月はじめ、次のようなよびかけの申入書が協会へ届いております。これは次回の運営委員会において審議し、その結果を会員各位におしらせ申します

×　×　×

教育映画作家協会の皆さん

一九五五年度の教育映画を創られた皆さんの努力で多数の優秀作品をうみだし、多くの人々が色々な賞を受けられました。

今度私たち友人が発起人準備会をつくり、これら賞をうけられた方々をお祝いし、今后も更に立派な作品をつくっていただきたいと思います。

貴教育映画作家協会も是非発起人に参加され盛大なお祝いをすることに協力していただきたいと思います。

一九五六年二月

発起人準備会（イロハ順）

石本統吉
加納竜一
吉野馨治
米山彊
谷口豊一
厚見進

教育映画作家協会御中

運営委員会メモ

▽一月七日　吉見、菅家、京極、加藤、西尾、吉岡、富沢、间宮、樋口、島内、八木、羽田中村出席　冠婚葬祭など慶弔金の基準を決定、協会名称改名案について・活動担当委員を決定。

▽一月十四日　特別運営委員会機関誌発行案の検討を行なう。

▽一月二十一日　吉見、菅家、富沢、中村、西尾出席　次回試写研究会のレパートリー検討など

▽二月四日　運営委員会流会

▽二月十三日　加藤、菅家、島内、八木、西尾出席　機関誌発行案を可決。その他

▽二月十八日　運営委員会流会

事務局だより

◆健康保険について

▽健康保険は二月二十日現在で加入者が本人二十一名家族二十三名合計四十四名になりました。ところが保険料の納入がやや遅れるようになり、二月二十日現在で延十五名分（含家族）の滞納があります。これは事務局でやりくりをしておりますが、やりくりがつづかなくなると、加入者の全員が一括除名されますから、がい当者は即時滞納金を納入するようにして下さい。

◆原子さんカンパについて

▽原子英太郎さんへの医療費カンパがその后求六回　山岸静馬二〇〇円（累計五五八〇円）集りました。尚本人の申出によりこのカンパはこれで打ち切りにいたします。御協力ありがとうございました。

◆映画会の会員券清算について

▽すでに幾度となくおしらせし、おねがいもしている〈これだけは見てもらいたい映画の会〉の際の会員負担売捌会員券の清算代金でありますが、ついに前号既報の三十五名の方々が未清算のままであります。お心当りの方は御連絡下さいますよう重ねておねがい申します。

◆「児童文化白書」配布について

▽昨年末の総会の際にお話しして、申込をうけた子供を守る会編のパンフレット「児童文化白書」が、遅れておりましたがこの程出来上

映画）演補
榛葉　豊明〃
高村　武次〃
時枝　俊江〃
羽仁　進〃
羽田　澄子〃
吉田　六郎〃
肥田　侃〃
岡野　巌〃
松本　俊夫〃
島内　利男〃
富岡　捷〃
原本　透〃
下坂　利春〃〃刈田火力発電所〃
（新理研）演出
豊田　敬太〃〃新生活運動〃（新理研）脚本完成
西沢　周基〃〃東駒の歌〃（新理研）脚本執筆中
中島　智子〃
長井　泰治〃〃つるのはね〃（日本漫画・共同映画）作画
平田　繁治〃
諸橋　一〃
吉岡　宗阿弥〃
大久保信哉〃
奥山大六郎〃
中村　麟子〃〃へき地教育〃（日映科学）演出
落合　朝彦〃
中村　敏郎〃
水木　荘也〃
高井　達人〃
大橋　春男〃

つて参りました。申込者には本号と同封してお手許へお届けいたしましたが、その代金一二〇円を未払の方は、お手数でも早速事務局までお支払下さるようおねがい申します。

◆映画会記念写真の代金について

▽本紙前号と同送した〝映画会記念写真〟をうけとった方で、まだその代金五〇円を払っていない方！ぜひ至急に送ってください。現在は普通郵便の中へ現金を封入してもよいように郵便法が改正されておりますので、封筒の中へ五〇円入れて送って下さればよろしいわけです。たのみます。

会報の編集について

加藤松三郎

協会発足当時はとにかく、いつのまにか私が会報の編集を受持つことになった。しかも引続いて今年も担当させられたわけである。比較的、東京にいることの多い立場の私だから、いつも少しでも皆さんのお役にたちたいとは思う。

その意味で会報の編集をキヒするつもりは毛頭ない。しかし、私ばかりがやってる手はあるまいと思われる。やはりマンネリズムとか安易さに流れるおそれがあるからだ。つまり私はそれほど会報ということを大事に考えている。

それで会員各位の中から、だれか編集の希望者をつのりたい。むろん割付けとか事務的なことは小高君というエキスパートがいるのだから、要は編集企画の協力者ということになる。ぜいたくをいえば、なるべく若い新人をのぞみたい。ひとつ名乗り出ていただきたい。いかがでしょう？

そうすればまた、ほかの対外運動（「視聴覚」誌の原稿あっせん等）にも動けるわけである。そして何とか、われわれが少しでも進出できたらと思う。それが一人ではなかなか思うように手が廻らない現状なので、頼みますよ。

会計報告（一月分）

一、収入之部	
現金前月繰越高	五六、〇三一
前納会費	一、〇〇〇
維持会費	二四、一一〇
小計	八一、一四一
一、支出之部	
行事費	三、三二五
交通通信費	三、一五五
事務所費	一二、七二四
文房具費	六一〇
消耗品費	二八五
プリント費	二、三〇〇
諸手当	一六、〇〇〇
雑費	二、〇〇〇
小計	四〇、三九九
一、差引之部	
現金手許有高	四〇、七四二

編集後記

▽俗に二、八月といわれるショッパイ月だが、お互いの活躍ぶりはどうだろう？▽さて今回からは昨年末総会のキメによって、協会名の変更可否に関する各位のアンケートを連載することになる▽まだ三分の一も集まらない実状なので、向後とも事務局からは、しつようにさいそくあることと思う。あまり手数をかけないで全員お出しねがいたい。問題は小さくないはずだ▽一月末の色彩研究会の件は係の西尾君がロケのため菅家君におねがいした。それで単なる報告程度にとどまったことは申訳ない▽ぼつぼつ新聞紙の発行問題が動きだして中間報告をのせた▽ところではや三月の声におどろく（加藤）

赤佐　政治＝
岩堀喜久男＝〝点字の世界〟（才一映画社）演出
岡本　昌雄＝
樺島　清一＝
西本　祥子＝
松本　治助＝
稲村　喜一＝
西浦　伊一＝〝生活の中の建築〟製作
田中　喜次＝
大方　弘男＝
石田　修＝

会員総数　一〇四名

▽新入会員（二月一日より）
松本　俊男＝杉並区荻窪三ノ二〇（新理研映画KK所属）
中島　智子＝世田谷区玉川奥沢町三ノ一九二（新理研映画KK所属）
（二月十五日より）
高井　達人＝板橋区板橋町六ノ八三〇中杉方（三井芸術プロダクション所属）
石田　修＝港区青山南町一丁目一一三号（日本観光写真映画社所属）（賛助会員）

▽住所移転
北　賢二＝大田区調布大塚町六九七牧内方へ転居

▽その他
島内　利男＝一月十五日に結婚式を挙げられた。
豊田　敬太＝一月三十一日に結婚式を挙げられた。

1956 3 30

教育映画作家協会々報

教育映画作家協会 No. 11

東京都中央区銀座西8/5日吉ビル4階 TEL(57)2801

教育委員会法改悪反対！

吉見 泰

国会ではいま、現行の教育委員会法を廃して、「地方教育行政組織及び運営に関する法律案」という法案を審議中であることは御承知のことと思います。

これに関して、各大学の教授会をはじめ、各教育団体では重大な関心を示し、教育の中立性を侵し、教育をファシヨ的に統制するものとして、強い反対声明を続々発表しております。

教育全般にかゝわる問題なので、当然、教育映画等についても問題になる点があり、製作者連盟、映教、学視連、全視連、配給者連盟、幻灯関係の団体は、全教育委員会連合、地教委、日教組、全国P・T・A、教育学会、小、中学校長会、学校図書館協議会等と共に一丸となつて、去る三月廿九日、反対声明を発表し、法案阻止のために活動をしています。

教育映画関係で、特に反対している点は、右法案中の第三十三条にあります。法文は別に記しておきましたが、これによると、学校で教育映画、スライド、教育放送

地方教育行政の組織及び運営に関する法案

（第三十三条）

教育委員会は、法令又は条例に違反しない限度において、その所管に属する学校その他の教育機関の施設、設備、組織編制、教育課程、教材の取扱その他学校その他の教育機関の管理運営の基本的事項について、必要な教育委員会規則を定めるものとする。この場合において、当該教育委員会規則で定めようとする事項のうち、その実施のためには新たに予算を伴うこととなるものについては、教育委員会は、あらかじめ当該地方公共団体の長に協議しなければならない。

2、前項の場合において、教育委員会は、学校における教科書以外の教材の使用について、あらかじめ、教育委員会に届け出させ、又は教育委員会の承認を受けさせることとする定めを設けるものとする。

会員の動静

秋元 憲〃
厚木 たか〃
荒井 英郎〃〈ナイロンの学生服〉
（三井芸術プロ）演出
相川 竜介〃
伊勢長之助〃
岩佐 氏寿〃〈名犬ものがたり〉
（共同映画・協カプロ）脚本
岩崎 太郎〃
上野 大梧〃
大沼 鉄郎〃
大野 芳樹〃国際教育映画社にて
準備中
小野寺正寿〃
小野 春男〃
尾山 新吉〃
加藤松三郎〃〃株式〃（東京シネマ）脚本
片岡 薫〃
川本 博康〃
菅家 陳彦〃〃雨にも負けず〃（東京シネマ）演出
かんけ・まり〃〃むさし野〃脚本
完成
北 賢二〃
衣笠十四三〃
京極 高英〃
桑野 道生〃〃売春〃〃きりしたん〃
〃学校劇〃（中央文化映画）
製作

などを使う場合、一々、教育委員会の承認を得ねばならぬことになり、しかもその教育委員は従来の公選によるものではなく、任命制度によるものなのです。これでは全く、教育活動、教育映画活動が完全に、政府の統制でしばられることになり、非常に露骨な思想統制をおしつけられることになります。只今問題の小選挙区法をはじめとして、今や、われわれ文化の仕事にたずさわつているものの自由を政治的に圧迫、統制しようとするフアッシヨ政治が、われわれの上におおいかぶさるかどうかという重大な段階に立ちいたつております。

教育の中立性の尊重、教育映画を作る自由、見せる自由が侵されようとしている現在、わたしたちの協会でも、おくればせで申訳ないのですが、反対態度を明らかにし、教育の良心、文化の良心を守るために、良識ある右の諸団体と共に活動したいと思います。皆さまの御賛同を得たく、こゝにアッピールを発する次第です。

新人よ、頑張ろう！

間宮則夫

新人会を結成以来早くも今月で半年余りを経過しました。その向、研究会が開かれたのが昨年中に行われた三回のみ、本年に入ってまだ一度も開かれておりません。

〃新人会というのが協会の中だあるらしいがそれは何をする会合なのか〃

〃新人会はどうした、ちっとも活動してないじゃないか！〃

〃近頃の新人はだらしがないぞ〃という批判の声が、あちこちでおこっているのではないかと思います。

過去の不業績からして確かにそういわれても仕方のないことであり又もっともな事であります。

会員個人、個人は皆それぞれやりたいという熱意をもっている。月一回の研究会はかりでなく、集まれる者が随時集って研究会を開いて行こうではないかとの声もききます。だが、さてとなると仲々うまくゆかない。月一回の集りさえもてなくなるのです。

これは一体どうした事だろう、とよく考えます。これには各々色々と理由があると思います。がしかし、要するにすべての点に於て積極性にかけていたという事の一点につきると思います。これは新人会の運営を行って来た世話役の側にも云える事でありましようし、又その他の新人グループの側についても云えることでしよう。

おれがやらなくとも誰かがやってくれる——という安易な気持で私は今度のロケーションに出発してしまいました。結果は上述の如くでした。

「お前一人の責任ではないよ」といってくれましたが、運営の責任者としてまかされている以上その責任の重大さについて今更の様に痛感しております。

PR映画を単なるPRとせず、その内容の点に於てすこしでも、記録的価値、教育的価値を見出して製作していこうという努力、良心的な自主映画を製作していこうという努力。一九五六年の教育映画界は、こうした努力によって明け、発展してゆく年だと思います。新人だけが取残されたのではたまりません。

演出助手は精算の要領をおぼえる事が仕事ではありません。

責任をもって演出者をアドバイスし、或る場合に於ては自信と責任をもってB班を受持てるようになって始めて立派な演出助手といえるでしょう。現在正直なところ

桑野　茂〃
河野　哲二〃
下村　健二〃
新庄　宗俊〃
杉原　せつ〃
杉山　正美〃広尾病院にて入院療養中
清家　武春〃〃へき地教育〃（日映科学）演補
高島　一男〃〃売春〃（中央文化映画）演補
竜見　貞衛〃
竹内　信次〃（国際電々）演出準備
丹生　正〃
富沢　幸男〃〃中部電力五ケ年の歩み〃（岩波映画）演出
中川　順夫〃
中島日出夫〃〃雨にも負けず〃（東京シネマ）演補
永富映次郎〃〃珪肺〃（産経映画）準備中
苗田　康夫〃〃中部電力五ケ年の歩み〃（岩波映画）演補
樋口源一郎〃〃暮しの知識〃（櫻映画社）演出
日高　昭〃〃暮しの知識〃（櫻映画社）演補
西尾　善介〃〃テレビ映画〃（日映）完成
西沢　豪〃〃地理大系〃（日映新社）演出
野田　真吉〃〃この雪の下に〃（東京シネマ）演出

このような責任と能力のある演出助手が一体幾人いるでしょうか。現在教育映画界にSPやJKの人々がどんどん入って来ております。

私たちがこのままただ生活の目的からだけで機械的に仕事を続けていくならば…又協会の組織に安住して無自覚に仕事を続けてゆくならば、早晩自分で自分の首をしめる様な結果になると思います。

そうならない為にぜひ研究会をひらいてゆきたいと思います。勿論各人が立派な演出家、脚本家になるのだという自覚をもって……

☆脚本創作上の技術について
☆演出上の技術について
☆映画理論について

等々、研究課題は沢山あります。知りたい事も沢山あります。

東映教育映画部なども新鮮な児童教育映画のシナリオを求めております。手をこまねいてみている必要がどこにありましょうか！

新人会は新人の集りらしく常に新鮮な息吹と情熱を協会に送り込んで協会の研究活動の原動力となってゆこうではありませんか

そして数年后には……
全員若き情熱にあふれた作家になっている……

夢は、はてしなくつづいてゆきます。そして私たちはこの夢を現実とすべく撓まざる努力を重ねてゆきたいと思います。その為にも最低月一回の研究会は続けてゆきたいと思います。新人の積極的参加を切に希望致します。

☆第四回新人会研究会を来る四月上旬に行う予定。時間、場所は追って決定致します。

◆アンケートはがきについて

まいどのおねがいでありますが、本紙と同封して返信用はがきをお送りいたしましたので、会員各位の最近の動静および協会名変更についての御意見、その他協会への通信などに御利用下さるようおねがい申します。このはがきは従来の実績によると返送される分が百七名の会員のうち二十枚ほどですが、せいぜい御返事を下さいませ。

会計報告（二月分）

一、収入之部

現金前月繰越高	四〇、七四二
維持会費	三〇、三七〇
小計	七一、一一二

一、支出之部

事務所費	一二、五一〇
消耗品費	七一五
文房具費	一二〇
交通々信費	三、七〇九
立替金	二、四〇〇
プリント費	一、三五〇
雑費	二、〇〇〇
諸手当	一六、〇〇〇
小計	三八、八〇四

一、差引之部

現金手許有高	三二、三〇八

馬場英太郎＝
松岡　新世＝
向宮　則夫＝〃この雪の下に〃（東京シネマ）演補
丸山　章治＝〃児童会〃シナリオ完成
道林　一郎＝〃三井化成〃（理研科学）演出
村田　達二＝新東宝教育映画部にて企画準備中
森田　実＝〃この雪の下に〃（東京シネマ）演補
森永健次郎＝
諸岡　青人＝〃緑の谷間〃（南映）演出脚本
八木　仁平＝〃新生活〃（都映協）完成〃小河内ダム〃（都映協）編集
柳沢　寿男＝
矢部　正男＝〃ガス〃（岩波）脚本演出
山岸　静馬＝
山添　哲＝
山本　升良＝〃たのしい学生劇〃（オー映画社）演補
吉見　泰＝〃国際電々〃脚本
渡辺　亨＝
古川　良範＝
中江　隆介＝
原口　光人＝
清水　信夫＝〃わんぱく大将〃（東映教育映画部）脚本完成
小熊　均＝
各務　洋一＝

当協会名の変更可否に関するアンケート集（2）

▽名称変更について、漫画映画にたずさわる私の意見は、
「記録映画」――漫画映画とちょっと距離がありすぎます。

「記録教育」――少し長すぎる様ですし、範囲がせまい。

「短篇映画」――将来、長篇を手がける可能性もあります。で、

「文化映画」――幅もあるし、一般の人達にも親しめやすいのではないかと思い、これに賛成です。


（長井　泰治）

▽よい作品をつくりたい、それには何をどうすればよいのかを考えさせてくれる「場」――研究会や話合いの場を豊富に継続的にもって頂きたい。私はそれらの研究の成果のなかで名称問題の結論を私なりに出したいと思っています。

（かんけ・まり）

▽「記録映画作家協会」がよいと考えます。記録映画の概念に教育映画も包含し得るから。

（黒木　和雄）

▽愚考いたしますに、協会名の変更は、私は不賛成です。

（北　賢二）

▽「記録映画作家協会」が良いのではないかと思いますが、特にこだわる必要はないと思います。

（山本　升良）

▽教育映画ということばには何となく抵抗を感じます。変更するならば、記録映画……あたりが適当と思います。

（山岸　静馬）

▽私は現在の名称でよいと思います。問題は「教育映画」この名に恥ない立派な作品を作って行く事だと考えます

（諸橋　一）

▽協会名についての「アンケート」の返答、たいへんなおくればせになりましたが、愚考申述べてみます。まず……会報によると総会席上で「非劇映画作家協会」という提案があったように受取れますが、これはまちがい。あのときは非劇云々という言葉を発したのは小生以外にありませんから、小生の発言をそう受取られたのかと思いますが、そうではありません。「教育映画」といい「文化映画」といい「記録映画」といいずれも現在協会に参加している作家のすべてを包括し得る名目ではない。かつ、そのあるものはかなり便宜的な呼称である。しいて全員を包括し得る名を求めるなら「非長篇劇映画作家協会」とでも呼ばずはなるまい。（全員大笑い）……といったわけです。で、その時も、それにつづいて云ったのですが、既成の言葉で全員を包括し得るものが見当らぬとすれば、新語を造成するか、それが急に出来なければ（どうせ便宜的なものなら）世間にとおりのいいものを選ぶほかあるまいと思うのです。いずれにせよこの問題は議論をすれば果しがないと思われます。つまり万人の納得する呼称は恐らくないだろうと思うのです。けれども、お願いだから「いい加減なところで多数決」ということだけはやらないでほしい。果てしはないかも知れないがえんえんと議論をつくさせてほしい。協会の名前なんてものは、いいかげんなところを見計って、では……というたものではないから。また意見には理由をそえてもらうこと。余白なし、提言と矛盾するが、ぼくが推すのは――「教育・記録映画作家協会」

（岩崎　太郎）

▽私たちだけがわかる名称より世向一般に通用する名称がいいと思います。現在のところ、いまの名称がいいのではないでしょうか。私たちの仕事を前進さすなかで、名称もかんがえては――。

（野田　真吉）

黒木　和雄＝〝東芝貿易〟（岩波映画）演補
樫葉　豊明＝
高村　武次＝
時技　俊江＝
羽仁　進＝
羽田　澄子＝
吉田　六郎＝
肥田　侃＝
岡野　巌＝〝捕鯨〟（新理研）演出
松本　俊夫＝
島内　利男＝〝住友金属〟（新理研）演出
富岡　捷＝〝若い仲間〟（新理研）演出
原本　透＝〝佐久間幹線〟（新理研）演補
下坂　利春＝〝苅田火力発電所〟（新理研）演出
豊田　敬太＝〝新生活運動〟（新理研）脚本完成〝あべこべおばあちゃん〟（新理研）演出
西沢　周基＝〝セメント〟（新理研）演出
中島　智子＝
長井　泰治＝〝つるのはね〟（日本漫画・共同映画）作画
平田　繁治＝
諸橋　一＝
吉岡宗阿弥＝
大久保信哉＝
奥山大六郎＝

試写研究会について

▼二月の試写研究会を、児童映画のシリーズとして、「絵を描く子供たち」「瓜子姫とあまのじゃく」「丘の上」「野口英世の少年時代」「うかれバイオリン」のプログラムで、二月末に文部省試写室において行う予定のところ、前記のプリントがそろわず、お流れになりましたことをお詫びします。理由。今年に入って教育映画の試写会が非常に活撥になり、また、二時間半向題で劇場上映のこともあつて、短篇作品がめまぐるしく動いていることです。協会の試写会以外、月末になると、教育映画の試写会が非常に多くなつていますので、そうした各試写会の御案内も出来るだけ早く皆称に御通知できるよう、各主催者側との連絡をとろうとしております。（西尾）

▼二月の試写研究会が、いろいろの事情から開催できなくなつたので、その代用というばかりではないが、別途に今后教育映画製作者連盟主催の新作教育映画試写会の通知状を会員のお手許へ送り、この試写を見て頂くように計画し、その才一回として去る三月十五日の新作教育映画試写会の通知状を会員各位へお送りしました。（ただし才一回は枚数が四〇枚であつたため、事務局で、見に来られそうな方を選抜してお送りしたので、この点御了解下さい。今后は全会員にお送り出来るように、主催者側と連絡をとっております。）

▼恒例の試写研究会も二月は休んでしまいましたが、三月は、月末に「地理科学大系」（日映新社作品）を上映作品として開催するべく目下準備を行っております。

（事務局）

機関誌発行のその后

懸案の協会機関誌の発行については、去る二月十三日の運営委員会にてその発行を可決したが、その后去る三月十七日の運営委員会においても、この向題をとりあげ、とりあえず、機関誌仮編集委員会を運営委員会にて指名構成し、来る三月二十六日にその才一回委員会をひらき、機関誌の発行具体案の検討を行なうと共に、その具体的な準備をすすめることになつた。尚機関誌仮編集委員会の構成は次の通りである。

八木仁平、吉岡宗阿弥、岩佐氏寿、羽仁進、岩崎太郎、永富映次郎、丸山章治、吉見泰、山内達一、

〝映画の会〟その后の会計報告

「これだけは見てもらいたい映画の会」については、その后、未収金の清算を急いでおりましたが、このほど協会員負担の売捌会員券代金の未納者三十四名を残して、その収支を決算したところ、左記のようになりました。尚三十四名の未清算の方々は、たびたび会報でおねがい申し上げているように、至急に御納入下さいますよう重ねておねがい致します。

中村麟子＝〃へき地教育〃（日映科学）演出
落合朝彦＝
中村敏郎＝
八木進＝
高井達人＝
大橋春男＝
赤佐政治＝
岩堀喜久男＝〃たのしい学校劇〃（才一映画社）演出
岡本昌雄＝
樺島清一＝
西本祥子＝
松本治助＝
稲村喜一＝
西浦伊一＝〃生活の中の建築〃製作
田中喜次＝
水木荘也＝

これだけは見てもらいたい映画の会収支報告……3月9日現在

収入	会員券売上	一般前売	25×120 30×263	10,890
		会員負担	120×56	6,720
		当日売	30×253	7,590
	寄附金			430
	合計			25,630
支出	（内訳は会報No8掲載のものと同じ）			
	合計			22,536
差引額			収益金	3,094

健康保険について

▼加入者の方々には、さきにお知らせしたように、この三月末日にて、健康保険証の交換交付を行ないます。つまり現在使用している保険証は三月末日以降は使えなくなり、四月より使用する新保険証を、旧保険証と引換えに交付するのです。したがつて加入者の方々は、必ず三月末日までに旧保険証を返納して下さい。（返納および交換は四月一日以降でも差支えはありませんが、その場合、新保険証をもつていない期間だけ、健保による医療を受けられないわけです）▼保険証の返納だけのために、わざわざ事務局まで出かけることが面倒な方は、郵便で送つてください。折返し新保険証を郵便でお送りいたします。

▼本紙と同封してお送りした〃東京芸能人国民健康保険組合報〃No36にも掲載してあるように、去る二月二十八日に才12回同健保組合会がひらかれ、その際保険料の値上案が討試されました。要するに現行の本人二〇〇円家族一二〇円の保険料では健保組合の運営が困難だから保険料を値上したいということですが、討試の結果、やれるところまでは現行のままでやつて行き、適当の時期（やれなくなつたとき）に家族一二〇円を一五〇円にすること、が決められました。関係加入者は御承知下さい。

▼現在、当協会の健保加入者は本人二一名家族二三名合計四四名で、当協会が健保組合に納入する保険料は月額六九六〇円です。この保険料の組合への納入は、大衆保険制度および団体加盟の立て前からいつても、当然〃待つたなし〃です。同封の組合報にも掲載してあるように、健保組合では納入された保険料の約八十五％は直ちに療養給付金（医療をうけた組合員の経費）として支払わねばならぬので、当然保険料の納入は〃待つたなし〃になるわけです。一方、協会事務局の健保事務担当者は、加入者から保険料を集金して、一括した六九六〇円を健保組合へ納入するわけで、もしも保険料の滞納があると、その埋合せに苦慮するわけです。かりに協会事務局への滞納が一〇〇〇円あつても、他の加入者の前納が一〇〇〇円あれば数字上は釣合うわけですが、滞納する人はあつても、二ヶ月や三ヶ月分を前納する人は、まずいない筈です。現在は四月分保健料を三月末日までに、五月分を四月末までに納入して頂く、という前納制をとつておりますが、加入者の方々は、これを厳守して下さい。三月二十八日現在で、二月末日までに納入して頂かねばならぬ保険料の滞納分が延十名（本人七名家族三名）金一七六〇円あります。同じく同日現在で、四月分をすでに納入された方が延四名七二〇円あるので、差引き金額として日一〇四〇円の立替金があるわけです。以上の健保の意義と事情を了解されて、所定の期日までに保健料を納入して下さるようおねがい申します。

▼尚、保険料の納入だけの用事でわざわざ事務局まで出かけることも、お忙しいときには、かなりおつくうなことと思われます。そこで事務局への送金の方法として小金額の場合には、郵便で送つて頂いても差支えありません。現在は郵便法が改正されて、普通書状の中へ現金を封入してもよいことになつているので、この方法をおすすめします。また振替送金の場合は、所定の用紙に送金すべき金額をそえて最寄の郵便局へ差出せば自動的に事務局へ入金します。この場合手数料は一切不要だし、その他の手間もかからず、もつとも便利だと思われます。用紙は事務局に用意してあるので必要の方は御一報下さればお送りします。

六方　弘男＝
石田　修＝

会員総数一〇七名

▽新入会員（三月十七日より）
八木　進＝目黒区東町十蹊平アパート（モーション・タイムズ所属）（脚本演出）

▽住所移転
吉見　黍＝三鷹市新川町七三一へ転居

▽その他
黒木　和雄＝去る一月に結婚式を挙げられた。
吉見　黍＝三月三日に結婚式を挙げられた。
野田　眞吉＝三月十二日に三男誕生された。
水木　荘也＝賛助会員に変更。

編集後記

▼みんないそがしいふうで原稿がどれもまにあわず発行がおくれたのは申訳ない▼新聞紙上でも有名な教育法案改悪問題は教育映画界にも暗影を投ずるが吉見巻頭言でおよみいただきたい▼当協会内新人会その後の経過につき向宮君に報告をたのむ▼あらたに今度、河野哲二君に会報編集をお手伝いねがうことになつた▼どうもはだ寒い春雨がつづく。（加藤）

1956 4 30

教育映画作家協会々報

教育映画作家協会　No. 12

東京都中央区銀座西8ノ5日吉ビル4階　TEL(57) 2801

新教育委員会法案 反対署名を訴えます

さきに委員会は右法案反対の態度を明かにし　すでに共同声明など反対運動を展開中の教育関係諸団体と一しょに行動を共にする申入れを映教の森脇氏を通じて正式に行いましたが、今度　協会では会員諸氏の反対署名をして頂こうと存じます。

前号にてお知らせしたように今度の改悪法案はまったく教育の民主主義を圧迫し、教育統制、思想統制をはかろうとするものであることが、その后の衆院文教委員会の議事録を見ても明らかになりました。そして文化と教育の民主主義を守ろうとする人々が益々反対の態度を明らかにしています。にも拘らず、多くの国民が納得しないうちに、与党は議会の多数を頼んで採決を強行し、衆院を通過させてしまいました。あとは参議院だけです。教育関係の諸団体でも、今やますます強い反対運動を展開しようとしています。奮って反対署名に御参加下さい。

ちなみに、委員会は協会として別掲の反対声明を発表することになりましたから御了解下さい。

（運営委員会）

さかんな各方面のうごき

すでに新聞紙上で御承知の通り教育二法案は民自党の一方的審議で衆院を通過したが、参院提出を前に教育、文化関係の広範な反対運動がひろまっている。

去る廿日には全国教育委員会協議会が、参議院第三議院会館で法案反対の協議会を開き、当協会へも参加を申入れてきた。この集会では近く同法案の参院通過反対の声明を発表することとなったが、当協会でも教育映画綜合協議会の各団体と共にこの声明に署名する。

声明書

いま問題の教育二法案の狙いは、売春制度を保持しようとするのと同じ熱意で、清らかな教育と文化を汚し、これを暗に葬ろうとするものです。しかも、政府と与党は国民の納得のゆかぬうちに、多数を頼んで衆議院を通過させてしまいました。まことに醜悪な意図を露骨にあらわしています。

私たちは、教育と文化の良心を守るために、志を同じくする諸団体、諸氏と広く力を合わせて、右法案に強く反対することを声明します。

教育映画作家協会

運営委員会の言葉

運営委員会は、会員諸氏から浮きあがっていると反省を痛感しました。

最近、機関誌発行のことで準備を重ねているうちに、機関誌に対して会員諸氏は果してどんな希望と考えを持っているだろうか、機関誌を本当にみんなのものとして発行してゆく自信があるかという疑義に委員会はつき当りました。それは委員会が会員諸氏の動きを掴んでおらず、会員諸氏から浮き上っていることを示していたのです。

教材映画を充実しよう

活発だった四月の〝研究会〟

去る廿一日、国立中央教育研究所の教材映画「おかあさんのしごと」が完成したのを機会に、映画教育協会のあっせんで教育関係の指導者と私たち製作者、現場の先生方をまじえた研究会がもたれました。同研究所は社会科教材映画大系を最初に指導したところでもあり、戦后の教育映画に大きな影響を及ぼしているところだけに当協会からも十数名の会員が出席して活発な討論が行われました。

つずいて廿八日には協会の月例研究会がもたれましたが、この研究会でもレパトリーに教材ものが多かったので、いきおい廿一日の研究会を続行するかたちとなりました。この日の研究会にも国研から「おかあさん」の製作に直接たずさわった先生方が出席されて、教材映画に対する教育専門家（国研としての）の考え方を補足説明されたわけです。

私たちはこの二回にわたる研究会を通して、教育映画（主として教材映画）の問題点——映画をどう教育の場に役立てるか——について、多くの討論のいとぐちをつかむことが出来ました。こゝにその大要を記して会員諸兄の御参考に供したいと思います。

毎月二百台もふえる映寫機

研究会に先立ち映教の森脇氏は最近の教育映画事情及び研究会をあっせんされた趣旨について、

（要旨）教育映画、特に非劇場に於ける教育映画運動は最近著しい発展をつずけ、現在全国で稼働できる16ミリトーキー映写機の数は一三、〇〇〇台に及び、さらに、北辰、エルモ等を中心にする国内メーカーの生産と若干の輸入機械を合わせれば毎月二百台の割合で増加している。また、昨年度は大系、シリーズものとして製作される教育映画は学校関係で十一、社会関係で五、計十六種にも及んでいる。これらは全国五〇〇（うち、比較的強大なもの三二一）のライブラリーで利用されているが、ライブラリー予算も現在では三億五千万円、そのうち一億五千万円がプリント購入費にあてられている。

しかし、これら新しい教育映画も、現場の利用者側からは「ほんとうに利用出来るものが案外少い」とゆう批判が多く、われわれの当面の目標は「こうした現場の声にどう応えるか」にかゝっている。教育指導者も映画製作者もそれぞれの経験にたって是非協力していたゞきたい。

と述べられた。

「おかあさんのしごと」をめぐって——

この作品は国立教育研究所が教材映画のテストケースとして直接製作したものだけに、教材映画の一つの方向を示すものとして注目されていたものである。上映にあたって製作を担当された矢口氏から、

（要旨）この映画は小学校低学年（一、二年）向の教材として作った。テーマはお母さんの仕事の忙しさと、子供に対する愛情を感じさせる二点である。子供は複雑な概念の組立ては出来ないから、構成はテーマにそって出来るだけ単純化し、子供を困乱させる要素は一切除外した。

また子供は映画的なカット（これは省略の意味で許されたのだと思う）の意味がわからない。

委員会がそうした反省につき当りはじめた頃、会員諸氏の間からも色々な形で、批判が寄せられはじめました。

☆委員会は何をしてるか分らない——会報を見ても委員会の討議事項がのっていないから、どんなことを問題にし、どんな運営上の動きをしているのか分らない。

☆会費を収めたくても、とりに来ない。

☆会報の動静欄を見ても人によっては全くの空白となっている。こんな失礼なことはない。

☆会報に、会員の意見や声が集められていない。など、貴重な批判が寄せられたのです。

これによって委員会は更に反省を深めました。寄せられた批判には全く異議はない。会費は会員の方から持ってくるのが当然であり、会員の動静も会員の方から知らせてくるのが当り前だというような考えが委員会や事務局になかったか。委員会は会員と密着して動くためにどんな努力をしたか。そういう点、委員会や事務局は官僚的ではなかったか。会員諸氏に対して、本当に人間的な連ながりを以て、協会を運営しようと努力したことがあったか。など様々な角度からの反省を深めたのです。

委員会はこうした反省と討論の上にたって、もっと会員諸氏との

テンポが遅いのゝ、キャメラにパンが多い[illegible]ているのも、[illegible]り長尺のカットを撮つた[illegible]て子供の理解を助け、事柄の関連を解り易くするためである。

こゝで作品をめぐる質問にはいつたわけだが、まず十六ミリで一、ロ八五呎（上映時間三〇分）について石本氏（日映科学）から、

〃子供の生理からも長すぎはしないか〃

これに対して矢口氏は、

タイトルを入れて朝から夜まで五ツのセクションに分けている、また「お母さんの仕事」とゆう単元は三〇時間にわたつて学習が組まれているのだから、必要な部分だけを分けて上映すればよい。要は学習の展開を基準として映画の利用は考えられるべきだ。

と説明、このことは従来の教育映画が一定の時間（尺数）のなかで物ごとを語ろうと努めたのに対して、かなり大胆な試みであるが、私たちは教室の実践を通して今后のデーターを知りたいものである。

次に廿一日の研究会に於ける主な質問（これらは主として当協会員から出されたものである）を拾つてみると、

○なぜ題材を農村にえらんだか

○お母さんの仕事の分量や種類はどうしてえらんだか。

○基礎調査は、どんな観点から行われたか。

これらの質問に対して矢口氏から、出来れば都会や漁村の場合なども作りたい、またこの映画は神奈川県の農村について半年間にわたる観察記録をとつて作られたものである。

と説明があつた。しかしこの討論には創作上の多くの問題を含んでいるように思われる。矢口氏の言われる教育上の概念と、創作過程を通して抽出される映画的な概念とが、教育の実践でどう触れ合うかについても、また「従来の教育映画が実際の利用に当つてもつていた多くの欠陥、子供の理解をさまたげていた映画的技法」とゆう点についても討論は充分には深める余猶がなかつた。

廿八日の月例研究会にも「おかあさん」は再度上映され、前回の討論をさらに深めることとなつた。この日の討論は、映画の特性をどう教材として役立てるかが問題となり、作家側は

〃お母さんの仕事を理解させるために、何故映画を用いるのか〃

と質問、これに対して教育研究所の岩井氏（製作スタッフ）は、

子供の理解力は断片的であり、教科書――低学年では主として絵による構成をとつているのだが――その他の教材では、一ツ一ツの仕事の忙しさは理解できても、幾つもの仕事が連続して行われ、また同じ時間に重り合つて行われているから忙しいのだという理解はできない。その点、映画は一日の仕事を圧縮し、関連づけて理解させるのに適当な教材であると考えた。

と説明されている。

私たちは今日、映画がすぐれた教材であることを疑う余地はない。そしてまた、すぐれた映画こそがすぐれた教材となり得るのである。そのためにこそ、高度な技術をこのジャンルに持ち込まなくてはならない。こうして二回にわたる研究会を通して、教育映画作家は教育を、教育専門家は映画を、それぞれの立場で一層理解し合わなければならないことが話されたのである。

そして、今後もこのような研究会を続けてゆくために、協会内でも「教材映画研究」のためのグループを作ろうと提案され、丸山章治氏が、当面お世話を引受けて下さることになつた。

新作研究合評から

続いて、新作教育映画の試写研究が行われ、それぞれの作品について次のような合評が行われた。

○「点字の世界」（オ一映画、岩

連ながりを密接にするために努力を集中するということに一致しました。熱意をこめた決議でした。

そして具体的には、会報を充実して　真に血肉の通じあった会員の広場とすることに主力を注ごうということになりました。

会員諸氏はふだん、どんなことを考え、どうしているだろう、仕事はどうなつたか　会員諸氏との連絡を密にし、足りない所は足で歩いて、協会内部の親密を濃くしたいと思います。そしてそれを会報に反映してゆこうと思うのです。

最後に委員八木さんの言葉をお伝えして、委員会の真意を分つて頂こうと思います。

「愛情のない所に権威はない」

会員の動静

秋元　憲＝〃下水の科学〃（新理研）演出。

厚木　たか＝婦人民主クラブその他の仕事でお忙しい。一方、新企画を準備中のようです。

荒井　英郎＝〈ナイロンの学生服〉（三井芸術プロ）演出　近く完成。

相川　竜介＝福岡県へ帰省中。

伊勢長之助＝〃海から山から〃（日映）演出、ロケハン中。

岩佐　氏寿＝〃青年団〃（岩波）

堀兵久男作品)
文部省はどんな狙いで作ったのか。あまりはっきりしない(樺島)
盲教育が義務教育になっている点を周知せしめたい、親や一般父兄の無理解を啓蒙したいという点にあったようだ(撮影者長谷川)
児童たちがどう自分を訓練したか、またしているかをテーマにしてほしかった。問題に対する理解と愛情もそこから生れるだろう(吉見)
材料が多くて、横びろがりにすべりすぎた(衣笠)
○「雲のでき方とかわり方」(視覚教材 樺島精一作品)
とてもきれい(野田)
きれいすぎて、アナウンスが聞き流らされてしまう欠陥がある。
教材としても沢山問題をはらんでいる(作者岡本)
どう使われるのだろう(野田)
現場ではまちまちだろう。或先生は、いきなり見せることはしない。まず雲を観察して、それから映画の一部を見せると言っている(岡本)
○「根のはたらき」(視覚教材、岡本昌雄作品)
十字屋以来の自然科学映画の集大成。いゝ出来だ(一同)
根が様々な抵抗と斗って根をはってゆく所など線画の活用をもっと考えてもよい。実写だから本当だという限界にとゞまっているのは疑問(野田)
線画と云っても、それを書く科学的データがまとまっていない。映画人だけの努力では解決しない。また、演出者はデータを持って、線画にももっと熱意を持たねば…(岡本。一同)
理科教材にしても、一般に教材映画はまだ未開拓。沢山のジャンルがあり、沢山の段階を持っているものと思う。それを何か一つのものにきめてしまってはいけない。(野田一同)

以上

新入会員のことば

協会に入って

島谷陽一郎

私は教育映画作家協会をこういう風に理解しております。すなはち映画技術者(映画作家としての演出家 撮影者、脚本家他を含む)の技術の交流をする機関として、そして労働者としての技術者の位置を守る一種の組合のようなものとして、同時に正しいものは、何んであるか、その正しいものを貫く共通のよりどころとして。

或るプロデューサーに台本料や演術のギヤラを、ふみたをされたり値切られたりしたことがあった。だが文句は云えなかった。

或るプロデューサーは、とんでもないことを要求、作品上に押しつけ、又映画とは営利追求のもの以外ではないと云い切った。はたして映画とは、そんなものだろうか。

僕は、今度、協会の仲間に入れていただいた。もはや、一人ではないと云うこと、そして皆んな誠実に作家として、良心を守って行こうとしている先輩の方々がおるということは、とっても心強いことです。映画は、国民大衆のものであり、その国民の幸福につな

脚本準備中。目下 山形県下へハンテイング中。
岩崎 太郎＝目下ラジオで活躍。
上野 大梧＝(あたらしい硫安工場)(三井芸術プロ)演出。
大沼 鉄郎＝(国際電々)(東京シネマ)演補準備中。
大野 芳樹＝国際教育映画社にて準備中
小野 春男＝馬場英太郎と共同で群馬県下のダム建設記録映画を製作中。(河野報)
尾山 新吉＝文芸作家シリーズNO1、〝武者小路実篤〟を完成 みなさんに見て貰いたいとのこと。
加藤松三郎＝〝株式〟(東京シネマ)脚本〝製薬(国内版)〟(日映科学)脚本
片岡 薫＝水上学校ものを準備中
川本 博康＝待期
菅家 陳彦＝〝中学生〟(東京シネマ)演出完成。
かんけ・まり＝〝燃えない工夫〟(日映科学)演出完成
北 賢二＝ファースト教育映画社にて準備中。
衣笠十四三＝〝ありがとう敬吾くん〟(日映)(二巻)演出 四月末完成。
京極 高英＝岩波にて〝東芝モーター(仮題)〟録音待ち
桑木 道生＝〝売春〟(中央文化

がるものでなければならない。僕は僕なりにこれに向つて努力しよう。そして協会の皆様と力を合せて、本当に良いものを、社会のために、幸福のためになる映画を製ることにつとめようと思つている。

そのために、どんなことでもやろう。木村荘十二先生も、僕に、良い仕事をするために、倍、三倍の努力を惜しまないことと教えた。積極的に、国民の皆んなの素朴な要求の上に立つて、本当のものを追求して行こうと思います。私の信條は、全てに愛情をこめて、誠実に行動すること、それが作品を創る基礎になるものだと思います。初めて入会しながら生意気なことを申上げましたが、どうか、今後御指導をお願いいたします。

考えていること

秦 康夫

記録映画にひかれて、記録映画ときけば、かたつぱしからみて歩くようになつたのは、大学の二年の頃、恰度、近代美術館のフィルム・ライブラリーや丸の内ホールの優秀短篇映画を観る会等が出来た頃でした。

そして現在、記録映画を自分の一生をかけた仕事として、やつて行きたいと考え、それ以外の自分の仕事はない、又それだけの価値あるものとしての確信をもつています。

今、自分の幼い頃を考えてみると、小学校の五・六年、映画を見初めた頃から、ニュース映画専門の館があるといいと、なんども思つたもので それにはいろ〳〵原因はあるにしても、一番の原因は劇映画よりニュース映画の方が、分り良いという事ではなかつたかと思います。

この数年 ニュース映画専門館が急激にふえ、現在もふえつづけています。ニュース映画をみる人口が多くなつたという事は、一時間位の恰度良い暇つぶしになるという事も、原因の一つでしようけれど、遠い外国に起つた事件や珍らしい風物、又昨日新聞でみた事を、スクリーンに直接みることが出来るという事が 一番の原因だと思います。

ニュース映画即ち記録映画ではないけれども、この分り良い事、事実の訴える力は、記録映画の本質をなしていると思います。

この本質を武器として、自己の思想をきたえ、現実の暗い社会の中から、明日へのエネルギーを、その芽生えを見出して行きたいと考えています。

広く作家というものは、人々を啓蒙する立場にあると思います。進歩的な考えをしていると自他共に認めている人の中にも、かえつてそういう人に、おくれた古い考えが、習慣や因習と複雑にからみ合つてぬけ難く身についている。このおくれた考えを人間的な誠実さをもつてとりのぞいてゆき、社会現象の本質をなすものを、見抜く努力を不断につづけて行かねばならぬ、以上が 記録映画作家として成長して行きたいと思う理由です。

——△——

私の夢は、16ミリでも良いから撮影機を自分で持つて、一つのテーマにそつて自由に撮つて歩き、編集して作品をつくつて行きたい事です。

——△——

十六日の新人会について

全くの新人なので、当日は黙つている事に決めて行きました。これはいけない事だと反省しています。

河野さんの児童向き？劇映画のシナリオを中心にやつたのですが〝・・・と思つている〟という箇所が二、三あつてこのような描写は、視覚的でないという意見が出ましたが、これは、その通りで分りきつた事で、演出に巾をもたせ

画社）製作中。

桑野 茂＝〝東京ガス〟（岩波映画）脚本執筆中。近く筑波山へ家族連れでピクニックに出かけます。

河野 哲二＝中篇児童劇の脚本を執筆中。傍ら協会事務を手伝つてくれています。

新庄 宗俊＝〝美人誕生〟（電通映画社）製作

杉原 せつ＝待期 自宅で勉強中

杉山 正美＝広尾病院に入院中のところ、近く退院の上、帰省療養の予定。〈帰省先〉静岡県御殿場市湯沢五 杉山盛平方

清家 武春＝〝谷間の学校〟（日映科学）演補完成

高島 一男＝〝売春〟（中央文化映画）演補、五月初旬クランクアップの予定。

竹内 信次＝（国際電々）演出準備中

丹生 正＝仕事待ち

富沢 幸男＝〝中部電力五ヶ年の歩み〟（岩波映画）演出、編集中。

中川 順夫＝（漫才長屋シリーズもの）（宝塚映画）脚本執筆中

中島 日出夫＝〝中学生〟（東京シネマ）の演補終了

永富 映次郎＝〝陸師〟（産経映画社）を企画中であつたが、中止となり、次回作を準備中。

たこのいゝ方を、どのように演出すれば、最も良く表現出来るかという、もつと先の段階へ、討論が発展して行かなかつた事は残念に思いました。当日の討論の中で大きな比重をもつ問題では、決してなかつたのですが、雑談的にでも経験を通しての発言を期待していました。

月一回、みんなが集るだけでなく、作家協会は、感傷的ないゝ方をすればオアシスのように思つていますので（現場でふんまんを抑えながらきりくまいしていると特に）暇の方だけでも　毎週一回位、集れるように考えて頂けないでしょうか。出来るだけ手伝をします。

協会への感想

京　俊明

人間の生（ナマ）の動き、ナイフで指を削つたその瞬間、吹き出づる血流そのスピード　そして痛さ、恐怖　人間の凡ゆるダイナミック性――その眞実を嘘を手段とする事なくその実体をその眞実の生活を手段として、この方法でしか出来得ない作品を創りたいと思う。

近頃私は、劇の眞実性よりも、その生（ナマ）の眞実性により大きな魅力を感じ、生（ナマ）そのものこそ、どんなに情けないものでも、そこに実存するものとして愛さずにはいられない。そしてそれは人間生活の原動力であり、人間の生きる為のなにものかがひそんでいると固く信じている。

人の世は苦しい。日々の生活を支へる丈けでも一通りの苦労でないのが現状である。それは忍従の生活である。折々は頭を上げて、なにかを希む如く青い空を見あげるが、そこにあるものは依然として沈黙せる大空があるばかり……。

人間はこの重圧に堪えかねて雄々しく立ちあがり、強圧の束縛を断ちきらんとして反抗する。斗ひと征服と超越を貴しとして、生を充さんが為に自然を物質を、否人間をさえも征服していやが上に強からんとする。がそこには破壊的自由、障碍からの自由があつて、創造的自由はあり得ない。

私はそこに、流れて止まぬ河水を望みたい。河水は何故に動きどこに向つて流れるのであるか、それは水の水たる所以によつてであり、水の水たるものによつてである。そこには無償、無心あるばかり、永遠における回帰である。が故に常に永遠の若さと意義とを得るのである。生れたるまゝの若々しさは、ひたすらに運転するが故に新しさは新しきを生んでたえざる創造をなしとげる。生の魂がある。

生きることに於て動き、動くことに於て生きんとする。そのありのまゝの姿の眞実の追求、それを手段としてのモンターヂエ　生々しい人生の記録、人間の生る喜び厳しさ美しさを採り得るならこんなにやりがひのある仕事はないと思う。

協会への感想

高井達人

協会への感想を書いて欲しいとの編集部の依頼を受けましたが、扨て改めて感想と云われても何を緒口に、どう云う点に觸れたものかと自分自身戸惑うのを覚えます。

正直な所、今の私には、会費を納入して、捺印された協会名の領収書を貰つたに過ぎないと云うのが本音です。

と云えば、冒涜とも皮肉とも、とれるかも知れませんが、協会の存在価値とか在り方について云々にする心算は、毛頭ない事をお断りして置きます。

苗田　康夫＝〝中部電力五ケ年の歩み〟（岩波映画）演補

樋口源一郎＝〝経済の学校〟（桜映画社）演出、近くクランクアップ

日高　昭＝〝経済の学校〟（桜映画社）演補

西沢　豪＝〝生活を結ぶバス〟（日映）（カラー二巻）演出

西尾　善介＝〝クレモナ万漁〟（日映）演出、一部完成。〝黒部ダム〟（カラー）（日映）準備中　その打合せのため、四月二十七日下阪し、五月二日帰京した。

野田　眞吉＝新映画プロ（米山塾）第一回作品準備中

馬場英太郎＝小野春男と共同で、群馬県下のダム建設記録映画を製作中（河野報）

間宮　則夫＝仕事待ち

丸山　章治＝三木映画社にて教材映画を製作中。〝社会保障〟を仕掛け中で〝住居のうつりかわり〟〝言葉と態度と立場〟〝ゆうびん〟準備中

道林　一郎＝〝三菱化成黒崎工場〟（理研科学）演出。三月十一日開始、目下進行中。四月下旬九州八幡市より帰京、都内撮影に若干日かかり、五月中に編集、録音、完成となる。

村田　達二＝新東宝教育映画部ムラタ・プロにて企画準備中

例え、その問題について触れたとしても、自分自身の広場ぢゃないか！求め合える唯一の場所ではないか！君は努力したと公言出来るのか！等――そして止どめの一句は、批判ならそれからでも遅くないぞと云う叱責がとぶのは必定で、又そのドラ声は極く当然な事に違いありません。

求め合える場――

作品を通じて平和で民主的な日本文化発展に……

又、作品の質の向上に……

これは云ふ迄もなく協会の規約に唱われている事です。

この名文句が生れる以前には、全ての人の欲求があり、その欲求を貫徹し、最も強靭、且完全たらしめる好、その経路として具象化し得る場を求めたのに違いないと思います。

しかも、その道の大先輩幾十の頭脳をもつてした結論に何の歪められた向際がありましょうか？

教育映画作家協会。再めて復誦してみます。或る世界では、規約の存在は、対社会的なもの、非内面的なもの、その重んずる所は、内容に非ず、表面上の形式、その型に価値がある様です。

しかし、作協の場合、決してそれに準ずる事なく、皮よりも肉、血に本領があり、それが我々を息吹かせ、地上に新芽を彷彿させる原動力である事は語を奔する要のないところです。

規約の第三項に唱われている箇条を決して軽視するのではありませんが、或る意味で、最も重宝がられ、親しみを保たれている様です。勿論右の論については、我々自身の生活の擁護が確立されて始めて、才一項かそして才二項が成り立つのだとの異論が口元を歪めて吐かれる事は予想に難くない事です。

事実それを否定する論拠のあろう筈はありません。

しかし、個人の着想は必ずしも組織と有機的連関を持つとは限らない様です。

個々人が、こうし度い。あゝし度いと云う願望は暫し耳にしても決してそれが、組織を通じて発想された事はない様です

それは、組織体に具体的な活動方針を発芽させ得ない結果になっている大きな因子ではないでしょうか？

ここに活動の非力的という要因が潜在している様に感ずるのです。が、如何――。

そうである常態に組織化は意味のないものと思われます。

兎角、組織の名のみが便利的に扱われ勝ちの世の中で、人一倍その力を必要としている者程、そのヴエールを被りたがる様に見受けられるのも皮肉です。これが人の世の慣しでしょうか。

以上書き初めから、終り迄社会一般現象として、兎角踏襲しがちな道であると思つた点を単に羅列したに過ぎません。

が、願うところは、我々はそうである怠惰から飛躍したいと云う程度の覚書です。

（四月十二日）

おしらせと おねがい

▽近く〝カラコルム〟（日映作品）の試写研究会を行なうべく準備をすすめております。

▽本紙に同封して返信用はがきをお送りしました。会員各自の最近の動静と、新教委法反対署名を送ってもらいたいためです。お忘れなく御返事下さるよう頼みます。

森田 実＝〃美人誕生〃、（電通映画社）演補。

森永健次郎＝〃娘巡礼流れの花〃（日活）演出。クランクイン

諸岡 青人＝〃緑の谷間〃（電通）脚本演出

八木 仁平＝〃小河内ダム建設記録才五集〃（東京都映画協会）脚本完成。打合わせのため四月下旬現地出張、二三日中に帰京。才四集は三月末完成。

柳沢 寿男＝〃電々公社もの〃（岩波）準備中。近く転宅の由。

矢部 正男＝〃ガス〃（岩波）脚本演出

山添 哲＝〃ナイロンの学生服〃（三井芸術プロ）演補

山本 升良＝〃楽しい学校劇〃（才一映画社）演補終了。目下待機中。

吉見 泰＝〃国際電々〃（東京シネマ）脚本

山岸 静馬＝創芸プロダクションにおいて準備中。

中江 隆介＝〃楽しい算数〃（才一映画社）シナリオ執筆中

京口 光人＝〃三菱化成〃（理研科学村上プロ）演補

清水 信夫＝〃バレーボールの少女〃（東映教育映画部）脚本脱稿

小野寺正寺＝時折テレビ上映用PR十六ミリ映画の製作に演補

当協会名の変更可否に関するアンケート集（3）

▼教育映画という名称は私たちをしばりつけ、ゆがめ、又ある意味で、いゝ気にさせています。会名変更に賛成です。

しかし、ナカナカ適当な会名がありません。強いて求めれば「記録・教育映画作家協会」でしようか。〝教育〟にこだわりますが、この際対社会的に、万やむを得ないとあきらめます。本来をいうなら「記録及び教材映画製作者協会」でしようか。

（桑野　茂）

▼教育映画作家協会より記録映画作家協会の方が良いと思います。

（島谷陽一郎）

▼協会名称については意見なし。名称よりむしろ百七名の会員のうち、アンケートが二十枚しかこないことの方が問題をふくんでいる。数から言えばカンツン持たずを示している。

（西尾　善介）

▼現在の名前が、今のところ妥当だと思います。野田さんの言われる通り、仕事の発展の中で決めて行くより仕方ないと思います

（片岡　薫）

▼協会名アンケート多数意見、それぞれ各氏の説拝見。小生は現状のまゝで賛成。いわばこれは大変むづかしいにつきそうです。

（岡本　昌雄）

▼現在のまゝでいいと思います。

（八木　進）

▼〝短篇映画作家協会〟を提案する。

理由(1)　〝教育映画〟のかわりに〝短篇映画〟がすくなくともジャーナリスチックには用いられる比例が大きくなりつつある。これは作品のジャンルの多様なのをかんがえると、当然のなりゆきと思える。

(2)　われわれの作品の圧倒的部分が短篇であるから、この名称は至当である。これまで五巻ものも、六巻ものも作られて来たし、これからも作られるだろうから〝短篇〟は適当でないという意見をいくらか見たが、この〝中篇〟級の作品が数で〝短篇〟を圧倒しないかぎり、〝短篇〟が妥当である。

私見によれば、中、長篇が比例的に短篇をリよう駕するときは、短篇映画界の質的な変革の行われるときであるから、その際は、再び名称の改変を行えばよい。上映手段、方法の上で劇映画との相関関係もあり、これは経済的に重大な変化であるから、当面の段階にあてはまらない。（当分この様な事態は起り得ない）

（八木　仁平）

新人会だより

去る四月十六日午后六時より神田昇竜館に於て第四回新人会研究会を開催しました。

当日は、クレショフの映画製作法講座をテキストにして演出上の具体的諸問題について種々研究を進めてゆく予定でおりましたが、今回は予定を変更して、会員の河野君が書いたオリジナルシナリオをとりあげて研究を行う事にしました。

作品については各自細目にわたって活溌な意見を提出し、第三稿を再度研究討論をすることにして十時三十分散会しました。

なお研究会の方向としては、あくまでも〝製作法講座〟を基本研

ともに従事している。又自らシナリオの執筆もしている。シナリオ作品は、吉見委員長等に見て貰うことを希望している。

高見　貞衛＝近々、自主で新作に着手されます。久々のお仕事で張切っておられる由、奥様から伺いました。

小熊　均＝〝双生児〟（岩波）演補。

各務　洋一＝〝東芝貿易〟（岩波）演出。

黒木　和雄＝〝東芝貿易〟（岩波映画）演補

榛葉　豊明＝〝ガス〟（岩波）演補

高村　武次＝〝佐久間ダム〟（岩波）演出

時枝　俊江＝岩波映画製作所に勤務中。

羽仁　進＝〝双生児〟（岩波）演出

羽田　澄子＝岩波映画製作所に勤務中

吉田　六郎＝〝歯車〟（岩波）録音まち

肥田　侃＝〝双生児〟（岩波）演補。

岡野　嶽＝〝南氷洋〟〝あけぼの警備艦〟（新理研）演出

松本　俊夫＝〝銀輪〟（新理研）演補

島内　利男＝〝ダム物語（ぬかびら

究課目としてとりあげ、会員の中でシナリオを書いたものがあれば随時それを取りあげて研究しあってゆきたいと思います。

研究会終了后、フリーの会員から最近の協会に所属している演出助手の経済上の問題について発言がありました。

現在協会に所属している演出助手は全部で三十八名おります。そのうち企業所属者は十三名、残りの二十五名がフリーの演出助手であります。現在のところこのうちの半数十二、三名が仕事がなく体をあけて待っております。勿論この中には経験豊富なものも新しい人もまざっております。新入会は経験豊富な人にはより一層の理論と技術を、新しい人には早く演出助手としての仕事をおぼえてもらう様努力を続けております。

協会の皆さんの理解ある御協力をお願い致します。

私達はこうも考へております。

現在協会に所属しておられるフリーの演出家は全部で三十五名、フリーの演出助手は二十五名（以上の数字は一九五五年度協会会員名簿による）おります。ですから今后協会の各演出家が協会の演出助手を一人ずつ使っていただけたら私達の前にたちはだかっているこうしたなやみなどは立ちどころに消えてしまうのに……

私達はいつもこんな風に考へております。

運営委員会だより

▽三月オ二回運営委員会三月三十日午后三時より開会　出席委員＝吉見　南宮、西尾、加藤　八木

①　教育二法案改悪反対について——。

最近の新聞紙上などでも問題になっている「地方教育行政組織及び運営に関する法律案」（会報オ十一号に掲載）この法案が通過すると教育映画の製作、上映が、その都度、教育委員会の許可をうけなければならぬので、製作、上映の自由も、なくなってしまう。

現在この法案の改悪反対のため、映画教育協会、教育映画製作者連盟、配給者懇談会等をふくめた広範な協議組織があるので、これに協会として加盟し、積極的に反対運動に参加することになった。

②　機関誌発行問題のその后について——。

すでに二回にわたる発行準備会において、機関誌の体裁、題名、編集内容などが決定したことが吉見委員長より報告された。つづいて機関誌刊行の経済的運営をどうするか、という点の討議に入ったが、協会としては、その経済上の責任は一切もてないことを基本的に認め、発行に関する具体的な方法は発行準備会に一任することとした。

③　新入会者の申込みについて——。

最近の新入会申込者、島谷陽一郎、近藤才司、豊富靖、京俊明、斎康夫君ら五名について申込書を受理、入会を承認した。今回は未経験者の入会について「研究員」の制度を設けてはどうか、とゆう意見も出されたが、"会員としての扱いはすべて同等に"とゆうことで意見の一致をみたもの。

▽四月オ一回運営委員会四月二十日午后三時より開会　出席委員＝八木、南宮、島内（代理原本）吉見　菅家　西尾。

①　中央文化映画社問題について——。

中央文化映画社は最近、その事業の続行が困難となった。そこで

ダム・福井ダム）"、"ホイル&アクセル"（新理研・演出

富岡　捷＝"若い仲間"（新理研）演出

原本　透＝"佐久間幹線"（新理研）演補

下坂　利春＝"苅田火力発電所"（新理研）演出

豊田　敬太＝"彼女の出発"（新理研）演出

西沢　周基＝"セメントの世界"（新理研）演出

中島　智子＝新理研映画KK企画部に勤務中

長井　泰治＝"つるのはね"（日本漫画・共同映画）作画

平田　繁治＝"つるのはね"（日本漫画・共同映画）作画

諸橋　一＝"つるのはね"（日本漫画・共同映画）作画

吉岡宗阿彌＝"つるのはね"（日本漫画・共同映画）作画

大久保信哉＝たくみ工房（旧森動画研究所）に勤務して、最近"経済の学校"（桜映画社）美術（壁画）製作完成。"箱根"（学習研究社）ミネチアおよび線画製作中。"せき"（日映科学）線動画完成。尚五月一日メーデーに参加する協会のプラカードを製作してくれた。

奥山大六郎＝"結核の発生と[illegible]題"（日映科学）編集中。去る日

会社側の案では、運営形態を旧社、新社の二社に分割し、目下の仕掛作品「売春」は、負債の精算と共に旧社（桑木道生君）が担当することとなった旨、当協会より出向のスタッフ、高島君らにも通告があったので、当協会員の経済的問題と、「売春禁止」映画の完成促進について運営委員会より八木、菅家両委員が同社から事情を伺うことに決定。

② 新人会のその后について——

向宮委員より、新人会のその后について、去る四月十六日にひらいた研究会（別に詳報）の報告があり、現在かなりの演出助手が待期中の状態にあるので、善処されたいとの要望が出された。

③ 新入会申込者の処理について

山形雄策氏紹介の新入会申込者田中舜平くんについて、審議し、その入会を決定した。

④ 4月試写研究会の開催レパトリーについて——

今回は、最近の新作品のうちから特に教材映画をえらぶこととし予定上映作品として、〈採光と通風〉〈日映科学作品〉〈運動靴〉〈東映作品〉〈宇宙の世界〉〈才一映画社作品〉〈雲のできかたかわりかた〉〈日本視覚教材作品〉〈おかあさんのしごと〉〈国立中央教研作品〉を決め、四月末開催を予定し、準備を行なうことにな

声 ★★

▽一、只今、私の仕事は協会のアッセンで契約したものです。にも拘らず消息欄には三ヶ月も前のことがのっています。またこの欄の空白の多いのは一体どうしたことでしょう。事務局にお伺い致します。

一、今回の会報で、〈巻頭言〉吉見委員長の「教育二法案改悪反対」という重要な御意見に接しました。私も大賛成なのですが、これは運営委員会としての御意見なのでしょうか。又、このような改悪に対する協会としての意志はどのように表明されるのでしょうか。運営委員会の御意見を是非お知らせ下さいませ。

一、今后は会報に運営委員会の活動状況がはっきり判るように、必ず「議事録」をのせて頂きたいと思います。私共会員は会報で委員の皆様との日常的なつながりをもっているわけですから。以上委員会の御意見を次回会報にお寄せ下されば幸甚と存じます。

（かんけ・まり）

〈おこたえ〉

ていねいな御葉書を戴き、早速おこたえ致します。

一、会報消息欄の記載違い及び空白については真に申訳ありません。事務局で御送りする葉書は毎月約二十枚位しか返信が参りませんので、残りの八十数名の方については、出来るだけ他の方法で消息を知るよう心懸けているわけですが、今後も一層努力し、会員諸兄の要望にこたえるつもりです。尚、会員諸氏も毎月の葉書は出来るだけ利用して下さるよう、当方からもお願い致します。（事務局より）

一、吉見委員長の巻頭言は毎月運営委員会の決定によって書かれているものですが、今月の巻頭言はたまたま個人的意見と思われる表現で書かれている点があるために誤解をまねいたものと思われます。今后は運営委員会の論文であることを明らかにするよう配慮します。

また「教育法案改悪」については、運営委員会では明確に「改悪反対」の決定を行ったのですが、会員諸氏との連絡が不充分であったことを御詫び致します。

一、運営委員会の議事録については全く御提案の通りだと思います。早速本会報より記載致します。

負傷されたというニュースが入ったので、運営委員会から派遣された記者が事情を伺いに出かけたところ、本人はたいへんてれて、「失われた四時間ですよ」と言葉少なに語るのみであった。尚負傷は顔面で全治している。

中村 麟子＝〝谷間の学校〟（日映科学）演出完成

落合 朝彦＝〝コーテット・サンド〟（日映）演出、編集中。

中村 敏郎＝〝ぴよぴよ大学〟（日映）演出、撮影中

八木 進＝〝わたしたちのリズム楽器〟（モーション・タイムズ）演出

大橋 春男＝英映画社に勤務中

高井 達人＝〝あたらしい硫安工場〟（三井芸術プロ）演補編集中

岩堀喜久男＝〝たのしい学校劇〟（才一映画社）演出完成。新理研で次回作準備中

岡本 昌雄＝〝庭の片隅〟（日本視覚教材KK）演出

樺島 清一＝〝土地と植物〟（日本視覚教材KK）演出

西本 祥子＝〝くるま〟（日本視覚教材映画KK）演補

松本 治助＝〝東京ガス豊洲工場建設記録〟（電通映画社）

稲村 喜一＝人形劇映画を企画準備中

つた。

⑤機関誌発行問題について――

前回の運営委員会から委託された「機関誌発行の具体的方法」については、四月十四日、再び発行準備会を開いて慎重な検討を重ねた結果、別報の通り（〃運営委員会の言葉〃を御参照下さい）同誌の発行は当分見合わせることとし、当面は会報の充実その他を通して、全力を協会の充実強化に努めることに決まつた。

⑥会報の内容充実について

前項の結果から、現在発行されている会報を、どのようにしたら協会と全会員とを密着させる役割を果すことができるのか。こんごは運営委員会がより一層の責任をもつて、毎月、会報の編集会議をひらき、充実した会報への努力を傾けること、また会員からも、このことに協力してくれるために、各プロダクションの関係会員には積極的に通信員を引きうけてもらい、それぞれの報道事項を、協会へ送つてくれるような形態をつくること等が申し合わされた。

したから御諒承下さい。（運営委員会）

▽会員のあいだでいろいろと勉強をしたいと思つていることがあると思います。同じような問題を勉強したいものがあつまつて研究グループをつくるのに協会として奨励してはいかがです。それは会員本来の仕事の向上にもなり、また親ぼくともなり、協会の強化ともなると思います。グループはどこまでも会員の自主的なうごきの上につくられることを原則とし、協会はそれをあらゆる面で助長する

（野田眞吉）

〈おこたえ〉

協会の活動を活発にしようと苦慮していた折りから、時宜を得た御提案に感謝します。このようなグループ活動は現在まで新人会のみでしたが、過日行われた月例試写研究会では教材映画の研究グループを作ろうとゆう声があり、丸山さんを中心に動き出すことになりました。また吉見さんがシナリオ研究会を作りたいとも提案されています。その他、記録映画研究会科学映画研究会など、研究テーマによつて沢山のグループが協会内に生れることを期待しています。会報、事務局を通しての掲示、連絡など、どしどし協会を利用して研究活動が活発になることを望んで止みません

（運営委員会）

杉山正美君

その后の御報告

私たちの友人、杉山正美君が近く退院することになりました。去年の三月、結核に倒れてから一年、広尾病院で鋭意療養を続けてきましたが、今月、医師の診断の結果、もう病院に居なくてもいい、あと半年程自宅でゆつくり療養すれば社会復帰できるだろう、ということになつたのです。これまでの間、当協会の皆さま、また日映技術者集団、日映運の友達、朝日ニュースの友人、更にプロデューサーの方々から、杉山君に対して友情のこもつた救援カンパを頂き本当に有難うございました。おかげで杉山君も専心療養に励み、ともかく、ここまで漕ぎつけることが出来たものと思います。救援カンパの世話人として、杉山君ともども、ここに先輩、友人の皆様に心から重ねてお礼申しあげます。

なお、杉山君は今后、静岡の実家で、しばし体をやしなうわけですが、来春、映画界に復帰の暁には皆さまの友情にこたえるだけの活躍をしてくれるよう、今后とも元

赤佐 政治＝日本産業映画社に勤務中

田中 兆次＝〃美人誕生〃（電通映画社）演出

水木 荘也＝三井芸術プロダクションにて企画、製作中

西浦 伊一＝〃幼稚園〃（綜合科学映画製作所）企画準備中

石田 修＝日本観光写真映画社に勤務中。

▽新入会員（四月一日より）

島谷陽一郎＝豊島区雑司ヶ谷一ノ一（フリー・演補）経歴＝慶応大学中退、インターナショナル映画社で仕事をしたことがある。木村荘十二氏らと同人組織の木旺プロダクションを起し〈森の歌〉〈山の学校〉などの作品を製作した。劇映画シナリオも書く。撮影助手もやる。目下〈彌次㐂多道中〉（育英社）撮影助手。

近藤 才司＝新宿区戸塚町一ノ五九七緑荘（フリー・演補）経歴＝本年三月早大第二文学部芸術科卒業。会員日高昭紹介桜映画社作品〈日本の結婚式〉の演出助手、編集助手を担当した。静岡市出身

豊島 靖＝豊島区高田南町二ノ五〇〇柴山方（フリー・演補）経歴＝早大独文科在学中。〈彦市ばなし〉〈九十九里〉〈日本の青春〉〈お菓子の衛生〉へ

気をつけてゆきたいと思います。

皆様から頂いたカンパの收支は、五五年三月三日より五六年四月二十日までで左の通りです。

入金　六五、〇〇〇円
出金　六四、三〇〇円
残金　　七〇〇円

それから、大へん遅れて誠に申し訳けありませんが、正月に杉山君より皆様に左のようなお手紙が来ておりましたので御報告申しあげます。

へ病床に入ってほぼ一年の才月が経過しました。その間多くの皆様の厚い好意と友情に支えられて今日迄、何の不自由も感ぜず、安心して療養に専心出来た事を深く感謝致します。現在病状は良好な経過を辿って以前に近いほどの体力を回復して参りました。此の上は一日も早く退院できる身となって、皆様の御厚意に報いたいと存じております。重ねて皆様の御厚意と友情に対して心から、お礼申し上げます。

一九五六年一月一八日
（杉山　正美）

（吉見、富沢、杉原、井沢、大沼）

会計報告（三月分）

一、收入之部

現金前月繰越高	三二、三〇八
維持会費	三六、二九二
立替金	二、四〇〇
小計	七一、〇〇〇

一、支出之部

文房具費	九三
交通々信費	五、七九三
消耗品費	五六六
事務所費	一一、八三五
雑費	四、五四〇
行事費	二、四三〇
プリント費	一、五〇〇
諸手当	一六、〇〇〇
小計	四二、七五七

一、差引之部

現金手許有高	二八、二四三

編集後記

〃瞼からうろこのとれた思い――〃とは、運営委員の一人が思わずもらした言葉ですが、これはたしかに今月の運営委員会の一面をお伝えする恰好な言葉かも知れません。会員諸氏から沢山の投稿や御批判をいただき、委員会一同、改めて全会員の一人々々に想いをはせた次才です。そこで先ずは会報の充実からとなったわけですが、日時も切迫してしまい意を盡せません。何をおいても、四月の会報がこんなにおくれてしまったことを深くお詫び致します。今后は企画記事もどんどん計画したいと思っています。

諸氏の御意見や希望をお寄せ下さい。（菅　家）

（健康保険について）

▽最近、健康保険法改悪に反対する保険医の辞退届問題が起きているが、私たちの加入している東京芸能人国民健康保険組合は、この問題と全く関係ないため、今迄通り保険診療がうけられる旨組合から連絡があった。つまり、現在のところ保険医の辞退斗争は健保改悪に対してであり、国保には関係ないからである。もし保険医の方で誤解して保険診療を行わないときは組合へ（TEL(57)三六八六）なり、事務局なりに連絡して下さい。尚今后事態の推移によって国保にも関連する問題が起ってくるようであれば、その都度おしらせします。

▽健康保険料を期日までに納入することを厳守してください。

▽健保の加入は、いつでも、事務局まで申込んでください。

（前頁より続く）雪まつりと子供たち〉などの製作に参加した。

京　俊明＝大田区仲蒲田三ノ一五石橋方（フリー・演補）経歴＝本名小出与三。岩波映画製作所森田氏紹介。昭和二十六年三月早大旧制文学部卒業。某劇団演出部に所属して舞台演出の仕事をしていたことがある

奏　康夫＝新宿区山吹町一二二鈴木方（フリー・演補）経歴＝会員岩佐氏寿紹介。本年三月早大文科卒業。こんご記録映画作家の道を歩みたい。記録映画社にて〝日野ヂーゼル〟演補にかかったが一時延期となった

（四月二十一日より）

田中　舜平＝豊島区堀の内一〇五藤沢莊（記録映画社所属・演補）経歴＝日大芸術科中退。山形雄策氏紹介。本年三月記録映画社へ入社した。近く結婚されるそうです。

▽左記の方々は調査連絡が向に合わず、消息がわかりませんでした。

古川良範、松岡新也、下村健二、渡辺　淳、大方弘男

会員総数　一一三名

▽住所移転

杉原　せつ＝新宿区下落合二ノ七二七秋元金蔵方へ転居

▽住所町名変更

荒井　英郎＝板橋区双葉町四〇日映発と変更

1956. 6. 10

教育映画作家協会々報

教育映画作家協会
東京都中央区銀座西8ノ5日吉ビル4階 TeL(57).2801

No. 13・14合併号

新市場の開拓と研究活動

前号の会報を通じて、委員会の反省のほどを諒とせられ、その心機一転に就て沢山の御激励を頂き、有難いと思いました。

こゝで、委員会は協会内の人間的な結合に就て具体的な仕事を更に積み重ねてゆかねばならぬことは勿論ですが、それと共に仕事の斡旋に就ての反省がまだ話合われております。

それはむつかしい問題です。しかしいつも仕事のある会員とそうでない会員が固定してきた現状を見て、それをなんとかして打開する道を考え出さねばなりません。

昨年暮れの総会での報告のように、会員諸氏の御努力で協会と接触のあるプロダクションの数は以前よりもふえてはいます。しかしそのふえ方は、協会として開拓したというよりは、或特定の会員との個人関係でふえているのが現状で、勢い、その新しく開拓されたプロダクションとの関係は、その特定会員の個人関係以上にはなかなか発展しません。それは、そうした大かたのプロダクションの製作本数が多いわけではなし、また或個人が新しく接したプロダクションでの仕事がそのプロダクションに買われたとすると、次回にもまたというわけで、プロダクションはその彼を離したがらないという無理からぬ事情があるからです。

こうした現実の事情の上に立って、私たち委員会としては、開拓の道を開かねばなりません。そして、そうした特定の関係でもいゝから、様々なつながりを、沢山のプロダクションと結んでゆかねばなりません。そういう意味では、委員会としてプロダクションとの新しい接触面をふやしてゆく可能性と努力の余地は、まだまだ残されていると思います。委員会は今后一層、この点に就いての討議を重ね、具体的な方図を着実に積んでゆきたいと考えています。

最近、多勢の新入会員を迎えました。その殆んどが全くの新人です。私たちはこの新人に仕事の機会を作るという問題を含めて、新市場の開拓を考えます。従って、今日ようやく機運の熟して来た各種の研究活動を通じて私たちみんなの力量を高めつゝ、それを裏ずけとして、新市場の開拓をはかってゆきたいと考えます。

企業所属の会員諸氏も、そうした研究活動を通じてお互いに経験を交流し合い、作家として高まることによって、企業内での作家としての発言権を強め、作品活動の更に強い推進力となるよう協会の仕事を援助し且つ利用されるよう願います。

私たち委員会の考えを空念仏に終らせたくなく、また自らの怠惰を戒める上からも、こゝにひとこと記した次才です。

（運営委員会）

会員の動静

水木 荘也＝別に変ったこともありません。それにしても最近の記録映画論争をもっともっと深めて欲しいものですね。

大方 弘男＝病気療養中の処、恢復、次回作品企画中です。

西浦 伊一＝〃幼稚園〃（綜合科学映画製作所）企画準備中。

田中 喜次＝〃美人誕生〃〃五匹の小猿たち〃（電通）演出中・

石田 修＝〃新火力〃三巻、脚本演出・五月中旬完成。〃新東京火力建設記録〃二巻、演

最近の研究会から

教材映画研究会

去る四月の試写研究会で提案（前号既報）され、さっそく活動をはじめた「教材映画研究グループ」は、去る五月二十二日映教会館試写室で才一回目の研究会を開催した。当日は研究材料として、「社会保障」（三木映画社作品）「たのしい学校劇」（才一映画社作品）が上映され、出席の会員二十余名に、国立中央教育研究所の大野、岩井両氏、および日本映画教育協会の森脇達夫氏らをまじえて有意義な討論が行れた。

この研究会でどんなことが話しあわれたか、今思出しながら書いてみます。

『社会保障』という映画は、「今日の貧困は個人の責任ではないから、社会で責任をもたなければならない」ということを判らせる目的でつくられたのだ、という説明がありました。それに対して「それを判らせるには今日の社会のもっている矛盾をえがく必要がある」という意見がでました。この意見について、国研の大野さんは、「今日の社会のもっている矛盾をわからせる映画は、もっと程度の高い段階の教材で、社会保障の教材ではない」と答えました。又、「どうしてこのようなテーマを映画にする必要があるのか、映画にしなくてもいゝではないか」という意見がでました。それに対しては「古い教育は文字による教科書万能の教育だった。つまり概念をおしえこむだけだった。だから映画によって事実をみせ、事実から概念をつくりあげてゆく教育が必要なのではないか」と答えがありました。

『たのしい学校劇』については、この映画は教材になるか、という点について、国研の大野さんから「国語教育や課外の教材につかえる」と発言があり、又「どんなものでも教材としてつかうことは出来るが、しかしそうだからといってそれが教材とはいえない」つまり教材としてつかえる映画と教材映画とは、一応別である。ということの説明がありました。この点、こんどの教育法案の中でも問題になっていたので、特に私には印象のつよい説明でした。文部大臣は教材としてつかうことのできるものはナンデモカンデモ一切教材と考える、と発言していたようでした。

『たのしい学校劇』は、たのしく面白がらせて、知らず〳〵にやってみようと意欲させることをネライとして作った――という製作者側の発言に対しては、おもしろがらせただけでは、やってみようという気にならせることは出来ないのではないか、学校劇のもっている意義、というようなものを感じさせることが不可欠なのではないか、それがぬけたら面白がらせたのしがらせることも出来なくなりはしないか、と発言がありました。

最后に、一番大きい問題として、「教材映画は、学習計画にそって組立てられる、という教材のホネグミだけではなく、その上に、みる人たちの情感にうったえるものが必要ではないか」ということがだされました。国研の大野さんは

出、五月末完成。〃塗料と科学〃イーストマンカラー、仮題一巻、脚本執筆中（いずれも日本観光写真映画社作品）

西本　祥子＝〃くるま〃（日本視覚教材ＫＫ）編集中。

松本　治助＝五月より三ケ月間、テレビのコマーシャル・フイルムを、専門に作ることになりました。いつも時間に追われながら仕事をしております。

樺島　清一＝〃土地と植物〃（日本視覚教材ＫＫ）撮影準備中・完成は七月下旬を目標。

赤佐　政治＝日本産業映画社に勤務中。

田中　喬平＝記録映画社にて新しい企画についての調査をしています。

落合　朝彦＝〃コーテット・サンド〃（日映）演出、編集中。

大橋　春夫＝英映画社に勤務中・

高井　達人＝〃新しい硫安工場〃（三井芸術プロ）録音待ち。

八木　進＝〃わたしたちのリズム楽器〃（モーション・タイムズ社）演出完成。体育教室シリーズ　その五〃リズム運動〃（モーション・タイムズ社）一巻、準備中。

中村　敏郎＝〃ピヨピヨ大学〃（日映新社）演出。五月十三日に延岡ロケから帰京しました。引続き東京撮影に入るため準

ここの点について作家のみなさんが研究してほしいと発言しました。

（以上、不充分ではありますがメモがないので、思い出しながら書いた個人的な記録であることをお断りします。丸山章治）

新人会　研究会

雀の学校

六畳間に十数人が目白おしにならび、一冊の本を三、四人でのぞきながら雀の学校の勉強がはじまりました。

場所は中央区役所銀座東出張所、時は五月十九日夜。この学校は新人会研究会と名づけられています。

雀の学校にはむちをふりふりチイパッパなんて先生はいません。くちばしの黄色い雀たちは、クレショフ先生のご本をよんで、チイパッパ、チイパッパとやりあうのです。ご本の名前は「映画製作法講座」ってむづかしいのですが、ひらいてみると、それはそれはしんせつでいねいかゆいところに手のとどくようです。子雀たちは才一章入門をよみました。A雀がチイパッパとやると、みんながチイパッパとやります。つぎにはB雀がチイパッパ、みんながチイパッパ。そのつぎはC雀がチイパッパ、みんながチイパッパ……にこにこしながらチイパッパ、たのしく一緒にチイパッパ。学校のとなりのお家では、お嫁入りらしく、親雀たちが「幸せの歌」を合唱していました。子雀たちはそれにまけずにチイパッパチイパッパとやりました。

この学校が出来る前には子雀たちは興味のおもむくままにでたらめな「映画の歌」をチイパッパチイパッパとうたいました。なかには上手な子雀もいましたが、大部分は下手でした。赤ちゃん雀のうちはそれでもよかったのですが、だんだん大きくなってくると親雀たちは「いつまでも歌がうたえんようでは、お嫁さんももらえない」と心配にな

協会に望む！

森脇達夫（日本映画教育協会）

先日の作家協会の会合（四月二十八日試写研究会）でも説明申しあげたように、現在全国の地域視聴覚ライブラリーの運動は、かなりの充実を示しております。これに対する映写機の普及運動も、また併行して行われつつあります。この活発な視聴覚ライブラリー運動のなかからは、当然"よい教材映画を――"という要求が起ってくるわけです。現場の要求にこたえて、視聴覚ライブラリーによい教材映画を提供することは、私たちの日本映画教育協会の考え方でもあります。教材映画を利用する側の現場の声をきくと、「教材として利用出来るものが少ない。真に使える教材映画がもっと出来ぬものか」ということになるのであります。最近製作業界では教材映画の大系ものやシリーズものが、かなり豊富に作られてはおりますがそれらの教材映画は名実ともに利用者側の要求に即応したものでありたいものです。そこで私が、作家の方々におねがいしたいことは、"よい教材映画を――"という今日の課題に、とり組んでいただきたいのです。そのためには作家と教育指導者と現場とのつながりをもっともっと深めてほしい。今日の教育がどのような仕組の中で、どのように進められているか。そういう事への理解も進めてほしい。もし、そこで、作家と教育指導者との間に、教育への理解の点でひらきがあれば、一日も早くそのひらきをなくして行こう。よい教材映画をつくり、教材映画の向上のために、みんなが考えること。話しあいを更に重ねること。これを協会の方々におねがいします。

（談・文責編集部）

備中です。当分の間は以上の次第で、この撮影編集に従事します。

西尾善介＝"黒部ダム序篇"（日映）カラー四巻。脚本演出。ロケハンのため北アルプス及び黒部川へ五月十一日出発。五月二十八日帰京。完成予定は来年四月。
"北斗農場の記録""お茶漬ノイローゼ"（新東宝教育映画部）企画中。

奥山大六郎＝"結核の発生"（日映科学）編集中

中村麟子＝日映科学にて次回作準備中。

大久保信哉＝動静はその后大した変化ありません。月末から来月初旬には何か面白い動きがあるんではないかと思っています。

吉岡宗阿弥＝"ビールのむかしむかし"（浅野プロ）カラー・作画準備中。

岡野薫＝"南氷洋"、新理研）編集中。目下多少南極ボケ。

松本俊夫＝現在"銀輪"（新理研映画）イーストマンカラー二巻の實補。あと録音、ネガ合わせ等が残っているだけで五月中旬初号完成の予定。その合間をみて新しい企画の調査を始めています。

富岡捷＝"若い仲間"（青少

りました。心ある親雀は、心ある子雀をよんでいいました・「ひとつ、みんなで学校にいって勉強したらどうだい。雀がチイパッパを正しくできなかったらオマンマがくれないよ。A雀や、お前はなかなか上手だが、雀は鳩や鴬と違って、いつでも集団生活をしているんだからね、独唱ばかりでなくコーラスが上手にならなきゃだめなんだよ。わかったね」こうして子雀たちは、まず正しく、つぎに情感をこめて歌うことができるように学校にかよいはじめましたが、まだ入学したばかりの一年生です。

家が貧しかったり、親雀が無理解だったりして学校を休んでる子雀が多勢います。クレシヨフ先生は何んにもおつしやりませんが、ずいぶん心配していらつしやるのです。じようずなコーラスがいつになったらできるんだろうと心をくもらせているようです。ご本が買えなくてもしんせつな友だちがちゃんとみせてくれます。上手な雀も下手な雀も、お互いに助けあってチイパッパとやっています。クレシヨフ先生は、つぎに第二章シナリオで「隊長タラス・ブーリバ」の歌を習うようにっていっております。

子雀の皆さん、ではさようなら。お家のてつだいをよくして下さい。親雀の皆さん、子雀をどんどん使って下さい。そして、子雀にまけずにチイパッパとやって下さい。

（河野哲二　雀）

私の白書

岩掘喜久男

省みると、この一年間、私は『たのしい版画』『子どもの予算生活』『点字の世界』『たのしい学校劇』と、主に自主的な作品を作ってきた。

続けて自主作品を作るなんて羨しいですな、といわれたこともあった。

確かに、自主作品はおもしろい。でき上った作品が果して商売となるかどうか、一本ごとに真剣勝負のスリルもあるが、何よりも先ず楽しいのは、自分でやりたいと思ったこと、自分が感動したところから、企画が始まることである。

これは、実は　創作活動のABCで、どんな入門書をみても、第一頁に書いてある。街頭にカンバスを立ててスケッチしている画学生だって、芸い同人雑誌に青臭い小説を並べている文学青年だって、やはり、先ず自分の感動や関心から、創造を出発させている。第二芸術とか何とか軽蔑され勝ちな俳人や歌人だって、あるいは、大衆小説として何か一段低級なことを書いているように扱われ勝ちな作家にしても、やはり先ず自分の感動が創作の源泉となっている。まさか、紡績屋や、薬屋や、肥料屋や、電杵屋や、土建屋や、その他かずかずのお大尽から、銭の上りの一部をもらって、歌を作ったり、画をかいたり、小説を綴ったりはしていまい。

だから、そういう銭の上りで、へいへい今月は薬の映画で、へいへい今月は電話の映画で、へいへい今月は肥料の映画で、と、自分がその効能に感動したわけでも何んでもないのに、もっともらしい理窟をつけて、次ぎから次ぎへ広告映画を作っていた私などは、正に文学青年以下であり、第二芸術どころか、芸術のゲの字にも、作家のサの字にも値いしない存在であった。

時に口を開いて十八世紀の芸術を論じ、サロン芸術の、パトロン

自由活動映画」(文部省企画・新理研映画製作）演出完了。

西沢　周基＝〝セメントの世界〟（新理研映画KK）第一部会社篇編集中。第二部科学篇撮影中。

豊田　敬太＝〝彼女の出発〟（新生活運動協会企画・新理研映画KK製作）演出。千葉ロケを終り都内ロケ中。

原本　透＝〝WHEEL AND AXLE（住友金属）〟（新理研）演補。

榛葉　豊明＝〝ガス〟（岩波）演補。撮影中。五月二十日～二十五日頃クランクアップの予定。

羽仁　進＝〝双生児姉妹〟（岩波）演出のまとめの撮影中です。

時枝　俊江＝岩波映画製作所にて企画中のPR映画の調査を常に二三本行って居ります。

吉田　六郎＝〝写真〟〝歯車〟（岩波映画製作所）の製作を終り、次の企画を検討中。

肥田　侃＝〝グループの指導〟（文部省映画）を終え、現在科学映画準備中。

羽田　澄子＝岩波映画製作所にて企画中のものを二三本もっています。

松岡　新也＝〝国際見本市〟（電通映画部）イーストマンカラー演出担当

芸術の、と、これをさげすみ、時に歌舞伎の古さを叩いて座付作者の御用性をあざ笑うこともあったが、よくよく考えてみれば、自分のしていることは、資本家のしぼり出した利潤の中から、ほんのちょっぴり失銭を頂いて、さらに多くの利潤がもたらせるように太鼓を叩くことであった。パトロン芸術以下、座付作者以下の、正しく「資本家の犬」の一匹に近い。

なるほど十二支説によれば、私は犬の年の終り、猪の年の初めに生まれている。明治末年の生まれ。で、もはや四十五回の誕生日も送り、人生五〇年とすれば、余生は僅か五年である。医学や衛生学の進歩で平均寿命が伸びたとしても日本の老政治家のようには十分に栄養もとっていず、平気で悪いことをする神経の太さもなし、いつまで現場に仂けるか知れたものである。

そして、さて、私の墓標ができたとして、そこの碑銘には何と書かれるであろう。曰く、電々公社註文映画「丸穴式電柱建柱法」の作家?……曰く、某々農薬広告映画「粉剤農薬の科学」の作家?

……

全く、冗談じゃない。考えてみただけで、私は戦慄した。

そこで、私は転向した。

そして、入門のABCから出発し直すことにした。すべて自分の感動から出発しよう。人から主題や素材を強いられないで、自分の問題としたことだけを、自分の考えるように、表現してみよう。

それが『版画』のスタートだった。いざやってみると、会社の資金の乏しさや製作費の少なさから初めに考えていた恵那地方へも、自兵方面へも、ロケすることは許されず、近距離の横須賀が舞台となって、自然に構想も変ってきた。

しかし、全く変ったわけでなく、この道が駄目ならこちらの道でと予め考えていた一つの道であったことは事実である・やりたくてやったという本質には変りがない。

次の『予算生活』も、店頭で見

声（1）

▽長男が二月から病気で寝ておりますのでインウツな毎日が続いています。しかし幸か不幸か病院の場面を〝中学生〟（東京シネマ）の中の一場面に入れる事が出来ました。不思議な世界ですな。

（京極　高英）

▽充実してきた会報、大へん喜んでおります。新人会の仲間も、論陣をひろげつつありますし、小生自身も勉強を進めるよう努力中です。

（大沼　鉄郎）

▽会報オ十二号、大へん嬉しく拝見しました。だんだん会が、近づいてきていることを感じます。

（荒井　英郎）

▽協会の仕事に種々と御協力されている諸兄に感謝しますとともにお手伝しない己を恥じています。

（中川　順夫）

▽五月七日に新理研映画KK労組大会が開かれ、執行委員に選挙されたので、その面でも大いに張切ってやっていこうと決心しています。

（松本　俊夫）

▽こんどの会報は、努力のほどがよくうかがわれ、敬意を表します。

（丸山　章治）

▽会報前号掲載の声に対し、運営委諸氏より御叮寧なお答を頂き厚くお礼申し上げます。今回よせられた会員諸氏の沢山の「意見」にも運営委の活動情況にも、いろいろと考えさせられ、まことに有効な会報でした。諸氏の御努力に感謝しております。次回には「意見」とともに、会員諸氏の「生活」も語られるとよいのではないかと思います。そこに八木委員の言われる「愛情」も育つのではないでしょうか。

（かんけ・まり）

×　×　×　×

衣笠十四三＝〝鬼太鼓〟（全農映）演出準備中。これから佐渡ケ島へ渡ります。一週間ほどして帰京の予定。（五月十一日朝）

杉山　正美＝五月十四日広尾病院を退院し、静岡県御殿場市湯沢五にて療養中。

加藤松三郎＝〝株式〟（東京シネマ）脚本。〝製薬〟（国内版）（日映科学）脚本。

豊富　靖＝全く仕事がなくて、ぶらぶらしております。目下待期中、どころか、目下あぶれ中。毎日古典をひっくり返したり、語学をやったりして基礎勉強中という所です。

中島日出夫＝〝塗料と科学〟（日本観光写真映画社）演補。

近藤　才司＝仕事待ち。シナリオの勉強のための資料集め。

日高　昭＝〝経済の学校〟（桜映画社）二巻、演補。五月十五日クランクアップ五月末完成予定。

清水　信夫＝東映児童劇映画の脚本準備中です。

中江　隆介＝五月、人形劇団プークオ23回公演用〝イソバと海賊〟（琉球の民話に取材した四幕十場）の脚本演出。六月、〝たのしい算数〟（オ一映画）脚本執筆の予定。

諸岡　青人＝〝緑の谷間〟（電通九州支社）イーストマンカラ

かけた新書版が刺戟のもととはなったが、これはいいと思って会社へ持込んだ点で、やはり、やってみたいと思うことが出発点であった。

次の『点字の世界』になると、これは二〇数年のネタである。まだ中学生の頃、同級生の兄さんがいわゆる中途失明で会社も止め、家で細々暮していたとき、私は頼まれて本を読んだり、辞典を写してきたり、ダイジェストをしたり、一種のサービスをしたことがあった。それが、企画の遥かなる出発点である。

だから、自然、私の関心は中途失明と結び、盲学校よりは光明寮的なもの、点字図書館、点字出版点訳奉仕といった面に傾いていた。事実、初めに書いた『点字の世界』は、まだ理研映画に勤めていた頃主に戦傷失明者の再教育というポイントから構想されていた。確か矢部君たちもその本はよんでくれたはずである。

理研で採用されず、フリーに変ってからも、一、二のプロダクシヨンで話してみたが、どこでも省みてくれなかった。主題の論義よりも、まずパトロンやスポンサーの懸念が先きであった。

今度の場合も、幸い第一映画で採り上げてはくれたが、プリント保証三〇本、三五万円程度の話が少しも進捗せず、十一月下旬クランクの予定が、五日伸び十日伸び、そこへまた文部省の話が混線してきて、ぐら〳〵したまゝ年も明けてしまった。

十一月中にはギヤラがはいると頼りにしていた私には、大きな打撃だった。第一映画では、もちろんスノプシスはすべて無料、脚本を書上げても、ロケがスタートする時初めて本代が支払われる。『点字』の場合も、企画そのものは夏の初め『予算』をする頃から出してあり、十月七日具体化の第一歩を踏み出したが、それは別としても、十一月は専ら脚本にかかったから、その生活費は当然本代で賄わねばならない。それが、十一月も駄目、十二月も駄目となり、私は生活費の工面に苦しまねばならなかった。それも、ふだんの月ならまだいい、節季の十二月だけに、痛い予算外れである。

その上、私の考えていたものと

美術映画「雪舟」について

雪舟が没してから四五〇年目にあたる今日、日本を始め世界各国で改めてこれをとりあげる意義は一体どこにあるのだろうか——これが美術映画「雪舟」を製作するにあたって私たちスタッフが考えたまず第一の事です。

雪舟は五山文化の最盛期に生い立ち当時の一流画僧であった如拙周文について絵を習ったが、彼等の描く権力に抑えられた、型にはまった個性の乏しい絵にあきたらず反アカデミズムを表明して京都を去った。折から幕府と明との間で貿易が再開され、雪舟はその貿易船に便乗して彼地に渡り宋時代の馬遠、玉澗、夏珪などの絵を親しく研究し直接その技術を習得して帰って来たのでした。

雪舟四十九才の時であり、又その当時に於ては南支那海の荒海を横切って中国へ渡ることはそれ相応の危険のあったことと思います。アカデミズムに反抗したはげしい気性と、絵を学ぶためには如何なる危険をもかえりみずに果然とぶつかっていった勇気と。描くことに全生命力を捧げてくやまず、それによってあらゆる真実を追究してゆこうとする撓まざる努力が、あの強い線とゆるぎない構図によってあらわされた「秋冬山水図」。となり又緻密な構成力とゆたかな表現力をもって春夏秋冬の風物を

—脚本演出。目下九州ロケ中。

吉見　泰＝東京シネマにて、国際電信電話株式会社のPRシナリオ（三巻）第一稿をあげました。今月半ばすぎには決定稿に漕ぎつける予定。短波通信の話なので、一寸、宇宙的な物語にしました。おかげ様で、目下、新家庭円満なり。

山本　竹良＝〝たのしい学校劇〟（第一映画社）の音の入換へをやっと終り、ブラ〳〵していますと云うと何かのんびりしている様ですが、一ケ月程延びたので、息切れしているのが実情です。

村田　達二＝新東宝に新設された教育映画部の中で働いています。会員諸兄の御協力を切望しています。まだ、海のものやら山のものやらわからず、企画調査をかねて目下関西方面を旅行していますが、民俗物と民謡を中心としたものを猟産中。

森田　実＝〝美人誕生（黒竜堂PR）〟（電通映画部）演補。五月二十日頃アップ予定。

向宮　則夫＝〝雪舟〟（東京シネマ）五月二十九日より六月三日まで国立博物館の撮影。六月四日頃より二日間位、京都へロケに行きます。

文部省が出してきた盲学校中心のものとでは、同じ盲人の扱いながら実は別の企画なのだ。金の問題も絡んで、すっかり困りもし嫌気もさした私は、企画の採り下げを会社に主張した。どうせ自分で生活費を工面し又赤字を殖すなら、何も企画を曲げる必要もなく、人の註文を強いられる義務もない。

しかし、さてこれを捨てるとなると、一月も収入の見通しはない三ケ月の無収入はえらいことだ。加納プロジューサーの奨めと支持で、私も妥協線を歩くことにした。

そして、あわたゞしく盲学校を飛び歩き、一夜漬の本にまとめて新稿『点字の世界』ができ上り、一月下旬、ロケハン開始と共に、待望のギヤラがはいってきた。金四万円也。

この四万円は、二巻の脚本料が三万、演出料が五万、計八万の半分である。

そして、『点字』の文部省試写がともかくOKとなつたのは三月十四日。十一月から勘定すると四ケ月半になる。八万を割ると、月平均一万七千七百七十七円七十七戋強の収入である。家族の少ない私の家でも、生活費は最低の食生活にして二万五千はかゝる。だが、『点字』も結局生活費持ち出しのサービスとなつてしまつた。

但し、その時の計算では、続いて『学校劇』が始まり、遅くとも四月中旬には完成する必要があつたので、この演出料六万円（本は私ではない）がはいれば、多少でも赤字の補いとなる。というささやかな望みがあつた。

そこで、三月十四日『点字』の試写が終つた翌十五日には、『劇』のロケへ出発する、という早業もした。

しかし、この時も約束と違つて『劇』のギヤラは出なかつた。出たのは二九日に一万円、四月十七日共同映画で初号試写をすませて二日経つてから一万円、だけである。

しかも、必ずしも私個人の責任とはいえない子どもの方言問題でアフレコのやり直しをし、改訂版の試写がすんだのは五月十二日の夜。

結局『劇』も二ケ月かゝって、二万円の収入である。

もっとも、途中三月に二万円ももらったことがある。けれど、それは、あの『版画』のギヤラである。『版画！』『版画！』

版画は確かに私にとっては転株の作品である。懐しい作品でもある。

しかし、同時に、それは、思い出すだけでも、胸の痛む、悪夢のような作品である。

というのは――――

当時、二九年度の第一映画との契約では、專属給として月三万、

描きみる人の心をうつ全長十七米にも及ぶ四季山水図鑑を描き出させたのであり、雪舟に至って始めて、それまで詩画一致と云われて、詩に従属していた山水画が絵画として独立したのであります。

こうした雪舟のはげしい気性と、若々しい情熱を内につゝんだ偉大な精神が、後世にいたり浮世絵の北斉などに受けつがれて徳川封建社会における庶民の生活を描いた作品となつてあらわれて来たのであると思います。

ここに至って始めて、水墨画、山水画と云われる、二〇世紀の私たちの大衆の生活にとってまつたく縁もゆかりもない作品を画いた雪舟が今日改めて大きく私たちの前にクローズアップされてきた意義があり、アカデミズムに反抗し、権力に屈する事なく、情熱をもつて自己の芸術を完成にみちびいた雪舟について改めて考えてみる事も必要なことであると思います。

美術映画「雪舟」も以上のような観点にたつて、それを雪舟の作品を展開してゆく中で表現してゆきたいと考えております。

（向宮　則夫）

丸山　章治＝三木茂に協力して、十日、〝社会保障〟（社会科教材一巻）録音終了。目下〝ことばと態度〟（社会教育映画）シナリオ執筆中。それが終り次オ〝ゆうびん〟の脚本（社会科教材）にかゝる予定。

矢部　正男＝〝ガス〟（岩波）脚本演出。

野田　真吉＝〝かもしか学園〟（新映画プロ）シナリオ。〝本州の屋根（新日本地理映画大系）〟（日映新社）シナリオ。〝岡山の産業地理〟（理研科学映画）シナリオ。

永富映次郎＝記録映画〝横浜港〟（産経映画）企画中。

苗田　康夫＝〝中部電力の五ケ年〟（岩波）演補、初号待ち、後待期中。

荒井　英郎＝〝ナイロンの学生服〟（三井芸術プロ）演出終了。

富沢　幸男＝〝中部地方の電力〟（岩波）演出中。五月末初号完成予定。

高島　一男＝漸く〝売春〟の初号完成の運びに至りましたが、作品として問題が多く、再度編集からやりなおしのうえ、改訂版をつくることになりました。完成は五月下旬～六月上旬のみこみです。

高見　貞衛＝〝立に上った州の豚〟（日本記録映画社）（二巻）

仕事のある毎に脚本一巻五千、演出一巻一万の作品手当が支払われることになっていた。作家協会の基準にほゞ近いものだつた。

しかし、相次ぐ経営上の誤算で尨大な赤字を抱えながら、資金計画もあいまいなまゝにスタートした『タネまく人々』の無理も崇つて、会社は急速に行き詰っていつた。

夏には、すでにカメラマンに払うギヤラの見通しもない。そこで私が会社から出稼ぎに出向し、十二万円のそのギヤラでカメラマンの経費などが賄われる、という一と幕もあつた。

秋には電々公社の完全註文映画もはいり、私が『タネ』でロケする間、京極さんが代役を勤めてくれることなどあつて、会社の収入を殖すことを斗ってもみたのであるが、一向に効き目なく、月給の遅配が始まつた。百数十万の完全受註でありながら、作っているその月ですら、遅配となり、もちろん作品手当など黙殺である。

十二月下旬『タネ』のダビングをする頃は、遅配は一層ひどくなつた。

その苦しい最中『版画』の企画が始まつたのである。

もつとも、私には一つの幻想があつた。仂けばお金になる。少なくとも製作期間中は最低の生活は保証されるだろう、という幻想。

『タネ』は作品の性質上、手当はサービスとしても、完成しさえすれば、遅配の幾分は恢復するだろう。まして、『版画』は共同映画のプリント本数の保証がある。手当は后廻しとしても、固定月給の七八割は出るだろう。遅配は遅配として、一本契約の最低は出るだろう。という予想があつた。実際にも『版画』は一本契約のギヤラという形で製作予算も組まれたはずである。

だから、年の瀬を挾んでの無収入も、なんとか切り抜け、馬車馬のように突進する意気ごみがあつた。決してお金にはならないぞ、と初めから分っていたら、あゝまで楽しく動けはしなかつたであろう。

幻想は、ついに幻想に終つた。

『版画』の完成するまでに、若干の金は出たが、二万何千円では一ケ月の生活費にも足らず、遅配を埋めれば、前年の十二月分の固定給がまだ埋まらない計算となる。前記完全受註の作品手当三万、愛のアルバイトの手当の残二万、春の手当の残二万、計六万の残もそのままで。

結局、『版画』は収入ゼロ。一、二、三の三ケ月の生活費持出しで完成となつた。

そして、四月も、五月も、六月も、ゼロの状態が続く。

金がはいつたのは、次ぎの『予算生活』のロケに出るす前であつた。六月七日初めて現地の調査に出かけ、七月中旬ロケに出るまでの、本をまとめる期間は、例によつて生活費も自分で工面した。ギヤラは、前記の如く二巻の脚本演出で八万。ロケに出る時1/3、ロケが終って1/3、完成后1/3、という支払い方式も、厳格には守られず、プリント保証五〇本の版権収入七〇万円の裏付けがあり、直接製作費は五十五万前后で予算通りに上つているにも拘らず、ギヤラの払いがすんだのは、もはや秋風も涼しい頃であつた。

そして、その秋も盛りの頃、やつと『版画』のギヤラの第一回分が手に入つた。

その金額、金五千円也。

三ケ月も四ケ月も、生活費を注ぎこみ、家族も痩せる苦労を重ねてプリント完成から半年、着手からは実に十ケ月もかかつて、待ちに待つた『版画』のギヤラが、千円札でたつた五枚――

私は憤然とし、呆然とし、悄然として、ついにこの金は家族には渡さず、二千円で蛍光灯と雨傘を買い、三千円は溜まつていた会費の一部として協会へ収めることにした。

そして、この三月、前記したように、第二回の二万円がはいって
演出。七月完成の予定。

中川　順夫＝〃えんぴつ泥棒〃（スミダプロ）五巻、脚本監督、五月中に完成の予定です。

清家　武春＝〃谷間の学校〃（日映科学）演補完成。後待期中。

菅家　陳彦＝〃中学生〃（東京シネマ）以后、現場はやっておりません。理研科学（村上プロ）からの依頼で、シノップシス〃台地の子ども〃など書いています。あとは協会の運営業務。

杉原　せつ＝仕事まち。

島谷陽一郎＝一、児童物シナリオを描いています。
二、〃弥次喜多道中〃（育英社）待料中。
三、ヒッチハイクの取材で撮影に五月十七日より四日ほど甲府の方へ行きます。
かんけまり＝去る四月三十日〃燃えない工夫〃（日映科学）完成。目下ルンペンです。
河野　哲二＝〃風ふく街へ〃（劇・仮題）脚本執筆中、近日中に完成します。新映画ぷろだくしよんで映画化の予定です。その他、新東宝教育映画部の企画作品二本のストーリーかきと、スポーツ科学映画研究所の〃正しい野球〃の編集まちというところです。
八木　仁平＝立ったり、坐ったり

声（2）

会報の"革命"

われわれの会報がNO・12の四月号から革命的な発展をした。これまでと同様に私はこれからも会報の編集に関係するわけではあるが、たまたま仕事のつごうで、この革命期に動けなかったため、むしろオ三者的な立場で革新会報の批判をこころみてみたい。

まずは、おどろくべき発展である。当の会報責任者である私ながら、よくもここまでやってくれたと思う。ことに会員動静は気がかりな点だっただけに、その未曽有の充実ぶりは涙ぐましい努力だったろうと推察する。ために、むしろ人によっては行きすぎの報告までもあるように思われ、また血がかよいすぎてオヘツライ？気味になったのはどうか。会員動静は協会のベースであるだけに、むしろ正確さこそがオ一であろう。

会員からの苦言によって、あわてた委員会（私もその一人だが）が編集にゴタついたのは当然としても、たとえば委員会の報告も事務局の通知も、また会員の声も新人の発言も、なにかあちこちに点在して紙面が割切れず、どうもスッキリとうけられないのは損だ。増ページの今後は、特に記事の割付けに心しなければなるまい。

しかし会員動静らんの充実とともに画キ的なもう一つは、研究会（教材映画）の報告記事である。出席したくともできない会員もあるのだから、げんに私もそれでたすかったわけだが、これは今後ともぜひ続行したい。

最後に、今期ぐらい新入会員の殺到したことはなかったが、中でも、新入新人の活発な発言に接したことはめずらしい。さぞやこれからもニギヤカなことだろうとたのもしく思われる。あらたに「新人らん」の必要も考えられる。

おもえば待望の業界紙が、やむなく「待業」となったのは残念だったが、そのためもあって、むしろ会報の充実となったことは、たしかに協会にとってプラスにちがいない。むろん会報の充実は緊急だが、この充実された会報の基盤の延長線上に、いまあらためて私は業界紙の発行をゆめみる。

それはとにかく、会員のみなさんよ、まず、会報をそだてましょう。

（加藤松三郎）

きたのである。日も同じ三月十四日。目黒スタジオで初号試写を見た。その丁度一年あとである。

不思議でならないのは、『版画』はお陰様で評判よく、この三月には販売プリントも百十五本を越したはずのこと。一本一万二千円として、版権の総収は百四十万円に近い。間接費を加えたら別の話であるが、直接製作費だけでいえば七十五万円前后だから、その割には稼いでいる作品である。そしてその製作費の中にはスタッフのギャラが当然含まれているはずであるから、百四十万も稼ぎながら、肝心の作家がたった二万五千円しか払われないというのは、どうしてだろう。

私にも分らないし、女房も、おふくろも分らない。今年五才の小さい甥も、分らないネ、分らないネ、と口まねをしている。

全く、私は、奉仕事業として仂いているのではない。仕事の中にやはり生活費を叩き出さねばならない、職業作家の一人である。女房だって盆と暮ぐらいにはパーマもかけたいだろうし、銭湯でうっかり裸にはなれないボロの下着だって好んで着ているわけではない。隣近所の奥さん連が、いろいろと話をすれば、映画だって見たいし、婦人雑誌の一冊ぐらい買ってみたいに違いない。それが映画といえ

寝たり起きたりしている。世の中に対する懐疑と信頼、人間に対する愛着とブベツ、こういうものをその時々の身体の状態にあわせて、都合よく反復ずうしているが、外部にあらわれるものは右の四動作にすぎない。慢性的にゼニがなく、暇があると斯ういうことになるのである。

桑野　茂＝相変らず報告の価値なきシナリオに関係中。一方情熱を注ぐに足る作品を血眼になって追求中。（五月十日現在）

京極　高英＝"善さんとおすみちゃん"（東芝電気委託・岩波）演出完成。"ゴミの東京"（仮題）（岩波）演出。目下撮影中。七月上旬完成予定。

大沼　鉄郎＝"国際電々"（東京シネマ）演補準備中。

上野　大梧＝"新しい保安工場"（三井芸術プロ）ダビング完了・六月初旬初号プリント完成の予定。

厚木　たか＝三本ほど、同時に企画調査をすすめています。

尾山　新吉＝目下、キノプロダクションにて"日本民謡シリーズ"オ一集を準備中です。とは云うものの、開始の時期は目下不明。遊びと言った方が適当と思います。

小野　春夫＝▽"総合開発"（赤谷川）オ二部は近く完成します。

は『ひめゆりの塔』を見たきりである。

おふくろも年が年だ。寒い冬の最中には一日火鉢に火もほしいであろう・切り詰めた予算の中では、一俵五百円の炭は、とても買えないの、買いたいのと、予算会議の度に討論されたのでは、泣き出してしまうのも無理はない。

かくて、わが一年の斗いは終った。私は名実共にフリーとして、新しい道を歩くことになった。今日は薬品、明日は電柱、そして明后日は電話と、主題も素材も御意のままに、最高利潤のおこぼれで、その日その日がすめばいい、チンドン映画屋の流浪の道・

しかし　私には、やはり一年間の楽しい記憶も忘れられない。

自主映画の道も、決して第一映画がとっている方式だけには限らない

そして、私には、やはりやってみたい企画が幾つもある。

国有林の製炭労仂者とその子どもと、そして移動分教場を主題とした記録映画。

未解放部落の歴史と現実を描く映画。

第一と共同がやり始めた「たのしい」シリーズとは違い、父兄を対象として新しい教育の姿を紹介する「新しい教育」のシリーズ。

児童憲章の再認識と現実とを対比した映画。

心かけていながら表現化のむずかしい「えんぴつ詩集」。

子どもの唄声と家庭の音楽を扱った「笛よ高鳴れ」

その他、その他。私は私のできる限りで資料も集め企画を練っている。何処かへ売りこむつもりである。

感動を第一に。

自分の胸の中から出発すること。それ以外に、作家の道はない。

技術は下手でも、まず自分の唄いたいことを唄うのだ・

そして、それがサービスでなく、やはり監業として成り立つこと。

私は信じたい。それが可能であることを。

私は、やはり、信じたいのだ。

"彼女の出発"

豊田敬太

彼女の出発　というのは、新生活運動啓発映画の題名である。まだ昨日録音を終ったばかりで、もう四、五日しないとプリントにならない。もちろん、この映画もスポンサーがあって、新生活運動協会というのがそれである。政府が年間一億ばかりの予算の民間団体として発足させたもので、各都道府県に推進本部を置く、この運動のサービス・センターであるということである・

新生活運動というのは、冠婚葬祭の改善から衣服、食物、住宅、衛生環境の改善、会社の作業能率厚生施設、果ては家族計画に至るまで、およそ人間生活万般一切を科学的に合理的に改善しようではないか――という一大運動である。主旨それ自体、まことに結構な運動である。

だから、今迄に作られた殆んどの教育映画が、この主旨、項目のどれかに当てはまるわけである。ところが、このようにこの運動の各項目を主題にした映画はあるが総合篇的なものがないので、それを作りたい、というのがスポンサーの御註文であった。

これはエライことだと思い、シナリオだけで勘弁してもらう約束だったのが、遂々演出までやらされてしまうハメとはなった。

第三部は"ダムと濁水"になるでしょう。

▽"しろがね学園"は、桜映画社で同じような精神薄弱児をとりあつかった企画が発表されたので、おくれていますがぜひ製作したいと準備をすすめています。

▽少年院の子供を主題とした企画で、脚本執筆中・

相川　竜介＝郷里、福岡県甘木市庄屋町一七七六へ帰省中。

▽以上はアンケート葉書によって五月二十九日までに事務局へ報告された分であります。

高村　武次＝"佐久間ダム"（岩波）演出中。

稲村　岳一＝人形劇映画を企画準備中。

下坂　利春＝"刈田発電所"（新理研）演出中

島内　利男＝"ホイル&アクセル"（新理研）演出。六月二十日まで和歌山県下へロケ中。

諸橋　一＝日本漫画映画KKに勤務中。

秋元　憲＝"下水の科学"（新理研）演出

岩崎　太郎＝相変らず報告の材料がありません、由。

北　賢二＝ファースト教育映画社に勤務中。

新庄　宗俊＝"美人誕生"（電通映画社）製作中。近く完成。

会費の納入が

協会の成長を保証します。

このような映画が、実際にどれほど役立つか、ともし質問されたとすると、私はちよっと返答に困る。このような運動が、本当に実現されるためには、そのバック・ボーンともなるべき政治の貧困が改善されて、社会福祉的な政策が併行して行われなければならないと思うからである。ところが、近頃の、いや今日までの政治家たちのやつていることを見ていると、彼等にこそ先ず新生活運動を徹底さす必要を痛感するからである。

さて、この映画は、生活改善の模範村といわれる千葉県の長者町で撮影された。こゝでは台所改善が主だが、結婚の簡素化も行われていて、町の公民館には花嫁衣裳からカズラまで立派なものが常備されている。利用者で押すなく、ですよ、とは聞かなかつたが。台所改善した農家の中には、タイル張りの流しに簡易水道の蛇口を取付け、蛍光灯が輝いている下に、改良カマドがデンと据えつけられ、これも総タイル張りの風呂場が、都会からきた私たちを羨ましがらせるような模範農家もある。しかし、よく見て廻ると、このように立派な改善をしている農家は、みんな村の有力者と目されている人たちである。

ロケから帰つてから聞いたことだが、近頃は「俺の家は何万円かけで改善した」というような改善自慢競争の傾向が見られるという。そうなると、今度は、新生活運動の新生活運動をやらなければならないような事態になりはしないかと心配になつてくる。

最近出たある随筆集に「新生活運動――」という題目でこんな話が書いてあつた。要約するとこうである。

新生活運動とか、生活改善運動とかいうが、世の中が不景気になつてくると、このような運動が現れてくる。昭和何年（筆者失念）やらの不況の時にも、やはりこの種の運動が現れたが、何時の間にか立ち消えになつてしまつた。

或る新生活運動の模範村の助役さんの家で、結婚式をやることになつた。このような村の助役さん

「お母さんのしごと」を教材とした授業の

特別研究会

さきに国立中央教育研究所が製作した教材映画「お母さんのしごと」を、実際に、小学校の教室で社会科授業に使用して、特別研究会をひらきます。

とき　六月六日（水）　午前十時より

ところ　目黒区下目黒小学校

★当日は午前十時より正午まで映画使用の授業を行ない、昼食后、研究懇談会を行ないます。尚この研究会は特に作家のためにひらかれるものであり、映教、口研の関係者及び目黒区の社会科担当教官も出席します。

小野寺正寿＝テレビ映画用の16ミリPR映画の演出の仕事を、研究しているそうです。

柳沢寿男＝岩波映画製作所にて次回作準備中。

京　俊朗＝動労連絡用のはがきが白紙でした。

道林一郎＝〃三菱化成黒崎工場〃（理研科学）演出完成。次回作準備にかかつている。

馬場英太郎＝小野寿男と共同で目下企画準備中。

原口光人＝〃三菱化成黒崎工場〃（理研科学）演補完成。

小熊　均＝〃双生児姉妹〃（岩波）演補
薬　康夫＝記録映画社にて企画調査に従事している。

伊勢長之助＝〃海から山から〃（日映）演出。

岩佐氏寿＝〃青年団〃（岩波）脚本。

片岡　薫＝動労連絡用のはがきが白紙でした。

川本博康＝待期
桑木道生＝〃売春〃（中央文化映画社）製作中のところ、このほどついに完成した。

竹内信次＝〃国際電々〃（東京シネマ）演出準備中。

丹生　正＝仕事まち
樋口源一郎＝〃経済の学校〃（桜映画社）演出完成〃

織沢　豪＝日映新社に（引つゞ

であるから、彼は新生活運動の先頭にたっていた。だから、もちろん、結婚式も公民館で、結婚の簡素化のモデルにしたいほどの新生活的に立派な結婚式をやり、流石は当村の助役さんだ、と村の衆に感心された。

　さて、それから一週間ばかりたってから、村の人たちの家へ――先日は息子の結婚式に際していろいろお世話になった。ついては明晩拙宅で感謝のしるしに心ばかりのことをしたいから、万障御繰合せの上御参集願いたい――という意味の廻状がやってきた。

　定刻に村人たちが助役さんの家へ集ると、一人一人の前に目の下一尺もあろうかと思われるほどの大鯛をつけた膳が配られ、一級酒の入った銚子がどんどん運ばれるという豪勢さである。

　そこで、助役さんのいうには、

「今般は新生活の主旨に則って、倅の婚礼も滞りなく相すんだ。これもひとえに皆の衆の御協力のお蔭でありやす。皆さん膳にのっとる鯛は、千葉の親戚、酒は灘の生一本おやがこれまた大阪の親戚から送ってきたもんで、いうなれば只ぢや。ムダをはぶくという新生活の主旨に全く則しとるわけおやで、まあ、何もねえがゆっくりと召し上って頂きてえ」

　思わぬ助役さんの御馳走酒に、村の衆は酔歩マンサン、お土産の折り詰めをブラつかせて、帰り道で囁き合った。

「なんと、助役さんは話がわかるでねえか」

　千葉は、遥か彼方までずっと延びているような野道の風景がなかなかなく、この映画のラスト・シーンも、これから希望に燃えて新生活に入る若夫婦を乗せたオート三輪がロングへ遠去かって行く向うが小山で遮えぎられている。あの儘突進して行けば、小山にぶつかってしまう。映画ではその前にフエード・アウトしてエンド・マークを出しはしたが――。

演出雑感

樋口源一郎

　まだ発表されていませんが前作『佐久間幹線』では、超高圧送電線の計画から完成までの建設記録を完成が近づいてから撮影開始されたためいろいろな困難な条件にぶつかりました。それは平地でも撮影出来るところを六里ものけわしい山道を歩いて登らなければならなかったり、最後の工事なので天候にかかわらず撮影しなければならないのです。イーストマンカラーなのでこれには弱りました。

　鉄塔の上に板を渡して当日を待てば雨と風しかも山頂です。雨を犯して鉄塔の上にねばること三時間、漸く工事が始まりました。工事は撮影のために待つなどということは不可能なので、一台のベルでアクションつなぎを考へて撮影しなければなりません。不自由な鉄塔の上で『今度は何ミリでここ、今度は何ミリでこの部分』とカメラマンに相談する間もないのです。ぬれねずみになりながら線交しという危険な工事の撮影が終ってもまた次の撮影が待っている仕末です。こうして出来上って見ると、このシーンが一番よかったようです。色を超えた真迫力、記録映画のありかたを教へられたようです。

×　×

　こんどの「お金と私たち」は前作とは違って殆んど劇でした。中学校の社会科の経済に関する研究がテーマです。

　ここでは日本経済の現実とこれ

き仕事中。〃国鉄バス映画〃シナリオ脱稿。七月より撮影着手。「新日本地理映画大系」〃上方の移りかわり〃六月上旬より撮影。〃新しい土地〃八月より撮影の予定。
森永健次郎＝〃娘船頭流れの花〃（日活）演出。セット撮影中。
山岸　靜馬＝創芸プロダクションにて準備中。
山添　哲＝〃ナイロンの学生服〃（三井芸術プロ）演補完成。
黒木　和雄＝東芝貿易〃（岩波）演補名古屋にてロケ中。
各務　洋一＝〃東芝貿易〃（岩波）演出。名古屋にてロケ中。
中島　智子＝新理研映画KKにて企画調査中。
平田　繁治・長井泰治＝日本漫画映画KKに勤務中。
岩堀喜久男＝次回作品準備中。
岡本　昌雄＝〃庭の片隅〃（日本視覚教材KK）演出。
▽以上の方々は〆切日に動静をおしらせ下さったもの、またはおしらせがないので事務局にて調査したものであります。
▽尚、左記の方々は動静のおしらせがなく、調査の力もおよばず、ついに消息がわかりませんでした。連絡して下さいますようおねがい申します。
渡辺　享、下村健二、古川良範
大野芳樹

からあるべき姿を示さなければならないのです。もっとも日本の経済の輪郭といっても、いろいろな問題があり二・三巻で、納得のゆくものにならないのでメカニズムだけということで始めたわけです。いままで「ゆうびん」其他教材映画をつくりましたが小学校が舞台だったため割合単純に打出せたのですが中学となればそうはゆかず中学らしい雰囲気を出すのに苦労しました。

いろいろ調査して見ると小学校と違って中学の社会科をそのまゝの形で撮影したのでは映画にならないことが判ったので、生徒と先生とが一つの研究テーマをもとにして調べてゆくという中学校の社会科の理想的な形を映画で創りだして見ようと考え、その線を押して見ました。大きな研究課題を各班毎に分担を決めて研究しそれを持ち寄り、形にしてゆくという姿の中に、創る悦びの表現、クラス全体ののびのびとした演技、それに素人の持つ味をそのまゝスクリーンに移すことなどを生かす努力をして見ました。どの程度成功するか、いま編集の段階なので判りませんが、教室で同時録音したことと、撮影の前に二、三日リハーサルを許してくれた学校の御協力によってある程度生かされるのではないかと楽しみにしていますがその結論はあと十日で出るでしょう。スポンサーとのいろいろな制約の中で、それを超えようとするわたしたちの努力が、ともすれば空廻りするときもあるでしょうが、しかしこうした戦いこそがP・Rボケにならない唯一の途だと思っています。だから僕は、この作品は割切ってやろうなどと考えられないので、いつも重い荷を背負いながら仕事をつゞけているようなものです。ところがこの頃ちっともその重さを感じなくなりました、これも一種のノイローゼなのでしょうか。

（五・二六）

偶感

なにがおもしろいか ＝新人の脚本について＝

吉見　泰

近頃、僕の所へ数名の若い人たちが、記録映画・教育映画のシナリオを持ち来まれた。それぐ首尾体裁の整ったものであった。最近金にならないものには仲々手をつけない、そういう忙しくまたせちがらい風潮の中で、自分自身の発想をとにかく、こつくとまた一気に書き上げる意欲的な精神にぶつかって、誠に新鮮なものを感じ、頭をさげた。

たゞ、それを読んで盾感したことがあった。前に書いたように、それぐみんな、話の展開の仕方や収束の仕方はちゃんと体裁が整っている。聞いてみるとみんな、ほとんど処女作に近いのに、うまいものだと思った。そして更に聞いてみるとみんな試写会などで見た作品にもとづいて勉強したそうだ。素材の展開の形式を既成の作品に学んでいるのであって、その学び方がまことにうまい。自分の素材をまことにうまく当てはめている。

所がどうしても、読んだあとのイメージが浅い。扱われた世界が浅い。一気かせいに書き上げたい意欲のほどには、材料不足なのだとまず思ったが、それだけを云ってすませたのでは、読後感を述べる私の方が今度は浅すぎると思った。一番の原因はやはり扱われている人間や事象に就ての理解や共感が浅いのである。この問題にくると、たゞ新人だけの問題ではな

▽新入会員（五月十九日より）

平野　眞＝新宿区西落合一ノ二七九石原方（フリー・脚本）経歴＝昭和十二年から同十八年まで東宝映画脚本部にシナリオ・ライターとして籍を置いたことがある。のち岩手県映画教育協会常務理事として、学校教育映画の開発に挺身したが、こと破れて上京。もう一度、老花を咲かせる覚悟。最所の仕事として、みちのく風土記を夢に描いている。六月吉見氏と郷里岩手で会う予定。現在は盛岡市上田与力小路四三に帰省中。

眞野　義雄＝杉並区中通町二三〇オ二荻窪寮（フリー・演出）経歴＝昭和十二年より十六年まで東京発声映画、十六年より十八年まで朝鮮映画、その后満映の仕事を経て、戦后、東映東宝作品に従事し、昭和二十九年、東映・滝村プロなどで、テレビ映画、観光映画などを演出し、昭和三十年、〃私はだまさない〃（滝村プロ）B班演出。〃野球少年〃（東映）B班演出。〃テレビ映画〃（東映）演出。昭和三十一年〃中部電力五ヶ年の歩み〃（岩波）進行。〃八十日間の世界一週旅行〃（アメリカ・ドット・プロ）日本側演

い。殆んどの作品が、その辺の浅さを、〃術〃でごま化している。

僕自身のことを振り返ってみてもそのことがよく分る。劇形式のものを書いている時、余計によく分ることだが、作中人物の理解——その肌ざわりや日常の嗜好に至る細部まで——が不足だと、どうしてもその人物が動かなくなる。記録映画的手法の場合でも、このことは同じ筈だ。にも拘らず、多くの作品は、画こうとする事件や事態のシチュエーションまでは手をのばしても、そこから更に深く、そのシチュエーションとそこに動き、生活する人間の理解——どんな考えで、どんな感情で動き、生活しているのかというような点まで深く理解することを怠っているようだ。

だから形を真似ようと思えば、すぐそのまゝ、難なく真似られるような作品が多くて、若い人たちに、作品とはそんなものでいゝのかも知れないと思わせることになっているのかも知れない。

× × ×

またこんなことも考える。

へんに、乙にすました作品が多いということだ。対象に対しての作家自身の感じ方や受けとり方が鮮やかに出ないで、というよりはそんなものはむしろどこかへ行ってしまって、妙にとりすました作品になってしまっていることが多いのだ。対象に対して無感動なのか、或いは主観や感動を表現しきれていないかのどっちかだ。

前者の場合は論外として、後者の場合を考えてみると、作品の中で主観や感動を自由に羽ばたかせていない——主観や感動に自由に羽をのばさせていないのである。なにか形を作ることで一ぱいで、窮くつで、へんにとりすましてしまうのである。創作技術乃至創作方法上にあやまりがあるように思えてならない。考え、感じたことが自由に発想されないということは創作活動上の致命的な悲劇だ。それを政治的な制約があるからだなどと云っていないで、一つの手法上の形式問題としてでも、考え、感じたことを自由に発想表現する方法に就て考えてみる必要があるように思う。

或工場へ撮影に行ったとする。出来上った作品は無感動な紹介に終る場合が多いが、そのこぼれ話を聞いていると、はじめてその工場へ入った素人として、とても危険だったとか、ひどい煩さだったとか、作品からは感じられない面白い話が沢山出てくる。こぼれ話、裏話の方がずっと面白いということにぶつかった経験は再三再四にとどまらない。

裏話になれば出てくる感動的な話を生かすことを考えたい。調査段階での興味の発展——作家が対

★会名変更可否のアンケートについて！

去る一月以来、協会名の変更可否についての会員各位の意見を集めたところ、一月七日より五月三十一日までに総計二十五篇の意見を頂きました。これらはいずれも会報NO10.11.12号紙上に分割掲載して発表しましたが、内容を分類すると次のようになります。

- 教育映画作家協会がよい。 十二
- 記録映画作家協会がよい。 六
- 教育記録映画作家協会がよい。 二
- 文化映画作家協会がよい。 二
- 短篇映画作家協会がよい。 一
- 記録教育映画作家協会がよい。 一
- その他。 一

合計 二五

尚、この協会名変更について御意見のある方は、はがきで結構ですから、積極的におよせ下さいますようおねがい申します。

（事務局）

出など。現在は待期中。

大場 秀夫＝目黒区上目黒五ノ二三三〇（フリー・）経歴＝日大芸術学科卒。高見貞衛紹介。現在は日本記録映画社作品〃立に上った川の豚〃（二巻）（演出高見貞衛）の製作を担当している。七月完成の予定。

小泉 堯＝新宿区若葉町二ノ三奥村方（フリー・演補）経歴＝昭和三十一年三月明治大学文学部文芸科卒業。明大在学中に夜学生自主映画運動に参加。現在スライド〃夜学生の一日〃製作中。荒井英郎紹介

松本 公雄＝台東区南稲荷町十一鹿島方（フリー・演補）経歴＝昭和三十年日大芸術科映画学科に入学。目下在学中。ムービータイムス社キャメラマン飯野博三郎氏紹介。昭和三十年より約一年間、ムービータイムス社にて撮影助手として働いたことがある。こんご演出助手をやりたい。

竹原 繁雄＝品川区西品川三ノ八一〇（フリー・演補）経歴＝昭和二十九年三月明治短大新聞科卒。昭和三十年三月迄三井不動産KKに勤めた。同年四月より三十一年一月迄、全損保労組住友海上支部の専従書記として働らく。以后音楽センターで、メーデー月間中、

象に対してきりこんでゆく兴味の発展を、自由に作品の上に構成することを考えたい。

作品を作るということが妙に窮くつで、作品という形式化のフイルターを通ると素材が死んで、とりすましたお面しか残らないというような阿呆な話はない。

僕はいま、「私たちはカメラをかついでどこそこへやって来た」という、戦前の記録映画にあったあのやり方をよく思い出している。そして作家の主観と兴味の発展を（或は時にはつまづきまでも）時間を追って展開するやり方をやってみたいと思っている。主観と共にカメラは自由に動き易い。探険的な面白さもそこから出てきそうだ。勿論、すべての場合にあてはめられ得るものだとは思わない。しかし、窮くつそうな、見るからにつまらなそうな額ぶちに、とりすました形式の中に閉じこもるより、ずっと自由で、面白そうに思える。何かにぶつかって、面白かったら面白いと云い、驚いたら驚いたと自由に云う所からはじめたいのだ。

メーデーに参加して

矢部正男

私は、毎年のメーデーに掲げられるスローガンには大体賛成である。又、年に一度、働く者が集って、共通の喜びと悲しみと怒りを新緑の大気の中に高揚させるこの行事の意義も大いに認めている。そのくせ私は、終戦後の二三年を除いて、メーデーに参加したことがなかった。険悪な年には、警官との衝突を賭してまで出かける勇気が無かったし、近頃の様に穏やかな雰囲気の中で行われる様になると今度は朝早く起きて一日歩き廻るのがおっくうであった。

ところが今年は教育二法案がいささか腹に据えかねた。それに「拡大」と銘打たれた今年のメーデーは、その前景気によると自民党の他は誰もが集まるような気配が見えたので、今度こそ仲間外れになりたくないという気持が動いた。私の様な意識の低い怠け者まで動員するのがねらいだとしたら、今年の企画と宣伝は確かに成功したと云える。私は、むすびめしと水筒をブラ下げて出かけた。

会場について、私はまず人の数に驚いた。その日の夕刊に四十万とあったが、四十万という人間は、どの位の面積をどんな風に埋め盡すものかという事を実際に見て膽をつぶした。全く壮観という外はない。そして私は、私自身がこの「壮観」の一部になった事に大変満足した。

歌声と共にデモ行進がはじまった。私の知っている歌は「インターナショナル」だけである。だからこの歌が始まると急に調子づいた。「萬国の労働者」も知っているが、これは余り歌う気になれない。歴史的にどっちが先か知らないが、この歌のメロディーは、嘗ての日本陸軍の歩兵の歌のそれと同じで、二等兵という階級にしか就いたことのない私にとって、このメロディーからくる連想は決して愉しくない。うたごえ運動以来拡まった歌には大変いい歌が多い。しかし残念ながら私は殆んど知らない。ぼんやりしているのも恰好が悪いと思ったので、時々は前の者のあとをつけて下手なプレイ・バックみたいに口をパクパクしたりしたが気勢は頗る上らない。

スクラム組んでワッショイワッショイになってからは次才に生気

中部地域組織の仕事でアルバイトしていた。いまは貧しい生活を続けています。仕事につくまで、なにかアルバイトをしなければ……と、現在決しているところです。適当なアルバイトがあったら教えて下さい。

小島 義史＝新宿区西大久保四ノ一七〇（東京シネマ所属・演補）経歴＝早大稲門シナリオ研究会出身。"春食う人達""九十九里"。"友情は国境を越えて"・"彦市ばなし"・"日本の青春"等で脚本、演出。現在"東北のまつり"（仮称）準備中。吉見泰紹介。

大鶴 日出夫＝台東区万年町二ノ四五（賛助会員）経歴＝映画生活二十五年。理研映画在社十年。C・I・E、その他プロデューサーとして終戦后の作品約三十本余。一昨年より理研科学映画に在籍、プロデューサーとして又時には出演もやる。現在は技術教育映画"紡績篇"二巻、"織布篇"三巻録音待ち。カラー作品"産業を動かすもの"二巻、編集中。

片桐 直樹＝新宿区諏訪町一五四 橋本方（文化映画研究所所属）経歴＝早稲田大学第一文学部演劇科在籍中。"九十九里"・"彦市ばなし"・"日本の青

を取戻した。これは技術が要らないからいい。尤も、隣りの青年と組んだ腕が最初くすぐったくて困った。青年はやはり作家協会の会員らしいが私は初対面、当然先方も私を知らないので組んだ腕に妙な遠慮みたいなものがたゞよった。しかし、そのうちにワッショイのリズムが原始本能を刺戟して私を一種の陶酔境に誘い込んだのである。私は何万という足音や掛声に私のそれが完全に融け込んだ事に満足した。赤だすきをかけて私達を歓迎した社会党議員の姿にも無邪気に満足した。ビルからまかれた紙吹雪にも満足した。沿道の人達や立往生した電車の窓から送られた拍手に満足した。そして私は、何かしら大きな力の中で自分の生命が躍動するのを感じて一層満足したのである。すると丁度その時、沿道の見物に混っていた数人の小学生が笑いながら私の方を指した。そして「やあ、水筒をぶら下げてワッショイワッショイだ」とからかった。成程見渡した所水筒なんか持っているのは私一人で私はこの可愛らしい野次にも大いに満足した。

要するに、才二十七回メーデーは私にとって大変楽しいものであった。但し、憲法改悪や教育二法案に対してどんな圧力になり得たかは私の計算能力の外である。

敗けるが勝ち

野球観戦記

世の注視をあつめていた新人会対岩波映画の大野球試合は五月二十六日午后日大二高グランドで決行された。梅雨空もこの日ばかりは世紀の決戦を祝してカラリとはれ上り、グランドいっぱい白熱の戦がくりひろげられた。左にかかげるのは、本紙独占による観戦記である。

× × ×

新人会は河野めい投手をマウンド上におくった。彼のなげおろす球は鮮かにカーブして岩波勢から三振をうばったとはいえ、しばしばカーブしすぎてバッターの背後をつき、或はバッター自身をつき、ホアーボール・デットボール続出に岩波勢はせんせんきょうきょう試合へきとうより敵のしんたんを寒からしめたが、平和共存の試合を続けるため、二回戦にして河野めい投手をマウンド上よりひきずりおろすにいたった。

つづいて立った向宮投手は、その長身を利して好投せるも、疲労こんぱいのはて手足ががたがたになり四回戦でマウンドをおりた。

そのあとをうけた片桐投手は、バッターの頭上をつき、足もとをつき、後をつき、はるか前方をつき、その投球の神出鬼没さは野球の範囲をこえるものとして交替をよぎなくされた。

四人目の富沢投手のめい投にしびれをきらしたOB柳沢投手が、ついに新人会の為にマウンド上に立ったが時すでに最終回をむかえていた。

新人会の守備陣で特に光ったのは川本二塁手である。うちあげられた球が彼のグローブにとびこんでくると、しんせつに地上におろしてやっていた。又、センターの韮沢選手は頭上をこえる岩波のフライに「敵ながらあっぱれ」とグローブをさしあげて万才を三たびとなえた。

山本捕手、ショート大沼、外野手島谷、小島、技術集団を代表して応援にかけつけた賀川選手など新人会のチームワークのとれためい守備ぶりには、観覧の中学生も思わず口をポカンとあけてみとれていた。

新人会の背水の陣をつく岩波の攻勢はなかなか鋭く、とうふに釘をうちこむが如き打球に新人会はエラー続出、内野安打、パスボー

春〃等の青年学生自主映画運動に撮影として参加。〃私達のお茶〃〃雪まつりと子供たち〃撮影担当。〃エンゼルは何時も〃〃お母さんありがとう〃に演出助手として参加。

渡辺　正巳＝豊島区椎名町七ノ四〇三八国枝方（文化映画研究所演出部所属）経歴＝早大一文演劇科五年在学中。早大稲門シナリオ研究会で学生自主映画運動に参加していた。〃九十九里一九五三〃編集。〃雪まつりと子供たち〃演出。学生割引の通用しない所で、自主映画を考えて行きたい。

韮沢　正＝新宿区歌舞伎町八七九栗林方TEL(35)五七二〇　経歴＝新潟県生れ。早稲田大学文学部演劇科出身。終戦后東京。〃彦市ばなし〃〃九十九里浜〃〃私達のお茶〃〃雪まつりと子供たち〃製作。〃日本の青春〃〃明けゆく山々〃撮影参加。現在〃天草ものがたり〃〃たのしい図工〃準備中。

下村　和男＝世田谷区上馬一〇五（文化映画研究所所属）

八幡　省三＝世田谷区喜多見町二二四八（東京シネマ所属）

小西　久弥＝世田谷区喜多見町二二四八（フリー）（五月二十八日より）

前田　庸言＝新宿区早稲田鶴巻町

ル、盗塁成功、四球としばしば無死満塁をかさね、さながら無人の境をゆく感があった。岩波の応援席からは美しき乙女たちが声援を送り、パチリパチリとファンの選手をキャメラにおさめ、はては選手と隊をまじえて果物や菓子をふるまうなど大会に色をそえたが、新人会の応援席には団長兼団員の桑氏たゞ一人もくして語らず、その時も時、又々大フライがグランドをこえて柵外に放たれ、大量得点に岩波勢のピクニック気分はついに頂点に達した。

技巣より派遣された富沢(呂)アンパイヤは、新人会に厚く、岩波に薄き名アンパイヤであったが、かくして四時四十五分、世紀の決戦は、ついに新人会が二十一A：四で岩波に大敗して終了した。

最後にさるめい監督の講評の全文を引用させていたゞきこの観戦記を終ろうと思う。

「予想以上の熱戦に全く感激させおぼえた。新人会が零点におわらなかったことは特筆大書されていい。岩波の二十一点は野球の点数としては多すぎ一考すべきだ。

声 (3)

▽動静をお知らせしたくない時もあるものです。殊に生活のためにつまらぬ仕事をし、そういう自分を軽蔑している場合など。もう一つ、四月号会報の如く、直接関係のない個人の私生活上の出来事を本人の承知もなく、第三者が本人の報告とまごう形で掲載されるのは、少くとも私に関する限りは不愉快でした。今后は、形、内容はともあれ必ず私より何らかの動静をお知らせします故、それを掲載して下さい。(桑野 茂)

▼お言葉の通り、まことに大変申し訳のないことでした。四月号会報紙上における桑野さんの件は、たまたま運営委員会が人づてに耳にしたプライベートな行動を、うれしい話と解釈して会報紙上にのせたものです。もちろん何らの他意はなく、協会と会員とのむすびつきを深めたいと考えたことなのですが、このようなことが越権になることも反省しました。桑野さんには直におわびの手紙を差しあげたところ「了解しました。あのようにわびられてはかえって痛みいります」との返事をいたゞきました。

(事務局)

新人会の活躍をつぶさにみて、野球のルールもこの際新人会のためには改めねばならないことを痛感した。五月二十六日は協会の球史に不滅の一頁を飾るものと確信する。

更に本大会が日本の内外をめぐる多事多難な情勢の中で開かれた点も銘記されねばならない。即ち、本日朝には、日ソ交渉再開を喜ぶ六千の人々が羽田空港に河野全权を迎え、再開を喜ばぬ右翼団体と警官隊とがこぜりあいを演じている。夕には、同じ空港に中国から京劇の名優梅蘭芳(めいらんふぁん)氏ら一行が到着、日本訪問の喜びと日中の文化交流を国民によびかけている。四谷の外濠公園では総評を中心とする悪法粉砕生活擁護国民大会が開かれ、又全学連は二十五万の学生を動員して全国四十箇所で原水爆実験反対、小選挙区法案、教育三法案反対の大会を開き、うち約五百名が法案審議中の参議院に集団陳情におもむいて阻止され、警視庁予備隊が出動、全学連委員長を公安条令違反の疑でたいほ連行している。かくの如く本日はまことに多事多難であったが、選手諸君が本大会できたえた身体とチームワークとをもってすれば、必らずや未来は輝かしいと確信する。故をもって、球史を飾る一頁は更に燦然たる光を放つであろう。

三〇一岩口方(スポーツ科学映画研究所所属・演補)

会員総数一二八名

▽原稿が間に合わなかったため経广未載の方がありますが、これは次号に掲載いたします。

▽住所移転

小熊 均＝新宿区弁天町二九茂呂方へ転居

柳沢 寿男・晴枝・俊介＝三鷹市下連雀四一神林方へ転居

榛葉 豊明＝中野区打越町五八裕和荘二ノ三号へ転居。

富岡 捷＝世田谷区烏山町一〇九二へ転居

▽住所番地変更

桑野 茂＝市川市八幡町四ノ一二五六に変更

▽その他

田中 舜平＝去る五月十三日に結婚式を挙げた。

★ 動静をしらせください。

▽会員の動静をしるために、事務局では、いつもおねがいしているのですが、会報に同封してお送りするアンケートはがきを、ぜひ御活用下さって、御返事を下さいますよう重ねておねがい申します。

▽四月分のアンケートはがきは、新教委法案反対署名もあったせいか、一一七枚のうち七十一枚回収という未曽有の成績をあげました。

諸君の健斗を祈ってやまない」
かくして、拍手と感激のうちに選手・応援団はグランドをひきあげていった。

ペンをおくにあたって、表題の「敗けるが勝ち」を説明する。これは諺によったものではない。新人会がまけて岩波がかった。かった岩波労の大部分は新人であった。従って、新人がまけ新人がかつ、かくて新人はまけてかつが故に「敗けるが勝」である。忍耐強く頑張ろう！

せつかく印刷までして作ったはがきも、使わぬままでは、もったいないのではないかと、思われますので、よろしくおたのみします。

運営委員会だより

▽五月才一回運営委員会
五月十二日午后三時より開会して、会報No.13の編集内容の企画、その他を話し合う予定であったが、定刻になっても菅家、吉田の両委員のみしか出席なく（加藤、富沢、西尾、中村の各委員はそれぞれ都合で出席できぬ旨、連絡があった）午后四時に至って吉見委員長より、急病のため出席できぬ旨の入電があり、委員会の開催不能が確認されたので流会とした。

▽五月才二回運営委員会
五月十九日、午后四時より開会
出席委員＝八木、吉見、富沢、向宮。

① 事務局よりの報告――
協会の最近の活動について、新教委法案反対運動についての経過（別項参照）が報告され、協会が現在行なっている同法案反対署名の回収状況が確認された。教材映画研究グループが活動をはじめ、五月二十二日に才一回の研究会をひらくべく準備をすすめていることが報告された。

② 新入会申込者の処理について
真野義雄氏ら十四名（別項参照）の新入会申込者について審議し、その入会を決定した。

③ 次号会報の編集内容の企画について――
五月末発行の次号会報の編集内容について討論し、今回は会員それぞれの、最近の仕事についてのリポートをあつめることとし、原稿執筆をおねがいする候補者として会員のうちから十名を予定し、原稿をおねがいすることにした。

▽五月才三回運営委員会
五月二十八日　午后五時三十分開会　出席委員＝菅家、加藤、八木
午后一時より開会予定であったが定刻出席は中村委員のみで開会不能。夕刻前記三委員がそろったので開会した。

① 会報No.13について、原稿の集り状況を点検し、前回の運営委に引きつづいて、編集内容を更に詳細に協議した。

② 新入会申込者前田庸言氏の入会が確認された。

▽尚、会報No.13はその后原稿が多数集ったので、菅家、八木、加藤三委員の持ち廻り協議によって（編集后記参照）合併増大号とした。

★ 会員証で「優秀短篇映画を見る会」に入場できます。

「優秀短篇映画を見る会」は毎月一回、東京駅前新丸の内ビル地下の新丸の内ホールにて行なわれておりますが、このほど、協会と同会主催側との接衝において、今后当協会の会員は、この会に会員証を呈示すれば入場できるようになりましたので、おしらせ申します。尚、同会の開催日時、プログラムなどは新聞紙上にも発表しますが、今后は協会々報紙上にも発表しておしらせするようにしたいと考えております
（事務局）

★最近の受贈誌紙

「視聴覚教育」五月号、六月号　日本映画教育協会
「視聴覚ライブラリー」五月創刊号　ユニ通信社
「日刊合同通信」　通信合同社
「岩波映画ニュース」才二九号　岩波映画製作所
「三日刊ユニ通信」　ユニ通信社
「SHORT FILMS OF JAPAN 1956」　教育映画製作者連盟
「自映連」No.035　自由映画人連合会
「旬刊視聴覚教育ニュース」　日本映画教育協会
「FILM STRIPS」
「FILM GUIDE」
「ENCYCLOPEDIA BRITANICA FILMS」
「EDINBURGH INTERNATIONAL FILM FESTIVAL」
EIFF ORGANISER LILLIAN HOPEWELL

新教育委員会法成立す！

―その反対運動をふりかえる―

去る三月以来、教育関係諸団体の果敢な反対運動と注視のうちに今期国会参議院本会議にもちこまれた「新教育委員会法案」は、新聞紙上などで御承知のように、参議院文教委員会　本会議でもみにもんだ末、二日夜、ついに警官を国会、しかも議場内に導入するという参議院未曽有の副産物をそえて、野党の必死の阻止もむなしく成立した。この法案の成立により「新教育委員会法」は本年十月一日から実施されることになり、われわれのもっとも危惧していた教育の中央集権、言論統制が実体化するわけであるが、この際われわれは、この「新教委法」に萎縮することなく、教育の尊厳を守るための、あたらしい考慮を行わねばならぬであろう。

▽この法案反対のために、われわれはどのような考えで、どんな反対運動を行ってきたか。明日からのあたらしい「抵抗」のために、このことをふりかえってみよう。

▽こんどの「新教育委員会法」のうちで、われわれ教育映画作家にとって特に重大な直接的な関係のあったのは「学校における教科書以外の教材の使用について、あらかじめ教育委員会に届け出させ、又は教育委員会の承認を受けさせること（地方教育行政の組織及び運営に関する法案・才三十三條の二項）」という一項である。この規定を厳密に解釈すると学校における視聴覚教材の利用は、いったいどういうことになるのか。日本映画教育協会の関係者が、この点について、文部省の同法案担当責任者にただしたところでは、教材映画やスライド、学校放送などに水をさす意図は毛頭なく、かつて問題になった日教組編集のいわゆる「山口日記」のようなものを廃除するのが目的であって、教育映画関係のものが神経質に騒ぎ立てるほどのことはなかろう。ということであった。法案全体の目ざしているものは、教育委員の任命制で代表されるように、中央統制化の線である。しかし視聴覚教育の立場だけにこの問題をしぼって考えてみても、ようやく視聴覚教育に対する一般の認識が高まろうとしている折に、いちいち届け出たり承認をうけたりしなければ使えない、というような法律が出たのでは、われわれ教材映画の関係者はすっかり萎縮して、その意慾を失ってしまうにちがいない。たとえ立法の動機はちがうにしても、この項目が拡大解釈されて、新教育伸長の芽をつみとる可能性は、まことに甚大であるといえよう。教科書の検定に準じるような方法で教材映画の統制をおしつけられる逆行教育法には、われわれはまったく反対であった。

▽去る三月、日本映画教育協会よりの連絡によって、当協会は同法案反対の共同声明を申し入れた。（会報No.12所載）

△四月三十日　全国都道府県教育委員会委員協議会および全国地方教育委員会連絡協議会（以下教育団体連絡協議会という）の連絡により、衆議院才三議員会館才三会議室にて、新教委法案反対運動の強化について、連絡懇談会がひらかれた。席上、教育団体の共同声明書の発表および陳情、全国大会の開催などがきめられた。

△五月四日　関係教育団体の共裁

声明書

われら教育関係団体は、今国会に提案された「地方教育行政の組織及び運営に関する法律案」について、わが国の民主教育を守り青少年の健全なる発達をはかるために、政府与党に対し警告を発し且つ要望して来たのである。

然るに衆議院の審議においてごうごうたる世論の非難反対にも耳を籍さず、国民の納得ゆかないままに採決が強行されたことは、ただに教育の問題たるに止まらず、わが国の依って立つ民主主義と地方自治の危機として深く憂慮に堪えぬ次才である。

わが国教育の根本方針変革を企図する本法案の審議に当っては、参議院の権威と良識とを信ずるわれわれは、今国会において結論を急ぐことなく、国民各層の意見に聴き、百年の悔を後世にのこす事なきよう、慎重なる取扱のなさるべき事を強く期待してやまない。

もしこれに反し、参議院において十分の審議が尽されず、われわれの期待を裏切ってこれを強行するが如き事あらば、必ずや教育界の混乱を来し、日本の将来を誤るのみならず、国民全体に大きな不幸を招くこと必至である。

ここにわれわれは再び全力を結集して、本法案の参議院通過阻止に努力邁進することを声明する。

昭和三十一年五月四日

教育映画作家協会

ほか二十七団体

が、国会内社会党控室に参集し、共同声明書の発表を行ない、参議院加賀山文教委員会委員長および各政党に法案反対陳情を行なった。当協会も代表がこれに参加した。(共同声明書は別掲の通り)
▽五月九日　東京都教育庁会議室に教育関係各団体代表者が参集し、法案反対のための運動について協議し、特に近く開催する・新教委法案反対中央国民大会〃の実行案について協議した。
▽五月十八日　四ツ谷外濠公園にて午后二時より教育関係二十七団体の共同主催による〃新教委法案反対中央国民大会〃がひらかれた。

当協会よりは丸山章治ほか七名が参加し、大会終了后B班のデモ行進に参加し、日比谷公園まで行進を行って解散した。
▽去る四月、協会では会報No.12紙上にて「同法案反対署名」を全会員に訴え、五月三十日までに七十一名の反対署名を得たので、同日「署名簿」を作成して、参議院加賀山文教委員長の手許へ届けた。
▽教育映画製作者連盟では、去る五月はじめ、同連盟加盟各社に連絡文を発して、同法案反対の意思表明のための電報または葉書を、参議院文教委員会へ送るよう要請した。

決議

政府並びに与党は、憲法の精神をふみにじり、国民の意志を無視し、日本民主教育の基盤たる現行教育委員会法の改悪を強行しつつある。

このとき、民主教育護持を希求する我々教育関係二十七団体は、全国民と共に「新教委法案反対中央国民大会」を開催し、その総意をもって次の通り決議する。「地方教育行政の組織及び運営に関する法律案」を完全に粉砕し、現行教育委員会法の堅持を期す。

昭和三十一年五月十八日
新教委法案反対中央国民大会

会計報告（四月分）

一、収入之部	
現金前月繰越高	二八、二三三
前納会費	一〇〇
維持会費	三六、七七〇
雑収入	一、〇〇〇
計	六六、一一三
一、支出之部	
交通々信費	三、三四五
消耗品費	三三三
事務所費	一二、〇七三
雑費	三、二四五
文房具費	一〇二
新入会費	一、〇〇〇
行事費	五六〇
諸手当	一六、〇〇〇
前納会費	三〇〇
計	三六、九五八
一、差引之部	
現金手許有高	二九、一五五

編集後記

▲めずらしく原稿の集りがよく、揃った分だけで二十頁を超すほどである。集まった原稿を全部のせるか、それとも一部を次号廻しにするか、よりよりの協議をした。「集まった原稿は内容からいっても次号廻しは忍びない。また月刊ときめてある会報を、軽卒に便宜的に合併なという措置もどうかと思う」（へ営家）「かといって、会報製作費の高騰も問題だ。一部を次号に廻したらどうか」（八木、加藤）などの意見があったが、結局二ケ月分を合併するということにした。
▼それでもまだのせきれぬ原稿があり、八木（進）、竹原、小島、片桐、藍沢諸氏のせっかくの原稿を次号へ廻した。ご了解▼頁数が多いと締集も大変だが、予定の原稿が集まらなくて苦労するよりは、割付氏としてはらくである。（割付氏）
▼こんども発行は多少のびたが、革新会報の合併号をおくる。前号にもおとらず玉稿の数々をいただいて昆ばしい▼われわれの経済問題を取上げた巻頭言もめずらしく、これはまだまだ各位のご意見もあることと思われ、次号あたりの特集も考えられる▼ここでは会員「最近の仕事」を特集して、そうそうたる四氏の心に接しえた思いだ。ことに岩堀氏の長文は質量ともに会報発刊以来の圧巻であろう▼また丸山氏の第一回教材映画研究会報告、河野氏の新人会研究会報告、矢部氏のメーデー随想も共に大いによませる▼自発的な投稿として は中川順夫氏はじめ珍しい各位の「声」をいただく。中には桑野氏の苦言もあるが、みんな気らくにモノをいわれたことはうれしい。
▼いまや教材映画の再検討期にあたり森脇映教営務理事の作家協会へのご期待。特に会員各位への八ナムケとして味わわれたい▼あとは私の前号「革命」会報批判と、事務局活動の例号記事だが、きょうもまた原爆の梅雨がつづく。
（加藤）

1956. 7. 10

教育映画作家協会々報

教育映画作家協会
東京都中央区銀座西8ノ5日吉ビル4階 TeL(57)2801

NO.15号

新入会員観迎会に当って

運営委員会

私たちの作家協会も、昨年末の総会以后、二六名の新入会員を迎えて七月一日現在、一三二名の大世帯となった。発足当時の一〇六名にくらべて二六名増という目ざましさである。

新入会員の多くは、全くの新人が多い。殊に総会以后、今年一月以降の新入会員の大多数は、学校を卒業したばかりの新人だし、そのほかの諸兄も初対面の方々が多い。

同じ会員でありながら、お互いに顔も知らないというようなことでは最低、こんな不都合なことはない。

こゝに新旧会員懇親の会を企てた次才である。

委員会は先般の反省以来、会員相互の人間的な結び会いに根ざした協会の発展を目ざし、会員諸君の批判と声に特に留意しつつ会の運営に当ってきた。そしてそういう方向に対しての会員諸君の支持とはげましに支えられ、最近では会報は充実し、また各般の研究活動も漸く活潑な動きを見せはじめてきた。

しかし、フリー会員の仕事の斡旋の問題、ギャラ水準確保の問題、企業所属会員の利益を守る問題、新人の仕事の問題、協会運営費の問題、教育映画・記録映画全体の発展を守る問題、文化の民主々義を守る問題等々、困難は山ほどある。

委員会が新たな努力をはじめたとは云え、旧会員は勿論、新しい会員の協会への要望と期待を充分に汲みとっているとは云えない。穴だらけである。

とりわけ、今年学校を出たばかりの多くの新人諸君に就ては、その抱負と協会への期待を、会報に寄せてもらったが、協会は果してその期待に応えているかどうか。

その諸君は、今の困難な世の中で、新鮮な抱負と期待をもって、映画で志を立てようとしている人たちである。

新旧、相寄って、腹蔵なく凡ゆる問題を話し合いたいものである。

むづかしい世の中にあって、私たち記録・教育映画の世界は一層困難な条件ばかりに打ち当っている。

私たち全員の話し合いが、その困難を打開する一つの意志と相互理解を産む一つの機会となり、それが協会運営の軸となることを期待してやまない。

困難だが、私たちの体温を寄せ合い、それぞれの能力とそれぞれの知慧を合わせて進むことができるよう、私たちは態勢を固めたい。

こうした期待から、委員会は、今度の集りを総会に準じる大切な集りだと考えた次才である。

六月の研究会から

教材映画 おかあさんのしごと

かんけ・まり

（前　文）

六月六日の教材映画研究は、「お母さんのしごと」を使つての社会科授業の参観でした。場所は下目黒小学校。出席は作家協会十名、映教森脇、宮永両氏、学校側は校長先生をはじめ視聴覚研究関係の先生方で総計三十余名。日頃観客の意見をききたいのは映画作家の願いでしようけれど、とくに教材映画の場合は、現場の先生方と直接話し合うことがどんなに有意義なことかをこの研究会は示してくれました。

一、「お母さんのしごと」をどう使うか

下目黒小学校では、この研究授業を行うにあたつて、先ず「お母さんのしごと」を先生方全部で試写をした。その結果この映画は、一年生の社会科「おうちの人のしごと」の中で使用する教材であるが、このカリキユラムは、十一月中旬から十二月にかけて約十五時間あてている、従つて現在の一年生には無理だから二年生の複習教材として扱うことにした。

そこで研究授業を受持たれた二年一組の先生は、複習教材としての効果をあげる点に力点をおいて学習指導案をくんだ。学習の目標は、

(A)母親が朝起きてからねるまで、どんな仕事をくりかえしているかをつまならかにさせ、その苦労を理解させる。

(B)自分に出来る仕事はすすんでみつけ最後までやりとげることが、家の人々の手助けとなる。

学習は二時間として、オ一時は、図工科の作業としてお母さんの顔を描かせ、母えの手紙を書かせる。またお母さんの働く姿を描せその内容を書かせる。オ二時は子どもたちが描いた働く母の姿を、一日の流れに沿つて時刻をきざみながらならべて「えまきもの」を作り一日の様子が一目でわかるようにする。

私たちの研究授業参観は、このオ二時の授業の展開から始つたのです。

先生はこの「えまきもの」の製作を通して子供たちに仕事の種類を理解させ、母への感謝へとみちびいておられました。画と文をたくみに利用したこの授業はみていてもなかなかたのしく、子どもたちもお母さんが日常の仕事のほかに、商店の場合や職業をもつて外に働きに出ている場合など、お母さんの仕事をかなり巾広く理解できたようです。しかし母親の愛情を理解させる点では先生も苦心されていましたが、子どもたちは充分納得するには至らないようでした。これまでに約二十分を使い、では「田舎のお母さんはどんな仕事をしているだろうか」を導入として映写にうつつたのです。

二、映画をみた子どもたち

時間の関係で二十分間（「お母さんのしごと」前半、朝から昼まで）で映写を打切り、子どもに感想を発表させました。その二、三をひろつてみると

○井戸で水を汲む、○マキで御飯をたく、○オカマの形が違う、○牛にエサをやる、○精米を自分の家でやる（精米機が判らない子どももあつた。）○縄ない機が判らない、○麦の土かけが判らない、

新入会員

下村　和男＝早稲田大学オ一文学部文学科演劇専修。早稲田大学劇団自由舞台演技部に所属今春退部。本年二月「雪まつりと子供達」の照明を受持つ。目下演技の研究中。文化映画研究所としては七月始めから一本撮るべく所員一同大はりきりです。

前田　庸言＝早大中退。〃九十九里〃〃彦一ばなし〃〃雪まつりと子供達〃の製作に参加し、現在スポーツ関係の教材映画〃われらのスキー〃〃たのしい野球〃製作中。

八幡　省三＝昭和十七年秋、日本映画社に入社しニユースの仕事についたのが映画界への仲間入りのオ一歩でした。入社後一年目に大平洋戦争に応召されて、二年半ほどを軍隊で過しました。敗戦とともに日映に帰つてきてニユース部の仕事をしていました。その后教育映画部にも所属し脚本の勉強を僅かにしました。しかし昭和二十五年十二月に退社するまで多くを労仂組合の活動などやり映画の方は非常に不勉強でした。加えて退社后

全体として子どもたちは都会（自分たちの生活）との対比としての田舎の生活には興味を示したが、「お母さんのしごと」とゆう主体は余りつかめないようでした。時間が足りなくて子どもたちの討論を充分に発展させ、まとまりをつけることが出来ませんでしたが、次のような子どもの意見、例えば、
○赤ちゃんの他は顔を洗わない、
○四年生の姉さんが御飯をよそってもらうのはおかしい、
この映画のお母さんは親切だ、名前が覚えにくい（家族の構成がつかみにくい）
などは、先生に学習を発展させるいとぐちを与えるばかりでなく、映画を作る私たちの側にも充分考えなければならない問題を与えているように思われました。

三、先生との話し合い

午後の先生方との研究懇談会は校長先生の挨拶にはじまり、司会の先生から下目黒小学校に於ける視聴覚教育の現状、映協宮永氏から「お母さんのしごと」の製造過程（国研側欠席のため）、協会丸山氏から国研と教材映画製作者との歴史的な関係についてそれぞれ説明があり、ついで私たちは先生方のキタンない御意見をきかせて頂きました。

先生方は各学年別にそれぞれこの映画に対する批判をまとめて発表されましたが、ここでは一二年担当の御意見を中心に報告することにします。紙面の都合で多少機械的になりますが、（一）「映画」という面からの意見と（二）「教育」という面からの意見に整理してみました。

（一）先ず映画という面からみた場合。

○「お母さんの忙しさ」はこの映画のような「仕事の羅列」では表現されない。母を手伝う子どもが画面のなかにいて、母の仕事が多量で忙しいということが一層はっきりするのではないか。
○目的のものだけを寄せ集め「作られた」感が強く、生々とした人間の活動がない。
○母と子どもの気持の通い合いや母の喜びの面がないので「愛情」が表現されていない。
○この画面の長さ、テンポは、都会で映画をみなれた子どもにはのろすぎる。

協会に望む

小口頑二

先日機会を得て大藤さんの「幽霊船」を見た。

フジカラーを使った一巻もののこの映画に僕は最近にない感動を覚えた。

この春頃、新聞に大藤さんの仕事のことがでて、日本ではまだあまり知られていない一人の作家がフランスで始めて認められたと云った意味のことが書かれていたように記憶している。どんなものか早く見たいとは思ったものの、当時大藤さんの作家について何も知らなかったのでつい忘れていた。

今度「幽霊船」を見てこれは大変なものだと驚いた訳です。

最近作家の手で記録映画、教育映画などについて、いろいろな論義がさかんになってきたことは洵に愉しく、戦争前の亀井文夫、三木茂両の「目かくしされた馬」論義が懐しく思い出される。最近本質的な論義がなされるようになって来たのは、短篇の作家もぼつぼつP.R映画疲れが癒えて沈着いてきたものと見たはひがみか。僕も営業用シノプシスなどと云う失礼なものを発注しなくてよい身分に早くなりたいものと思っている。さて「幽霊船」に戻って――日本では遅れていると云われているアニメーションの分野の仕事についてこの機会に作家の間で真険な話合いの機会を持たれることは意義ありと思うが如何。

五年ほど事情があって映画界をはなれており、今年四月にもう一度映画の仕事の仲間入りをさせて頂くことになりました。

本間　賢二＝北多摩郡狛江町和泉二三八〇、（東映製作所、所属）一橋大学経済学部中退、東映製作所にて〝六石大斗〟〝めん羊とともに〟読売映画にて〝高血圧〟

森田　純＝（学習研究社、所属）品川区平塚八ノ一〇九〇、二九年早稲田大学文学部卒業、三十年三月、学研入社、現在〝箱根ごえ〟脚本、演出。

高網　則之＝（学習研究社・所属）品川区平塚八ノ一〇九〇、三木映画、北海道放送を経て、学研映画〝箱根ごえ〟演出。

楠木　徳男＝（フリー）杉並区下高井戸一ノ一〇関西大学経済大学卒。劇場企画部、〝桃子バレー団を経て、中央文化映画社へ入社。〝西新井製作所〟〝中国商品展覧会〟〝明けゆく道〟〝売春〟の製作に参加。今回中央文化映画社を退社。現在フリー。

㊟（五月二十八日から、六月三〇日まで、入会を認められた人です。）

○教材映画だからといって画面が暗く汚い（私たちのいう又ケの悪さ）のは困る。

など様々な意見がでましたが、やはり、映画の特質が充分教材映画としていかされていない、お母さんの「忙しさ」や「愛情」が典型的に描かれていない、この二点に批判が集中したことは、私たちにとって大変重要なことだと思います。

㈡教育の面からみた場合

○与えすぎて大人の押しつけになり、解説が絶えず先行して子どもの思考力をやしなわない。

○映写三十分は長すぎる・分割して使用するとすれば、カリキュラムの時間の割振りに無理が出てきてやれない。

○しつけの面からも（たとえば手伝はない子どもの姿）、もっと配慮が欲しい。

○何故「農家のお母さん」がえらばれ、農村の調査はどう行われたかという傾向（前回作家側からも出た）は教育の進め方の基本にもふれてゆく大事な問題を含むと思われましたが、国研側が欠席で討論を深められず残念なことでした。

こうして私たちには珍らしい、しかし意義ある参観の一日が終った訳です。映画「おかあさんのしごと」には現場の先生方からもきびしい様々の御意見を頂きましたが、教材映画がようやく軌道にのろうという現在、それはむしろ当然のことだと思います。その一つ一つを私たちは素直にきくために今後もこうした研究活動を続けてゆきたいものです。

（かんけ・まり記）

教材映画

私たちのリズム楽器

韮沢　正

六月十九日午后一時より、港区の南山小学校に於て教材映画研究会が開かれました。

今回は、モーションタイムス製作による「私たちのリズム楽器（二巻）」を小学校三年生の学習に実際使っている所を見学し、その后討論会を行いました。参加者は作家協会より十五人、教育映画配給社より三人、映協より一人、そして演出を担当された八木進氏でした。

先ず映写室で映写前に先生が、子供たちに映画に興味をもたせるためにいろいろとリズム楽器に関して経験談なり、好きな楽器なりを話し合った后映写しました。映写中の子供たちは、自分たちが現在勉強中であるリズム楽器の扱い方が映画によって写されているのを案外退屈しないでみておりました。

映写后音楽室に移り、先生が次の様な傾向をしながら生徒に映画の内容をもう一度子供のもっている楽器と結びつけて確認させました。先ず映画に出て来た楽器の種類を子供たちに想い出させ、それから楽器の扱い方に関する注意を映画から学び取らせた后、それを基にしてリズム楽器の合奏を行いました。みた所、子供たちはかなり注意深く映画からいろいろな事を学び取って居り、素直に行動の中にそれが生かされて居たようです。時間は映写前に十分間話合い、二十分が映写、あとの三十分で授業が行われました。

授業終了后、学校側から音楽を担当している先生方が六人出席され参加者と次のような討論がなされました。

先ず、都の音楽教課の指導をやっておられる先生の感想は、楽器を使って音楽を表現する教育は本では無理ではあるが、この映画はその意味で立体的にリズム楽器の教育方法を知らせてくれるので大変ありがたい。全国的に云っても音楽を教える先生の技術水準は低いので、余りうまくやれないのが現状ですが、この映画は先生の音楽指導にも大変役立ちます。又他の先生は、指導書をみただけでは判らなかった事が映画で判った。生徒は、自分たちも練習すれば映

会員の動静

苗田　康夫＝準備から完成まで四ケ月を費したPR物から解放されて、久しぶりに自分の頭で物を考えています。本もおしゃべりばかりしていますが。

西沢　周基＝「セメントの世界」（新理研映画）才一部会社篇完成。才二部科学篇編集中、七月上旬完成。「ダム物語」（新理研映画）七月下旬ロケ予定。

高井　達人＝三井芸術プロダクションにて次回作品を待機中。

桑木　道夫＝みなさんの御助力でどうやら「売春」を仕上げ、大映系で二十九日から封切ることになりました。大衆製作の一つのやり方を憶えました。おつぎは夜学生のスライドをつくり上げたいと思っています。映画の方は〃運ちゃん〃か〃小児マヒ〃をやろうと思っています・そのほか、あれやこれやと思いめぐらしていますが、プロダクション圣営とはさてもムヅかしいものかなとつくづく泣かされます。

松岡　新也＝電通映画部で次回作品を企画準備中。

小熊　均＝「双生児姉妹」（岩

画のようにうまくやれるんだといいう振合がもてるだろう。子供には現在やっているものより、次の段階のものを見せる方が役にたつ、と云う意見が出されました。

ここで、八木氏からこの映画を作った意図が次のように発表されました。

「映画を企画した動機は、音楽教材映画へ『拍子』や『オーケストラの楽器』を子供に見せたとき、子供は余り面白そうでなかった、そこでもっと身近なもので子供に音楽に興味をもたせたらと思い、研究した結果、子供が音楽に興味をもつきっかけはリズム楽器だということが判ったので、これを取り上げました。実際に映画を使っている所をみて少々内容が盛り沢山であったなと思いましたが……」

これに就いて先生から

「学校でリズム楽器を習うのは一年から三年迄でこの映画も当然この学年を対称として作られていると思うが、この場合五十分の授業時間には二十分の映画は長すぎる。又内容が、楽器の使い方から合奏の方法迄含めてあるが、教材映画の場合内容をもっとしぼって使い方ならそれだけを一巻にまとめて欲しい」

これに関し八木氏から「技術だけでと云う意見は作る前もあったが、それだけでは映画作家としては余りにサッパツな感じだったので合奏の画の所で実景などをはさんで出来るだけ映画らしくしてみましたが」

これについて次の様な意見が出ました。

「シャボン玉の歌の所でその実景を入れてあったが、教材映画としてかたい構成をしている場合、へたに実景などをはさむと子供は混乱するのでは」「そういう画を入れるなら入れても良いが、その時は始めから実景が入ってもいいような構成をして欲しい。この点教室で使うのでなく講堂で観賞用としてみるときには映画的に表現されていた方が面白い。

現在のところ教育映画は教室で使うより観賞用として使う方が多いので、この点製作者として経済的な問題からみて狭い対象の映画をつくるのは危険なのでむずかしい。作る側としては二年三年四年を中心として考えたが、小学校全学年でも観賞出来るような内容にしたこの映画は現場で作る場合、教室では学習前と学習后勉強したものを再確認させる意味で子供に見せたい。又、リズム楽器を終った五六年でもこの意味で一度はみせておきたい。この映画では、解説が固かったが低学年の場合解説調より話しかけか又は子供自身が話すような解説にして欲しい。又出演している子供たちの表情が固かったが、出演している子供自身が楽しそうでないと子供たちに変な気持を与えるのではないか？又服装が教育大の制服だったが、子供たちに身近な感じを与える意味で一般的な服装にしてた方がよかったと思う。

要するに、教材映画の場合、みる子供の気持になって、子供がものを学習する手助けになるよう、技術的に親切があってほしい。

この意味で、曲の感じを子供に理解させるために実景を入れたり、映画的なもり上りなどあってもいいのでは、と云う話し合もなされましたが、教材映画でも、理科と社会ではその作り方も当然違って来るので今後の研究が望まれました。

最後に教配の方から、作家の方からどんどん教材映画の範囲を広げて欲しい。視聴覚教育も発展させるために是非必要だと云う発言があり研究会を終りました。

☆　☆　☆

ちなみに、当日の研究会では南山小学校の先生方から次のような発言がありましたのでお知らせ致します。華沢君の寄稿とあわせて参考にして下さい。

――従来、教材映画と云えば社会科、理科に限られているような感じだ。このため利用する学

波映画）演補、今月一杯には完成の予定。

野田　真吉＝東京シネマの仕事で津軽へロケハンに吉見君たちとまいりました。津軽地方の民ようをたくさんききました。「ナミの砂山」「津軽小唄」などはすばらしいものだと思いました。いずれテープに録音してみなさんにおきかせできると思います。会員が全国にとびまわるのでそうした民謡などを録音をして「きく会」などを時々もつとたのしいナーと思います。

山本　升良＝あいかわらずズラズラ、もうそろそろフラフラに近くなりました。本を読んだり試写を見たり、仂かない時も人間は飯を喰わねばならないと云う事は不都合の様です。

肥田　侃＝岩波映画製作所で科学映画の準備中です。

北　賢二＝目下浪人です。

丹生　正＝ジエトロ作品「日本の住宅」「日本の踊り」の二本大体上るところです。その他云うにも足りぬ仕事でうろちょろと云うところです。暫らく製作者側で仂いていたので、といってもその間時々演出してましたが、尚さら演出欲にかられてると云ったところです。

校側でも視聴覚教育が社会科・理科にかたより、なかなか全校のものにならない。こんな意味から最近、音楽や体操の教材映画がぼつぼつあらわれ出したのは大変うれしいことだと思う。早くさまざまな教科の映画が出来て、視聴覚教育を全校の先生で取組んでゆきたいと思う。漸く軌道にのりだしたと云われる教材映画の前途に、これはなかなかふくみのある言葉だと思われます。（編集部）

試写研究会
生きていて良かった
1956年メーデー

山本升良

六月の定例試写研究会は、二十日映教試写室で、最近完成した記録映画を採り上げて開かれた。上映作品は、十六ミリプリントと云う制限の為、「一九五六年メーデー」（二巻新東宝労組）「生きていてよかった」（五巻日本ドキュメンタリーフイルム社）の二本。話題作だけに超満員の盛況だった。

映写に引続き、「生きていてよかった」の製作者大野忠氏を交え（亀井文夫氏は都合で出席されなかった）菅家事務局長の司会で研究会が開かれた。主な発言は次の様なものであった。

「メーデー」について。

「久し振りで、他人の作ったメーデー映画を見て、懐しくメーデーは良いなあと思った」

「僕等がやると、強過ぎやしないかと思って遠慮する処がズバズバ出ている」

「製作の主体と立場がはっきりと出ている」

「職場の中からメーデーに至る前半が、とても良い」

「今まで、我々がやる場合、創作の発想がそも〳〵日本はなんて、大きく構え過ぎていたが、この作品では問題がほんとうに職場の中から出て来ている」

「生きていてよかった」について、

「死ぬ事は苦しい、生きる事も苦しい・だが生きていてよかったと云うプロットの立て方が非常に良いと思う」

「初めはセミドキュメンタリーで作ろうとしたと云うけれども、そうしたものより矢張り、ドキュメント的なものが感銘を与えている」

「構成は良いが、生きていてよかったと云う意味が作家の考えている程出ているだろうか」

「苦しいのは描き易いが、よかったと云うのは大変むつかしい。広島の病院の山口さんラストの手の曲った子、長崎の渡辺さん、特に、電車に乗る娘さんが包帯を巻いて、『見ないでちょうだい』と云う話が感銘が深い」

「非常に単純な型で形象化されている。作家が、あのテーマを求めて、突込んで行った生活態度が、あの感銘の根本にあるんじゃないか、大変な勇気が必要だ」

「スタッフが事件と対決しているのが大きな特徴だ、大した事だ」

「矢張り亀井さんが、ずっと原爆問題を追って来て、燃焼させて来ている結果だ」

「良く撮っているが、感銘と共に製作過程での制約からか、亀井さん独特の全体を貫く科学的な思考が弱いんじゃないか」

「亀井君らしくない。彼独自のアクの強さがない、くずしたと云うか、原水爆の運動の中で一般性を持たせる事で苦しんでいる」

「作品系列としては『基地の子』の後半、特に内灘の話しと同じで亀井さんの新しい発展だと思う」

「亀井さんが劇をやって良かったと思う、ラストのまとめが非常に良い」

「ラストカットには問題があると思うが、結局明るさだ。あれでなければ、生きていてよかったと云う明るさが出て来ない」

「盲目の児たちが出て来るが、

岡本　昌雄＝「庭の片隅」（日本視覚教材）演出。六月末完成予定。「四季の雲」（日本視覚教材）準備。

赤佐　政治＝「フオア・ベター・リビング」スペイン語版（東亜発声）「佐久間ダム建設記録」第二部（英映画社）以上演出完成。引つづき日本産業映画社に勤務中。

中島日出夫＝〃塗料と科学〃＜日本観光写真映画社＞演補。六月下旬完成の予定です。

田中　舜平＝〃貿易港〃16粍一巻物を手伝っています。演出助手兼進行兼エトセトラーが私の役目です。

黒木　和雄＝〃東芝貿易〃撮影中です。

西尾　善介＝〃クレモナ万漁〃六月十七日より一週間、金華山沖ロケ＜最終回＞七月五日録音完成の予定。日映新社。
〃黒部峡谷〃七月十日より八月末まで夏季ロケ、十月初旬より末まで秋季ロケ、十一月立山新雪冬期ロケ。卅二年四月完成。日映新社。

島谷陽一郎＝〃弥次㐂多道中〃七尾ロケ、撮影終了。第三次ロケ待期中。〃食生活の改善〃＜日本冷蔵＞撮影廿日より五日間。七月一日より〃森は生きている〃の方へ。シナリオ

原爆の問題と混同してしまう」
「いろいろな話が盛り沢山過ぎる、もう少し話を整理して突込んだ方が良い」
「その点についてはあゝ云う運動の中でやって来たので、広島と長崎のバランスと云う点で整理し切れないまゝになってしまった」

新人会研究会
脱線も又楽し

中島　日出夫

六月廿三日、相憎朝から放射能雨が降りしきっておりましたが、此処（御存知、中央区役所銀座東出張所二階座敷）に馳せ参じたツワモノどもは総勢十六人。時、恰も土旺の午后。時期良しとみてか、隣座敷にも謡曲大学の諸雀達が陣取ってピイチクパーチクの大熱演。襖を洩れる妙なる響を序曲として、わが新人会研究会の六月例会も、敗けてはならじと幕を切って落しました。ときにP．M．六、三〇。

相手は、言わずと知れたクレショフ先生（「映画製作法講座」オ二章）。同志十六人、寄ってたかって先生を料理せんものと、舌なめずりをしてかゝつたものの、敵もさるもので、外見に相違して歯ごたえがあり、歯み切れなくて、柔かいところを目当てに、あっちこっち突つき廻らざるを得ない一場面もありました。相手は、噛めば噛む程味が出てくるスルメみたいな奴と見えますから、こちらも牙を磨いてかゝる必要があると感じました。キノドラマツルギイとシネマツルギイとの相違？などという事になると、さすが学を以って鳴るW大演劇科の連中をしも大いに悩ましめた次才であります。かくて論戦は難渋し、脱線し、そのまゝ発展するのが我が方の専売特許。傍のクレショフ先生は、さぞかし片腹痛いと嘆じられるであろうが、そう考えるのはアサハカというもの。この脱線のコースを辿ってゆく時科こそ、話に油がのり、甲論乙駁火花を散らす瞬間であるとは、なんぼクレショフ先生でも御存知ありますまい。先生にはお気の毒でしたが、我々は、しばし我を忘れて記録映画論争に熱を燃やしましに、俄然一同は、金だらいから池に放たれたメダカ？のように生気を取り戻しました。話題は、坂道を転がる雪ダルマの如く、止めどもなく大きく発展して行きました。「佐久間ダム」も勿論俎上に上りました。「トルクシヴ」も「民族の祭典」まで顔を出しました。やがて、好い気持になって結論を引出した頃になって、どうやら我々はクレショフ先生の所謂、ドラマツルギイの段階の数等先を行っていることに気がつきました。再び、ドラマツルギイの問題にたち帰るのが惜しいような出来映えでした。いや、我々のこの見地に立ってこそ、始めてドラマツルギイの問題も生きたものとなって来るのではないかと思うんである！のであります。かくして、我々は一見廻り道をし、脱線していると見せかけて、かくも発展を策しているのでありました。クレショフ先生も、ゆめ御油断なさるな。

当然のことについて。

体をもとでにして仂いているのですし、その体は生身です。病気になっては大変ですが、病気にならないとも限りません。病気になったら、少しでも早く医者にかゝって直して、そして又、仂かなくてはいけません。ですから、協会の人が健康保険に入るのは当然のことです。身を粉にして仂いているのです。たべなければ、たべさせなければ、いけません。体だけはどうにか保険のお世話にならずにやっているとしても、余分なお金が少しでも出来れば、欲しいのは、勿論です。ちなみに、保険料八月分は七月末日までに納入することになっており、一人でも滞納があると、全員の保険を取り消されてしまうのです。そこで、私はおどおどしているのですが。

〃山の学校〃完成、色々と御意見を聞きたいと思っています。

高見　貞衛＝〃陸にあがった河の豚〃特撮を終り、編集中、七月上旬初号完成の予定です。

杉山　正美＝ひきつづき自宅療養中です。

片岡　薫＝報告するような仕事をしておりませんので――

衣笠十四三＝全農映〃鬼太鼓〃演出。六月二十二日出発、佐渡にて約四十日間ロケの予定。

富岡　捷＝文部省企画〃若い仲間〃完了。次回作品準備中。

村田　達二＝光洋精工の委嘱映画を製作のため目下ロケハン中です。（新東宝教育映画部の作品）

京　俊明＝シナリオ勉強中。

矢部　正男＝PR映画〃ガス〃脚本演出（岩波）七月中旬完成予定。

上野　大梧＝記録映画社〃五十里ダム〃（後篇）五巻編集、七月中旬完成予定。

下村　健二＝七月に入って新理研の作品を撮ることになりそうです。

榛葉　豊明＝やっとのことで〃ガス〃がクランク・アップし、引続いて矢部さんの助手で編集にかかろうとしているところです。

新人会員歓迎会開かる

運営委員会

新入会員カンゲイ会は、去る七月二日午后六時から約三時間、東銀座の新聞会館二階に於て、約三〇名の協会員が出席して開かれ新入会員からは協会に対する希望や卒直な意見、旧会員からも今后の協会運営、或は研究活動のプランなどが出され、和気藹々たる懇談のうちに過しました。

会は先ず管家事ム局長の司会にはじまり、吉見運営委員長の挨拶ののち、本日参会の十四名の新入会員が一人一人立って自己紹介をかねて発言がおこなわれました。

（当日の新入会員としての参加者は次の通り）

小島（東京シネマ）渡辺（協会事ム局代）片桐（フリー）前田（スポーツ科学）前沢（フリー）松本（新理研）渡辺享（フリー）島谷（フリー）近藤（フリー）本間（東映製作所）原口（フリー）楠（フリー）西本（視覚教材）中島（新理研）

これら新入会員は、学校在学中か或は今年出たての新人が多いが、この人たちはすでに、学生自主映画運動などを通じて、映画製作に新鮮な抱負を持って協会に入会して来たことが各々の発言からうかがうことが出来ました。

ある企業所属新会員の発言、

私は、企業に入る前は、自分たちが考え作りたいと思った企画がすぐ映画になるものだと考えていたが、意に反してPR映画の企画ばかりやらされている実状です。でも私はこのような企業のワクにはまらないで、新しいものを生み出してゆくため、協会員で研さんし合ひたいと思います。

あるフリー契約者会員の発言、

私は在学中から学生自主映画製作をつづけてきたが、今回協会に入会して職業作家としての道を歩みはじめるにあたり過去の仕事を整理し、志しを新たにして協会の中で勉強してゆきたいと思います。

その他、新人会研究グループに対する意見として、現在クレショフ講座が行なわれているが、それより先に、諸先輩方の間で斗はされている記録映論争に参加する意味でも、記録映画の創作方法の問題をテーマにして研究した方が良いのではないか、等、新入会員が自分たちで勉強してゆく方向の意見も数多く出されました。

その后旧会員からもそれぞれ立って自己紹介並びに意見が出され自由な討論が行なわれました。

旧会員からは先ず吉見委員長からシナリオ研究会がいよいよ十七日から発会するプランがのべられ、野田氏から記録映画研究会をはじめたい、研究の方向は集った人たちで色々討論されて正しい方向を生み出したいと意見がのべられた。すでに三回も重ねられた教材映画研究会も、運営のたん当をしている丸山氏から、教材映画の良い企画と脚本が大変不足している、民主的な教育を守るためにも良い教育映画をどんどん出してゆく必要があり、新しい人たちも実せんの仕事と、理論とを平行して進めなければならないと貴重な数々の意見が出され、なごやかなうちに会を終りました。

この新人カンゲイ会を手始にその他、フリー会員と企業所属会員との懇談会を企業別にもってゆくなど、会員相互の交りを深めてゆくプランを委員会ではいろいろと考えております。

☆ ☆

高島 一男＝理研科学"化成肥料"の演補。現在（六月十六日）伊勢原ロケ中、完成は七月下旬の予定。

岩崎 太郎＝"農業協同組合"のシノプシス（全農映）を昨日（六月二十二日）書きおえて教材映画を二三準備しています。

河野 哲二＝"たのしい工作"（共同映画社・文化映画研究所）の準備中。菰沢君と一緒に脚本をかいています。七月上旬、撮影に入ります。

樺島 清一＝理科教材"土地と植物"撮影中。この所梅雨らしからぬ天気のため、仕事におわれ、研究会等に出席出来ず残念におもっています。駑馬にむちうっているような重軛を感じるときしばしばなり。

日高 昭＝桜映画社"お金と私たち"（三巻）演補、五月完成。病気入院（六月二十日退院）後 静養中。

桑野 茂＝"情熱"計画が崩れて、相変らず、生活のため報告の価値なき仕事をしています。その計画を名に、すげない御返事をした理研、遠藤さん、全農映の方々に、この誌上でおわび申し上げます。

清水 信夫＝東映教育映画部作品"もう一人のぼく"（仮題）

横道にそれた感想

矢部　正男

去る七月二日の新人歓迎会に出席した感想を書けとの編集係からの命令であるが、実は時に書く程の感想はない。たゞ、その席上で、思わず八ヶと膝を叩いた事があるのでその事に就て書かしてもらいたい。直接には新人歓迎会とは関係のない話である事を予めお断りしておく。話は大分品が悪くなるが、協会費に対する日頃の不満からはじめたい。

僕はフリー契約で仕事をしている会員なので、従て収入の四%を会費として収める義務を負っている。この規約については、僕も創立当時確かに賛成した一人である。しかし、現実に事務局に提出する段になると、この四%がなかなかつらい事が分った。万感交々胸に迫って、強い未練が数枚の紙幣にこもるのをどうする事も出来ないのである。聞く所によるとかなりの滞納者がいる相だが、僕には無理もない事に思えるし、自状すると僕もギャラを少な目に申告して正規の納入をゴマ化したことも何度かあるのである。これはつまり、協会から受ける恩恵が、課せられた出費と均衡を保っていないという事なのである。収入が貧しくて生活に追われ過ぎている故もあるが、よしんば一千万円を得てもその内の四十万円を出さなければならない時にはやはりそれに充分値する利益を期待するに違いない。では会費を安くすればいゝかと云うとそれは考えものだ。そういう後向きの解決をするなら話は大変簡単なのである。

僕は協会を一つの夢の足がゝりとしたい。そして、協会費は、その夢を大きく育てるための資金と考えたい。その時はじめて僕達は昼めしを抜いても納めるという気になれるのではなかろうか。だから問題は、今の協会に、将来に対する確たる目標がないという事である。今の様に、単なる親睦団体ないしは研究団体の雰囲気に低徊する限り、会費納入の苦痛に打克つ自信は僕にない。

そこで僕は一つの提案をしたい。毎月三万円を協会が貯蓄するのである。三年たてば百万円出来る。これで、十六ミリでもいゝから協会の自主映画を作る。どういう計画はどうだろうか。若し滞納者がなくなれば、この位の貯蓄は易々たるものだと思う。

こういう事を考えていた時、丁度新人歓迎会の席上で吉見さん野田さんから脚本研究会と記録映画研究会の話を聞いた。僕がハタと膝を打ったのはこの時である。こういう研究会が活潑に行われゝば、その中から必ずや良い企画が生れるに違いないし、又、自主映画製作の計画を抱く事によって、夫々の研究は一層生気を帯びたものになるに違いないと考えたのである。勿論右の案は僕の一案であって、更に良策があれば有難いが、何れにせよ、協会が具体的な目標を持つ事について、一度皆で考える必要があると思うのである。

たゞこゝに、若し全員の積極的な支持で素晴しい計画が発足するとして、それだけでは問題は解決した事にならない。どうしても一方に、効果的な会費徴収策が要る様な気がする。目標があれば昼めしを抜いても、と立派な事は云ったが、やはりその前に、皆が足並を揃えるならという前提がぬけているのに気が付いた。将来の大きな利益より目前の愚劣な快楽に惑わされる自分の悲しさを、僕は何回かの禁煙に失敗して、いやという程思い知らされている。だから会費の納入は、生甲斐のある目標の確立後といえども、かなりの努

（十七頁二段目へ続く）

児童局映画五巻の脚本完成、次回作品準備中。

長井　泰治＝共同映画、日本漫画作品、漫画〝つるのはね〟（一巻）構成、作画完了。イーストマン、カラー〝ビールむかしむかし〟作画完成。

永富映次郎＝〝躍進する横浜港〟（産経映画）をカラアにて撮影準備中、七月一日よりクランク、インの予定。

松本　公雄＝〝ランド、クルーザーの記録〟（内外映画）六月下旬、名古屋ロケに出発、演補。

丸山　章治＝三木映画の〝ことばと態度〟という社会教育映画シナリオやっと決定稿が上り、近々撮影にはいります。この作品をあげたら、一時三木映画をはなれて仕事をさがすことになります。小企業の危機というお定まりの事情です。

下坂　利春＝目下、新理研で次の仕事を待っております。

吉見　泰＝東京シネマで、東北電力の仮題〝つがる〟を書き上げました。津軽地方の夏の風物詩です。七月はじめにはシナリオ研究部会を発足させようと色々考えています。おなかが出っぱって来て、ズボンが合わなくなって弱ってます。但し、血圧一二〇、低

『教育映画』『作家』？

日高　昭

「教育映画」—全くいやなことばだ。その上「教育映画作家」となると、益々自分と縁遠い感がしてくる。今のぼくの存在は、名実ともにPR映画製作者である。そして将来に亘つても「教育映画」なぞというものは作る意志もない。わけのわからない「教育映画」などというものの妄執にとりつかれて、正に目の前のPR映画製作によつてしか糊口をぬぐえない自らの存在を軽蔑したがる、自卑的な事大主義からは何物も生まれないだろう。だからといつて、ぼくは何も大会社・官庁のPR御用きゝで満足するというのではない。

「教育映画」というのは、映画を手段としてだれとだれがどういう形でコミユニケートし合うかという関係の中で、創り手が観る者に対して「教育する」という、甚だ独占的なセクショナリズムを感じさせることばである。そこでは映画が文字文化と同じように、広く社会の機能として理解されなくなる。映画は撮影所や一部の人々の「専向的」立場から解放されなければならない。そして、凡ての人々が、その思想や意志を発表し社会の諸事実を伝達し合う機能として広く社会的に享受されるべき文化なのである。いわゆる「PR映画」の果しつゝある機能的効果は正に映画の社会化であり、ぼくらは、この映画文化の広がりゆく社会的基盤の中で、製作の発想をしなくてはならないと思う。そう考えるならば、たとえいかなるPR映画にしろ、それなりの製作の拠り所——国民大衆との結びつき——が発見されるはずである。

「スポンサーとのいろいろな制約の中で、それを超えようとするわたしたちの努力が、ともすれば空廻りするときもあるでしょうが、しかし、こうした戦こそがPRボケにならない唯一の途だと思っています。だからぼくは、この作品は割切ってやろうなどと考えられないので、いつも重い荷を背負いながら仕事をつづけているようなものです。」（樋口源一郎氏）という態度は、個人的なPR映画のうけとめ方を表わしているが、右のような映画文化の志向性に沿った立場にあると考えられる。

こうして、ぼくらが映画製作の基盤を広い社会の中に、しかも新しい知恵と新しい歩みの方向に求めていくとき、絶えず仕事に生きがいと自信がえられるのだと思う。ぼくが最初にいったPR映画製作者であるというのは、今の自らの存在に自信をもちたいというところからである。

ついでに「作家」ということばにもひつかゝりを感ずるのは、映画というものが、さきにものべたように、創作というジャンル以上に多様な目的をもつ多様なジャンルを含む文化手段であつて、ことにぼくらの仕事は社会や自然のあり方についての解説者であつたり、或いは批評家であつたりする——そういう巾広い仕事であるからだ。ことに記録映画の製作者などは、作家というよりもむしろエッセイスト（評論家）というにふさわしいと思われるからだ。事実、ぼくらの前には「概念の映画化」〈イデオロギカル・フイルム〉の製作

いう方で安心してます。

片桐　直樹＝七月五日より〝たのしい工作〟（文化映画研究所・共同映画作品）撮影、十日アップの予定。

韮沢　正＝〝たのしい工作〟の製作中。八月に短篇〝イソップ物語〟を計画中です。

尾山　新吉＝相変らず御無沙汰しております。何時になったら具体化するか判らない民謡シリーズを待機中、家で読書三昧にふけつております。（一日二食、もつぱら借本屋利用）下手に動くと金がかゝりますので、目下禁足という処、映教より口がかゝりそうで是も待つている状態です。

松本　俊夫＝今だに尚〝銀輪〟から解放されていません。これまでにも大手術的な編集の変更を何度かやっているのですが、今度は初号が完成してから再度若干手を加えねばならぬということになり、全く頭の痛い話です。今やその仕事も終り、プリントのあがるのを待つばかりですが、それでもこつただけあつて、PR映画としては一寸破格的なものが出来上りそうです。

大沼　鉄郎＝東京シネマで国際電々公社作品（竹内さん演出に助手をつとめ、目下ロケハン中、

が要求されている。今度ぼくが樋口氏に従いて作った「お金と私たち」―日本経済を繁栄させるにはどうしたらいいか――は、そういうジャンルに属するので、たいへん興味があった。このことについての意見は別の機会にゆずりたいと思う。

何だか舌足らずみたいだが――とに角以上のようなわけで、ぼくに関する限り「教育映画作家」という尊称は返上したいと思っている。〈桑野茂氏もちょく／＼そういうふうな意見を出しておられるらしい。〉

赤城山麓での仕事

富岡　捷

文部省企画の「若い仲間」（二巻）を仕上げた。農村に於ける青年団活動を取り扱ったものである。青年達が団として立上る姿を描くのが目標で、実際多くの若い人達は村作り等で活動しているのであるが、生産面に一転機を画するような面を切り拓いてゆく、若さに溢れた青年達の姿を捉へたいと思って、脚本を担当した片岡さんも、その取材に随分苦労されたことだった。偶々赤城山麓に、凡そ二里の傾斜地を山腹まで推肥を運びあげている村があって、最近、青年達の主唱の許に運搬の方法を機動化して農村に於ける労力問題の一端を解決している所があると云うので、このファクトに飛びついた次才である。

推肥運びなんて、さして労力の要ることじゃないと農家の者でないものは誰しもそう思うであろうが、麦蒔きやジャガ芋の種つけの定まった時期に間に合うように、土壌より重い湿った推肥を何百貫か何千貫かを山の中腹まで運びあげるのであるから、田植より労力が要る仕事である。又、実際現地へ行ってみて驚いた。山麓は断崖になっていて、しかもそれが四段あり、僅かに断崖をくずしてジグザグに拓いた道路は、火山灰地の泥んこ路。これを牛車や人力に頼って、ヨタ／＼よじ登ることは見ただけでもかなわない。よくも今迄村の人々が、これまで辛抱してきたものだと思った。

何故村の人々がこの運搬方法を機械化し、或は索道をつけるとかトラックに頼るとかをしなかったのかは、お定まりの金がないこと、従来の農業技術に固執しすぎる因習があること、積極的なことには団結したがらないことの三点にあった。

この三つの難題をぶち壊してトラック運搬を実現化したのが、青年達だった。

「日青協」では、青年団がこのような生産主義でのみ動くことを警戒しているようであるが、映画で最も端的に青年団の動きを捉えるには一番の好材量である。これで行こう。そして、三難題を吹き飛ばす程の実行力のある青年達だから、恐らくロケには協力して貰えることだろう……私を始め、全スタッフは張り切って準備にとりかかった。

それで、画面に登場する人物は、すべて青年団を中心にした村の実在の人物にし、俳優は一切使はない。そこの青年団は演劇活動が盛んであるから、進行係も小道具衣裳等の各係も全部青年団の人にやって貰おう。キャメラと演出照明

七月はじめクランク　イン・九月アップの予定。

八木　仁平＝東京シネマ〃ガラス〃準備中。〃小河内ダム〃継続中。

菅家　陳彦＝〃米作り日本一〃（東映製作所）。シナリオを終ってクランク、インしようとゆうところ。今年も富山県です。

かんけ、まり＝相変らずただの原稿を書きただの調査をしています。（ただになってしまうのです）

中川　順夫＝スミダプロ〃えんぴつ泥棒〃完成。国鉄労組斗争記録映画〃足跡〃編集中。児童映画〃黒い顔の天使〃脚本執筆中。

杉原　せつ＝〃〃死ぬことも苦しい〃〃生きることも苦しい〃〃だが生きなければならない〃〃生きるに足る人間にならなければ……〃と、こんなせっぱつまった思いの自分と毎日悪戦苦斗しています。大変おそまき？と皆様御笑いでしょうが……。相変らずの仕事なし、自分勝手のシナリオなどにかじりついています。

岩堀　喜久男＝理研科学村上プロ〃ボイラー用水〃二巻、脚・演〈カラー10月完成予定〉をやり始めます。

（11）

だけが製作者側で受持つことにし、村の「若い仲間」でこの映画を作ってみようではないかと、青年団の人々に持ちかけ、賛意を表してくれたので、製作者側のスタッフの張り切り方は、一層倍加した。そして我々は農家に宿泊して、村民と生活を共にし、共に協議しながら、この映画を作って行こうと計画したのであった。

　さて再三の協議会で、各係のメンバアが決定し、青年団もめざましく映画製作に乗気になって来たようだった。ところが配役を決める段になってハタと壁にぶっかかって了った。何しろ前述の通り演劇活動の盛んな所だから、脚本を読むとどの登場人物がいゝ役であるかすぐ解って、誰しもいゝ役を演じたいから、お互に牽制し合って中々役が定まらない。それに後になって解ってきたことであるが、青年団の連中と4Hクラブの連中とで役の振り分けで対立し出した。そこへもってきて、かねてより村長から、この村ではA部落とB部落の対立がかなりあるから、青年連中の配役も偏せず公平に願いたいと申し入れがあり、又村長自身、青年達に一村協力してこの映画を成功させたいと演説をぶってくれたりしたのであるが、それにも不拘、この対立の底流は最後までつきまとうこととなった。も早青年達と協議を繰り返していては、定まった日に撮入出来ないので、遂にスタッフ側が協議して各配役を決定発表して了ったから、さあ事態は混乱を極めた。

　Bの部落の人があの役を取ったから私はやめだと、せっかく振り当てた役をAの部落の連中が蹴ってしまう。又4Hの連中ばかりに役の優遇をすると不服がり、青年団は遂に不出場を決議し、各係りも辞退してしまうように迄立至った。

　仕方がないので、従来のやり方通り、演出とキャメラマンとで配役の人物を選定し、群衆場面にはどうしても青年団の人々に出て貰わなくてはならないので、青年団長に一役出て貰うことにして、脚本をそのように書き変えることでやっと青年団をなだめ、予定より遅れたが、兎に角クランクインに漕ぎつけた。

　これで漸く一つの難題を解決することが出来たが、次の難題は我々スタッフ側に起きた。と云うのは、初めに皆農家に宿泊し、農民と共に生活しながら製作するというケナゲな決心で望んだのであったが、つくづく農家の生活を眺めると、風呂は五日目に一度だし、夕食はうどんであったり、世話をする女中代りの人手が不足だし、囲ろ裡は炭でなく薪で煙ったいし、それに先方のもてなしの諸が田舎式に毎日際限なく打続くのでやり切れなかったり、これでは「仕事にならない」と誰云うとなく、いつの間にか意見がそう云うことに一致して了った。村の附近には宿屋一軒なく、遂うく村長に泣きついて役場の二階を拝借する破目に落ち入った。

　しかし役場の二階は二十畳敷の新築で床の間があり、一寸した安宿の感もしないでもなかったので、炊事は小使がやってくれるのを幸い、兎に角落ち着くことが出来た。食事や寝具の実費を支払いつゝ、漸く毎日この基地から、部落や赤城の山麓へ寒風を犯して出かけることが出来たのであった。

　撮影は悪天候に支配されて延々と延びた。斯うなればお定まりの村民に倦きられると云う事態になる。それどころか第三の難題が襲ってきた。

　役場では時々色んな会合がある。適当な場所がないせいか飲食の会合がよくあった。常用する役場の二階が我々スタッフに占領されていたものだから、苦情が随分村長の所へ持ち込まれたと思われる。村長は、一々それを旨く裁いて我我の為に尽してくれたのであったが、村長の反対派の村会議員には、流石の村長も制し切れなかったのであろう。酒にまぎらかして我々の所へ議員達は捻じ込んでくる仕

石田　修＝千葉火力建設記録製作中（来年三月完成予定）

原本　透＝"Wheel and Axle"関東ロケを終り、東京近郊ロケ若干を近日撮影の予定

前田　廣言＝小、中学生向き"野球"編集中、七月上旬上り。七月三日頃より"スキー"山形県月山ロケ予定。完成は十五日頃。（スポーツ科学映画社、演補）

小島　義史＝東京シネマ、"東北のまつり"一時延期となる。進行として東北へ行く予定であったが。

山岸　静男＝創芸プロ"木炭"（仮題）シナリオハンティングを終り執筆中。

大久保信武＝たくみ工房にて、記録映画"五十里ダム台帳"五巻内シネチュア及び線画五百呎。"富士映画社"村の気象"三巻内動画八十呎。七月一日より[illegible]で。記録映画社"貿易港"一巻内線画五十呎。月半まで。

大橋　春夫＝英映画社にて"佐久間ダム"第二部を終え、目下"明日の茶農家"にかかっている。七月中に完成の予定。

京極　高英＝東京ゴミ譚は、最初のスケールとはおよそ違った小いさな宣伝映画になりそうです。原因は注文先にお金がないらしいのです。今年はブラ〳〵してしまいましたが、

末であつた。「村議会に映画班の挨拶がなかつた」とか。「何の目的でこの村へ来たのか」とか、「二階を占領されていては、畳が擦り切れたり汚くなる。損料を出して欲しい」とか等々、既に村長から議会へ撮影の諒解を求め、議会はこれを承認しているのに、そんなことを云つて来るのだつた。

これもよくたゞしてみると、村長の反対派議員と云つても、政策や主義主張の反対派ではなく、村長の屈するA部落に対立しているB部落の人々であつた。この対立の飛ばつちりを我々が受けたのだ。

村長は努めて、村政を公平に民主的に遂行しているように其の人柄から察せられるので、これ以上この良き村長に迷惑を及ぼしてはと思つて、我々は、最後は遠距離の町の旅館に移つて行つた。これで、せつかく「村の青年団と共に作る映画」は立消えて、何もかも普通の撮影になりおゝせて了つた。

シナリオ研究部会

発足に就て

来る七月十七日(火)后三時
於 映教三階会議室

吉見 泰

右によつて、最初のシナリオ研究部会を開きます。大変おくれて申訳ありませんでしたが、御希望の方、御参集下さい。なお、この部会は、私の考えでは、たゞの勉強会ばかりではなく、それぐで持つている企画を持ちよつて、みんなで検討しながらシナリオを完成させてゆき、それを各プロダクション或は製作者連盟の窓口と連絡しつゝ、映画化実現の道をひらいてゆくようにしたいと思つています。個人で書きあげてゆく場合もあるでしょうし、合作グループが出来る場合もあるでしょう。また、新企画のものに限らず、プロダクションの依しよくを受けて書くシナリオの場合にも、御希望の場合にはみんなで、いゝものができるよう御協力できる部会にしてゆきたいとも思つています。

こうしたやり方に就て、当日は色々と話し合い、今后のやり方に就て打ち合せたいと思います。すでに面白い新企画ものがあり、部会の発展に大きな期待が寄せられています。

奮つて多数、御参加を。

一つ又一つ我々の最初の企図はくずされ、押し流されて行つた。

何が原因で、村の若い仲間と共に一つの映画を楽しみながら、製作出来なかつたのであろうか――と私は私なりに反省してみたのである。

大きく云へば、その原因は二つあるようだ。その一つは、皆が貧しすぎることだ。

第一製作費が貧しかつた。青年団や4Hクラブに製作者側は、実際若干の謝礼をしたのであつたが、それは文字通り「若干」で、謝礼金を基に、青年団や4Hクラブが計画していた事業が出来なくなつたことが、撮影の事前に皆に解つて了つたこと、これが青年達の意気を阻んだ。謝礼金をアテにする程村は貧しいのである。又反対派の村会議員にしろ、若干の寄附金を議会に製作者側がし、或は適当な顔合せの会でも持つていれば、もう少し寛大に役場の二階に我々を置いてくれたであろう。更に我々にしても、農家に泊ると云う事の次弟の底には、宿泊料が安くつくと云う貧しさから発案されたもので、貧しさを意識しながら貧しい生活に浸ることは、精神的に拷問をかけられるような苦痛だとスタッフは感じたに違いない。

以上は、例へ村に昔からのセクショナリズムがあつて、容易に一つの事が遂行出来ないような仕組

そろく何かやり出そうとしていますが、ネラウこと、思うこととみんなムズかしくてどうもうまく滑り出しません。

八木 進＝体育教室その五〃リズム運動〃一巻(モーションタイムズ製作)演出、目下撮影中。五月二六日和婚、表記の新居に移転しました。

無名氏＝取りわけ変つた事もありません。目下待期中。

渡辺正己＝八月末まで事務局の仕事をしています。

渡辺 享＝平凡映画での企画がボシヤリ、次回チヤンス待期中。脚本、演出、撮影の器用貧乏性。アイモ(レンズはバルター35三リ、クック47ミリ、フスナー120ミリ)を所有しているから、これを無料提供する事で、ジヨップを廻してもらいたいものだ。腕は鳴つているのだが。

加藤松三郎＝東京シネマ〃株式〃日本科学〃くすり〃脚本執筆中。

六月三十日迄に連絡のなかつた方の動静は事務局で調査致しました。

各務洋一＝岩波〃東京貿易〃撮影中。

高村武次＝岩波〃佐久間ダム〃

みになっていても、金さえかければ、もう少しこの撮影は旨く理想的に行ったであろうと云うことである。

　しかしながらひるがえってみると、「金さえかければ」と云う観念は、要するに、これは自分の心の貧しさを露呈している称なものだ。

　「若い仲間」が兎にも角にも完成したのは、一に4Hクラブのメンバーが、自分を犠牲にして協力してくれたからだ、一雄さんは、乳牛の搾乳の暇を割いて仲間の纏め役になってくれた。作さんは、大工仕事を幾日も休んで配役とボールド入れを受持ってくれた、Aさんは畑仕事を休んで主役と助監督を勤めてくれた。D子さんが、あの議員事件のあった直後、議員の非行を泣いて我々スタッフに詫び、我々を励ましてくれたことがなかったら……「若い仲間」は、もっとくだらない映画になったろう。村長や村の年寄り達が「村を日本中に紹介して貰えるんだ」と云う喜びで、何かと援助してくれたこと、あの支えがなかったら、スタッフはこの仕事を投げて了ったかも知れない。

　それを思うと、多くの人々の支持や協力を得ない限り、スタッフが逆立ちしてもドキュメンタリーな映画は製作出来ないと、今更ドキュメンタリー・フイルム製作のABCを反スウしてみるのだった。


単にあの限られた人々でなく村全体の心からの支持協力を得ていれば、製作費の多寡なんか吹っ飛ばして、立派な作品が出来たであろう、村全体の支持協力を得るために、もっと〱時間をかけて、我々は、村民を納得させる努力を充分にすべきであった。農家の人々に対する根強い食い込み方、受け入れ方が欠けていたがために、「若い仲間」は、欠点だらけの貧しい映画になってしまった。

　その最大の原因は、農家の人々に対する自分の構え方がアイマイであったことに他ならない。

　農村問題を突込むと、湿田に足を奪われたようになると、よく云はれる。でもこの湿田の中で四つんばいになって、農家の人々は早苗を植えて行っているのだ。農村映画を作るにも、泥田を這いながら、泥を手でまさぐり、泥の中からの足抜きをくり返してこそ、よい結果は生れるのであろう。

　遥か赤城山姿を瞼にうかべながら、ひとゝき私は私の作品に就て反省してみたのであった。

記録映画
研究会発起

厚木たか
京極高英
野田真吉

さいきん、注目すべき記録映画ができはじめ、一方では記録映画にたいするいろいろな意見の発表がさかんになっています。

　このような機会に協会内の記録映画に関心をもつものがあいあつまって、実践を通じて、記録映画の創作方法について、また、理論確立について、たがいに研究し、たすけあって、我国の記録映画の発展をうながしたいと思います。

　そうした趣旨で多くのみなさんの御賛同と御参加をえて、「記録映画研究会」をつくりたいと思います。

　とりあえず、発会まで、私たちが世話人になります。協会事務局まで御希望の方の御名前をしらせて下さい。

★会費の納入が協会の成長を保証します

撮影、編集中。
時枝　俊江＝岩波の新企画作品準備中。
羽仁　進＝岩波。"双生児"編集中。
羽田　澄子＝岩波の新企画作品準備中。
島内　利男＝"住友金属"クランク・アップ。
落合　朝彦＝"コーテッド・サンド"完了。次回P・Rに着手。
中村　敏郎＝"ピヨく大学"録音。次回作品、シナリオ・ハンティング。
下村　和男＝文化映画研究所"たのしい工作"に参加。
豊田　敬太＝"漁村もの"にかかっている。
中島　智子＝新企画、調査中。
平田　繁治＝漫映、線画の製作中。
諸橋　一＝漫映、線画の製作中。
吉岡宗阿弥＝漫映、線画の製作中。
奥山大六郎＝"結核の発生"完成"花と昆虫""くすり"ロケ中。
稲村　喜一＝人形劇映画準備中。
西浦　伊一＝"建築の記録"完成。次回作品準備中。
田中　喜次＝"美人誕生""あほう鳥"完成。
大方　弘男＝健康回復、待期中。
水木　荘也＝三井芸術プロ、プロデュース。
大鶴日出夫＝理研科学にてプロデ

しごとを見つけた喜び

（新入会）たけはら、しげを

私はかつて労仂組合とか、サークル組織の仕事をしていた時に、映画・幻燈がどれ程大きな力をもった組織者であるか、ということを更めて認識させられました。

私の僅かな経験の中で、それは得がたい教訓でした。

考えてみれば私等も、幼ない頃から随分たくさんの映画を観つづけてきています。

その影響は、たいへん大きなものだと思います。大袈裟にいえば、パーソナリテイの一部は映画によってかたちづくられているのではないか？と考えたくなる位です。

映画のもつ魅力が、その内容を深く吟味する余裕を私に与えずにいた、ということはいま考えても残念なことだったと思われます。

それだけに、この映画のもつ力――広くにんげんの感性と理性に同時に仂きかける――が、にんげんの欲求する真実をおゝいかくす力として、猛威をふるっている現実は、私達にとって容易ならないことなのだ、ということを再認識した訳です。

当時私は、詩、生活記録を通じて、生活の表現をしてゆく、ということをサークル等でやり始めていました。しかし私の意欲はそれだけに止まらなかったのです。

それは、記録映画が何んとも云えない魅力で私を捕えていたからです。

生々しい現実と、ゆがめられたにんげんの真実が、社会の因果関係の中で激しく追い求められて行く時、そこに表われる一コマ一コマが、実に迫力をもって私の中に突刺さってきます。

スクリーンに表わされたその記録は、作家のにんげんとしての、血の滲むような努力の記録でもあるからでしょう。

私は、そのような映画を創ることを通じて――そのような秀れた武器を創ることを通じて、より多く生きるひと達の斗いに奉仕してゆきたい、と真剣に考えてきました。

記録映画・教育映画作家として仕事をしてゆきたい、と考えていた私は、その仕事をする場のないということで、ひと頃は絶望していました。がしかし、何としても断念することが出来ずにおりました。

こんど、協会に入れて頂いた私の喜びは、小学一年生の入学の時に似ております。

映画製作の初歩から始める私は、これから多くの困難に直面すると思いますが、諸先輩のよき指導と、自身の努力で長い時間をかけてもやり遂げる積りでいます。「裸になって話合」というのが私の信条です。どうぞよろしくお願い致します。

判らないこと

五円の未だ使っていないはがきの表には、作家協会行、というはんこが押してあるんですから、他に使い用はないはず。街に出ればポストは大きな口を開けて突っ立っているのです。

ない智恵をしぼって考え込んでしまいます。そのはがきが五割しかもどって来ないということについて。

ユース中。

山添 哲＝全農映〃鬼太鼓〃の佐渡ロケ中。

古川 良範＝オ一映画にて脚本執筆中。

中江 隆介＝劇団プーク、演出中。

原口 光人＝理研科学（村上プロ）にて活躍中。

近藤 才司＝待期。脚本努力中。

豊富 靖＝東日本映画社〃この子らに光を〃山下清の少年時代の向もの、演補。千葉ロケ中。

秦 康夫＝記録映画〃五十里ダム〃演補。

平野 直＝児童映画企画中。

向宮 則夫＝東京シネマ〃東北のまつり〃演、補。待期中。

道林 一郎＝理研科学（村上プロ）〃化成肥料〃

森岡 実＝待期中。

諸岡 青人＝日映科学〃九州電力〃〃緑の谷間〃脚本、演出。

柳沢 寿男＝岩波、電々公社もの、待期中。

川本 博康＝全農映、衣笠組、演補。佐渡ロケ中。

新庄 宗俊＝〃美人誕生〃プロデユース完成。

竹内 信次＝東京シネマ〃世界を結ぶ短波〃クランク中。

富沢 幸雄＝待期中。新企画の脚本を執筆しています。

秋元 憲＝新理研〃下水〃ロケ

良いことと素晴しいことと
―新入会―
小島　義史

自主映画の條件を広めるために、逆にPRに入ってゆくという戦術は方法的にみても別段目新しいことでもなく、誤ってもいない。併し、巾を広げるということから、何処で妥協するかという点で奇妙な混乱が起きているのではなかろうか。もとより、全体を把握しないで論断することは僭越であるが、ここはしばらく御免下さい。

二三年前の雑誌には、PRボケの問題を中心に自己中毒のことが、怒りとして、嘆きとして、或いは人間的な弱さの告白の形として綴られていた。勿論、このような発言の裏側で作家達は粘り強い斗いを続けてきたことだろう。そして、事実に於いて最近の短篇の質は上昇している。教育映画ブームをもたらした理由の一つは当然このことによって占られるべきである。

製作形態からみて「絵を描く子供たち」のような作例を見出すときにほんとうに嬉しさを感ずる。だがそれはおびただしく製作される短篇の何%を占めているのだろう。残念ながら非常に少い。何故だろう。

「岩波が優秀作品を出すって?、ありゃ皆岩波の自主作品にランクされるやつばかりだぜ、あとはロクでもねエのさ」

こんな意見をきいたことがある。傾向の場に於いてその事実を認めるとして、では自主作品以外に優秀作品の生れる余地はないのか。

否である。架空の問題としてでなく現実の基盤に於いてその成果は既に上っているではないか。桑野氏は既に短篇作家が臥座をかくことに警報をだしておられるが、私はPR映画という言葉に作家がかまけているのではないかと心配する。ここで私は性急な結論を引出そうとするのでもなく、斗いが恐ろしい程の忍耐強さと時には耐え難い妥協をものりこえねば前進しないということを、否定するものでもない。繰返すが、そのような負い目を負いながら芸術性を保とうとする先輩の生き方に尊敬する。併し、そのような人々からも時々「PRとして割切った」発言や態度に接するとふっと不安を覚えるのだ。

極端な云い方をしてしまえば日本に於いて、短篇の国民映画運動なるものはPRを抜いては考えられないと私は思っている。そしてそれは日本の現状が与えてくれる最良の條件だとさえ。従って協会は対PR問題を皆がデータを出しあってその現状分析と対策を出すべきだと思う。ギャラ設定の内規をもうけること――勿論これは重要である――と共にこのことを全員が確認し合って進むことがさしづめ要求されるだろう。協会はそのために会員をもつと結集さすべきであり、会員も亦相互の連絡を密にすべきだ。特定のグループの間でだけ討議され了解されていることはむしろ間違いだとさえいえよう。

桑野氏の発言を桑野節という向きもあるが氏の発言が現状に対する叱声だけでそこから立ち上るための具体性に乏しいからといって笑殺するのは危険なことである。その反面でPRであることから来

中。
厚木　たか＝記録映画にて企画中。
伊勢長之助＝岩波〃鉄〃ロケ、ハン中。
岩佐　氏寿＝東映で漁村もの執筆中
小泉　堯＝夜間学生のスライドの製作に参加している。
真野　義雄＝連合映画にて、スポーツもの。演補。
相原　竜介＝郷里・福岡県へ帰省中。
竹原　繁雄＝レインボー・スライドにてアルバイト。映画の仕事を待期中です。
中村　麟子＝日映科学にて新企画、シネ・ハン中。
清家　武春＝日映科学にて、待期中。
小野寺正寿＝日本記録映画社〃ふ、ぐ〃一巻、録音待ち。
馬場英太郎＝日本テレビ映画社発足。演出企画中。
荒井　英郎＝三井プロの仕事を終り、目下の所、待期。
西沢　豪＝日映新社〃上方のうつりかわり〃京都ロケ中。
大場　秀夫＝連合映画にて、スポーツもの五巻、演補中。
小西　久弥＝オート・スライド社にて、アルバイト中。
松本　治助＝電通映画社にて、テレビ、コマーシャル製作中。
八幡　省三＝東京シネマにて、〃

る不愉快さに頭を悩ますに至っては反則である。

ＰＲから生ずる作家意欲の減退或いは停滞というきわめて具体的な問題は、全体的にも個別的にもいろくの條件が重なり合ってのことに起因するものだろうし、単純な解決はないかもしれない。併しそのことは、協会がＰＲの動勢及び攻要目標の諦結、指針を全体の場で出すことをいさゝかも妨げはしない筈だ。協会がＰＲにむしろ積極的にのりだしたことの方法的良さを更に成果に素晴しさをもたらすために望む新入会員の一つの注文である。

新教委法対策についての動き

▽去る六月二日、参議院本会議を通過した「新教育委員会法」の対策について、映教のよびかけによって対策懇談会がひらかれた。六月五日午后三時より、映教会議室に、映教、学視連、全放連、日放教、製作者連盟、教配協、ＮＨＫ学校課、幻連、当協会、など十団体の代表者が参集し、来る十月一日より実施される「新教育委員会法」の対策について、種々協議した。席上、近日中に文部省視聴覚教育課長との懇談会をひらいて、この法文の解釈の点について、再度協議と話しあいをすることがきめられた

（富沢　幸男）

▽ひきつづいて、六月八日、同会議室にて、前記十団体代表者は、文部省視聴覚教育課長を招請してふたたび懇談会をひらいた。この日関係者側から、「すでに成立してしまった法律を否定するわけにはいかない。しかしこの法律が視聴覚教育の将来に大きな暗影を投げかけていることは否定できない。これについて文部省の意向をききたい」という質問が出された。これに対し同課長は「視聴覚教育の発展をさまたげることのないよう充分注意する。このためには関係団体の意志を尊重してこの法文の解釈には通牒と政令を出す」また「文部省選定に限るというようなことは絶対にない」と答弁した。

またこの「通牒と政令」の起草については、前記十団体を代表して森脇映教常務理事が、関係団体の意見を反映させることになった。

（事務局）

（九頁下段より続く）

力を必要とする事に違いない。その時、会員全部の協力という意識がなかったら到底やれ相もないのである。この感じは、恐らく僕一人のものではあるまいと思うがどうだろうか。そこでどうしても滞納を防ぐ方法が必要である。これに就ては殆んど策らしい策を持っていないのが残念だが、やはり罰則以外にない様な気もする。つまり、納得出来る理由のない滞納者は、ある期間後に除名する、というのである。これで心配になるのは、協会が理想とする大同団結的な性格がくずれる事だが、考えてみればこういう心配の中に実は、今の協会の弱さがあるのである。滞納者を大勢擁した見せかけの大同団結なんか何の役にも立たないのではないか。滞納者の除名で協会が萎縮するなら萎縮するがいゝ。とことんまで行って底をついた時、そこに新しい道が開けるかも知れない。――と僕は考えるのだが諸兄の御叱正をいただきたいと思っている。

最初に断った通りとんでもない新人歓迎会の感想記になった。深くお詫びするが、正直の所、以上が当日あの席で一番強く抱いた感慨なのである。

――以上――

世界を結ぶ短波」製作担当。七月十日、インの予定。

吉田　六郎＝岩波の新企画、科学映画、準備中。

岡野　巌＝新理研「南氷洋」録音待ち。

大野　芳樹
小野　春男
森永健次郎
西本　祥子

右の方は至急、事務局へ連絡して下さい。

▽住所移転

前田　庸吉＝新宿区諏訪町一三四　橋本方へ転居。

清水　信夫＝世田ケ谷区北沢四ノ四一九に転居。

一三二名の大世帯になり、そろそろ古い名簿では事足りない、という御意見をうかがいます。事務局でも、新しい名簿作製の準備に取りかかって居りますが、つきましては、連絡便が受取人不在で協会にもどって来る例がございますので、下宿の方はその下宿先の名前を、又、移転された方でその届を出されていない方は、至急御連絡下さいますように。

協会への御意見
会報への御希望

▽映画については全くの一年生として再出発する決意でおり、協会の一員に加えて頂き、仲間の皆様の御指導で今度こそ死ぬまで勉強をつづけて行きたいと思います。（八幡　省三）

▽ドキュメンタリーの未来を考えるとき「集団」を意識できることはとても心強い。協会と会報に対する私の所感はいずれまとめて送付しますが、兎に角、会を運営している方々に心から感謝しています。（田中　舜平）

▽記録芸術映画研究会を作りたい。古い会員、新しい会員が話し合い、親しみ合い、色々と意見を交換する場がほしい。そして良い自主作品をSPONSERないしは企業作品でなく作る場まで高まってもいいのではないか。教材映画の研究会が活発に行われています。大変良いことだと思います。しかし、問題の中心、作る側と受け取る側の立場の問題をもう少しつっこみたい。又我々は一緒になってこうして用いてほしいという所まで研究して見る必要がないんでしょうか。（島谷陽一郎）

▽短篇の優秀作品、特に外国及び日本の古い作品を時代を追って発展、進歩の様子を学ぶ為に見て行きたいと思います。是非御計画下さい。（小熊　均）

▽フランスのドキュメンタリー『夜の霧』の会員試写会をぜひ実現してください。一般公開への運動を活発化したいとも考えているのですが、見ないことにはどうにもなりません。会員証で「優秀短篇映画を見る会」に入場出来るよし。感謝します。なお、大変でしょうが、会報をもう少し早めに出して下さい。会報にのっている事項が、期日を経過していることが度々あります。（肥田　侃）

▽毎号興味深く拝見致して居ります、会報が欠かさず出る事が今の所最大の希望です。（杉山　正美）

▽読みごたえのする会報をいただいて頼もしく思います。諸兄の御健斗を祈ります。（片岡　薫）

▽会報　段々内容が充実して来た嬉しく思います。（島岡　捷）

▽NO．13 14合併号を拝見しました。充実した内容で、一気に読みほしました。（中島日出夫）

▽会報も充実して来ました、特に十三・十四号の岩堀さんの話は、常に考えていることですが、矢張り身にしみます。（西沢　豪）

▽会報13、14合併号の充実を感謝します。岩堀さんのレポートは、殊に感銘深く拝読しました。こんな白書をどんどんのせる事を望みます。（村田　達二）

▽葉書で失礼ですが、私達の結婚に対して、御丁寧にも、過分のお祝いを載き感謝の外ありませぬ。遅ればせながらお礼申し上げます。（黒木　和雄）

▽何日も通知や会報が遅れて届きますが若し下さるなら、早くに願います。（北　賢二）

▽編集後記に会報製作費ウンヌンとありましたが、会計報告にはそれらしき分類が見当りませんが、参考までに知っておきたいと思い

新人会だより

新しく入会された方で、協会にまだお馴染の浅い方、新人会ではみな様とお顔見識になるために、毎週、土旺日の夕方、協会の事務所に集って、何となくだべる会を持っておりますので、お誘い申し上げます。

新人会員の結びつきをしっかりさせ、また運営の有効な方向を打ち出すために、貴方の上半期の仕事と生活の状況をお知らせ下さるよう御連絡致しましたが、期日までに御返事下さいますよう、重ねてお願い致します。

新人会は、クレショフの映画制作法講座をテキストに研究を進めて来ました。経験による以外の場での、映画の実制作についての具体的な研究を目標にしながら、討論はつい抽象的な概念に走りがちな所が、この研究会の問題点の一つであるようです。豊富な映画制作の経験をお持ちの方、若い世代の考え方を知りたいとお思いの方の御参加をお待ち致します。ちなみに、次回新人会は七月十四日六時より、カブキ座横、中央区役所銀座東出張所で行います。

○　○

ます。と云うのは、今回の会報の充実ぶりに大変満足していますので、出来る限り、毎号、この程度以上にして欲しいと思いますので。

（苗田　康夫）

▽大変充実した会報有難うございました。期待していた杵肉誌が見送りになったのは残念でしたが、最近の会報は素晴しいと思います。つきましては、創作理論の問題も取り上げて戴きたいと思います。殊に、最近キネマ旬報をにぎわした記録映画論争を更に深めて戴ければ望外の幸です。

（山本　竹良）

▽①先ず会報の刊行の遅い事・早く―②順次会報にシナリオ（未発表）を自由選択して掲載して戴きたい。③会合の開かれた時（研究会の場合）その内容を出席出来なかった者の為に発表して貰えると好都合。

（高井　達人）

▽協会より何かのお知らせを受けても丁度時間のくり合せがつかなかったり、小生の方が遠カクの田舎の地故通知が当日後についたりで出向き度い場所にも行けなかったりですが、時には集まりなぞあるんでしょうか。又役員さんの顔はつゆぞ協会では見ないようですが、皆それぞれに家庭の事情と云うことなんでしょうか。

（丹生　正）

▽会員は増え、員数もぐっと多くなって大へん立派になりました。編集のお手伝いができる位生活によゆうをもちたいと思っています。今度〃売春〃製作の総結を書きたいと思っています。会報にも出来たら一筆かかせて下さい。反省やらなにやらをお伝えして少しでもお役にたてばと思います。

（桑木　道生）

▽いつも、あなたまかせで済みません。会報、先号はことの外おもしろく読ませて貰いました。運営委員方々の御努力に感謝してます。

（衣笠十四三）

▽今度の会報、今月の研究試写会ともに大変結構でした。ただ、〃生きていて良かった〃の研究会の向、しきりに〃亀ちやんの……〃と云われますが、私たち若い者は亀井さんの作品系列をそんなに見て居らず残念でした。新人会あたりでこんな事の研究もやられては如何かと思います。

（榛葉　豊明）

▽ガリ版でなくタイプ印刷にしたらもっとよみ易くなりはしないかと云うこと。（会報のこと）。それと余りつめすぎるので、つい読むのをチュウチョします。愛情がなさすぎるのでしょうか。ともあれ、読み易いよう御一考下さい。協会と例えば朝日と組んで定期的に映画会など持てないものか。協会の宣伝の一助に

（樺島　清一）

▽協会誌上、岩堀さんの御苦斗・矢部さんの素直さ、殊に八木さんの短文、何れも胸にどっしりと応えました。原子さんの御健康を祈ります。

（桑野　茂）

▽会報はたいへん充実して来たと喜んでおります。いましばらくの努力が必要でしょう。岩堀氏の「私の白書」はたいへん感銘がありました。今后も作家の打ちあけた話を聞きたいものです。

（永富映次郎）

▽新人会の研究会に出席しましたが、皆さんの活発さと熱心さに敬服しました。今後、一層の発展を望みます。

（松本　公雄）

▽キネマ旬報、視覚教育、中央公論、群像等で記録映画についての文章が多くのるようになりましたが、会報の上にそれが少しもあらわれないのは、どういうわけでしよう。

（丸山　章治）

▽合併号の会報、今までになく面白くすみからすみまで読みました。矢部さんのやつは全然ユカイですね。水筒をブラ下げてデモっている姿、目に浮ぶようです。これ位気の利いた文章が毎号一つや二つ

PR映画研究会の発足

大会社の宣伝映画といいますと作家の自主的な意慾というものの発口が全くたたれてしまっていてもう一考の余地もないものでしょうか。自主製作の条件のない以上、この中でこそ私たちは、如何にして、作家たり得るかという事を考えて見る必要があるように思うのです。これは一寸あやまれば大変な危険を伴って居りますが、しかし私たちはこの必要を去年の発足当時から感じて居りました。教材映画研究会を始め、いろいろの研究会が発足し、もって協会の組織をふみ固めようという秋、私たちも、この角度から、足並を揃えたいと思い、ここに、同志を募る次才です。新旧を向わず、民主的な討論の中で研究の方向を打ち出して行くつもりですが、一つ如何なものでしょう。

八木仁平
諸岡青人
加藤松三郎

（希望者は事務局まで）

は必ず載ってると愉しいと思います。岩堀さんの深刻な白書、全くひとごととは思えませんでした。日本の作家のおかれている経済的社会的位置は、何て目茶目茶なんでしょう！　しかし、周囲にとかくみられがちな、作家のサラリーマン化というデカダンスの中で、岩堀さんの「自分の胸の中から出発すること。それ以外に作家の道はない」という言葉は当然のことながら、特に深い感銘と勇気と連帯感を与えてくれたこと、何といっても今度の会報の随一の収穫でした。

（松本　俊夫）

▽会報内容、急に充実して来たので驚いております。で会報に注文を一つ。最近の視聴覚教育に、記録映画論争？、京極さんの作品をめぐって、桑野氏、それに岡部氏、それに今回は加納さんまで登場して、意見活発ですが、会報では比較的取上げられていませんが、殊に特定の人以外にも相当意見があると考えます。そう云う人たちのを記事にしては。一応参考まで、

（尾山　新吉）

▽①新人会の運営委員会諸兄に感謝。②会報は読みでがあって、たのしくなりました。③たまに協会の部屋に顔を出して、若い連中がたむろしていると嬉しい。同時に仲間がヒマなことについて心動く。

③私にまた野球をやりたい。この向、まけて口惜しかったから。

（大沼　鉄郎）

▽新しく入会させて貰ったばかりなので、これ迄の協会の彷きというものについて、あまりよく判らないのですが……。いま、世間では、教育映画というものの存在を非常によく理解し認識し始めたところ――教育映画ブームとまで言われる様になり吾々その製作にたずさわっている者には大変喜ばしい事と思っています。その折に、製作関係者は御互に助け合って、作品の質的向上に努力しなければいけないと思います。数も相当多いのでしょうが、そうした意味で、製作関係者達の横の連絡をより一層密にして、教育映画の水準をより高いものにしてゆく様に努力していただきたいと思います。

▽岩堀氏の経済白書まったく同感です。協会が教育映画、記録映画の現状分析をやって頂けると、作家の今後の方向なども各自が見出しいいのではないかと思います。

（かんけ・まり）

▽いそがしく仂いている人のある反面、仕事がなく困っている人もあると思います。そんな人に仕事を協会で……

（中川　順夫）

▽協会の皆様方の〃マッカッカッ〃に燃え上る情熱を希望します。人々の前に〃やったアー〃と火の玉を爆発させる様な作品が生まれますことを……。（己の無力さを省みて一筆）

（杉原　せつ）

▽会報をおもしろくするために、いろいろな欄を設けたらどうでしょう。短くていいのですが、例えば「作品紹介」欄――現在の動静欄の記載より少し詳しく紹介して凡そのネライや性格が分る程度。完成作品に就いてだけでも結構です。それから「短評」欄――殊に公開の持会の少ない広告宣伝映画に就いて、印象批評でもいいから見た人（作家）の感想でも聞きたい。できれば、教材映画と並んで、あるいはそれ以上に、広告宣伝の映画に就いての頁を毎号設けて欲しい。私も知りたいこと、聞いてみたいこと、提案してみたいことがあるのです。次ぎに「私のこの頃」欄。それから「私の企画」欄――簡単でいいから、自分のやりたい企画を語ってもらうと、その人の考えも分り、方向も分り、兴味をもつ分野も分るので、仕事の斡旋にも役立つのではないかと思います。

（岩堀喜久男）

▽私たち新人に、実地の勉強の場を与えて下さい。

（前田　庸言）

▽会報が段々充実して来たのは嬉しいことです。

（山岸　静馬）

▽研究会活動を活発にする一方での、仕事のあっせん（プロダクションとの接触を広く深くする）に就いての活動を、本当に考えなくてはならない。当協会と海外の記録短篇作家、或はその組織との交流をはかってゆきたい。（相互の交流も含めて）

（吉見　泰）

▽先日、図らずも自分の製作した作品が教材映画研究会の実験授業に使われ、現場の先生方の御意見やら協会の方々の御意見、御批判など聞いて大変良い勉強になりました。作品の教材的、映画的処理の限界といいますか、真の教材映画の在り方という事について協会各位の御説を御聞きしたいと思っていますが……。

（八木　進）

▽六月十二日会報御送りいただき有難う御座居ました。同封の近作教育映画試写招待は残念ながら十二時近くに配達されて来ましたので一本だけでもと思いとんで行きましたが遅すぎてだめでした。かえすがえすも残念です。近日中に協会の方へおじやまさせていただきます。

（無　名　氏）

☆この「声」は協会の外にあって仕事をされている演出者か※

「夜と霧」映画審議会 6/18 拒否

記録映画「夜と霧」（仏、エシイルプロ製作、全三巻）。演出アラン・ルネー（仏、一連の美術映画の演出者。名作ゲルニカの記憶は今なお新たなものがある。）

今度、新外映が輸入公開しようとしたが、税関検閲にひっかかり、輸入許可にならなかった。新外映は去る日、政界その他の著名人士を招いて試写、問題を訴えた。その反響は週刊朝日にとりあげられたが、すべて国民必見のものとして推賞、公開を支持した。新外映は関係各省に働きかけ、映画審議会の結論によって公開、非公開の最後的な決定にしようということになった。教育映画製作者連盟でも、公開を支持し、当協会にも協力方に就ての申入れがあり、共同して動き出そうとしたその矢先、去る六月十八日、映画審議会は、税関検閲を支持し、惨忍場面が強烈で、公開には不適と決定、ついに「夜と霧」は日本での上映の陽の目を見ず、むなしく税関倉庫から送り還されようとしている。

私は、試写会あって、この映画を見ることが出来た。ここにその内容を紹介しつゝ、税関検閲並びに内閣映画審議会の決定がいかに不当なものであるかを衝きたい。

映画は第二次大戦中のナチス独乙の惨虐行為のうち、特に有名な死のキャンプ「アウシュヴィッツ」のガス大量虐殺の真相を、ナチスの残した記録写真と占領後、米英の手で撮った記録写真によって当時の惨状を刻明に描いて、人類に課題を与えようとした名作である。

ワルソーの南西、チェコとの国境近くにある　かつてのアウシュヴィッツ捕虜収容所。今は平和な沼沢地の草原に、陰惨な鉄条網をめぐらした捕虜収容所。

ヨーロッパの各地からユダヤ人や「政治犯」が家族ぐるみ集団的に輸送されてくる。捕虜たちはドイツ軍が占領したウクライナへ移住する。そのため蒸風呂に入り、衣類も消毒すると申渡される。

女、子供、男たちが裸にされ、収容所のホールに導かれる。入口は一等船室のように万事が整備されている。ホールに最后の一人が入ると、重いドアがとざされる。

ゴマ化しは終った。天井の穴から降りそゝぐ毒ガス――チクロン。その累々たる虐殺屍体。扉や壁をよじのぼり逃れようとした屍体。目玉が飛び出し、絶叫した屍体。

また強制労働の捕虜は疲労してへばればその場で射殺。人殺しの鍔。労働の場は同時に大量虐殺の場であったのだ。こうして五ケ年の間に四五〇万人の大量虐殺。

そして召しあげられた大量の彼等の所持品。あまつさえ、死体を焼く前に女子の頭髪は刈り取られ毛布を作った。貯蔵されていたその頭髪の山。半死半生の生者と死人のもつれ合う山。

映写中、思わず吐き出される吐息と身を切るような嘆息――試写室が、これほど恐怖と嘆きに満ちたことを私はかって知らない。

それは人間に対する言語に絶する屈辱の果ての嘆きである。それが怒りに通じること勿論である。

映画はただ、惨虐行為の暴露にとどまってはいない。それは屈辱の果てに、人間の尊厳を限りなく訴えている。

聞けば、この殺人工場のあったポーランドで今年、アウシュヴィッツ解放十週年を記念して、アウシュヴィッツを二度とくり返すなと

※ら、とくに協会へ寄せられたものです。

最近ある会社で新しく仕事をすることゝなって、私が協会員でないため、私の信用について一寸問題となったようです。

之は誠に結構なことであると思うのです。無名の作家が協会員でないということのために不利益になるなら、それだけでも協会の存在価値があるからです。

協会は会員の生活条件を護るのが目的なのか又は作家の質的向上を計るのが目的とする団体なのか、そのどちをも満足させてくれない不満が自分にはあったのです。

理想としては両方出来るのが一番いゝと思われますが、それは仲々むつかしいと思うので、現在先づ可能と思われる方を第一義としてやられることがいゝのではないかと思うのです。

そのことが今月の会報を見ると、矢張り第一面に問題とされて居るので私が改めて言う必要がなくなりましたが、而しその解決は、協会がやるのではなし、会員各位がやるべきことであって、それは大変な努力と犠牲とが必要であります。

その様に会員になることによってのみ私の不満も解決するのでしょう。

叫ばれていると言はれる。そしてそれはポーランド人の権利であり義務であると考えられていると言われる・原子爆弾を二度と許すな。それは日本人の権利であり義務だという叫びと同じである。

映画は世界に対する生々しい警告である・それは人類が一様に受くべき警告であり、人類は謙虚にそれを聞くべき義務がある。

税関と映画審議会の面々は、どの面さげて、これを聞こうとしないのか。解説のジャン、ケイロールは映画の中で訴えている。

〃これはみなある時代の、ある国のことだと信じているふりをしている者がわれわれの中にもいる。自分の周囲を眺めようとは考えず、永遠の叫びを聞こうとはしないものが我々の中にもいる〃と。

そしてこうした危険人物がいるからこそ、映画の警告は、ますます今日、必要なのであり、われわれは人類の名に於て、この映画の上映を拒否する一党に対して抗議する。

運営委員会だより

六月末日の運営委では、映画経厂の浅い多くの新入会員を迎えての、協会の組織化のことが、議題になりました。

一三二名の大世帯を組織するに単位となるべき、研究会の充実が急務です。研究会ではただ単に技術上のことや理論上のことだけでなく、もっと直接に、研究会員の生活の問題を解決する様な方向へ持って行かねばならない。研究会自体が、映画製作を企画し、会員の研究によって、それを実製作にまで持って行けたら、或いはそこまで行かずとも、企画として、シナリオとして、製作会社への売込みを考えたらいいのではないか。その方向に努力しようという事になりました。

会計報告

（五月分）

一、収入之部	
現金前月繰越高	二九、一五五
前納会費	一、二〇〇
維持会費	三三、三五〇
計	六三、七〇五
一、支出之部	
前納会費	一〇〇
消耗品費	一八八
交通々信費	四、八一四
文房具費	二一二
事務所費	一二、四七五
諸手当	一六、〇〇〇
行事費	八〇〇
プリント費	三、〇〇〇
新人会費	五五〇
計	三八、一三九
一、差引之部	
現金手許有高	二五、五六六

（六月分）

一、収入之部	
現金前月繰越高	二五、五六六
前納会費	八〇〇
維持会費	四一、六四〇
計	六八、〇〇六
一、支出之部	
交通々信費	六、〇〇八
雑費	五五〇
文房具費	一五〇
事務所費	一二、五七一
消耗品費	三三七
プリント費	六、二七〇
行事費	二、七九五
新人会費	八五〇
諸手当	一六、〇〇〇
特別手当	一三、〇〇〇
計	五八、五三一
一、差引之部	
現金手許有高	九、四七五

◇編集後記◇

今月から、事務局の小高君が一身の都合で三ヶ月ばかり休むことになり、新人会とも相談して、渡辺君に事務を手伝ってもらっています。それやこれやで、この盛夏特集号、ただ今、お手許にお届けする次才です。

会報の評判がよくなって光栄の至り、しかしこれは編集部の力ではありません。研究会等が活発になり、会が充実したお陰です。

七月には、脚本研究、記録映画研究、P・R映画研究の会が始まるよし、会報も更に発展することと思います。記録映画論争が活字になって、作家もジャーナリストも、ようやく胸襟を開く、大いに結構。立会演説会も必要だが、ホーム・グラウンドのあることも忘れないで戴きたい。

次号あたりからは、作家仲間の紙上討論、作品解説等があってもいい・御寄稿をお待ちする次才です。

暑さのおりから、諸兄姉の敢斗をお祈りします。暴言多謝。

（管家）

1956.8.10.

教育映画作家協会々報

教育映画作家協会
東京都中央区銀座西8/5日吉ビル4階 TeL(57)2801

NO.16号

協会自主作品を目指して

ー矢部君の提案に応えるー

私たちははたと膝を打った。矢部君の提案（前号所載）に賛成です。

現在、PRと並行して自主製作への機運は各所で熟してきています。映画界は勿論ですが、最近聞くところによると、自由美術という画家の集団でも、自分たちの生活と芸術活動を映画に記録する仕事を起そうとしているそうです。それはきっと自由美術の諸君全体の仕事として、製作費を持ちより、自分たちみんなの創造活動としておし進められてゆくでしょう。

私たちは各企業でそれゞれ別々の仕事をしていますが、機会があつて集まれば、自分たちがそれゞれやりたい企画を持ちながら、方々の企業でその会社の仕事に追われているのです。やりたい企画をそれゞれ関係のある企業で実現するために動いている人もいるでしょう。それはそれで進めて行かねばならぬ努力です。けれど企画に賛成はしたとしてもなか々々おいそれとは実現されないもどかしさにつき当るのが普通です。それでいてやりたい企画と言うものはおいそれとは胸から消えるものではありません。

協会で脚本研究部会が発足し、企画の持ち寄りとそのシナリオ化そしてプロダクションとの間にその実現をはかるということをその主な仕事としたものも、一つにはやりたい企画をくさらせる辛さから、お互いになんとか抜け出したいと思つたからです。その際、矢部提案のように、企画を交流し合う中で、協会のみんなが、よしやろうと言うものを築きあげて、製作費からプロデユースから、脚本から演出から、みんなでその企画の実現のために働けたら、協会の結集力は一層強固になるのでしょうし、その自信と力は、更に第二弾を、また第三弾をうち出す基盤とならずにはいません。それがひいては、教育映画界の自主製作の機運に花咲かせる一つの道ともなれば、長いお天気待ちの後のピーカンの快事たるを疑いません。

私たちはこの際、矢部提案をそのまま頂いて、協会作品の実現のために努力を重ねて行くよう提唱したいと思います。

勿論、容易な業ではないでしょう。企画がある——だが原則として協会全員が支持するものでなければならない。だがそれは必ずあり得ると信じます。製作費にしても、今すぐある訳ではない——だが企画によつては時間をかけて集めてもよい。また、企画によつては、日本人全体に訴えてもよい。世界に訴えてもよい。製作費は必ずできると信じます。脚本、演出スタッフはある。その他のスタッフもある。私たちには、企業の枠を離れた仲間があるのです。

こうして、協会の全員が中心になつて、凡ての力を集めれば、困難は乗り越えられます。この提唱を具体化してゆく、具体的な企画や意見を積極的に寄せられるよう期待します。

（運営委員会）

暑中御伺

1956年 盛夏

近頃思つたこと

羽田澄子

「町の政治」（これは仮題、今のところでは「お母さんの勉強」となりそうです。）のシナリオを書きながら得たことを。。。という編集部からのお話しでしたがこの映画は目下、時枝さんの演出で撮影の最中です。そこで創作に関する考え方や、方法や、苦心談は作品が出来上つてから時枝さんにして頂くのが一番よいと思いましたので、私はこの作品には一向に関係ないような、ひとりごとを書くことにしました。

この映画のとりあげた国立町は立川の一つ手前で、一ツ橋大学や音楽大学があり、サラリーマンとインテリの多い静かな町です。町の議員は過半数が革新系の人たちで、この人たちの支持する町長が立つているというちよつと珍しい町ですが、この映画ではこんな町にするのにあづかつて力のあつた主婦たちが、いまも続けている町の予算の勉強会をとりあげることにしました。

そういうわけで私は国立に調査に行くことになりました。さきに調査をしていた時枝さんから気さくな主婦たちの様子をきいてはいたものゝ、何時も調査に行く時に感じる不安と期待と逃げ出したいような恐怖で胸をこわばらせながら出かけました。ところが青年議員の赤松さんや二、三人の奥さんたちに会つたとたんに私のこわばつた胸は素直にくつろいできました。何か同じ人種の人たちの中にいる心安さといつたものを感じたらしいのです。奥さんたちの息がながくて同じことの繰返しばかりつゞくおしやべりも、話がとぎれがちになる赤松青年とのさしむかいも楽しくて、私はまるでずつと昔からこの人たちと気のおけないつきあいをしているような気分になつてしまいました。そんな風ですから、いろんな話もきけたし聞いた話に素直に感激もしました行く都度に変化する町の政治状勢に一喜一憂しながら、はては、この町に住んで一諸に働らけたらと思つたりもしました。それ程この町の人たちを、身近かな、打ちとけた親しい人として感じながらシナリオを書いている時、どうしても思い出すのは、今までに三度も調査に行つた山形の山村のことです。

山深い炭焼きの人たちの部落を訪れた私は、まず、私の全く知らなかつた生活の珍らしさに目をみはりました。それから、山村の貧しい生活に驚ろき、いきどおりながら沢山のデーターをとり、大ぜいの人に会い、話をきゝ見てまわり、何人かの青年と知合いになりました。

出来るだけ沢山いろんなことを知りたい、そしてこの人たちを理解したいと、私は私なりの全力をつくしました。恐らく調べた範囲と量から考えれば、国立の調査によりずつと多かつたと思います。しかし、とうとう肝心なものが、私には掴みきれずにのこりました。私の得た沢山の知識は、まるで霧か帷りのかなたにあるもののようにしか感じられないのです。

自分の手でさわるような実感がないのです。

親しくなつた青年の一人一人を思いうかべても、国立町の人に感じたような打とけた心安さと人間としての実感を感じることができません。すべてはなぞに包まれた人間として私の前に立つているので

会員の動静

大野 芳＝国際教育映画KKにて（暁の北海道）全三巻、才一回ロケ終了才二回出発準備中です。才三回は秋、才四回は冬と此処の処東京を留守勝ちにしています。教育映画のため諸兄の活躍を希んで止まぬ次才です。

桑木 道生＝（売春）のあと始末がとても厄介で、まだ次の仕事にかかれない有様です。（運ちやん）は七月中にはなんとか目標ができると思います。夜間学生のスライド完成。これは当協会の小泉君が中心になつて学生諸君のみで作つたもの、みんなで観て下さい。

中村 敏郎＝未だにP・R映画（ピヨピヨ大学）の仕上作業中です。そして又次もどうやらP・R映画をやることになるらしく、近日中にシナリオ、ハンイングに広島方面に出かけることになつています。（いささかP・Rづかれです。）

吉見 泰＝八木君と一しよに東京シネマのガラス（一巻）―板ガラス協会―の本を書き才一稿をあげました。すまいと板ガラス――人が住み、生産す

す。私は今でも山の青年たちをわかることができません。理解を絶する「何か」あるのです。きつとこの「何か」わかるようにならないと私には本当の農村の映画はつくれないのだろうと思つています。

数日前、松丸志摩三先生にお会いした時、この話をしました。「国立町の人たちのことは理解できるのに、なぜ山形の山村の人のことがわからないのでしょう？」と質問したのに答えて、先生は右手で首をとんとんと叩きながら「君は体が農村の人間とちがうんだよ。頭はわかつても体が理解しないのさ。」と言われました。随分、非科学的な解答でしたけど、私には言われた意味も気持もよくわかりました。どうしたら農村の人々（勿論農村にかぎらないでしよう。自分とちがう生活環境で生きている人たちすべてに通じると思います。）の「何か」理解できるようになるか、それを知りたいし、また努力してみたいと思つています。

会費の委託納入について

運営委員会

過日の新入会員歓迎会の席上で決定したことですが、あらためて会費の委賜納入の件をお知らせします。

お金というものはとかく入つたときでもないと、なかなか出せるものではありません。そこで今後フリーの方々は、ごつごうのよいとき、だれでも委員のものにお頼みになれば、委員はただちに事務局に持参することにいたしました。また企業所属などの方々は、自社の委員におたのみいただければ幸いです。特に賛助会員の会費は目下検討中ですが、これも早晩決定のうえは、よろしくお願いいたします。

まつたく「会費の納入が協会の成長を保証！」するものです。

運営委員長　吉見　泰

事務局長　菅家陳彦

なお運営委員は（順不同）加藤松三郎、八木仁平、京極高英、西尾善介、冨沢幸男、間宮則夫、（新現研）島内利男、（日映）中村敏郎、（岩波）吉羽仁進、（日漫）吉岡宗彌、吉見と菅家をいれて計十二名です。

新人会「勉強会」通知

八月二十日（月）六時より
中央区役所、銀座東出張所
（カブキ座横）
クレショフ映画製作法講座
シナリオ　から　モンターヂユまで　必読のこと。

☆声☆

△十五号の矢部さんの説には大賛成。協会の自主映画製作もさることながら、協会はもつと時代の先導性をもつてもらいたい。ＰＲを始め、愚劣なる映画の氾濫する中でインテリの良心を代表する様な指導的役割を果して欲しい。それでこそ、すべての会員はおしみなく、収入の四％を積極的に納入出来るのだと思う。（苗田康夫）

る所に、ガラスがどう光を通し、闇を追うか、ガラスへの親近的な感情で描くことにしました。八木君の独特なウイツトが、大きな支えです。

冨沢　幸男＝毎日映画製作、映配配給（マナスルに立つ）編集にかかります。カントクは山本嘉次郎、九月中旬初号完成下旬封切予定。

河野　哲二＝（正しい野球）（スポーツ科学映画研究所）完成。（朝鮮のおどり）（キノプロ）完成。（たのしい工作）（共同映画、文化映画研究所）は撮影が終つて編集中です。七月末には完成させたいと思つています。

西尾　善介＝ロケや出張が多くて試写会のことも、委員会のことも、欠席つゞきで申し分けありません。（黒部峡谷）で八月末まで北アルプスに行つたまゝになります。

日高　昭＝六月から仕事待機中。（六月は病院入院中でしたが）シナリオ、評論など勉強中。

矢部　正男＝（ガス―やつと録音済み。岩波で次の準備。

丹生　正＝児童向劇映画脚本と商品宣伝映画脚本をつくつています。

西沢　周基＝（ダム物語）オ三部福井県ロケ（新理研映画）

私が感じたこと

吉田六郎

都内のある大学で「高等動物の発生」を作るため、目下スタッフ全員泊り込みで撮影に掛つています。

ある仕事を他のジャンルの仕事にたとえるのはむりで無意味なことですが、映画を作ると云うことににたものを他の創作活動の中に探すなら、あらゆる意味で近代建築の創作活動が一番近い問題をふくんでいるように思われます。

ところが、生物の生活や生命をテーマーにした科学映画を作る場合は、問題の様相が一変して来ます。

今私のやつている仕事は、云うなれば、登山隊が、基礎調査を終り、本隊が目差す山岳のトップキの胸をつくような悪場を、やつと乗り越えてやや平坦な場所にたどりつき、そこにベースキャンプを張り、チョット一いきして山の中腹の色々な地点に調査隊を出していると云つた所です。

生物学上のある問題を映画にしようとする場合、いつでもつき当ることは、それまで学者のかたのやつていた実験方法では映画を撮ることが出来ず、新らたに映画のための方法論を組み上げなきやならないことが多いが。今度の場合もそれにたがわずなかなかやつかいで、あいてが温血動物であるため、温度と湿度と光に対する戦いであつたが、どうにかそこを切りぬけてベースキャンプを作ることが出来たようなものです。

このようなことをして居る時にいつも思うのですが、私はいつたい「なに屋」なのだろうと。

私は昭和十八年に日映の文化映画製作所に入りましたが、ようするに映画作家になりたかつたのですが、いはゆるキャメラ助手をふり出しに技術者コースを歩いて来たわけです。それも本道ではなくわき道をでたらめな足どりでふらついて来たのです。

岩波映画製作所が創立された時名目上は株主ですが、仕事の面ではだれがそうしろということもなしに、いわゆる特殊撮影と云う、「裏方」みたいな仕事でした。そのうちになんとはなしに「蚊」や「写真機」「蛙の発生」などを作るようなことになり、そしてなんとなしに作家協会の会員になつていると云うわけですが。正直な話私にはいはゆる演出と云うことについては、ほとんど「いろは」の「い」の字も知らないので、ただとにかくはつきり写すと云うことを唯一の手掛りとして仕事をして来ました。

「ただはつきり写す」それだけでは「街の写真家」となんらことなることがないわけです。

しかし、特に生物映画などの場合は、スクリンに写つている「もの」それ自身に語らせることそれ以外に手がないとすれば、あるいはそれ自身に語らせるためにはとにかくはつきり写すと云うことが創作活動の大きな条件になるのではないでしょうか。

ザ・ファミリー・オブ・マンを見るまでもなく、映画よりも、すぐれた写真の方がフオトグラフイそれ自身に語らせているのではないのでしようか。

記録映画の記録性とは、ようするに写真性のなかにあるのではないかと云う意味のことを今村太平氏が云われたが。「マテリアリズム」こそが記録映画のよりどころのような気がします。

四

下村　健二＝新理研（離れ小島）着手。

赤佐　政治＝児童劇映画（題未定）脚本執筆。完成後当分休養の予定。

森永　健次郎＝待期中。

清水　信夫＝東映児童劇映画（ギニョールと二人の少年）脚本脱稿。

上野　大梧＝記録映画社で（五十里ダム）後篇編集中、完成は延びて八月中旬の予定。

杉山　正美＝今後毎月一回健康診断のため上京します。その時は必ず協会に顔を出します。

苗田　康夫＝日映新社で待期。

西本　祥子＝新作脚本準備中。

高木　達人＝三井芸プロ（女教師）（仮題）シナリオ・ハンテイング、九月クランク・イン。

原本　透＝（ホイールとアクセル）（企画住友金属、製作新理研）演補。天気さえよければ、東京都内並びに近郊ロケ、二十日すぎに終つて、クランク・アップ。

島谷　陽一郎＝○（昆虫採集）二巻（日本テレビ映画社）待期中。○国際華道P.R待期中。現在、仕事なく、といつてもぶらぶらしているわけでなく、（森は生きている）撮影現場で勉強しています。

楠木　徳男＝J・P・Cプロダク

こちら側の問題として

京極高英

「若い仲間」の冨岡さんの撮影報告には、創作方法と作家のそれえの対決の問題が含まれていて、大変参考になりました。

あの経験は、かつて私も経験したこともあり、現在の農村の姿が面白い程よく現れています。しかしこうしたスタッフの苦しんだ経験は、かつて私が、又誰かゝ経験したその事をいままで個人個人でしまいこみ、広く仲間の間で話し合い勉強する場がなかつたことから起きたのだとも云えます。今後もつとお互いに、こうした研究の場をもつて、勉強していきたいと

村でおきたゴタゴタ事件について冨岡さんは皆んな貧乏から起つたのだと反省されて居られ、全くその通りですが、その結論の前に一つ、私たちは、あの映画の作り方について一応考えてみる必要があるのではないかと思います。あのゴタゴタの原因は、なんといつても、その製作費が少なかつたことから起きたいろいろだと思うのですが、このこちら側の条件を、相手側の農民も貧乏であつたことをも、その原因の一部に入れて反省しておられる点に何か私には割り切れない処があるのです。それは農民の側に立つて考えれば、なんでその映画を自分たちの負担で作りあげなければならないのかとさえ考える問題がその底にあることもその映画の性格として考えて見る必要があると思います。冨岡さんが考えられた、農民と共に作るという創作方法とは、およそ違つた方向を持つた「若い仲間」ではなかつたのではないでしょうか。それが如何に良心的であろうと、なかろうと、農民自身の中から生れたものをまとめる作り方でなくこちら側のテーマを農民に当てはめたものを、あたかも農民の感動の中から生れたものの如くにして作くろうとした錯覚があつたのではないでしょうか。したがつて製作の方針も、注文映画の性格を持つているということ、製作費も、利益を差し引いた残りの少い製作費でスタッフに無理押ししてくる

しかも、いい映画、良心的映画らしく作くることを要求してくる中で、スタッフはそのせまいワクの中でいゝ映画を作くろうとあせる、そうした観念が、農民と共に作くろうという形式にはしらせてしまうことになります。勿論このことは誰が悪い、いいの問題ではなく、教育映画が置かれている貧乏物語であり、スタッフの苦労話も、こゝから生れてくる運命とも云えますが、この注文映画の有り方の中にある創作方法を、そのままにして置いて、作家の観念けが、農民と共に作るという、自主作品民主的作品の創作方法の、その表面の形式だけを考え、それを現場に持ち込むとなれば、当然そこにトラブルが、こちら側にも向う側にも起こらないはずはありません農民にとつても、文部省の映画というバックがあれば、当然その報酬を考えるでしょう。その映画を作る何んの感動（自分たちの映画自分たちの生活の糧となる映画として）もない広い農民層にとつて

☆声☆

△種々な問題を提起し、それを解釈し論争しあえる場を創りたい。（高井達人）

ションにて（明日への希望）に入り、十五日より八月下旬まで岡山の玉野、広島の呉、因島、並びに長崎にてロケ。終つて九月上旬より中旬迄都内ロケ、後編集に入り十月中旬頃迄かかる予定。

山本升良＝三木映画（ことばと態度）丸山組、演補。八月上旬アップ。

菅家陳彦＝（米作り日本一）（本映製作所）八月十日まで、冨山ロケ。

かんけまり＝相変らずで、変つた動きのお知らせできないのが残念です。

京極高英＝いよいよ（路地のない街）全一巻撮影開始。誰かいう、路地のない街つてあるかよ。全くその通り、こんな題名でもつて笑つてなきやおさまらない内容なり。又子供が入院、うんざり。（ひとりの作家の記録）でもとりたい心境です。

石田修＝（大原幽学）企画準備中。

黒木和雄＝（岩波）（東洋貿易）撮影中

岩佐氏寿＝青年もの（岩波）脚本準備中。（犬吠崎の少年たち）（東映教育映画部）脚本完成。（五十里ダム）（岩波）脚本は以前に完成、演出中。

それは当然な考えだと思います。こゝに自主映画、民主的映画の性格が生れ、発想の場の場れ道があると云えます。しかしその費用が安くつくかつかないかが自主作品の条件では勿論ありません、自主作品を作くらなければならない社会的状態の中で私たちの良心から生れる民主的映画は、大衆に指導され、その協力下で作くられなければ生れて来ないでしよう。そしてそれは、こちら側と向う側とが共に斗うその運動と実践の場から出発する創作方法が前提とならなければならないと思います。

したがつて作家の立場も当然問題となつてくる訳です。大衆の立場に立つ努力、農民の立場に立つ努力が、農民の生活に少しでも接近し学ぶ努力が、その実践の一つの方法として農家に宿泊し、農民と共に生活することも考えられてくる訳です。たとえ製作費が豊かにあつたとしても、作家の人間改造えの努力はそうした実践に突込んでいかなければならないでしよう。そのことは富岡さんも云つておられるように費用を節約するための宿泊とは、およそ違つた作家の有り方と云えましよう。その農村が私たちが作りました「ひとりの母の記録」の農村とそれ程貧乏の差のある村とは思えません。村に集りがあれば呼ばれ、こんな煮物を作つたから食べろといわれ、タバコを半分吸つて捨た、もつたいないことをすると老人からしかられ、撮影の合間に田植を手伝い共にお茶を飲み、笑い合い、毎日毎日集会所の宿舎に切花がはこばれた、あの撮影と一体全体何処が違つていたのだろうかと考えるとその良心的な「若い仲間」の問題点を、その発恐の段階にまでつて私たち創作の側だけの問題をいま一度検討してみる必要があると思います。そしてその中で自主作品の問題と製作費の問題、注文映画とその中で斗う作家の有り方等等が検討されなければならないでしよう。一度皆さんでこんなことを話し合いたいものです。

（一九五六、七、二十四）

新作試写会

八月十五日一時　山葉ホール

（巨船誕生）
（ビールむかしむかし）
（鏡の中のバラ）
（五四の小猿たち）

主催　電通映画社

☆声☆

△会報は会員だけに配布されているのでしようか。友誼団体と交換しているのでしようか。若し交換が行われているとしたらどんな所ですか。お知らせ下されば幸甚です。

（八幡　省三）

○合併号以来、発行部数二三〇。現在会員数一三二名。残りの中、一〇部位を資料に残し、他は配布しています。配布先は、主に短篇のプロダクションや配給関係、短篇ジャーナリズムなど、会員の仕事の場です。

短篇界以外の文化団体との交換は必要を感じながら、部数の関係で手のまわらないのが現状です。

（事務局）

△会報十五号よくなりました。運営委の議事録がのつていないのはどうしたことでしようか。ひらかれているのでしようか。

（野田　真吉）

○六月中に運営委員会は二回開かれました。議事録もあります。会報の運営委だより、に載せなかつたのは、ミスでした。運営委が開かれない場合もある事を知らなかつたのです。今後は詳細に渡つて記事に致します。御免下さい。

（事　務　子）

六

（社会保障）（三井プロ）脚本執筆中。（味の素）（岩波）脚本に協力中。東映教育映画部次回作品準備中。

樺島　清一＝相変らず明け切らぬ梅雨空を眺めながら（土地と植物）をおいまわしています。

野田　真吉＝（東北のまつり）（東京シネマ）演出。

羽田　澄子＝（町の政治）のシナリオを書き終つたところです。

村田　達二＝（ボーイ・スカウト）仮題（日映新社作品）の脚本演出担当、八月二日から八日まで軽井沢のジャンボリイを撮影に行く予定です。

岩崎　太郎＝三芸映画社ー共同映画社共同作品（防人の村）を演出することになりました。十一年ぶりに現場へ出るので山の様な不安（と重箱いつぱいほどの自負）にふるえおののいています。

桑野　茂＝報告すべき活動をしていません。

新庄　宗俊＝少年労働者を扱った脚本準備中。

小野　春男＝（綜合開発）（赤谷川）で突然のダムの漏水と知事選で工事が開店休業のためまえの支払ものばされ、次の計画も決定しながら撮影待ちというわけです。少年院の子供たちとBBS運動を描く（

七月の運営委員会から

△七月才一回の運営委員会は七月十六日五時より八時半まで協会事務所で開かれた。
○出席者は次の六人である。吉見、富沢、八木、中村、羽仁、京極。
○欠席者の中で前もつて連絡のあつた委員は次の四人である。西尾（黒部峡谷のロケ中）、加藤（コンクール、シナリオ執筆中）、管家（米作り日本一のロケ中）、間宮（東北のまつりのロケ中）。
○欠席の事情の判らない委員は次の二人である。島内、吉岡。
△議題の主なものは次の三つである。
八月号会報、編集プランの件、月例試写研究会作品撰定の件、合併号で主張した「新市場の開拓」はその後どうなつているか。
○次にこれを討議の模様は、第一に次号会報編集プランの件より始める。
会報十五号所載の「横道にそれた感想」（矢部正男）は、会費の納入が不振の節から、運営委でも一考の余地があるのではないか。（京極）に端を発し、それを第一面の主張に取り上げるべきだ。矢部提案の是非はともかくとして。（八木）しかし、協会の会費が本当に長い見通しの本に集められるのでなくて、どうして積極的に納入しようという気が起るだろう。（富沢）我々はもう一度ここで協会自主映画というものの是非を広く会員に問うて見たらどうだろう。（吉見）ということから、吉見委員長がそれについて主張を書くことになつた。
最近、会報の声の欄に見ると、記録映画論争を深めて欲しいという意見と、作家の生活白書を求める意見とが大別出来る様である。
しかし機関紙でなく、会報であるという性格、紙面の制限などから、やはり純理論的なものよりも筆者の生活を感じられる様にまとめて見ようではないか。（京極）によつて、最近の仕事の中で、感じたこと、考えたことなどを交流し合う広場と、研究会活動を通じての、実跡的な理論の高め合いの報告を中心に、運営委の線をおり込んで、十六号会報は編集されることになる。
○月例試写研究会については、七月はあまり問題にする様な作品が発表されないが、PR、自主作品という様な区分でなく、意欲が感じられる作品を集めて見よう日時については、八月にくりこしてからの方が、作品もいいのが出るかも知れないし。ということだ。
△新市場開拓の状況
これは、吉見委員長からの報告である。内容は会報に掲載することとした。その他に、作家がプロダクションや配給社との関係だけで短篇映画界の方向をつかんでいる傾向、その中からは、決して新な作品は生まれないのではないか。作家は、もつと、短篇利用者の声に耳をかたむけることが必要だ。それには、作品の利用率のデータを集めることをやらなければいけない。その資料の採集を二三、依頼してあるという報告（吉見委員長）があり、その方向にも力を注がねばならないことが申し合わされて、八時半に討議を終つた。

不幸な出発）第一稿目下苦斗中。近く長野に調査に行く予定です。

厚木 たか＝企画中のものが皆、自主作品であるために、ここで御報告する程まだ進行していません。協会紙の岩堀白書はまことに身につまされます。自主作品というのはこの分野ではまだ大変な狭き門です。

岡本 昌雄＝理科映画大系へ庭のかたすみ）の編集中です。次いで（雲）続篇の撮影に入ります。猛暑中、御兄の御健斗を祈ります。

大橋 春夫＝（英映画社）「明日の茶農家」（パート。カラー）西尾泰補演出の補佐。八月末完成。（同社）、八月より児童物、演出補佐、準備中。

小泉 圭元＝待期中。

永富 映次郎＝産経映画社作品「躍進する横浜港」を一時延期、「仂く人の栄養」に着手、目下ロケ中。

間宮 則夫＝引続いて東京シネマ作品「東北のまつり」の助監督をしています。これから、来年の三月まで、季節々々の東北各地のおまつりを追つて撮影して行きます。今回は七月三十日に出掛けて八月十七日頃帰つて来る予定です。

七

七月の研究会から

新人会活動について

苗田康夫

新人会が発足したのは、たしか昨年の秋であつたが、当時、顔を合せた面々は、皆、それぞれ演出助手としてかなり経験をもつた人たちであつた。それから何遍も話し合を重ねているうちに、共通点として、お互に、基礎的な勉強する機会がなくて、実践を通じて何とかやつてきたという自分たちの経験の狭さと、理論的裏付けの無さに、落ちついて、クレショフの映画製作法講座るとりあげようというこになつたのだが、

新人会として、これを始めだしたのが、五月の研究会からであつたが、その頃、新しい会員がふえて、いざふたを開けてみると、出席されたメンバーは、私たちよりも、もつと若い、もつと経験の少い、会員が大半をしめていた。彼らは、現場を通じて何とか勉強してきた私たちと違つて、研究会での勉強を自己の成長の重要な足がかりしようとしてる風に思われた。いきおい、大変、熱心で、時にはまるで、クレショフを戦場にしたかの観を呈し、華々しい論戦に陥入つた。一方は、自分たちの現場の経験を、理論的に整理しようという者たちと、一方は、クレショフで力を養う。映画を身につけようというのであるから、こゝに全く理解の仕方の違う二つの世代が集つたと見ていい。当然、一つの世代にとつては、研究会は、理屈が多すぎるし、また一つの世代にとつては、論旨不明瞭という形をとつて批判されたわけである。

それは恰も、百姓たちと農大生といつた感があり、会の運営もちよつとした危機に直面したわけである。全体の会員の比率からいうと、どうゆうことになるかわからないが、研究会に、出席する会員の多くが、新しい人たちであつて、所謂出発当所の古い助監督たちではなかつたのである。

そこで、改めて、会の運営を、会員多数の声に従うことにして、意見を求めた。

七月十四日の会合に集つたメンバーは、河野、富沢、苗田、山本中島、小泉、野沢、片桐、近藤、前田、島谷の十一名で、特に菅家マリ氏が出席されて、先輩としての意見を出してくれた。このメンバーは、経験年数から言うと、古い者が三名、割合新しい者が二名全然新しい者が六名で、具体的方針についての意見は残念ながら出なかつたが、クレショフについての従来の方針に賛否両論あつた。賛成はやはり古い会員で、経験者としては、クレショフの必要性を感じており、比較的好まない者は、やはり新しい人で、何か摑み甲斐のない勉強ぶりだという不満だつた。

不満派の求めているものは、指導性のある役に立つ勉強であつて賛成派には、経験を整理する上にクレショフを　むだけでも役に立つのである。

こうゆう構成になつてきた以上

八

大沼鉄郎＝東京シネマが国際電電公社映画撮影中。

中江隆介＝○「たのしい算数」（第一映画）は新学期までシナリオ執筆見送り。○八月は「ギニョールと二人の少年」（東映教育映画部）と「中芸」五周年記念公演「襲来」（俳優座劇場）に俳優として出演。○その間に十月から放送されるN・H・K・T・Vの連続ギニョール劇「花の都の小人たち」の台本執筆をはじめます。

樋口源一郎＝新理研で天然色「すまいの歩み」（仮題）準備中です。すまいを通して日本の歴史をにじませたいものと。

片桐直樹＝八月一日より中日ニュース映画社「快速自動操糸機」演補。この映画は十月に北京で開かれる日本商品見本市に、操糸機の代りに出品されるもので、スポンサーが日中貿易の商社だけあつて、行く先々で、平和共存を説かれスタッフ一同大張り切りです。

八幡省三＝先月来、特に変化はありません。依然、東京シネマで国際電信電話のP・Rの進行をやつております。

荒井英郎＝中日ニュース映画社で、中国へ送る蚕糸機械の招

共同勉強としての不自由さを感じた。運営をまかされている私たちとしても、全くのところ、この調整をどうしていいのかわからないが、一応当面の結論としては、両者の妥協点として、一応クレショフはやり通す。それには、古い会員が、或る程度の指導性を持ってすゝめてゆく。一方、ベテラン作家から、色々な話をきくという二本の線を出した。

次会（八月）の予定として、

一、クレショフのシナリオ篇を各自、勉強してきて、疑問点や主要点を指摘し、理解するよう話し合う。委員たちが、指導的役割をつとめ、先輩作家に同席してもらって、力のたりない処をカバーしてもらう。

二、岩崎昶、厚木たか、吉見泰の三氏から日本の記録映画の発展史をきく会をもつ。と云うことにした。従って、次回は月一回でなくここ二回の会合をもつことになる。

現在、フリー三五名、企業所属二二名。計五七名という。新人会としてマークされている方たちがまだ余り出席されていないので、全体の意向が、掴めない。特に企業関係では、最も大多数を占めている岩波映画の参加がないので、是非、交渉をもちたいと願っている。出来られれば、委員も一人出してもらいたいと思う。現在、委員は新しい会員がふえたので、そうゆう方の意見を反映させるよう、片桐君を委員に加えて、四名である。

（会長）間宮則夫、苗田康夫、杉原せつ、片桐直樹

今後、新人会の行事や、勉強方針については、予告の出来る限り、会報を通じて、発表するから、出席の機会のなかった人も、協会事務局、或いは委員宛、どしどし連絡だけはとるようにて戴きたい。勉強方法や、会場、日時などについて、意見があれば、尚のこと。遅絡を寄せて下さい。

最後に、この紙上をかりて、先輩作家たちにお願いするのですが、先輩としての御意見をきかせて頂けば、大変、有難いのですが。

暑中御伺い申し上げます。

一九五六盛夏

桜映画社
自由映画人連合会
調布映画撮影所
南映株式会社

（以上から挨拶が届きました。）

日本の記録映画の歴史を聞く会

八月二十五日（土）六時より

中央区役所
銀座東出張所にて

講師　厚木たか
岩崎昶
吉見泰

皆様の御来席をお待ち致します。

主催　新人会

介映画（三巻）を撮っています。八月末クランク・アップ、九月初め完成の予定。

菲沢　正＝「たのしい工作」七月三十日初号完成。野心的な教材映画を色々と研究して見ました。利用する現場の生の声を一日も早く聞きたい気持です。八月九月は短篇劇「ぶどう島の宝物」とじっくりとつくんで行きます。

豊富　端＝「この子等に光を」演補、完了。以後、待期中。ひまにまかせて日本短篇映画の歴史を調査しています。

山岸　静馬＝創芸プロ〝木炭〟（仮題）シナリオ改訂中。

小島　義夫＝（東京シネマ）「東北のまつり」進行。七月末から八月中旬まで、青森、弘前を中心に、東北の夏まつりを取りに行きます。

△期日までに連絡のなかった会員の動静は事務局で調べました。

大鶴　日出夫＝「産業を動かすもの」カラー二巻を完成し、次期作品の準備中。

稲村　喜一＝病気療養中。

諸岡　青人＝日映科学「九州電力」「緑の谷間」演出。

シナリオ研究会報告

近藤才司

七月十七日午後三時より映教会館三階会議室に於て第一回シナリオ研究会が開かれ、吉見、杉原氏以下新人会メンバー十数名が参集し、研究会活動今後の方針を話合つた。その主要点を概略箇条書きすれば

(一)職業人(乃至はその志望者)としての実質的な創作活動(力)を高める相互協力――勉強の場としたい。

(二)企画を持寄り、或は出し合つて、その良いものをシナリオ化する為の集団的(グループ)或は個人的創作活動を押進めたい。

(三)良い企画、シナリオの映画実現化。その実現に当つてのプロダクションとの関係は協会研究会の名の下に積極的にその労をとる。

今迄、個人的に続けられて来た創作活動(勉強)をグループ的活動にまで高め、とかく個人的悩み、挫折に終り勝だつた良い企画=夢を集団と云うはげましの中で伸ばして行くと云う事は非常に大切でもあり、喜ばしい事でもあると思う。

(二)に関して、杉原氏より或る調査途中に見出したゴムとそれによつて生活する人達についての興味深い話が持出された。それについて吉見氏も、バタ屋部落の人達と周辺のアパート生活者との間の面白いエピソードをきかせてくれた。この「ゴミ」に関しては多くの者が興味を寄せていた。(この種の企画はすでに京極氏その他によつて準備が進められているが企画の可能性は他にも幾らでもある様だ)

(三)についてはすでに積極的に協力を寄せて下さるプロデューサーがおられるとの事である。(この会的外での事ではあるが、協会某氏は、労仂金庫辺りから金を借りて積極的にシナリオ調査をすゝめる方法も真剣に考えていいのではないか、と云つておられた。)

次回研究会について。苗田、富沢、片桐、菲沢、某氏の人達の間で、期せずして田宮虎彦の「異端の子」の脚色が進められて来たので、次回はこの二本の脚本を持寄り、それを中心に会を持つ事になつた。前者は約百二十枚、後者は約五十枚(共に四百字原稿用紙)の長さのものである。

当分間の運営には、河野哲二、近藤才司の両名があたることになり、岩佐氏寿氏からも会の推しん力になろうと云う申し出でがありました。

各シナリオライターの積極的な御協力をお願いいたします。

当日の出席者

富沢、菅家、河野、片桐、渡辺(亨)小泉、近藤、山本、苗田、豊富、沢、杉原、吉見

〜第二回シナリオ研究会おしらせ〜

八月十八日(土)午後三時より教映会館三階試写室

羽仁進脚本「双生児」を取上げ、併せて同映画の試写を予定しておりますから多数の御参集を期待します。なお今脚本はキネマ旬報最新名作シナリオ集に載っておりますから御目通し願います。

(附記)
前回研究会での決定(会員の脚本「異端の子」を取り上げる)は脚色者の都合により一時延期致します。

柳沢　寿男=岩波、電々公社もの待期中。

川本　博康=全農映、衣笠組、演補、佐渡ロケ中。

松岡　新也=電通映画社にて、次回作品準備中。

八木　仁平=東京シネマ(ガラス)演出中。

山添　哲=全農映、衣笠組、演補、佐渡ロケ中。

渡辺　亨=次期作品準備中。

古川　良範=第一映画社にて脚本執筆中。

原口　光人=理研科学(村上プロ)にて活躍中。

近藤　才司=三木プロ(ことばと態度)丸山組演補。

丸山　章治=三木茂プロ(ことばと態度)、脚本演出。部内ロケ中。八月上旬クランク、アップ。

京　俊明=シナリオ勉強中。

泰　康夫=記録映画社(五十里ダム)演補。

松本　公雄=(内外映画)(ランドクルーザー)演補、名古屋ロケ中。

竹原　繁雄=レインボー、スライド社にてアルバイト中。演補の仕事待期中。

小西　久雄=夜間学生のスライドを完成、他にアルバイトの傍ら脚本勉強中。

小熊　均=岩波(双生児学級)

試写研究会

河野哲二

八月四日、新理研映画の試写室で試写研究会をひらきました。出席者。加藤、厚木、丸山、大鶴、渡辺（享）、渡辺（正）、韮沢、豊富、秦、島谷、松本（俊）、吉田（正作）、北、石本（統吉）

試写した作品は、「つるのはね」「雪舟」「たのしいこうさく」「ビールむかしむかし」「銀輪」の五本。与えられた紙数も少いので、当日のおもな意見を、作品ごとに並べてみました。

○つるのはね（日本漫画・共同映画）

一巻ものの漫画映画

話を短くしたせいか、テーマが理解しにくくなつた（丸山）。話のすじだけがさらさらとながれてしまつて、ものたりない（厚木）。同じようなギャグを使いすぎる（丸山）。もつとそぼくであつていい（厚木）。つるが織るところなど、もつと力を入れてよかつたのではないか（加藤）。こつこつとこうした自主作品をつくつたスタッフの意慾をかう（丸山）

○雪舟（東京シネマ）

二巻ものの美術映画

雪舟と同時代の画家との違い、雪舟の画の全体的な把あくがたりないと思う（島谷）。みおわつた印象がさんまんである（渡辺享）。雪舟の時代的背景と彼の役割などえがきたりなり。雪舟の評価がはつきりとしていないために、えがけなかつたのではないか（加藤）、製作の意図は、雪舟の画をみたことのない人たちにみせるというところにおいたようだ（丸山）。

○たのしい・こうさく（文化映画研究所・共同映画）

二巻ものの教材映画

理くつつぽくない点はよいが、インテリらしい感じがする（厚木）。トップタイトルは出しかたがおもしろい（加藤）。最後のまとめをもう少し工夫すれば、もつとたのしい感じが出せたと思う（厚木）。

○ビールむかしむかし（三笠プロ・電通映画）

二巻もののカラー、朝日ビールのPRアイデイア・テクニックともに新しくおもしろい（丸山）。額ぶちをつかつた点がよい。その中でビール工場の実景をみせているのでくさみがない（加藤）。技術的には、まだまだ缺かんもあるが、ショウのおもしろさをねらつて成功している（丸山）。最近のPR映画としては注目すべき作品（加藤）。

○銀輪（新理研映画）

一巻もののカラー

日本自転車工業会PR

PR映画に新機軸を出そうとした点は認めていい（丸山）。テーマがはつきりわからないのがおしい（加藤）。光や色や線の幻想的な感じでつらぬくのならば、前後の少年がじやまになる。少年をいれるなら、テーマをはつきりしてほしい（丸山）。幻想的な感じの中に、実写の風景が入つてきたりして混乱するし、一つ一つのカットが関連なしに出てくるので作品として弱い（厚木）。カラーは、銀輪よりもビールの方がよい（丸山）。その他、各作品とも、こまかい点でいろいろの意見がでましたが紙数の点で割愛しました。

☆ 声 ☆

V書店からたのまれたのではありません。岩波新書の「映画の理論」岩崎昶著、特に新人のために一読をおすすめします。

（岡本昌雄）

完成、次回作品準備中。

各務洋一〃岩波（東洋貿易）演補。

黒木和雄〃岩波（東洋貿易）演補。

高村武次〃岩波（佐久間ダム）演出中。

羽仁進〃岩波（双生児学級）を完成し、（動物園）演出中。

時枝俊江〃岩波（町の政治）ロケ中。

吉田六郎〃岩波（ゆき）演出、撮影中。

榛葉豊明〃岩波、新企画準備中。

肥田　〃岩波、新企画準備中

岡野厳〃南氷洋（新理研）編集中。

松本俊夫〃新理研、（銀輪）完成。新企画調査中。

島内利男〃（住友金属）編集中。

下坂利春〃目下、ロケに出ています。（新理研）

富岡捷〃目下ロケに出ています。（新理研）

豊田敬太〃東映教育映画（犬吠岬の子供たち）ロケ中。

中島智子〃新理研企画部にて活躍中。

吉岡宗阿彌（日本漫画）つるのはねを完成し、第二作
諸橋一
平田繁治
長井泰治 ｝（宇野浩二の「春をつげる鳥」）の準備にかかっています。

大久保信哉〃たくみ工房。富士映

教材映画研究会より

高綱則元

七月二十四日、午后一時半から港区の西桜小学校で、教材映画研究会が学視連の主催で行なわれました。

当日は三〇度を越す暑さのためか、主催者を入れて十四名という淋しさでした。研究教材はおかあさんのしごと、社会保障、箱根ごえ、の三本で映写後に討論が行なわれましたが、おかあさんのしごと、社会保障の二本は制作関係者の出席がないため、突込んだ話合が出来ませんでした。又、此の二作はすでに研究会が持たれているので、新しい発展はなく、前回の問題点に付いて再確認するにとどまりました。

箱根ごえに付いては、製作関係者は出席していましたが、二、三、現場の先生から質問があつただけで、根本的な問題には何もふれずに終りました。

教材映画研究会は、出来るだけ今後フイルムを使つて、研究授業を行い、其の後に話合に入らなければ問題は解決されないのではないでせうか、製作スタッフは研究会には必ず出席して、現場の先生方と話合つて、問題の解決に協力しなければ教材映画の発展はむずかしいでせう。

学者や先生だけでは映画は出来るものではありません、又映画製作者だけでも、良い教材映画は作り上げることは出来ないでしょう。両者の協力の上に始めて、教材映画が完成されるのですから、先生と映画製作者との話合の場を出来るだけ多く持ちたいものです。

此の日の研究会は、新学期に入いつたら、あらためて研究授業をやる事にきまりました、その時には大いに討論される事と期待しまして夏枯れで終つてしまつた今後の研究会の報告に変えたいと思います。

『七月の教材映画研究会、協会よりの出席者は次の五氏でした。かんけ、菲沢、豊富、森田、高綱。

そこで、高綱氏にその全般的な報告、「箱根ごえ」の演出をさせた森田氏に、教材映画の演出の問題を、豊富氏に「箱根ごえを観て」をかいていただき、大いに協会の中に教材映画への観心を惹起しようというわけです。

（編集子）

映画と教育の接点

—それは戀に似ている

漫論です。お目を、けがすだけに終るかもしれません。はじめに、お詫びしておきます。お互いに惹かれ合つているからといつて、ワッとばかり、抱擁するわけにはいかない場合があるでしよう。いや、そういう場合の方が多いようです。そしてまた、惹かれ合つているのに、殊更モッタイブッて、アナタの本質はこうだ、キミの傾向はこうだ、と、アラヌことを口走る場合もあるでしよう。こういう場合も、ずいぶん多いようです。

しかし、また、愚かしくも素朴で純粋なムキは、或いは手練手管に長じた気短かなムキは、エイ、ヤッ、とばかりに、組み伏せ、ねじ伏せて、想いをとげる場合もあるようです。

ディレッタントで、しかも、おそろしくキマジメな或る学者が、その見聞を研究・分類したごとくこのはか、何十種かの恋の型があるそうですが、いずれにしても、スイッチ一つで、電気が、電導体の中を突つ走つて、結びつき、タチマチにして光を、熱を、発するてな具合にはまいらぬようです。

画社（村の気象）の線画をやつています。

前田庸吉〃スポーツ科学映画、演補。（スキー）完成ボーイ・スカウト）軽井沢ロケ中。官費の避暑と洒落込んでいます。

森田純〃学研映画、社会科シリーズの（北上山地）（開かれゆく郷土）のシナリオ・ハンテイングに岩手へ。八月下旬、クランク・インの予定。

高則之〃森田氏と同行。

本間賢二〃東映製作所、（米作日本一）管家組、演補。

岩掘喜久男〃理研科学、村上プロ（ボイラー用水）演出中。

秋元憲〃新理研（下水）ロケ中。

相川龍介〃帰省中。

尾山新吉〃待期中。

小野寺正寿〃日本記録映画社（フグ）アップ。以后、待期中。

片岡薫〃報告すべき仕事をしていません。

加藤松三郎〃（日映科学）（薬）（東京シネマ）（株式）脚本執筆中。協会の財政立直しに活躍中です。

北賢二〃育映社にて新企画準備中。

衣笠十四三〃全農映（鬼太鼓）佐渡ロケ中。

杉原せつ〃脚本準備中。

それというのも、二つが、同じモノでも、また、相似のモノでもなく、或いはまた、化学反応を起すような種類のものでもない、チガッたモノ同士だからでしょう。どうチガうかは、議論の分れる所です。映画と教育をくつつけて、教育映画。この言葉を、どうこう云うツモリはありません。両者の結びつき方、を考えたいと思います。

二つは、どう考えても、そのまま、ピッタリ結びつくものではなさそうです。お互いに、お互いから、ハミ出している。ハミ出している所を矯めて、完全に合一させようとする努力は、ツイに無駄に終るのではないでしょうか。お互いを、イタズラに破裂させ、或いはペシャンコにする、だけに終るような気が致します。〈但し、あまり、自信はありません。〉完全に合一させようとする努力よりも、いつそ、冷たく見離して、それらが、どんなに無縁なモノ同士であるかを、見究めたいと思います。鼻、ツキアワセて、いらいらしているよりも、ハルカより恋文を書くほどの気持で、モノをいつくしみ、胸にわく想念をカミシメたい。

接点が、ホンに些細な、かぼそいものであると知つても、その接点を通して豊かに交流しあえる可能性に気ずけば、どれほど有意義か知れません。

あさはかな推論。思い上つた比喩、未熟者として、たいへん不勤慎なことを申しのべました。

かえりみれば、この一年まるで、映画と教育をくつつけ合わせて、それこそ、心中でもしかねないほどの、ノボセかたでありました。

その反動のセイかも知れません。あらぬことを口走りました。今までのオノレの姿を、ともかくもスタート・ラインにさらけだしたい衝動をおさえかね、かくは、醜い文章、書きました。

再びは書くまい。が、決して忘れはしまい。自戒のタワゴトです。

森田　純

「箱根ごえ」を観て。

豊富　靖

作品「箱根ごえ」とは、タイトル通り「箱根ごえ」の手段を今昔にわたつて描いたものである。昔といつても、江戸時代？だけらしいが……。

現代の部分では、流線型の電車が走る。汽車が走る。観光バスが走る。サンドウィッチでボンと過去に入ると、侍が天下の険を登つてゆく。駕籠が通る。馬がゆく。飛脚らしきものが走つてゆく。又現代に帰つてくると、線画や実写で丹那トンネル貫通の前後を説明し、現代の交通機関や手段を解説する。いうなれば、「箱根ごえ」とは箱根を越える交通手段だとして、その変遷のみをあつかつたものだが、「界して「箱根」とか「箱根を越える」という問題を、ただ交通手段のみに終始していて描き得るものだろうか。特に歴史の部分などは、時の封建政府の政治的問題や軍事的政策などを考慮に入れずして果していいものだろうか。又現代の部分にしても、東西の経済問題や産業関係を考慮に入れずに、果して交通の問題が解釈出来るものであろうか。いわんや社会科の教材に於てである。

これは「箱根ごえ」について ではないが、とに角数多くなつて来た教材映画の作品の中には、良い作品も多い反面、質的に作品の内容も検討せざるを得ないような作品も出来つつあるのではあるまいか。現場の先生方を囲んでの教材映画研究会も大変重要なことではあるが、同時に、作家内で作家同志による作品の研究会もこれ又必要ではなかろうか、と思うが、その辺はいかがなものであろうか。

清家　作品準備中。
武春〃日映科学にて、次期

高島　一夫〃村上プロ（ボイラー用水）の演補。

竹内　信次〃東京シネマ（世界を結ぶ短波）国際電々、演出中。

中川　順夫〃児童劇映画（黒い顔の天使）脚本執筆中。

中島日出夫〃東京シネマ（ガラス）演補。

西沢　豪〃日映新社にて（鉄道バス）演出中。

水木　荘也〃三井芸術プロ（平安美術）演出中。

松本　治助〃引続き、テレビのコマーシャル。時間の合間をぬつて、東京ガスの（豊洲工場）を撮影しました。

田中　舜平〃（貿易港）を完了。「五十里ダム」の演補、応援に行つています。

奥山大六郎〃日映科学にて、武田製薬の（薬品工業）演出。目下、京阪ロケ中。完成は九月下旬の予定。

中村　麟子〃日映科学にて（すずむし）演出中。九月上旬完成の予定ですが、虫が中々思う様に動いてくれないので、伸びるかも知れません。

高見　貞衛〃日本記録映画社（ふぐ）一巻演出完了。次回作品準備中。

大場　秀夫〃日本記録映画社（ふ

新市場開拓の状況

運営委員会

従来、協会との関係が薄かったか或は無かつたりしたプロダクションと関係をつけてゆくことに就てさきに巻頭の言葉で述べましたが、その后の情況に就て報告します。

遠く東北地方は仙台の東亜映画というプロダクションと関係がつき、また遠く名古屋の中部日本映画部とも関係ができました。東亜映画というのは脚本演出者がいて、年間六本前後のが主として児童劇をとつている所で、今度はじめて協会の豊富君を演補として出しましたが今后も機会があれば、若い助手さんの仂きの場となるでしよう。中部日本は、ニュース映画を出している所で、今度はじめて本格的なPR映画をとることになり、荒井君（脚本演出）と片桐君（演補）を出しました。ものは、中国で開かれる国際見本市に、日本の紡績機を紹介する映画です。これを機会に、今后短篇映画を作つてゆく計画があり、今后ともよろしくとのことでした。

新東宝教育映画部は、御存じの方もあるかと思いますが、もと東宝文化映画の営業部の山田厚氏が責任者としてやつている所で、ねらいはシスター映画にあるようですがPRを主とした記録短篇も相当量こなしてゆく様子で、目下加藤君が鋭意、開拓に当つています。

新宿の十六ミリ映画は、配給会社ですが、作家協会のために、援助を惜まぬと言われており、今后とも何かにつけてお世話になりたいと思つています。

このほか、まだ訪問しない所では、もと新理研の笛木氏のプロダクションやもとキヌタ・プロの浅野辰膽氏の三笠プロ、ベースボールマガジンのスポーツ科学研究所、平凡社の映画部、学研などがあります。是非早急に刺を通じて、交わりを深め度いと思つています。

教配や東映教育映画部、電通にしても或作家とは関係があつても協会としては交わりは極めて浅く、こうして見ると、協会の接触面はまだまだ狭いと言わねばなりません。

また、もと芸術映画社の大村英之助氏が再び記録映画の製作に乗り出されるという話もあります。

私たちは今后とも、一層努力して、新しいプロダクションとの接触に努めたいと思います。

☆ 声 ☆

▽或る新人会の夜、K氏は映画がないために仕事につけない苦境を訴えました。運営委のT氏と演補のY氏とが何か相談していましたが、そこで、K氏はY氏の2ND2NDにつくことに決まりました。NDのいる仕事でもなかつた様です。Y氏の条件もゆづつたでしよう。そして真黒に陽やけしたY氏とK氏、仲良く会費を払いにやつて来ました。

（渡辺正巳）

▽毎月の会員動静を拝見しますと、いそがしく仂いていられる人と、反面仕事がない人があるようですが、困つている会員に仕事があるよう、協会でも映画を企画したりシナリオとして製作会社にあつせんしたり、協会自身で製作できるよう努力して下さい。そのためには岩掘さんの提案「私の企画」欄を実現して、その中でいい企画を全員の協力で実現するようにしてはいかがでしよう。

（小野春男）

ぐ」製作を完了。次回作品準備中。

馬場英太郎〃日本テレビ映画社にて、新企画準備中。

田中喜次〃電通映画社にて（五匹の子猿たち）出演中。

西浦伊一〃（ガンバレ三ちゃん）七月始め脚本を完成し、七月一杯でクランク・アップ。目下編集中。八月末に初号完成の予定です。

八木進〃モーション・タイムスにて（リズム運動）演出中。

森田実〃東京シネマ（ガラス）演補、ロケ中。

▽左記の方は、至急事務局まで御連絡下さい。

平野直
真野義雄
大方弘男

（住所・移転）

小泉尭〃渋谷区千駄ケ谷五ノ一〇〇三

大沼鉄郎〃新宿区下落合二ノ七二七、秋元方

思う事

丹生　正

協会に加入しては居ますが、会への協力の点では劣等生である小生にまで、その時々に立派な会報が送られて来て、その度に顔の赤くなる思ひをしています。そして切角同封のハガキを無にする事再三なのに、会員動静にはちやんと載せていて下さる。仕事待ち、待期てな風に。。その実本人はそこはかとなき雑用で毎日うろちよろ動き廻つて、是非見たいと思つて帳面に印して置いた試写会にも時間のやりくりがつかず、見落して仕舞つてくやむと云つた工合です。併し協会行きのハガキには何かと思つてペンを執つては見るのですが、どうも書き度くない事もあるのです。いや、書かでもと思ふ事もあります。大変もつたいないと思ひ、不誠実だと思うのですが、ものを云ひ度くない時は三年でも黙つていたいと云う我儘ものの小生なので、お許し願へたならと虫のいい事を考えたりしています。云ふ資格のない奴が、云はでもの事をごたごたならべる事をおそれる気持もあります。〃会費の納入が協会の成長を保証します〃と云う標語を尤もだなあと感心したり、じくじとしているようでは貴重な紙面をけがす資格の才一項にかげて居ると云うものです。と云う訳でものを書くのもおかしな話ですが、毎号紙面の充実し活発な意見が発表されているのを見ると、戦後衰退し切つた記録映画も再び大きく社会に呼び掛ける時の来た事を嬉しく思ひ、血がたぎると云つた感があり、たわごとの一つも書いて見たいと云う気持が湧きます。

不勉強な小生は以前は知らないのですが、最近ひどく感動する記録映画が少しづゝ現れて来た事に感激しています。例へば〃ある母の記録〃と云ふものをやつと場末の映画館で、添へ物の劇映画二本を苦痛をこらへて見せられた上にやつと観賞する事が出来たのですが、そのねらいと云ひ、技術と云ひ誠に立派なのに感心しました。成る程冒頭に沢山の賞を受けた旨が書かれていました。尤もと思はれます。只その次に製作会社の名だけで、スタフの名の記載がないのはどうした事かと頭をかしげた事でした。最近の流行なのでしようか、誰が作つたんでもいい、何か映画そのものから受け取ればいいと云うのでしようか。これは或る意味で無責任だと思います。製作意図は会社のものであると同時に、スタフのものである筈です。功罪共に会社とともにスタフが負ふ可きだと思うのです。例は当らないかも知れませんが、無記名の投書が余り感銘を受けない場合に似て居ると思うのです。殊に、これは自主製作に近い作品ではないかと思はれますのに、大変残念な事と考へます。ＰＲ映画にしろ、スポンサーの了解がつくなら出来るだけスタフ名はその責任において記載してほしいと思います。作者もそれだけの権威をもつて作つてほしいのです。でなければ一般の観衆は、短篇なぞと云うものはどこの馬の骨が作つたのか解らぬしろものだと、解して意に留めないでしよう。自らを低くするのは当らない、と同時に記録映画の誠実さを疑はれはしないでしようか。

作品それ自体の問題はおそらくそうそうたる方々が論議し尽されていると思いますが、小生は小生なりに記録映画の作り方に就いて色々考えさせられました。この〃母の記録〃は明らかに劇的手法で構成されています。この方法は大衆に一番わかり易く語つて行く、云はゞ一般に対して親切な方法でしよう。併し、これをもつと劇として構成し、熟達した俳優を出演させたとしたら、どちらが感銘の度を深くしたでしよう。私は一緒に見た家人にその事を話したら本当のお百姓だから真実さが出たので、あれでいいと云うことでした。私はその〃真実さ〃と云う事にひつかかりました。非常によく出来た一般の劇映には真実さを感じないでしようか。私の場合、それはよく出来た劇の中に引き入れられ真実そのものを感じ、感動します。それなら、この記録映画の中の非常にたくみに使つてある素人の演技・・・と云へるかどうか知りませんが・・の中の散見するぎこちなさを排したら、もつといいものになりはしないかと云う疑問が起きるのです。もつと真実を感じるのではないかと云う疑問です。若しそうだとしたら、素人を使う以上熟達した演技者の流れるような演技に比べて、見劣りのする素人の出る劇的記録映画に或る限界がありはしないかと云う疑問が起きるのです。これはあくまで私の見方で、現実の人には役者と違つた迫力があるんだと決めている人には問題にならないと思うのですが。ぐつと来たのはまゆを積んで、私の場合、ほこりを立て乍らトラックが続いて走り、人々はこれを道端によけてゆき、最後に母がトラックからこぼれ落ちたまゆを捨つてゆく情景でした。大きな資本の下に常に下敷きになり、ほこりをかぶせられている誠実な、然しみじめな百姓の姿が胸にせまりました。たゞワンカットまゆを捨ふ為におくれた母をかえり見る長男のアップが無かつたらもつと私としては感銘したでしよう。あの長男のワンカットは、ロングで見せたあのすがすがしい幾カットかの中の一番劇らしいカットだつたのが気になりました。あの長男のワンカット的なものが全篇を通じてしばしば使はれるところに、私としては、この記録映画手法に疑問を感じたのでした。

むつかしい方法論を論ずるのにはそれぞれに人がありましよう。

△新作教育映画研究協議会報告書（一〇八頁）は加藤さんの御世話で四冊、協会に届きました。教材研（丸山）シナリオ研（吉見）新人会（富沢）と事務局とで保管しています。

せいぜい御利用下さい。

（事務局）

映画利用者の声

加藤松三郎

こんど昭和三十年度の新作教育映画研究協議会報告書ができた。これはご承知のように文部省関係の日本教育映画普及会が例年主催して、全国都道府県ごとに試写研究した結果の報告書である。

その最後には、特に全国の参加者による作品評価の一覧表があるが、いまそれだけを紹介してみよう。（註、試写会は年間を四半期にわけて行われる。また順位の丸囲いは当協会員の関係作品）

○第一回（上映作品等二五本）

①位　一、五〇〇米決勝（東映）
②〃　本を読むお母さん（三井）
③〃　野を越え山を越え（岩波）
④〃　たのしい版画（第一）
5〃　海底の動物たち（動物教育映画研究所）
5〃　夕空はれて（東月東映画）
⑦〃　北陸の野づら（岩波）

○第二回（上映作品数一七本）

1位　白い機関車（機関車労組）
②〃　遠足（東映）
3位　無限の（成城高校）
4〃　記録への力泳（プレミア）
5〃　温泉（日本視覚）
⑥〃　霜と霜柱（〃）

○第三回（上映作品数二八本）

1位　心の晴着（松弁京都映画）
②〃　かえるの発生（岩波）
②〃　こどもは見ている（日映科学）
④〃　スタンツ（モーションタイムズ）
⑤〃　子どもの予算生活（第一）
6〃　あやまち（富士映画）
7〃　植物の一生（　）
8〃　姫路城（京都映画）
⑨〃　プラステック（モーション）
10〃　京都の工芸（都ニュース社）

○第四回（上映作品数三四本）

1位　陽気な女房たち（桜）
　　　百人の
②〃　根のはたらき（月本視覚）
3〃　蜜蜂（新日本映画社）
④〃　六石六斗（東映製作所）
5〃　さようなら
　　　かとはえさん（桜）
6〃　東北地方（毎日映画社）
⑦位　なわとび（モーション）
⑧〃　石器時代の村（共同）
9〃　まぐろ１３巻（新理研）
10〃　子姫と
　　　あまのじやく（電通）

以上の次第だが、同順位のは同点というわけである。一見して背ける評価もあり、というよりもむしろ意外な評価のほうが目立つ。実はそこに異常な興味もあるわけだが、どうしてこんな結果がうまれるものか、ひどく考えさせられる。その他いろいろな利用者側の声々や集計がのつている。

くわしく知られたい方は、当協会にも寄贈されてあるから、ぜひご一読をおすすめしたい。すくなくとも現行教育映画の実態を知るには有力な参考かと思われる。

☆声☆

△日中友好協会第六回大会あり、文化交流をさらに拡大しようという意見、圧倒的。協会も代表団を作つて中国を訪れ、中国の作家と交流するように計画することも良いのではないでしようか。今それどころではないという考えもあるでしようが、いつか出来るために今から計画して見ましよう。

（桑木　道生）

日中友好協会第六回全国大会出席報告

岩佐氏寿

七月二十一日から三日間、東京で開かれた日中友好協会第六回全国大会に、招請をうけたので、出席した。

私は個人として招請をうけたらしく、（多分「どつこい生きてる」「赤い自転車」が中国で上映されたり、シナリオが翻訳されたり、などのいままでのいろいろな関係から）だから、教育映画作家協会としては、だれか、代表者が出ておられるのだろうと思つていたのだが、第一科会（文化、芸術の交流がテーマ）には、だれも、おられなかつた。だから、個人の資格ではあるが、報告をしておきたいと思う。

午后二時十分から、五時十分まで討論されたのだが、私たちに関係の深い面だけ、報告し、あわせて、私個人の意見を、そのあとで、つけ加えたい。

議長は、作家藤森成吉氏他一名、本部から、文化部長と他二名が出席、その中で、私が知つているのは、中国文学者の島田政雄氏だけ、あとで、ほかの分科会に出ておられた内山莞造氏も出席された。

最初に、文化部長の報告のあと中島健蔵氏から、日中文化交流協会の発足について報告があつた。それによると、来年、中国のすぐれた美術展覧会が開かれ、中国のすぐれた美術品（日本には昔からすぐれた中国美術品があるので、多分、中国からはそれに負けないものを持つて来て貰うのでなければ、毒舌専門の美術批評家がケチをつけるだろう。却々選択が難しい）と画家が来るだろうということ。最近、写真家の団体が、渡辺義雄氏などの刺戟によつて、出来るらしいこと。民族音楽の団体を呼びたいこと。など。そのあと、教育、仏教の交流、版画の交流について、出席者からの質疑あり、また、映画が、たくさん税関に眠つている。興行用の、アメリカやイギリス、フランスなどの映画は、一メートルにつき三十円の税金で通関するのだが、中国の映画は、一メートル五十円とられ、しかも興行として使用してはいけないという法律ができている。それは、税関や、大蔵省でなく、じつに、外務省の官吏が、そういうことに勝手にしたのだということであつた。（私は腹が立つた）そのほか、先般の世界卓球大会のとき、中国の選手が持つてきてくれたフィルムも、まだ、税関でオクラになつているそうである。

そのあと、日中友好についての学生の運働、美術家の個人的または、団体としての作品交流、さらに、最近向うの基督教徒から招聘（基督教）され、帰国した武田清子さん（基督教）からの報告によると、中国では、キリスト教徒（武田さんはプロテスタントなので、プロテスタントについてだけいわれたが）が、政府から弾圧されているという、アメリカその他からの情報は大ウソで、じつに、のびのびとしたものでキリスト教徒として、そういうふうに暮しており、ひとりひとりの人間を、どんなに中国が尊敬し、大切にしているかがわかつた。彼女は、ホテルでなく、信徒のうちへ泊つて歩いていたので、よくそのことが、わかつたと力説された。

その他、婦人の日中友好の試みとして、服飾や手芸品の展覧会を新宿の文化服装学院で開いているが、日本のすぐれたデザイナーである田中千代女史はじめ、一流どころが、全部出品しており、押すな押すなの盛況で、それらは、タダで中国へ送られるということであつた。そのあと、羽仁説子、内山莞造氏らの報告があつたが、省略する。

私の意見、（当日は、地方支部代議員の、出席者多く、あとで、新日本文学の中本たか子さんや、専修大の三島教授と話しあつたのだが、その人たちもやはりみんなそうで、地方の人たちの発言を尊重しなければならぬと考えたので、ぼくらは、発言を差しひかえた。そこで、発言しようと考えていたことを、ここに述べる）

劇映画の日中友好は、ハデだからほつといて、だれかゞやるが、記録映画については、もう少し積極的に考ねばならぬのではあるまいか。例えば、中国見本市の人たちに、「かえるの発生」その他の科学映画を見せたとき、あちらの人々は大へん喜び、日本の科学映画の水準が高いという意見を述べられたのを、私は、その試写に立ちあつていて聞いた。世間では、日本の科学映画は世界的水準に達していると、いうけれども私たち、当事者には、それはわからない。なぜなら、科学映画の水準が高いと思われるくにぐに（ソ連、東独等）からは、「北極物語」など、商売になるもの以外は入荷していないないから、私たちの作家協会の作家たちは、よそのくにのレベルがわからないでいる。（例えば、位相差顕微鏡による微速度撮影たどはどんなぐあいなのか。）中国でも、もうそうそう、すぐれた科学映画や、記録映画、教育映画が、どんどん出来ているのではないかと思うし、またかりに、日本のそうした映画の方がすぐれているとすれば、私たちの作品を向うへ送り出すことで、向う様に喜んでもらえる。

いずれにせよ、双方が、ツンボサジキでは困るので、何とか、作品の交流、作家の交流、資料の交流を計りたいものだ。

こういうことを発言するつもりだつたが、前述のようなワケで発言できなかつた。私はその分科会に出席しただけで、あとの二日間は、所要のため、出られなかつた。

協会も、積極的に、そうした映画の、いろいろな意味の交流、さしあたつて、作家たちとの文通をはじめてはどうだろう。

そのためには、海外の教育、記録映画交流の委員会みたいなものができてもよいのではなかろうか。理論の勉強にもなると思う。そうでないと、ヒトリヨガリでイバることになるだろう。

いずれにせよ、日中、日ソの国交回復は、私たち、ドキュメンタリイの作家たちにとつて、プラスになるから、いそいでほしいと思つた。

◇

△現在の予算ではこの頁数が限度です。若し広告が取れれば、と思うのですが、如何なものでしょうか。御存知のお店を招介していただければ早速、出かけて参りますが。

△日高昭氏の「記録映画の方法」（四〇〇詰二〇枚）と、楠木徳男氏の「新人以前」（二〇〇詰一〇枚）豊富靖氏「教育映画作家？」の反論」「四〇〇詰八枚」を割愛しました。次の機会に必ず戴せます。三十頁になりそうなのです。三十頁の会報でオタオタする予算、なさけないですね。

△十五号「協会によせる」小口一二は 三の誤り、訂正とおわび申し上げます。

（割　付　子）

☆　声　☆

△仲々委員会に出席できなくて申訳ありません。会報が号を追う毎に充実、会員の皆さんの活潑な御意見が沢山出て来たのをうれしく思つています。

（中村　敏郎）

△この頃の会報は「声」を出したくなるような雰囲気でたのしいのです。益々意慾が溢くような楽しさ「声」をはりあげて歌はうではありませんか。

（樋口源一郎）

△会報を出している編集部の努力に感謝致します。

（杉山　正美）

△杉山正美君の健康と、今后の活動の一刻も早からんことを祈ります。

△毎月毎に充実して行くのを嬉しく思います。毎月これを編集される委員の方のお骨折りをお察し、感謝致します。岩堀白書について才一映画社のプロデューサーと配給会社の答えが欲しいと思います。三者の意見が綜合されると教育映画商売の実体がわかると思われるので。

（桑野　茂）

△会員動静その他の人名の後に撮影なりや演出なりや或は又技師か助手か等、例えば（撮）（撮助）のように願えませんか。高名な人にはワシの職分を知らんかと叱られそうですが、その方が切角の文章を納得して読ませると思います が如何。

（厚木　たか）

（丹　生　正）

編集後記

毎日おあついことです。やはり盛夏です。皆さんお元気ですか？

△会報が良くなり誠に御同慶にたえない。とうとうタイプ印刷となる。もはや四頁版などは出せまい。いや今度はむしろ、これをくずすまいと気をもむ。△さて十六号の巻頭言はかねての矢部氏のご希望にこたえて「協会の自主製作」のユメを語る。あえて真夏の夜の夢にはしたくない△次は羽田、京極、吉田三氏のボリュームのある「仕事の中から」の発言！・△吉例の研究会報告は苗田氏の新人会活動と、近藤才司新人の才一回シナリオ研究会 かんたんな記事ながら、ひと月のうちに三度も（教材研究会もいれて）研究がもたれるとは心づい

△特に自主的な投稿としては、岩佐、丹生、加藤三氏の言葉あり、なかに自分のもあつてヘンだが、いずれも随想にとゞまらぬ点にお目とめありたい△しかし今月は「声」のらんが少ない、来月はもつと放言ねがいたいものだ△あとはみな渡辺エキストラ事務氏の「熱演」によつて十六号もできた八月中には学校にもどる氏のために感謝をささげる△猛暑をとばす皆さんの御奮斗を祈る。

（加　藤）

1956. 9. 20

教育映画作家協会々報

教育映画作家協会
東京都中央区銀座西8ノ5日吉ビル4階 Tel (57) 2801

NO. 17 号

財政危機に直面して

財政は団体運営の鍵であることは言うまでもありません。そして私たちはそのために、発足当初からその収支に苦心し、支出を極度にきりつめてやってもきましたが、いつの時にも安定感はなく、最近では極度に不安な状態です。

私たちの協会の収入の凡ては勿論、会員諸氏からの維持会費ですが、その収入の状態がまことに不安なのです。完納している人、おくれ勝ちでも納入している人、全然収まつていない人があつて、財政は、一部の会員によつて支えられているといつた観があるからです。

委員会はこの点に就て、協会が何も能力がないようでは、維持費を出す方でも出す気にはなれまいと反省し、また、意志があつてもわざわざ収めに協会まで行かれない人のためにもつとこちらから足を運ぶべきだ、収めに来るのが当然だなどと腕をこまねいて待つ官僚主義をきびしく反省したりしました。

そして、それによつて、種々の計画もたててきました。まだその効果をあげきらない点に就ては更に努力を重ねるべきだと奮励しておりますが、財政が根本的に改善される兆をつかむにはまだ至りません。

現在、協会は毎月の経費に四万五千円はかかります。これに対する収入の情況は会計報告を御覧頂きたいと思います。

委員会は、会の事業のために、更に努力を重ねねばならぬことは前記の通りですが、収入の面では、目下の条件の中では、維持費を頂く為の事務局、並びに委員側の努力をもつと積極化せねばなりません。

会員諸氏におかれても、どうかその点の御協力を切にお願いしたいと思います。

なお、委員会では、維持会費の現在の制度に欠陥があるのではないかと考え、その点に就ての討議もすゝめようとしております。

例えばフリー会員に対する%の問題。フリーの場合、協会があつせんしなかつた仕事の場合にも4%を納入しなければならないという問題等です。

経営所属の方たちの場合には、各経営を支部のように考えて、各経営で誰かゞ、会費を集めて頂くなど、集めて頂きやすい方法に就て考究もしております。

いずれにせよ、目下財政問題を根幹にして、あらゆる意味で、協会は危機なのではないかと考えられます。委員会はその打開のために腐心しております。

諸氏の御意見を広くお寄せ頂き、全体の力でこの危機を乗り越えたいと切実に考えております。どうか御意見、御希望をきたんなくどしどしお寄せ下さるよう切に願う次第です。

（運営委員会）

寄稿

自主製作の台所

堀田幸一

さき頃の「岩堀白書」に関して当のプロデユサーからも一言あつて然るべし、という声がある。実は私もあの白書を読んだ直後自分の考えも何か書いてみようと思つたのであるが、自分が書けば、それは、白書に対する白書みたいなものになるし、それに岩さんとて才一映画の苦しい台所のヤリクリはほゞ知つての上で、尚かつ作家として腹の中に溜りに溜つたものを一気に吹きあげたのがあの文章だと考えると、岩さんの人柄を知る私としてはよくよくのことであることを感じた。充分話し合うことが必要だと考えたが、それも無駄だといつた調子の断乎たる文章だつた。

あれは製作者としての私に対する不信任であり、かつ「三くだり半」でもあつた。

私は内心「くそッ」と思つたが、あの中で列挙されている数字は会社の経理帳簿と一銭もちがわない程正確を極め、何んといつても私はグウの音も出ない始末である。それに静かに考えてみると、岩さんは作家として当り前のことをたゞ当り前に書いただけで、すべて非は会社側、つまり私にある訳である。

私の意見を作家協会の会報に載せてもらうとして、その書いたものは勢い才一映画という貧乏世帯の台所まで洗いざらいひつくり返して大方の御覧に供する次才ともなり、自分の無能さと世帯の苦しいヤリクリを一般に公表するようなもので、台所当事者としては随分と都合の悪いこともあり、またそれ程の勇気もなく、それに才一貧乏話は辛気くさいのでやめてしまつた。

ところがあの白書がかなりの反響をよんで、教育映画の自主製作を何んとか続けてゆきたいと、そんなことやめた方がよいかも知れないような無駄な努力を重ねている一製作者の内輪話も、同じ道にこころざす作家諸兄の何らかの参考になるならと思い直して書くことにした。

ここで私は随分と飛躍した話のようだが、教育映画（短篇映画）の自主製作は結局成立しないだろうか、という疑問もあると思うので私の意見のようなものをさきに言わせて貰うと、「たいへん困難だがヤリ方によつては可能だということだ。」

当り前のことだが、まづ資金、よい企画、有能な作家と技術者である。ここに二千万円程度の資金、そして客観条件（教育映画の市場性、配給機構も含めて）の中で考えられる最も合理的な経営形態で計画性をもつてやるならば充分可能だと私は考える。（年間の製作本数やどんなものを製作するかについてはここではふれない）勿論可能だといつてもスタッフにギャラがきれいに支払われ、フィルムや現像所のとゞこおりもなく、プロデユサーも月給がキチンと貰えるという程度で資本に対する超過利潤のようなものはマア望めそうもないからこれでは資本主義経済のなかでの企業とか経営という名に価いしないかも知れないが。

なぜ今更らしくこんなことを書くかというと、つまり私たちは教育映画の自主製作を志しても資金を持たない限り出来ないということだ。満足な自己資金もなくて回収に一ヶ年も要する教育映画の製作をやれば、大層順調にいつて一、二本はどうやら出来るとして三本目には当然行き詰るのは自明の理である。まして才一映画という私たちのプロダクションは資金的にはまつたく貧弱で、しかも過去の経営的誤算による失敗で（作品としては「赤い自転車」と記録映画「米」）一、〇〇〇万円以上の借金に絶えず足元を引張られているという不良経営だから今更である。

岩さんをしてあの悲痛な白書を書くに至らしめたのもここに基因する訳である。自主作品で苦労するのは覚悟の上とはいゝながら、せめて経営を担当する私に、もつと金を作る能力でもあればあれ程苦労をかけずに済んだ筈でまことに申訳なく思つている。

　そんな経営状態の中でそれまでのPR映画中心から製作方針を自主作品中心に切り変えたのだから無茶といえば無茶、冒険主義といわれても仕方がない話である。

　たゞ自分としてはこんな考え方を持つていた。それはつまりPR中心でやつても結果は五十歩百歩だということだ。PR映画の注文取りに如何に浮き身をやつしても最近ではよりしつかりした企業に押されて市場は狭ばまるばかり、それにPR映画も最近ではカラーばやりで資金の少いプロダクションはいよいよ喰い込む余地がない。無理して受注活動をするとして順調にいつて契約の出来るまでに半年やそこらはかかつて了う。二本や三本のPR映画を追つかけていたんでは結局一作品あたり二、三〇万円もの直接営業費はかゝる訳で、そんな金のヒネリ出しようもなく、だいいちバカバカしくてやる気がしたい。

　PR映画の製作費のかけ方についても私はこう考えている。つまりその製作会社の看板力とか、経営のやり方により多少は異ると思うが、普通われわれの所の場合、受注金額の五〇%の製作費であげない限り採算は取れないということである。ところがこの五〇%ということは仲々出来ない相談で七〇%位はかかつてしまうのが普通である。かりに一年間に白黒二巻物を一四〇万円位契約出来て三本製作するとして、この直接製作費二九四万円、残り一二六万円を月々割ると一ヶ月一〇万円位だからこれでは事務所費と二人程度の最低人件費がヤットというところで営業費とか製作の時の金利等は完全に赤字となり、商売にも何んにもなりはしない。

　そんなことで、どうせ赤字をかかえて苦しむなら少しでもマシな仕事、記録映画や教育映画を観てくれるたくさんの人々に少しでも喜ばれ、お役に立つような作品を作りたいと考えた。経済上の主体的条件もないのに身の程知らずの冒険主義といえば正にその通りである。

　そして私は会社の人数を少くし（社員は岩堀、市川、小林、堀田の四人）規模も縮少した上で岩さんとも相談して製作にとりかゝつたのがミチューリンの「タネまく人々」であつた。これは京極作品「米」の頃から企画にあがつていたものだ。

　「タネ」は一作年五月頃から撮影にとりかかり、暮も押迫つた十二月二十九日に録音を終了した。

　この間、岩さんは一方にかゝつていたPRの仕事を極さんに応援してもらつて伊那谷にかけ付けたり、キャメラの富澤君などはリックにカメラをおし込んで唯一人、自転車のペタルを踏んで新潟の山奥の開墾地まで撮りに出かけたりした。特に富さんはミチュリン運動と一体になつて撮影に、宣伝工作に八面六ピの働きぶりだつた。

　そんなにしてもこの作品は直接製作費だけで一〇六万円かゝつた。これは岩さんが出稼ぎによる十二万円、私の知人からの借金三〇余万円とPR映画からヒネリ出した金其の他でクランクアップまで支えたのであつた。それでも録音を終つた時には現像所、日本漫画其の他二〇万円などの未払いが残つた。当然のことながら社内の千配も進んでいた。録音の時は坂齊君に頼み込んで版権料のうち七万円ほど前借してやつと録音を終つた。そして二万円程の金を社内四人でわけ合つて正月を迎えた。

　いま思い出してもゾットするような年の暮だつた。

　それでも私は春になつて発売したら少くとも六〇本位のプリントは出るだろうと甘い見通しを立てていた。一本一五、〇〇〇円の版権料として六〇本出れば九〇万円、ミチューリン会にも力を入れてもらつて、何んとかして製作費だけでも回収したかつた。私も配給社だけに頼らないで各農業団体や組合にフイルムを持ち込んで予約注文を頼んだり、塩見農業改良局長あたりまで訪ねて売込みをした。

　そうして得た結果は僅かに二十五本、三十四万円という　たんたる数字に終つた。それも買つてくれたのは地方ミチューリン会の組織が大部分であつた。

　私は売れないという結果だけから云うのではないが、これはやはりこの作品に対する正しい評価を反映しているものと思つた。二十五本買つてくれたとはいうものゝはたして組織を通しての押し付けや無理はなかつたであろうか。当初私の考えていた農村の人々に役に立つ映画、ということがいかに思い上つた間違つた考え方であつ

三

たことか。日本の農業の現実の中で。私は痛いほど思いしらされた訳である。それも前年の「米」のにがい経験をもちながら。

以上のように「タネ」は経済的にも大変な敗北に終つた。

「失敗の経験を生かせて」というような御座なりでなく私のような愚かしいものはひとつのことが身にしみてわかつたというだけでも大切なことだと思う。

そして次の「たのしい版画」の企画がはじまつた。

当初、岩さんから子供の版画はどうかと云われた時、私はそれ程乗らなかつた。共同映画に持込んで坂齊君に相談したら二、三〇本位ならと云つてくれた。ところが一週間ほどたつて岩さんが書きあげてきた才一稿を読んで私はひどく感動してしまつた。そして大田耕士さんのアトリエで全国の子供たちの作品を見たりしているうちに、こいつはいけるゾと思うようになつた。

私は自信が出てきたから配給社に対してもネバつた。そして当時の共同映画社としては相当思いきつた最低保証五〇本という線までこぎ付けた。五〇本六〇万円（一部現金他は手形）ということに決まり、なんとかスタートだけは出来る目安が出来た。製作予算をたてゝ見ると直接費だけで七〇万円はどうしてもかかる計算になり、それに間接費を加えると一〇〇万円の製作元価となる。最低保証六〇万円といつても手形を現金化するための金利などを計算すると正身使える額は五〇万円前后となりこの作品にかゝれば前の「タネ」の未払いも幾分かは入れねばならない。私は十六ミリ販売だけではメドが立たないので時実象平さんのお世話でN・C・Cの中西源三郎氏にシナリオを持ちこんで頼んだりした。当時N・C・Cは三井プロの「ニホンザルの生態」などを洋画につけて配給していたので可能性は考えられた訳だ。しかしシナリオだけでは話にならず出来上つたら見ようという程度であつた。

スタッフも決まり、ロケハンも全部終つても私は三十五ミリでやるか、十六ミリでゆくか、決心がつきかねて、バカな話だがキャメラマンの長谷川君に笑われたほど迷つた。結局は三十五ミリで撮ることにしたのだがこれは自分の中のソロバンでないものゝ方が強かつた訳で、勿論作品的にもよい成果をあげることが出来たのである。

ロケ費はへらしてもフイルムだけは充分使いたいと云うほど、スタッフの意気組みもちがつていた。プロデューサーに息つく暇も与えない位フイルムは実によく廻つた。私は毎日手形を懐にして自分の知つている限りを走りまわつて金を工面してはロケ先へフイルムを運んだ。そして兎に角撮影は終つた。録音は目黒スタジオの金井社長に事情をはなして全く無一文でやらせてもらつた。

岩さんはアイマイな資金計画というけれど、はじめから資金計画など立てられなかつたというのが本当のところだ。もしそうでなかつたら「版画」という作品は遂に生れなかつたであろう。

この作品はフイルムもわが社としては記録的な四倍近いネガを使つたにも拘らず製作費は予算内の六七万円にとゞまり、しかも二〇万円の未払いを残した。

岩さんは「版画」を悪夢だという。悪夢といえば才一映画にとつても、私にとつても悪夢だ。

しかし、私はけつして悪夢だと思つていない。はじめてシナリオを読んだときの感動も、フイルムを求めて木枯しの街を走り歩いた時の気持ちも、スタッフ試写の時の感激も私は忘れはしない。あの時の感動は今でも鮮明に生きている。

幸い「版画」は好評で現在までに一二〇本も売れた。製作費六八万円だから間接費を加えて製作元価は一〇〇万円というところである。それにしても四〇万円はマルマルもうかつたわけで、にも拘らずギヤラの支払いがまだ残つていることは面目ない話であつて、この利益は「タネ」の未払いの一部とか、その後の経常費とかに充当されて、版画の分としては云うに足りない額しか払えなかつた。

事実「版画」の売上げがなかつたら次の「予算生活」にしろ「点字の世界」にしろ具体化はむつかしかつたと思うし、おかげでこの二作品は大過なく製作することが出来た。もつとも「点字」は間接費をいれると二〇万円ほどの赤字だが――――。

自主製作も私のような所でなく、もつと基盤のしつかりしたところで、すぐれたプロデューサーがやれば立派にやれる筈だ。

教育映画の自主製作について、三木さんとか上野耕三さんあたりなら随分とよい意見を持つているのではなかろうか。私のようにはじめからケツを割つた失敗談では参考にも何もなりはしない。

思えばこの二年間、「タネ」から「学校劇」まで僅か五作品だが自主作品だけを製作してきた。そして当然のことながら又しても赤字を重ねる結果とはなつた。そしてこれからも私は赤字と借金を背負つてやつてゆくだろう。自分おかした誤ちは自分で苦労するのは当り前、たゞこれからは余りひとさまに迷惑をかけないように肝に銘じてやるつもりである。

製作者もまた感動にもとづいた仕事をしたいのだ。

たとえ年に一本でも続ける限り私は自主製作のヘタを降ろしはしない　。

（「岩堀白書」に関して配給社たる共同映画は関係ない。むしろ、私たちの作品をたいへんよく売つて具れるし、版権料の支払いも堅実で時には製作者のムリも心よくきいてくれるほどで感謝している位である。」

☆ 声 ☆

「従妹が新潟から出て来て、東京のお菓子屋さんに住こんでいるのですが、協会員の方で洋裁、美容師等の住こみの仕事を御存知の方は、お教え願いたいのですが。何か技術を覚えさせて将来独立出来るようにしてやりたいのです。尚邦文タイプが出来ます。」というようなことを、会報にのせるは是非もわからず、単に一つの提案として受取つて下さつて結構です。

運営委員会御中

（大沼　鉄郎）

協会で自主製作を！という声が出て、その気運が漸次たかまりつつある様子、大変嬉しい事と思います。

（八木　進）

小生としては初めてのカラーP・R作品「横浜港」にかかりますので、色彩設計に関する苦心一入です。何とか努力して、所謂「絵はがき」から脱却して、リアルな色彩の世界を再現したいと思つています。

会報十六号所載の、丹生君の「ひとりの母の記録」に対する一文は、問題を投げるものです。

（永富映次郎）

号を追うごとに、増々内容の充実して来た会報を見て、力強く感じます。会報の充実は、協会の充実を意味するものです。

運営委員会には、日頃仕事とはいえ、ロケーションで欠席がちの小生、深く反省させられました。

協会の皆さん、新人会の皆さんにお詫び申上げます。

（間宮　則夫）

記録映画研究会の世話人として発足がおくれましたことを、お詫致します。

近々才一回の会合を持ちたいと思います。

（野田　眞吉）

先日街頭で仕事をしていたら、「ナンダ撮影かと思つたら記録映画か」と見物の一人が言つていた。まだ当分の間PR映画だの、何だのと区別する必要はないらしい。

それは自意識過剰というもので

（八木　仁平）

す。

病弱の為、各方面にごぶさたしております。お詫び申します。

尚、人形映画に会員各位の御支援をお願い致します。

（稲村　喜一）

「声」も出ない程、P・Rで疲れました。ゆつくり子供相手の仕事がないもんですかな。

（道林　一郎）

矢部提案を運営委員会が積極的に取上たことは、大変結構なことと思います。それを具体的に進めようという立場から、岩堀白書に対するプロデューサー、配給、両者の答をまず欲しい、と考えます。

－厚木提案－　。我々のおかれている位置を正確につかみとりたいのです。

（高島　一男）

新入会の研究会でテキストにされている「クレッショフの映画制作法講座」は、何処で入手されるかお知らせ願えませんか？

（長井　泰治）

普通の本屋には大体あるようです。しかし、郊外などの小さな本屋にはあまり見当りません。

☆発行所ー　千代田区神田多町二丁目二番地（早川書房）
☆値段ー(1)が、五八〇円
(2)が　六五〇円　です。

（事務局）

∮　∮　∮

前からお願いしようか、と思っていたのですが、私共間借をしているのに、協会から来る葉書には会部家主さんの名前に、「様」がついていないので、「神林方」と書いてあるのですが、普通にはつけるべきものじゃないでしょうか？

（時枝　俊江）

「方」とつけるのが、正しいそうです。詳しくは解りませんが、聞くところによりますと、「方」は「様」以上の敬語だそうです。
敬語を二つ連ねるのはどうかと思いましたので：：：：。

（事務子）

＜運営委員会便り＞

八月定例委員会
八月二十五日（土）
出席：八木、加藤、中村、菅家。
議題：①会員名簿の整理について
②協会運営の財政確立について
③経営所属会員の交流を援助する件について
④賛助会員の会費を統一する件について

①会員名簿について
現在の所属会員数は一三三名、昨年に比べて著しい増加を示し、事務局としてはこの新会員数を以って名簿の作成を急いでいる。この名簿は残暑見舞（八月中に事務局では名プロダクションやジャーナリスト宛に協会の近況を知らせる残暑見舞の挨拶状を出した）の発送までに間に合わせる予定であったが、会員へのアンケートの葉書が一部未回収のため目下整理中である。しかしこの整理も八月末日までには完了し印刷に廻せる予定である。

②協会運営の財政について
本年度の上半期を通算して協会の維持経費は略々四万五千円、その大部分は事務所費（部屋代電話代、人件費等）と会報印刷費だ。それもギリギリのところで月に何回か集って貰う運営委員の交通費も出せない。あれもしたい、これもしたいと計画はさまざまだが結局は金がない。
そこで運営委員会では未納会費の徴収に事務局の奮起を促すと共に前号で御知らせした通り、
(イ)運営委員が会費徴収に積極的な協力をする。
(ロ)経営所属の会員の方には出来るだけグループを作って戴き、その窓口を一つにして事務局と直結して貰う。このため九月中に原子氏が各経営を歴訪して懇談する。
等を確認する一方
(ハ)最近の生活費（物価指数）や仕事の期間等からみて、現行の契約金額が果して妥当かどうかを再検討する必要はないか。これについて原子氏に契約額の原案を作って貰う。

会員の動静

厚木　たかー新企画脚本の準備中です。
森田　実ー東京シネマ「ガラス」演補。
吉見　泰ー病気にて目下療養中
大野　芳樹ー国際映画K・Kにて「曉の北海道」演出。九月下旬より北海道ロケ
楠木　徳男ー現在J・P・Cプロにて「明日への希望」（仮題）を撮影中。今月中旬、再度岡山の三井玉野造船所へロケに出発、十月上旬頃までかゝる予定。
渡辺　享ー金もうけを目標として、ある映画を作っています。
泰　康夫ー完成がのびのびになっている記録映画社、「五十里ダム」の演出助手、及び編集助手。
七月末のロケの時照明助手を兼ね、二二〇ボルトに感電して、全治一週間ほどの怪我をしました。
おそくも九月中旬には完成予定。

(ロ)会員諸氏との連絡を一層密接にして仕事の実体をよく知る。ことなどについて検討した。

③経営所属会員の交流について

経営所属の方々については、協会の主催する各研究グループ活動に積極的に参加して戴き、作家同志の見聞を大いに拡め、交換して貰うことは勿論だが、特に協会の定例試写研究会とは別に経営の特殊性を考えて、毎月一回位、各経営の代表作品を他の経営所属会員に見せ合い、交流する機会を輪番に持てるよう、協会としてあつせんしてはどうかと言う提案が出され、原子氏が各経営を歴訪する時に経営会員諸氏の意見を伺うことにした。

④賛助会員の会費について

賛助会員として協会に加入されているプロデューサーの方々には、その会費を月額三百円に統一して戴くようお願いする。

（菅家）

再び会費の委託納入について

運営委員会

過日の新入会員歓迎会の席上で決定したことですが、更めて会費の委託納入の件をお知らせします。

お金というものはとかく入つたときにでもないと、なかなか出せるものではありません。

そこで今後、フリーの方々はご都合の好いとき、だれでも委員の者にお頼みになれば、委員はたゞちに事務局に持参することにいたしました。また企業所属などの方々は、自社の委員にお頼みいたゞければ幸いです。

尚賛助会員の会費は、運営委員会で検討の結果、月額三百円に統一して戴くことに決りました。よろしくお願い致します。

まつたく「会費の納入が協会の成長を保証するもの！」です。

運営委員長　吉見　泰
事務局長　菅家　陳彦

尚、運営委員は、（順不同）

加藤松三郎　八木　仁平
京極　高英　西尾　善介
宮澤　幸男　間宮　則夫
（新理研）島内　利男　（日映）中村　敏郎
（岩　波）羽仁　進　（日漫）吉岡　宗彌

吉見と管家を入れて計十二名です。

☆　声　☆

最近、僕たちの映画の中の大半が創造ということに対して皆無の状態で作られている。

こんなことを云うと怒鳴られそうだが、勿論表面の映画技術にはあの手、この手と考えてはいる。

だが、私の云いたいことは、この創造？をのり越えた。作家のその人なり、世界観なりが右でも左でもいゝからその映画技術をひつくるめて表現されている芸術への創造である。簡単に申せば、見てそれが誰の映画か分ることでもよい。そしてその芸術について悪口が直ぐ云えるような、ツボラな映画なら尚いい。

（京極　高英）

松岡　新也ー最近は考えるところあつて、社会教育、学校教材用として職業教育を心がけてみたいと思つて、じつくり考えていま す。

川本　博康ー次回作品待機中。

村田　達二ー「三つの誓い」（日映新社作品）撮影終了。アメリカン・ボーイスカウトの訪日記録と、ジャンボリイを通じて、少年達の素直な友愛関係をそのままの姿で描いたものですが、スケジュールに追われて思う通りにゆきませんでした。

肥田　侃ー生物の生態映画二、三本の調査とシナリオを担当しています。

いままでこの種の映画に、ともすれば不足がちであつた眞の意味での生態――生体と生活環境との密接な関連における生命現象乃至生活現象――を描きたいと考えています。

菅家　陳彦ー当分、東映製作所の〝米作り〟。その間、ちよこちよこと同社のシノプシスを手伝つています。

米山（新映画）プロダクションが、国分寺の遺跡発掘を記録することになつた。

八月十八日新人会より

クレショフ難解

渡辺正己

「映画制作法講座」（六〇―八〇頁）でクレショフはシナリオの超課題、主題、貫通行動、形象、筋、行動についていつてから、「チャパイエフ」のシナリオについて、それを具体的に示している。

八月十八日の新人会に出席したのは、小泉、河野、鳥谷、杉原、苗田「司会」、富澤、豊富、西本、藍澤、森田、渡辺（正）の十一人。

この研究会では、亀井さんの「生きていて良かつた」を手がかりにしながら、シナリオの思想、超課題、主題、貫通行動が問題になつた。

クレショフによると、映画の演出の仕事の実際にあたつて、シナリオの思想を超過題という。要点 思想と主題とは切り離ち難い一体をなす。監督の仕事の実際の面で、主題―単一根本行動―は、貫通行動という。

☆

―この区別がはつきりしない。

―根本思想、超課題、主題、貫通行動の順で段々具体的なものになつて行くのじやないか。

―その段々というのは、どこで区別するのか。

―超課題が決定していても、監督の仕事の実際の面で、コンテ通りに行かない時は、貫通行動が違つて来るか。

―もし貫通行動が違つたら、超課題が違つてくる。シナリオを直すべきだ。

―シナリオを直さないでコンテを直すこともある。

―それなら前に出した貫通行動がまちがつていたんだ。

―だけど、一つの超課題について一つの貫通行動しかない、ものかどうか。

―一つの超課題から違つた貫通行動の生れる場合もある。

生きていて良かつたの超課題に向けて、もし京極さんなら亀井さんと違つた貫通行動を打ち出すことは考えられる。

☆

スタニスラフスキーシステムで俳優が戯曲から自分の役を創造する時に、俳優は主題の分析の中から自分の役の超課題を決定する。舞台の上でこの超課題に至る線が貫通行動である。登場人物の各々の貫通行動とそのからみ合いが更に新しい行動に発展し戯曲全体を貫通してその戯曲の超課題を明かに語る行動とならねばならない、これが演出者の仕事である。

もつと実際の演出の面で研究を深めて行きたいとの希望から、次回コンテニュイテイの所では木村荘十二監督を招いて「森は生きている」のコンテについて研究することにし、「森は生きている」必見、コンテの章必読のことと決めて会を終つた。

これは皆で作ろうとゆうことになり、小生が現場の一番バッターに立つわけ。二番バッターを募ります。

小野　春夫―「不幸な出発」少年院出所后の、保護看察中の子供と、B・B・Sの人達の友情を描く脚本オ一稿完成。「しらがね学園」貧困家庭や、親のない精薄児を収容している学園での、教師と精薄児の生活を描く。準備を進めています。

中島　日出夫―「ガラス張りの人生」（一巻）東京シネマ。進行をやつています。ガラスのP・Rです。ガラスのはまつた美しい建物の内外を撮つています。その為ライトを使用する場合でも、絶対に晴天を必要としますので、恨めしそうな顔をして空を見上て過した日が幾日もありました。その代り晴れた日は、あちらこちらと都内を撮り廻り、汗を拭く暇もありません。

かんけ・まり―オ一映画教材「絵日記」演出準備中。

岩崎　太郎―七月下旬以来「防人の村」（共同映画・三芸映画共同作品）のために、横浜市の山

日本の記録映画の歴史を聞く会

（才1回）

新人会

映画というものは文学などと違って、作品が完成されて間もなくは、度々観ることも出来るが、時が経つと全く忘れ去られたように姿をかくして、仲々観ることが困難である。それと同時に、その作品が果した歴史的役割すらも、次第に忘れられて新しい世代のものにとっては、先輩作家達から語り草として耳にすることがせめてもの知識で、折角の映画的遺産が後世に充分引継がれることなく、立消えになっているようである。

特に日本の記録映画のジャンルに於いては、その関係の書物すら余り出版されておらず、新人達にとっては全くのツンボ桟敷におかれたかの状態である。

そんな訳で、せめて過去の遺産についての事情を知る方達から、その話を聞き、或はプリントなども探し出して観て、記録映画作家として現在どの様なものを創造してゆかなければならないか、その創作方向の一端を打出そうということで新人会はこれを計画した。

先ず才一回は、九月一日に開かれて、講師として「厚木たか氏」が出席された。会員は二十名近くの盛況だった。

氏は、偶々さる出版社の依頼で、日本の記録映画史を執筆予定だとかで、快よく引受て下さった。

当夜は最初に三つの時代的区分として、(1)昭和初期プロキノ時代(2)昭和七、八年以降の文化映画隆盛期。(3)戦後。というように分けて、(2)の文化映画について語られた。この欄で余りくわしく報告出来ないのが残念であるが、十字屋の太田仁吉氏の自然科学映画、横浜シネマの青地忠三氏の「北進日本」、満鉄の芥川光蔵氏の「秘境熱河」、「娘々廟会」など、少し下って東宝文化映画部の、亀井文夫氏の「上海」「北京」「小林一茶」秋元憲氏の「南京」、芸術映画社の、石本統吉氏の「雪国」、京極高英氏の「或る保母の記録」、東宝の「医者のいない村」（伊藤季男演出）横浜シネマの「和具の海女」（上野耕三演出）、毎日の「炭焼く人々」（渥美輝男演出）、芸術映画社の「石の村」「方面紹」（京極高英演出）などについて語られ、記録映画というものが、政治に対する抵抗運動として生れてきたこと、当時のチンプな劇映画に対するアンチテーゼとしての、リアリズム映画運動として発展してきたこと、そして記録映画という独自のジャンルを形成するに至ったこと。昭和十四年の映画法で、劇場進出が保証されて盛んに作られるようになったが、戦争協力を強制されて、多くの作家が苦しんだことに話が及ぶや、さすが当時身をもって体験されただけに、話は一段と感銘深いものであった。

更にポール・ルーターの文化映画論が昭和八年に翻訳紹介されて記録映画的創作方法の研究書として注目を浴びたこと。

最后に、新人への言葉として、記録映画の創作方法としては、定義に捕われることなく、その内容や効果の点で、自由に考え各自が自己の方法を築き上げることが大切だ、と結ばれた。

新人会としては、これが毎月一

奥の発掘現場に来ています。八月一杯でのクランクは終了します。

赤佐　政治—「オートメーション」三巻（英映社）演出。九月初旬完成。

児童劇映画「ともだち」三巻（英映画社）脚本脱稿。

小熊　均—岩波映画「動物園の夜」（仮題）演補。

高井　達人—「女教師」四巻。才一回撮影を終え、十日頃から本格的にクランク、十月末には完成予定。

各務　洋一—東芝貿易の仕事で現在都内ロケ中。

羽仁　進—「動物園」撮影中。

落合　朝彦—P・R「五七年型マツダ」の中国版を演出中。

中村　敏郎—「輝くマツダ」これからロケに出発。

森永　健次郎—待期中

伊勢　長之助—岩波映画にて、P・R映画「鉄をつくる」（仮題）（富士製鉄）のロケをやっています。完成には今年一杯かかる予定です。

平田　繁治—線画の製作中です。

八幡　省三—「世界を結ぶ短波」（東京シネマ）の製作進行中。

回のスケジュールが生まれるのであるが、初旬に「歴史を開く会」中旬に「クレッシェンド」をやります。

次回の「歴史を開く会」は、講師に岩崎昶、吉見泰両氏を予定しています。大体十月初旬です。

（新人会）

§§§§§§

☆声☆

作家というものは、いくら理屈を並べても駄目。やっぱり作品で勝負する他はない　ということをつくづく感じています。

（丸山　章治）

協会もいよいよ今年度の下半期です。運営委員諸氏の一層の御フントウを祈ります。

（かんけ・まり）

研究会の成果の具体化を

本間　賢二

先に矢部提案があり、それに対する「協会自主作品を目指して」という運営委員会の応えがあって協会が漸く具体的な一つの大きな目標をもつて動き出す機運が生れたのは、大きな前進だと思います。

それまで協会には規約にもあるように、会員の仕事の斡旋や、利益の擁護、教育映画全般の発展向上を計る。民主主義文化を守る等等、種々の問題があつても、率直に言つて運営委員会の市場開拓についての努力以外、それらの問題を着実に前進させるような具体的活動は、あまり見当らなかつたようです。

多くの貴重な記事が会報に載つたけれど、それらの多くは断片的意見や感慨に終つてしまつて、協会がなにか親睦会的存在に留まつてしまつているような印象をもつたのは私だけではないような気がします。岩堀さんの白書にしても、あれは決して岩堀個人だけの問題とは思えず、作家をはじめ今日の教育映画全体にかかわる多くの切実な問題を含んでいると思うのですが、いまだにそれに対する検討やまた新しい問題の提起などもあまりなされていないようです。

矢部提案が会費納入という身を切るような非痛な思いをこめて出されていますが、それは今までの協会の在り方が作家の一人一人をそこに集める魅力に乏しい、という事実をふんまえての提案であつたように私は思います。

協会が発足してまだ日は浅いですが、しかし、今協会内には新しい機運が生れ始めています。

矢部提案を単なる夢に留めず、それを協会の在り方の一つの心棒として、そのための態勢を準備すべきだと考えます。一口に自主作品と言つても運営委員会の応えの中にもあつたように、近い将来に

竹内　信次ー「世界を結ぶ短波」（東京シネマ）演出中

松本　俊夫ー「科学の勝利」現在ロケ中。演出助手。

岡野　巌ー次回作品待機中。

下坂　利春ー「科学の勝利」現在ロケ中。演出。

中島　智子ー「住いの歩み」樋口源一郎演出の助手をつとめている。

水木荘也ー「平安美術」の製作準備中。

岡本　昌雄ー「雲の種類」ロケ中。

加藤　松三郎ー東京シネマ「株式」日映科学P・R映画の脚本執筆中。

吉岡　青人ー「緑の谷間」仕上中。日立作品演出。昭和石油脚本執筆中。

細川　龍介ー帰省中。

豊富　靖ー「ぶどう島の宝物」（文化映画研究所）河野組演補。中旬よりクランク・イン。

岩添　哲ー次回作品待機中。

樋口　源一郎ー「住いの歩み」（新理研）演出中。

富澤　幸男ー映配の「マナスルに立つ」編集中。九月中旬完成予定。

西澤　豪ー日映新社にて、日本地理大系「新しい土地」撮影中。

容易に出来るような仕事ではありません。

　けれど、自主作品的企画や脚本を望む声は確かに各方面に生れてきているようだし、それも各企業内での企画はしばしば色々な壁に突当つて、具体化出来ないのが現状でしよう。企画があつても映画化する能力がなかつたり、能力があつても企画がない、という話も聞いています。

　そのような中で、完全自主作品の企画を発表して教育映画界の自主作品製作や、進んだ良心的P・R映画製作の機運をリードして行ける立場に協会は立つていると思うし、むしろそれは協会の果すべき大きな仕事の一つだろうと思うのです。

　そこで考えるのは、矢部さんがヘタと膝を打つたように、丁度一齊に出発した脚本、教材映画、P・R映画の各研究会の活動をその目標に結びつけることです。今までの研究会といえば多くは作品の分析、検討で終りがちですが、更に進めて創造的なものに凝り上げ新しい企画、脚本を生み出してゆくことです。　幸い去る新入会員歓迎会の席上でも見られたように、新しい意欲の点では人後に落ちぬ人々もたくさんいるし、それは期待してもよいと思います。

　次にそれを発表する機会を作ることです。会報を充実してその中に研究会の成果を発表してもよいのですが、会報としての性格上、研究会の成果——研究会として選んだ企画案、脚本、その他を別にまとめて季刊でもよいから発行したらと思います。費用もそれ程ぼう大なものではないし、場合によつては一部毎にカンパという形で徴収することを考えてもよいでしよう。それに載るものは例えよい作品でも、各企業で企画したものは除き、あくまで協会内の自主的なものとすべきです。そこに載つた作品が望まれれば、製作会社に提供して仕事のない会員に仕事を与える機会を作つてもよし、また提携作品という形にしてもよいでしよう。例えそれらの作品が各社での映画化される見込みがないとしても、すぐれた作品が発表されることには大きな意味があると考えます。　中には社会的に訴えを起して製作費を集め、是非とも協会の夢を実現したいと思うようなすぐれた企画、脚本の生れることも充分期待出来ると思います。

　また単に各社と関係をもたないという理由のために埋れている才能を発掘することに役立つかも知れません。それによつて研究会はサロン化するようなことも防げ、一層充実して活潑化するのではないかと思います。と同時に会員（会員ばかりではないかと思いますか）の協会の活動に対する関心を一段と深めることに役立ち、ひいては協会全体に活気を添えることと信じます。

　自主製作の夢は、ある材料、ある機会があつたらという他力本願では出来ないし、偶然出来たとしても協会の在り方に対してプラスすることは少ないと思います。

　自主製作への夢のためにも、また充実した協会の本来の在り方からも、必要なことは押しつぶされがちな会員の自主的作品への意欲を育ててゆく態勢を具体化し、それを持続してゆくことではないでしようか。

宮岡　捷—P・R「住友化学」ロケ九月中旬まで関西に滞在します。
小島　義史—「東北のまつり」並部の仕上も十一日の録音で一段落というところです。これ以後の仕事は一寸見当がつきません。
片岡　薫—何かよいものを書きたいと考えているところです。
大久保　信哉—記録の「五十里ダム」線動画一八〇呎、ミネチュア一八〇呎を製作しました。特にミネチュアは予算の少い短篇教育映画にも、どんどん利用して貰うために、特別に材料を選び手数の縮少をどの位まで出来るか、あらゆるものを含めての試作的な仕事でした。
　思つた程の出来にはなりませんでしたが、機会がありましたら多くの人から批判をお聞きしたいと思つています。その他、高野プロの葉緑素の線画を製作中。
新人会・試写研究会等に是非出たいのですが、全体の事務までやつているので行けず、残念でなりません。
桑野　茂—九月上旬より約半年、イラク地方に参ります。私の為に公私ともに御心配下

新人走り我記

中島日出夫

今回の私の仕事は進行係でしたから、心理的には大変気楽なものでした。責任上重要な問題は、一切演補の森田さんにお任せするように心掛けましたから、森田さんは大変迷惑された筈ですが、私にとつては心理的に余裕綽々たり得た所以です。　こう書けば、仕事はソツなく進められたといつて然るべき筈のところですが、事実は図らずもその逆であつたのです。森田さんが傍についているという安心感が、つい油断の虫を起させるからです。そうでなくてさえ呑気な性質で、人に注意される迄忘れ物に気付かぬような私ですから、安心すれば輪をかけて油断してしまうのです。それがいけないのです。おまけに、今度の仕事のように、一巻物で一〇〇カットを越すに割とテンポの早い仕事となると、とても呑気に構え勝ちな私では、とても追従し難くなるところから破綻が生れるわけです。進行ではなくて退行係のようなものでした。かくして今回の仕事も又失策の連続に終りました。　デスクから、一日一回はお小言を頂戴せさるを得ないとは誠に我ながらあきれさるを得ませんでした。電話が通じて、さて用件にとりかゝろうとするより早く、もうポンポンと小言が飛び出して来る有様です。「待つてたんだよ。何故もつと早く連絡しなかつたんだ。」全く幾度もそう言われながら、今また同じことで叱られる。こうゆう場合は下手に言いわけすると、かえつて火に油を注ぐようなものであるから、黙つて聞くことに決めています。「I協会のYさんからナ、何回も電話があつたんだよ。一体、アパートの撮影は何時から始めるの？Yさんはもう現場でずつと待つているんだからね。」「どうもどうもこちらの撮影が遅れたもんで、やつと今終りましたからすぐそちらへ廻ります。Yさんから連絡がありましたらそう伝えて下さい。」「なんですぐYさんに連絡しないの？」「あそこのアパートはこちらからの電話が通じないんですよ。」「そういうことがわかつていたらナ、なおさらこつちとよく連絡をとつて置かなければ駄目じゃないか。そうすれば、Yさんとも連絡の方法があつたでショ。」こうした失策、それは全く初歩以前のものです。これは私がルーズな故為でして、決して新人であるからではないです。お間違いなきよう、他の新人諸兄のために念のためお断りしておきます。「では今後は忘れずに連絡するように頼みましたよ。移動する前には必ず電話を入れるようにね。」「ヘイ、承知しました。サヨナラ」で電話を切る。やれやれホツと息を吐いた途端に、もう次の失敗をしでかしたことに気付く。立て続けにお説教を喰つて、すつかり度を失つていたため、自分の用件を喋ることをきれいさつぱりと忘れていたからだ。周章てても一度電話を掛け直して、もう一度お小言を拝聴するという段取りとなる。落語になりそうなお恥かしい有様で、きりがありませんからこの位で止めておきたいと存じます。

一二

さり、又激励下さつた友人の方々に心から御礼を申上ます。

野田　眞吉ー「本州の屋根」（日映新社）演出。長野、岐阜、山梨方面ロケ。

日高　昭ー企画準備中。

山岸　静馬ー日本短篇映画社〟そろばんの学び方〟の演出をやつてます。

豊田　敬太ー東映にて「九十九里の子供たち」（犬吠岬の子供たち改題）演出中。

天候に恵まれず、ロケ延引。義務教育も満足に受けずに、アグリ船や、タイつり船に乗つて働く子供達と、教育の対策を描く作品。

眞野　義雄ー協同プロ作品、東宝配給「力道山男の魂」が昨日を以つて（八月二十五日）終り、現在次回作品の準備中です。未だ何をやるかわかりません。

西尾　善介ー黒部峡谷」も八分通り終り、晩夏、初冬新雪のロケが残つています。九月、十月一杯はこれにかかりきりとなります。

大場　秀夫ー自主製作（日本記録映画社）〃ふぐ〃作品完成し、次の企画に入りつつあり（未定）

新人以前

楠木徳男

私は大阪の或る貧しい裏長屋で生れました。天神祭で有名な、天満の天神さんの近所で幼少の頃を過しました。その頃天神さんの近所に早朝サービス、子供四銭の小屋がありました。

目玉の松ちゃん、市川百々之助ヘヤブサ・ヒデト、爆弾小僧、阪東妻三郎、鈴木伝明、洋画では、チャップリン、キートン、ロイド、ロレール・ハーデイ等が記憶に残つています。

後になつて其の地を変り、成長して中学生になつてからも、学校の先生や親の目を盗んでよく観に行つたものです。特にその頃は教護連盟という各学校の風規取締係の先生の連盟があつて、各映画館でその先生方が何時も目を光らしていたものです。

そうした中でスリルを感じつつ観て来た中で、未だに印象に残つている映画が三つがあります。

一つはジャン・ギャバンの「望郷」。一つはジョン・フォード監督の「駅馬車」。もう一つは、ジエームス・スチュアート主演の「スミス氏都へ行く」でした。

やがて戦争が次才に激しくなり、大東亜戦争に入つて一切の洋画は若干のドイツ、イタリアのものを除いては上映されなくなりました。それ以後復員して大学の専門部に入り、学部を卒業するまで私の映画好きは更に加わつてゆくばかりでした。

そういう私が、学生時代の途中で演劇の道に入つたのがけい機となつて、私は或る劇場の企画部に入り、後に某新劇の劇団を興し、更に谷桃子バレエ団を経て昨年中央文化映画社へ入社しました。

私が映画の製作に情熱が沸いて来たのは劇場の企画部にいた頃のことです。其の頃劇場では、新劇や歌舞伎、能、舞踊会、音楽会、バレエ等、主として舞台芸術のものを取上ていたのですが、それでは採算がとれなくなり、遂には映画館に転向してしまいました。

そこで私は支配人代理を命ぜられ、上映映画の番組を組み、その興行の一切の責任を持たされました。毎日々々洋画、邦画を嫌という程試写を見ることを余儀なくされました。

詰らない映画が興行的にもヒットしていることを知りました。

その逆にこの映画こそ多くの人々に見て欲しいと思つた映画が、案外入りが少ないということが、しばしばありました。

私はそうした中で、つくづく日本映画の無能さと、上映してるだけの映画館の仕事に嫌気がさして来ました。「こんなに沢山作られる映画の中で、ほんとうに我々の心を打つ映画が何故こんなに少ないのだろうか？よーしつ！　ひとつ俺も映画の中に飛込んで、製作の仕事の勉強をし、たとえ僅かでもほんとうに見る人々に大きな勇気と感動を与えるようなものを作つて見たい」——こうした気持が私の心の中にむらむらと沸き出て来ました。

処が関西では仲々そうした仕事

（次ページの三段に続く）

間宮　則夫ー〝東北の祭〟才一部編集中。十月完成の予定。（東京シネマ）

稲村　喜一ー八月に〝五匹の子供たち〟を完成。九月から〝ちび・くろさんぼ〟に着手します。製作と併行して人形映画製作所を会社形態に改変する準備を進めております。

道林　一郎ー三菱化成改訂版作成のため、二十四日より十日間程の予定で、再度九州へ行く。

国分寺発掘にからんで、歴史教材映画？など　手がけてみたいと張切つています。

永富　映次郎ー産経映画作品「働らく人の栄養」完成。直ちに次回作品、イーストマン・カラーによる「躍進する横浜港」に着手。

諸橋　一ー漫画「春を告げる鳥」の製作中。

山本　升良ー引続き三木映画で、新しく入るP・R映画の準備や。「ことばと態度」の後かたづけ、其の他モロモロをやつています。

丹生　正ー児童向劇映画脚本中。

中江　隆介ー才一映画で、既にシノプシスの出来ている「誕生会

記録映画の方法

日高昭

最近記録芸術の領域の広まりが目立つてきた。文学の面についていえば、生活記録（綴方）サークル詩、ルポルタージュ、或いは記録文学という形で、それは主として今まで表現の機会をそれほどもたなかつた多くの国民階層の中から起つてきている。それは職場から家庭から学校から、全国の人々がそれぞれの生活の限りない欲求を満たそうとしてあらわれてきている。ここにあらわされている個々の人々の体験の記録は、自己の苦しみや悩みを自己だけの独白として解消させるのでなく、どうかして周りの人々に語りかけることによつて。共通の意識をもとうとしていることであり、自[illegible]をより広い足場に据えようとしている ことである。そこに私たちは、新しい集団としての意識や考え方の生長をみる。そしてこのことは、先ず卒直な体験の事実の記録を土台にしていることから、これまでの架空による物語芸術 ー 孤独な小説文学の否定であり、新しい集団的な芸術の契機と考えられる。

又これまでの小説の間でも、たとえば遠藤周作は、人間描写の方法について主観的な心理分析の行き詰りを訴え、具体的な行為の形を問題にしているし、野間宏は人間を全体的にとらえるとして、これまで主として「個人的な方法」に頼つてきた行き方に、更に「社会的な方法」の重要さを主張している。この場合の社会的方法とは、人間を関係においてみるみ方であり、それは人間のより現実的な存在として、つまり一層具体的な形において考えるみ方に通ずる。これらの事情は、人間の社会性を志向することから、記録文学と同一の方法を目ざしているように考えられる。

このような文学の記録性への志向は、表現手段としての映画によつてその権限を与えられる。それは映画が写真を要素としており、その機能が対象に対して徹底的に

（前ページより続く）

にありつく機会がなく、止む得ず二三年を過し、一昨年私は勇を鼓しておそまきながら上京を決意したものです。以来中央文化映画社に籍を置いて色々の仕事にたづさわつて参りましたが、仕事をやればやる程、自分の無能さ、勉強の足りなさをひしひしと感じて参りました。此の間の新人会員歓迎会の席で、誰かが「私は新人ではないので：：」というような発言をしていましたが、その方は一本の作品を自分の力で作られたので、そう言つて居られたようでしたが、私はそうした意味から言えば、年令も他の新人の方より少し多く、仕事も四本程ついては参りましたが、全く新人以前の立場にある者だと思つています。というのは、映画についてはそれこそ何も知らないということです。全くの素人も同様の状態かも知れません。

私の協会に入つたのも、そうした新人以前より再出発したかつたからに他なりません。どうか諸先輩の皆様の御指導により、このつたない私を新人以前よりせめて新人にまで引立て下さいますよう、心からお願い致します。

一のシナリオ化を進めます。「たのしい算数」は多少ネライを変えて、おそくとも九月中には一応の結論を出す積りです。但し九月九日までは夜だけ劇団中芸の「襲来」（俳優座劇場）にかかまつています。

高村　武次－九月末「佐久間ダム」第三部クランクアップ、以降編集。

年末又は来年一月末完成予定。

大沼　鉄郎－東京シネマ「国際電電公社」（演出　竹内信次）撮影中。

九月からは深川のステージで、ミニチュアを撮ります。新人会員でミニチュア撮影に興味のある方は見に来て下さい。

電話連絡は、(57)七〇五〇東京シネマ、大沼まで。

黒木　和夫－「東芝貿易」撮影中で。九月中旬アップの予定。長い仕事でした。

杉山　正美－　遊兩遊、体の保養に努めています。

渡辺　正己－事務局を終りました。卒業論文をかいています。記録映画の方法について、です。事務局で、至らなかつた多くの点

即物的客観的であるからである。そしてこの機能を土台とし、それを独自の方法として成り立たせるものが記録映画である。

劇映画や漫画映画或いは絶対映画、純粋映画などの系列が、劇・文学と同じように、想像の世界を認識の対象としており、現実が虚構によって移転された世界を扱うのに反し、記録映画は直接現実を認識の対象とし、その中に現実的な思想を求めようとする。記録映画の世界は事実の世界であって想像の世界ではない。ここに記録映画が他の芸術諸形式（文学・演劇・絵画など）から訣別され、独自の芸術形式たりうる根本的な違いがある。

現実が対物レンズによってとらえられたフイルムの映像の世界は、それが単なる機械的模写であっても、そこに映画リアリズムを成りたゝせる契機を含んでいる。そのいみで記録映画こそが映画リアリズムの土台でなければならない。これは今村太平の創見であるが、このことをしてキャメラの機能がそのままリアリズムであると早合点してはならない。キャメラの機能は人間の主観とは別に、独自の働きによって対象を認識する。そこにわれわれはリアリズムへの契機を与えられる。それは事実自体のもつ批評性によってゞある。

記録映画のリアリズムはその批評性を積極的に求めるところから始まる。よくいわれる事実のある程度の変更ー演出は、事実の批評性に即して行われなければならず、演出が行きすぎると、事実の世界が主観的に再構成されて虚構化する。するとそれは必然的に物語ろうとする傾向になっていく。「ひとりの母の記録」はその有名なものである。

物語ろうとする態度は劇の方法である。なぜならば想像とは意識の働きであって時間に自由であり、それは無限に過去にさかのぼり、未来はイリュージョンとしてあらわれ、したがって劇の表現方法は時間の経過の中に求められるようになる。ゆえにそれは物語的となる。小説は散文によって、戯曲は台辞によって物語るたてまえになっていることは周知のとおり。劇映画は台辞を基本とし回想形式による独白、あるいは解説などで物語る。

これに反して事実自体のもつ批評性に目を向ける記録映画の方法は映像的な表現を基本とする。なぜならば、それは事実の世界が認識の対象であるから、過去の実在をあらわすことができない。それは過去を現在の形に還元する。それは凡てを現在として示すのである。こうして記録映画は現在の空間の広がりの中に過去の歴史と未来の可能性をあらわそうとする。したがって記録映画は必然的に空間的表現、つまり映像的表現、そしてその構成（モンタージュ）に基本をおくようになるのである。いゝそえておかなくてはならないのは、記録映画が映像的な表現を基本とするからといって全く台辞や独白や解説その他の音を排除することにならない。かえって音は空間を満たし、映像との対位的な表現によってその効果を高め、現実音は一層そのリアリテイを加えるものである。しかし物語的な解説は不必要である。

「ひとりの母の記録」は個々の素材（人物や背景）に事実性をおきながら全体として虚構化の方向を辿った作品で記録映画といゝにくい。さればといって台辞による一貫した構成にもなっていないから劇映画ともいゝがたい。これは

ーごめん下さい。

竹原　繁雄ー八月二十日より渡辺正已君と変り事務局の仕事をしています。新マイです。よろしくお願いします。

時枝　俊江ー"街の政治"撮影中。どうしてよいのか困り果てています。

小森　幸雄ーこれと云った活動はしていませんが、トレーニングと云う意味で児童劇「村の腕白小僧」の脚本を書いています。出来れば橘外男氏「私は前科者である」を脚色してみたいと思っています。

森田　純ー賛否論、はげしい中をともかく学習映画大系、社会シリーズ十本をやり通す積りです。

"箱根ごえ"を終って、才二作の"北上山地"にかかったばかりですが、己の未熟さもさりとて、見当違いの御批評をいたゞき、面喰っています。

教材映画の場合、既存の映画理論や、純粋な教育理念では律しられない別のモノであり、製作の手懸りとして指導要領、学習計画案が才一義的にとり上げられるということ、お考え願い

劇映画に記録映画の方法を導入した半記録映画（イタリヤのネオ・リアリズム映画の系列や「鉄路の斗い」「若き親衛隊」など）に対して、記録映画の中に劇的方法を導入した半記録映画とも呼べそうだが、それにしてもあいまいな形式である。全篇解説によつて物語り、たゞ一つの別の視点ー二番目の娘の独白も解説の色をかえた代弁としか思われず、余り効果的な手法とは思われない。個々のショットに優れた記録的効果をもつこの作品も、残念ながら全体として深い感銘を与えるリアリティに乏しかつたのも、おそらくその虚構のせいだろう。

「生きていてよかつた」は記録映画の方法によつて優れた効果をあらわした作品である。ここでは原爆被害者自身の姿とことば（現実音）を基本として、ニュースリールをはさんだ、映像的表現とそしてそれと音との対位的表現が、被害者の主観描写、独白、回想などの多角的な技法によつて展開される。それは実に記録映画の表現方法に創造的手法の可能性をきりひらいた作品と思う。∧生きることは苦しい、死ぬことも苦しい、でも生きていてよかつた。∨という作者の願いにもかゝわらず∧生きていてよかつた∨という印象が強く迫らないのも、逆に今日の現実のリアリティを指し示していると思われるし、改めて記録映画のキャメラの目に驚くのである。

「日本かく戦えり」という太平洋戦争における激戦の記録は、その圧倒的迫力にもかゝわらず、なお今日に対する理解への展望に欠けることは、いろいろな制約のゆえとは思われるが惜まれる。しかしここにはこれまでの劇映画の虚構をもつてしては推測のできない。事実自体の訴える戦争否定が強く印象づけられるのである。そしてここでも、全体の構成を支える創作方法とは相対的独白に、キャメラの目がとらえた個々のショットのもつ批評性に驚くのである。

「砂漠は生きている」「滅びゆく大草原」「青い大陸」「失われた大陸」などの外国製記録映画については、それが事実自体のもつ批評性をリアリズムにまで高めず、かえつてそれを喪失しつゝショー化したものとして佐々木基一が指摘し、これを記録映画のダラクといつた。同感であるが、顧みてわれわれの作つているP・R映画がショー的な娯楽物にも徹底し切れず、まことにふやけたものの多いのを思うと冷汗が出る思いだ。

✿　✿

記録映画については、更にその認識論から構図論までもつともつと明らかにしたいと思つているが、以上の方法論を根底にふまえてから論議したい。諸兄の御批判をいたゞきたいと思います。（終）

☆　声　☆

P・Rであれ自主作品であれ、スポンサーなり企業なり、ロケ現場なりで作家（スタッフ）が「こちら側」の意向と「向う側」の意向とをうまくかみ合せて、立派な仕事を仕上げる為に「運動と実践の場から出発する創作方法」に就て、種々御経験ある作家諸氏と話合、検討する機会を是非持ちたいと思います。皆御多忙だから会合が持ち難いでしようから、紙面検討会でも結構です。この意味でも今の会報では頁が足りませんから、何とかして完全な機関誌を早く持ちたいものと思います。

（富岡　捷）

たいと思いますことはむしろ教材映画の邪道でしよう。つまり教材映画は授業の始めなのです。

矢部　正男ー岩波で次の仕事の待機中

桑木　道生ー目下暗中モサク中「自動車の運転の話」とか、「世相」などを企画中ですが、遅遅。東急の話も進めていますが、なかなかです。

清水　信夫ー東映児童劇映画「風の又三郎」（宮澤賢治原作）の脚本完成。

吉岡　宗阿彌ー才一作〃つるのはね〃につゞき才二作〃春を告げる鳥〃の脚本完成待ち。才一作の不充分さを是非とも才二作で描きたいとスタッフ一同大いに張切つて居ります。

前田　康夫ー新日本地理映画大系「本州の屋根」で八月末から中部地方、主に長野県へロケに出ます。四十日位。

樺島　清一ー理科映画体系〃土地と植物〃とまだとつ組んでいます。中味は場所が違うと植物も変つて来るという話です。カラーでないのが残念というような写眞になり相です。

シナリオ研究会便り

近藤才司

八月十八日午后三時より映教会館二階会議室で、羽仁進脚本「双生児」を中心に、オ二回シナリオ研究会を開きました。

初め同プリントの映写も予定しておりましたが、当日近くなつて十六ミリプリントが未だ出来ていない事が岩波から伝わり、日も迫つていて変更も出来ぬまゝに脚本丈で会を持つことになりました。

この点を御出席の諸兄姉に改めて御詫びします。

出席者は、岩佐氏寿、羽仁進、河野哲二氏等約十名。

☆「双生児」について－

夏休みを堺にして（相似、非相似の点を）くり返している構成。

ある程度似てない点を押しといて、後年より似てない面を押した（羽仁）双生児の専門的理論が、しつかりしておらず、その映画的表現の整理がついていない不満が残る（羽仁）

☆シナリオについて－

先ず最初の段階で、トゥリイトウメント（筋書的なもの＝骨格）が重要視さるべきだ。初めからイメージがあまり出るのはよくないと思う＝シークェンス単位の進め方（羽仁）初め単純な型から出発し、いく段階か経て発展してゆく＝現場での練り直し。記録映画のシナリオの本来性（岩佐）

☆フイクションについて－

フイクションを否定する必要はもうとうない。フイクションは対象にはなく、作者の側にあるもの。作者の創り出してゆくもの。

記録映画はとかく対象をオブジェ的にとらえている（羽仁）対象の中へ踏み込んだ場で作らないと平面的になる。（岩佐）

作つているか、いないかばかり論じているのはおかしい。作り方が問題となるべきだ――その時の作者の思想（態度）が問題にされるべきだ（羽仁、岩佐）

甚だ粗雑な報告ですが、

以上。

☆声☆

八月十八日のシナリオ研究会面白かつた。どうか頑張つて続けて下さい。

「戦艦ポチョムキン」（エイゼンシュテイン）が入荷しているそうですが、協会員の為に見る機会を委員会でお世話願えませぬか？

（岩佐　氏寿）

会報の充実を喜び、協会自主製作には双手をあげて協力します。

（大鶴　日出夫）

お知らせ

シナリオ研究会のお知らせ

（日）十月十三日（土）

（時）午后三時より

（場所）映教会館三階試写室

何を取上げるか早急に決めたいと思いますが、名案がありましたら是非御申出下さい。この会をより意欲的なものにしたく、諸兄姉の積極的参加を切望致します。

大橋　春夫－八月八日次回作品準備中盲腸炎にて入院、たゞちに手術。目下病院精養中です。

岩佐　氏寿－「パンの誕生」（岩波）－脚本・演出九月上旬クランクイン。

「小犬と子供」（東映）－児童劇形式による社会教育映画（二巻）－脚本八月二十五日完成。

「五十里ダム」（岩波）八月二十七日～三十日現地ロケ。

「青年」（岩波）脚本準備中。

本間　賢二－東映製作所にて「米作日本一」菅家組についていますが、九月中旬のロケまで暇なので次の企画など検討中。

八木　仁平－「ガラス」（東京シネマ）八月中にクランクアップ。

完成九月。

「小河内ダム建設記録」続行中。

（今日）に追いまわされるままに（昨日）のことをすつかり忘れ（明日）はどうしようかと考えるのが精一杯の現状に抱負らしいものはない。

併し単純な人間だからメシさえ喰えれば割合面白く生きて行ける性分である。只、回教徒でもないのに断食に追込まれる不安があるのが聊か面白くありません。

大鶴　日出夫ー二本完成。技術映画編集中。次回作品製作準備中。

荒井　英郎ー只今二十三日頃帰京予定と言つて参りました。中日ニュース社の紡績機関西ロケ中の所、留守宅から御返事がありました。（荒井なみ子）

西本　祥子ー〃気象台の仕事〃のシナリオを書いています。ドラマテイックな特殊条件を取り上げず、恵まれぬ条件の下での地味な毎日の仕事を、社会との連りによつて描き出したいと思つています。

長井　泰治ー次回の共同映画。日本漫画共作「春を告げる鳥」か、又は「かもとりごんべえ」にかかる迄は、専らテレビ。コマーシャルをやつています。

丸山　章治ー三木映画「言葉と態度」完成。読売映画社のシナリオ「長崎ーキリシタン史」執筆、今月末才一稿。才一映画「薪放と正しい工法」演出、来月三日クランク・イン

洞野　哲二ー「われらのスキー」スポーツ科学映画研究所）完成。「ぶどう島の宝物」（文化映画研究所）の演出をします。イソップ物語に取材した二巻ものの民話劇です。韮澤君の才一稿を、豊富君も交えて三人で練直し、決定稿が出来ました。

ロケ。ヘンもほゞ終り、九月中旬から撮影に入ります。「仲間たち」（仮題）シナリオ執筆中。四巻ものの喜劇ですが四苦八苦してシナリオを書いています。

米山さん、京極さん、野田さん、丸山さん、道林さん、菅家さん、かんけさん、など多勢の人の御智恵拝借で、なんとかまとめあげたいと思つています。

高島　一男ー村上プロで「ボイラー用水」の演補。僕なりにいくつかの企画を持ち、検討を加えているのですが、思うように捗りません。頑張ります。

韮澤　正ー自主作品「ぶどう島の宝物」を、ぶどうの熟すのを待つて、九月中旬からクランクの見通が立ち、ほつとして居ります。

ともかく楽しい音楽民話劇にするつもりです。

それと並行してスポーツ科学映画社の「スポーツ医学」を脚本化し、プロデュースする予定でかけ廻つて居ります。

羽田　澄子ー企画中のものを二、三本もつています。

京極　高英ー「路地のある街」完成。子供は御蔭様で先日退院、ホツトした処ですが、今度は私が自分の作品を作る番が来た感じで、逆に入院でもしなければならない心境。

島谷　陽一郎ーやつと昆虫採集（十六ミリ二巻」の話がまとまり二十三日よりロケに出ました。九月十日頃アップの予定、仕事と失業の谷間に生きる私達、明日のことが心配でたまりません。（演補）

尾山　新吉ー不義理の連続で、内容の充実した立派な会報を頂くと、申訳ないみたいで弱つてしまいます。

いづれ仕事あり次才少しでもうめ合せてゆきたいと思つています。目下新宿西口にある無名プロの作品を具体化すべく努力中です。

他に劇団かゝし座、映画部にて、「アリババと四十人の盗賊」を応援演出中です。

馬場　英太郎ー目下名古屋にて静養中。次回製作の企画を練つております。

西澤　周碁ー福井県へロケ中。「福井ダム物語」才三部（新理研）

上野　大悟ー記録映画社の「五十里ダム」（後篇）ようやく音楽の録音までこぎつけました。

（八月二十七日）

衣笠　十四三ー「鬼太鼓」（全農映）完成、次回作品待機中。

原本　透ー「水銀剤」（企画北興化学、製作新理研）トレーラー演出。

片桐　直樹ー先月に引続き、中日ニュース社の中国日本商品見本市出品の「先駆的繭糸業」荒井組の演補。完成は九月十五日の予定。

秋元　憲ー新理研にて「下水の科学」を進行中。十月上旬完了の予定。

清家　武春ー日映科学にて「牛乳の神秘」を演補。録音を済ませて、目下整理中です。

杉原　せつー相変らず特別御報告する何も持ちません。

毎日やつとこさつとこ生きています。

松本　治助ー電通映画社にて、相変らずT・Vのコマーシャルに追い廻されています。いまの所フジフイルムだけをやつてます。

他に「東京ガス豊州工場建設記録」という映画の演出をやつてます。

近藤　才司ー才一映画社にて、電々公社委嘱、技術訓練映画、演補。先ず「足でかせげ！」をモットーに、体当り的に取組んでゆくつもりです。この仕事は段取が難かしいようです。進行と編集もしつかり勉強するつもりです。監督さんたちはよく御世話下さり、新入中の新人として、これに優る喜びはありません。

貴方の近況をお知らせ下さい

小野寺　正男殿　石田　修殿
中川　順夫殿　田中　喜次殿
古川　良範殿　西浦伊伊一殿
小西　久彌殿　北　賢二殿

太陽族映画に 青少年映画審議会

兵庫県から当協会に申入れ

去る八月十三日を以て兵庫県から当協会宛に「青少年保護育成の見地より映画に就いての要望申入書が送られて来た。「申入書」は：：近来不良文化財、特に映画の影響とみられるような青少年犯罪の激増と悪化に鑑み、昨秋これら不良文化財から青少年を護ることを目的とした県条例制定の議が強く起り、慎重に論議された結果、条例制定に先だち：：：「兵庫県青少年映画等審議会」を設置：：：本年六月下旬からその活動を展開しているから、次の三項について特に善処して欲しいと要望したもの。すなわち、

① 青少年の観覧を対象とした良い映画を数多く製作することに努められたいこと。

② 映画企業関係者は映画の青少年に与える影響を常に考慮されたいこと。

③ 映論の審査を厳正にされたいこと。

等で、中央における強力な措置に期待しているわけである。

尚、同審議会の構成は兵庫県 (4)、県教育委員会 (6)、県警察本部 (4)、司法機関 (2)、神戸市 (5)、学校長 (3)、児童福祉 (1)、視聴覚教育 (3)、社会教育団体 (6)、学耶経験者 (13)、興行関係 (5)、という顔ぶれである。

当協会に正式文書の申入れは今回が始めてだが、香川県、神奈川県等、地方自治体を中心としたこのような県条例又は審議会設置の動きは、なかなか活潑のようである。（事務局）

「太陽族映画」について

関野嘉雄氏談

所謂、太陽族映画といわれるものが、世上の論議の的になつてからもう大分時間がたつた。

しかし、いまそれは単に太陽族映画そのものにとゞならず、可成政治的な問題を含んで発展しつつあるようだ。

そこで、この問題に直接関係をもたれている青少年教育審議会の関野嘉雄氏に意見を伺つてみた。

◇　◇

既に新聞、雑誌其の他で報道されているように、いまこの問題に対しては、二つの意見が対立している。一つは青少年の教育という点から、この種のものは何等かの法的措置、乃至はそれに代り得るもので取締らなくてはならぬ、とする考えと、一つはそれは検閲制度の復活を意味するものであり、言論統制をもたらすものであるとして強く反対し、あくまでも自主的に解決すべき問題であるとする二つの意見である。

青少年教育審議会に於いても、この二つの意見は鋭く対立してきた。残念なことには、法的措置を必要と考える人が多いというのが実情である。

ところで、よく世間でいうように「太陽族映画が出たから、青少年が悪くなつた」という見かたをする人が居るが、それは全く正しくない。

映画の影響とはそんなものじやない。確かにあの種の映画には、観るものに何等かの影響を与えるものがある。反社会的であることも確かだ。つまり青少年達が健全な生活を営もうとする姿勢を崩すようなものとしてである。

しかし、反面に於いて、あの映画には大人達が若干考えてみなければならない問題が含まれていることも事実だろう。だから映倫で「成人向」と指定したこともうなづけるのだ。

ところが映画館の方では未成年者の入場制限が大変不徹底にしかなされていない。そこで、待つて

ましたとばかり「法律で取締らなければ」という意見が出易いが、それは絶対に駄目であるし、決して良い解決策ではない。

それにはやはり、観客が映画館に対して、好ましくない映画をやらないように、強く働きかけることが大切だと思う。

例えばP・T・Aとか、主婦達が組織的に低俗な映画を上映する映画館を、ボイコットしてゆくような運動――つまりそういう国民運動――を業界の自粛運動と結びつけてゆくことが望ましい。

世上にある論議の中には、健全で明るい映画を製作すること、又それを普及してゆくことによつて、低俗な映画に対することが出来るかのようなことをいう人が居るが、好い映画を創ることと、悪い映画を排析することとは表裏することではあるが、別箇題であるということを判つきりさせるべきだ。

何にもこと新たまつて言うのではないが、映画を製作している人達が、その製作に於ける社会的責任を、しつかりと考えていつて欲しいものだ。

いま太陽族映画を契機に、政府文部省当局は官僚統制をもつてあらゆる面に文化統制をしようとしている。われわれは、あく迄も民主主義を護るためにそれを喰止めなければならない。そのためにこそ、この問題を映画人として眞険に考えなければいけないのではないか。

(注) これは編集部でインタビューをして記事にしたものです。

文責　竹原

☆ 声 ☆

一、皆んなが楽しく話合え、明日への希望を語り合えるようななごやかな、権威ある協会のふん囲気がほしい。

一、協会に各種のパートを作り、個人契約を止めて、協会対会社の契約にする案はどうでしよう。色々意味でいいと思いますが。

島谷　陽一郎

◇　◇

会員諸兄は夫々御多忙のため、なかなか一堂に会する機会はないでしようが、たまには理屈ぬきで共に飲んで語る機会を、協会で企画しては如何？

赤佐　政治

ら・く・が・き

太陽映画は何も今始つたしろものではない。これでもか、これでもかと人間不信をあほつておいて、とうとう来るところまで来たのが太陽映画だ。

×　×　×

作らせて、さわがせて、さて縛ろうとゆう奴がどこかにいる。恐るべし、マスコミの偉力。

×　×　×

だから若けえ者を軍隊に入れて：：などとはもつての外。

×　×　×

エロはたゝくべし。だが芸術創造の自由は守らなければならぬ。

×　×　×

よい映画、もとより結好。だがよいのをきめる奴が問題だ。型通りの忠君愛国、お涙頂戴映画だけになつては更に困る。

×　×　×

近ごろ、社会科教材映画が作りにくい、使いにくいとゆう声を聞く。思いあたるものがある。教育二法案。

×　×　×

太陽映画をさわぎ立てる前に、太陽映画にそつぽを向く大衆があることを忘れてはならない(NK生)

編集後記

☆夏もすぎて秋！実はもつと早く発刊すべき会報十七号だが：：：みんないそがしいんだということでおゆるし願いたい☆さて巻頭言「協会の経済的な基盤」といつたことだが、この編集後記を書くまでには未着で気がもめる☆協会内外に話題をわかした例の作家側「岩堀白書」に対して、同プロの堀田幸一氏から製作者側「白書」をいたゞく。はたして問題は解決への道をたどるかどうか☆本号では渡辺(正)本間、中島(日)楠木日高諸氏の熱言？をえて「新人特集」の感がふかい☆また今月は「会員の声」でも新人十九、先輩十六名という未曾有のハガキをいただく。紙面の都合で全掲できないのは残念きわまるが次回からは考慮したい。「声」こそは最も端的な会員の交流と信ずる。☆最後は兵庫県青少年問題協議会他の連名になる。「太陽映画に対する要望書」が当協会にもきたが、めずらしいケースとして関野嘉雄氏の言葉と共にご紹介した☆遠くメソポタミヤにロケした桑野茂会員の健斗をはるかに祈る。(加藤)

教育映画作家協会々報

1956.10.25

教育映画作家協会　No.18

東京都中央区銀座西8ノ5日吉ビル4階　TEL(57)2801

仲間ずき合いを

私たちの仲間は今や一四〇名に近くなつた。仲間がふえることは力強く、有難いことだ。しかし、当り前なことだが、いくらふえても、仲間が本当に仲間でなければなんにもならない。

新しい会員がふえればふえるほど、仲間としての相互交流が問題となつてくる。

協会では去る日、新入会員の歓迎会を持つて、その第一歩をはかつたこともある。各研究グループもそうした交流の場となるだろう。

しかし、たゞそれだけでいいだろうか。

こんな話を聞いた。或新入会員の話だ。

ふだん、しやべりたい事、疑問をときたい事、訴えたい事、などが沢山ある。協会へ行つて話せとも言われたか、協会へ行つたとて誰に話せばいいのか分らない。というのである。

誰に話せばいいのか分らない―全くその通りである。

私たちは、近い仲間を考えてみると、その彼や彼女とは、ふだん仲間ずき合いをしている。家を訪れたり、道であつても時間があればお茶を飲んだり、時には一杯やる。そして、さまざまなことを話す。

会員の中で、殊に新しい会員、また古い会員でも、そうした仲間ずき合いが狭かつたり、会員とのつき合いより会員外の人たちとのつき合いの方が多くて、会員とのつき合いが全く薄かつたりしていはしないだろうか。

その狭さや薄さは、好き嫌いもあろうが、それよりもお互いに知らないから、つき合いしにくいしまた誰とつき合つたらいいかも分らないということの方が多いようだ。

仲間ずき合いなどということは当り前なことだが、その当り前がなかなかできない。

新しい会員は、これと目ぼしをつけた会員をどしどし襲うのがいい。古い会員もそれを快よく受けいれたらいい。そして会員同志が新しい交わりを結んだり、旧交を暖めたりして話し合つてゆくことがどうしても必要だと思う。

個人同志の結び合いが深く、広くなることが、協会の基礎だ。

当り前なことだが、その当り前から、やつてみよう。

（運営委員会）

シナリオ研究会のお知らせ

さる十月十三日に開催を予定していたシナリオ研究会は、さきにお知らせしたように、期日の直前になつて、世話人が仕事の都合でどうしても出席不可能となつたので、突然で申訳ありませんでしたが、中止することにいたしました。また十月二十日の同研究会は、出席者少数（近藤才司、山本升良の二名）のため、やむなく流会といたしました。次回研究会はスケジユールがきまり次才、またお知らせ申しあげます。

（シナリオ研究会世話人）

ニワトリかタマゴか
仕事あっせんの弁

加藤松三郎

ちかごろの会報では「協会財政の危機」などという問題がけんでんされ、みなさんとしても暗い心でおられるかもしれません。それは厳たる事実にはちがいありませんが、私としては（自分も当面の責任者の一人ではありますが）さほど悲観的にはなれません。むしろある種の成案？さえもつてるつもりではおります。しかし今日はそれはそれとして、ズンと明るい提案をしたいのです。

×

まず最近の「事実」からのべてみましょう。映教調査の表計によれば教育短篇の前年度作品総数は五七一篇だが、今年度は上半期だけ（六月末まで）で三〇四篇で、すでに半数以上も上廻つています

いや、ばくぜんと関係プロダクションを訪ねてみても、あそんでいるプロなどはほとんどありません。列外のプロならともかく、名の通つたプロならどこも製作に追われ、ことに自主製作の気運さえも実現されているわけです。もしも不況なら、だれが好んで自主製作などやれるはずがないでしょう。たしかに各プロは今いそがしいのです。

×

そんなきもちもあつて、特に新興プロと思われる二三に「職場拡張」を当つてみました。いわゆる会員の売込みです。

(1) 新東宝では赤字克服のイミもあつて今春以来、教育映画部が誕生したわけですが、完成品は三本位のようです。それも劇会社のことだから宣伝劇ものが基底をなし、遊休の助監群を活用している現状です。むろん自主作品などではなく、みんなPR映画ですが、その受注がふえれば自前の社員だけでは動けないわけです。その節にはゼヒともクチがかかる仕組みに約束しましたが、いまだにサタのないところをみれば、内輪で片づいてるわけでしょう。

せんえつながら私も、その発展に寄与すべく策動？中です。

(2) 大和（だいわ）プロ――といつても知らない方が多いでしょうが、あの有名な大沢商会中の一ユニットです。十六ミリ色彩（コダクローム）PR映画を専門として相当かせいでいます。ここでは事務の社員が片手間に構成案を書き、演出らしいものもなくカメラマンが現場処理をしてすますふうです。

ここでも責任者と会談しましたが、いずれはという程度です。カメラだけでも仕事が成るといつた観念を破るには時間がかかることでしょうが、会社としての毛並みは悪くありません。

(3) オートスライドプロ――当協会からは目とハナの近くにあるトーキースライド社ですが、その業界としては一流のNo・1ですこれはスライドですからギャラの点では映画と比較になりませんが「遊ぶよりはよい」といつた場合の当込みです。スライドの場合は演出よりも脚本が主となりますがその五〇コマ位（一巻）で約壱万円の由です。ただし希望の方は私まで一応おたずねください。

(4) その他のプロでは大村プロと学研（学習研究社）などがあるわけですが、いそがしさにまぎれて先方とはまだ会談できません。ちかくあたる予定ですが、予感としても有望と思われます。

以上、実際の結実が一つもないのは残念ながら、一応の中間報告として記さざるをえませんでした

×

ところで協会内の動きの一端をのぞいてみましょう。三木プロ作品「コトバと態度」では丸山演出の尽力によつて山本チーフの下に新人近藤セカンドが配されました東京シネマ作「明るいガラス」では八木（仁）演出のもとに森田実チーフと共に新人中島セカンドが組まれました。米山製作の労金プロ作品では、かんけ演出のもとに杉原スクリプト他と新人竹原セカンド？がついて目下仕事中です。

特に「新人」と記したのは、初めて仕事についたことを意味しますが、それは先輩演出諸氏やプロデューサー並にプロダクション側の理解と好意によるものです。思

えば短篇映画の場合、演補が一人つけば上等としなければなりません。それが二人もつくということは、それだけテーフのギャラも割引かれることになります。いや最悪の場合には折半というわけですが、それでも演補諸氏は互に協力して仕事をすすめています。このような英断なくしては、未経験の新人などは永遠に仕事につけないことでしょう。

すなわち既成の演補氏は自分のギャラを割引いて、先輩の演出氏は指導の手数をいとわずに、また関係プロでは多少の雑費の増加を寛容して、みんなの善意な協力によつて、はじめて一人の新人が現場に立てるわけです。

×

それはまた一本立ちの演出家の場合でも行われています。九月末には日映科学から演出家の要請がありました。事務局はすぐ一人を推せんしたのでしたが、毎度のことながら、それではなかなか一決されませんでした。たまたま運営委員会の日だつたので、それがはかられた結果、運営委員会の推せんによつてA氏への依頼をプロ側も了承し、目下進行中です。

また十月初め桜映画社から輸出PR映画の演出要請があり、これは事務局と委員の相談によつて決定し、これも進行中です。

×

このようなことを記すのは、むろん私どもも当事者が自慢したいためではありません。いつも当事者として痛感することは、どこかのプロから演出でも脚本でも要請のあつた場合、真先に頭にうかぶのはやはり始終、協会に顔をみせてる人のことです。それが不調の場合、初めて会員名簿をくるというのが順序です。つまり頭は、感じは、どうしても顔見知りの会員へゆくことになります。いやな言葉かもしれませんが、いわゆる「人情」というものでしょう。

では人情ではなく理性?的に処理される場合はどうなるでしょういま名簿などをくつてZ氏を推せんしたとします。するとプロ側の言葉はきまつて「どんな人だ?」ときます。こちらも知れる限りのことは話しますが、多くの場合しらないことのほうが多いわけです仮りにある程度の仲人口?はきくとしても、とても責任まではもてそうもないとはホンネです。やはりプロ側としても「何しろ知らない人だからねえ」ということになります。そしてそれは最後の言葉で、つまり不調におわります。

×

もはや皆さんとしても、いつたい私が何をいおうとしているかはほぼおわかりのことと思います。実はこれまで引例してきた演出演補の各位は、いつもみなよく協会に現れる会員であるということです。いわば常連とでもいえる人々なのです。そしてこうした会員には、やはりクチのかかるチャンスも多いわけです。そこで——

これは委員並に事務当局からのお願いともなりますが、どうか仕事のない方は、いや、ある方でもなるべく協会に顔をみせてください。いうなれば仕事になるから協会に顔出しするのか、顔出しするから仕事になるのか、まるでニワトリが先かタマゴが先かみたいな話ながら、とにかく知らない方では私ども当事者としても、どうにもならないことは事実です。なるべく運営の公平?を期するためにも、うるさいほどの「顔出し」をお待ちします。

（一〇・一五）

新入会員

竹内 繁—杉並区馬橋二ノ八九 高野方（フリー・演補）中央大学卒、昭和三十年同校在学中、小野春夫氏を助け「赤谷川綜合開発記録」才一部才二部を完成した。本年八月より生研図書株式会社の依頼による理科教材用十六ミリ映画「楽しい昆虫採集」全二巻の演補をしている。いづこも同じ資金難で困っているが、何とか解決の方法を努力中。三分の一の撮影を残すのみ。

小谷田 亘—都下南多摩郡由木村堀の内一四六（フリー・演補）昭和八年一月生、昭和二十六年八王子高校卒、同年日大芸術学部映画科入学、三十年同校卒、現在シナリオ「遮断機」を執筆中。また演劇脚本「遠路」を準備中ですが、これを仕上げ演出する予定です。

谷川 義雄—豊島区池袋三ノ一四三六（フリー・演出）大正八年十一月生、昭和十四年芸術映画

声

会報の内容、外観共々の充実振りを嬉しく思い、編集や事ムの方々の日頃の御努力に深く感謝します。タイプ印刷に対しては賛否両論、早急には結論づけ難いと思いますが、欠点は序々に改善するとして、暫くタイプを使つてみては如何でしょうか。また郵送は四つ折りで封筒に入れるより、二つ折りで帯封にした方が後々までの保存のためにもよいと思いますが。
（近藤　才司）

十六号に矢部さんの提案になる自主作品を目指して、という運営委員会の意見には、全面的に賛成

この夢を如何にして実現し、如何にして具体化するかを、今後皆で真剣になつて考えましよう。

最近仕事の都合で協会の集りや新人会に御無沙汰して失礼しています。
（楠木　徳男）

岩波からは十名近くの会員がでています。連絡はまとめて社に出して下さつた方が経費が少くて済むと思いますので、会費不足の声を聞く折柄。
（小熊　均）

いつものことながら、映画つくりに於いて資本主義社会の悲哀を感じることしきり。一作品、一作品にかゝる度。
（原本　透）

中日ニュース社より「会報」を毎月名古屋本社に送つて欲しいとのことです。
（片桐　直樹）

新人会の研究会に、いつもいつも出てゆきたいと思い乍らどういう訳か都合がつきません。とても残念に思つています。不熱心な訳ではありません。毎会出られる方を羨ましく思つています。
（羽田　澄子）

新人会の活動がとみに盛んな昨今に、はげみを感じています。
委員の諸兄ごくろうさま。
（小島　義史）

新人会に何時も仕事のために出席出来ず、申訳ないと思つてます。

皆さんと交流する日を期待しつつ時が過ぎてしまいます。
（黒木　和夫）

機関紙の充実を大変喜ばしく思います。それにつけ一つ希望いたしますが、何処かすみの方にでもその時々のニュースをかいつまんでのせて下さい。

業界ニュースは時々誤報やら、誇張やら、又仲々見る機会がありません。

それと兼ての希望ですが、協会名を変えたら、と思つています。
（樺島　清一）

この三ケ月程、新人会「勉強会」や、試写研究会に出られませんでした。忙しくて出られない方は他にもいると思います。

予算の都合、その他もありましようが、各々の会の報告を、現在よりももつと充実したものにして下さい。個人的な漫談はもう結構です。客観的な議事録のようなものにして下さい。
（泰　康夫）

児童劇映画を余りママ子扱いにしないで下さい。

善玉と悪玉が居て、悪玉がすぐ善くなるような児童劇映画は、最近少ないのではないでしようか。
（片岡　薫）

もう秋ですが、協会の運動会など如何。会員並びに御家族を集めて楽しめると思います。
（苗田　康夫）

「銀輪」という写真ボクが演出をした様に云われていますが間違いです。ボクは演出助手でした。実

社演出課入社、同社名称変更により朝日映画社、新世界映画社となり同社解散のため退職。昭和二十六年労働組合映画協議会に入社、同社共同映画社と名称変更、昭和二十八年同社退社。作品―「知られざる戦士」（昭和十八年朝日映画社）「国鉄琴平大会」（昭和二十二年新世界映画社）「草地農業」（昭和三十一年三井芸術プロ）

大野　祐―世田谷区代田町二三〇―二細谷方（電通映画社所属・脚本、演出助手、企画）昭和六年七月生、千才中学、早大文学部卒、作品―「土から生れる生活文化」（昭和三十一年電通映画社・脚本）

（以上九月十九日付入会）

岡野　薫子―目黒区中目黒二ノ三六一（フリー・脚本）昭和四年二月生、東京農業教育専門学校卒。作品―「世界の子供への贈物」（三井芸術プロ）「採光と通風」（日映科学映画製作所、以下いずれも同じ）「せき」「燃えない工夫」「電気火災」「花と昆虫」「結核と眠」「牛乳の神秘」

（以上十月十八日付入会）

験工房の北代省三、山口勝弘両氏が演出で、編集を樋口さんがやられました。

内容外観ともに充実した会報十六号を拝見。大いに意を強くしました。いままでは私も消極的でしたし、むしろ非協力的な態度ではなかつたかと、恥じている次才です。

皆様方の御指導を切に願います。（矢部 正男）

此処仕事中にて、自宅にも帰る日とてなく、毎日毎日徹夜徹夜の連続にて、協会へも御無沙汰致し申訳なく思つています。（肥田 侃）

協会員皆様の御活躍を嬉しく思つて居ります。（真野 義雄）

△最も手近な協会を大事にする方法は時間を見つけて、事務所に顔を出すこと、ではありませんか。（渡辺 正己）

いろいろ考えていますと不勉強なことが身に泌みますが、以前らよつとやられましたが、作家を中心とした作品検討会などが系統的に行われると非常に参考になるのですが、どうでしようか。（桑木 道生）

協会の自主映画製作のかけ声をなんとか具体化出来たら、と毎日考えて居りますが、その中に小生の愚案をみなさんに料理して頂けたらと思います。（韮沢 正）

（以上は会報前号に掲載もれとなつたもので、九月十五日迄に事務局へ到着した分であります。）

ミニチュアセットの撮影で、ステーヂにこもつていたりすると、会報がありがたい。結構ニュース性もある、更に教育映画界から世の中全体を見るようなワイド効果もたまには。（大沼 鉄郎）

立派な会員名簿を有難う。編集諸氏の熱意と努力に感謝します。

協会自主作品には双手を挙げて協力します。（松本 公雄）

声とは反響あるもののようですが、コダマとなつて返つたことを聞きません。ぜひ返つて返つて来る声を聞かせて下さい。（島谷陽一郎）

教育映画の劇映画館への上映は最も望ましい問題ですが、実際的には興行収入の上らないことが言われ、日活の岩波作品上映がこれを証明してるようです。この問題をもつと研究したいものです。（永富映次郎）

四十日も「防人の村」などに住みつくと、呆けてしもて、てんとあきまへん。どなたか、カツ入れてくれはる人おまへんやろか。（岩崎 太郎）

今年は殆んど北アルプスで暮していましたので、協会や試写会にも出ていませんし、「声」らしい声もありません。一緒に山を歩きまわつたカメラマンの林田氏を、南極にとられてガッカリしてる所です。新しいカメラマンと目下、秋、冬の山を攻めるところです。

とにかく健康になり、若がえります。益々体力が充溢して足も強くなりました。（西尾 善介）

作家協会が、脱皮を行つて大きく発展しようという、最初の段階に汐りついたと観測するので、固唾をのんで行方をみまもつている。（八木 仁平）

劇関係の製作関係者に、短篇を観て貰う機会を作つたら如何でしよう。両者の交歓も何か手だてが考えられませんか。個人的におつき合されている方も多いと思いますが、その巾を広げ多少公的にしたらどうでしよう。（樺島 清一）

太陽映画を踏台にして、変な思想統制が出て来たようです。

会員の動静

松本 公雄　目下シナリオ勉強中並に仕事待ち。

諸橋 一　現在TVコマーシャルの製作。次回作品漫画「かも取りゴンベー」の脚本が出来上るのを待つて居ます。

苗田 康夫　九月二日より信州へいつています。十月二十日頃まで。地理大系「本州の屋根」

間宮 則夫　現在東北のまつり才一部の初号を待つて居ります。尚、「子供のしつけ」についてシノプシスを一本かきました。

相川 竜介　一九五七年よりの独立プロダクション発足準備中。勿論教育映画にて、主として自然科学の部門から足場を築く予定で、目下この方面の資料集めや、学界との連絡、資金の蓄積に日を送つています。

渡辺 正己　映画史の勉強中ですに一歩一歩進みつつあります。長い間の夢の実現に漸く具体的

小島 義史　八月三十一日附で、東京シネマを退社。以后自由契

絶対反対です。（京極　高英）

「失われた大陸」を、私たち日本の記録映画作家がつくれば、インドネシアの人々の植民地から、解放されようとするそのエネルギーをふまえた、素晴しい作品が出来るだろうと思いました。（岩佐　氏寿）

今年になって三木さんと一緒に作つた「児童会」「社会保障」の二本の教材映画が、教育映画と認定されなかつたのは、可成のショックでした。映画に対する検閲制度復活の動きとにらみ合せて、私はひどく心配しています。（丸山　章治）

しばらくスライドの製作にかかつていました。新しく仲間入りさせていただきます。よろしく。（谷川　義雄）

住宅の歴史を調べているうちに住宅の夢など持てなかつた過去の庶民生活が浮んで来ます。

さて「住いの歩み」でその問題とどう取組んだらいいものだろうか？（樋口源一郎）

各プロダクション製作映画の脚本を、協会に寄贈して貰うことにすると、新しい企画や脚本を作る際、大変都合よいと思います。（本間　賢二）

P・R映画研究会の件、大変不活発で申訳ありません。多忙を極め、東京に居る事が少なかつた為すつかり御無沙汰してしまいました。加藤（松）さんも心配して居られましたが、近々のうちに第一回を開催できるよう、準備を進めて居ります。

☆PR映画に対する製作態度の検討。

☆一流スポンサー団との座談会等、先ずやりたいと思つています（諸岡　青人）

会費未納会員が多く、財政危機にあると新理研幹事から聞く。

漸く教育映画が盛んになりかけてきた時、アベコベの現象ではないか。もつと組織を強固にする方途を考えよう。物心両面から。（豊田　敬太）

海や山の良い記録映画が出来て結構ですが、何か私達の関心が、そちらの方へそらされて行くような危険を感じます。記録映画「沖縄」「スエズ」などというのは、出来ないものでしょうか。（片岡　薫）

唯何んとなくこの道に迷い込んだわけではなく、学生時代から映画製作の問題とは、まともに取組んで来た積りなのですが、一年半経つた今、自分が女である（非常にM的なんですが）とゆう理由だけで心細くなつて来ました。

他社の女の方達とお話する機会を得たいと思つてます。現在の映画製作の機構の中で、男性と同等にやつてゆく自信がなくなりそうです。（中島　智子）

何かと時間に追われて、何時も新人会の研究会を欠席しているのが大変残念です。この次は、この次はと思い乍ら、その日になると詰らない仕事でフイです。（松本　治助）

優秀な短篇映画のみを、年がら年中上映する常設館が現われんもんでしょうか。そうした小さな良心的な常設館があると・・想像しただけでも愉快なんですがなあ誰かキトクな資本家いませんか（原本　透）

記録映画研究会を早く軌道にのせてほしいものです。（山添　哲）

協会はいま一つの転機に来ていると考えます。この際、協会に対する会員一人一人の要求乃至要望を、はつきりさせて見ることが来

約者になりました。

今后ともよろしくお願いしますこの折にシナリオの勉強をしておきたい、と思つております。

中島　日出夫　東京シネマ「明るいガラス」（一巻）の進行。タイトルさえうまく上れば万事OKというところまで来ておりますが、そのタイトルが失敗続きで、これで三回目の撮り直しをやつていますので、若干完成が延びております。（九月二十五日）

川本　博康　次期作品待期中。

松本　俊夫　現在「いもち病と水銀剤」（イーストマンカラー二巻）の演補。トレーラー篇を別に作り、これは殆どPR性のない純科学映画に仕上げる予定ですが、顕微鏡とか、微速度などの多い地味な仕事です。十一月完成の予定。

羽田　澄子　寄生虫予防協会の企画になる「十二指腸虫」のシナリオを書いていたところです。

肥田　侃　ただいま、矢部正男演出、加藤公彦撮影の「輝く富士一九五七」進行中です。「一火気、二塵芥、三女」の三則を厳守しながらの撮影、大会

一九五六年度短篇映画祭参加
「選抜」作品の特別試写会

日時　十月三十日（火）午后一時
場所　東京劇場地下松竹試写室
上映作品
☆フイリツピン「フイリツピン・ラプソディイ」
☆インド「カジュラホ」
☆イタリー「フローレンスの彫金」
☆フランス「モリエールの家」
☆アメリカ「日本の印象」
☆オーストリー「歌の翼にのりて」
☆カナダ「数のリズム」
上映時間一時間四十八分
教育映画作家協会

さきに配布した「会員名簿」のうちに、次のような訂正個所が発見されましたので、おしらせ申します。事務局の不手際を深くおわびいたします。
○三頁小谷田亘の住所、由木村掘三内を掘之内に訂正
○十頁西本祥子の住所、杉並区阿佐谷一―六八五を杉並区東田町二―一五〇荻野方に訂正
○八頁大場秀夫に日本記録映画社中野区栄町通三ノ二四（三八）三一八五を附記します。尚田中舜平の所属が記録映画社であることは変更ありません。

※必要なのではないでしょうか。（吉見　泰）

☆おねがい

事務局では、さきに会員の経歴および最近の動静をお知らせ下さるように、往復はがきを会員各位のお手許へ配布いたしましたが、全配布枚数一三二枚のうち丁度半分の六十六枚が、十月二十日迄に事務局へ回収されました。会員の経歴をお知らせねがうことは、会員の作品歴名簿を作成するための資料としたいのであり、会員の動静をお知らせねがうことは、御存知のように本会報の動静らんの原稿ともいたしたく、また会員の動静把握が協会運営の基礎でもあると考えるからであります。御多忙中のところを誠に御面倒なこととは存じますが、事務局としましては会員各位が、配布された葉書に必要事項を記入して、行きずりのポストに投函して下されば、当協会へ自動的に到着するよう段取りをきめてあるのですから、動静おしらせなどのアンケートには尚一層の御協力を下さるようおねがい申します。

社を相手としてのさまざまの接渉など、助監督としては頭の痛いことばかりです。
高井　達人　「女教師の記録」が「愛は惜しみなく」に変題し目下撮影準備中。
松本　治助　相変らずTVCMを作つて居ります。その間をぬつて「東京ガス豊州工場建設記録」を撮つて居ります。勉強する時間を少し欲しいと思つて居りますが、仲々ありません。
中島　智子　住宅公団のPR映画「すまいの歩み」（仮題）の演出助手をして勉強中です。演出は樋口源一郎氏。
日高　昭　十月から今年中産業映画「日本の近代産業」（三巻）演出助手（桜映画社）の予定
長井　泰治　次回作品漫画映画（一巻）「かもとりごんべえ」シナリオ研討中。
豊田　敬太　新理研から東映に出向いて「九十九里の子供達」を完成。今回からフリーとして、新理研で「荒海に生きる女たち」（三巻セミ・ドキュメント）にかかるべく、目下ロケハン準備中。

新人会活動方向の再確認について

間宮則夫

今月で新人会も満一年になる。新人会は映画作家となるため新人としてこれだけはどうしても身につけておかなければならないという映画製作上の、脚本、演出、撮影、照明、録音、編集等々の各部にわたる基礎技術をお互いに勉強しあい、又新人同志の共通した経済問題などをフランクな気持で話し合つてゆこうという主旨のもとに誕生したのである。

そして私達は現在までまがりなりにも月一回の定例研究会をもち「映画製作法講座」をテキストにとりあげて、〃映画というものは：：〃から〃作品の芸術的形象化〃の問題へと進んで来た。一方現在われわれが作品を創造し、且つ生活している記録・教育映画が過去の如何なる創作運動の中で、如何なる遺産を通して現在に至つているかをその歴史的経過の中で学ぶことにより現在に生きる新人として記録・教育映画の世界でどのような方向に創作活動を進めてゆかねばならないかを明らかにしたいという欲求から九月より「日本の記録映画の歴史を聞く会」の講座を合わせもつたのである。

併しながら過去をふり返つてみて果してこの一年新人会の運営が全く完全に行われていたかどうか即ち前述した初期の目的を完全に全うしたかどうかは正直に云つてはなはだ疑問の残るところがある。そしてこの疑問がそのまま現在の新人会の欠カンであり作家協会の衆望を担つて誕生した新人会として深く反省しなければならないところである。今ここにその欠カンを列挙してみると

1. 機械的な研究会の持ち方
2. 確立たる研究方向をもたなかつたこと——研究する立場のアイマイさとからみあつて
3. お互いの経済問題（仕事に関連して）を真剣に話し合わなかつた事

大体以上三項を挙げる事が出来る。即ち

1. 機械的な研究会の持ち方について私達は今迄如何にしたら定例研究会を毎月欠かさずに持つことが出来そして如何にしたら沢山の人達に参加してもらえるかという事にのみとらわれすぎ研究会の内容を充実すればこの問題は解消するということを忘れていたこと。又運営の任にあたつた私達がつい仕事のいそがしさに負けて相互の連絡をおこたり雑つた委員に機傾的に引きついでいたことなどである。今后これらを是正するために一つの方法として、研究会を行つたあと直ちに新人会運営委員会をもちその成果を正しく分析して次回研究会の発展の資とすると共に各委員が正しく受継いで断層をつくらないことである。

2. 確固たる研究方向をもたなかつたことについて

研究会をもつた当初クレショフの映画製作法講座に従つてまず映画のＡＢＣから勉強してゆこうと漠然と定めてそれを現在迄押し進めて来たこと、新人会のメンバーに

本間　賢二「米作り」（菅家組）についていますが、次のロケまで東映製作所で待機中。

富沢　幸男「マナスルに立つ」を終り、「日本近代産業」（桜映画社、演出に着手。

石田　修「大原幽学」（二巻）製作準備中。「千葉火力」目下製作中。

荒井　英郎　中日ニュース映画社「先駆的蚕糸業」（三巻）九月中旬に完成。月末より日映科学「電気火災」（仮題）二巻に着手します。これは十月一杯に完成の予定。

永富映次郎　産経映画にて「働く人の栄養」完成。次回作品「海に生きる」シナリオ執筆中。

赤佐　政治「オートメーション」三巻（英映画社）演出、九月末完成。児童劇映画「ともだち」四巻（英映画社）脚本、演出、十月末完成の予定。

諸岡　青人「糸の谷間」録音終了十月末完成予定。「昭和石油四日市製油所建設記録」脚本執筆中。日立製作所作品三本演出中。

樋口源一郎　天然色「すまいの歩

は経営豊富な既に新進演出家と自他共に認められている者からまつたく映画経験のない新人中の新人までを含んでいるため研究段階の調制に苦しみその結果中間のクラスに歩調を合わせお互いに足りない所を補つてゆこうという結論的には安易な道を進んだため会員多数の中から不満が起つたこと、又折角クレショフの最も具体的な簡明チョクサイなテキストをもちながらも映画経試の浅さからくるのであろうと思われるが、そこに書かれてある一つの定義——例えば作品の超課題、貫通行動など——を解釈しようとあせり混乱しあげくの果て抽象論の泥沼にはまり込んでしまい結果は〃クレショフ難解〃とか〃映画製作法講座を料理する〃とかの飛躍的結論に落ち込むあやまりを犯して来た。

ここで新人会は改めて研究会の方向を現在自分達が従事している作品の中でクレショフのシステイマテックなシネマツルギーを如何に応用してゆくかという方向に目標を明示したいと思う。新人にとつて今ここで映画製作法講座を理論的に批判検討することが大切なのではなくてそこに書かれてある映画製作の上に必要な基礎技術をおぼえてそれを完全に自分達の作品に応用することこそ大切なのである。殊に仕事につく機会の少ない新人にとつて必要なことであると思われる今后も映画製作法講座をテキストにとりあげてゆくことに変りないが経験豊富な者が指導的立場に立つて経験の浅い者達を指導してゆき経験の豊かな者はその指導の中でお互いに自らの発展を見出してゆく方法をとつてゆきたいと思う。

3.お互いの経済問題を真剣に話し合わなかつたことについて

前二項の問題はすべて才三項の経済問題にからんで来ていると思われる。経試豊富な者は比較的生活が安定し経験の浅い者は安定しない要するに今まで仕事の状況が比常にアンバランスであつたこと、資本主義社会に於いて起るべき当然のアンバランスではあるが、そのために経験の有無、深浅の差は増々ひらきその結果が研究会への熱意にもひゞいている大きな一つの要素になつていること、今后新人会として設立当初の目的の一つを果すため努めてお互いの経済上の種々のなやみが話し合える様又新人会員の経済状態を適確につかんで常にその情勢を協会の運営委員会のもとへ送つておくこと。

以上が満一年目をむかえた今日の新人会の成果及欠カンのあらましである。才二年目に入つてこれから前途は増々多難な事と思われるが、私たちは今ここにあげた批判分析を基礎にしてもつともつと充実した新人会にしてゆきたいと思つている。

フリーになるの弁

たまたま、新理研映画で作家協会員(演出)が三名退社した。退社理由は三者三様であるが、いづれにしても自由契約者として仕事をしてゆきたいと云うことである。経済問題に悩まされながら教育映画(あるいは記録映画)を製つているわれわれが、なにも好きこのんで会社をやめてゆくこともないのではあるが、結局は、われわれが固定給(大変安い月給で、新刊本

み」二巻、撮影中。(新理研)
「家畜と飼料」(仮題)脚本完成(全農映)

吉岡宗阿彌　次回作品脚本待ち、予定として、「かもとりごんべえ」漫画映画。

中江　隆介　才一映画社の「誕生会」シナリオ・ハンティングを終りて、これからシナリオにかかるところ。記録映画社の「人形映画」企画に参加。

山岸　静馬　日本短篇映画社「斜面の利用」演出。

道林　一郎　目下三井芸術プロにて「愛は惜しみなく」を準備中です。十月早々クランクイン。十一月一杯で完成の予定です。

西沢　豪「新しい土地」北海道才一次ロケ終了、十月一杯「青い路線」広島、十和田、飛彈ロケにかかります。

小野　春夫「昆虫の観察、採収、標本」の仕事をしています。十月中旬に完成するでしょう。「綜合開発」才三部も近く開始されます。目下待機中。「不幸な出発」才一稿を完成して、関係方面で検討されています。

丸山　章治「事故防止と正しい工法」というPR映画の撮影が

一冊買うのにも苦労する）をもらつているためサラリーマンになつてしまつている。そのため、われわれと会社との間に種々のくいちがいが生じてくる。例えば、出勤退社のタイムレコーダーの問題一つにしても制約ができている。使わないと損だ、と云う考えがでてくる。勿論、こうした仕事のやりにくい条件は改善すればよいわけではあるが、会社は会社の都合の良い方に改めようとするし、われわれは、それに反対するが、その反対条件が一致せず分裂すれば、ますます悪条件に追い込められてくる。われわれが退社することによつて、今后、お互に気楽に明るく仕事が出来るようになれば、それにこしたことはない。それぞれ個人生活が違う人びとが集つて仕事をしているので、考え方や実行の仕方が違うので、われわれが自由契約者になつたあと、どんな変化が現われたか、新理研映画所属の協会員に報告してもらうことにする。いづれにしても、十数年ものあいだ新理研映画で仕事をしていたわれわれが、自由契約者となつてプラスであつたかマイナスであつたかは、今后の結果によるわけであるが、悲しいことではあるが現在はさつぱりした明るい気分である。いま、われわれはそれぞれ、仕事をしているのでグループとして話合う機会がなく、お互に連絡の結果、簡単に一文を記した。

（代表して西沢周基）

アニメーション映画社発足に就て

吉岡宗阿弥

岩堀白書に続く堀田さんの意見

この九月長い間の夢がやつと実現して自分達の会社を持つことが出来た私達八人の者（協会員四名を含む）にとつて大変興味深いものでした。昭和二十一年日本漫画映画株式会社として発足した当時、私達の会社は実に百名に近い人員を有していました。それがこの十年間の烈しい変動の中で、それは経営者の無能と組合員たる私達の苦しい斗いの連続でしたが、僅か八名の組合員を残すだけになつてしまつたのです。その間私達は税ム所、債権者の差押えや競売と斗い、文字通り力のあらん限り斗つたと自分達自身では考えて居りますが、それはただ自分達の手で日本の漫画映画の正しい発展を勝ち取ろうという目標が皆の胸の中に生きていたからだと思います。

最近その第一作が私達の手でこの世に送り出されました。〝つるの羽〟がそれです。まだまだ技術が未熟であり、多くの方々から有益なる御批判を頂き、近く開始される第二作には是非ともそれらの批判に応えるべき作品をと思つて居ります。

私達が作つた株式会社日本アニメーション映画社はやつと発足したばかりです。働く労働者の結晶によつて出来上つたこの会社を守り育てることが出来るか、それともこのまゝぽしやつてしまうか、それは私達八人の者の手にかゝつています。と同時に協会員の皆さん、その他多くの人々の理解ある援助がどれほど私達に勇気と智恵を与えることでしょう。甚だ簡単で意とするところを充分に述べられませんでしたが、新会社設立にあたり協会の皆さんに会報を通じて右の事情を御報告できることを感謝して筆を置く次第です。

天候にたたられ、三週間もかかつて、やつとクランク・アップしこれから編集録音にはいるところ。今月一杯はそれでつぶれます。それから後は何も予定はありません。

岩佐　氏寿　「五十里ダム」と「パンの誕生」の編集中です。東映ー「拾つた小犬」（仮題）の脚本脱稿。

清水　信夫「居眠り一家」児童劇映画の脚本執筆中。

京極　高英　二十日間ばかり東映で岩佐君の仕事を手伝うことになりました。児童物です。それから又何か始めようと思つてます。何か何かで終るかも知れません。

上野　大梧　村上プロでこれからしばらくの間「農業の科学」シリーズを撮ります。近いうち其の一「土と作物」の撮影を始める予定です。

島谷陽一郎　スポーツ科学で、「運動と体の働き」の演補。終了後又失業です。岩手へ行つて「山の学校」の企画を成功させたいと思つてます。

村田　達二　日映新社の「ボーイ

（一一頁上段へつづく）

スカウト」（四巻）漸くダビングに入りました。来月（十月）十日頃から新東宝へ戻つて、光洋糖工のPRものにかかります。今年はこれで終りです。

樺島　清一　「土地と植物」の録音を終え、ホツト息をついているところです。

大鶴日出夫　目下外務省の日本紹介外国向映画を、インターナショナル映画で、プロデユウスをしています。スタツフの編成を終り、十月上旬クランクインします。

八木　仁平「東京暮色」（東京ニユース）一巻に着手したところ。

河野　哲二「陸上競技の話」（スポーツ科学）脚本完成。「仲間たち」（東芸プロダクシヨン）脚本完成。「ぶどう島の宝物」（十六ミリ映画社・文化映画研究所）演出悪天候でロケがのびましたが、編集、アフレコを急いであげ、あとダビングだけですから、十月上旬に完成します。

馬場英太郎　「昆虫採集」は弱体資本家のため製作中絶状態におちいり、スタツフ一同悲鳴を上げている次才です。

西尾　善介　「黒部峡谷」十月、十一月に紅葉黒部新雲の北アルプス内坑道ライトロケで、才一篇を終了して、来年四月に完成の予定。才二篇は、十二月より三十三年十月まで、二年間かかりますのでやろうか、やるまいか、まだ肚は決まつていません。ちと長すぎますのでね。

岩崎　太郎　別項のとおり、七月以来かかつている「防人の村」がやつと近くクランクアツプとなる予定。完成は十月末になるでしよう。いま企画中のもの二、三あります。

大沼　鉄郎　東京シネマ、国際電々公社作品は、どうやらクランクアツプに近ずきつつあります。初号は十月末頃かと思われます。

八木　進　体育教室その五「リズム運動」（一巻）完成。引続き、体育教室その六「競走とリレー」（一巻）を製作中（脚本・演出）モーションタイムズ製作。

黒木　和夫　「輝く富士」富士フイルムP・R作品。演補。現在ロケ中、十月二十三日帰京します。

小泉　堯　才一映画社で技術訓練映画「事故の防止と正しい工法」の編集を手伝つています。十月中旬完成予定です。

岩堀喜久男　別記の通り、理研科学村上プロ「ボイラー用水」七月三〇日開始以来、天候その他の都合でロケ四日分ほど残つています。十月下旬動画完成と共に録音の予定です。尚、六月以来フリーとして働いていますから、協会の分類も改めて下さい。

古川　良範　北海道へ旅行していて、御返事がおくれて申訳ありません。この夏以来、教育映画としては、三井芸術プロの「草」という農業ものと、新理研の「九十九里の女達」と二つ脚本を書きました。これからは積極的に教育映画にうち込んで、少しでもいい仕事をしたいと考えています。

原本　透　「有機水銀剤」（企画北興化学、製作新理研映画）PR篇、演出。

楠木　徳男　J・P・Cプロダクシヨンの「明日への希望」（仮題）は一部を残し、撮影終了。引続き「船をつくる人々」（カラー三巻）を光報道工芸にて入り、現在撮影進行中。十一月中旬頃までかかる予定。

森永健次郎　病気静養中。

高島　一男　ひきつづき村上プロで「DDTの使い方」岩掘組の演補。

西本　祥子　新作調査と「楽しい自転車旅行」（日本視覚教材）の進行係。

片桐　直樹　九月一五日に中日ニユースの「先駆的蚕糸業」アツプ。続いて文化映画研究所の民話劇「ぶどう島の宝物」雨にたたられて散々でした。三十日アツプして完成は十日。仲々面白い作品だと思います。目下仕事待ち。

富岡　捷　PR映画「住友化学（新理研）関西ロケ終了。目下編集中。

山添　哲　「東京の産業」（記録映画社）にて演出助手担当。

菅家　陳彦　東映製作所「米作り」演出中

中川　順天　去る九月、中川プロダクシヨンを創立し、才一回作品「てるてる坊主」の脚本監督の準備中。

吉見　泰　八木君と一しよに、文部省の「産業教育もの」を東京シネマではじめています。また協会の企画活動を盛んにしようと努力しています。

菲沢　正　「ぶどう島の宝物」（文化映画研究所自主作品）の製作完成
「運動と体の働き」（共同映画社）十月二〇日完成

加藤松三郎　日映科学PR映画脚本執筆中。「株式」（東京シネマ）脚本準備中。

かんけ・まり　「仲間たち」（東芸プロダクション）演出中

（以上は、さきにおねがいした往復はがきの返信によつて十月二十日までに事務局へおしらせをうけた分であります）

秋元　憲　「下水の科学」（新理研）演出中

厚木　たか　新企画脚本の準備中

伊勢長之助　「鉄をつくる」（岩波映画）演出

小野寺正寿　「ふぐ」（日本記録映画社）完成。次回作待期。

大野　芳樹　「暁の北海道」（国際映画株式会社）演出。北海道ロケ中。

尾山　新吉　ある仕事を具体化するため目下努力中。

八幡　省三　「世界を結ぶ短波」（東京シネマ）製作進行中。

真野　義雄　次回作品の準備中です。

近藤　才司　「日本の近代産業」（桜映画社）演補

榛葉　豊明　岩波映画製作所に勤務中です。

大場　秀夫　「ふぐ」（日本記録映画社）を製作完成、、次回作企画中。

森田　実　「ガラス」東京シネマ演補完成

矢部　正男　岩波映画にて次回作準備中

平田　繁治　日本アニメーション映画KKにて次回作品待ち

大久保信哉　たくみ工房にて線画の製作中です。

稲村　喜一　「ちび・くろさんぼ」製作中。

西浦　伊一　綜合科学映画製作所にて頑張つております。

水木　荘也　三井芸術プロにて「平安美術」にかかつております。

衣笠十四三　次回作品を準備中

桑野　茂　日映新社の仕事でイラク地方メソポタニアに出張中です。

杉原　せつ　「仲間たち」（東芸プロ）スクリプターをやつております。

杉山　正美　病后の療養中です。間宮君の結婚式に上京しました。

竹内　信次　「世界を結ぶ短波」（東京シネマ）演出中。

竹原　築雄　十月十日、小高君と事務局を交替し、直ちに「仲間たち」（東芸プロ）の演補の仕事についております。

丹生　正　次回作の準備のために、銀座をときどき歩いております。

登宮　靖　「ぶどう島の宝物」（文化映画研究所）演補完成。

各務　洋一　「東芝貿易」（岩波映画製作所）仕上中。

森田　純・高綱　則之　学習研究社の仕事をしております。

前田　庸言　スポーツ科学研究所に勤務中です。

田中　舜平　記録映画社で働らいております。

高村　武次　「佐久間ダム」（岩波映画製作所）演出中。

時枝　俊江　「町の政治」（岩波映画製作所）撮影中。

羽仁　進　「動物園」（岩波映画製作所）演出中。

吉田　六郎　「酵母」（岩波映画製作所）撮影中。

落合　朝彦　新日本地理大系「地図の話」（日映新社）をやつております。

中村　敏郎　「東洋工業」（日映新社）の仕事で広島に出張中です。

大橋　春男　去る八月八日より二ケ月間、病院暮しをしました。盲腸炎から急性腹膜炎を併発したのです。十月中旬より、再び英映画へ出勤しております。

中村　麟子　日映科学映画製作所で次回作準備中です。

岡本　昌雄　「気象台の仕事」（日本視覚教材KK）演出中。

奥山大六郎　「睡眠と疲労」（日映科学映画製作所）撮影中。

小熊　均　「動物園」（岩波映画製作所）演補。

清家　武春　日映科学映画製作所に勤務中。

高見　貞衛　日本記録映画社にて次回作品を準備中です。

野田　真吉　新日本地理大系「本州の屋根」（日映新社）演出中

下坂　利春　「科学の勝利」（新理研映画）演出中。

西沢　周基　新理研映画を退社してフリーとなりました。

会計報告および その后の会計経過について

会計報告（九月分）

一、収入の部	
現金 前月繰越金	五六三四
九月会費収入	二八、九二〇
計	三四、五五四
一、支出之部	
新入会費	一、二五〇
交通々信費	六、三七九
文房具費	二三五
事務所費	一、三〇一
消耗品費	三四〇
行事費	八五〇
雑費	二七五
諸手当	一六、〇〇〇
プリント費	八、五〇〇
計	四五、一三〇
一、差引之部	
差引 九月不足金	一〇、五七六

九月の会計状態は以上の通りで先月の会計報告で申しました通りになりました。

然し、汐十七号会報巻頭言や、別紙として御送りしました財政危機に関するアッピールが、全然反響が無くて済む筈がない事を固く信じ乍ら、最后的には人件費の一部を此の赤字の見返えりとする事で、漸く月を越すことが出来ました。そして私が会員諸氏の善意を信じて居た事に間違いはありませんでした。

先づ月を越して二日目には、今迄延滞して居た大口が一口転ろげ込んで来ました。そして次から次えと：：：

恐らく、会費収入は今月こそ、創立以来例を見ない程の集まり方となるでしょう。十月二十四日現在で、概算七万六千円程となりませうし、これからも、五・六千円位は集まる予想です。

然しこれで危機は当分去つたと云う訳にはいきません。此の十月は財政も赤膨脹しています。その主なものは、今迄財政危機の為に仲々差上げられなかつた結婚御祝金が二口、又今月に入つてからの結婚御祝進呈金が二口、併せて八千円の支出増加となりました。これは、今月どうしても解決しなければならなかつた支出金であります。又月末になつて、国際短篇映画の会員試写会を開催することの有意義を考え、会場費五千二百円位と付随雑費千三百円位、併せて六千五百円の支出を十月予算に追加計上しました。これで十月の経費予算は約六万円となります。

先に申しました通り、十月の会費の集まり具合は、二十四日迄約七万六千円、月末迄には八万一千円位にはなるだろうと云う予想であります。この内約一万を先月の赤字補填に回し、残七万壱千円、これより十月経費六万円を支払いますと、結局来月への繰越金はやつと一万一千円ということになりますまあまあとゆうところでしょう。

良いあとは必ず悪い、とゆう物理的現象が、若し十一月の会費の集まり状況に再現したとしたら、十一月には又忽ち財政危機の再到来とゆうことになります。（原子）

岡野 巌 次回作品待期中。

秦 康夫 「五十里ダム」（記録映画社）の仕事です。

島内 利男 新理研映画で仕事をしています。

柳沢 寿男 岩波映画製作所の「町の政治」の応援をしています。

小西 久彌 TCJプロ（日本テレビKK映画部）で働いております。

山本 升良 三木映画社で働いております。

（以上は、おしらせがないので、事務局で調査をさせて頂きました。出来うる限りの正確を期したつもりでありますがなにせ本人御自身の御返事ではなく、いわゆるまたぎきなので、間違つてしまつた点があるかもしれません。その場合はその旨お叱り下さつて結構でありますが、事務局では、またぎきよりも本人御自身の御返事を熱望いたしておりますので、尚一層のお力添を伏しておねがい申します）

下村 健二、田中 喜次、渡辺享、松岡 新也、下村 和男、京俊明、桑木 道牛、大方 弘男、

〃うんざりの弁〃

伊勢長之助

いつも皆様に御無沙汰ばかりしておりまして誠に申訳なく存じております。相も変らずひようひようとしてはおりますが、おかげ様で元気です。この所、〃鉄の映画ばかり作っておりまして〃鉄の長さん〃と異名をいただいておりますが、どうもいつも同じような形の映画にならざるを得なくなって残念に思っています。〃日本の鉄鋼〃がきつかけでそれ以来と云うもの「日本鋼管」、「八幡製鉄」、「富士製鉄」とひきつづき、もう丸二年にもなるでしょう。どれもこれも大同小異、或る批評家からはもううんざりすると云われております。云われるまでもなく作る御当人の方が全くうんざりです。併し、毎度最初のプランの時は一応色々と形を変えて、今度こそは新しいタイプのものを作ろうと云う訳で立てるのですが、スポンサー側と話し合っている裡に、結局同じ型になってしまうのです。スポンサーの方にとっては夫々初めてカラーフイルムで作るのですから綜合的、プロセス的、紹介的、規模誇示的な普通の型を選ばれるのは無理からぬ事でしょう。併し、作る方にとっては、撮影者にとっても、又構成者にとっても毎度慣れているからと云う反面、色々深刻に考えざるを得なくなります。結局同巧異曲になるとしても何んとか何処かで新味を出そうと努力するのです。併し、大局に変化がありません。〃日本の鉄鋼〃のときの様な真新しい感激はもう既に消え去っております。同じ様な形の中で少し位どう変えて見ても見る人にとっては殆んど同じ感じしか与えないでしょう。矢張り之れは私の勉強不足からと云う事で目下大いに反省しておりますが、或いはもうあと一、二年つずけてやって、むしろもっともっと大胆不敵にやれば同じ様な形でも、もっとすごいものが出来るかも知れません。恐らく未だ中途半端、つまり生じつかと云う事なのでしょう。うんざりする一方、そう思って自らをはげまして現在もさかんに同じ形の鉄の映画を作っております。鉄鋼ブームの一つの影響、PR映画を作って生業とするものの一つの宿命でしょうか。それでも私はこつこつと仕事をします。いくつも鉄の映画を作ってゆく間にも随分と色々な事を勉強しました。それは映画の形の中に或いは感じられないかも知れませんが、自分ではうんざりし乍らも、少しばかりは進歩もあったと思っております。PR映画と云うとあまりぞっとしない向きも多い様ですが、こうした映画の仕事の中での大切なものをはっきりと見つけて、真面目にこつこつと努力して働らいてゆく事も又仲々味もあり楽しい事ではないでしょうか。尤も楽しいと云っても一言で云える楽しさではないと思いますが：：：、そんな中で何か一つずつでも新しいものをほじくり出してゆく努力が、それは余りむくいられないかも知※

北　賢二、原口　光人、平野　直、新庄　宗俊。

（以上は、原稿〆切の期日までに祥しい動静が分りませんでした。まことに申訳ありません。事務局の不手際をふかくお詫び申します。尚本会報と同封のはがきにて、最近の動静をお教え下さいますようおねがい申しあげます。）

新入会員　（九月十九日付入会）

小森　幸雄＝新宿区余丁町六十一　矢野方（フリー・演出助手、脚本）

会員総数　一三八名

住所変更

平野　直　中野区大和町一一五へ転居

伊勢長之助　文京区金助町七三へ転居

間宮　則夫　三鷹市上連雀八二五才二三倉荘へ転居

その他

大沼鉄郎・杉原せつ　去る八月に結婚式を挙げられました。

間宮　則夫　十月二十一日に結婚式を挙げられた。

住所変更

前田　庸言　練馬区関町二ノ八六九芙蓉荘へ転居

来れませんが大変大切な事だと思つています。現在作つている富士製鉄の〃鉄をつくる〃と云うPR映画の完成は十二月十日です。若しうんざりしても良いと云う方々がいらしたら是非見て御批判下さい。又うんざりしたと云われても結構です。

運営委員会だより

九月運営委員会

九月十九日（水）午后六時より

出席：吉見、加藤、菅家、八木京極、富沢、間宮、松本（新理研）

①ギャランテイの件について

協会の基準ギャラについて、技術部とのバランスの点、生活的に考えて現行ギャラ基準変更の本質的問題を討議したい（菅家）現状が協会とプロダクションとの契約ではなく、個人契約している点に問題があるのではないか（京極）値上げは種々の点で崩れる。それより個人のスタンダードを出した方がよい。技術部で護られているような基準は協会には適用しないのではないか（吉見）吉見案でゆけばオーバギャラの点、個人の額で決めてゆく方法がある。ただ交渉の際、協会としてバックアップしてゆくということをよく考えてみることだ。アシスタントの場合はいわゆる基準をとつておかなければいけない。現基準は最低の線である。個人個人が最低線を破らない程度に交渉して実質賃金を獲得してゆくことと、それを協会が強力にバツク、アツプしてゆくことが当面必要なのではないか。

チーフ、セカンド、サード、クラスの基準を上げてその上にたつて個人交渉をする。その点でクラスの基準をあげるか、どうか、をきめたい。これについては内規を書き替えないで実質的に上げてゆく。新人会でリストをつくつて運営委員会に提出する。

②企業会員の件について

会員間の交流　協会の定例研究会とは別に作品を観る会をもつ。それに関連して協会の窓口と直結してゆき会費納入の問題も円滑にしてゆきたい。

企業所属会員の意見——協会員との交流をしたい。それが出来ないことが製作に大きい関連がある。経済的な生活問題もある。企業の内では意欲的な作家がサラリーマン化している点もある。力の足りない点もあるが、他との交流がないためにセクト的になつてしまつている。とにかく協会の人たちと交流したいということは企業内会員にとつては切実な要求である。

運営委員会としては、各企業に所属する会員と直接話し合つて、今后のことを考えてゆく足がかりにすることにした。まず始めに九月二十九日、午后一時より、新理研にて、新理研所属会員との話合いをすることをきめた。

③会費徴集の件について

各運営委員が前にきめた委託納入を更に促進する。

④会員の作品歴調査について

直ちに調査用アンケート・ハガキを各会員に発送し、その返事によつて、会員の作品歴名簿を整備する。（この結果は本紙上に別記報告してあります）

⑤政府の文教政策に対する対策懇談会の件

太陽族映画問題をきつかけに検閲制度復活のきざしがある。それに反対するために現在社会党が中心になつて各関係団体懇談会をひらくので、当協会よりも出席してほしい旨の連絡が、時実象平氏よりあつたので、代表をおくることにした。

十月運営委員会

十月十七日（水）午后六時より

出席：吉見、間宮、富沢、吉岡

①新入会申込者の件について

最近の新入会申込者が二名あるが、この入会可否について話し合つた結果、事務局長に面接してもらつて本人とよく話し合い、その后委員もち廻りの協議によつてきめることにした。

②会員よりの寄付金の処理につい

て

　最近ある会員より多額の資金寄付をうけたが、前例のないことなので、これに受けてよいものか、どうか、について話し合つた。吉見委員長が、その本人と面談話し合つて処理することにした。

③会計報告およびその経過について

　会計報告が事務局より行われた。（内容は本紙上別欄参照）

④本年中の行事その他のスケジュールについて

　本年末までに行わねばならぬ協会総会、その準備のための特別運営委員会、定例運営委員会企業内会員との懇談会、事業活動としての映画会、定例試写研究会、などのスケジュールを相談し、順次実行に移してゆくことにした。

一九五六年度 教育映画祭 最高作品きまる

　一九五六年度教育映画祭における優秀映画各部門別最高賞作品が次のようにきめられた。

①学校教育映画
「雪国の生活」新日本地理大系
二巻　製作　日映新社
　　脚本演出　西沢　豪

②社会教育映画
「百人の陽気な女房たち」
三巻　製作　桜映画社
　　脚本演出　青山通春

③一般教育映画
「絵をかく子供たち」
四巻　製作　岩波映画製作所
　　脚本演出　羽仁　進

④動画映画
「五匹の子猿」
二巻　製作　電通映画社
　　人形映画製作所
　　演出　持永只仁

⑤児童劇映画
「野口英世の少年時代」
五巻　製作　東映株式会社
　　教育映画部
　　脚本　片岡　薫
　　演出　関川秀雄

編集后記

☆個人的な理由で、去る六月二十日から事務局のつとめを休ませていただいておりました。その理由のかたがついたので、ふたたび十月十日より出勤しております。勝手なことをして、まつたく申訳ありませんでした。ぼくの留守中の代役を引きうけてくれた渡辺正巳竹原繁雄さんに厚くお礼申します。☆四ケ月近くぶりで事務局へ帰つてきて、会員の方々、殊に新人の方々が一斉に仕事をしているのにおどろき、財政危機到来にびつくりしました。☆十月三十日に十月分試写研究会をひらく予定でプリント六本を用意して準備をしたのですが、数日前に到つて別項の国陰短篇映画特別試写会に切りかえました。かねて申入れのあつた「五匹の子猿」の試写研究も、そのために流れましたが、稲村さん、乞了解☆「戦艦ポチョムキン」の特別試写会も計画して連絡してみましたが、「目下のところ輸入が未決定で、プリントは税関に保留管理してあるので、今すぐにはプリント借用ができない（岩淵正嘉氏邸」とのことで、時期を待たねばなりません。☆会報本号は、予定の〆切日に予定原稿の集りがよくなくあわやと思つたが、どうやらこれだけのものが出来上つた。早くしろ早くしろとの催促に応えて原稿を届けて下さつた執筆者の方々にお礼申します。編集部というのは集らぬ原稿を集めるのが仕事、ですからときには無理も言います。乞許。（小高）

※「秋深し隣りは何をする人ぞ」といつたことではなく、会員相互間も対事務局間も、もつと有機的でありたいもの！と今月の巻頭言と、つづく二面の拙文は、それを裏表から訴える。みなさんのご共鳴を待つ※本十八号では前号の本らんでお約束したように「会員の声」を特集した。前号にのせきれなかつた分と今月分と二様なのだが、向後とても重点的に扱いたいたつぷりと味わわれたく、ふるつてお寄せねがいたい※こんど新しい立場でスタートした西沢氏と吉岡氏の「弁」には心から祝福をおくりする。また珍しい伊勢氏の発言と、間宮氏の新人会方向も注目したい※あとは事務局関係記事だが、中でも近来さわがれている未納会費問題も、おかげで大分動きだしたことは喜ばしい。ことに私たち委員の顔をみるや、とたんにスミマセン！と切出されるには恐縮する※あらためて小高事務局氏が復帰して健斗しはじめたのは心づよい。せいぜい彼をご利用ねがえれば幸いである。（加藤）

1956.11.25

教育映画作家協会々報

教育映画作家協会

NO. 19

東京都中央区銀座西8ノ5日吉ビル4階 Tel.(57)2801

本年度総会に就て

本年もいよいよ年末に近すき、委員会は目下、今度の総会で御報告すべき成果と欠陥、並びに来年度の方針に就て検討を重ねております。

問題は沢山あります。殊に、この秋に現われて来た財政危機は幾多の課題を私たちに投げかけました。

私たちは今日までの足跡を省みて、協会の全体としての力はどれだけ蓄積されたか、そしてその力の上に立つて、どのように前進すべきか、そしてまたそれに伴う経済問題をどうするのが一番良いか――私たちは新方針の討論材料を整理、検討しているのですが、あらゆる意味で、協会は質的は転換の機に立つていると考えます。量的に拡大した会員を抱えて、このことは重大です。

その意味で今度の総会は、将来を決すると言つても過言でない程の重要性を持つていると考えます。

会員全体としては経済的に決して楽でない状態の中で、いかにして生活を守り、いかにして作品を良くして行くか、いかにして製作活動を活発にしていくか――そういう課題に応えるべき力を、協会はどうしたら発揮することができるか。このことを私たちは全員で真剣に考えたいと思います。

私たちの協会は単に親睦的なサロンではなく、困難の多い私たちが、固つて一つの力となつて、困難を切りひらき作品活動を充実させてゆこうという目的を持つています。

そして今日、協会は次才に社会的にも認められてきています。それは、私たち運営上の弱点を越えて、私たち全員が少なくとも一つに固まることができたらという所から生れてきた力だと考えます。

私たちはこの際、そうした協会の力の充実を、質的に発展させねばなりません。それは全員のしつかりした具体的な討論で地固めしなければ望めないことです。よくある会合のように、誰かゞ方針の原案を説明して、型通りの二、三の討論を経て、全員〃異議なし〃で簡単にきまつてしまうというようなことでは、今度は済まされぬほど重要です。

その意味で、今度は委員会は討論して頂くべき議案を総会に先立ち、前もつて全員にお渡しし、充分意見を練つておいて頂いて、総会席上で、みんなで検討してきめて頂けるよう準びしたいと思つています。

どうか、今度の総会には豊富な経験と意見を全員が持ちよつて、全員による権威のある決定ができるよう、全会員の御出席を切に希望する次才です。（運営委員会）

新入会員

尾崎　好男―品川区上大崎四ノ二三二（フリー・演出）大正九年七月生、昭和十六年より同十九年まで満洲映画協会に在職。作品「デンマーク農場」（昭和二十九年・内外映画）「天龍川ダム」（昭和二十九年・岩波映画

教育映画の劇場上映

—観光文化ホール一年の実績から—

村尾　薫

観光文化ホールが昨年十一月に開館してから一ケ年の間に、私は専ら優秀文化映画をニュースに添えて上映してきた。こゝに一ケ年の記録をまとめてみよう。

こゝは国際観光会館の地階にあり、我国の観光事業振興に役立つものとしたいとの方針をはつきり打ち出しているので、内外の天然色の美しい観光映画を呼びものにすることを才一に考えて番組を編成してきた。即ち観光映画廿三本と観光映画に類する記録映画を十八本上映した。その外に科学産業に関する記録映画八本、政治及び社会に関する文化映画四本、音楽バレー美術に関する文化映画五本そのほかに漫画、スポーツ短篇などで六六本の文化映画を上映した。それも文部省選定のものをつとめて拾い上げたので選定映画四四本しかもそのうち五本は文部省特選となつている。

私の番組編成の方針は㈠天然色映画——即ち白黒映画は特に優秀なものでないとり上げない。これは今後テレビの普及とともに更に徹底させカラーに限ると云うことになるだろう。㈡ドキュメンタリイ映画——即ちフイクションのものは一般劇映画がありすぎるほどあるので短篇劇などはなるべく敬遠して専ら真実の記録を撮つた映画に重点をおいた。これがニユース映画を好むお客にも喜ばれると思つたからである。㈢題名の魅力のあるもの——即ち当館も商売であり大勢のお客に見てもらうためにはお客を引きつけるような題名のものを選ぶ。この点で日本の文化映画は題名が平凡で、教育映画らしい堅い題名のものが多くて興行として不利なものが少くない。劇映画の題名のように特に観客にうけることをねらつた通俗的な題名を付ける必要はないが、観客に興味と関心をおこさせるような題名であつてほしい。例をあげて失礼だが「ガス」とか「製鉄」のような題では内容が如何に興味があり、且つ天然色で美しく撮れていても劇場上映は困難である。㈣宣伝材料が有るもの、または宣伝上有利な内容のもの——即ち大映画会社の配給する文化映画で美しいポスターの付いているもの、又は時期的に世間の関心を引くもの。後者の例として「佐久間ダム」は今春に才一部才二部と上映したが、完成迫る佐久間ダムが新聞で報道され関心の高まつている時であつたので大当りとなつた。また日ソ漁業交渉の最中に「北洋の鮭鱒船団」を、マナスル登山隊の登頂成功発表の翌週に「白き神々の座」を、八月上旬の原爆投下の月日に、「生きていてよかつた」をそれぞれ上映したところ悉く大当りとなつた。㈤芸術的香りのあるもの——即ちバレーや音楽、美術に関する短篇は、ニュースと記録映画が続いて稍々番組がドライになりすぎ

二

「才二のせつぷん」(昭和二十九年・滝村プロ)

三浦　卓造—港区芝白金三光町二九三金枝方(フリー・演補)日映新社藤本修一郎氏紹介。昭和六年十月生。昭和三十年三月日大芸術学部演劇学科卒。昭和三十一年一月より同年四月まで劇団若草に文芸部演出部員として勤務。昭和三十一年五月より同年七月まで浅草国際劇場舞台課演出部員として勤務。

(以上十月二十六日付入会)

会員の動静

西尾　善介　「黒部峡谷」(日映新社)十一月一杯で年内のロケ終了、以後編集仕上げ。

桑木　道生　別にこれという生けるシルシもなく、ただ何かせねばと思つているだけ。そのうち御報告申し上げる身の振り方もあると思つています。来年はじめにインドに行けたらと思つています。鬼笑う勿れ。

大沼　鉄郎　「世界を結ぶ電波」(東京シネマ)演補　まだ終ら

たと思う頃に柔か味を挿入することに大に役立つた。「白鳥の湖」「姫路城」「歌麿」などはこの点で成功した。また長篇漫画もこの目的にマッチし「やぶにらみの暴君」「黄金のかもしか」「子熊物語」などの中長篇漫画は子供の客よりもむしろ大人の客に喜ばれてよい入りであつた。

当館独特の観光映画はパラマウントの「ノールウェイの旅」英国映画の「セヴィラの祭」や日本もので「西海国立公園」などが優秀作と云える外は、凡作が多くて映画的には問題にならないものでも天然色で美しい観光映画は、居ながらにして世界見物を楽しませようと云う番組のねらいが当つて、段々と人気を集め、先月催した「キリマンジャロの野獣」「美しき日本を訪れて」「江戸から東京へ」の三本を揃えた観光映画週間は近頃としての大ヒットとなつた。一本づゝをとりあげると凡作だが、三本揃えて当館名物として打ち出したのが成功したわけである。

観光映画に類する記録映画としては「大陸の驚異」「首狩族」「アフリカ縦断」「北極物語」「緑の魔境」「カラコルム」がそれぞれ濠洲、ニューギニア、アフリカ、北極、南米、中央アジアの未知の世界の珍しい風景風俗も紹介するドキュメンタリーとして大変うけた。特に「カラコルム」は開館以来一ケ月間の最高記録の成績をあげた。

反対に入りの悪かつたのは日本の教育映画文化映画の週間で、昨年の最優秀文化映画として数々の賞をとつていた「一人の母の記録」の週間と、産経時事PR映画コンクールの最高賞二つを並べた「新しい米作り」「広重」の週はこ数ケ月の間の最低記録となつた。しかし入場した客からは優秀文化映画を見せてもらつたと讃辞を寄せられているのだが、一般の人々を引きつける魅力に欠げていたのであらう。これは何故かといろいろ考えてみているのだが、前述の五つの要素が不足しているためであろう。特にこれらの映画が堅苦しい所謂教育映画又は宣伝くさいPR映画だらうと思われたのかもしれない。

さて今年の教育映画祭で才一部から才五部まで五本の最高賞が決つた。これを教育映画祭執行委員会ともかねて連絡をとつて一週間特に当館で上映することとした。五本全部を二週間にわたつて上映することは最初は考えてみたが思い止まり一週間だけとし、二本又は三本をとりあげることとした。最初は「絵を描く子供たち」「雪国の生活」「五匹の子猿たち」の三本を内定してたが、教育映画祭の当日に五本を全部見た結果、「野口英世の少年時代」が最も感動的な力に溢れているし、セミ・ドキュメンタリー風な描写にも好感がもてたので、これと「五匹の子猿たち」の二本と決定し「雪国の生活」は別に冬に上映することとし「絵を描く子供たち」と「百人の陽気な女房たち」は一応見送りとなつた。「絵を描く子供たち」は各方面で好評でこんどの教育映画祭でも本命と見られていたので、早くから私はこれを予定していたが、他のニュース館がこれを上映したが不入りであつた。私はこれを改めて見たが、この映画は一般のお客を引きつける力が不足しているように思われ、遂に上映を躊躇してしまつた。短篇劇はなるべくやらない方針だと前述したことと矛盾するようだが、「野口英世の少年時

ないのです。が追込中。十一月一日現在。

楠木　徳男　「船をつくる人々」（光報道工芸KK）製作中。今月上旬及び中旬に二井玉野造船所に撮り足し分撮影のため岡山行、下旬録音済みの予定。現在の処十二月より二、三、話あるも予定なし。

岩佐　氏寿　「五十里ダム」編集終了、ダビング待ち「小河内ダム」脚本、演出中。

以上岩波映画製作所。

東映教育映画部次回作品執筆中

（以上十一月五日到着）

大野　芳樹　「暁の北海道」秋のロケを終えて春からのラッシュを整理中です。十二月には完成の見込です。次回PR映画獲得にほん走しています。

加藤松三郎　相変らず日映科学と東京シネマのPR映画「脚本」中。（十一月五日夜、中国地方へ出発）

谷川　義雄　「草地農業」（三井芸術プロ）演出中。今年度撮影分終了。四ケ月間の空きに一本演出。準備中。

丸山　章治　日映科学さんで、「雅楽」のシナリオと演出をやる

代」は文部省特選と云うことを大きく買つて特別に試金石の積りで上映してみることとした。

さていよいよ十一月十四日から教育映画祭週間が始まつたが、近所の小学校が全校をあげて団体観覧を四日間にわたつて行つてくれた外は、今日までの三日間は低調である。入場者は子供づれの親とか学生が多いのが目立つているが普通の大人がやや少いようだ。やはり一般の観客には教育映画祭と云う催しは堅い教育映画を見せられるのだろうとの懸念で敬遠されてしまうらしい。十月にも「新しい米作り」と「広重」で産経時事PR映画コンクール最高賞週間を催したのが入りが悪かつたが、他の週間でこの不成績をとり戻したのだが、今月も同様の状態になつてきた。しかし今後も優秀な教育映画は努めて上映したいという意欲はくじかれないつもりである。

終りに教育映画製作者に特に望むことは前述したように良い題名をつけることである。特に色彩映画の場合は十六ミリで教材として販売することは高価についてあまり売れないだろうが、三十五ミリで劇場上映をねらうのが最も効果をあげる方法であろう。

（筆者・観光文化ホール支配人）

自分にいいきかせること

野田真吉

会報十八号にのつた伊勢君の「うんざりの弁」は大へんおもしろくよみました。いまの短篇映画の仕事をしていくには、同君のような一種の楽天主義が必要だと思います。さらに短篇映画を前進さし発展さすにはなお、一層の楽天主義を必要とするように思います。

どこをむいてもいい条件の少ない短篇映画の現状です。うんざりすることばかりです。

P・R映画の仕事のなかにほとんどの作家がめしをくい、あくせくと暮しています。それだから、なおのこと、作家が作家らしい自分の主張をもつた映画をつくりたいと思うのはあたりまえです。最近の会報にもその声をききます。僕たちがあつまつて仕事の話をすると、きまつて、話はそこに落ちてきます。だが、現状はそう甘くりません。どうして作品らしい作品をつくつていく土台をつくるかということになるとお先、まつ暗な話になりがちです。

せつかちになつてもいまの社会ではすぐうまくいくようなことはありません。僕たちはあせらず、ノソノソとやつていく外に手はないようです。僕は僕なりに考えているのは第一に、みんなが力をあわせて、短篇映画のもつている社会的な、また作家自体のなかの条件をとりのぞいていくことだと思います。作家としては短篇映画に対する世論をたかめ、世論の支持をうることです。内容の上にまた表現の上にも、いままでの短篇映画がもつていたよわさを克服していくことです。それはいわゆる商業主義にこびることではありません。たとえば記録映画についてい

四

ことになりました。むづかしいのできまつています。完成は三月頃になる予定です。この仕事は協会の御世話によるもので、深く感謝しています。

富沢　幸男　「日本の近代産業」カラー三巻（桜映画社）を演出します。今年中にはクランク・アップして一月には完成する予定です。

（以上十一月六日到着）

河野　哲二　「早場米のできる町」（北陸映教）完成。「陸上競技の話」（ベースボール・マガジン映画部）編集中。

日高　昭　「日本の近代産業」海外輸出産業映画（桜映画社）助監督

（以上十一月七日到着）

中島日出夫　「仲間たち」（東芸プロの演補

富岡　捷　PR「住友化学」（新理研映画）の演出。編集中。その他、雑用に追われています。

三浦　卓造　プロット、シナリオそしてコンテまでの過程を調べていますが、蟄居じや、全く無理だ。シナリオ研究中。

京極　高英　東映「拾つた小犬」を十日間であげましたが、考え

えば、「失われた大陸」のような見世もの映画の亜流の題材をもとめるのでなく、もつともつと、僕たちの足もとにある、街や村の生活のなかに積極的なテーマをもとめていくことだと思います。「生きていてよかつた」や「ひとりの母の記録」の反響と成果はそのよい例でないでしょうか。

だから、僕はます、才一に生活をみつめ、生活のなかにはいつて生活をしり、真実をもとめ、そこから僕たちの映画のテーマをうかびあがらせることだと思うのです。テーマをしつかり生活にむすびあわすのです。

つぎは生活をしり、そこでつかみとつた真実をテーマとして——生活のよろこびやいかり、かなしみをうたいあげることだと思います。つまり、ただしく、形象化しなければなりません。前者の「現実認識の問題」と後者の「芸術創造」の問題は一つであつて二つのちがつた過程と構造をもつていますす。ところが両者の問題の同一視と混同が、とくに、いままでの記録映画の場合、たんなる無感動な客観主義やスローガン主義、説教主義にはしらせたのだと思います。また、両者の分離と後者の優位が空そな形式主義におちいらせているのだと思います。僕は僕たちが世論の支持をえるためにはこれらの問題をどう克服していくかを真剣にみんなが力をあわせて考えあい研究し、実践していくなかにあると思います。

伊勢君の「うんざりの弁」はこうしたことをおしすすめていくのではなくてはならない気構えだと思うのです。

商業主義にかためられた映画界を下からすこしづつ、おしあげて割れ目をつくつていく、根気の長い、抵抗の多い僕たちの仕事は自分にきびしい態度をとるとともにおおらかな楽天主義をもたなくてはならないと思うのです。そしてみなが力をあわせねばならないと思うのです。

記録性の弱さ

丸山章治

ある雑誌で、木下順二氏が、山代巳さんの小説を評して、こんなことを云つていました。

「この作品はいい作品だが、おしいことに記録性の弱さとでもいうものをもつている。それは作者が、自分の思想によつて構成をあたえ統一をするという点で不充分だつたからだ。それがあつたらもつと力強い感銘をあたえたろう。」

（文章をハツキリ記憶していないが、大よそそういう意味でした。）

これは仲々味うべき批評だと考へます。

このコトバは、そのまゝ「九十九里の子供たち」（岩佐君、豊田君の作品）にあてはまらないでしょうか？

私は何も「九十九里……」を、もつとお芝居につくり筋をとほせばよかつた、ナドと考えているわけではありません。現実をよく調査しただけでなく、それを分析し、整理し、批判し、構成し、統一を

る時間もない程の忙しさで、いまさら教育映画の悪条件を痛感しました。以后岩波でいろいろなものを手伝つています。今年はそんな事で終りそうです。

松岡　新也　産業教育映画「荒磯を拓く子供達」（三陽映画社製作・教育映画配給）演出中。

（以上十一月八日到着）

竹原　繁雄　「仲間たち」（東芸プロ）の製作アシスタント係をやつています。十一月四日クランク・アップ。

高井　達人　「愛は惜しみなく」四巻（三井芸術プロ）あと数シーンを残し、タテンク・アップ間近。（演助）

片岡　薫　テレビ映画の脚本を準備しています。

（以上十一月九日到着）

八木　進　「競走とリレー」天候に災されて未だにクランク・アップ出来ずいささかくさつています。次回作品の脚本を撮影の合間をみて書いています。

小谷田　亘　脚本の執筆中。何か仕事をしたいと思いまして、週三、四回、協会に顔を出しております。

北　賢二　育映社にて「爐」

あたえるようにつくりあげる点で少々力がよわかつたと考えるのです。

およそすぐれた映画というものは、必ず客観的現実と作者の主観（思想・主張・認識）とが、二つながらうつし出されているものです。こんな判り切つたことをワザワザことわるのも、どうも従来の記録映画論争では、客観的現実を忠実に記録するという面だけが強調され主張されているきらいがあつて、作家の主観の働きはなくもがなにあつかわれているようだからです。

リアリズムというものを、何か客観主義ととりちがえているのではないかと、心配になつてきたからです。

小林勝氏の「シナリオ第一課」は、何よりも統一ということを強調しています。統一をあたえるのは作者です。作者がそれをつくり出さなければなりません。

もつとも、そうだからといつて作者の主観ですき勝手に客観的現実を切つたり張つたりして、任意の形像につくりかえろ、などということを主張する考えは毛頭ありません。

客観的現実と作者の主観とが、全くくいちがつていたりバラバラだつたりしたら、作者がつくりだす統一によつて それこそ全くのツクリモノが出来上つてしまうでしよう。しかし、客観的現実と主観的認識とが一致するなら、構成をあたえ統一をつくりだすこと（創作すること）によつて、作品はますますリアルになり、主張はますます強くあらわれてくる筈です。

記録映画の記録性の弱さを救うためには、そういう風な作者の働き（創作・表現）がもつともつと強くならなければならない、ということをここで主張したいのです。云つてみれば、きわめて平凡なのですが……

北海道路景半吟

岩堀　喜久男

久しぶりのＰＲにて汽車も寝台に眠り宿舎を探す労もいらず満腹をよそおう心配もなければさながら天国に遊ぶ心地してミソヒト文字をこねてみたり。

洞爺丸沈めるあたりクレーン動き吊上ぐる鉄板赤く錆びたる
雪残るエゾ富士右に旋回しこの原野にアカシアの花
凪くればリンゴにかけし紙袋次ぎ次ぎゆれて目の前に揺るる
七月のみどり果てなく折ふしに白きカンバの幹光り過ぐ
アカシアの花の盛りを巡りきてサイロの前に乳張れる牛
駅に売る毛ガニをむしり汁垂れて噛めばあわれ入れ歯のきしむ
千円のサケのくん製買い難く狸小路の人ごみに入る
石狩の川も見えつつ裸か馬仔馬向き合い草をはみたり
雪どけは濁度数千もあるという石狩の水手にすくい見る
北海のかぐろき海にひた向い白き墓石寄りそいて立つ
雨もよい日暮るる海に船も見えず小樽の浜に火をたく子供ら
温泉は幾年ぶりかしぶき立て子供の如く犬掻き泳ぐ
あばら骨目に立ちたれば温泉の鏡の中はふたたびと見ず
東京へ明日は戻らむ夜るふけて出で湯の中に顎までひたす

のシナリオ中。陶器の話、保温、断熱、準備中。

豊田　敬太　十一月九日、千葉県片貝町へ「荒海に生きる女たち」三巻（全漁連ＰＲ・脚本古川良範）撮影のため出発、約一ケ月滞在の予定。

（以上十一月十日到着）

赤佐　政治　児童劇映画「ともだち」四巻（英映画社）脚本監督。十一月二十日完成の予定。

上野　大梧　ひきつずき理研村上プロで「土と作物」を撮影中。十二月上旬まで九州、北陸方面にロケの予定。また「肥料と作物」も脚本準備中です。

西沢　豪　日映新社で三本抱えてフウフウ言つています。国鉄バスＰＲ「青い路線」十月一ぱいで、撮影を約八十パーセント終了。次回は雪の北海道です。全場面撮影終了后、手をつけてなかつた地理大系「上方の移りかわり」を十一月中に仕上げます。同じく地理大系「新しい土地」は約半分を撮影して、後は来年です。

清水　信夫　東映児童劇映画「ポタ山の見える学校」シナリオ執筆のため、数日中に九州へハン

映画界ニュース

☆非常な盛況をみた本年度教育映画祭の中央行事

本年度教育映画祭の中央行事は、十月二十四日、午前十時、文部省試写室においての教育映画総合振興会議を以て始まつたが、この会議に出席した全国各地の学校教育社会教育関係者の数は約八十名にのぼり、予想以上の多数で活発な協議が行われた。

二十四、五、六の三日間、昼夜二回ずつ東京銀座山葉ホールで開かれた国際短篇映画祭もまた、二十七日の昼夜二回同所で行われた最高賞受賞作品発表会も、いずれも観覧希望者全部を収容しきれず、抽せん洩れの多数の人たちを断わらねばならなかつた。このため来年度からは方針を立てなおして、全部の熱心な観覧希望者の要望に充分こたえられるよう考慮することとなつた。

☆教育映画祭入選作品きまる

教育映画総合協議会主催による一九五六年度教育映画祭の入選作品は次のようにきまつた。（一部既報）（題名の次のカッコ内は当協会の受賞会員）

才一部　学校教育映画
「雪国の生活」（脚本演出　西沢豪）
「雲のできかたとかわりかた」（演出　岡本　昌雄）
「わたしたちのリズム楽器」（演出　八木　進）

才二部　社会教育映画
「百人の陽気な女房たち」
「九十九里浜の子供たち」（脚本　岩佐　氏寿、演出　豊田　敬太）
「コトバと態度」（演出　丸山章治）

才三部　一般教養映画
「絵を描く子供たち」（演出　羽仁　進）
「桂離宮」
「結核と斗う」（演出　奥山大六郎）

才四部　動画映画
「五匹の子猿たち」（製作　稲村喜一、脚本演出、田中喜次）
「黒いきこりと白いきこり」

才五部　児童劇映画
「野口英世の少年時代」（脚本　片岡　薫）
「少年合唱隊」（脚本　片岡薫）
「がんばれヨッチン」

☆ニューヨーク見本市の出品短篇作品きまる

明春一月二十日より二十五日まで開催されるニューヨーク日本映画見本市の出品短篇作品は次の通り決定した。

「文楽」松竹作品「南極捕鯨船団」新理研作品「桂離宮」電通作品「野口英世の少年時代」東映教育映画作品「絵を描く子供たち」岩波作品

☆映画の取締り立法に反対、六団体が声明書を発表

文部省では、有害映画を審査する特別の委員会を設け、青少年の観覧制限を立法化しようとしているが、これに対し次の六団体は連名で声名書を発表、官僚統制反対の火の手を挙げた

「声明」最近、新聞紙上の報道によれば、映画の観覧制限を目的とする取締立法が企図されていると考えられるふしが多分にみうけられる。このような動きにたいし、われわれは映画製作にたずさわるものとして、ふたたび、いまわしい官僚統制が復活されるのではな

テイングに行きます。

（以上十一月一二日到着）

黒木　和雄　東京ガスの「ガス供給篇」の演補、十　月下旬よりクランク・イン、　月一杯はかかりそうです。

石田　修　「大原幽学一（三巻）の脚本をどうやら書きあげたところ。

前田　庸言　今まで所属していた「スポーツ科学」解散のため目下失業中。何分にも九月からのギャラ入りませんので、食いつなくのが精一ぱい、なまじつかうろうろしているよりも、と、シナリオ勉強中です。が、一向に落着けません。

西本　祥子　日本視覚教材KKにて、新作品の調査中。

丹生　正　日映の青少年野外旅行を描く「自然は招く」を演出中。

原本　透　新理研映画KKにて「北興有機水銀剤」録音待ち。「地下鉄」演出。

野田　真吉　「東北のまつり　才二部」（東京シネマ）録音。「同才三部」準備中。「本州の屋根」（日映新社）編集。

いか、という懸念をいだく。かりに「よい映画の奨励」というような美名のもとであつても、そのような取締立法が、映画芸術家の創作と表現の自由を束縛し、ひいては思想統制への道につながるものであると考えざるをえない。またそのような取締立法は〃一切の表現の自由を保障し、検閲の禁止〃を規定した憲法才二十一条の趣旨に明らかに違反するものである。われわれは、映画製作にたづさわるものの立場において、このような取締立法にたいして反対するものであることを声明する。

なお、連名の六団体は協同組合日本映画監督協会、日本映画製作者協会、社団法人日本映画音楽協会、社団法人日本映画俳優協会、日本映画撮影者倶楽部、社団法人シナリオ作家協会

☆政府の立法化で、興連反撃

新映倫の設立と併行して政府でも有害映画の取締り立法を企図、総理府参事官などは「業界における自己規制（映倫機関）など信用出来ない」との意味の発言を行つており、「立法措置は検閲ではないが、判定機関が必要だ」と言明、有害映画を排除する法制化を強調しているが、これに対し最も神経をとがらせている興連では、早速全国各支部に政府の意図する立法措置が、製作・配給の大会社には殆んど影響なく興行場のみ罰則をもつて臨む不当な措置である点を衆知徹底させ、絶対反対の全国大会も年内に東京において開催する準備をはじめた

現在まで、この政府の立法措置を一種の検閲制限の復活として猛反対する各種団体（製作者、監督、脚本、俳優、撮影者、音楽各協会に労組）なども、この興行者の全国大会と相前後して文教委員会などを中心に政府関係者と懇談、取締立法の反対を強硬に申入れることになつている

なお、興連の全国大会は十二月上旬を予定、各種協会は目下横の連絡会を密にして、合同会議を行い近く具体的な活動を行う

☆立法化に反対する芸術家団体
監督、脚本家など文教委と懇談

映画芸術家六団体（製作者、監督脚本、俳優、音楽、撮影者）の代表は、十四日監督協会に集合、文部省の観覧制限立法に対する意見を交換した後、代表たちは衆議院の文教委員会を訪問、今後新映倫が発足しても立法化を強行する意志があるかどうかについて質問、各代表はいずれも検閲制度の復活を意味する立法化には絶対反対との意見を開陳、三時間にわたり懇談した

☆芸術家を中心に「映画の統制反対同盟」結成さる

映倫立法問題で十四日衆院文教委員会と懇談した映画芸術家六団体は、即日「映画の統制反対同盟」世話人会を結成十五日新映倫世話人代表代理の森岩雄氏に、映画立法反対の申し入れを行つた

「映画の統制反対同盟」世話人には、監督協会＝山本嘉次郎、シナリオ作家協会＝八木保太郎、製作者協会＝永島一朗、俳優協会＝高田稔、音楽家協会＝清瀬保二、撮影者倶楽部＝長井信一の六団体代表六氏からなり、世話人代表は山本嘉次郎氏と決定、団体加盟で趣旨に賛同する映画関係団体によびかけることとなつたもので、事務所は監督協会におかれる

☆昭和三十一年度教育短篇映画枠外外貨割当作品決る。

大蔵省では、昭和三一年度教育短篇映画枠外外貨割当の審査を文部省教育映画等審査分科審議会に

森田　純　岩手チベットとか、陸の孤島とか呼ばれ、総合開発地域として注目されている北上山地に取材した「開かれゆく郷土」、そのロケを終つて痛感したことは、ジャーナリズムの害毒、えらい障害でした、このことについて、一筆モノするつもりですが、この点で作家の純粋な目を感じさせる「鬼大鼓」に敬服しました。

（以上十一月十三日到着）

羽田　澄子　文部省の社会教育映画「わたしたちの婦人学級」のシナリオを書いたところです。

八木　仁平　「産業教育」（東京シネマ）に着手。
「迷信」（東映教育映画部）脚本準備中

岩崎　太郎　次から次へと悪条件が立塞がり、「防人の村」がまだ完成できずにいます。でもようやく近日クランク・アップとなるところまで来たので、今月中には目鼻がつきましょう。

高綱　則之　学研、学習映画大系社会科シリーズ才二作「北上山地」開かれゆく郷土才二回ロケより帰り編集中。十一月末完成の予定です。

委嘱して、さる十月二九、三〇日の二日間文部省試写室で行うたが、その結果、申込九社十八本中、合格作品八本を十一月八日次のとおり発表した。
①「神筆」（中共・独立映画）
②「斉白石」（中共・独立映画）
③「スエズ運河」（英・BCFC、一六ミリ）④「カテイと山猫」（ハンガリー・東和）⑤「リンカーンの顔」（米・東和）⑥「青い目のロバ」（ソ連・中央貿易）⑦「ヴエネゼラ」（米・ワーナー）⑧「太陽を求めて」（米・ワーナー）

☆国民文化全国集会終る。結論なく各団体の研究待ち。

国民文化全国集会は、さる十一月三、四の両日、東京神田一ッ橋の教育会館で行われた。当日映画関係から各部門別代表が出席、国民文化集会の今后の方針について協議した。

当日議題は一、映画の統制検閲に関する問題二、映画の評価の問題三、映画サークルの活動状況報告などであつた統制問題については映演総連から文部省で非青少年映画の観覧制限の立法を考慮しているとのことについて反対決議を提出したが、結論が得られず各自今後各団体で研究することになつた

また映画の評価についてはヴェニス映画祭の審査委員である牛原氏から「テーマが時代において積極的であること、これが作品全体を一貫していること、人間性をよく描き出していることを基準にしてはどうか」との提案があつた。

☆CBC、PR映画コンクール入選作品きまる。

CBCテレビ放送では十二月一日の開局を記念してPR映画のコンクールを行つたがこのほど入選作が次のように決定した

△黒白映画商業宣伝部門
最優秀賞「クレモナ万漁」倉敷レイヨン株式会社製作日本映画新社
優秀作品賞「モーターオイル」日本石油株式会社
優秀作品賞「始めて母となる方へ」森永乳業株式会社

△天然色商業宣伝部門
最優秀作品賞「ビールむかしむかし」アサヒビール株式会社、製作電通映画社
優秀作品賞「TO・YO・BO」東洋紡績株式会社
優秀作品賞「ダイナマイト」、「サラン」「味の芸術」旭化成工業株式会社

△黒白観光宣伝部門
最優秀賞「桂離宮」電通映画社

☆子供を守る文化会議

文化部門では映画対策を中心に十一月二十四、五の両日にわたつて、東京神田教育会館で開催される才四回「子供を守る文化会議」では、本年度の目標として、一、文化環境を浄化し健全な文化をもりたてる。二、みんなの力で明るい教育環境をつくりだす。三、からだも心も健康な子どもをそだてあげることの三項目をあげて、着々と準備をすすめている。

特に才一の文化分科会では、不良映画対策から更に歩を進めて、すぐれた青少年向映画を生み出す方途、ならびに教育映画の普及振興に焦点をあわせて、専門家と母親たちがひざをまじえて話し合うことになつている。映画観覧制限法が問題化するとともに、映画館における教育映画の上映や「よい映画を見る会」の運動がようやく活発になりつつある折柄、子どもを守る会文化会議の結論が組織的に具体化することになれば、青少年と映画の問題に新しい息吹きをふきこむものと期待される。

渡辺　正己　亀井文夫編集、砂川斗争の記録才三部の手伝い。十月三日ー十一月二十日。

近藤　才司　桜映画社にて「日本の近代産業」の演補についています。

豊富　靖　「砂川の人々」才三部（日本ドキュメンタリィ・フイルム社）で亀井組の演補。目下編集中。十五日にアップの予定。

片桐　直樹　仕事待ち

菲沢　正　スポーツ科学映画社にてプロデュース致しました際私の未熟と力の不足のため皆様に色々と御迷惑をかけてしまい誠に心苦しく思つております。今后は気をつけたいと思つていますす故、何かと御指導下さい。現在、算数を映画化すべく研究していますが、教材映画のムズカシサに苦労しています。来年は、三年来だきつづけてた「日本の民家」（農村住いの歴史を現在の農村の実生活を記録する中で追求する）を何んとか映画化したいと、配給、製作会社をさがしています。どなたか力を貸して下さい。

（以上十一月十四日到着）

声

いろいろな事情で会員としての協力をしておりませんので、いまのところ御意見など申上げられませんが、今后ともいい会に育てて行きたいとは充分希望しております。（永富映次郎）

協会については、沢山希望がありますが、才一は、仕事の決定にもつとタッチすることです。そうすれば各自との連絡も密になるし会費も集まるし、コンクールの無駄手間も消えるでしよう。才二は、部会研究をもつと盛にすることです。ことにPRの本質や、信念や、限界について、はつきりさせるべきです。才三は、会報を増頁してももう一歩各自に報告や提案や討論をしてもらうことです。（岩掘喜久男）

才一、才二、才三とも同感です。そういう方向に向つて努力したいところです。（運営委）

作家協会々員証を出せば入れる＝ユース・短篇映画館があるときいていますが（加藤さんが開拓されたときききました）会報を通じて広く会員にお知らせしては如何でしようか。（近藤　才司）

新作の教育映画を観る機会を多くつくつていただきたい。（谷川　義雄）

これについては別記事の「試写会などについて」をごらん下さい（事務局）

御苦闘多謝。

協会員の関与する仕事はすべて、協会対会社の契約ということに、おいおいなつていつたら、と思います。もつとよく考えてみねばならぬ点もあるようではありますが——。（岩崎　太郎）

運営委のみなさん、事務局のみなさんの御苦労を謝します。長期ロケばかりの仕事で、この一年をすごし、協会のために働らきませんでしたことといかんと思います。これからおおいに御手伝いをいたします。（野田　真吉）

初学者、子供はみものにあらわな意図をきらうし、それだけに作品の趣向が良い意味で面白く消化されていなければならないわけだ——。ためになるのが教育で、元来おもしろいのが映画と、ぐらい、スポンサーのための製作意図の事など一考だにしたことのない、子供みたいな自身を猛省しています。会報によつて記録映画研究会が発足しているらしいことを知りましたが、劇映画の研究会がないでしようか。（三浦　卓造）

今のところまだ持たれていません。しかし記録映画研究会などの内容が発展して、表現形式に就ての討論が活溌になれば、当然ふれられる問題でしよう。（運営委）

「仲間ずき合い」大いにしたい。そのチャンスを作つてくれ。頼む。会費が溜つているので大声はできぬが、とに角、早くその手を打つてくれ、そうすることが仕事を紹介するみちにもなるのだろう。資本家の犬になつている奴を協会からシャツトアウトしてくれないかなア。（北　賢二）

いつも被告的な立場なので、まともな自分の「声」は出そうもありません。ただ「動静」通知には返信当日の日付を入れたいものです。（加藤松三郎）

お互、忙しい身ではありますが、時には、酒など飲み合う機会あらば（協会の財政は窮乏なれば、会費は自弁）お互いの親しみもます

一〇

山本　升良　依然として三木映画で仕事をしています。延び延びだつたPR「オイル・シール」もいよいよ十一月十四日クランクイン、一月中完成の予定です

小島　義史　原則的には家にいることになつています。九月以降お知らせする程のこともありません。

永富映次郎　新理研映画にて「工夫が仕事を楽にする」（仮題）演出準備中。

西浦　伊一　綜合科学映画製作所にて次回作「ある保養院の記録」ほか数本の調査準備中。

中江　隆介　才一映画社「誕生会」記録映画社「かにとさる」（人形映画）いずれもシナリオ執筆中。

（以上十一月十五日到着）

衣笠十四三　胃を悪くして、しばらく病院通いをしながら静養していました。そろそろ次回作の準備にかかります。

岡野　薫子　日映科学で、百科映画の調査をしています。

伊勢長之助　岩波映画製作所にて富士鉄の「鉄をつくる」の仕上げ中——。つずいて「佐久間ダム」才三部の編集に入る予定です。

でしょうし、放談の中から、案外、何物かが生み出されていくかもしれない――時には、そうした、ザツクバランなつどいも必要と存じます。　　（原本　透）

みなさまの御健斗に対しいつも敬意と感謝の気持を抱いています
　　（清水　信夫）

協会で主催してくれた国際短篇映画試写会、見られないで誠に残念でした。大変でしょうが、こういう企画、時々お願いします。
　　（荒井　英郎）

新人会、各種研究会など活潑になされているそうですが、レポートによつて承知する所、微温的ないしは同好会的感じがします。いずれそんなことモノして見参つかまつりたいと存じます。妄言多謝。
　　（森田　純）

積極的な御意見を期待してお待ちしています。是非たのみます。
　　（運営委）

脚本料や演出料の協会基準について再検討の時期が来ているのではないでしょうか。これは相手のあることでむつかしいことかも知れませんが、諸物価が高くなつておりますし、協会基準は創立当時のままですから少しずつでも上げていつたらと思います。
　　（片岡　薫）

委員会でも問題になりましたが、協会発足当初の基準は最低として考えたもので、今日まで、この最低を割つている場合も、まだあるし、また、人によつては、最低基準以上をとつている場合もあります。ですから、もうしばらくは、最低を割らない努力を更に重ねると共に、現実的に、最低以上をとつてゆくことにしました。
　　（運営委）

先ず会員が相互の力を合わせ、当協会を活潑且進歩的な組織にする様努力して欲しい。それには時間の余裕が有る人は積極的に協会に出て欲しい。それから新人に就いて、とかく新人は身に技術を得てないため仕事が無い事は当然と云えば当然ですが、しかし今后新人の力を期待する時機も来る事ですし、この点先輩諸氏は何らかの方法に於て、この新人を育て上げる様努力して欲しいと思います。
　　（小谷田　亘）

同感です。なんとかしてその方向にすすめたいと考えているのです。そこまでできるよう今度の総会でも、討論したいと思います。
　　（運営委）

先日の新人会集まり悪し。間宮会長悲観。くよくよするなと言つて、会報を見たところ出席出来ぬ嘆きの声欄に満つ。新人諸子のかくまで忙しき事むしろ喜ぶべきではないか。あるいは貧に追われ、こき使われていると云うべきだろうか。出席した人の生活苦の話しなど考えあわせ問題は複雑。とにかく表面不振の如くで内実は何か芽の出そうなというのが協会にも新人会にも。小生の感じ。会報については声欄の充実うれしいが先号までの如き論議、論戦の波らんあり気な長文少なく残念。あいつはおれと意見が違う憎い奴というふうなのが、かえつて仲間ずき合いを発展させるのではなかろうか間宮会長の意見同感する所多けれども。友人杉山、病癒えて仕事と同時に上京せんと待期中。
　　（大沼　鉄郎）

会報の内容に就いて。近況通信だけでない、作品研究の様なことを是非。　　（渡辺　正巳）

動静欄で報告致します通りの状況ですので、「仕事」の方、至急お願いいたします。（前田　庸言）

この間、試写会で、思いました

小泉　堯　ニコヨンです。三年間あつめた資料をもとにして「日雇」「失業者」をテーマーにしたシナリオを書き始めました

岩掘喜久男　フリー再出発の才一作「ボイラー用水」ようやく十一月十八日録音、十二月上旬初号、十九日試写に漕ぎつけました。ほかに同じ村上プロで「DDTの使い方」一巻の脚本を書きました（后藤　誠氏が演出中）。十二月は三井芸術プロで「熔接棒の話」（古川良範氏脚本）カラー五巻を始める予定ですが、電気熔接に使う棒の話が如何にすれば四十五分も見せられるか、頭の痛いところです。

荒井　英郎　日映科学「電気と火事」十一月中旬終了。
続いて都映協で、看護婦の生活を扱つた「東京ニュース」にかかります。

間宮　則夫　東京シネマ「東北のまつり才二部」の録音をすませ、引きつづいて「東北のまつり才三部」（助監督）の準備を行つております。他に芸映製作株式会社で児童劇のシナリオをかいています。

（以上十一月十六日到着）

が、手がありましたら、受付など設けて、記名だけでもして貰つた方が、よいのではないかと。そういうことが、協会を個人と結びつける小さな糸の役割位はするかもしれません。会員の冠婚葬祭には協会として、何かしておりますか。責任者の参列とか等々。そんなことも――。（樺島　清一）

記名、までは気がつきませんでしたが、試写会の際には事務局員が出かけて、参会者の顔ぶれをみたり、数を記録したりしております。会員の冠婚葬祭には、協会の定めに従つて、それぞれ慶弔金をお届けし、協会代表者が、その都度、ごあいさつに伺つております。（事務局）

協会の財政難、自分のための如く常々思つてましたが、やつとパーセントを全部おさめてホッとしました。滞納したのは悪かつたが、事務局からの催促の文面は一考を要するように考えましたが如何。（京極　高英）

催促状の文面が御気分を損じた点は、まことに申訳ありません。重々おわび申しあげます。事務局員は、会費を徴集することが、つとめでありますから、つとめを果すために、と、つい、そちらの方へ気をとられて失礼を申しあげました。こんご気をつけます。お許し下さい。（事務局）

十月三十日に催された国際短篇映画祭参加の「選抜」作品試写会、最近の画期的な行事だと思いました。このような会のあと、討論研究会をするとか、本誌上で論争を起していくようにするとか、するといいのではないかと思います。（松本　俊夫）

シナリオを書く時、演出をしている時、いつもいろいろな新しい問題にぶつかつて苦しんでいます。そういうことを他の作家の皆さんと話し合い、経験を交流し、何かをつかみたい、といつも考えます。そういう話し合い（研究会などと肩ひじを張らない会）の会合をもちたいものです。（丸山　章治）

すき勝手をいうようで申しわけありませんが「声」は編集者のほうでもうすこし整理されてもいいのではないでしょうか。「動静」によく「声」はでている場合もあります。同じ製作にたずさわる人が書きつづる理論、提案。岩掘白書や掘田台所になりますと、私は身につまされて拝見いたしております。（石田　修）

今度長期のロケに出たり、多忙な仕事に忙殺されて感じたのですが、東京にいても仕事の関係で色々有意義な研究会や催物があつても仲々思うように出席出来ません。そんなことから現在の機関誌をもつと充実し、たとえ月に一回でも会報ではなくして、もつと研究誌的なものにし、会員のシナリオを載せるとか、論文を出すとか、新人のための講座を出すとか、そうしたものがほしいと思うようになりましたが、如何なものでしょうか。（楠木　徳男）

同感です。ただ、財政問題とすぐからんだ問題となるので、頭を悩ましています。その段階的な方向でも総会できめたいところです。（運営委）

協会には御迷惑をかけるばかりで別に「御意見」も「御希望」もありません。ただ、「視聴覚教育」という雑誌にスペースをもらつて会報の一部を定期的に掲載できるようにしたら、協会と一般とのつながりが出来て、面白いのではないでしょうか。（桑木　道生）

「視聴覚教育」には、協会創立当時よりスペースを貰つてあり、

樺島　清一　只今、模索中です。いろいろな方面に亘つて――。

高島　一男　村上プロにて「DDTの使い方」の演補。十二月初旬完成の予定。

山岸　静馬　もうすぐ「斜面」のアップの予定ですが、引続いて日本短篇の教材もの「てこ」その他にかかる予定です。

松本　俊夫　新理研映画「いもち」（科学の勝利）撮影完了。編集中。

島谷陽一郎　仕事というほどの仕事もなく、シナリオ創作中。アルバイトで育映社の彌次喜多夢道中、淡路島ロケと電通鮭ます船団北海道ロケへ行きました良い仕事をするために、一生懸命努力しています。

（以上十一月十七日到着）

（以上は、動静おしらせ用アンケートはがきによつて、本人からのおしらせをうけた分であります。）

相川　竜介　福岡県甘木市にて種々計画準備中。

秋元　憲　「下水の科学」（新理研映画）演出。

厚木　たか　次回企画の準備中。

小野　春男　「綜合開発」の待機

会員の方が原稿をお届け下されば、これを同誌に掲載する手筈になつております。御希望の方は、どしどし原稿をおよせ下さいますようおねがい申します。また会報の一部掲載については、同誌と会報との編集方針の問題などもからみますので、その点について考慮してみます。　（事務局）

会費問題を早急に解決しないと協会の運営発展の障害となる。私見――現在の会報、試写会程度の状態においては、企業所属会員の会費は現状の儘。フリーは、毎月百円の維持会費は清算せず、取り放しにして、ギヤラから納めるパーセントをグンと下げる。一、五パーセント以下。

才二案は――フリーは毎月百円納め清算する。ギヤラは税込みごと協会が取立て、納めるパーセントをもつと高率にする代りに、健保、税金対策等一切を協会が善処する。

（豊田　敬太）

経済問題は協会活動全般と関係しているので、総会で、充分討論してきめましよう。（運営委）

ある日の運営委員会で、たまたま、会員の某氏が狭心症で倒れたというニュースが伝えられた。さいわい病状は憂慮すべき状態をおさえて、高血圧症状にとどまり、一応、危機を脱した模様である。会員が病魔に倒れることは協会としても、まつたく悲しいことである。だから、この日、期せずして「お見舞に行こう」ということになつた。たいへんうれしく、そして当然のことである。つぎに「お見舞に行くには、せめて花ぐらいはもつて行きたい」ということになつた。しかし協会には、病気見舞のための出費の規程がない。そこで、その場に居合せた人たちが、いくらかの基金を出し合うことになつた。（中略）病気で休んでいる仲間のところへ、花をもつてお見舞に行くことは、前にもいつたようにたいへんうれしいことであり、また誰でもがしていることである。仲間同志の結び合いを強め、仲間ずき合いを深めるためにも、それは、どしどしやつた方がよい。しかしその花代は、居合せたものが衝動的に出すのではなく、これは組織的に協会が出したらよい。病気見舞の出費規程がなければ、しかもそれがよいことだと気ずいたら、早速、その場でつくつたらよい。そうでなければ、病床の仲間の枕もとに飾られた花は、会員としての仲間のものではなくなつてしまう。ただその場に居合せた人たちと、見舞われた仲間だけの限られたものになつてしまう。病床の仲間を、その人に近しい人たちが、金を出し合つてお見舞することは勿論結構なことである。しかし、協会が仲間ずき合いを、更に広く深くしてゆくためには、一部の人たちだけのこそくな発案ではなく、協会全体の中での仲間同志の結びつきをはかることが必要であろう。　（小高　美秋）

☆会員の声、の要望にこたえて、本号より、あらたに「映画界ニュース」欄を新設しました。関係各方面の動きをキヤッチするつもりですが、才一回はごらんのようなものになりました。いかがでしようか。それとともに「協会日誌」欄もつくりました。事務局をセンターとした協会のふんいきを知つていただきたいためのものです。いずれもはじめてなので、これでよいものか、どうか。担当者は各位の声をおまちします。内容その他の点などについて、ぜひ御意見をきかせて下さい。

をしながら次回作準備中。

川本　博康　「産業教育」（東京シネマ）演補。

菅家　陳彦　「米作り」（東映製作所）演出。

かんけまり　「仲間たち」（東芸プロ）演出。

桑野　茂　日映新社の仕事でイラク地方メソポタミアに出張中

小森　幸雄　とくになにもしていません。

杉山　正美　静岡県御殿場市で病后の静養中のところ、殆ど全快。近く上京して仕事をします。

杉原・せつ　「仲間たち」（東芸プロ）スクリプター。

高見　貞衛　日本記録映画社にて次回作準備中。

竹内　信次　「世界を結ぶ短波」（東京シネマ）演出中。

竹内　繁　小野春男氏と一緒に仕事をしています。

中川　順夫　「てるてる坊主」（中川プロ）完成。次回作準備中

秦　康夫　記録映画社で仕事をしています。

樋口源一郎　「すまいの歩み」（新理研映画）演出。

古川　良範　「熔接棒の話」（三井芸術プロ）脚本

協会日誌

十月二十七日　土曜日　晴
多摩川学園映画部の学生に面接する。

韮沢氏に電話して、〃スポーツ医学〃のギャランティに関し照会する。

豊富氏、渡辺正巳氏に電話してその消息を聞く。渡辺氏不在、二人共〃砂川〃のお手伝いをして居ることを豊富氏に聞く。

島谷氏来訪、渡辺亨氏来訪
日映新社落合氏来訪、近いと云へ旁々御持参願つて恐縮する。

午后抜集の用件で南鷗映画を往訪する。

川本氏来訪、新人会に出席する由。

楠木氏来訪、吉見委員長と会談すべき手配をする。

十月二十九日　月曜日　雨天
木村栄進堂の店員来訪、会報十八号のプリント打合わせ。

河野氏来訪、韮沢プロ〃工作〃残金分頂く。

中日ニュース土肥氏来訪、杉山氏の近況について照会を受けた。

来客、横浜在住の今井氏という人、入会の希望もあり哉に見受けられたので、規約を一部進呈する。

夕方河野氏再度来訪、前田氏来訪
加藤委員来訪事務局日誌につき打合わせ。

木村栄進堂再び来る。

韮沢氏より電話、スポーツ科学の件である。

十月三十日　火曜日　曇天
丸山氏来訪、日映科学の仕事の件。

河野氏、小谷田氏来訪。

本日午后一時より、東劇地下試写室で国際短篇映画の、会員試写会を開催した。準備より終了迄小高君従事、それに小谷田氏にお手伝いして頂く。無料奉仕して頂いて恐縮する。

小島氏来訪、新人会研究会の資料調達の為である。

加藤委員より電話入る。

東京短篇の西沢周基氏、神沢氏来訪、カメラマンにつき相談を受ける。

夕方東京短篇を往訪、留守中大沼氏来訪の由。

韮沢氏来訪、〃スポーツ医学〃のギャランティの一部を明日才覚して呉れる由。


十月三十一日　水曜日、午前中は豪雨に近い、十一時より晴天に向う。午后一時頃雨降り出すも夕方迄概ね晴。

島谷氏より電話、豊富氏より電話でそれぞれ事を依頼された。

電話屋が来てダイヤルだけ交換して行つた。無料。

加藤委員より電話が入る。

河野氏来訪、韮沢氏来訪、韮沢氏よりは約束のものを受取る。

片桐氏来訪、島谷氏よりの依頼の事を果たす。

苗田氏、山本氏来訪、それぞれ御届け願つた事を感謝する。

小島氏来訪、三木映画の件につき話す。

河野氏再度来訪。

前田氏、川本氏来訪、二人共山葉ホールに行く由。

島谷氏来訪、依頼された件を果たし、〃スポーツ医学〃分を頂

真野　義雄　次回作品の準備中。
松本　公雄　シナリオ勉強中。
道林　一郎　「愛は惜しみなく」（三井芸術プロ）演出
村田　達二　新東宝教育映画部で光洋糖工のPRもの準備中。
森永健次郎　「若の花物語」（日活）演出。
矢部　正男　岩波映画にて次回作準備中。
柳沢　寿男　「町の政治」（岩波映画）を応援しています。
山添　哲　「東京の産業」（記録映画社）演補
吉見　泰　「産業教育」（東京シネマ）脚本完成。
小熊　均　「動物園」（岩波映画）演補
各務　洋一　「東芝貿易」（岩波映画）仕上げ中。
榛葉　豊明　岩波映画で仕事をしています。
高村　武次　「佐久間ダム」（岩波映画）演出。
時枝　俊江　「町の政治」（岩波映画）演出。
羽仁　進　「動物園」（岩波映画）演出。
肥田　侃　「輝く富士一九五七」（岩波映画）演補

く。

大沼氏来訪、杉山氏の病気恢復後の仕事などについて話し合う。

十一月一日　木曜日　曇、時々晴

午前中抜集の用件で、桜映画社に村山氏を訪ねる。不在、所用不調。

河野氏来訪。

中村麟子サン来訪、日映科学所属会員四氏の十月分を旁々持つて来て頂いた。

丹生氏来訪、本年二月分より頂く。

木村栄進堂にプリント費を支払う。

来客、栗田照雄と云う人、中小企業出版局編集部勤務の人、純然たるアマチュアで、記録映画の勉強したい希望を持つて訪ねられた由。

前田氏来訪。

吉見委員長より電話が入つて、映画会の会場に就いて二三打合わせをする。

間宮氏来訪、河野氏と会談し度い為である由。

十一月二日　金曜日　午前中は晴天なれども薄雲多く、午后は曇天。

午前中村山氏を桜映画社に往訪する。協会としては近藤才司氏の件である。

小谷田氏、河野氏来訪

加藤委員来訪、〃これだけは映画会〃の会場につき種々腐心せられる。

間宮氏、小島氏、韮沢氏、片桐氏等来訪、加藤委員と暫くの間歓談する。

菅家事務局長久々で現わる。

十一月五日　月曜日　晴天

午前中から岩波映画並に全農映行きの為、午后二時半過ぎまで、事務所を空ける。

羽田サンから、岩波会員十名分の十月分を頂戴した。

柳沢寿男氏から大枚の現金書留郵便を受入れた。

片桐氏、小島氏、韮沢氏等来訪。

河野氏来訪、スポーツ科学、陸上競技の件である。

今夕、運営委員会があつた。出席、吉見委員長、菅家事務局長、加藤委員、吉岡委員、間宮委員、

岡野薫子サン、加藤委員を通して入会金を納入された。

加藤委員今夜仕事の為、関西に出張する由。

十一月六日　火曜日　雨天

菅家事務局長と、電話で事務上の打合わせを二、三行う。

河野君来訪

本日、日誌の筆者喫緊の私用起り、横浜に行かねばならぬことになり、午后休みとする。為に本日の日誌は尻切れトンボ。

十一月七日　水曜日　晴天

朝、元中央文化映画社々員、頓宮氏来訪、協会に入会の意志表示をせられ、且つその手続きをして帰られた。推せん者は、荒井氏、桑木氏である由。

小高君午前中は映教行き

小谷田氏来訪

山岸氏より電話、小野寺氏の件である。

河野氏、小島氏、韮沢氏、片桐氏等来訪。

山本氏より電話、三木映画社や小島氏の件である。

年末の協会総会々場について、種々詮議する。一応新聞会館とした。

北星商事に川久保氏を往訪、河野氏の〃陸上競技〃の件である。内金として横線小切手を受取る。

山本氏、富沢氏来訪。

近藤氏来訪、桜映画社の決定の事を話し、且つ仕事に対する心構えにつき懇談する。

吉田　六郎　「酵母」（岩波映画）撮影中。

大場　秀夫　日本記録映画社にて次回作準備中。

田中　舜平　記録映画社で働いています。

島内　利男　新理研映画で仕事をしています。

下坂　利春　「科学の勝利」（新理研）演出中。

中島　智子　「すまいの歩み」（新理研）演補

本間　賢二　「米作り」（東映製作所）演補

八幡　省三　東京シネマで仕事をしています。

長井　泰治。諸橋　一・吉岡宗阿彌　日本アニメーション映画社にて、次回作「かもとりごんべえ」の才三稿検討中。それとテレビ、スポットの仕事を併行してやつています。

平田　繁治　日本アニメーション映画社にて線画の仕事をしています。

大久保信哉　たくみ工房で線画の仕事をしています。

岡本　昌雄　「気象台の仕事」（日本視覚教材）演出。

諸岡　青人　「昭和石油四日市製

丸山氏来訪、日映科学の件である。

河野氏より前記横線小切手分を頂いた。

岩掘氏来訪、理研科学〃ボイラー用水〃分を全部頂戴することが出来た。

十一月八日、木曜日、朝雨、間もなく曇天となる。

河野氏来訪。

韮沢氏来訪、桜映画社の件である。

高島氏来訪、理研科学月例十月分頂く。

荒井君より電話があつた由。都映協の件である。

十一月九日　金曜日　晴、午后薄雲が多い。

大野氏より電話あり、前納会費の件である。小高君に取りに行つて貰う。

荒井氏来訪、都映協の仕事の話を委員諸氏に通し度い希望で見えた。

日映科学、石本氏より電話、綜合協議会加盟の件と、丸山氏の仕事の件である。直に吉見委員長に連絡して置く。

菅家事務局長来訪、〃米作り〃は無事録音終了の由、二・三事務上の打合わせを行う。

上野大梧氏、理研科学月例十月分を長谷川君を通して納められた。

十一月十日　土曜日、晴天
東京映画相田氏より電話、事務所賃借の件である。

小谷田氏、小島氏来訪。

大阪映画社辻野氏より電話、松岡氏に関し照会せられた。

岩波映画に肥田氏を往訪、岩波会員十名分の九月分の会費を頂く。

学研会員高綱氏来訪、会費額を決定して頂き、且つ完納して頂いた。

十一月十二日、月曜日、曇天
昨日の相田氏より電話の件、菅家事務局長に連絡する。

谷口氏より電話、シナリオ執筆の件である。

竹原氏より電話あり、労金映画の件である。

岡秀雄氏来訪、誠に久し振りである。少し雑談を交わす。

西沢豪氏来訪、十一月分頂く。

加藤委員より電話が入る。関西より帰られた事を確めた。

かねて申込んで置いたシナリオ会館設備資金と、子供を守る文化会議に、寄附金各壱口金壱千円也を現金書留で送金して置いた。

本夕、運営委員会あり、出席者吉見委員長、菅家事務局長、加藤委員、西尾委員、八木委員、京極委員、吉岡委員。今夕討論活潑を極め、論議沸騰して盛会であつた。

十一月十三日　火曜日、晴天
中島氏来訪、労金映画分を納められた。

加藤委員より電話で、会報に載せる日誌原稿と、荒井氏の仕事に関する件で、指図を受けた。

小野田氏、小島氏来訪、小島氏は、新人会研究会に関して手配していた。

吉見委員長と電話で打合わせをする。主として丸山氏の日映科学の仕事に関する事項である。

都映画協会を往訪したが、寺部氏不在。

J・K事務局紐谷女史来訪。

十一月十四日、水曜日、朝晴天、午后から曇天。

午前中都映画協会を訪ねたが、寺部氏不在。

吉見委員長より電話、今泉プロダクションの件依頼された。

落合　朝彦　新日本地理大系「地図の話」（日映新社）演出。
中村　敏郎　「東洋工業」（日映新社）演出。
苗田　康夫　新日本地理大系「本州の屋根」（日映新社）演補。
大橋　春男　英映画社で仕事をしています。
小西　久彌　TCJプロ（日本テレビKK映画部）で準備中。
奥山大六郎　「睡眠と疲労」（日映科学）演出。
中村　麟子　日映科学映画製作所で次回作準備中。
清家　武春　日映科学映画製作所で働いています。
松本　治助　電通映画社でテレビ・コマーシャルの仕事をしています。
大野　祐　電通映画社で仕事をしています。
稲村　喜一　人形劇映画「ちびくろさんぼのとらたいじ」完成。
大方　弘男　電通映画社で仕事をしています。
大鶴日出夫　インターナショナル映画で仕事をしています。
水木　荘也　「平安美術」（三井芸術プロ）製作中。
（以上は、おしらせがないの

伊勢夫人来訪。
日映科学より内渡金を受取る。
都映画協会に寺部氏を往訪する。
荒井氏の仕事に関して会談する。
今泉プロダクションを往訪。
丸山氏来訪。渡すべきものを差上げて、頂くものを頂いた。
吉見委員長来訪、渡すものを渡して、貰うものを貰わなかつた。
野田氏、韮沢氏、片桐氏等来訪。
荒井氏より電話があつたので、都映協の顛末を話し、且つ仕事に関して頼んで置いた。
岩崎太郎氏、間宮氏、川本氏来訪。川本氏より大方プロの件を聞いた。

十一月十五日　木曜日、晴、薄雲多し。

加藤委員より電話あり、日映科学に在る由。
来客者山岸氏、八幡省三氏の紹介の人。
小島氏来訪。
小高君山葉ホール行き。
西浦氏来訪
荒井氏来訪。明日の都映協の企画会議の時間と場所など打合わせる。
筆者夕刻岩波映画行き。

（原子英太郎）

挨拶状

朝夕めつきり冷くなりました、落葉に映える黄色つぽい陽ざしに秋の季節を、しみじみ想わせる頃となりましたがお変りなくお過しの事と存じます。

昨年秋には　方ならぬ御心配いたゞきまして有難う御ざいました。その后はすつかり御無沙汰致しまして申訳御ざいません。この一年間は毎日をまるで無我夢中に過してまいりましたので何かと失礼いたしました御許し下さい。

お蔭で隆司の墓も青山の解放運動無名戦士の墓に合葬していたゞき何よりと嬉しく存じて居ります。又私のくらしむきにつきましてもいろいろ御心にかけていたゞきましたが、春頃より記録映画社の仕事を致すことになりまして、元気に勤務して居ります故他事ながら御休心下さい。

十一月九日隆司の一週忌を迎えますにあたりまして簡単ながら御挨拶と共に平素の御無沙汰お詫びまで、尚今后も何分宜しくお願い申しあげます。

十一月十四日　島本秀子

先日の私達の結婚式にはそれぞれお忙しい中を沢山お集り下さり、又教育映画作家協会より叮重なるお祝をいただきまして有難うございました。

この感激をもちまして今后共はげんでゆきたいと思つております故よろしく御指導の程お願い申し上げます。

十一月十四日　間宮則夫

この度の病気で、のびました折、早速御叮重なお見舞をいたゞき有がとうございました。おかげ様でその後快方に向い、現在では相当元気になりました。再び大いに仕事をするつもりですから又よろしくお願いします。併し、専ら身体を大切にして頑張り、二度と再びヘマはくり返さない様にします。目下富士鉄の〃鉄をつくる〃の仕上げ中、つゞいて〃佐久間ダム〃第三部の編集に入る予定です。

十一月十五日　伊勢長之助

で、事務局で調査をさせていただきました。内訳は、事務局ですでに承知している分、業界通信などから取材した分、電話によつて照会した分、ひとの噂による分、などであります）

小野寺正寿
京　俊明
西沢　周基
尾山　新吉
原口　光人
馬場英太郎
岡野　巖
平野　直
森田　実
渡辺　亨
下村　健二
田中　喜次
下村　和男
新庄　宗俊

（上記の方々は、原稿〆切の期日までに詳しい動静が分りませんでした。人からききこんだ噂だけに頼つて書こうかと、思いましたが、あてずつぽうも過ぎると、かえつて失礼になると思い、やめました。ぜひ動静を知らせて下さいませ。）

（会員総数　一四〇名）

☆住所変更

楠木　徳男　豊島区長崎二ノ十六外山はる方へ転居
河野　哲二　渋谷区景丘町十九戸沢方へ転居
八木　進　目黒区富士見台一五五七和交荘へ転居
小森　幸雄　杉並区馬橋二ノ八九

運営委員会だより

十月特別運営委員会

十月二十六日（金）午后六時

出席―加藤、吉見、八木、菅家
間宮

本年度総会開催準備のための特別運営委員会として開催した。

①総会の期日について

総会期日は十二月下旬を目標として開催することとし、その以前に準備のための特別運営委員会を、今后四回（十一月二回、十二月二回）ひらいて準備する

②総会に提出する諸資料について討論の結果、次のものを整備することをきめた。

イ　本年度一般経過報告
仕事あつせんの件数
研究会、サークル活動の報告
新市場開拓の成果
運営上の新制度（事務局制）についての検討

ロ　イについての質疑応答

ハ　新年度協会運営方針

ニ　会費の問題について
本年度協会会計報告
その批判

ホ　財政危機アツピールの成果
協会名称変更の問題について

ヘ　協会日誌の報告
会員の慶弔などあらゆる協会の動きについて

十一月特別運営委員会

十一月五日（月）午后五時半

出席―吉岡、菅家、吉見、間宮
加藤、京極

①本年度総会開催準備について

前回にきめた総会提出の問題点について、その具体的な面をさらに検討、討論した。

引きつづいて運営委員会をひらいた。

①本年度協会推せん作品、およびその公開映画会について

昨年末の公開映画会同様に、本年度も映画会を開催するために準備を行つたが、諸事情のために、映画会の開催期日を来年、二、三月に延期することにした。

（詳細は別記参照）

②教育映画総合協議会への加入促進について

これについては努力しているが若干の難点があり、目下のところ未解決となつている旨の担当委員の報告があり、さらに加入促進をはかることになつた。

③次号会報の編集内容について

掲載する主要記事について意見を交換し話しあつた。

④伊勢長之助氏病気見舞について

伊勢氏が病床に倒れた、との報告があり、協会より御見舞に出かけることをきめ、菅家事務局長が早速伺つた。

十一月十二日（月）午后五時半

出席―西尾、八木、菅家、加藤
吉岡、吉見、京極

①本年度総会の会期会場について

これについての経過および決定が報告された。総会は十二月二十六日（水）午后一時より、銀座三丁目新聞会館会議室にて開催することになつた。

②会費問題について

現行の会費徴集についての定めを検討し、変更するとしたら、どうしたらよいか。一案としての多額会費納入会員についての年額会費の頭打ち制、全体的な納入パーセンテージの引下げ制、プロダクションよりのギャラ受とり代行制、豊田私案、矢部私案、などについて、三時間余にわたつて討論したが、決定的な結論を得るに至らなかつた。

高野方へ転居

☆会員名簿の訂正

さきに発行した会員名簿に次のような訂正個所が発見されたのでおしらせ申します。

十頁平田繁治の住所のうち、江東区を江戸川区に訂正。

☆会報記事の訂正

会報前号の「会員の動静」のうち大野芳樹の欄、国際映画株式会社は国際教育映画株式会社の誤りでした。

同じく「教育映画祭最高作品」のうち、「五匹の子猿」演出　持永只仁は、脚本演出　田中喜次と訂正いたします。

☆おねがい

いつもおねがいしている動静おしらせ用アンケートはがきですが、ご返事の少ないのには、まつたく考えてしまいます。担当者としては、会員の動静を知るにはこの方法が最もよいと考えてしていることですが、じつは逆で、最もよくないのかもしれません。担当者は死んだはがきの代金をもつたいないと気にするのですが、どんなものでしょうか。なにか名案はないものでしょうか。ひとりひとり聞いてあるくべきでしょうか。

映画会の開催時期は 来春ときまる

さきに協会では、昨年の「これだけはみてもらいたい映画の会」と同様の映画会の開催を企画し、その準備に着手いたしましたが、開催期日と会場の問題で、難点にぶつかりました。即ち、開催期日を年内とすると、適当な会場が全部予約済でふさがっているのです。かろうじて、千代田区九段の千代田公会堂（収容人員九〇〇名）の十二月十七日（月）午后六時よりの会場を確保できましたが、これで映画会を開催するか、どうか、について、去る十一月五日にひらかれた運営委員会で討論した結果千代田区九段は地理的に不便である。平日の夜というのは動員に支障をきたすおそれあり。ふだん映画をみない家庭の主婦などを動員対象とする今回の映画会の意図が充分に達せられぬであろう。などの理由から、映画会の年内開催は一応見送り、その時期を、来年二月あるいは三月ときめて、更に準備を続けることになりました。

本年度協会総会の日時きまる

日時　十二月二十六日（水）午后一時より

場所　銀座松屋裏　新聞会館二階会議室

本年度協会総会の日時および場所は右のようにきまりました。後日あらためて、会員各位のお手許へ通知状を発送いたしますが、よろしくおふくみおき下さるようおねがいします。

推せん作品投票について

さきに会員各位に本年度推せん作品投票をおねがいし、その〆切を十一月十五日ときめましたが前記の事情により、その〆切を更に延長いたします。（〆切の期日については追っておしらせいたします）。したがって、すでに投票をすまされた方は、更に延長〆切日までに追加推せん作品を、適宜の用紙で結構ですから御投票下さい。投票されていない方は、そのまま、あらためて御投票下さい。

以上準備の不手際から、御迷惑をおかけして誠に申訳ありませんが、よろしく御協力下さいますよう、おねがい申します。

推せん作品投票の中間発表

推せん作品投票について、十一月十五日の第一次〆切までに到着した投票数の中間発表は次の通りであります。

投票者数　三七名
総投票〃数　一四七票

推せん作品および票数

生きていてよかった　二五票
絵を描く子供たち　一七票
九十九里の子供たち　一三票
ビールむかしむかし　八票
双生児学級　七票
野口英世の少年時代　六票
鬼太鼓　五票
雪国の生活　五票
五匹の子猿たち　四票
結核と斗う　四票

わたしたちのリズム楽器、幽霊船、中学生、花と昆虫、谷間の学校、ひまわり日記、百人の陽気な女房たち、コトバと態度、社会保障　各二票

運動靴、水泳、根のはたらき、漁村のくらし、食中毒、麦死なず、雪舟、佐久間ダム建設の記録、生きている絵、たのしい学校劇、コロと車、がんばれよっちん、いけばな、一九五六年メーデー、日本の鉄、白いきこりと黒いきこり、雲のできかたわりかた、露地のある街、小さな探偵たち、少年音楽団、少年合唱隊、クロロマイセチン療法、つるのはね、カラコルム、マナスルに立つ、桂離宮、明るいガラス、丘の上、新しい米作り、北風の吹く日、リズム運動、高血圧、売春、広重、点字の世界　各一票

会員諸氏への感謝
—財政危機アッピールの反響—

九月、財政のピンチを前にして委員会は再三にわたつて、皆さまに訴えを出しました。その結果、前号会報でお知らせしたように、十月の会費収入は、未納会費の納入をはじめとして未曾有の成績でおかげをもつて、当面のピンチを切り抜けることができるようになりました。すべて皆さまの協会への熱意の現われと感じ、委員会は深く感謝を申述べさせて頂くと共に、協会運営の発展のためにますます努力すべき責任を痛感する次才です。

実際当時のひと頃は、どうなることかと、委員会は異常な緊張の連続でした。

ピンチのアッピールに応えて下さつた皆さまに繰返し感謝すると共に、今后ともひきつゞいての御協力を願上げます。

〈楠木君からのカムパへのお礼

なお、今度の危機突破カンパニヤに際して、会員の楠木徳男君から壱万円のカンパを頂きました。委員会は同君のお志に就て感激いたしましたが、あまりの多額なので、もしやそのことのために却つて同君に御迷惑をおかけしては心配して、お受けするに当つて、同君と失礼でしたが、その点に就て卒直にお話しましたところ、同君も快よく、そういう心配をしてくれて有難いが、このところ仕事がつゞく予想があつて心配しないでもいゝ、協会の発展を何よりも願つていると却つて激励を頂きました。委員会は一同感激して、同君の厚いお志もろとも多額のカムパをお受けしました。こゝに、失礼ながら紙上をかりて厚い御礼を申述べさせて頂く次才です。

（運営委員会）

会計報告（十月分）

一、収入之部	
前月繰越不足金	一〇、五七六
十月会費収入	八二、五九〇
差引	七二、〇一四
一、支出之部	
前納会費	一、〇〇〇
交通々信費	六、三五五
行事費	四、八〇〇
新人会費	一、一四五
事務所費	一二、三九九
雑費	八、四六〇
文房具費	三〇〇
プリント費	五六三〇
消耗品費	三一五
諸手当	一九三〇〇
計	五九七〇四
一、差引之部	
差引翌月繰越金	一二、三一〇

編集後記

☆会報十九号の今月からは毎月十五日を原稿〆切、二十五日発行とすることにした。皆さんのご協力をあおぐ☆翌十二月末を期す巻頭言「本年度会員総会について」は量より質への転換！の重大時機を訴えて、もれなき全会員のご出席を今から求める☆それと共に会報も質的転換をめざして、本号からは主な「映画界ニュース」欄と、ふんいき的に活動をつたえる「協会日誌」欄を新設する。内容へもご批判をこう☆唯一の外部原稿として観光文化ホール支配人の村尾薫氏から「教育映画の劇場上映」なる一文をいただく。都下随一の記録教育映画専門劇場における開館以来の年間上映報告には大いに耳を傾けるべきだ☆内部原稿としても丸山氏と野田氏の両篇は近頃になく内省的な好エッセイと信ずる。会報創刊以来はじめての文芸作品！は短歌集「北海道ロケハン吟」だが、岩堀白書氏の余技にほほえまれよ☆ところで急病本復の伊勢氏、結婚の間宮氏、故島本隆司氏未亡人の三方より、それぞれのごあいさつ状をいただく。殊に当協会最初の故人となられた島本氏が早くも一年忌を迎えるとは！よくぞお忘れなくお言葉をたまわつたものと追憶もあらたに、謹んで追悼の意を奉る☆さて好例の当協会推せん映画大会は別報通り延期されたが、ベストテン作品の選考ご回答がたつた三十七通とはどうか。また会員動静の回答数も三分の一にすぎず、毎度のことながら事務当局がいかにゲンナリか、いらぬ手数に泣かされるかご想像ねがいたい☆でも熱意ある二十八氏の「声」をいただき、本号からは委員会回答のコダマをつけて掲載することになつた☆いよいよ向寒、ご自愛のほどを。（加藤）

教育映画作家協会々報No.19別紙

教育映画の試写会などについて

協会々報本号の「声」の中にもありますように、会員からの「教育映画をみる機会をつくってくれ」という要望は、従来からも、かなり強いようであります。協会では、このような会員の声に応えるために、今までにも教育映画をみるための、いくつかの段取りを行なってまいりましたが、ここであらためて、その経過と状況をおしらせいたします。

まず現在、私たちが教育映画をみるための対象になるようなものには次のものがあります。

①新作教育映画試写会　教育映画製作者連盟主催　山葉ホール
②優秀短篇映画をみる会　同会主催　新丸の内ホール
③毎日教育映画の会　東京都教育庁・毎日新聞社主催　毎日新聞社講堂
④読売教育映画の会　日本映画教育協会・読売新聞社主催　白木屋ホール
⑤観光文化ホール　同　ホール
⑥朝日文化映画の会　同会主催　伊勢丹ホール
⑦当協会の試写研究会、特別試写会など、　当協会主催

①新作教育映画試写会については主催者である教育映画製作者連盟におねがいして、この試写会の開催される都度、好意的に何枚かの招待券を頂いております。これも同連盟事務局の都合と好意だけで行われていることなので、時に、当協会の会員数だけ招待券を頂いた場合は、直ちに全会員に発送していることは周知の通りであります。頂いた枚数が全会員数に満たない場合は、協会事務局に備えておいて、希望の方に先着順で差上げております。尚この試写会は新作試写の性質上から、スケジュールが開催期日の四日ほど前にきまるので、この点の会員各位へのおしらせをどうするか、協会では、目下考慮中です。

②優秀短篇映画をみる会は、毎月一回一日限り、丸の内の新丸ビル地下新丸の内ホールで行はれておりますが、これは協会々報NO13でおしらせしてあるように、当協会々員証を入口で呈示すれば、無料で入場できることになっております。（同会の十二月スケジュールは別記の通りです）

③毎日教育映画の会は、毎月一回行われておりますが、その時の都合により、入場随意の場合と、招待券がなくては入れぬ場合があります。この番組スケジュールおよび開催期日は、普通二週間ほど前にきまり、毎日新聞紙上などでも発表されますが、会員各位への協会からのおしらせは、どうしたらよいか、これも考慮中です。尚招待券の入手は、目下のところ困難なようです。理由は招待券の配布方法の権げんが主催者側にあるため、必ずしもこちらの要求やおねがいがスムースには、通らないのです。十二月分の番組スケジュールは十一月二十日現在で、まだきまっていないので、おしらせすることができません。

④読売教育映画の会は、前者の場合と全く同様です。たゞこの会は殆ど入場随意なので、協会が番組スケジュールを入手して、会員におしらせすれば、どなたでもごらんになれるわけであります。

⑤観光文化ホールは、東京駅八重洲口前国際観光会館の地下にある映画常設館です。これは勿論、入場料さえ払えば、いつでも、だれでも入場できるのですが、目下、協会が、会員にとって有利便利な入場方法をつくるべく経営者側と接渉中でありますが、具体的な決定に至っておりません。先方の企業が営業として経営しているものですから「会員の無料入場」が無条件できるものとは考えられません。入場料は五〇円。最近の番

組スケジユールは別記の通りです。
⑥朝日文化映画の会は会員制度になつており、会費は一人一ケ月五十円。月二回を標準として新宿伊勢丹ホールで開催しており、会員に通知状が配達されております。自主的な運営を行つているこの会には、この制度に従わぬかぎり、入場は不可能です。尚入会申込は港区芝西久保桜川町二六教育映画製作者連盟内同会事務局です。またこの会の次回番組スケジユールは別記の通りです。
⑦当協会の試写研究会、特別試写会など、は、すでに御承知の通り当教育映画作家協会が協会員を対象として、自主的に行なうもので、これはそのつど、全会員におしらせしております。試写研究会は毎月一回を目標として行っており、最近では、五月二十二日、六月六日、六月十九日、六月二十日、八月四日に、それぞれ開催し、特別試写会は随時に企画を決めて行っており、最近では十月三十日に「国際教育映画祭参加作品の選抜特別試写会」を開催しました。また機に応じて友誼団体、会社などで行なう試写会の招待券を入手して会員に配布する場合もあり、これは、最近では五月九日に東京シネマ主催のフランス美術映画試写会、九月八日に独立映画KK主催の「森は生きている」試写会がありました。

以上でありますが、これらの催しものの番組スケジユールをおしらせするについては、本会報の発行日現在までに、決定しているもののみしかおしらせすることができません。あとは、わかり次矛会報号外とでもしておしらせすることになるわけですが、これには一回につき一千円程度の費用が必要となるので、この点について、目下運営委員会で検討中であります。

試写会などのスケジュール

（十一月二十一日現在判明分）

☆優秀短篇映画をみる会
十二月十八日（火）
丸の内新丸ビル地下新丸ホール
午前十時より五回上映
▽番組△
東京ニユース
五匹の子猿たち
百人の陽気な女房たち
野口英世の少年時代
（以上上映時間二時間）

☆観光文化ホール
東京駅八重州口国際観光会舘地下（入場料五十円）
▽番組△
十一月二十一日〜二十七日
英国記録映画　総天然色
青の神秘　五巻
（英国のアーマンド・デニス夫妻の製作した探険映画シリーズの一つで、今回は濠州近海のコーラル海の大珊瑚礁を中心として、主に海の動物の生態を撮つてある）
スポーツ短篇
打撃王ウイリイ・メイズ　一巻
デイズニイ色彩漫画
ドナルドの少年団
十一月二十八日〜十二月四日
ソ連映画　総天然色
バレーと音楽の巨匠たち　五巻
（白鳥の湖・バフチサライの泉と同じくソ連最高のバレリーナ、ゲ・ウラノーワ主演）
観光映画　総天然色
広　島
（原爆で壊滅した広島は、その惨禍をのりこえて見事に復興し、今や世界的な都市となった。その近況を風景と産業を点綴して描く）
十二月五日〜十一日
ソ連記録映画　総天然色
青春の祭典　五巻
以上の番組に、各週、パラマウント、ワールド、朝日、読売、産経スポーツの各ニユース映画を上映します。

☆朝日文化映画の会
矛二十四回　十一月二十七日
新宿伊勢丹ホール
▽番組（テーマ・おまつり）△
雪まつり
花まつり
山のまつり
民謡自慢
アイヌの古式舞踊
その他民族舞踊
この番組は、都合により一部変更されることがあります。

1956.12.25

教育映画作家協会々報

教育映画作家協会

東京都中央区銀座西8ノ5日吉ビル4階 Tel.(57)2801

No. 20

一九五六年度総会の報告と資料特集

一

本年度総会のおしらせ

日時　昭和三十一年十二月二十六日（水）午后一時開会

場所　銀座三丁目新聞会館二階会議室（下図参照）

本年度の会員総会を右のように開催いたします。協会も発足以来三年目を迎えようとしており、諸情勢からみても今回の総会は、たいへんに重要であります。久しぶりに皆々様のお顔合せをえて、大いに懇談することは、この際大いに有意義でありますので、ぜひとも全会員もれなく御参加下さいますようおねがい申しあげます。

尚、どうしても御出席できない方は、別紙の委任状を十二月二十四日までに必着するようお送り下さい。また準備の都合もありますので出欠についての御返事も同様にもれなくお送り下さるようおねがい申します。

当日忘年会をひらきます

当日、総会終了後、引きつづいて同会場にて忘年会を開催いたします。ふだん全会員が一堂に集つて、このような懇親の集りをもつことは、なかなか機会のないことなので、その点有意義な催しとするべく企画いたしました。

尚、忘年会実費一人当り二〇〇円。

当日は総会を午后一時より六時まで、忘年会を六時半より八時半までと予定しております。

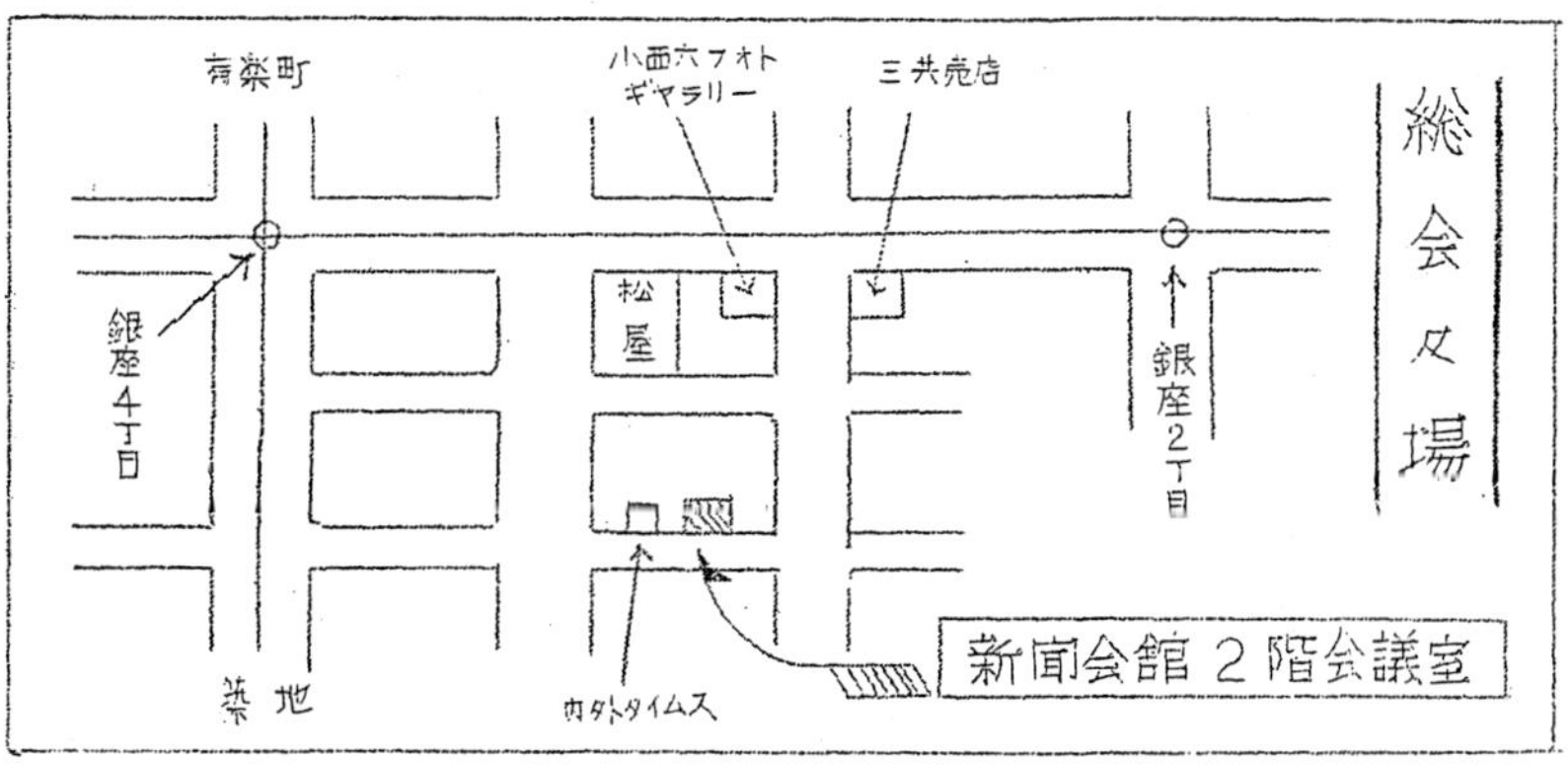

総会の一般報告に代えて

――反省と展望――

一年をふり返つて、協会はなんにもしなかつたという意見がある。しかし、そうとばかりは思えない。一四〇名を越える作家と新人がよく団結を守り得たという事実は何を越えても、協会が果した大きな成果であつた。一人一人の協会への期待が満たされたかどうかは別として、その様々な期待を、協会に対して抱き、その期待をかけ得る所は協会以外にはないとして、協会を中心にした集りをくずさなかつたという事実は大きな力の蓄積となつた。そして社会的にも認められはじめて来た。プロダクションからの仕事の依頼の問い合わせも事務局にかかつてくる件数が上わ向いて来た。

よく離ればなれにならずにまとまつて今日まで来たということは将来にわたつても重要な基本であり、運営委員会は会員諸氏に深く感謝すると共に、勇気ずけられている所である。凡ての問題を省み将来を考える場合にも、この基本に立つて考えを進めたい。

そこで問題になるのが、委員会はなにをして来たかということである。期待をかける所は協会しかないとして集りをくずさなかつた会員諸氏一人一人の期待に委員会はどう応えたか。会報を上向線の上に乗せたという以外、自信を以てお答えする何ものもない恥ずかしさである。

たゞ、どう応えねばならぬかという問題点が次才に分つてきたという所である。

その一つは、協会の活動の軸は、生活問題も含めた作家活動の前進という点にあるのではないかということだ。勿論、これまでもそのことを軽視したのではない。しかし、そこに焦点を合わせ、そこに集注したのではなかつた。定例の試写研究会一つを考えてみても、ただ、仲間の作品を見るということからはあまり発展しなかつた。従つて新作を見る機会がその他の試写会などでふえてくると、月一回の試写研究会はその後を追うような破目になつて、尻つぼみになつた。凡ゆる側面、凡ゆる角度からの（例えば協会外の作家或は利用者側からの）批評の刺戟、協会内部にしても、創作問題の基底からの批評の刺戟もなく、作家活動の前進のためには何ら残す所もなかつた。

私たちは、生活問題も含めて、〃作家活動の前進のために〃を今度は中心的な行動スローガンとしなければならないと思う。

才二は、協会外部の動きと広く連けい乃至交渉を持つこと。協会はすでに二年を経たが、外部との接触の範囲はまことにせまい。仕事の斡旋をめぐつて、新しく関係のできたプロダクションも少々はふえた。だが全体から見ればまことに範囲がせまい。外部の文化的・芸術的活動との接触、連けいに

新入会員　二

玉上　義人　鎌倉市二階堂一七八（フリー・演出）大正六年一月生、道林一郎紹介、昭和十七年九月日本大学芸術学部映画美学専攻科卒業。昭和十四年十二月より昭和二十四年十月まで松竹株式会社大船撮影所演出部に在社、昭和二十八年三月より同年十月まで新理研映画株式会社テレビ映画部に在社、以后フリーとして映画製作に従事。

頓宮　慶蔵　横浜市金沢区金沢町一〇八相田荘（フリー・演補）昭和七年五月生、桑木道生、荒井英郎紹介。昭和三十年三月日大芸術学部映画科終了。以后、翌年六月まで中央文化映画社に在社。製作関係作品「売春」「中国見本市」など九作品あり、現在「かくれキリシタン」製作実行委員長、脚本作成中。

盛野　二郎　世田谷区下馬町一ノ一三二猪俣方（フリー・演出）明治四十年二月生。

（以上十一月二十七日付入会）

至つては殆んどない。〃作家活動の前進〃という点から考えて外部との接触面は凡ゆる意味で広めなければならない。

その三は、事務局の確立である。これまでは、運営委員会が日常運営のすべてを背負い、事務局はその書記的な働きをしてきたし、またそういうものだという考え方が支配的にあつた。そして各委員は仕事を総つて、運営のためにせい一ぱい動いた。しかし、そのエネルギーの限界に逢着して動きがとれないのが現状である。昨年の総会で事務局長制が敷かれ、活動してきたが、事務局長も亦、常任ではなく、本来の仕事を持つていることから、活動は制約された。協会の日常運営の発展のためには、どうしても、事務局に重点をかけ、委員会はその監査指導機関とするぐらいでなければ、やりたいこともやれないのである。

その四は、新人教育問題である。従来はもつぱら新人会の活動にまかされていた観があるが、これはそのような生易しい問題ではない。新人会の手には負えないという実状である。新人教育は協会全体の事業としなければならない。しかし、新人教育は協会だけの責任であろうか。教育映画界全体のものとして考えねばならない問題だ。製作協会は各プロダクション——製作者連盟——あたりと話し合つて、この問題の解決と方法とを生み出さねばならないと思う。

以上、重点的な課題を述べた。細部にわたつては、各委員、事務局からの報告にまつとして、こゝに、総会での活動方針に就ての重点的な課題を述べた。御検討をお願いする。

会費問題は、こうした活動内容とその方向がきまつた上で、従つて新たな活動内容と見合つて、検討決定したい考えである。

（運営委員長　吉見　泰）

協会のうごき

——事務局報告——

＜協会々員数のうごき＞

会員の総数は、本年十二月現在で、一四三名に達しました。

これを昨年十二月の会員数一〇一名に比べれば四二名の増加、さらに昭和三十年三月の発足当時七二名に比べれば七一名の増加をみたわけであります。

いま、昨年十二月より現在まで約一年間に増加した四二名の会員について、その内訳を大別すると凡そ次のようになります。

(イ)既に脚本又は演出の仕事をされていた方……一三名

(ロ)既に演出助手の仕事を経験しておられる方……九名

(ハ)新に演出助手の仕事を希望して入会された方——一八名

(ニ)賛助会員（主としてプロデューサーの仕事をしておられる方）……二名

（合計四二名）

従つて、現在一四三名の会員構

会員の動静

吉見　泰　東京シネマの自主製作の企画を準備しています。

（以上十一月二十七日到着）

中島日出夫　当分失業のようです。大いに時間を稼いでやりたい事をしておきます。

桑木　道生　十二月上旬に京都に行きます。次の仕事の段取りのためです。カラーの長編を考えています。自主製作の場合、観客組織とマスコミとコマーシャルベースの三位一体が製作の基本だと思いますので、その条件を満足に組織するのがホネです

矢部　正男　富士フイルムのPR映画を終つて次が東京ガスの供給篇。

（以上十一月二十八日到着）

丸山　章治　日映科学の「雅楽」なかなか進行せず、大体来年二月頃クランクということなので、どうしても他のもので食いつなぐ必要がおこり、今同社のPRを一本やらしていただくよう話中です。一年に四五本つくらな

成は凡そ次のようになります。即ち、本年十二月現在までに、

(イ)演出又は脚本家として契約されたことのあるフリー会員 ………五一名

(ロ)演出助手として契約したことのある会員、又はそれを希望しておられる会員………三七名

(ハ)経営所属（脚本、演出、演出助手を含む）………四八名

(ニ)賛助会員………七名

（合計一四三名）

尚、この一年間には死亡、脱会等による減数はありませんでした。

＜契約事務と市場＞

協会事務局の日常事務として、会員諸氏の契約金取立には出来る限り努力致して参りましたが、未だ充分にその成果をあげ得るには至りませんでした。而も、現状としては会員諸氏とプロダクションとの直接契約、又は特殊事情が多く、協会としても出来るだけそうした立場を尊重して参りました。

しかし一方では、会員相互の交流や運営委員会のアッセンによつて新しい職場を得られた方も少くありません。

会費納入実績

（30.12～31.11）

	納入額		人員	合計額
フリー会員	20,000―以上		3	70,440
	15,000―〃	（20,000未満）	5	86,010
	10,000―〃	（15,000〃 ）	9	105,400
	5,000―〃	（10,000〃 ）	15	103,810
	3,000―〃	（ 5,000〃 ）	6	21,842
	1,000―〃	（ 3,000〃 ）	10	15,980
	1,000―以下		16	7,260
	0		24	0
		（小　計）	88	410,742
企業		（小　計）	43	99,790
			5	0
賛助		（小　計）	5	8,600
			2	0
		合　計	143名	¥519,132

こゝに、この一年間、協会として契約事務を取扱つた件数をあげ、あわせて新しい市場の紹介に供したいと思います。

（従つて、従来の関係に於いて契約関係を続けておられる場合や、個人関係で契約された場合を含んでおりません）

文化映画研究所……一作品、一名

中日ニュース……一作品、二名

中央文化映画……一〃、一〃

オ一映画……二〃、五〃

東日本映画……一〃、一〃

岩波映画……長期契約、三〃

三木映画……二作品、三〃

三井芸術……四〃、六〃

日本観光写真……一〃、一〃

日映科学……三〃、三〃

四

いと食えないようでは、お互様にこまつたことです。近頃、こんなことをいつまでやつていて、いいのかしら、と考えています。

中村　敏郎　東洋工業PR映画撮影一段落、編集に入る処です。来年は是非「地理映画」をやりたいと思つています。来年の話は未だ一寸早いでしようか、呵々。

北　賢二　興映にて企画準備をしております。

（以上十一月二十九日到着）

赤佐　政治　児童PR劇「ともだち」五巻（英映画社）十一月二十日完成。拙速を覚悟の上、完成を急いだため、どうやら予定通り間に合つたものの、何とも後味が悪く、気力恢復まで当分ブラブラするつもりです。

村田　達二　「若い仲間」四巻、日映新社スタッフの人々の御協力で漸く完成しなました。引続いて、新東宝でイーストマンカラ！PR「ベアリング」二巻を三十日クランクアップ。あとは同様のPRもの「歌うミシン」の撮影は役者待ちというところです。

上野　大梧　「土と作物」（理研

理研科学…………五作品、七名
桜映画…………一〃、二〃
東京カラー…………一〃、一〃
東京シネマ…………五〃、一二〃
全農映…………二〃、三〃
優秀映画…………一〃、一〃
JPCプロ…………一〃、一〃
光報導…………一〃、一〃
スポーツ科学……四〃、六〃
米山プロ…………一〃、三〃

（合計　三八作品　六三名）

以上のうち、本年度新契約を結んだプロダクションは、東日本、桜映画、優秀映画、JPC、光報導、スポーツ科学等であります。

＜財政問題と会費の納入について＞

前述のような契約の実状によつて、会員諸氏の仕事のすべて、またその契約額について、事務局が完全に精通することは至難であります。従つて会費の徴収も、事務局が直接契約の事務を取扱つた分以外については、会員諸氏よりの連絡又は会報の消息欄によつて御相談申上げている次才であります。

会費の使途詳細については総会当日の会計報告によつて御諒解願いたいと思いますが、次に昨年十二月より本年十一月までの一年間に於ける会費納入の実績について別表の通り御報告申上げます。

尚、事務局としては右の納入会費の枠内で絶えず運営委員会と協議の上、会の運営に当つて参りましたが、毎月の納入額は必ずしも平均せず、特に八、九月の経済危機に際しては会員諸氏にも一方ならぬ御協力を仰いだ次才であります。

一方、会費の額や納入方法につきましても、会報その他を通して種々御批判を頂戴致しておりますが、この点につきましても来年度の協会運営の綜合的な御討議と相俟つて、充分御検討下さるよう御願い致します。

＜事務局の日常運営について＞

事務局は昨年度の総会決定にもとずき、事務局長のもとに専従事務局員二名（この二名は技術集団と兼務）を置いて日常運営に当つて参りました。

現在、協会の日常業務としてあげるべき主な内容は次の通りであります。

(イ)契約事務
(ロ)健康保険業務
(ハ)会計事務
(ニ)試写・研究会活動のアッセン
(ホ)会員相互の連絡及び交流
(ヘ)会報の発行

併しながらこの一年間、事務局としては一四〇名に余る会員諸氏の要望に対して充分な成果をあげるには至りませんでした。こゝに深く自己批判すると共に、その問題点を列挙して御検討を仰ぐ次才であります。

(イ)事務局長が非常任制のため、日常運営の円滑を欠いた。また運営委員会に過重の負担をかける一方、事務局の独自活動は組織上制限される面が多かつた。
(ロ)運営上の創意工夫に欠ける点が多かつた。例えば、企画、渉外、財政等の部門は責任を明確にして運営に当るべきであつたが、これが充分に行われず、作家協会としての性格を明らかにした研究活動、対外活動、財政も不充分であつた。
(ハ)絶えず財政的危機に陥り、専従事務局員の手当も充分に支給出来ず、屡々アルバイトを認めざるを得ない結果となり、協会

科学映画・村上プロ）で愛知、三重、群馬、と、田んぼ荒しをしています。年内に九州ロケをする予定。

（以上十一月二十日到着）

渡辺　亨　平凡テレニュースで毎日　映画界のニュースを追つています。毎週水曜夜、NTV、CBC、OTVのネット放送です。よろしく。

日高　昭　「日本の近代産業」（三巻・桜映画社）演補。十一月十七日クランクイン、年内アップ、二月初旬完成の予定。病后、半年ぶりの現場で疲れます。演補と製作担当の兼任は中々骨です。

大鶴日出夫　「ゼット飛行機」二巻を完成。目下外務省の「SUZUKI FAMILY」を編集録音準備。

（以上十二月三日到着）

谷川　義雄　三井芸術プロにて新作品「皮膚のはたらき」の調査中。

岩堀喜久男　三井芸術プロ「電気熔接棒」四巻演出（一月末アップの予定）

黒木　和雄　東京ガスPR「ガス供給篇」ロケハン中、十五日頃

の日常運営に支障をもたらした。

(二)併し、こうした組織上の欠陥や種々の障害にも拘らず、事務局は会報の発行その他にはかなりの成果をあげることが出来た。

＜来年度への継続事業＞

会報の発行、健保等の日常業務の外に、目下協会として企画中のもので来年度に繰越す事業の主なものは「協会推せん作品公開映画会」であります。この映画会については、会報一九号（十一月廿五日発行）でお知らせした通り、年内のスケジュールを明春三月廿四日（日）に延期することとなりました。

尚、十一月十五日のオ一次〆切までに寄せられた

投票者総数は、三七名

投票総数は、一四七票

投票作品は、五四作品

以上の通りであります。

＜人事その他＞

この一年間、会員の方の慶弔は次の通りであります。

○結婚された方

黒木　和雄君（岩波）
島内　利男君（理研）
豊田　敬太君（フリー）
吉見　泰君（〃）
田中　舜平君（記録映画）
八木　進君（モーション・タイムズ）
大沼　鉄郎君（フリー）
杉原　せつ君（〃）
間宮　則夫君（〃）

○会員の御不幸はありませんでした。（事務局長　菅家　陳彦）

短篇映画の年間動向
——報告要旨——

これも来るべき会員総会における報告の要旨です。

委員会からあたえられた題材中では最もむずかしいことになりますが、ただ「作品をヨケイ見とるから」ということだけで押付けられることになりました。従つて題名までがあたえられたそのままですが、こんな「動向」などというよりは、むしろ年間の「話題」というべきものです。つまり私個人の見聞の範囲にとどまるものです。実は資料はとにかく、特に調査のヒマがなかつたことは、はなはだ申訳ありませんが、まちがつた点などは当日の席上でご注意いただくことにいたします。

さて、いわんとする項目だけでもあげてみましょう。

(A)　製作本数の問題

これは資料の関係で今年一月から十月までの完成作品にかぎります。しかし下半期分の本数は便宜上、二割増としてみます。

(1)　全般の本数と巻数。前年度

よりクランク・インです。（岩波映画）

伊勢長之助　富士製鉄「鉄をつくる」十二月十三日完成（岩波）「佐久間ダム」オ三部編集（岩波）「黒部」オ四、編集（日映）いずれも年内に始めます。身体はおいおいよくなりつつあります。当分無理はしません。

岡野　薫子　百科映画「やきもの」（日映科学）のシナリオを書きあげたところです。

岡本　昌雄　文部省企画映画「日本の気象」準備中。理科映画大系次回作品調査中。

（以上十二月四日到着）

大野　祐　「土から生れる生活文化」脚本完成后、信州方面のシナリオ・ハンテングをしました。シナリオは書けば書くほど恐ろしさが強くなります。唯、勉強の足りなさをなげいています。

小谷田　亘　全日本歌ごえの記録映画製作の仕事を未熟ながら、お手伝いさせて戴きました。スタッフの皆様の理解ある御指導を戴きました事を感謝致します。

（以上十二月五日到着）

西尾　善介　「黒部峡谷」クラン

との比較における上半期と下半期と、さらに合計数。
(2) 各社別の本数・どのプロダクションが多作か、そのベストテンなどはどんなか。また新興プロなどはどうか。
(3) PRと自主の数量割。
(4) 色彩や部分色彩の本数。
とにかく今年は戦後未曽有の短篇ブームといえそうです。

(B) 作品類別の検討

もちろん主要な類別によるわけですが、ここは最も問題の多いところでしょう。
(1) 学校教材映画の進出・特に各社シリーズものなどが確立して自主作品の増加。その理由や内容の点はどうか。
(2) 社会教育映画の低調・教材映画との比較(本質や現象)における考察。
(3) 児童劇映画の躍進・特に中篇児童劇ものの流行。東映教のバク進と今年の画期的な作品傾向。
(4) アニメーション映画の問題・量と質(殊にコマ撮り人形映画とセロハン映画)。製作条件や体勢はどうか。特に東映教の日動併合。
(5) PR映画の現実・多作ながら佳作が少ない。しかし実験的な話題作と、劇形式の衰退。ふろく的に色彩PR映画の二作も。
むろん一応の私見にすぎないのですが、それらの実状や理由は、みんなで真剣に探究しなければなりますまい。

(C) 特に話題の作品

(1) 長篇記録映画の進出・全映画界でも圧倒的な内外の作品。
(2) 地理映画の発展・日映新社と毎日映画。特に社会科教材をも意味するもの。
(3) 短篇シネスコの試作・同右の二社。
(4) 個々の作品では特にどんなものがあつたか。

(D) プロダクションの話題

(1) 東映教の躍進(前出)
(2) 新理研の猛進
(3) 学研の進出
(4) 三木プロの復活
(5) 新興プロのゾク出・小プロはもちろん、新東宝や連合映画もある。
(6) 配給会社の製作参加・教配共同映画、奥商会、土田商事、アジヤ商会等。
(7) 特に不振な有名プロ・ただし今年度教育映画会を通じて。

(E) 一般的な話題

(1) 上映公開の問題・興行館と非劇場。
(2) 文部省の認定法?・特選と非認定。
(3) テレビの問題・利用作品と自主作品。
(4) 海外への作品進出・参加招請とテレビ使用。
(5) 8ミリ映画のタイ頭・製作面と利用面等。

×

おわりに前年度と今年度の比較や、来年度の考察などもできたら結構と思います。
どうもいささか大ぶろしきにすぎて、当日はひどくハショらざるをえないかもしれませんが、とにかくこんなところが年間動向——ではない、話題ではないでしょうか。

(加藤松三郎)

クアツプ。編集。
苗田 康夫 「本州の屋根」(日映新社)編集中。今年中に完成の目標です。
(以上十二月六日到着)
高島 一男 「DDTの使い方」村上プロ 十二月十三日録音。
島谷陽一郎 「日本のうたごえ」演補。「題名未定」大映作品の演補、アツプは一九五七年一月下旬の予定です。
(以上十二月七日到着)
富沢 幸男・日高 昭・近藤才司 「日本の近代産業」(桜映画社)のロケ中。(京都発)
(以上十二月八日到着)
肥田 侃 相も変らず企画調査をつづけています。なお来年一月一ぱいは、写真文庫「鉄」の編集に動員されました。
原本 透 「地下鉄」を新理研映画で演出。
小島 義史 十一日よりニコヨンをはじめます。今年はこれで終りそうです。
加藤松三郎 相変らず日映科学と東京シネマのPR映画。生れてはじめてのモーション・タイムズ自主作品の脚本中です。むず

会員の報告

—フリー作家の立場から—

運営委員会の指名で、フリーの一作家としての立場から今年の作品の動向について意見をのべるように申込まれました。それはまた、大会で討論の糸口を多くするのが目的だから、自由な気持でやってくれとのことです。私は、はじめ重大な任務におそれをなし、ためらいました。菅家事務局長につめよられ、『まったくの私見』ならという条件でひきうけました。しかし、みなさんの討論のサカナになるほどのサカナとなるかどうか、はなはだ自信がありません。それに大会の報告要旨の印刷物のなかに、私見の骨子を書けといわれてまた、また、あわてました。大会までに大いに勉強して恥をなるべくかかないようにしようと思っていたからです。といって書かない訳にもいかず、次に私がいま考えている若干の問題点をあげ、メモとして、運営委員会の要請にこたえようと思います。とくに、ここでは芸術と生活との相対的関係を前提として、主として記録映画における作家活動の側面からみてみたいと思います。

☆

(A)『われわれは、いったい、どんな映画をつくりたいのか。』

(1)そのことはいま、われわれはどんな映画をつくっているのだろうか。六百本以上の短篇映画は誰のためにつくられ誰のために利用されているか。作家の側からこの問題をどうみるべきだろうか——という問題である。

作家の自主性ある作品をつくりたいという作家の願望が最近、つよくうちだされているということはいまつくられている作品とそれをつくっている作家との間に、つまり、作家活動のなかに矛盾をもっていることではないだろうか。

(2)私はこの点について、どうしたら作家の、自主性ある作品がうまれるかについて考えるために、本年度どのような映画をつくり、またどのような作品が作家の自主性を発揮しているかをみてみたいと思う。

(B)『作家の自主性ある作品はどうしてうまれ、どのような作家の立場と創作方法をもってつくられたか。』

(1)(A)の問題をさらにすすめて、具体的に作家の自主性ある、作品をとりあげ、それをとおしてみる。私は「生きていてよかった」や「ひとりの母の記録」を例としてとりあげることが出来る。それらの作品の検討は国民の生活感情としっかりむすびつき、その形象化もすぐれている。

かしさといえばPRも自主も同様と思われます。

（以上十二月十日到着）

大沼　鉄郎　東京シネマの「世界を結ぶ短波」改め「太陽と電波」は十二月いっぱいに上る予定。来年は気分を改めてやっていきたいと思っています。

杉原　せつ　先頃書きあげました自分企画のシナリオ第二稿に入るため再調査をやっています。

富岡　捷　PR映画「住友化学」（新理研映画）編集中。

荒井　英郎　東京ニュース七六号「看護学院」（仮題）の撮影に入りました。二十日頃終了するだろうと思います。来年は未定。いい仕事をやりたいものです。

かんけ・まり　第一映画の社会教育映画「誕生会」の脚本まちです。クランクは来春中旬になるでしょう。

松本　公雄　目下のところ、仕事待ち。並びにシナリオ勉強中。

渡辺　正己　映画史研究中。砂川流血の記録の助手、十一日完成試写。

菅家　陳彦　「米作り」本年版を終え、早速裏作にかかり「麦作り日記」の脚本を済ませました

(2)この問題の関連として、今年「ひとりの母の記録」を中心にしておこなわれた「記録映画論争」にふれて、その意義と今後、問題をふかめていく方向をさぐりたい。というのは――私はそのなかに、記録映画が探険映画や外国紀行映画、またトピカルな事件をあつかわないと立派な記録映画ができないという考えにみちびくおそれのある「映画の記録性」依存の理論――うらがえせば平板な客観スナップ主義におちこんでいく理論から、記録映画を生き生きとした創造活動へみちびく理論的な裏づけをうちだしていると思う。

つぎに、あの論争のなかにはたんなる記録映画の規定の問題や表現形態の問題だけでなく、同時に作家の立場、創作方法――作品の内容にまでいたる問題がふくまれている。

(3)私はここで(1)と(2)の問題が一つのものであることをあきらかにして作家の自主性ある作品はたんに、自己満足的なものでなく、現代の生活にむすびつき、歴史のただしい方向に一致しなければその名にあたいしないことをのべたい。

(C)『では、われわれは現状のなかで、どのようにして、作家の自主性ある作品活動をすすめていくか。はたしてそれはすすめられるであろうか。』

(1)現状は困難な条件にみちている。

(2)困難な条件のなかには一方、われわれののぞむ作品をうみだす逆な条件をもつている。それは、国民の生活感情に遊離した作品がおおいことである。国民はほんとうの自分の気持をうつたえ、生活のはげましとなる作品をのぞんでいる。（「生きていてよかつた」「ひとりの母の記録」などの教訓）

(3)また、短篇企業の苦しい経済的諸条件は自主的な企画をもつて製作活動をしようとしている。事実、はじめられており、企画をまつている。この条件を充分にわれわれはつかんで活用することが大切である。(2)の問題をここにすこしでもいかしていく努力を積極的にすることは作家の自主性ある作家活動をひろげていく、才一歩である。

(4)われわれはまた、全国各地方、地域や団体でつくられている民主的な映画製作運動にたいして、注目し、協力し、発展さすようにしなければならない。このことは一つ一つ積かさねれば作家の自主性ある作品をひろげる基盤となる。記録映画を国民のものにする機会であり、将来においては普及の拠点となる。また、短篇映画の観賞会、サークルなどにも協力し、そだてることも同じである。このことは作家にとつては観客とのむすびついたまたとない勉強の場となる。

(5)われわれは、(4)の努力をすすめるとともに、映画館上映のあらゆる機会をとらえるこ

この十二月で東映製作所での農業映画をすべて終り、完全フリーに復帰するわけです。

（以上十二月十一日到着）

山岸　静馬　日本短篇「斜面」が漸く完成。引続き同社の「てこ」と「じしやくの働き」各一巻にかかつています。教材映画の難しさを痛感しています。

三浦　卓造　気儘に読んだり、気楽に観たり。どうやら習性となつて真当な失業者になつてきた。

下村　健二　日映「志野」編集。次回作準備中。

竹内　信次　東京シネマでの仕事「太陽と電波」やつと録音が終り、初号は年末。

前田　庸言　相変らずのアブレ続きです。年の暮ともなりますとモロモロの借金とりに責めサイナマレまして、カツカツ生きています。仕事待ち。

（以上十二月十一日到着）

西沢　豪　やつと地理大系「上方の移りかわり」完成。あとは来年度の撮影待機です。

秦　康夫　記録映画社、テープ録音の簡単な16ミリ児童物一巻を年内に仕上げ平行して自主作品の資料集め。暇をみてシナリ

とは現在の上映機構のなかで記録映画を発展さすためにはゆるがせにできない問題である。

われわれは非劇場上映の場と映画館上映の場を組合せ、統一することのできる有利な条件をもっている。この条件をおしひろげていかねばならない。作家は作品活動でこの問題に対処しなければならない。

(D)『われわれは、以上のために、協会の強化と作家本来の創作問題と真剣にとりくむことである』

――われわれが作家の自主性ある作品をつくっていくことは、そうした場を創りだしていくことである。だから一つの大きい運動としなければならない。一人一人の作家がよい作品をつくりだす努力をするのはよいことであるが、同時に、作家が結集して作品活動とともに運動をすすめる活動も並行しないといけないと思う。

そのために、作家は協会の強化に積極的に参加し、作家本来の創作問題と真剣にとりくまねばならないのである。

※

以上あまりにメモすぎましたが、私の意見をのべさしてもらえば右の諸点であります。

（野田　真吉）

研究会報告

協会の研究会活動には、従来より、協会員全般を対象とした試写研究会と、助監督などの新人会員を対象とした新人会の研究会活動があった。これらは、いずれも協会の主要活動のひとつとして、協会発足以来より重要視されて、それなりの期待と効果のうちに行なわれてきた。また、この一年間のうちに、特筆すべき研究会活動としては、前記研究会のほかに、あらたに去る七月より、各種目別の研究会が発足したことであろう。それは教材、シナリオ、記録、PRなどの各部門別研究会が、おそまきながら、あらたに活動を開始したことである。これらは運営上の都合またはその他の事情によって、現在までの実績においては必ずしも充分な成果をあげ得たとは言えないが、協会活動の重要な一環をしめる研究会活動が、あたらしい構想のなかへ一歩足をふみいれた実績はひとつの収穫であった。この一年間における各部研究会の動きは、それぞれの報告を参照されたいがその批判の上にたって、来年度の研究会活動の充実を考えたい。

（西尾　善介）

定例試写研究会

定例試写研究会について、まず記録を記すと

一月　短篇カラー作品
三月　新日本地理映画大系
四月　教材作品
六月　記録作品

一〇

オハンティングをやっています。

西本　祥子　「動く玩具」のシナリオ。平行して新作シナリオにとりかかっています。

永富映次郎　新理研映画作品「工夫が仕事を楽にする」（仮題）演出中。

小泉　堯　仕事待ち。

丹生　正　産業映画社のPR映画演出中。

岩崎　太郎　半才がかりになってしまった「防人の村」もやっと録音の段取りとなりました。初号のあがり二十五日の予定です。

（以上十二月十三日到着）

楠木　徳男　「船をつくる人々」（光報道工芸KK）完成。

山本　升良　「オイル・シール」（三木映画社）の仕事で関西、中国地方へ出張しています。

衣笠十四三　次回作準備中。

（以上は、動静おしらせ用アンケートはがきによって、本人からのおしらせをうけた分であります）

岩佐　氏寿　東映教育映画部次回作品脚本執筆中

大野　芳樹　「暁の北海道」（国際教育映画株式会社）続行中。

河野　哲二　次回作準備中。

八月　新作品を、それぞれ開催し、またこれとは別に、十月に「国際教育映画祭参加作品の選抜特別試写会」をひらいた。以上の記録でも分るように、定例試写研究会は毎月一回の開催を目標にしていながら、数字的な実績は、目標達成に至らず、担当委員として、おわび申します。これは研究会の企画と諸準備などが、おりあしくも悪事情と重なつたりしたためで、今后の一考を要したいところです。

定例試写研究会の不振を補うため、というばかりではなく、会員各位の要望にこたえて、試写研究会とは別に、「新作教育映画試写会」（教育映画製作者連盟主催）などの機会をとらえて、そのつど会員各位に「試写参加」の手配をいたしました。これは、かなりの成果を収めたようであります。以上、この一年間の試写研究会活動をふりかえつてみると、作品を見るまで、の効果は少なくなかつた模様でありますが、見てから、の合評や討論の機会の少なかつたことが遺憾であります。

（西尾　善介）

教材映画研究会

たまたま今年の大半を教材映画の製作にたずさわつていたため、僕が研究会の責任者になり、そのために又今総括報告を書くハメになりました。

はじめから一定の計画をもつていたわけでもなく、従つて個々の研究会の持ち方についての方針もなく、只漫然とつゞけていましたので、成果が蓄積されず、今報告を書くにあたつて、大いに当惑しているのが実情です。

研究会は四月の第一回以来、五月、六月、七月まで計五回もたれました。その一々については、その都度会報に内容の大略を報告してありますから、それについて御覧下さい。

成果の第一は、作家と教育学者及学校教員とが共通の問題について相互に意見を交換する場所をつくつたことと、従つて教材映画の在り方について多少認識を深めることができたことです。

欠陥の第一は、多少自然発生的につくられた研究会を意識的に発展させることができなかつたことです。それは、教育映画づくりで食えなくなつて僕がPRで食いつなぐため欠席するや否やたちまち運営が止まつてしまつたことでも明らかです。運営委員会をつくり一定の方針や計画をたてていたらそんな事はなかつた筈です。

我々は好む好まぬにかかわりなく今后も教材映画をつくらねばなりませんから、今日までの成果と欠陥の上に立つて、今后も新しく研究会をつみあげてゆかねばならないと思います。しかし、それにはこのような研究会の持ち方をどうするかが、今后の課題です。

（丸山　章治）

映画会開催日時きまる

会報前号でおしらせした「協会推せん作品公開映画会（仮称）」の日時および会場が、このほど次のようにきまりました。

日時　昭和32年3月24日（日曜）

場所　国鉄労働会館ホール

京極　高英　岩波映画でいろいろなものを手伝つています。

松岡　新也　産業教育映画「荒磯を拓く子供達」（三陽映画社製作・教育映画配給）演出中。

竹原　繁雄　米山プロでプロデューサーの手伝をしております。

高井　達人　「愛は惜しみなく」（三井芸術プロ）完成。

片岡　薫　テレビ映画の脚本準備中。

八木　進　モーション・タイムズにて仕事をしております。

豊田　敬太　「荒海に生きる女たち」（全漁連PR）演出中。

清水　信夫　東映教育映画部の次回作品脚本準備中。

石田　修　日本観光写真映画社で仕事をしています。

野田　真吉　「東北のまつり」第三部（東京シネマ）演出中。

森田　純　学習研究社で仕事をしています。

羽田　澄子　「お母さんの勉強」（岩波）の脚本を終えて次回作準備中。

八木　仁平　「産業教育」（東京シネマ）演出中。

高綱　則之　学習研究社で働いております。

新人会について

十二月八日に新人会の運営委員会が開かれました。この会は、年末に持たれる協会の総会を前にして新人会の態度を明らかにするため、現在までの新人会活動をふりかえり、その中から、今后どうやつたらいゝか、大体の方向を出そうとしたもので、ある程度の結論を得ました。勿論これは、新人会運営委員会としての結論にすぎず、最終的な意見ではありません。そのためには十二月二十三日の新人会総会の話し合いを経て更に協会の総会できまることだと考えます。従つて以下の事は新人会総会に対する新人会運営委員会提出の議題として、また、当然協会の総会に新人会から出される議題の一部（ではあるけれども、その中心となるもの）として、協会員の皆さん就中、新人会員諸兄が検討して下さるようお願い致します。

一、新人会の発足とその目標

会の第一回目が開かれたのは昨年の八月、そして十月にもたれた第二回の会合で正式に発足しました。新人会の目標は協会々報第六号に次のように出ています。

「教育映画作家協会に所属する演出助手を中心とするグループでグループ内の親睦と技術及び理論研究のため活動を行う」

発足に当つて会長に推された間宮君は皆の気持を代表して、「私達新人は新しい立派な作品を創作する作家となることを目標としている以上（勿論先ず第一に立派な演出助手となることが先決問題ではあると思いますが）現在のままでよかろうはずはありません。そこで、このままでは駄目だ、何とかして学ばなければならないという気持が集つて今度新人会を作りました」と述べています。そして協会の運営委員会もこの主旨に賛成してくれ、以后新人会の研究会等には財政的援助をうけてきています。

二、今までの活動

活動の中心目標が研究に置かれていたことから、毎月一回の勉強会が行なわれて来ました。記録映画の本質と歴史的発展にとりくんだ時期、会員の書いたシナリオの検討会、クレショフの映画製作法講座をテキストとした勉強会等を経て、今日まで来ました。研究会出席者は平均して十五、六名、ただし、仕事に追われている会員は出たくても出られず、また極端に仕事に困つた会員で映画以外にアルバイトを必要とする者等あつて出席者が一部に偏つた事は認めなくてはなりません。なお、勉強会の面白くない事も当然、欠席の理由の一つでありますがこれは別項で考えます。

協会としての新人会に対する配慮は、前記の研究会に対する財政的援助の外に、新入会員歓迎会にも示されています。これは既成作家を含めたものですが、人数からいえば新人会員が多く、ここでは

豊富　靖　「砂川の人々」（日本ドキュメンタリー・フイルム社）完成。

片桐　直樹　中部日本ニュース映画社へ入社しました。

韮沢　正　いろいろと企画準備などつづけております。

西浦　伊一　総合科学映画製作所にて準備をつづけております。

間宮　則夫　「東北のまつり」第三部（東京シネマ）演補。

樺島　清一　日本視覚教材ＫＫにて働いております。

相川　竜介　福岡県甘木市に帰省中。

秋元　憲　新理研映画ＫＫにて仕事をしています。

厚木　たか　次回企画の準備中。

小野　春男　次回作準備中。

川本　博康　近く入院外科手術をするため静養中。

桑野　茂　日映新社の仕事でイラク地方メソポタミアに出張中。

杉山　正美　永い間の療養生活を終えて、いよいよ東京に居を構え仕事をはじめることになりました。

高見　貞衛　日本記録映画社にて次回作準備中。

中川　順夫　中川プロで仕事をし

演出者を含めた旧会員と新人との交流が行われるいとぐちが作られました。この事は、研究活動の枠からはみ出した、新人の生活問題を、協会として、また新人会として考えるきつかけになつています。

生活問題は、新人会の何回かの集りの中で、自然と問題にされ始め、何とか苦しい生活を打開したいという新人の意向を協会の運営委員会もとりあげ、新市場開拓の議題の中でも相当の比重が新人にかけられています。協会運営委員会も新人の仕事のあつせんについては新人会に諮問する傾向が大きくなつてきました。

三、今までの反省と問題になる点

A研究会は毎月一回の原則で進めてきたが、運営委員の忙しい月などは休会になることがあつた。しかし協会の中でのグループ活動としては永く続けられたものだしある程度の勉強と懇親には役立つて来ました。だが回を重ねるにつれて研究会の内容が稀薄になり、熱した討議が出来ずに終るという感じが強くなつて来た。一つは、研究会のやり方のまずさからくるものだろうが、もつと重要な事は、苗田運営委員が十六号の会報に書いた様に、新人会の中にいろいろな層があり、その各々の層がそれぞれ別個の要求と気分を持つているのではないかという点です。このために、クレショフという一つのテキストで誰も彼もの興味をひこうという会の方針が無理なのではないかと考えられます。例えば既に数年の経験があり生活的にもプロダクションと結びつきのある人たちは、主に演出をやるための創作問題にとり組みたいだろうし仕事は出来るようになつたが生活ではまだまだ不安定だという層、更に始めて映画界に入つて基礎技術を身につける事が才一の目標だというクラス、また企業所属の新人は別個の要求がある、といつたことです。これらを漠然と一つにまとめて、ただ集まればいゝという運営のしかたが反省された一つの問題点です。

B事実、発足当初二十人の新人会は現在五十名近くの会員を擁し、その内、映画の経験も殆んど無く全くの才一歩を踏み出そうという人がその半数以上に達しています。この会員増加の問題は、協会の運営委員会でも新人会の運営委員会でも問題になつた事ですが、私達の現在までの考え方としては、どうしても映画をやりたいという新人でプロダクション等と結びつきがなく、また機会もなかつた人々に一つの道を開き、また新人会員がやがて演出家になつていく場合に後を継いでゆく新人を養成する必要がある、という意味で新入会員を迎えていたのです。しかし、次項の資料を考えたとき、今までに入会した新人を含めて、今后入会しようとする人々の問題は簡単ではないと考えます。

C生活の問題は、協会の才二回総会で言われている通り「新人会は新人としての研究活動と懇親を兼ねた研究専門部会として承認」されたものであるため、新人会運営委員会がこれを自分達の独自な立場で取上げることを控える傾きがありました。このため、新人の仕事のあつせんは協会の運営委員会と事務局の努力にだけ頼る結果になりました。新人会の運営委員会でさえ会員の動静が正確につかめずにいるような状態の中で、協会運営委員会は新人についての資料不足に悩まされ、勢い、仕事のあつせんのアンバランスと新人の新

ています。

樋口源一郎　「すまいの歩み」（新理研映画）演卅。

松本　俊夫　新理研映画ＫＫで働いております。

道林　一郎　「愛は惜しみなく」（三井芸術プロ）演出完成。

森永　健次郎　日活撮影所で仕事をしています。

柳沢　寿男　岩波映画で次回作の準備をしております。

小熊　均　「動物園」（岩波映画）演補

各務　洋一　「東芝貿易」（岩波映画）仕上げ中

椋葉　豊明　岩波映画で仕事をしています。

高村　武次　「佐久間ダム」（岩波映画）演出

時枝　俊江　「お母さんの勉強」（岩波映画）演出

羽仁　進　「動物園」（岩波映画）演出

吉田　六郎　「こうぼの働らき」（岩波映画）撮影中。

大場　秀夫　日本記録映画社にて次回作準備中。

田中　舜平　記録映画社で働いています。

島内　利男　新理研映画ＫＫで仕

市場開拓の困難につき当つたと思います。この原因の一部が、新人会というグループの当初からの性格と、その性格を負つた新人会運営委員会の動きにくさにあつたのではないかという点が考えられます。更に運営のつたなさから、新人会員諸兄との話し合いが進まず協会運営委員会と連絡が充分とれていなかつた点も反省されます。

四、生活問題についての資料

本年十一月までの、最近一ケ年間における稼動額統計は次の通りであります。（新人会運営委員会の調査による）

A、新人会員総数　四九
　企業所属会員　一六
　フリー会員　三三

B、フリー会員年間総稼動額
　三六〇〇、〇〇〇
（これは協会に稼働の報告あつたもの及び稼動したと思われるもの計二〇名による）
稼動二〇名平均一箇月収入
　一五、〇〇〇
会員中経験六年以上のもの八名による年間稼働総額
　二二〇〇、〇〇〇
その月収平均　二二、九〇〇
経験五年以下六名による年間稼働総額　九〇〇、〇〇〇
その月収平均　一二、五〇〇
経験二年以下六名による年間稼働総額　五〇〇、〇〇〇
その月収平均　七、〇〇〇
（上記以外の一三名については報告なく不明のものもありますが、殆んど無収入と考える方がいゝと思われます）

C、プロダクションとの関係

今年中に会員が仕事をしたプロダクションと仕事についた延回数は
スポーツ科学　四回
オ一映画　三
中央文化映画　四
渡辺プロ　一
（上記四社は今年中に解散又は仕事を止めましたので来年の対象にはなりません）
東京シネマ　九
文化映画研究所、三木映画、電通映画、各々　四回
東芸プロ、日映新社各々三回
岩波映画、桜映画、全農映各々　二回
映配、育映社、東日本、ドキュメントフイルム、JPC、光報導、観光写真映画、新理研、村上プロ、英映画、木村プロ、三井プロ、キノプロ、共同映画、
　各々　一回

以上が大体フリー会員の仕事先きと仕事の頻度ですが、数字は極く大ざつぱなものです。これらの中まとまつた仕事を継続的にやつているプロダクションでは、演出助手は特定の人に固定する傾向が強く、所謂、いたつきになります。

五、今后の方向として

以上の分析と資料の中から、今后の方向を出したのですが、それは、オ一に新人会の組織を強めなくてはいけないということです。今までのように研究活動だけやるのではなく、お互の生活問題まで話し合つて、仕事のあつせん等も協会の運営委員会に任せるのではなく、自分達で相当に力を注ぐ必要がある、そうでなくては新人として持つている問題を根本から解決していけないのではないか、ということです。オ二に、新人の場合、仕事を覚え熟練していくことは、そのまま生活問題と関聯します。映画界という荒海をのりきるためには今までと違つた、もつと実践的な勉強が必要なのではないか、そのためには研究会が細分化されても具体的に問題を解決して

事をしています。
下坂　利春　「科学の勝利」（新理研）演出中。
中島　智子　「すまいの歩み」（新理研）演補
本間　賢二　東映製作所で仕事をしております。
八幡　省三　東京シネマで仕事をしています。
長井　泰治・諸橋　一・吉岡宗阿彌・平田　繁治　日本アニメーション映画社にて仕事をしています。
大久保信哉　たくみ工房で線画の仕事をしています。
諸岡　青人　日映科学映画製作所で仕事をしています。
落合　朝彦　新日本地理大系「地図の話」（日映新社）演出
大橋　春男　英映画社で仕事をしています。
小西　久彌　TCJプロで準備中。
奥山大六郎・中村　麟子・清家武春　日映科学映画製作所で働いております。
稲村　喜一　人形劇映画製作所にて次回作準備中
大方　弘男　電通映画社にて仕事をしております。
水木　荘也　「平安美術」（三井

いける勉強会のもち方が考えられる、例えば経験者、経験の浅い者未経験者といつた段階を分けてもいい、特に未経験者の場合は相当な覚悟を持つて技術を身につけなくては、生活が決して成り立たないのです。そのためにはどういう勉強の方法、システムが必要であるか、例えば研究生という段階も考えられます。

才三に企業所属の新人会員の問題があるのですが、これは残念ながらまだはつきりしていません。

主として以上の事から、協会の中での新人会の位置が今までと変る必要があるのではないかと考えられます。既成作家とは違つた、新人は新人なりの芸術創作の希望や悩み、生活の問題、企業内の人々、また我々とは交流の少なかつた他部門の映画の新人達との連けいを考える場合、新人会独自の活動を発展させる方針と、組織をはつきりさせたいと思います。

更に、協会規約と新人会の関係、新人会専属事務局の設置案、財政の問題、新人教育の具体的方法、新入会希望者の問題、等、出てくるのですが、運営委員会や総会で更に検討し、まとまつた所を早急に発表したいと思います。

（新人会運営委員会）

協会のあゆみ

一月七日　運営委員会
一月二十一日　運営委員会
一月三十日　才一回試写研究会（短篇カラー作品特集）
二月十三日　運営委員会
三月十七日　運営委員会
三月二十八日　才二回試写研究会（新日本地理映画大系特集）
三月二十九日　新教育委員会法案反対運動はじまる
三月三十一日　運営委員会
四月二十日　運営委員会
四月二十一日　才一回教材映画研究会
四月二十八日　才三回試写研究会（教材映画特集）
四月三十日　新教委法反対の署名運動をはじめ、声明書を出す
五月一日　メーデー。祭典に参加
五月十九日　運営委員会
五月二十二日　才二回教材映画研究会
五月二十八日　運営委員会
五月三十日　新教委法案反対署名簿を作成し、参議院文教委員長に届ける。
六月二日　新教育委員会法立法
六月六日　才三回教材映画研究会
六月十六日　運営委員会
六月十九日　才四回教材映画研究会
六月二十日　才四回試写研究会（記録映画特集）
六月三十日　運営委員会
七月二日　新入会員歓迎会ひらく於新聞会館会議室、四四名出席
七月十日　各専門別研究会発足
七月十六日　運営委員会
七月十七日　才一回シナリオ研究会
七月二十四日　才五回教材映画研究会
八月四日　才五回試写研究会（新作品特集）

芸術プロ）製作中
田中　喜次　「不二越鋼材」（電通）演出
森田　実　「不二越鋼材」（電通）演補
（以上は、事務局の調査による分であります。）

小野寺正寿・京　俊明・西沢周基・尾山　新吉・原口　光人・馬場英太郎・岡野　巌・平野直・尾崎　好男・中江　隆介・良範・真野　義雄・山添　哲・小森幸雄・竹内　繁・古川新庄　宗俊・下村　和雄
（以上の方々は原稿〆切の期日までに詳しい動静が分りませんでした。ぜひ動静をしらせて下さいませ）

（会員総数一四三名）

☆住所変更
杉山　正美　世田谷区下代田七九夏井恒世方へ転居

☆その他
下坂　利春　新理研映画ＫＫを退社してフリー契約者となつた。
片桐　直樹　中部日本ニュース映画社へ入社して企業所属となつた。

八月十八日　才二回シナリオ研究会
九月十九日　運営委員会
九月二十日　財政危機アッピールを出す
九月三十日　会員名簿発行
十月十七日　運営委員会
十月二十五日　国際教育映画祭ひらかる。会員十一名受賞
十月三十日　国際教育映画祭参加選抜短篇映画特別試写会ひらく
十月二十六日　本年度総会開催準備のための特別運営委員会
十一月五日　特別運営委
十一月十二日　特別運営委
十一月二十七日　特別運営委
十二月四日　特別運営委
十二月十一日　特別運営委
十二月二十五日　特別運営委
十一月十日　本年度協会推せん作品投票はじまる
十一月十四日　映画観覧制限立法反対運動はじまる
十二月一日　映画の日
十二月十七日　才一回記録映画研究会
十二月二十三日　新人会総会
十二月二十六日　協会々員総会および忘年会

映画界ニュース

☆映画の統制反対同盟の声明書

映画の統制反対同盟では、先般来新映倫設立世話人に要望書を提出、衆議院の文教委員会などに働きかけて反対運動の才一線に立つているが、要望書の内容は次のとおり。

『要望書』最近、映画の観覧制限を目的とする取締立法が文部省で企図されております。この立法が実施されゝば、直ちに映画全体の取締法となり、更に新聞、雑誌、出版、放送等の取締に発展してゆくことは、火を見るよりも明らかであります。われわれは今までも、こうした官僚統制には絶対反対の立場を守り、自主規制機関である映倫を支持してまいりました。ところが所謂「太陽族映画問題」を契機として、映倫の軽重を問われる事態に至り、映連は映倫改組を決定準備委員会、組織委員会が作られ、十二月一日発足を期して着々準備が進められていると聞いております。しかし映画芸術の表現の自由を守り、自主規制を貫くためには、映画界を挙げて斗わねばならぬ今日、直接映画を作つているわれわれ映画芸術家、技術家に対して、何等の連絡もなく一方的に運ばれたことはまことに遺憾の極みであります。われわれは新映倫の組織が、われわれ映画芸術家、技術家の意志を十分に反映したものであり、もつて官僚統制の防壁として一日も早く発足されんことを茲に要望いたします。

☆芸術映画社創立

株式会社「芸術映画社」（資本金一千万円）は、卅日午前十一時より銀座スポーツマンクラブで創立総会を開催、左のとうり役員を選出、本一日より正式に発足した

△代表取締役＝大村英之助　△取締役＝大村博、稲村喜一　△監査役＝岡崎一夫

同社は、映画の企画・製作、輸入提供、配給販売を業務にあげているが、映画製作は従来の教育映画的な色彩をはなれた記録映画、劇映画の短篇・中篇に重点をおき、同時に中国などの文化短篇を輸入・提供するプランとなつている短篇の輸入については、とくに本格的な日本語版の製作を計画、先に同社が斡旋、独立映画が枠外審査で獲得した中国の色彩漫画「神筆」の日本語版製作を準備中

なお、同社の事務所は左のとうり中央区銀座東三丁目九番地、電話(54)七〇九四番

☆新映倫準備会が立法化反対意見書提出

新映倫設立準備会は、既報の如く去る十四日の総会で満場一致、映画立法に反対の決議を行い、その具体的方法を世話人代表代理の森岩雄氏に一任したが、このほど左のような趣旨の反対意見書を作成、準備会参加の三七社二団体計四〇名の連署が終つたので、一両日中に関係方面に提出される

『われわれは、昨年五月の総理大臣勧奨の線に則り、民間自規制を推進するため、更に新しい構想による映画倫理活動を開始することに意見の一致をみた。われわれはいかなる形にせよ、法律をともなう文化的統制につよく反対する』

☆日映カメラマン松本久弥氏殉職

日映新社ニュース部松本久弥氏は去る十日、品川駅構内で殉職され十二日、日映社員葬が行われた

声

新人教育のことが重要な課題として、しばしば論議されますが、その一つとして、作品が終つたあと、必ず演出者を中心にして、その過程の相互批判会をやるということを協会できめてほしいと思いますが如何。

（吉見　泰）

辛い農家へはお嫁に行きたくないと思つている農村の娘さんが、農村の暗い現実だけをまざまざと再現したスクリーンを見れば、余計その感を強めてしまうだろう。農村を知らない都会人を啓蒙する一助にはなつても、肝心の娘さんの悩みにはソッポを向いた形である。勿論、映画が解決出来るような生易しい問題ではないが、この暗闇から抜け出ようとしている人達に、暗い現実の土台をしつかりふんまえた上で、更に一歩押し進めた形で、明るい希望（夢や願望とは違う）を持たせ、勇気づけ、明日を生きる方途を指し示すような作品でなければ高級とは言えない気がします。

（中島日出夫）

いつも御迷惑をおかけしています。別に意見も希望もございません。何の役にもたたないのが心苦しいばかりです。

（桑木　道生）

会費滞納数ケ月。全く申訳ないがどうにもならず困つています。どうしたらいゝんでしょうか。人を馬鹿にしているのではありません。

（矢部　正男）

私の作品「コトバと態度」は、キネマ旬報誌上で「愚劣極まる映画だ」と断定されました。会員加藤松三郎氏もその座談会につらなつていて、別に反対を表明してもおられませんでした。してみると、御出席者全員がそれにちかい意見だつたもののようです。とにかく鉄棒でイキナリ脳天をどやしつけるような罵倒をうけて、心おだやかでありません。ぜひ会員の皆様から、右作品について卒直な御批判をたまわりたいと、今、痛切に感じております。批評の「コトバと態度」について、つくづく考えております。

（丸山　章治）

ロケで随分永く御無沙汰しましたが、会報で皆さんの御活躍を知り嬉しく思いました。今更乍ら会報の価値を再評価した思いです。

（中村　敏郎）

教育映画作家協会だからといつて、その活動範囲を何もせまい教育映画界だけに限定する必要はないと思う。マス・コミのより広い分野との有機的なつながりを認識してその活動範囲を拡充し、協会の質的発展を計る方途は、いろいろあると思う、具体的私案についてはいずれ申上げるつもり。

（赤佐　政治）

外に向つて進歩的な映画界も、どの界同様、徒弟的ギルド社会で

（日高　昭）

協会名称変更のアンケートについて

当協会名の変更可否についての会員各位の意見を集めたところ、一月七日より五月二十一日までに総計二十五篇の意見を頂きました。これらはいずれも会報オ十、十一、十二号紙上に順次掲載して発表しましたが、内容を分類すると次のようになります。

教育映画作家協会がよい	十二
記録映画作家協会がよい	六
教育記録映画作家協会がよい	二
文化映画作家協会がよい	二
短篇映画作家協会がよい	一
記録教育映画作家協会がよい	一
その他	一
合計	二五

（会報オ十三号より転載）

運営委員会だより

十一、十二月特別運営委員会

☆十一月二十七日　午后六時

あることを痛感する。とくに映画においてそうであると思われるのは、いわゆる理論家が出ないことと関係がある、新人仲間はそういうカラを破る努力もしたい。

（渡辺　亨）

コマーシャル・テレビ・スポットの研究会を持ちたい。

（岡本　昌雄）

じつくり考えて、じつくり映画を作りたいのですが、会員諸氏とも、一夕じつくりと語りたいものです、同好の志あれば、御一報下さい。

（岩堀喜久男）

フリーの場合仕事がきまるとその都度会社で名刺を刷つてくれる。名刺の嫌いな私はあんまり使わないから沢山余つて幾箱も溜つている。むだな話だが、何故協会々員という名刺だけではすまないのだろう。プロダクションによると、名刺をくれるだけでなく、まるで専属社員のように紹介する。専属でないフリーを使うのは体裁が悪いみたいだが、それならそれで月給を払い残業を出しボーナスや退職金をくれればいい。出すべきものは出さず、しかも出してるみたいな顔をするのはどういうわけだろう。今や協会もありフリーの作家も多いのだから、たとえ宣伝広告の映画でも、フリーはフリーとして扱つたらどうだろう。社員でもない者を社員のようによそわねばスポンサーを獲得できないと思うのは、もはや頭の古いプロジューサーではなかろうか。前の村上プロでも今度の三井プロでも、正しく私をフリーとして紹介し、スポンサー側も理解しているので、その点気持がいい。しかし、それだけに作品の責任が個人にかかつてくる。製作条件を飛び越して個人の力だけが云々されても困るが、しかしフリーはあくまでフリーである。宣伝映画であろうと一流品を作るべく斗わんことにはフリーの基盤が無くなる。そしてそれを支えるものは、やはり協会の力だ。早く協会々員の名刺だけで偉張つて通れるような、自分にもなりたいし、強い協会にもなつてほしい。

（小谷田　亘）

自主製作うんぬんと云う声をしばしば耳に致しますが、大変に喜ばしい事だと思います。しかしこの問題も、経済的にも種々問題があり実行する事は並大抵の事ではないと思います、そこでこうした会員の情熱を無にせず、何らかの形でプランを作り、関係各方面に手配するとか、会員相互の力を合せプランにそつて協力すれば、自主製作の声も夢だけでなく必ず実行に移せると思います。どうか自主製作の夢を、夢でなく実行に移せる様努力したいものです。こうした事が協会の自立及組織を次才に強化してゆくのではないでしょうか。

（肥田　侃）

現在の職業紹介所乃至友誼団体的立場から一歩前進して、短編映画を、より向上させるための具体的活動をするように希望します。「夜と霧」の如き問題作を、たとえ特別試写会の形でもよいから会員に公開できなかつたかと、残念でなりません。来年こそはそのような実力を養つていたゞきたいと思います。そのためには会費の拡大再生産を考えることも必要でしょう。

出席―中村、西尾、八木、間宮、吉見

①総会における報告について
最近一ヶ年間における作家活動について、総会において報告するための諸資料について話し合つた。

☆十二月四日　午后五時二十分より九時半まで。

出席―吉見、加藤、菅家、間宮、八木、羽仁、西尾

①総会における報告について
総会においての報告事項および討議の問題点を最終的に整理した。大略次の通り。

一般報告――――――吉見
事務局報告――――――菅家
会計報告――――――菅家、原子
作家活動の年間動向――――――加藤
会員の報告―フリー作家――野田
企業内作家――新理研、岩波、視覚教材、日映などの各社所属の会員。
研究会報告――――――西尾、丸山、吉見、野田、（新人会）間宮。

なお、以上の資料を印刷して会員の手許へ配ることにした。

☆十二月十一日　午后六時より九時半まで

（小島　義史）

今年一年をふりかえつてみると協会の一員として盛り立てるのでなく、むしろよりかゝつていた自分を発見して、済まないやら残念やらです。

（加藤松三郎）

あえて申すならば、こんどの年末会員総会には一人ももれなく会員の参加ができるよう、事務当局は万全を期すことです。また会員の方々も、われわれの協会が「畳より頭への転換」のためには、もれなく参加すべきです。

会員自身も事務当局も、責任をもつて参加し、また参加させるよう切望します。

（大沼　鉄郎）

大いに新人会を強化したい。来年は、今まで色々もやもやしていた点がはつきりして、活動しやすくなるように、残り少ない今年の日日を僕としても使うつもり。

（富岡　捷）

年末に当り、この一年「協会々報」編集にあたられた諸氏の御尽力に深く感謝致します。省みて、会員相互の動静や意見、会の動行等のバロメーター」として会報の果した役目は、思いの外効果があつたと思います。来年も必ず会報だけは欠かさず発行して下さい。

（かんけ・まり）

本年も残り少なくなりました、総会も近ずき、会員諸氏の今年の成果を伺えるのをたのしみにしております。一年をかえりみて運営委、事務局諸氏の御フントウに感謝します。

（松本　公雄）

小生久しく製作に携わる機会なく、協会の運営の御苦労なことを充分存知ながら、会費等の納入も出来ないまゝ心苦しく思つておりますが、何卒今暫らくの御許しを御願いする次才です。

（山岸　静馬）

高邁な理想の語られるサロン、革命家の卵の集まる屋根裏部屋の様な雰囲気。どちらも嫌いです。誰かが言つていた、仲間づき合いに賛成です。高邁な理想は、安い酒の気焔の中にもある筈ですから。

（西沢　豪）

会報の充実、関係諸兄の御努力を感謝します。

尚、今年度はあまり作品検討会が開かれませんでしたが、来年度は大いに活潑化するよう希望します。

①総会準備について

総会資料の原稿化したものをもちより更に討議した。協会の運営機構、とくに事務局の執務態勢について話し合つた。総会開催当日の細分的な段取りや予定などについて話し合つた。

声の総計　一六七通

協会では、去る四月より会員各位よりの当協会に対する御意見、御希望などを、アンケートによつて集めたところ、左のような御寄稿をいただくことができました。ます、このよせられた数を月別に分類いたしますと、四月　二通、五月　四通、六月　五通、七月　三十八通、八月　十四通、九月　三十五通、十月　二十二通、十一月　二十六通、十二月　二十一通で合計一六七通に達しました。この内訳をみると、会報についての御意見が最も多く、四十八通。次に身辺日常の報告や考察などをよせられたものが三十六通。協会活動への御希望が十六通。協会への

会計報告（一一月分）

収入之部	
現金前月繰越高	一二、三一〇
維持会費	六八、一五〇
寄附金	一〇、〇〇〇
立替金	七五四
計	九一、二一四
支出之部	
交通々信費	六、六四二
文房具費	二〇七
雑費	二、八二〇
事務所費	一二、八七三
諸手当	二一、〇〇〇
消耗品費	四〇八
プリント費	六、四〇〇
計	五〇、三五〇
差引之部	
現金翌月繰越高	四〇、八六四

激励が十四通。以下、研究会について十一通。試写会について七通。会費問題二通。仕事がほしい二通。苦言二通。その他となつております。運営委員会では、各位からよせられた、この「声」に基いて協会運営をおしすすめておりますので、今后とも、御意見御希望などを、どしどしおよせ下さるようおねがいします。

協会日誌

十一月十六日 金
来訪者 河野、野田、苗田、かんけ、島谷、西浦、間宮、の諸氏。観光文化ホール支配人村尾薫氏より会報才十九号の原稿が届く。

十一月十七日 土
来訪者 小谷田、川本、西尾、島谷、吉見の諸氏。吉見委員長の会報原稿を受けとる。

十一月十九日 月
来訪者 岩崎、小西の諸氏。中村(敏)氏の代理の方が九、十月分会費を届けてくれた。

十一月二十日 火
来訪者 小谷田、丸山、山本、岩堀、竹原、荒井の諸氏。
米山彊氏が負傷されたとの情報が入る。山本氏より十月分会費を受とる。

十一月二十一日 水
来訪者 西浦、河野、韮沢、片桐大沼、荒井、川本の諸氏。
会報才十九号の原稿を印刷所へ渡す。

十一月二十二日 木
来訪者 加藤氏。
動静おしらせ用アンケートはがきの印刷を発註。運営委員会の招集通知状を出す。事務所費、電話料などを支払う。

十一月二十四日 土
来訪者 小谷田、加藤の諸氏。
三井芸術プロより「電気熔接棒」の演補一名の要請あり、新人会と相談して処理する。
会報才十九号出来上り、会員二三の応援をえて直ちに発送する。

十一月二十六日 月
来訪者 加藤、前田、日高、吉見富沢の諸氏。
日高氏より十一月分会費を受とる
日本映画監督協会の柿田氏来訪し映画の統制反対同盟の成立経過と活動状況について話を伺う。
大阪才一映画社の山田氏来訪、加藤、吉見両氏と懇談した。
三井芸術プロ「電気熔接棒」の演補は豊富靖氏にきまる。

十一月二十七日 火
来訪者 吉岡、小谷田、中島、豊富、島谷、韮沢、片桐、河野の諸氏。本日の会費納入額九、一〇〇円に達す。盛野二郎氏来訪、入会申込書をうけとる。
午后六時より運営委員会をひらく

十一月二十八日 水
来訪者 荒井、吉見の諸氏。
谷口豊一氏より連絡のあった少年エチケットシリーズ物の脚本の件につきいろいろと連絡する。
日映科学より百科映画についての連絡あり、荒井氏より都映協の契約金の件について連絡あり、吉見氏より月例会費を受けとる。

十一月二十九日 木
来訪者 小谷田、島谷、河野、片桐、荒井、楠木の諸氏。
小谷田、島谷両氏は「日本の歌声」記録映画の製作を応援することになる。伊勢氏より十、十一月分会費を加藤氏を通じて受けとる。

十一月三十日 金
来訪者 肥田、岡野(薫)、上野小島、片桐、荒井、かんけ、杉山の諸氏。
村田氏より郵便で会費を受けとる
肥田氏より岩波所属会員の十一月分会費をうけとる。岡野(薫)上野両氏も会費を納入された。

十二月一日 土
来訪者 山岸、前田、荒井、豊富菅家の諸氏。三井芸術プロ、日映科学のスタッフ派遣の件について連絡などをする。

十二月三日 月
来訪者 渡辺(正)、前田、荒井豊富の諸氏。渡辺氏は「砂川」の編集をしていて目下追込み中の由。

十二月四日 火
来訪者 加藤、中島、島谷、川本下坂、中村(麟)の諸氏。
下坂氏は新理研を退社し日映科学で仕事をすることになつた由。
同中村氏より日映科学所属の会員の会費を受けとる。午后六時運営委員会をひらく。

十二月五日 水
来訪者 小谷田、菅家の両氏。
日映科学の石本氏と百科映画の演出者の件について話し合う。
総会の会場を契約し、使用料を支払う。

十二月六日 木

来訪者　菅家、かんけ、島谷、荒井、岡野（薫）の諸氏。才一回記録映画研究会の会場を国鉄労働会館会議室ときめ、その使用料を支払う。通知状の印刷発註と相川氏に連絡の発信をする。

十二月七日　金

来訪者　丸山、高島の両氏。会費を受けとる。

十二月八日　土

来訪者　小谷田、間宮、杉原、片桐、赤佐、山本の諸氏

大沼、杉原、赤佐、山本氏ら、それぞれ会費を受けとる。東京シネマに出向中の川本氏、急病のため勤務続行不可能となる。新人会にて代人選考中。新人会の幹事会をもつ。

十二月十日　月

才一回記録映画研究会の通知状を発送する。

三浦氏より会費を受けとる。

片桐氏、本日より中部日本ニュース映画社に入社。

来訪者　菅家、三浦。

十二月十一日　火

来訪者　大野（祐）、片桐、小島大沼、小谷田、丸山、菅家、衣笠荒井の諸氏。大野氏より会費を受けとる。新人会の総会々場を中央区役所銀座東出張所集会室ときめ使用料を支払う。教育映画製作者連盟より来る十四日の新作教育映画試写会の連絡あり、直ちに案内状を手刷りして発送する。午后六時半より運営委員会ひらく

十二月十二日　水

来訪者　小島、かんけ、前田、大沼、杉山、杉原の諸氏

日映科学の百科映画の演出者はかんけ氏にきまる。

会費の催促と連絡の手紙を三十名の会員に発送する。日映新社々員松本久彌氏の告別式が行なわれ、西尾善介氏に参列してもらい香料をお届けねがう。会報原稿の一部を印刷所に渡す。

十二月十三日　木

来訪者　西沢、かんけ、大沼、富沢、小谷田、渡辺、川本、加藤の諸氏。

先日負傷入院した米山彊氏のお見舞カンパを集めていたところ、本日までで四、一〇〇円也集つた。西沢発起人に渡す。新人会総会の通知状、総会委任状の印刷を発註

十二月十四日　金

来訪者　丸山、中島、かんけ、豊富、前田、加藤の諸氏。

日映科学のかんけ氏契約、三井芸術プロの岩堀、豊富氏の契約の件につき連絡する。

森永氏より加藤氏を通じて会費を受けとる。

製作者連盟の新作教育映画試写会があり、参加会員約十五名。

川本氏、本日下落合聖母病院に入院、開腹手術を行つた。

羽仁氏より連絡あり「岩波所属会員と運営委員とのこん談会を行いたい」旨の申し入れあり。

十二月十五日　土

来訪者　菅家、樋口、韮沢　河野かんけ、小谷田、杉山、大沼、富沢、加藤の諸氏。

岩波所属会員と運営委員とのこん談を行うために、加藤、菅家の両氏が出向いた。

樋口氏より会費を受けとる。

東京シネマの川本氏後任問題は大沼氏が、ここ数日間連絡中であつたが、本日前田氏に本ぎまりした。

（事務局）

☆健康保険について

一月分の健康保険料は、事務上の都合から、今月に限つて、十二月二十六日（総会当日）までにお納くださるようおねがいします。尚、今までの滞納金のある方も、年末ですから御清算くださるようおねがいします。健康保険は本年十二月現在で本人三十二名、家族四〇名、計七十二名が加入しており、昨年十二月発足以来、途中保険金滞納者二名をやむなく除名したほか、順調に運営されております。全般的には保険の利用も、かなり有効に行われております。また新規に加入を希望される方はお申込次才、ただちに加入できますから、事務局までお問合せ下さい。

☆会員証の交換について

協会では、昨年十二月一日に会員各位に対して会員証を発行いたしましたが、一ヶ年を経過したため有効期限ぎれとなり、あらためて新会員証と交換いたします。

交換は旧会員証と引きかえに次のように行ないます。

△ついでのある方は事務局までお出かけ下さい。

△郵送によつてお送り下されば、折返し新会員証を御送りします。

△十二月二十六日の総会当日でも取扱います。

（事務局）

一九五六年度
教育映画作家協会・会員総会

十二月二十六日（日）

△開　会（午后一時より）

△議長選出

△一般情勢と報告

一般報告　吉見　泰

事務局報告　菅家　陳彦

会計報告　事務局

短篇映画の年間動向について　加藤松三郎

会員の報告

フリー会員として　野田　真吉

企業所属会員として

岩波・新理研・視覚教材・日映新社

研究会報告

定例試写研究会　西尾　善介

教材映画研究会　丸山　章治

シナリオ研究会　吉見　泰

記録映画研究会　野田　真吉

新人会報告　間宮　則夫

△討　議

△役員改選

△閉　会

☆

△忘 年 会（午後六時半より）

＝当日、協会々報才二〇号（総会の報告と資料特集号）を御持参下さい＝

編集後記

☆会報も協会創立才二年のいよいよ最終号をむかえて才二〇号をおくりすることになる。いささか感なきをえない。殊にこの号は来るべき定期会員総会の報告資料を特集した「総会準備号」である。☆というのは昨年末の総会では延延七時間余にもわたつたことにかんがみ、こんどはもつと能率的に運行したいと思う。そこで主たる議題を事前にお手もとまで配つて総会までに大いにごかん考いただくことにする。本号のご活用をお願いしたい☆むろん当日は本号所載の議題を中心に議事がすすめられる予定だが、これらの記事はあくまでもその骨子にすぎない。むしろこれらの骨子から、どんな発展をみるか、どんな結実をみるかは、それは当日出席の皆さんの手中にあるはずだ☆従つてユメにもこれぐらいのことなら出席するまでもあるまいなどとは思われないこと！それは会員としての義務も権利もすてさることだが、まさか自分たちの協会がどうなつてもいいとは考えられまい☆ところで会報もここに才三年をむかえるわけだ。会報向上のお世辞？などもいろいろといただいてはいるが、当事者としてはまだまだといつも戒心する。来年こそはなんとか会報自身も「量より質へ」の転換を実現したい☆それには一編集子の小手先などではどうにもならない。やはり会員各位のしつせいやべんたつをあおぐことが才一である。だがさらに抜本的なことは、協会そのものが量より質へ転換されることだ。そしてその協会のあり方の「反映」だけが会報を飛躍させうるものと確信する☆もともと会報のみの独走はゆるされない。つまり会報は会の運行と表裏一体をなすべきものである。たとい来期の選出委員がだれであろうと、この鉄則には変りがなく、断じて協会も会報も質的転換を遂行したいと祈る☆それには協会の運営をただ運営委員だけにまかすべきではあるまい。むろん会員各位がたえず協会に注告し、しげきされることは望ましいが、こんどの会員総会などはその絶好の好機である。われわれの利益のために各位のご参加を切に熱望する。（加藤）

教育映画作家協会々報

1957-1-25

教育映画作家協会

No 21

東京都中央区銀座西８ノ５日吉ビル４階 Tel.(57)2801

作家の自主性のために

作家が作家であるための〻一の条件は、作家の自主性にあると思います。

一般的に言つて、私たち教育・記録映画作家はこの自主性を守るために大変困難な現実にさらされています。

自主的な作品を熱望しながらも年間の殆んどをP・R映画の製作に従つている大勢の中で、PR研究会を持ち、スポンサー啓蒙にまで発展させたいという願いが協会の間に強いというのも、それによつて作家の自主性を守り、発揮したいという切実な願いであるにほかなりません。

そうした苦斗を重ねながらも、私たちの協会はその規約にも明らかな通り、常に民主的で、平和な文化の発展を標ぼうしています。そこに作家の自主性を求めているのです。

しかし、にも拘らず、私たちの置かれている現実の条件の中ではそれにそむくような作品（例えば再軍備促進や戦争ちょう発的なものなど）の製作に直面することがあります。

そうした作品をとらざるを得ない事態に直面した時、その作家の苦しみは、はいふをえぐる苦しみに違いありません。

経済的な困難をつゞけている私たち教育・記録映画作家にとつてそうしたむつかしく、また苦しい事態はこれまでにも幾度となくあつたし、今日も起りつゝあるし、これからもますます多くなろうとしています。

もちろん、或る決意と勇気をもつて、これを拒む作家もあるでしよう。私たちは、そうした作家の態度を、基本的に正しいものとして支持します。

けれども、私たちはまた、場合によつては拒みきれない条件にさらされている作家もあることを認めなければなりません。

そのために、一人の作家が決意と勇気をもつて拒んだ作品を他の誰かゞ引受けてしまうという、まことに悲痛な事態も起ります。

なぜ悲痛かというと、一人の作家が拒んだという事実の意義が、彼一人の努力だけで孤立したまゝで終り、しかも引受ける誰かも、恐らくは自分の意義ある作品として欣然とひき受けるのではないに違いないと思うからです。

作品を意義あらしめるために、自主性を守ろうとして苦斗している作家全体にとつて、これほど辛い事態はありますまい。

このように自主性を守り、これを発揮しようとする私たちの努力はまことに困難な道です。しかし私たちはそのために前進しなければなりません。

もちろん、私たちの協会は思想団体でも、政治団体でもありません。ですから一つの立場を他に強要するということは決して許されません。

たゞしかし、私たちは、自分の作品と作家活動に意義あらしめるため、自主性を守ろうと苦斗する凡ての作家の斗いを守り合いたいと考えます。そしてそれには、自主性に就ての話合いを、互いの立場や条件を暖かく理解し合いつゝひろく活潑に起すことが急務だと考えます。自主性を守ろうとする努力とその苦斗の経験を、自分一人の中にだけ孤立させず、その話合いをひろめ、深めてゆくことにこそ、作家全体としての自主性確立の道がひらけていると考えます

私たちはいま、そのことをひろくみなさんに訴えてやみません。

（運営委員会）

記録映画に関する いくつかの当面している問題について

野田真吉

――ここにのせました小文は去る十二月二十六日、協会総会において、フリー作家としての報告という形でのべましたものです。報告というべきものでなく、一作家の感想としておうけとり下されば幸いです。――

これから私がお話しようと思つているのは主として、せまい意味の記録映画についてです。「科学的」と「人文的」という言葉に対しような的な言葉としてもちいるとすると、その「人文的」なものをとりあつかつた記録映画を問題にしたいのです。そのうちでも教材映画用として特別につくられたものは別の角度からみなければならないと思いますので、これからふれる記録映画からは一応 はずして考えたいと思います。

＊

話はすこしそれますが、「教育映画」という名称によるジャーナリズムのブームにのつて、短篇映画のいろいろなジャンル ことに記録映画のみ方に あいまいさと混同がおこつているようです。映画芸術がまた芸術がひろい意味で、教育的であるのは結果として当然ですが、はじめから その評価において、直接的な教育効果のワクをあてはめて いろいろなジャンルの映画を評価し、みようとする向きが教育映画のジャーナリズムのなかにあるようです。そういう評価にあてはまる種類の映画はいいのですが、そうでない ものはこまります。学校用教材のためにつくつた教材映画と「生きていてよかつた」とを同じ角度で、評価することはおのおの作品のもつ目的と内容を無視することではないでしょうか。学校用教材映画はその独自な角度から評価しなければなりません。いわゆる記録映画は記録映画として 科学記録映画は科学記録映画として 技術映画は技術 映画として おのおののジャンルにしたがつて その製作の目的によつて、批判や評価をしなければならないと思います。私たちのつくつている非常に雑多なジャンルの映画を評価するのに、どれもこれも、芸術一般としての評価だけで 片づけるのでは不充分だと思います。また直接的な教育的利用面のみからの評価でも充分ではありませんと思います。例えば、「おかあさんの仕事」をめぐる評価の問題などがその一つの代表的なあらわれだと思います。（註、国立教育研究所と教育作家協会員との話しあいの時、「教研」側は教育的利用面を、作家側は芸術一般の観点からの評価をおのおの主張した。）そこには、映画すなわち芸術というつた 映画にたいするせまい解釈によつて、映画という表現手段をもつてつくられるさまざまな映画を、映画芸術としてみようとする私たちのあやまりがひそんでいたように思います。映画を表現手段とするさまざまな映画がすべて芸術でなくてはならないことはありません。

科学的な報告論文にかわる科学的な報告映画があつてよいし、教科書にかわる学校用教材映画があつてよいと思います。私たちは実際そうした各種の映画をつくつています。同じように映画芸術としての劇映画や記録映画もあります。つまり「表現手段としての映画」がもつさまざまなジャンルの映画の存在を前提として、おのおののジャンルの映画の独自な評価をしなければならないと思います。

この点、私たち作家にあつてはとくにはつきりとしないとなりません。それは、おのおのの映画のジャンルにしたがつた評価の基準を確立することです。そのおのおのの評価の基準をジャーナリズムが、混同した方向をとつているなら、私たちがこれをなおすためにまず、自分のなかに評価の基準をはつきりしないといけないと思います。なぜなら、私たちがそれらの映画をつくっているのですから一番その作品についてしつているからです。また、つくらなければならないから　はっきりしないとなりません。

　ジャーナリズムや一部の批評家たちの「教育映画」という名のもとでの無原則な、画一的な批判がなされている現状で、作家の方もついそのなかにまきこまれて、とまどってしまっているような傾向があります。社会教育用映画、学校教材用映画といった直接的な利用面からのみ　みていると短篇映画がみんなそうでなくてはならないように思われている傾向がみられます。

桑野茂君が「教育映画なんて　ゴメンだ。そんなものでない、作家の自主性ある映画をつくりたい。」という意味のことをいいましたが　これは「教育映画のブーム」による評価の画一化についての一つの批判であると思います。

そういう意味では、私も　同君の意見には賛成です。だが、私は教育用映画をつまらないものだとも思いませんし、いや、大切なものだと思います。私など、戦前の天皇中心、軍国主義教育のためにどんなにいまになっても苦しめられていますか。「三ツ子の魂　百まで」で　そのくさったカスをけずりおとすのに　こまりはてています。教育というものの大きい力をつくづくと身にしみてしった次才です。だから、なおのこと、教育のための映画は大変　大切だし　私たちその製作にしたがうものは無批判につくってはならないと思います。良心にそむかないものをつくらないといけないと思います。ことに　次の世代をせおう青少年の諸君に　ほんとうの幸福をもたらす映画をつくらねばならないと思います。

　話は大ぶそれましたが、いやそらしたのではなく、私がこれからふれる記録映画の問題は「教育映画という名」のブームから、いささか不遇になっている映画の問題として、とりあげたいのです。だから、私は教育用につくられる映画を決して問題にしていないのではないことを　ここではっきりと申し上げて話にはいりたいのです。と同じに　科学関係の　記録映画についても同じ気持をもっています。

　協会員の方々で、日映科学の奥山大六郎君、中村りん子さん、岩波映画の　羽仁進君、吉田六郎君、視覚教材の　岡本昌雄君、樺島清一君、三木映画における丸山章治君の一連の作品、日映新社での西沢　豪君、また　学研のみなさん、たのしい教室
久男君、その他、矢部正男君、樋口源一郎君など、協会員外ではありますが　東映教育映画での下村兼史君の作品など、その他のおおくの方々の教育用映画でのたゆまない仕事ぶりにたいしてふかい敬意を表したいと思います。

＊

　前置はこれくらいにして本題にはいりたいと思います。

　もう　私がこれくらい話しただけで　私のいわんとする記録映画の言葉の内容について　異論の方もあると思いますが、どこまでも私ひとりの意見なので　どうかまちがいは正していただきたいと思います。

　私のいう記録映画は最初にものべましたように、一つのごく狭い意味での記録映画のジャンルであります。

　私のいう記録映画を私は一応、定義づけて――「記録映画は事実の記録によって、事件なり現象なりが、思想と芸術的な構想との一致によって統一されているもの」としています。

　では、私の考えている記録映画の当面しているいくつかの問題点

　この原稿は、昨年末の才三回協会総会において、フリー作家の立場から、会員野田真吉氏が報告したものを、さらに補そくし、原稿化したものであります。したがってこれは、当然総会議事録の一部でありますが、枚数も多く、内容的にも重要な問題をふくんでおりますので、議事録とは別に会報原稿として、ここに全文を掲載しました。またこれと同様のもので、加藤松三郎氏の「短篇映画の年間動向」（三十九枚）も編集部に届いており、さらに丸山章治氏が「教材映画について」を執筆準備中であります。これらは会報次号より順次掲載発表いたします。

（会報編集部）

をあげていきたいと思います。

＊

いつたい記録映画の製作はどういう現状なのであろうか。

私たちはいま 教材映画、科学映画、児童劇映画、記録映画、なんでもござれでつくつています。つくらないと生活ができないからです。それはまだ、作家がおのおの専門化して自分のめざすジャンルの映画をつくつていくほど、短篇関係の映画製作は経済的にも社会的にも充分な基盤をもつにいたつていないからです。作家はなんでも屋を心ならずともやらねばなりません。それらの映画が自主作品であろうとスポンサーつきのP・R映画であろうとまつたく一人三役の仕事ぶりでないと私たち作家もくつていけないし、短篇映画の企業もたちゆかないのです。

そうした現状に、さきほどふれました桑野君の発言をはじめ、最近の会報でも作家の自主性ある作品がつくりたいという声がでています。私たちがよりあつまつて話しあうとすぐその話です。先日、ひらかれました記録映画研究会でもその話です。私ももちろんそう思つている一人です。みなさんもそうだと思います。

なぜ、私たちがそう思うか。作家として当然なことを どうしてだろうと自分ながら不思議なくらいです。あけてもくれてもつくつている作品と作家活動がしつくりと一つになつていず、くいちがつています。私たちはこうした現状をどうみるか。現実をもつとみつめてみることが必要ではないでしょうか。その問題点をさがしてみてみようと私は思うのです。

それで、まず、私たちはどんな作品をつくつているか。

運営委員会の方でも さきほど報告がありましたが、私たちのつくつている年間六百本以上の作品を 私なりに分析してみようと思います。

日本映画教育協会の調査による『教育映画製作の現状』という報告書の統計によつてみますと――製作本数の点では、

四五年――四六年の二年間の八四本（一四二巻）にくらべて五五年は五七一本（一、二一二巻）で約七倍強の増加です。五五年を五二年の三〇四本（六〇八巻）にくらべると約二倍の増加です。

ところで 五五年の五七一本のうちわけをしてみますと、P・R映画が約七一％。テレビ用映画、約一七％。のこりの約一三％弱が一応自主的とみられるものだと「映協」の報告はなつています。

これでも 私たちの仕事の内容がなにかがわかりますし、統計をきかなくても おたがいにやつている仕事で、身をもつてしつていることです。統計をみて いまさらにしらされることです。

つぎにすこし、すすんで 一応自主作品といわれる約一三％弱の作品をしらべてみましよう。

五七一本の一三％ですから七四本―七五本になります。七四本としますと、そのうち 二三本が学校用教材、一三本が社会教育用です。さらに、児童劇映画の一三本と動画の七本。

それらを一応あつめますと 五六本で、全体の約一〇％弱となります。

会員の動静

加藤松三郎　十二月二十日現在、日映科学と東京シネマのPR映画、モーション・タイムズの自主作品の脚本中ですが、この記事が出るころにはどうなるか。

かんけまり　十二月十五日、協会のアッセンにより日映科学の百科大系一巻「やきもの」がきまりました。歳末のあわただしさをよそに撮影ということになります。

中村敏郎　「マツダ三輪トラック」の後始末と、一方、地理大系「大都会の生活」の準備をぼつぼつと始めています。

奥山大六郎　今年は半自主、花と昆虫をのぞき、通産省「健康を作る工場」才一製薬「結核と斗う」武田薬品「健康えの贈物」労結、田辺製薬「結核と睡眠」と、くすりもののPRがつづきうんざりしています。「結核と睡眠」は来春早々の録音予定です。

中村麟子　日映科学映画製作所

「一応自主映画」とみなされる約一三％弱、（七四本）のうち、約一〇％弱（五六本）がいまあげましたジャンルの映画ですから、あとのこりの約三％強（十八本）が記録映画や短篇ショウ映画、スポーツ映画などということになります。

その十八本のなかには、砂川事件をとりあつかった「麦死なず」と「砂川の人々」、日本青年平和友好祭の記録映画「日本の青春」、「五五年メーデー」、「五四年日本のうたごえ」、日鋼室蘭労組の斗争記録「日鋼室蘭」、「無限の蹠」、などの記録映画がはいつています。もちろん、社会教育映画としてとりあつかわれているなかには「ひとりの母の記録」などのすぐれた記録映画がふくまれています。

こうして統計的にみてみますと作家の自主性ある映画をつくりたいという作家としての声がでずにはいられない状態です。

本年度の完全な統計がでていないので五五年度の統計をもつて　分析しましたが、本年度の中間報告では総本数で昨年度をうわまわり、児童劇映画と教材映画がおおくなつたといわれています。だから記録映画については本質的にはかわらないと思います。

つまり、このような現状で作家の自主性ある作品をつくりたいということはおのおのの作家にとつて『自主性』というものの解釈と内容がちがいますが、一言でいえば、作家が専門的に自分の志向する映画のジャンルに専念して映画をつくりたいということではないでしようか。

さきほどふれました作家の専門分化の問題で、教材用映画の専門作家がうまれなければならないように　記録映画の作家も自分の思うような映画をつくるようになることをのぞんでいるのではないでしようか。

私も専門でない教材映画や科学映画をつくつています。私としては記録映画を専念してつくりたいと思つていますし、つくろうと努めています。

協会が本年度の作品のなかで、おおくの人々にすすめてみてもらいたい作品をつのりました中間の集計報告をみますと「生きていてよかつた」が断然　多いようです。三七名のうち二五名が「生きていてよかつた」をすいせんしています。これは「生きていてよかつた」がすぐれた作品であるから、なおさら　作家が自主性ある作品をつくりたいという願望のあらわれとして、同映画があげられたのだと思います。また一面　記録映画に専念したいという作家の多いことをも　ものがたつていると思います。

だが、現在、記録映画をつくる道はなかなか　きびしく　せまいのです。この利じゆんを追求してやまぬ資本主義社会のカラクリのなかでは、非常におおくの困難がよこたわつています。

今年の記録映画の作品を私のしるせまい範囲で、ひろつてみます。「生きていてよかつた」、「砂川流血の記録」「五六年メーデー」（新東宝労組）「九十九里浜の子供たち」「鳥島のあほうどり」「雪舟」「起ちあがるアジヤ（総評、新理研）「富士は生きている」「マナスルに立つ」「カラコルム」などがあげられます。そのなかの一部は映画館に上映されました。よろこぶべきことだと思います。またP・R映画のなかにも限界性がありますが、記録映画として注

にて次回作品準備中です。

諸岡　青人　今年もいよいよ終ろうとしています。省れば今年という年は作品らしいものを創り出す事が出来ず、今、日映科学でPR作品を四本併行クランク中で忙殺。夢中のうちに年が変ろうとしています。来年はもう少し余裕を貰い、じつくり作品と取組みたいと思つています。全く多忙を極めた為、協会の催等にも思うように出席できませんでしたが、新年は、何とかして、諸研究会にも出席して、諸兄の御教示にあずかり度いと思つています。

八木　進　「競走とリレー」完成。今年は、もう次回作の撮影はいろいろな事情で始められませんので、諸般の準備を年内に完全にしておき、新年早々クランク・インするべく待機しております。

丸山　章治　日映科学で「雅楽」の脚本を書くためボツボツ調査しておりますが、書けなくてこまつています。

黒木　和雄　東京ガスPR、クランク・インが遅れ、来春になり準備中です。（岩波映画）

目すべき作品もあります。といっても指おりかぞえるほどです。

以上のように記録映画の現状は、作品の面からみて、わかるようにびびたるものであります。

製作は非常に断ぞく的で、あり、話題をよんだ二・三の作品があつたとしても量的にもまつたく、すくないことがはつきりします。

＊

では、このような現状で記録映画がもつと　どしどしつくられていき、よい作品が多くうまれるようにするには　どうしたらよいだろうか——を私は考えてみたいと思うのです。

そのために、今年　話題となつた記録映画がどんな内容のものであつたかにふれたいと思います。

まず、なんといつても一番　国民の生活において切実な問題をとりあつかつていることです。それは原水爆戦争反対、平和をまもろうという全国民のねがいをこめた「生きていてよかつた」、同じ主題にもつながる平和と独立の問題——日本の軍事基地化の問題の「砂川——流血の記録」。それから、民族のほこりをとりもどさした国民的な話題であつた二つの壮挙の記録映画——「カラコルム」と「マナスル」。ことに「カラコルム」は清新な日本人の感覚でとらえた画面は一連の外国の長篇記録映画のもたないしたしさをつたえました。

また「カラコルム」の上映の成功のなかには、記録映画にたいして、国民のひろい層の期待がみられたことです。生活の直接的な要求だけでなく、もつとはばひろい記録映画でなくてはもとめられないもの　民族のほこりをたかめ、生活の向上に役だつもの、よりよい生活の糧となり、はげみとなるものへの期待と要求を　その成果からくみとれると私は思います。

それから「九十九里浜の子供たち」は生活の真実に迫まろうとしたところに共感をわかせています。

昨年の記録映画におきましても「ひとりの母の記録」は農村の生活の問題にふかく　くいこんでいくことによつて、ひろく感銘をあたえましたことはご存知のとおりです。

私たちはここで、記録映画がひろい支持をうるためには　なんといつても国民の生活に根ざした要求をとりあげ、その問題にとりくんだものであることがわかります。

そして、いまあげましたすぐれた作品に共通しているのは作家の個性ある眼です。作家の個性ある眼が大切であることです。それはもつとも個性的なことによつて　ひろい共感をよんでいることです。作家の個性ある眼といいましたがその眼について重要なことは作家の個性ある眼がたんなる奇きようなアングルではなく、その眼が生活の真実を追求し、さらに　ただしい歴史的な方向に　真実をもとめてやまないところに　ふかい共感をよんでいることです。「生きていてよかつた」や「ひとりの母の記録」はそのことをよくものがたつていると思います。

そこで、生活の真実を正しい歴史的な方向に追求するということはどんなことかということです。これは各作家にとつて根本思想の問題に関することです。そして、創作方法の問題でもあります。私は私なりに考えていますので、「生きていてよかつた」などの例をあげたのですが、本日はこれについてのべることをせず、問題の提起にとどめたいと思います。

清水　信夫　先日来、東映教育映画部作品「北国」（仮題）の脚本調査のため東北地方に出張、その冬の編を書き上げました。

富岡　捷　ＰＲ「住友化学」年末編集完了。一月中旬完成。

岡野　巖　新理研退社後、日本短篇及連合映画の仕事に関係し現在連合映画「日本の紙」（イーストマンカラー）撮影中。一月上旬、北海道旭川地方に又出掛けます。二月上旬アップの予定。

平田　繁治　一年を送るにあたり運営委員の諸氏の御苦労を深く感謝いたします。現在、電通映画天然色豊州ガスの色の線画に取組んでおり、大阪映画の環状線天然色の線画と共にかかつて居ります。もつともつとよい線画を作りたいと思い乍ら追われ追われて意の如くになりません。

村田　達二　新東宝で次回作品のシナリオを準備していますが、この会社の製作機構を生かせるようないい企画を求めています。

高島　一男　「キユポラ」——村上プロ——の演補。初春早々九州ロケの予定です。

吉岡宗阿彌　暮も押しつまつて仕

なぜなら、この問題は作家にとつて、いろいろな道があり、ちがつた道をとおして追求していることがらだからです。また、作家にとつてはたんなる論議の問題だけでなく、作品によつてしめしてこそはじめて「生きた問題」となるものだと思います。私たちは「生きていてよかつた」などの作品をとおして　おおいにこれから話しあわねばならないことだと思います。

このような創作方法上の問題を実際と経験とをとおして　私たちの間にはあまりにも話されなかつたことをとくに痛感しているので、この際、私はそうした話しあいがひんぱんに、しかも　ふかまつていくようにする機会をもつことが記録映画を前進さす一つの大きい手がかりであることを提起したいのです。

それは同時に、生活の真実を歴史的にただしく追求することの何であるかを　おたがいにつきとめることにもなると思うからです。

＊

つぎに、私たちは前にのべました統計でもわかるようにP・R映画をつくつているのがほとんどですから、つくつている作品についての反響はツンボサジキにいるようなものです。現在の私たちのつくつている多くの作品は完成試写までで　一切　縁がたちきられます。うんだ子供である作品はどこでどうなつているかわからない有様です。

せいぜい、近しい友人間の評判、プロデューサーたちの評価、P・R映画だとスポンサーの顔色、といつたところでおわつています。新聞、雑誌などの評にでるのはほんのすこしです。

教材用映画にしても製作者や配給者の批評、製作に関係した教育学者や、関心をもつ一部の教師たちの感想をうけとるのがよい方です。

あとでプリントの売上げ本数によつて作品の評判を憶測するような状態が多いようです。

利用者の直接の声をきく機会をほとんどもつていません。

だから、ほんとうに作家は孤立感にとらわれています。

私たちはこの孤立感をうちやぶることが作家の自主性ある作品をうちだすことの才一歩だと思います。

これはすべての作家の問題ですが、とくに、記録映画の前進と発展のためには、もつとも大切なことです。

そのためにはいろいろなサークルや観賞会、などに積極的にでていつて　大いにみる側の意見をきく努力をしなければならないと思います。そして、私たちは私たちのつくりたいものがなんであるかを語る必要もあります。

私たちがつくつたものをみてもらいたい人々に接すること、また、その人々のためにつくるのですから　どうしても　私たちは作家同志の勉強と同時に　みる側の人々の意見をけんきょにきかないとなりません。

岩佐氏寿君が　先日、「子供をまもる会」にでた時の話をききましたが、みる側のお母さんたちと映演総連の労組の人々、作家、製作者、配給者のつくる側、みせる側とが　はじめてあつて話しあつたところ、みる側もつくる側もみせる側も　同じように　よい映画をみたい、よい映画をつくりたいということが一致してだされ、おたがいに理解しあい、今後のむすびつきと運動の方向をみいだしたということです。

私たちがこれから　記録映画を発

事が来なければいいと思つておりましたが、その心配通り「東京ガス」の線画がぎりぎりになつて入りました。そのため総会も欠席致さねばならず残念でなりません。

樺島　清一　理科映画「植物の芽生え」アップにせんものと、無い智慧をしぼつて努力中です。後のことは全て、とにかく来年ということで。持つべきものがない年の瀬で元気も出ません。

原本　透　新理研映画で「地下鉄」を演出中。

野田　真吉　「本州の屋根」（日映新社）一月初旬完成。「東北のまつり」才三部（東京シネマ）一月中旬よりロケ。

苗田　康夫　日映新社で北海道の脚本調査をしています。地理大系「本州の屋根」は来年まわしになりました。

竹原　繁雄　「仲間たち」十六ミリプリントを、全国の労金へ発送してます。

西本　祥子　「動く玩具」のシナリオを書き終えた所です。

永富映次郎　新理研映画作品「工夫は仕事を楽にする」演出中。

小泉　堯　仕事待ちです。

展さすためには意義ぶかい教訓をもつていると思います。

また、京極高英君が「ひとりの母の記録」のたくさんの観賞会にでて勇気づけられ、おしえられたことをじつかいしています。同じような経験はかつての記録映画製作協議会の運動のなかで私たちはすくなからずもつています。時間がないので、こまかい話ができないのは残念ですが、それは研究会などで話しあいたいと思います。

こうした みる側とつくる側との交流ということはいいふるされた問題のようですが、事実は まつたく なされていないようなもので、かけ声だけだつたと思います。

この問題はたんに両者が交流するというだけでなく 作家にとつて何を描くべきか――さらにそれをいかに描くべきか――という創作上の問題と直結しています。それだけ大切なことであり、なんとか実行にうつしたいことです。

みる側とつくる側との交流はただ、サークルや観賞会にでることだけではなく、いま全国各地で地域の団体やサークル その他でつくられている映画製作運動にたいして、注目し、関心をもつことも同じ意味で大切だと思います。

私がしつている本年つくられたそうした映画をあげてみますと、神奈川県の山北映画観賞会、富士フイルム労組、国鉄労組、農協、日本ミチユーリン会、などの手で、つくられた「みのりゆく水稲(八ミリ映画)は石川五号水稲栽培の成果を記録したものであります。「早場米」は石川県松任町教育委員会、市民団体などがつくつた早場米地帯の風土記的な記録です。

その外、学生による記録映画もあります。

このような映画はみる側のそぼくな要求をうちだしており、新鮮な生活感情を描きだしているものがあります。このような作品はいかに技術上のまずさはあれ、記録映画をすべての人々にみせようとする作家にとつて 創作上のたくさんのおしえをふくんでおり、まなぶべきものをもつていると思います。

私たちはさらにすすんで その製作に協力すればそのなかでもつともつとふかく 生活の真実にふれる機会にめぐまれることができます。私たちは記録映画製作協議会のころ、このことをやりかけました。だが、私たちの参加する態度の不徹底や私たちの形象力の未熟さのために成果は充分ではありませんでした。でも、いまもその時の経験がよい教訓となつていると思います。運動に参加した作家のなかにはその経験を批判的に発展させていつている作家がみられます。

最近八ミリ映画が普及して、各地でアマチユア映画がつくられはじめています。いわゆる地方、地域での各種民主団体、労組、サークルなどで来年あたりは八ミリ映画による製作が一段と活発になると思います。私たちは前にのべました意味で、大いに このような映画に注目し、協力し 発展さすようにしなければならないと思います。

以上のことから、地方、地域の民主的な諸団体、労組、母の会、青年会、サークル、観賞会の人々と作家が直接に話しあうようにして、みる側とつくる側との交流をふかめることは作家のつとめであ

新庄 宗俊 電通の仕事、その他社会教育映画の脚本の準備をしています。

豊田 敬太 新理研で演出中の「荒海に生きる女たち」年内クランク・アップに至らず、後五、六日というところで年を越すような仕儀となる。来年一月には完成の筈。

厚木 たか 自主作品の企画、シナリオの依頼ばかりなのは、結構ですが、これは結局霞を食つて生きてるということと同義語なので、悦にいつてばかりもいられません。

真野 義雄 来年一月中旬より中国との合作映画に日本側監督として製作をする予定です。

松岡 新也 漸く、荒磯を拓く子供達クランク・アップして完成しました。

矢部 正男 「ガスの供給」(岩波)一月クランク・インの予定

河野 哲二 「さんすう」の教材映画二本が完成したところです「わりざん」と「ぶんすう」。「さんすう」の教材映画ははじめてなので、現場の先生方の反響をぜひききたいと思つています。

り、一方、協会としても積極的にその機会をつくることは協会の仕事であると思います。

※

おわりに、上映の場のことですが、記録映画はいまのところ　きまつた上映の場をもちませんし、まつたく不安定なものです。その点、教材映画の方をみますと「映画」のレポートによれば今年は昨年よりグンと作品数は多くなつて、系統的な製作がなされているようです。このことは十年がかりの視聴覚ライブラリー設置運動の苦斗の成果が裏付けられていると思います。利用者（教師、P・T・A　教育行政関係者）製作者、作家、配給業者、フイルムメーカー、教育学者などの綜合的な協同で、すすめられたライブラリーの設置を中心とする視聴覚教育運動はいま、全国に五百にあまるライブラリーをつくりだしています。それらのライブラリーは本年度における教材用映画の製作の発展をもたらしているといえます。そして、一部では専門的な教材映画作家がうまれつつあるのもそのためです。

上映の場のせまい、不安定な記録映画の場合は、教材用映画の場合よりも、もつと、ひろい国民の各層、各団体（みる者の側、製作関係側、配給上映側などの諸団体）との交流をはかり、協同した製作上映の運動を　たくさんの困難をこえていく、長い努力をつづけねばならないと思います。

まつたく、ないも同然のところに創るのですから、一人一人の作家がよい仕事をすすめるとともに、みんなが　各人の仕事をたがいにたすけあうことによつて　一つの運動として大きくすすめないといけないと思います。

いまできている視聴覚ライブラリー、各地方地域のフイルムセンター、（フイルム貸付け業者）、移動映写団体　観客組織など非劇場上映の場の積極的な拡大と開拓、そして組織化を製作関係側とみるものの側を中心にしてすすめることが大切だと思います。

一方、あらゆる機会をとらえて劇場上映も並行しておしすすめなければなりません。そのきざしははじめにのべたように　みえています。記録映画の場合非劇場上映の場と劇場上映の場のおのおのの発展は相互関係をもつています。記録映画はその相互関係をいかすのに商業主義にしばられていない現状では、よい立場にあるともいえます。この立場を有利にもちいることも大事です。

ただ、劇場上映に関して、私たち、作家として充分考えねばならないことがあります。文化統制にかかわる短篇映画の強制上映の法制化の問題です。

二時間半の上映時間問題やいわゆる太陽族映画などの問題（青少年不良化対策）を利用して反動的な支配層はよい映画をみせるという美名にかくれて、世論の逆利用をもつて、自分の欲する映画を法制化しておしつけようとしていることです。

私たち、作家はこのような動きにたいしては　創作の自由と国民の真の幸福に服務するという作家の良心において反対しなければならないと思います。とくに上映の場の問題に関して、私の意見をつけくわえます。

以上で　記録映画について　私がいま考えている、いくつかの問題点にふれました。どこまでも、私見であり、私自身のこととして、

北　賢二　十二月も押迫つてから工業技術院の仕事に気持だけあせつています。

京極　高英　「十二指腸虫」吉田六郎さんの御力をかりて撮影にかかつています。此の種の映画は生れてはじめてで我々に何んでも屋とはいいながら全く見当がつかないで弱つています。来年早々輸出映画を二本平行で岩佐君のシナリオでかかります。これで一年の半分以上　をとられてしまいますが、途中から岩佐君とこれも共同で「結婚」の問題をひつさげた青年の記録映画にとりかかります。乞御期待。

（以上昨年十二月末迄に到着）

中江　隆介　まだ才一映画社の「誕生会」と記録映画社「さるとかに」（人形映画）のシナリオにかかつています。

（以上一月一日到着）

岩佐　氏寿　五円の天使　三巻脚本完成。東映　小鹿物語　五巻　一月一ぱい執筆中　煤煙の街　三巻　準備中・岩波　東洋レーヨン　準備中、小河内ダム脚本演出中。ラジオ東京テレビ町の子村の子　準備中。

（以上一月七日到着）

問題点を提起したにすぎません。みなさんの御意見と御批判をいただきたいと思います。　以上。

その後の新人会

―一月総会と発起人会の報告―

昨年末の新人会総会と協会総会での新人会問題はこの誌上で発表されている通りですが、ここでは、それ以後の新人会のことを報告します。

一月六日の総会は連絡の悪さから出席者が少なく、従つて正式な決定は行わず、すべて世話人を立て次回総会までの運営をすることにしました。ここで話しあわれたことは、皆がまず何を新人会に望んでいるか、また何をしていかなくてはならないか、ということです。各自それぞれの意見が出ましたが、主なものは、

一、助監督技術を早く身につけなくてはならない。スポーツで言えばまず走ることから始めるように、助監督としてもそのキソから勉強していこう。

二、始めて映画の仕事に足をふみ入れたのだが、何から始めたらいいのか学びたい。

三、記録映画の理論、それと記録映画の社会的権威を高めるための勉強。演出、脚本の勉強。

四、生活を助け合うためのみんなの協力できる組織を作りたい。

という点でした。こういう色々の希望や問題を解決していくためにどういう組織、運営をしていけばいいのだろうか。新しい人たちのために学校を開いたらどうか、演出家やプロダクションに頼んで現場の見学や手伝いをやらせてもらつて仕事をおぼえる方法。仕事をしたらその検討会をひらく、映画をやつていくことのきびしさ、生活や仕事の苦しさを皆と話し合つて助け合い励まし合う態度、等々。具体的な話しの中から、次の人々を各層、各希望面を代弁する世話人として選びました。杉原、苗田、島谷、高島、小島、竹内、渡辺正の七人です。また、協会の運営委員会にはさし当り間宮、大沼の二人を送ることになりました。

そして、次回の新人会総会の開催と諸問題の整理と具体化は世話人会に任されました。

一月十二日に世話人会が開かれ次回総会に提出の議案について次のように決めました。

一、新人会の中に、会員の各要求にもとずいてその具体化のために左記の四つの専門部会を置く。会員はそのどれにでも参加できる。各部会から二名づつ幹事を選出して、ここで構成された八名は幹事会を作りこの中から互選で二名を出しこれを協会の運営委員会に送る。

二、専門部会その主なる内容は、

A演出助手の基礎技術研究部会
映画製作メカニズム概論、撮影、現像、照明、録音、編集、演出と演出助手の関係論、助手の仕事、等の勉強会を開く。

B演出助手技術研究部会
新しい仕事にかかる前の検討、

西沢　周基　十二月上旬「村の有線放送」（二巻）東京映画にて完成しました。現在待期中です。最近「ジャン・ヴィゴ」（ニュー・インデツクス・シリーズ）（英版）を読みましたが、協会に海外の教育（又は記録）映画の資料が集められてあると便利ですが、如何なものでしょう。

桑木　道生　中央文化映画社は解散。（方々に御迷惑をおかけした点ふかくおわび申します）目下、新会社を全く新しいメンバーで組織中。二月はじめ発足の予定です。第一回作品は東洋の偉大な哲人釈尊の一代記と、その南北への影響を描く「釈迦をたづねて」（仮題）を準備中。配給（NCC・北欧）はきまり観客組織もある程度すすみ、マスコミの準備も整つたように思います。が、これからが本格的な仕事で、みなさまの御援助と御指導を、切におねがいします。仕事というヤツは一〇〇%か、零かどつちかですから。それは初号が上るまで：：：。

岩堀喜久男　神戸製鋼発註、三井プロ製作の「電弧熔接棒」演出中。一月末アップの予定が一〇

難しい現場の相互応援、仕事中や終った後の反省検討、演出家との話し合い、プロダクション側の人々との話し合い、現場でのごく新しい人への世話。

C　理論研究部会

演出助手の立場から、演出脚本理論、映画理論、記録映画発展のための話し合い、等

D　生活対策部会

以上三つの外に、この部会を設ける。これは仕事の窓口を一本化する仕事の機会のアンバランスの調整、仕事獲得のアンテナをはる、協会の会費や新人会の会費は対策、専任事務局問題、失業対策等を専門的に検討する。この部会は専門部会というよりは全員の問題であり、重要だと考えられます。また、この問題と関連して今日までの新人会という漠然とした名称も、作家協会演出助手部会と改めたらどうかという意見も出ています。

以上の試案や会員の意見、提案をみなで討議していただくのですがこの中で今までの新人会が行き詰つていた点を打開し、演出家やプロダクションから出されていた批判、協会の持つている期待にこたえる具体策を立て、それを実行していく中で、本年度こそ、われわれの面目躍如たらしめたいと思います。

（新人会世話人）

運営委員のことば

伺つておきたい事

京極高英

私のような者が又委員にえらばれた。今更グチをこぼしても始まらない。やりましょう。出来得る限りやります。御指導願います。

そこで一つ伺つておきたい事があります。それは総会等でも、いつもPR映画研究会の事が会員の中から叫ばれています。研究活動を盛んにする事は今年の協会の活動方針の一つであり運営委員としても、大いにこれを推進しなければならないのですが、PR研究そのものの研究の実体、目標がどうも私には理解出来ないのです。誰かお答え願います。何故かと申しますと、私はこう考えているのですが、その才一はPR映画の研究とは、相手のスポンサーが、そのテーマを出すことによつて、そこで初めて研究が始まる訳で、その注文を研究会に持ち込んで勉強すると云うことなのか。才二には、やたらに自分たちで企画活動をし、それを逆にこちら側からスポンサーを探して持ち込むという企画の研究なのか、そのどちらなのかという事です。いやそうではない創作方法の問題を勉強するのだと云われるのならば、PR映画だけを取り上げて勉強するのは、どうもおかしなことで、それは、チャンル別による研究会で事足りるのではなかろうかと思うのです。その勉強をやつていけば、たとえ、どんなPRのテーマが出されたとしてもバタバタすることもなかろう

日から一五日は延びて、二月下旬ダビングとなりそうです。作曲待ちの段階になつたら兼ねて考えていながらモヤモヤしている「やりたい企画」をスノプシスにまとめ、プロダクションに売り歩こうと思つています。

小島　義史　一月から岩波で、柳沢寿男さんの「火力発電所」の助手をさせて頂きます。二月一杯撮影、三月仕上げの予定です。

（以上一月十五日到着）

楠木　徳男　「船をつくる人々」を完成後、年を越して、二、三交渉中の話あるも今のところ決定したものなく待機中。

（以上一月十六日到着）

大野　芳樹　国際教育映画株式会社にて「暁の北海道」改め「北海道の農業」全四巻をこのほど完成、北海道庁に納入。今年は引続いてPR映画の録音後期作業を引きうけて、日下録音準備中です。次回作品準備中。

島谷陽一郎　予定していた仕事が全部キャンセルとなり、日常の金にも困惑協会にも迷惑をかけています。どうしたら、今年は良き発展の年に出来るか、新人会の活動方針のすばらしい具体

と考えます。出来あがつたPR映画の批評活動の中での勉強会と考えてもそれはPR映画だけに限定されるものでなく各チャンル別の勉強で済まされるのではなかろうかと思うのです。このことはやたらに沢山研究会を持つてもその目標がはつきりしないかぎり成功しないのではないかと思うからなのです。

運営委員になつて

矢部正男

去る才三回総会の席上、議事進んで会費の問題が上程されるや、気の故か、僕に向つて一種奇妙な波紋が押寄せて来たように思つて実は大変面喰つた。その内に誰かが、「それ矢部ちやん!」と、低いながら、僕にとつて甚だショツキングな発言督促の声がかかつたのである。考えてみると最近、僕は口を開けば会費納入のつらさを愚痴つて来た。だからここで当然一言あるべしと決め込んでいた会員諸兄が何人かいたのではないかと憶測している。しかし残念ながら、この問題について僕は建設的な意見を持ち合せていない。強いて云えば、十五号の会報に出した案だが、これとて、その後僕の胸中には何らの前進があつた訳ではないのである。愚痴ならいくらでも云うが、いやしくも総会の席上でそんな事を並べ立てる程の勇気はなかつた。つまり、何も云えなかつたのである。

さて誠に困つた事に、同じ日、僕は今年の運営委員の一人に出されてしまつた。これもつまりは、先程と同じ意味の「それ、矢部ちやん」のいくばくの集りではなかろうかと考えたら、急に背筋が寒くなつた。つくづくと、日頃の口は慎しむべきであると後悔した。しかし、今となつては時すでに遅い。投票者の非情の鞭に従つて、うごめくだけはうごめいてみる義務があり祖である。良策を持たない僕としては、せめて委員会で駄駄をこねて、他の委員諸賢から、卓抜したアイディアを引出すためのエクサイターになつてやろうとひそかに考えている次才である。

感想

丸山章治

せんだつて、樋口源一郎さんに会つた時、「僕も五十一才になつて、いつまでもこんな仕事をしているのが、不安でたまらない。」と云つたら「それそれ。そのことを話しましようよ。」と、ひびきに応ずるように叫んで、僕を喫茶店にさそつた。僕らは、一杯のコーヒーをのみながら、そこで一時間以上も作家の悩みをこうふんして語り合つた。

誰しも作家であるからは、よい映画をつくりたいと願つている。それがそうゆかない事情があるから、ひとりで苦しんでいるのである。むろん、よい映画と一口に云つても、作家は、それぞれの人によつて、それぞれ自分勝手なよい映画を考えているのであつて、よい映画の内容の点では必ずしも一致している訳ではない。しかしそれはそれでかまわないと思う。肝心なことは、自分の考えているよい映画をつくろうとする主体的な意欲である。

長い間、ひとりひとりの作家が孤立して、困難な不満な条件の中におかれていると、自分の考えているようなよい映画がつくれないうちに「まアよ食うための仕事だ」とあきらめてしまつて、いつのま

案を練りながら、頭をかかえています。

杉山正美　本年から仕事を始める事になりました。発病以来約二年・正確には一年十ケ月・長い様な、短い様な期間でした結核患者として最短コースを歩む事が出来たのは、皆様方の並々ならぬ御援助のたまものとして深く感謝致します。

（以上一月十八日到着）

榛葉豊明　現在、暮までで漸くあら方撮影の終つた大阪大学二十五周年記念の映画の編集を、いろいろな方に面倒をみて頂きながら、やつて居ります。漸く映画のむづかしさが実感として判つて来たように思います。

玉上義人　山形市に帰省し、一月末まで脚本執筆中。

盛野二郎　待機中。

頓宮慶蔵　昨年末より入院中。

吉見泰　東京シネマで自主作品の脚本準備中。

中島日出夫　仕事待ちです。

赤佐政治　東京シネマで次回作の準備中です。

富沢幸男・日高昭・近藤才司　「日本の近代産業」（桜映画社）クランク・アップして編集

にか作家の主体性を失い、なんでもこなす職人になつてしまいがちである。しかし、よい映画をつくろうと云う意欲の火は、一人一人孤立していては消されてしまうこともあるが、作家達が多勢あつまつてみんなでかばいあつてゆくなら、その火は消えずにますます燃えさかる筈だ。よい映画をつくろうと云う主体的な意欲の火が消えないかぎり、それを中心にして、みんなの総合的な智慧と協力でよい映画をつくる方法や条件をつくりだすいろいろな新しい活動も生れ、作家協会は本当に統一された強力なものにぐんぐん育つてゆく筈だ。

私は素朴にそう考えている。

S・O・S会計

樋口源一郎

役員に選出されても殆んど長期ロケに明け暮れする私は、在京する日が至つてすくなく出席したい研究会にも試写会にも御無沙汰勝で協会にも数える程しか出向けないのです。

会計監査という役はその点楽なようで一二度点検しましたが正式には年末に印を押すために帳簿をめくる程度で責が果せたのですが、やれやれと思つていると又しても再選です。

そこで再選についての感想を求められましたので印象を書いてみます。考えて見ると、現金後期繰越金四、八八四円也　これが神武以来の好景気(?)といわれる日本のそれと凡そ反対の教育映画作家協会の繰越金なのです。

しかもその上、協会費が高いという声をよく耳にします。それにはいろいろ問題もあるでしょうが、たしかに高いと感じるのは、無理もないことだと思います。

協会のS・O・S会計以上の会計が絶えず私たち教育映画作家をおそつているからです。いい作品に打込む情熱はともすれば経済的な面を無視した闘のなかから生れる場合もあります。然しいい作品を生むことと作家の生活水準を高めることとは一元的な問題のような気もします。心にゆとりのない打込み方は作品のスケールに影響を与えないとは云い切れないからです。

協会の繰越金を一ケタ増やすための努力は作品のたかまりにも関係がありそうですがどうでしょう。

運営委員となつて

野田真吉

運委になつての所感といつてもとくにのべることもありません。会員のみなさんの要望されることをどしどしだしていただきたいことです。私はただ　その要望事項をできるだけ、忠実に実行するよう運委の方々と努めようと思います。仕事で遠くにでがちだし、生来のなまけ者なので、どうかみなさんのご鞭達をおねがいします。

三年めの弁

加藤松三郎

今年は協会創立の三年め！である。いわゆる起承転結の「転」にあたることになり、すなわち量より質への転換にもあたる。とにかく大変な転期なのである。

はたして協会がこの転期を乗切れるかどうか、今の私にはとても自信がないことを告白せざるをえない。それを百も承知で、なぜ今度も委員などを引受けたか。いや誰がやつてもむずかしいものとす

中。

上野　大梧　理研科学映画・村上プロで仕事をしております。

渡辺　亨　平凡のテレビ部で仕事をしております。

大鶴日出夫　外務省映画の仕事をしております。

谷川　義雄　三井芸術プロにて次回作品の準備中です。

伊勢長之助　「佐久間ダム」オ三部（岩波）「黒部」オ四部（日映）編集中。

岡野　薫子　日映科学で次回作品の調査をしております。

岡本　昌雄　文部省映画「日本の気象」演出。理科映画大系「雪と氷」演出。（日本視覚教材）

大野　祐　電通映画社で仕事をしております。

小谷田　亘　岩波映画で矢部さんの仕事を手伝つております。

西尾　善介　「黒部峡谷」一篇編集、二篇着手（日映）演出。

肥田　侃　文庫「鉄と生活」編集。科学映画、企画調査（岩波映画製作所）

大沼　鉄郎　東京シネマで次回作の準備をしております。

荒井　英郎　東京ニュース「看護学生の日記」を完成しました。

れば、いささかでも従来の経験などがお役にたつまいかという、いわば悲願だつたのである。

そこで頼みとなるのは、半分以上もある新鮮な委員の顔ぶれである。役員全体も今度は数が多く、全十六名で全会員の一割を上廻るわけである。それに会員大方の指示や批判があるならば、なんとか「三年め」も乗切れるのではなかろうかと、ひたすら思う。

ただこの三年めさえ乗切れば、あとは協会自身がキ道にのることは、ほとんどまちがいないはずだしかし私にはまだ自信がない。

新人会から出た運営委として

新人会運営委員

助監督という職能が記録映画の中では、どんな位置にあるのかという問題は大へん難しいようです。何もしなければしないですむし、やればキリがなくある、という助監督一般の性質に加えて、現在の短篇製作のシステムが種々複雑、変幻自在な状態にあるためでしょう。だから一概に、新人会とか助監督部会とか言つても結構ややこしい連中の集りでもあるわけです。それぞれ勝手なことを大声で言いながら、しかもそれが一本にまとまつていく、という運営が新人会幹事会の御苦労で成果をあげようとしているのですが、今度、その新人会から出てきた運営委員としては、やつぱり、助監督共の気持を協会で大声に話し、たまに感心させる時は少し気にし、しよつちゆうおこられる時は余り気にせず。助監督部会が意気さかんな時には協会も会運隆盛な時なのだと考えてがんばつていきたいと思います。

事務局長の再選に当つて

菅家陳彦

この一年間、私のような若輩ではとうてい果し切れない重責であることを痛感して、旧臘廿六日の総会にはひそかに期する所もあつたのですが、志と異り再び事務局長にえらばれてしまいました。改めて〃二年位やつてみなければ、この仕事は：：〃などと弱気も起し、また思い直してもいる次才です。

創作活動を前進させる協会活動、一兆二千億のインフレ予算と作家の生活、協会を強化するための会費問題など、どれもこれも重大なことばかりを抱えて、協会もいよいよ才三年目を迎えたわけですが年の始めから余り固苦しいことは申さず、今年はひとつ、協会を肩のこらない、みんなで気楽に話し合える共同の広場に仕上げようではありませんか。せつかく一四〇人もの頭脳が集つているのですから、話し合えばきつといい智慧もでるでしょうし、日本の教育映画記録映画を発展させる力も生れるに違いありません。

幸い、今年もまた運営委員諸氏の顔ぶれはベストメンバーです。私も広場の香人ぐらいは勤めてみたいと考えています。

皆さんと共に

高綱則之

学習研究社で映画を初めてから一年。素人ばかりが集つて始めた訳ですから大変でした。純粋教材映画の制作一本にしぼつて今まで雑誌、スライドで作り上げた、教材研究を映画の上に置き換え様と一年頑張りました、一年間、何本かの作品が出来上りましたが、仲仲、思う様にはいきませんでした、又此の一年頑張つて良いもの、教育者も映画制作者も認めて呉れる

松本　公雄　仕事まちです。

渡辺　正巳　「流血の記録」（日本ドキュメント・フィルム社）を年末に完成しました。

菅家　陳彦　「麦作り日記」（東映製作所）脚本。あとは協会事務。

山岸　静馬　日本短篇映画社で仕事をしています。

杉原　せつ　自宅でシナリオを書いております。

三浦　卓造　仕事を待機しています。

下村　健二　次回作準備中です。

竹内　信次　次回作品の準備中。

前田　庸言　東京シネマで「産業教育」の助手をしております。

西沢　豪　地理大系（日映）の仕事で一月中旬より一ケ月間、北海道へ出張します。

秦　康夫　記録映画社で仕事をしております。

丹生　正　産業映画社のPR映画演出中。

岩崎　太郎　「防人の村」を完成しました。

山本　竹良　「オイル・シール」（三木映画社）の仕事をしております。

衣笠十四三　読売映画社で次回作

ものを作り度いと考えています。運営委員と云う大役を持たされ、今後とも協会と共に教育映画の研究に皆さんと一緒に頑張り度いと思います。

いささか、こわい役名

岡本昌雄

本当に名儀だけの運営委員に終りそうなので、樺島・西本両氏に活躍してもらわなければ、どうも重責をまつとうすることは、自信がありません——正直のところ——

しかし、今日まで会のこと言えば何一つやつた憶えがありませんので、私にできることなら少しでもお役にたちたいと考えております。（その気持だけは一杯です）

思えば、廻り廻つた道を歩いた末、丸二年間、教材映画の真只中に飛びこみ、周りの庇護のもとに、ささやかなフイルムを若干作りまして　他の映画は知りませんが、教材映画（と申しましても理科映画ですが）では、いささか人普みの苦しみを味わいました。

そこで、もし私の薄ッペラは経験でも、会という大きなものの中で何かの役にたつなら、油の一滴にでもなりたいと思います。

ともあれ　私は生れて始めて委員という名前をもつ光栄に浴しまして、大変責任を感じ、緊張しております。皆さんに尻を叩かれながら進んでいきたいものです。

宜しく御願い申上げます。

原本透

協会外部から　時に、こういう声をきく。協会に月々何がしかの会費を払つて、会員の得るものは一体何だ、と。——このように協会に対して色々の批判はあろう。協会は、それらの批判に具に耳を傾け、反省していくべき点も多いだろうが、また一方、協会はまだ発足して何年にもならない、それを最初から余りに多くを期待するのは酷であると思う。

協会はまだまだ生成の過程にある。この協会をよりよくするためには、結局、会員それぞれの自覚と愛情とによつて、一歩、一歩、協会をもり立て育てていくより他にはない。

会員百何十名か、いちいち私達はその顔を知らない——研究会、討論会……以外に、時にふれ折にふれ、忙しいお暇をさいて、協会事務所に顔を出し、お互をよく知り、お互雑談にしろ色々の話し合いの場を持つこと、そういうことが、もつともつと行はれていいと思います。

以上、会員のどなたも先刻、よく御承知のことだとは思いますが……。

委員長三選の正月に

吉見泰

この正月、朝日新聞にのつた、吉村公三郎、豊田四郎、木下恵介三氏の座談会の記事の中で、自分のやりたい仕事をするためには、それだけの条件をいつでも自分で作り出していなければならないと三氏とも語り、そのためにエネルギーの半分を費してしまうと木下氏が言つている。私は大変興味深く読み、またひときわ強く共感しました。今年、私はシナリオ研究会の活動を通じての自主的な企画と脚本によつて、みんなでそうした力と条件を作り出してゆきたいと切に考えています。

×　×

文部省映画の準備をしています。

高井　達人　「愛は惜しみなく」（三井芸術プロ）完成。

片岡　薫　テレビ映画の脚本準備中。

石田　修　日本観光写真映画社で仕事をしております。

森田　純　学習研究社で仕事をしております。次回作品の企画調査中。

羽田　澄子　「母親学校」（仮題）（岩波映画製作所）演出中。

高綱　則之　学習研究社にて次回作品の企画調査中。

八木　仁平　「産業教育」（東京シネマ）演出中。

豊富　靖　三井芸術プロで仕事をしております。

片桐　直樹　中部日本映画社で仕事をしております。

韮沢　正　次回作品の企画準備をしております。

西浦　伊一　総合科学映画製作所改め総合映画製作所にて準備をつづけております。

間宮　則夫　「東京のまつり」洲三部（東京シネマ）演補。

樺島　清一　日本視覚教材KKにて仕事をしております。

相川　龍介　福岡県甘木市に帰省

謹賀新年

左記の方々より年賀状をいただきました。

△東京テレビセンター　崎浜　朝恭氏
△55年会
△電通映画社　小畑　敏一氏
△プレミヤ映画株式会社
　H．J．WAEKER氏
△松川事件被告団一同
△綜合映画製作所　西浦　伊一氏
△現代撮影協会
△中川プロダクション
△大阪映画株式会社
△日本ドキュメント・フイルム社
△才一映画社
△たくみ工房
△木村栄進堂
△在日本朝鮮映画人集団
△東京キノ・プロダクション
△　岡野　薫子氏
△学習研究社映画部　森田　純氏
△英映画社
△朝日スタジオ
△東京シネマ　岡田　桑三氏
△自由映画人連合会
△調布映画撮影所
△読売映画社
△　上野　大梧氏
△城北映画サークル協議会
△映画演劇労働組合総連合
△　清水　信夫氏
△三井芸術プロダクション　高井　達人氏
△日映科学映画製作所
△東宝プロダクション　津村　秀哉氏
△東京映画助監督協会
△亀岡内職友の会　山内　滕三氏
△三栄社
△映画編集者集団
△東映動画株式会社
△読売映画録音現像所
△　鳩　憲治氏
△　気賀　靖吾氏
△東京映画愛好会連合
△神奈川ニュース映画協会
△教育映画配給社
△東和記録映画社

中です。
秋元　憲　新理研映画で仕事をしております。
小野　春男　次回作準備中。
川本　博康　仕事待ちです。
桑野　茂　日映新社の仕事でイラク地方メソポタミアに出張中。
高見　貞衛　日本記録映画社にて次回作準備中。
中川　順夫　中川プロで仕事をしております。
樋口源一郎　「すまいの歩み」（新理研映画）演出中。
松本　俊夫　「潜函工事」（新理研映画株式会社）にかかっております。
道林　一郎　東映教育映画部で音楽映画を演出中。
森永健次郎　日活撮影所で仕事をしております。
柳沢　寿男　「東京電力」（岩波映画製作所）演出中。
小熊　均　「母親学級」（仮題）（岩波映画製作所）ロケ中。
各務　洋一　東芝貿易テレビ進行中。（岩波映画製作所）
高村　武次　「佐久間ダム才三部」（岩波映画製作所）編集中。
時枝　俊江　「町の政治」（仮題）（岩波映画製作所）編集中。

羽仁　進　「動物園」（仮題）（岩波映画製作所）編集中。
吉田　六郎　次回作品企画準備中
大場　秀夫　日本記録映画社にて次回作準備中。
田中　舜平　記録映画社で働いています。
島内　利男　「自動車」（新理研映画）演出。
下坂　利春　次回作準備中。
中島　智子　「すまいの歩み」（新理研映画）の助手をしております。
本間　賢二　東映製作所で仕事をしています。
八幡　省三　東京シネマで仕事をしています。
長井　泰治・諸橋　一　日本アニメーション映画社にて仕事をしております。
大久保信哉　たくみ工房で仕事をしています。
落合　朝彦　新日本地理大系「地図の話」（日映新社）演出中。
大橋　春男　英映画社で仕事をしています。
小西　久彌　TCJプロで準備中。
水木　荘也　「平安美術」（三井芸術プロ）製作中。
清家　武春　日映科学映画製作所

で働いております。

稲村　喜一　人形劇映画製作所にて次回作準備中。

山添　哲　東映教育映画部で道林氏の助手をしております。

竹内　繁　仕事待ちです。

馬場英太郎　名古屋市へ帰省中

（以上は、事務局の調査による分であります。）

田中　喜次　森田　実
大方　弘男　小野寺正寿
尾山　新吉　原口　光人
平野　直　尾崎　好男
小森　幸雄　古川　良範
下村　和男

（以上の方々は、原稿〆切の期日までに詳しい動静が分りませんでした。ぜひ、動静をしらせて下さいませ）

新入会員

深江　正彦　世田谷区代田二ー一九三七（神奈川ニュース映画協会所属・演出）昭和三年十月生。昭和二十五年日大芸術科卒業、同年神奈川ニュース映画協会奉職、演出編集助手として故矢倉茂雄氏に師事す。二十八年「無形文化財・チャッキラコ」（二巻）を演出。二十九年「神奈川県の工業」（二巻）を演出。三十年「メンタル・ホスピタル」「鮎の一生」（各一巻）を演出。三十一年「水の上の子供たち」（十六ミリ）他三本を編集。「私たちの横浜港」を演出、脚本を担当した。

吉田　和雄　目黒区富士見台一五五七和交荘（神奈川ニュース映画協会所属・演出）昭和二年六月生。昭和二十七年早大才一文学部英文科卒業、同年神奈川ニュース映画協会入社、演出・編集を担当。二十九年「子ら健かに」一巻を演出、三十年「相模大橋」三巻を演出、三十一年「山を守る人々」一巻を演出、他に十六ミリ三本の演出を担当す。

山口　淳子　世田谷区北沢二ノ三五（日本映画新社所属）昭和八年十月生。昭和二十七年藤沢高校卒業。昭和三十一年九月日本映画新社才二製作部勤務。

大峰　晴　港区赤坂青山北町一都営アパート五ノ十八（日本映画新社所属・編集、脚本）大正九年一月生。昭和二十一年サンニュース映画部（旧秀映社）二十二年理研映画ニュース部二十九年中日ニュース映画社、昭和三十一年日本映画新社才二製作部。作品「南極を目指して」

岸　光男　練馬区南町二ノ三八七六（新理研映画株式会社所属・演出）大正十五年四月生。日大法文学部芸術科映画美学科卒業後理研映画に入社。作品「まぐろ」三巻「あけぼの」三巻「復興飯田市」一巻「常に備えを」二巻「日専連大会」二巻「千里山建設記録」二巻（カラー）

田部　純正　杉並区高円寺一ノ四八二大野方（新理研映画株式会社所属・演補）昭和五年九月生。昭和二十九年早稲田大学文学部卒業、同年新理研映画株式会社入社。作品、昭和二十九年「虹の谷」三十年「ペダル君東へ行く」「希望を我等に」三十一年「起ち上るアジア」「離れ島」「荒海に生きる女たち」などの助監督。

（以上一月十九日付入会）

（尚、新入会員は以上の方々の他に、同日付で、新理研映画の草間氏。岩波映画製作所の坊野、秋山、田中氏。日映科学映画製作所の飯田、大野氏が、入会されましたが、紹介は編集の都合によって会報次号に掲載いたします）

（会員総数　一五四名）

☆脱退

京　俊明　十二月二十七日、一身上の都合により脱退。

☆住所変更

山添　哲　練馬区関町二ノ甲三七へ転居

諸橋　一　新宿区戸塚町三ノ一六一へ転居

高島　一男　豊島区椎名町五ノ四一〇九いづみ荘へ転居

尾崎　好男　世田谷区赤堤町一ノ一九九奈良方TEL（三二）〇六三四へ転居

☆その他

河野　哲二　一月七日に結婚式を挙げられた。

☆おねがい☆

本会報に同封してお送りする動静おしらせ用アンケートはがきは必ず御返送下さい。書きたくない時は白紙のままでも結構です。戻ってこないと、着いたことすら、こちらには分らぬのです。

X　X

一九五六年度総会の議事録特集

一九五六年十二月二十六日　於新聞会館会議室

午後二時七分開会
出席四〇名委任二八名　合計七八名
議長団　八幡省三　丸山章治　河野哲二

一般報告（録音要旨）

運営委員長　吉見　泰

一、会報に報告した通りだが、この一年間を振りかえつて問題点となるものを述べてみたい。具体的な報告は担当各委員がするから、そこから汲みとられたい。

会員が月を追つて増え、一四三名の多数にのぼつた。これは昨年の総会の決定通り、会員を拡大して協会の力をふやすという方針を推進してきた次オだ。そういう成果はあつたが、一四三名という大世帯になり、さて協会とはどういうものだつたか、あらためて足もとの団体の性格を考え直してみる必要があるという状態に立ち至つた次オだ。一四三名の大世帯の中で協会が作家の集りとして徹底した活動をしてきたか、作家活動を推進してゆく過程で協会はある力になり得たかという反省が、委員会で常に問題として出された。その反省にもとずき将来の問題をあげれば、協会の諸活動が作家活動の前進のためにという課題に集中して解決していく方法をとるべきである。そういう運営がなされてきたかどうかという点では疑問である。今後協会の性格ないし運営の重点は作家活動の前進のためにという課題を遂行し、それを軸としてすべての活動を推進してゆく。

二、協会が文化的な性格をもつている以上、外部諸団体との連けい、共同、交渉がなされていなければならぬが、それが出来てない。例えば自映連（劇映画界に働らくフリーの映画人団体）が短篇に進出してきたので、ギャラの統一をはかる必要からギャラ交渉がもたれたという程度で、その他の団体の文化活動とは交渉はもたれていない。協会の活動分野を広める点でも、不安定な社会的位置の向上からみても急速に改めなければならぬ点である。

三、委員会が何をしたかの批判は「声」としてよせられたが、自信をもつて報告できる成果は、皆さんの協力による会報活動の充実でこれ以外は成果としてあげられるものがない。会の運営は委員会が主体となつて今日までやつてきたが、その構成が作家としての本業をなげうつてまで、会の運営に専念する力がなかつた。しかし、従来の考え方では、運営委員会に主力をおき、事務局は単に書記的な役割りにすぎぬという考え方が強く、委員はオーバー労働となり、その課題を実行する力の限界にきている。この点を解決せねば今後の運営にも支障をきたす。日常運営の面では事務局に重点をおき、運営委員会はそれを監査し指導するというふうに考え直さねば円滑な運営はできぬであろう。

四、新人教育問題は新人会だけの問題として運営されていた。しかし助手としての仕事や、生活上の問題や、勉強などに追われて他の経験の浅い新人教育まで手が廻らなかつた。これは協会全体の問題として考える。それについて協会だけの責任か、どうか、討論の材料となるが、従来の状態では発展しないという結論に至つた。以上が問題点である。その他、問題点がでた場合はよろしく議長の方で処理され、今後の方針を確かなものにしてゆきたい。

事務局報告（録音要旨）

事務局長　菅家陳彦

報告にさきだつて、一言お詫びと御礼を申し上げます。本総会の招請状及び議案を掲載し、去る十六日に発送した会報第二〇号が、年末の郵便事務停滞のため、未だに全会員の御てもとに行きわたつたかどうかを確認することが出来ません。にもかゝわらず、本日全会員の半数を超える人々がこゝに集つて第三回定例総会を成立させることが出来ました。事務局の不手際を改めて御詫び申上げる次第であります。

また、本総会の趣旨に賛同されて録音機を提供して下さつた東映製作所、録音用テープを貸して下さつた朝日スタジオの御好意に、この席を借りて御礼を申述べたいと思います。

さて、事務局よりの報告に移りますが、その骨子は既に会報二〇号に記載しておきましたので、本日はその補足説明に止めたいと思います。

＜協会々員数のうごき＞

会員の総数は本年十二月現在で一四三名に達し、この一年間に四二名の増加がありました（会報二〇号参照）。

ところで、私の提出した議案のなかに現在の会員構成を凡そ次のように分類した一項があります。

即ち、本年十二月現在までに、

(イ)演出又は脚本家として契約されたことのあるフリー会員　五一名

(ロ)演出助手として契約したことのある会員、又はそれを希望しておられる会員　三七名

(ハ)経営所属（脚本、演出、演出助手を含む）　四八名

(ニ)賛助会員　七名

（合計一四三名）

このことは協会が高度な創作的要求をもつている人々から、極く初歩的な演出助手の技能を身につけたいと望んでいる人々に至るまでの、巾広い要求の上に立つていることを示すものと考えられます。

本日こゝで、協会の当面する諸問題を討論して戴くにあたつて、以上の点を明らかにすることは、かなり重要な問題を含んでいるように思われるのであります。

つまり、委員長の述べられた明年度の中心課題、「創作活動の前進のために」一つをとりあげても、その具体的な要求は決して一律に論ずる訳には参らないのであります。

またこれを、会員諸氏の経済的な面から見ても、演出、脚本等の所謂一本立ちの方々と、演出助手の方々では協会に対する要求も自ら異つており、協会としての仕事の斡旋率も演出助手の方々が圧倒的に多いのが現状であります（会報二〇号、契約事務の項参照）。

次に、会員の増加に関する問題でありますが、現在まで運営委員会としては入会についてかなり巾のある考え方をして参りましたが、その結果は前述のような会員構成となり、特に新人教育の面には多くの問題を残すに至りました。

そこで本協会は規約に基き、教育映画、記録映画の演出、脚本、演出助手、アニメーター等、現在その職能に従事している人々の団体であるという、本来の姿を明確にするために、未経験者の入会には一定の資格（基準）を設けるべきであるとの御意見を多数頂戴致して居りますので、併せて御討論をお願いする次第であります。

＜契約事務と市場開拓＞

省略（会報二〇号を御参照下さい。）

＜財政と会費の納入について＞

計算的な問題は会報二〇号に記載してありますので説明を省かせて戴きますが、会費の額や徴収方法には種々御意見も寄せられて居りますので、事務局としては会費の制度について凡そ次の四ッの案を用意してみました。併し、会費は協会の組織と活動をまもる源動力でありますので、協会が今后どんな活動をしてゆくかを充分討議された後に、それに相応しい会費を決定して戴きたいと念願する次第であります。

（会費に関する事務局の四提案）

現在の通常協会運営費は、月額四万五千円――五万円

程度（毎月の会報参照）でありますが、今后、日常活動費や研究会費の膨脹を予定して月額六万円程度を確保したいと考えています。

(1)定額会費制

会員の権利義務を平等にし、徴集事務から見て最も便利な方法ではないかと思われますが、実際に行う場合には二段階制としても、演出、脚本一人当り月額一〇〇〇円、演出助手五〇〇円位の高額となり、会費としては一考すべき問題があるようです。

（月額収入概算）

〇演出、脚本グループより五万円、
〇演出助手グループより一万七千五百円
〇経営（現行二％を一・五％に下げ最低を百円とする）その他のグループから一万二千九百円、

（合計八万四百円）

とし、その七割納入（現在では六割前后が平均した現状です）を確保すれば五万六千二百八十円で、略々協会の目標額に達する訳であります。

(2)定額会費制と、現行の％制を併用する折衷案。

この方法は(1)案を基準として、協会が斡旋した仕事についてのみ％制を適用する折衷案ですが、斡旋の仕方や解釈が複雑多岐にわたるので、実際には多くの困難が予想されます。

(3)現行のまゝ％制を実施し、その最高額を一定に抑える案。

これは、別の言い方をすれば、一年間に会員各自の納入する最高額をあらかじめ一定にしておいて、それに達する迄は従来通り仕事をした時に四％納入してゆく案です。

従つて、定つた最高額を、三ヶ月や半年で納入し終えれば、次の年度変りまでその会員は会費を納入する義務を負わないことになります。この案は高額の会費納入者にとつては実質的に％を切り下げてゆくことになり、有利となる訳ですが、年間の納入額の少い会員には余り影響のない制度と言えましよう。

（いま、最高額を一律に一万二千円に抑えたとして、実際の運営予算を計上してみます）

〇演出脚本関係の方は一年間に一万二千円の会費を納入するとして、

一年間の合計　…六〇万円
その納入率を七割として
…四二万円

〇演出助手の場合は過去一年間の実績からみて右の最高額に達する方は少いので、これも実績から算定した仕事の稼働総額（三六〇万円）の四％、
…一四万四千円
（これは実績ですから納入率を掛けません）

〇経営（一・五％以下百円迄）と賛助会員からの実績、
…一〇万八千円

年間総合計…六七万二千円
月額平均運営費
…五万六千円

となる訳であります。

(4)現行通りの％制とし、％の数値を検討する案。

これは制度を現行のまゝとし、％を現行の四％から三％、二％と下げて算定してみようという案です。

事務局に報告のあつたこの一年の稼動実績に対しては、三％に下げても計算上六万三千円の月額会費を計上することが出来るのであります。

この場合でも納入率が問題となる訳で、仮りに七割と推定しても、四万四千円ということになります。

（※註、会費問題は特別小委員会を設けて慎重に検討し、三、四月頃この問題を主題とする臨時総会がもたれることになつた）

＜事務局運営について＞
＜来年度への継続事業＞
（何れも会報二〇号参照）

（次いで本年度結婚された会員や病気全快で復帰した杉山詳らを紹介、事務局よりの報告と提案を終えた）

会計報告（要旨）

事務局　原子英太郎

昭和三十年十二月より同三十一年十一月までの満一ケ年の月別会計報告は会報に報告した通りであります。月々の数字は事務局長の監査や監督をうけております。その集計がお手許の数字であります。

申訳ないことはあと一人の羽田会計監査が年内出張のため、監査をうけることが出来なかつた事ですが、後で、必ず監査をうけるようにいたします。あとはプリントを御らんになればおわかりのことと存じますので、簡単ではありますが以上で報告を終らせていただきます。

（註・一年間の集計会計報告は当日会場にて出席者に配布いたしました。尚残部が残つておりますので、必要の方は事務局までお申出で下さい）

報告　会計監査　樋口源一郎

以上の会計報告は間違いないものと認めます。

企業所属会員の報告

新理研　富岡　捷

本年度製作本数は二九本（内色彩一六、黒白一三）現在製作中のものは一六本（内色彩九黒白七）である。本数が多いので演出者の負担が大きい。一作家年間三本の割当てになる。現在協会員五名フリーその他数名でやっている。企業所属者とフリーとのコンビネーションは個人的にはなされているが、組織的にはなされていない。会社は商業主義に徹していて、反動と進歩をとわずあらゆるものを手掛けなければならない。しわよせは皆作家にかかつてくる状態である。これにあきたらず退社した人が数名いる。現在、会社側に対する態度や方針について協会所属会員が協議しているが、フリーとのコンビ、退社した人との連絡が悪い。コンビネーションを強化して仕事のしやすいような方式を見出し、会社側にわれわれの意向を反映させようと努力している。

日映新社　中村　敏郎

日映の現状は、一昨年から才二製作部を確立、人数も増加、現在五人の長期契約者（協会員）をもつ。その他作品に応じて個人的ルートを通じ（主として）協会員に仕事をたのむ。この人たちの会社との日常の関係は、企画会議に参加して意見をのべる程度で、発言力はあまりない。作品はPRが主である。完成したものPR一五本（内色彩七）自主的なもの六本（地理大系三本、南極、カラコルム、食中毒）進行中のもの五本（地理大系三本、南極、メソポタミヤ）で、会社の方針はPR中心であり、自主性を生かす機会が少ない。現在では地理映画大系という形で、自主製作の意欲をみたしている。教材の面では来年は、もつと積極的に会社側とも話し合いたいと思つている。派生的だが、ニュースの方からの素材（例、メソポタミヤ）にも期待する所も少くない。仕事は助監督なしでやるのでやりにくい。これは会社側と話し合つている。ニュースと一緒に仕事しているため、編集などやりにくい場合があるが、日常的に意見の交換が出来るのはよい。会員は協会に関心がふかく、今後も積極的に研究活動に参加したい。

岩波　欠席

研究会報告

西尾善介

今年一年の研究活動としては、試写、教材、シナリオ、記録の四つがある。そのうち、試写研究会は毎月一回をたてまえとして出発したが、実際は一月にカラー作品、三月に地理大系、四月に教材作品、六月に記録作品、八月に新作品、十月に国際教育映画祭参加作品をやつた。以上とは別に教育映画製作者連盟主催の新作教育映画試写会などの機会をとらえて試写参加の手配をした。試写のあとで討論をやるのがたてまえであつたが、時間、場所、集つた人数、その他の理由で、最初の一月と三月はやりましたが、あとは全部省略した次才です。案内状は事務局の小高氏が全部もれなく発送の任を果してくれた。教材映画は今年の四月以降五回行われ、教員の方と、教育映画をやつている機関、作る人と観る人の接触を持たれたことが成果であつた。シナリオ研究会は三回もたれ、主として新人の方が大変熱心に研究してくれました。記録映画研究会は十二月にフリートーキングで、どうしたらもつといいテーマが見つけ出されるか、という態勢が年末に作られ、来年発展するものと思います。以上の様にあまり研究活動は活発とは云えませんでしたが、足場や態勢は若干作られていきました。

新人会報告

間宮則夫

これは去る十二月二十六日の協会総会においておこないました新人会活動報告の要旨です。初めに総会準備号の「新人会について」の文中で一四頁の四、生活問題についての資料の中で才一映画が製作を中止したとありますのはあやまりにつき、ここで訂正させていただきますと同時に関係者の方々に深くお詫び申し上げます。

一、新人会の発足とその目的及び今までの活動については、会報にのせた通りですが、ここでは十二月二十三日の新人会総会で補足された点と新しい討議の結果を御報告致します。

二、協会と新人会の関係

新人会はあくまでも新人の親睦機関的研究会として幹事四名より構成される幹事会によつて自主的に運営されてきました。そしてその活動報告は会報を通じて又たまたま運営委員として新人会に所属しているものが二名出ていたのでその者を通じて断片的に報告されただけで、当初は協会としても重大な関心をはらいながらも新人会との継続的なつながりはありませんでした。しかししだいに新入会員の数がふえしかもその大部分が新人会に属すべき演出助手若しくは演出助手志望者で新人会の人数も設立当初の二十五名から四十九名と倍にふえてきました。これらの新入会員のうちこれから映画の仕事をおぼえたいという人が圧倒的に多いので自然仕事の配分状態にアンバランスを生じ、研究会の回を重ねるにつれて新人同志の生活問題が真剣に話し合われる様になりました。協会としても新入会員歓迎会を契機として積極的に新人の生活問題解決に力をはらわれ、主として新人のための新市場の開拓、仕事のアッセンなどに力をつくしてくれました。そして新人会もそのつど運営委員会の諮問に応じてまいりました。

三、研究会について

研究会は毎月一回定例研究会をもつことを原則としてきましたが幹事がロケーションでいない時などで休会になることがあり、幹事と会員達との間の連絡が充分うまくとれていなかつた事が認められます。

また回を重ねるにつれて研究会の内容が稀薄になり熱した討議が出来ずに終るという感じが強くなり、会員の間にはすくなくとも月一回お互いに顔を合わせただけでそれが例へ深い討論を呼びおこさなくとも親睦の度を深めるので可とする消極的な考えが支配的でありました。そして更に重要なことは新人会と一口に云つてもその中にはいろいろな層があり、その各々の層がそれぞれ別個の要求と新人会に対する考え方をもつて集つて来ているということです。それを受けとめる側がクレショフ「映画製作法講座」という画一的なテキストで研究会をまとめ、そこに出て来た諸問題をお互いの話し合いの中で解決してゆこうとしたところにむりがあり、逆に各々の層にそれぞれの不満を残したと考えられます。例えばすでに相当の経験を有する演出助手は演出への段階に踏み込んで新人同志の立場から創作問題にとり組むことを求め又なお一層演出助手の経験を豊かにする層、更に始めて映画界に入つてこれから勉強してゆきたいと望んでいる層などは基礎技術や基礎技術以前の所謂映画製作入門などについての話し合いを求めそれにもまして仕事を求めるそのものの声がより強く、又企業所属の新人は自分が所属している企業以外の新人並びにフリーの新人との交じわりの中で自己の視野を広め話し合いの場にしたいという様々な要求がありました。これらを漠然と一つにまとめてただ集まればよいとした運営のまずさ及び研究会の巾についても改めて考えなおさなければならない問題点です。

四、新人会員の経済問題

新人会は協会の才二回総会に於いて「新人としての研究活動と懇親を兼ねた研究専門部会」として承認されたものであるため仕事のアッセンを中心とする新人の経済問題については新人会として直接

とりあげず、もつぱら運営委員会と事務局に一任してきました。しかし運営委員においては個々の新人の具体的な資料が完全でなく、新人会に諮問して来たとしても新人会もその体勢がととのつていなかつたため又それに加えて協会に対する新人のアッセン依頼件数も新人会員数にくらべてその絶対量が足りなかつたため又プロダクションの要求と相まつて仕事の配分がどうしてもアンバランスになりがちでした。併しこれらは現状の運営委員会においては委員各自が専任ではないため継続的な市場開拓を積極的に行えなかつたという組織の上にも問題点があります。勿論新人会においても会員同志のお互いの経済状態その他についての話し合いが充分にされなかつたため具体的な資料が運営委員会に提出されなかつたという点が深く反省されます。

五、会員構成について

発足当初二十五名の新人会は現在四十九名の会員を擁しておりますがその内訳は前記の通り、すでに演出家や脚本家となつている人々がいたり、またその半数近くが、映画の経験の殆んどない演出助手志望者であり、そのため仕事のアッセンが仲々むずかしく従つて生活の安定が仲々得にくく、自然研究会への出席も停滞し、早く仕事をおぼえなければますます仕事にありつけないという悪循環の傾向にあります。今后もこうした新人がどんどん協会へ加入して来ることを考えます時、今までの様な漠然とした新人の集りというのではなく、会員になる者の性格をはつきりさせる必要があると思われます。

六、以上のいろいろな問題をまとめて考えて見ますと、今までの我々の集りが、本質的にはどういうものなのか、どうあるべきものなのか、その点がはつきりしていなかつたのではないかと思います。一つのまとまつた組織を作り統一した運営をやつていこうというならば、それなりにはつきりした目的と性格がなくてはならない。ということです。それについて新人会の年末の総会で大いに議論した結果、まとまつたことは、我々は一面では演出助手という演出家、作家とは別の一つの独立した職能を持つものであり、他面では、これから作家になろうとするものでもあること。ただし、我々が映画界で仕事をし生活をしてゆく場合、我々の演出助手としての職能に対してギャランティが払われるのであつて、半人前の作家としてのギャラが払われるのではない。作家の卵として生活の資を得るのではなく、一人前の演出助手として映画の世界に立ち向つているのだ、ということです。ですから、我々の会を実質的なものにするためには既に演出家や脚本家として通用している人々は、この際新人会をやめてもらつて、会の性格をはつきりさせるべきではないかという点が考えられます。

七、今後の方向

以上が今年度の新人会活動報告のあらましですが、これらの分析から次年度の活動方向を出してみました。

まず才一に今までの研究会ののびなやみや、短篇映画ブームと云われながらも依然として残る経済的不安、今までの新人会の性格のあいまいさなど前述の事柄から考えてみますと少くとも現在の様な「親睦機関的研究専門部会」では問題は解決されず、どうしても新人会の組織を強め、研究活動と同時に会員相互の生活問題をとことんまで話し合つて仕事のアッセンなど強力に押し進める新人会の独自活動が出来るような組織にしなければならないと思います。現状の如き他力本願で仕事がくるのを待つているのではなく、自らの組織が仕事を求めて市場を開拓してゆかなければいけないと思います。勿論新人会はここで協会から独立した会を組織するというのではなくして仕事のアッセン、ギャランティの交渉決定、研究会等々協会の組織の中にあつた方が有利である以上又教育映画作家のすべてを結集して協会が存する以上あくまでも協会の組織の中にあるべきでその中で新人会として独自の研究会と生活の擁護を図つてゆくということです。従つて新人会の組織を今まで漠然と「演出助手を中心とする新人の集り」としてあつたものをはつきりと演出助手は他の作家と異つた職能を有するものであることを確認して利益の一致する「演出助手の集り」であることを明確にして、新人会の方向を演出助手の技術の向上と生活の擁護にすべてを振りむけてゆきたいと思います。以上の事を実行するために新人会は協会に対して新人会の利益を代表する委員を運営委員会に送りたいと思います。才二は研究会問題ですがこまかい実施方法は次年度の一月総会において決定することになつておりますが根本的には前記の如く各層それぞれの要求がはつきりと打ち出されている以上、その要求に沿つた、より実践的な内容をもつた研究会を構成してゆきたいと考えております。そして各々の研究会の中から幹事を送り出して会員相互の生活問題、仕事のアッセンなどの綜合問題の連絡機関を構成したらと考えております。才三は新入会員の問題ですが、勿論新人会としても教育映画の質的発展のための有能なる新人の発見について何等異論をはさむ余地がないどころか積極的に歓迎するものですが、新人達の生活問題及び仕事の状態から考えた場合、新たにフリーで演出助手の仕事をおぼえたり、ましてそれで生活してゆこうとするのは今のままではとうてい無理な事と思われ又我々にとつて現在既に協会に入会し新人会に所属している多数の新人の志望者が如何にしたら早く一人前の演出助手になつてもらえるかを先決問題として処理せねばなりません。現状の様に入会希望者は作家であると否とを問わずそのまま入会させることは問題をそのまゝ永久に残すこととなります故現在の如き規約の拡大解釈を改めて演出助手と演出助手志望者をはつきり区別して会員を構成してゆきたいと思います。そしてその上で教育映画、記録映画をやりたいという新人の問題を今すぐからでも協会としてとりあげ、積極的な対策を立てるようにしたいと希望します。

六、結語　以上の理由により新人会の今后の方向を組織的に進めてゆくために、①運営委員会に新たに新人会の意見を代表する委員を送ること。②入会希望者については規約の拡大解釈はやめ演出助手とは演出助手の技術を有するものと厳格に区別しその人々を何らかの形で教育映画界の発展のためにうけいれる対策を立てること、の二項を提案して新人会活動報告を終ります。

討議・議事録（速記）

一般討議

議長　会費問題と運営方針のどちらを先議するか。

野田　会の方針をきめてからでなければ会費問題はきまらぬ。

（全員異議なし）

議長　今まで、協会に不満があつた、こうして欲しいという問題を出して戴きたい。

吉見　討議の糸口として述べたい。試写研究会は、写真を見る事に重点を置き、沢山見たいという声に従つて運営したが、新聞社や連盟等他の団体主催の試写会が多くなり、協会主催のものはどうしても月遅れや二番煎になつてしまい、結局試写会そのものが尻つぼみになつてしまつた。次に作家活動の前進のための批評の問題に重点が置かれていなかつた。今後は研究会の運営そのものを変えていかねばならぬと考える。

西尾　今年一年委員としてうまくいかなかつた理由は、委員が知つている筈だから委員が発言したらどうか。例えば試写研究会が五回で終つたのは、私が長いロケーションに出たためで、小高氏に代行して貰つた。一人二役は出来ない。

菅家　この前、経営（岩波）の事情を伺いに加藤氏と行つたが、経営の方々の意見としては『研究会活動がフリー本位になされていたのではないか。経営の人々は、特に創作的な面で協会の人々と結びたいのだ。（経済問題は組合を通じて解決している）』といつているが、今後の運営はこの声を重視する必要がある。積極的に企業の方々の声をお聞きしたい。

加藤　今の発言を補足すると、フリーばかりを念頭に置いた活動はいかん。上映作品も時期的に後手になる。「夜と霧」のようなものを見せてくれなければ協会に入つている意味がないといつている。このような特別な、金のかゝる試写会の場合はその都度出席者から金を取ればいいだろう。

かんけ　研究会の有料、無料という、そうした個々の問題は後廻しにして、協会活動の基本的討論を進めて欲しい。

加藤　研究会を決める方法として言つた。

吉見　そういう問題を含めて、全体として議案第一項の作家活動の前進の問題の討議で、それを具体的に進める問題は、作家間の批評活動、作家と観る側の交流を通じてやるべきではないか。これが基本だと委員会は考えている。具体的にはどうするかの方向で話を進めて欲しい。

議長　この路線で討議を進めてみたら。

西尾　問題は試写会と紙上討論の二つあり、月例の会が作家に何も残さなかつたということは重大問題だ。研究会を定期的に成功させるためには、担当が東京にいないと出来ぬ。各人の仕事と会の運営とのギャップがありこれを解決しなければ要望に応え難い。

野田　吉見氏の第一の協会の活動の軸は、生活問題を含めた作家活動の前進にあるというが、何が具体的な軸なのか。

吉見　試写を軸ではなく批評活動を軸とする。それには、会報紙上を通じてやつたり、試写会もあるし、利用者との接触もあるし、あらゆる場を通じて批評活動を広めることが基本である。

西尾　その具体的な方法が問題なのだ。

吉見　考えられる範囲では、会報の利用の仕方を批評の面を拡げたり、サークル、先生、学生等との交流の場を運営委員会が作るようにしていく。

諸岡　西尾さんのことについて、試写会の機会が少かつたのは一人で担当していたためだから、人数を増すといい。

小西　試写会や研究会の活動の不十分な原因が、運営委員の時間が少いということなら、技術的に人を増せば解決出来る。しかし、時間以外に批評活動が不活発な因子が協会の中にあつたのではないか。

丸山　教材映画に限つて言えば、研究会自体で運営委員会を持たなかつたというところから欠陥が生まれた。又研究の成果が残らない欠陥がある。方針を決めて成果を蓄積していく必要がある。更に自己主張を述べることが主になり、相手の意見を聞く気持が少かつた点も問題だ。例えば第一回（「お母さんの仕事」の研究会）の場合は、教育学者をやつつけるというような気持が先に立つて論争のような結果になつた。

吉見　仕事のやり方が孤立している。生活基盤が孤立しているところから起因している。協会はこの孤立した条件を集団的に解決するためのもので、今年までは組織造りの段階であつた。さて今後は、今の創作の孤立のまゝでいいものかどうか提案した。これについて感動した話がある。牛原虚彦氏の体験であるが、映画人が国際的な集会を持ち、一本々々丁寧に見て、どうしてこのテーマを選んだか、どうしてこの表現方法をとつたか、このミクロの技術はどうやつたか等具体的に討論している。つまり技術を全世界的なものにしようとして討論している。協会もこの方向に志向することが、作品を、全体の水準を、前進させることになるのではないか、そういう意味の提案である。

諸岡　そこで最初の話だが、そのような研究会は形に残らねば無意味だ。不参加の人達のためにもニュースを載せるべきだ。

樋口　質問だが「お母さんの仕事」の場合はどうだつたか。

丸山　自然発生的に生れた。以前から問題のある作品を作つて来た教育研究所の自主作品であつただけに、最初から論争を意図して取上げた。しかし、国研の教材に対する観点がわかつて良かつた。また現場の先生と教育学者の間にギャップがある。この問題については、作家はその中間に立つて考えてゆく。

岩佐　研究会の考え方が狭すぎる研究会の意味をもつと広くすればよい。記録性については、文学絵画でも論争されており共通の問題を持つている。自分達の場合は中に籠つて一人考えているらしい。作品は誰が見るかといえばPRは別として、公民館でやるものは、お母さん、先生、子供、青年達である。この人達及び他のジャンルの人達との交流を通じてこそ、我々専門の研究の成果が生れる。「夜と霧」の問題にしても向うから見て呉れとは言つて来ない。

諸岡　つながりを持つことは全く必要。会報（NO16）でPR映画研究会の話があつたが尻切れに終つた。スポンサーと私達の話し合いの場を作りたい。自分の思つていることを画面に出したいし、PRで飯を喰つているのでこれを足掛りにしないと研究の方向が出ないのではないかPRと積極的に正面から取組むべきで、この中で創作意欲を高めたい。それには一人ではスポンサーに通じない。協会は組織的な会合を開き、協会の名でスポンサーに訴え、PRの中で良いものが出来るよう逃げずに真正面からぶつかるべきだ。その機会を設けて欲しい。私は忙しいので世話係の数を増してやつていきたい。

加藤　皆の意見は大変に参考になる。才一に樋口、諸岡両氏の記録に残して欲しい問題は、費用の点もあつて難しいが、特別号として出そうと考えている。岩佐氏の提案も尤もで、吉見氏のいう文化人との交流からもつていかねばならぬだろう。小西氏の提案は認めるものがある。運営委員も本気になつてやる必要がある。

岩佐　誤解のないようにいうが、文化人交流より重点は観客との交流に置きたい。例えば、名古屋で市の視聴覚課がやつている映画会などは、一歩誤まれば昔の隣組になる恐れがある。そういう所での話合いが大変必要なのではないか。その話合いの中から、どんな映画を作るべきか出てくる。

小西　作家が孤立している。自由競争の考え方でやつている。これに対立する立場で協会が発足した。全体が一人を、一人が全体をと考えるのだから、つまり経営の立場とは反対だ。だから研究会も、我々でなければ出来ないやり方をあらゆる形でやるべきだ。何かザックバランに話が出来ない感じがする。研究会で腹の底から話し合え、それを経営に持ち帰つた場合にプラスとなるようならいい。そういつたザックバランな雰囲気が押えられていないか。

吉見　最後の疑問のところだが、批評活動がおざなりだということは、相手を傷つけまいとするところから来ている。これは自由競争があるためだ。しかし、この浅さから抜け出すべき段階である。といつて直ぐに具体的方法は出て来ないが、批評とは何か、どうしたら批評が身につくか、そのホゾを固める必要がある。PRの問題も、自主性を守る努力、経験、が一般化されていない。繰返すが、グループの交流など、相互の理解を深め作家の全生活を通じてあらゆる試みを重ね、批評活動を軸として作家活動を前進させる。協会の意味もそこにある。質的転換の問題もそこにある。

野田　楽しい雰囲気でザックバランにやる段階で、批評の段階ではないと思う。

吉見　同感だ。そこから突抜けて行く方向は批評にある。

野田　批評ではない。それは狭いお互いに作家活動を助け合つて行く観点が必要だ。

菅家　研究会を具体的にどうするか。研究会の中でも教材が一番成果があつたのも、映教、国研製作者一体で討論したからだ。これはその後、南山、青山小学校の実験教室にまで発展した。こういう席でこそ作家としてよい体験が出来る。また、作品試写研究の場合は、本人（スタッフ）が出席すべきだ。そして技術や経験の交流を深めるべきだ。個人の技術を全員のものにしてこそ意味がある。データを十分準備して出席し、腹蔵なく討論すべきだ。

加藤　結論を出すのではなくともどんどん意見を出して欲しい。

議長　若い人からの発言が少いが。

大沼　新人会の経験からいつても自分の必要からでないと仲々出て来ない。運営のやり方にも関係はあるが、同好の志の集りでない限りは育たないと思う。だから小さなグループが色々出来ていい。

長井　アニメーションですから、

会報などをみても高踏的で、勉強にはなるが現場にはぴつたり来ない。PRとかテレビコマーシャルに興味がある。座談的な雰囲気が欲しい。

吉見　今後の方向という点でわかつて来た。次に技術的なことかも知れぬが、座談的雰囲気を持つということを試写会で考えると、既にその雰囲気があつたとしても会としては魅力に欠けるところがある。作品は他の場所でそれを見ている場合が多い。また話合うにも具体的な材料が少な過ぎるのではないか。それで会員の作品で、他の場所では公開されない、仲々見られない作品を取り上げてみたらと思うがそれが効果があるだろうか、どうか。

加藤　要は書いて意見を発表したらどうだ。また、月例だからやらねばならぬという形でやると魅力がないが、魅力ある作品を集めるとすると委員は相当に腰を入れてやることが必要だ。

竹内　先刻の岩佐氏の意見の延長だが、内輪だけの研究では伸びない。協会が会独自に主催して観客の声に直接触れられるような会を望む。我々は、初号が上るとハイサヨナラで、スポンサーの声はわかつても観客の受取り方はわからぬ。観客の意見を聞くことは非常に参考になり、作家の態度や考え方に対する突破口になる。

西沢　具体策として亀井さんを呼んで話し合う会などがいい。

岩佐　一週間に一回か二週間に一回でも、何処に何時に行けば何となく話合える会、テーマも何も設けず楽しく語り合える会を作つて見たら。

八木（仁）　発言が低調だ。発言者が偏つている。これでいいか自分には案はないのだが。（笑声）

議長　時間がないので、この辺でオ一案、オ二案の討議を打切り次に移りたいと思いますが。

（全員異議なし）

事務局の運営方法について

菅家　提案します。運営委員が仕事をやつている場合、日常運営は事務局に任せるのだが、事務局は自主的な活動は許されない。さりとて常任を設けることは、色々と難点があり、従つて最上の方針は、基本的な方針は運営委員会が出し事務局は、それを代行し、自主的な活動の出来る事務局を作る。運営委員会は、事務局を監査、指導する。次に日映技術集団が自映連と合併することになり、それに伴い、事務所費、人員、給料等の折半が打切られることになり、人員等どうするか問題となるが、現状の運営を維持するには最低二名は必要とする。

吉見　経費問題は後にして、運営上の問題を切離して考えると、運営委員が日常問題に乗出しているエネルギーは、各人が仕事を持つている以上今が限界点に来ていると思う。そこで日常運営は専従者によつて運営するという考え方、その責任は運営委員にあるという建前がいいと委員会は考えている。これは規約には触れないので考え方として討議して欲しい。その裏には経済的条件を含めたものを絡んでくるということになる。

議長　考え方を先にはご尤もなのでその順で頼む。

竹内　先刻の研究会をどうするということも経費とウラハラだ。我々は経済的なことは不案内でその点事務局の方で腹案があつたら出してくれないと、考える材料がない。裏の問題を云わぬと討論にならぬ。

吉見　事務局にウェイトをかけるという問題は、討論の仕方は技術の問題として考えればいいから後廻しにし、新人会の方を先に討議して、その後会費を討議する際事務局の問題を出したら

議長　運営委員会と事務局のウェイトの問題は、規約通りに解釈すれば済むと思う。費用の点は会費討議の際、決めては。

（全員異議なし）

新人会について

竹内　質問だが、新人がドキュメントに現われるのは我々としても非常に望ましい、それをシャツト・アウトするのはどうかしたことか。新人問題は会社側に

任せようという考えなのか、或いは新人会として養成する機関を作るのかどうか。

吉見　これは協会として考えねばならぬ問題だ。運営委員会としても考えを持つている。竹内氏の質問には後で触れる。新人会の構成、助手の要求が漠然としていたので、運営し難かつた点は委員会は認めた。一本立ちの作家とは違つた要求を持つた助手部を設けるという意見に賛成した。従つて部会の中に幹事会を置くことに賛成。但し、運営委員会に比例代表制という形ではない方がよい。何故なら運営委員会は多数決ではなく全員一致の原則で裁決しているから。

間宮　私の先程の報告では、比例代表制ではなく、利益代表と述べてあります。

吉見　運営委員会に利益代表を入れることに賛成する。助手部会は、助監督と認められる人は門戸開放する。新たに助手を志望する者は、協会の性格を作家の集りと規定するとすれば、資格がないことになる。この新志望者の問題は、協会ばかりでなく教育映画界全体の問題で、協会と連盟で話し合つて問題の解決と方法を生み出さねばならぬ

かんけ　これは、将来、助監督部分立の考え方に立つているのか。

間宮　将来、協会と独立する意志はない。

かんけ　委員長は協会が作家の会としてみるといつている。助手部と協会との関係をもつと具体的に。

吉見　それは難しいところで、純粋に割り切ると一本の作家の会とするのが一番いい訳だ。しかし、作家は、経済的にも社会的にも困難な条件の中で仕事をし、孤立した状態を免れようとして協会を作り、作家活動を守つて来た。そして作品の実質を高めようとして動いている時に、今助監督を離してしまうことは、作家にも助手にも共に不利だ。将来、社会的、経済的条件が変つて、助手部が一本立ち出来るようになれば考えてよい。

間宮　新人会の経済状況、能力を考えると、現在でもいる新人の教育で手一杯で、その間新志望者は待つて欲しい、その人達の教育は協会の責任でやつて欲しい。

かんけ　新人教育の問題は新人会にはない筈で、運営委員会にある。

小西　新人が仕事につけなかつた問題とからみ合つているのではないか。

間宮　ある。そういう人達の問題も新人会として考えねばならぬ。

八木（仁）　新志望者は待つて貰うのは暫定的な意味か。

間宮　そうだ。

八木（仁）　現にいる演補志望者を養成する見通しや期間は？

大沼　補足すると、新人会は助監督を職業とする集りだということを確認した。これから志望する人は未だ助監督ではない。その人達のことは、作家の方達以上に密接な私達の問題であつて、心配している。この人達のことは映画界全体（協会を含めた）の問題として取扱つてゆくべきだ。

本間　何故こんなことが起つたかというと今迄無制限に入れた。協会に入れば仕事が出来るような気持で入つて来たが仕事につけない。そこで卵が仕事につけるよう養成すること、新志望者は今後は新人会だけのものではなく、協会全体のものとして考えるべきではないか。

荒井　新人中の新人の問題は、運営委員会が入れたのだから、委員会の問題で、新人会を責める問題ではない。

吉見　規約から言えば、助手志望者は会員でないという規約がない。新人教育の観点から規約を拡大解釈して入れたが、今後もそういう人達がどんどん増えて来る見通しが立つた。協会の活動方向が多岐にわたり、ぼやける心配がある。そこで会員の資格は、規約をはつきりさせて助監督までとし、現在の新人の問題は協会独自の責任で新人教育する。新志望者の教育は映画界と協力して、別個に各プロや連盟と話合い、共同作業としてやりたいと思う。

赤佐　議事進行して欲しい。

吉見　補足します。規約の中の会員の資格を明記したいと考えるが。

かんけ　協会で新人教育の責任を持つべきだ。規約の問題は、拡大解釈を止めればよいと思う。クローズドショップ制には反対。

（異議なし）

間宮　クローズドショップ制に関しては撤回します。

吉見　新人教育の問題は協会全体の問題であることを確認して欲しい

（異議なし）

竹内　現に入っている演補志望者に関する教育は？

吉見　協会の問題として責任を持ちます。

河野　新人会としても協力するよう申し合わせてある。

会費問題は現行のまま・・・
専門委員会で検討し
四月総会できめる

菅家　会費の額、納入方法について各人から不満その他が出ているが、会報に報告してある実績の通り、運営を充実させるためには月額六万円を必要とする。先ず現行のままでいいのかどうか皆さんの意見を伺つた上で、こちらで用意してある腹案を出したい。

竹内　質問だが、会費は、私は自分で納めに行くが、現状は各人が持つて来る迄待つているのか集めに歩くのか。また併せて回収率を聞きたい。

菅家　作家とプロの個人契約などにより確実ではないが、会報の動静欄などからの推量によると現在五二％の実績である。従つて七〇％位と考えねば駄目ではないかと思う。

赤佐　協会で契約を代行する場合の基準は？

菅家　基準は、内規と個々の条件により会社と接渉する。

赤佐　発足当時の基準に因つているのか。

菅家　そうだ。

吉見　あの基準は、平均値としてではなく最低値という考えでやつている。

本間　協会で斡旋した場合、事務費などどうしているのか。

菅家　交通費など協会負担である。

本間　協会の斡旋により仕事につけた場合、％を上げることはないか。そういう場合は％を上げてもいいのではないか。協会の運営を少しでも楽にする意味でもいいと思うが。

菅家　そういう考えを加味した案も用意している。

吉見　それは難しい問題で、自主的な開拓による斡旋、向うからの指名による斡旋、純粋な斡旋等々ケースが異なり難しい。

竹内　反対だ。方針の一つに「生活問題を含めた作家活動の前進」とある。そういう点ではあまり合理的でない。

議長　会費に対する不満は？

菅家　四％出しても惜しくない協会として、現状はどうか、そういう意見は？

長井　企業所属から高いという声がある。協会の恩恵が少い。

西尾　アニメーション協会があるのに、どうしてこちらの協会に入つておられるか。

長井　アニメーション協会は、独特の性格で（製作者も入つている）技術的な問題ではよいが、映画全般の問題ではこちらの協会から便をうける。

矢部　四％が高いかどうかは難しい問題だが、辛いという印象が切実である。安い方が良いに決つている。要は、出しても惜しくないようにすべきだ。

樋口　帖簿を見たら、去年一回払つた人、それ以来払つていない人がいますが。

菅家　ニコヨンやアルバイトをして仕事を待つている人が多く、催促する情に忍びない。

赤佐　事務局から具体案を出して欲しい。

菅家　一、会員の権利義務を平等としての定額会費制。二、定額会費制と協会斡旋の場合％値上げの折衷案。三、％は現行として、最高額（ノルマ）を決める四、現行通り、若しくは三％に下げる。（「事務局報告」参照）

荒井　目安を説明して欲しい。

樋口　技術集団と別れた場合の費用は？

菅家　月額六万円が必要（特別試写のような時は会費を別に取る）

矢部　額の問題ではなく納入率の問題ではないか。自主的に出すことだ。

諸岡　企業とフリーとの納入率の比は？

菅家　企業の方が捉え易いので良い。

小西　会報によると人多数は食えないということの再認識をした。どう有意義に出せるかということが問題だ。どうにかしてお互の生活を援助し、良くし合えるかという協会らしい考え方が出る。案を見ると割合収入の多い人を反映しての案らしい。その意味で才四案が皆の意見を反映して一番良いと思う。

吉見　一律会費制が一番良いが、フリーの人は仕事のない月は困る。%制はその点は一番公平だが、高額を取つている人には負担になつてくる。一万二千円ということは年間三〇万円収入ということだ。

小西　しかし、千円の会費では妥当ではないだろう。

野田　年収十二万円以下の人がいるが、そういう会員の構成は考えているのか。

吉見　才三案が妥当ではないか。

野田　新人が一番負担が重くなる。

菅家　助手の大体は協会を通じて仕事をしている。本間提案（協会斡旋の場合%値上げ）もあることだ。

議長　提案します。回収率も問題だし、今後の運営をどうするかによつて感じは違うし、暫定的に現行通りとし、運営の良くなるのを見届けて改正しては。

大沼　一案は新人会としては一部の者しか納める能力がない。二案は無理。三案か四案なら賛成出来る。

吉見
加藤　現行にして、運営をそれに値するように充実させる。

八木（仁）　暫定という意味は、結果としてあと一年ということになる。無意味だ。

野田　八木案に賛成。専門委員会を開き、特別総会を開いて決める。それ迄は現行を認める。

京極　目標をつけるといい。

議長　三月一杯までに決めて、四月総会に計つては？

（異議なし）

菅家　それ迄に納入のアンバランスを埋めて欲しい。今後にも影響する。

議長　今のことを確認したい。

（異議なし）

議長　事務局問題は新運営委員会に一任したいと思うが。

（異議なし）

役員改選

吉見委員長
菅家事務局長　再選

つぎの要領により役員改選の投票を行つた。委員長及び事務局長は、全会員の投票によりそれぞれ一名選出し、当選者は運営委員の被選挙権を失う。運営委員は、一本立ちのフリー作家が全フリーのうちより七名選出（七名連記投票）する。助手部のうちより助手二名を選出（後日部会を持つて）する。各経営より一名づつ都合七名（岩波、学研、アニメーション、視覚教材、新理研、日映新、日映科学）を選出する。（以上の運営委員総数一六名）出席者数四七名。委任状三四名。委任状に対する扱いは、運営委員会に委任したものは白票とみなし選挙権を有せず。但し選挙結果については承認したものとみなす。　投票結果は左記の通り。

委員長（一名）
（当）吉見　泰　三十二票
（次）中村　敏郎　九票
丸山　章治　七票
下村　健二　六票
樋口源一郎　三票
京極　高英　二票
野田　真吉　一票
秋元　憲　一票
（無　効）　一票
計六十二票

事務局長（一名）
（当）萱家　陳彦　二十五票
（次）丸山　章治　十一票
加藤松三郎　十票
河野　哲二　八票
八幡　省三　二票
苗田　康夫　一票
竹内　信次　一票
大沼　鉄郎　一票
京極　高英　一票
小西　久彌　一票
（無効）　一票
計六十二票

運営委員（フリー作家七名）
（当）丸山　章治　二十票
（〃）加藤松三郎　十七票
（〃）八木　仁平　十六票
（〃）野田　真吉　十四票
（〃）矢部　正男　十三票
（〃）竹内　信次　十票
（〃）京極　高英　十票
（次）樋口源一郎　九票
（〃）河野　哲二　九票
岩佐　氏寿　八票
岩堀喜久男　六票
富沢　幸男　六票
かんけまり　五票
西尾　善介　五票
西沢　豪　四票
赤佐　政治　四票
荒井　英郎　二票
厚木　たか　二票

下村　健二　一票
片岡　薫　一票
豊田　敬太　一票
道林　一郎　一票
秋元　憲　一票
（無効）　十四票
計百七十九票

議長　会計監査は推薦で樋口源一郎、羽田澄子の両氏を留任したいと思いますが如何。
（全員異議なし）

吉見委員長　再選挨拶および閉会

また再選されて、どこがいいのかわからないのだが、新運営委員の諸君と共に来年一年間の重責を果していきたい。本日は、終始熱心に討議され有難うございました。これを以て才三回総会を終りたいと思う。

閉会二一時四五分

一九五七年度教育映画作家協会役員

運営委員長　吉見　泰
事務局長　菅家　陳彦
運営委員　丸山　章治
〃　加藤　松三郎
〃　八木　仁平
〃　野田　真吉
〃　矢部　正男
〃　竹内　信次
〃　京極　高英
〃（日映科学）　中村　麟子
〃（日映新社）　西沢　豪
〃（視覚教材）　岡本　昌雄
運営委員（新理研）　原本　透
〃（アニメーション）　吉岡　宗阿彌
〃（学研）　高綱　則之
〃（岩波）　○肥田　侃
〃（新人会）　○間宮　則夫
〃（〃）　○大沼　鉄郎
会計監査　樋口　源一郎
〃　羽田　澄子
○印は臨時

互いの前進のために

運営委員会

作家生活の前進のために。――それは昨年の総会でも話し合われきめられたことで、本年度の私たちの大方針です。

私たちはこの方針を現実に生かし、具体化する道を、凡ゆる場に求めて活動して行きたいと考えます。

本年度才一回の運営委員会で

1　会報活動
2　研究活動
3　対外活動　（仕事のあつせん、諸団体との交流、提携）

の一層の前進に就ての討論が重ねられましたが、その凡てを貫くものは一に、「作家生活の前進」でなければなりません。

それぞれの細部にわたつては、逐次、委員会報告としてお知らせしますし、更に検討と具体化が深められてゆくことと思いますが、才一回の委員会で話し合われたことだけを挙げてみても、会報の充実、PR研究会の具体化、創作活動の相互援助の強化、そのための作品研究、シナリオ研究、批評活動の強化、作家の自主性の確立、製作者連盟、綜合協議会との連けいによるシナリオ・資料の蒐集、諸外国との交流など、作家が作家として前進するために、協会は大きな課題と責任を負うていることをお互いに確認したのです。

その向う所は、すべて、それぞれの作家がそれぞれの個性の上にそれぞれにいゝ作品を産み出したいという一つの方向に結ばれます。そして、協会の諸活動は、そのためにみんながそれぞれの場で、どう協力するかという現われだと考えます。

私たちの協会は多種多様、まことに豊富な個性の集りです。私たちはお互いに、相手を理解し、認め合いつゝ、互いに意見を交わしたすけ合つて、みんなで前進の道を歩むよう、そうした協会運営のためにはげみたいと考えます。

運営委員会だより

第一回運営委員会
一月十九日（土）午后六時より
出席：：丸山、吉見、菅家、樋口、苗田（代理）大沼、原本、高綱、岡本、中村（敏）加藤、竹内、矢部、肥田、京極

▽運営委員の確認と紹介
総会での選挙で決定したフリー部門選出の運営委員と、各企業別および新人会よりの自主的な選出による運営委員との初顔合せなので、その確認と紹介を行つた。

▽事務局問題について
従来、事務局員は原子、小高両氏を当協会と日映技術者集団とで兼務してもらい、人件費も両者が折半支給していたのを、一月より原子氏は従来通り、小高氏は当協会専属とあらためた。
以上の事務局長報告を確認した。

▽会費問題審議委員会について
昨年末総会の決定にもとづいて来る四月に開催される会費問題についての臨時総会までの期間に、会費問題審議委員会を設けることになり、運営委員会がその構成を次のように立案し、依頼したことが、事務局長より報告され確認された。

会費問題審議委員会

運営委員会より
　菅家　陳彦
　矢部　正男

フリー会員より
　荒井　英郎
　樋口源一郎
　豊田　敬太
　赤佐　政治

企業所属会員より
　諸岡　青人（辞退）
　肥田　侃
　松本　俊夫（未定）
　中村　敏郎
　西沢　豪

新人会より
　未　定

▽事務局の強化について
事務局の強化について話しあつたが、そのひとつとして、相談役（事務局長の補佐）を設けることになり、次の通りきまつた。

事務局相談役

運営委員のうちより
　丸山　章治
　加藤松三郎
　八木　仁平

▽企業所属会員よりの要望など
＜日映科学＞会報などをみても協会そのものがPR映画に関心のうすい傾向がありはしないか。PR映画の研究会もスポンサーの啓もうにまで発展させたい。脚本を書くとき、疑問が生じた場合に、相談にのつてくれる人がほしい。協会に会員の脚本を置いて、読んだ人が感想を記入することなどはどうか。
＜視覚教材＞協会が各社のシナリオを揃えて、文庫を整備したらいかが。自社で試写会があれば、その機会を会員全体にも知らせあつたらどうか。会報の発送は、各社ごとにとりまとめたらいかが。協会はもつと対外的な活動に力をそそぐべきではないか。
＜学　研＞学研はプロダクションとしても新しいし、その活動も現状ではスライドの延長程度であり、そのような状況の中でいろいろと今后の活動を考えている。
＜新理研＞　略す
＜日映新社＞ロケ手当を契約者にも出すように検討している。契約条件の問題で契約料を再検討しなくてはならない。
＜岩　波＞昨年末に菅家事務局長と加藤委員を招いてこん談会をひらいた。われわれは組合費の負担もあり協会費の納入が苦しい。協会が試写会などをひらいてカンパを集めるようにして拡大生産をしていつたらどうか
短篇映画界の不況に乗じて防衛庁、政府などから有利な条件での映画製作を示された場合の対策を考えたい。「夜と霧」の場合のように、外国の問題作品に対する協会の発言権を、もつとつよめたい。

▽会報について
岡本―　動静について、重要視されて求められるが、われわれにとつては発表できぬ場合もある。会報は、もつと対外的に働らきかける点に重点をおいたら

どうか。

菅家― 対外的に働らきかけるためには、研究会の充実が先決で、まずその実績をつくろう。

吉見― 各研究部会がそれぞれの研究活動を更に活発にして、それを会報に反映させよう。

▽会報の編集委員を次の方々にきめた。

肥田 侃、松本 俊夫
樺島 清一、中村 麟子

以上の四名に運営委員相談役加藤松三郎と小高事務局員が参加して合計六名。

▽新入会員の決定について

かねて入会申込中であった企業所属の新人会員十二名（別記参照）が入会を確認され、フリーの二名がその入会を保留された

午後九時三十分終了

映画界ニュース

☆芸術映画社中国短篇を輸入

昨年末に設立された株式会社芸術映画社では、このほど中国短篇映画二本の輸入を決定した。
「神筆」二巻（上海映画製作所）「斉白石」三巻（北京新聞記録映画製作所）の二本で、いづれも日本語版を製作することになっている。なお「神筆」は今年ヴェニス国際映画祭児童映画部門で入賞した天然色人形劇である。

☆東和記録映画社が発足。

東和記録映画社が発足した、同社では教材映画・文化映画・短篇映画の製作を主にし、すでに空のシリーズ、自然のシリーズ、生活のシリーズ、記録映画シリーズ等シリーズものを企画している。
役員は高橋晋、岡島愨、西河祥隆川端道正である
東京都中央区銀座西一の七株式会社東和記録映画社
近く「お風呂の科学」一巻が完成する。

☆神奈川ニュース映画協会、製作中の二作品

神奈川ニュース映画協会では、いま「虹をつくる人びと」「楽しい子供会」の二作品を製作中である
「虹をつくる人びと」（二巻十六粍）は川崎市のアマチュア市民交響楽団が僻地、学校、そして盲人の子らなど不幸な人たちに音楽を聞かせ、明るい希望をあたえようという活動の記録をえがく。
スタッフは製作高坂利光、脚本演出深江正彦、撮影高坂広、録音井上俊彦らで今月中旬完成
また「楽しい子供会」（仮題一巻十六ミリ）は子供会をさかんにし親と子供の理解を深めようというもの
スタッフは製作高坂利光、脚本秋田嘉雄、演出吉田和雄、撮影久村守、一月廿日ころ完成の予定なお同協会ではこのほか「水のない村」「早雲山復旧工事記録」に着手している

☆記録映画「砂川」の公開きまる

日本ドキュメント・フィルム社製作、亀井文夫編集の「流血の記録・砂川」六巻は廿二日より三週間池袋文芸地下劇場にてRSの意味をもつた実験公開を行うことになつたこれを終えたのち、二月中旬より全国各地で一斉に公開する

☆共同映画社の新計画、労組向けの教育映画製作

共同映画社では、本年度から新たに労働組合向け教育映画の製作にのり出すことになり、その才一回作品として、全日本海員組合企画・製作の「船を動かす人たち」（三巻）を六月下旬に完成する

☆才七回ブルーリボン賞並びに五六年度キネ旬短篇映画ベストテン決る

新年を迎えて恒例の各種映画選奨がそれぞれ開始されているが、このほど東京映画記者会による才七回ブルーリボン賞と、キネマ旬報選出の一九五六年度ベストテンが決定した。各々の教育短篇映画部門の選奨作品は次の通り。

☆才七回ブルーリボン賞

企画賞・「生きていてよかった」五巻（日本ドキュメントフイルム作品）
教育文化映画賞・「カラコルム」カラー九巻（日映新社作品）
ニュース映画賞・「砂川流血の惨事」読売国際ニュース才三九六号
特別賞・故松本久彌氏（日映新社カメラマン）「朝鮮人学校事件」などニュース映画撮影に尽した功績

☆一九五六年度キネマ旬報ベストテン

(1)「絵を描く子どもたち」四巻（岩波映画）
(2)「生きていてよかった」五巻（日本ドキュメントフイルム）

③「九十九里浜の子供たち」三巻
④「雪国の生活」二巻（日映新社）
⑤「双生児学級」三巻（岩波映画）
⑥「結核と斗う」カラー二巻（日映科学）
⑦「少年合唱隊」五巻（東映教育映画部）
⑧「谷間の学校」二巻（日映科学）
⑨「ビールむかしむかし」カラー二巻（電通映画）
⑩「桂離宮」カラー二巻（電通映画）
次点「漁村のくらし」一巻（三木映画）
次点「根のはたらき」一巻（日本視覚教材）

協会日誌

十二月十七日（月）
記録映画研究会（於国鉄労働会館会議室）ひらく。
来訪者　道林、小谷田、島谷、杉山、小西、かんけ、加藤
十二月十八日（火）
会報才二十号出来上り、発送。
会計監査樋口源一郎氏により過去一年間の会計監査を行う
来訪者　樋口、野田、菅家かんけ
十二月二十三日（日）
新人会年末総会（於中央区役所銀座東出張所階上）ひらく
十二月二十四日（月）
郵便業務停滞のため、会報未着。総会通知状を印刷発送する。
来訪者　丸山、下村、河野、菅家加藤、杉山、大沼
十二月二十五日（火）
特別運営委員会ひらく
来訪者　菅家、道林、山添、盛野
十二月二十六日（水）
才三回協会総会（於新聞会館会議室）ひらく
十二月二十九日（土）
事務局仕事じまい。
来訪者　二十七日、菅家、中島、小島、加藤、二十八日　中島、菅家、加藤、玉上、諸岡　二十九日　菅家、加藤、荒井、丸山、大沼間宮、杉山
一月七日（月）
事務局仕事びらき。
来訪者　荒井、岩佐、加藤
一月八日（火）
フリー部門運営委員のこん談会をひらく。
来訪者　小島、丸山、吉見、菅家加藤、京極、竹内、矢部、八木、野田、苗田、大沼
一月十日（木）
会報才二十一号編集会議ひらく。
会費問題審議委員候補者をきめる。
来訪者　九日、丸山、菅家、小谷田、竹内（繁）十日　吉見、加藤菅家、小島、尾崎、島谷
一月十一日（金）
映教森脇氏より一月十六日教材映画研究会一月二十四日教材テレビ研究会の件につき電話連絡あり
来訪者　丸山、小谷田、中島
一月十二日（土）
一月十六日新作教育映画試写会通知状および教材映画・テレビ・記録映画研究会通知状を発送する。
来訪者　丸山、加藤、菅家、荒井
一月十四日（月）
一月二十六日記録映画研究会々場費を支払う
来訪者　中島、丸山、赤佐、荒井杉山、大沼、西沢（豪）
一月十六日（水）
新作教育映画試写会（於山葉ホール）ひらく
来訪者　荒井、島谷、菅家、高島竹内、丸山、川本、衣笠

☆会報記事訂正とおわび

会報才二〇号の記事中、「新人会について」のうちに、才一映画社が＜解散又は仕事をやめました＞とありますが、これは、まつたくの誤りなので訂正いたします。また執筆者および編集部の手落のために迷惑をおかけした方々に、ふかくおわび申しあげます。

一月十九日（土）
才一回運営委員会ひらく。
一月二十三日新作教育映画試写会通知状を会員に発送。
来訪者　十七日、菅家、丸山、加藤、十八日　杉山、加藤、小島、十九日　丸山、吉見、菅家、樋口苗田、大沼、原本、高綱、岡本、加藤、竹内（信）中村（麟）矢部肥田、京極
一月二十一日（月）
企業所属の新入会員十二名あり
来訪者　吉見、竹内（信）島谷、大沼、荒井
一月二十二日（火）
国鉄労働会館へ三月二十四日公開映画会の会場料の内金を支払う

来訪者　加藤、菅家

一月二十三日（水）

新作教育映画試写会（於山葉ホール）ひらく。

来訪者　原本、荒井、松岡、大沼杉山、島谷、川本、豊富、楠木

去る一月十日より、会報第二十一号の原稿整理および割付けをつづけていたところ、本日をもつて終了、原稿を全部印刷所にわたす

協会推せん作品の投票〆切は二月十日まで

さきにおねがいした一九五六年度当協会推せん作品の投票〆切日が、二月十日までときまりましたので、まだ投票されていない方は、左記の要領によつて、ぜひもれなく御投票下さい。

×　×　×

▽昨年一月より本年一月までの間に完成した作品のうちから、各自十篇以内を推せん、御投票下さい。（一本でも二本でも結構です）

▽去る十一月十五日迄の第一次〆切の際に、すでに投票された方でも追加投票されて結構です。

▽投票は本紙に添付のはがきで、必ず二月十日迄に必着するようお送り下さい。

公開映画会の準備はじまる

昨年末に開催する予定であつたが準備の都合から、今春に延期された当協会主催の公開映画会（仮称）は、いよいよ来る三月二十四日（日）午後、国鉄労働会館ホールにて開催されることになり、協会事務局では、会場の確保、上映番組の準備、動員、宣伝などについて準備をはじめている。

声

（岩堀喜久男）

暮は二九日までロケをして総会に出られなかつたのは残念です。

さだめていろいろの議論も出、新しい方針が打ち出されたことと思います。詳しくは会報の記録でうかがうことにしますが、私個人としては、一方に労働条件の改善、他方に創作活動の充実、そのふたつが時に表となり裏となつて、個人の積極的な活動と同時に組織の強化を計ることが、協会の新しい歩みの基礎だと思います。そして組織の強化という点では、今までのやり方ではダメです。事務的処理（仕事のあつ旋と、ギャラや労働条件の改善等々）も、もつと強力にする必要があります。反論もあるでしょうが、協会に対する私の最大の不満は、そういう労働条件の改善について、一回の研究会も、一回の実体調査も行われず、どうもアマチュアの趣味の会みたいな感じのすることとです。もつと職能組合的な強さが出ないものでしょうか。

（桑木　道生）

菅家君の御指示もあり、私は賛助会員ということになつたようです。不良会員の傾向濃厚でしたが今後ともよろしくお願い申しあげます。なんとかいい仕事をする人間が、心おきなく身を張れるようなシステムがあればと思います。一生県命働いて、みなさんと一緒にそんなものを生みだしたいと考えます。

（高井　達人）

先日新人会の通知を受けましたが、相変らず住所が違うのと、殆ど毎回事后に手許に届くのには閉口しております。総会の通知もそうでしたが、その点について善処して戴きたく再度お願い致します

△御迷惑をおかけして申訳ありません。いろいろの通知状は充分な時間的な余裕をもつてお送りするようにしておりますが、そのときの事情によつて期日ぎりぎりの場合もあります。また総会の通知状は、昨年末の郵便業務停滞の影響のために、これは、大部分の会員の方々の手許へ、期日の前日、または事後に届いた模様です。いずれにしても通知状が期日後に届いては何もならぬので、今後そういうことのないように注意いたしましょう。

（事務局）

余　録　…。

☆総会の終了が予定より約四時間も遅れた。一年の計を半日で決めようとは、どだい無理な話。来年度は必要に応じた分科会でも持つて討論を深め、それを一日の全体会議で総括するのも一案だろう。

＊　　＊

☆〃批評の基準〃とゆう話が出た。大切なことである。だが作家仲間のする批評はジャーナリストのそれとは違う筈だ。教育映画だ、短篇映画だと云つて、ミソもクソも一緒にされてはたまらない。記録映画、教材映画、PR映画…それぞれに、それぞれを批評する立場も基準もあろうと云うもの。

＊　　＊

☆それぞれに良い仕事をしようと苦労しておられる。短いながら経営からの報告には重大なことがらが含まれていた。時間に追われて討議を深められなかつたのが残念。

＊　　＊

☆時間で残念だつたのがもう一つ。終了後の忘年会。総会では聞けなかつた人々の意見も、こゝでは気楽に聞くことが出来た。黙つているとは意見のないことではない。来年は忘年会で話す意見を総会の席に出し合いたいものだ。（N・K生）

一九五七年度新人会才二次総会について

新人会の本年度才二次総会を次のように開催いたします。
重要議題山積のため、新人会員の多数出席をおねがいいたします。

×　×

日時　一月三十一日（木）午后五時半より
場所　中央区役所銀座東出張所階上
（歌舞伎座正面に向つて右横入る右側）

▽当日出席者は本会報を御持参下さい。

教育映画作家協会新人会

会計報告（十二月分）

一、収入之部	
現金前月繰越高	四〇、八六四
維持会費	七七、八〇〇
前納会費	一〇〇
計	一一八、七六四
一、支出之部	
前納会費	一、三〇〇
交通々信費	五、六九一
雑費	四、八四〇
研究会費	一、四八〇
行事費	五、六五二
消耗品費	四二五
文房具費	七五〇
新人会費	六〇〇
事務所費	一二、三七六
諸手当	二一、〇〇〇
特別手当	二一、〇〇〇
プリント費	八、六一〇
計	八三、七二四
一、差引之部	
現金翌月繰越高	三五、〇四〇

編　集　後　記

☆会報は今年から編集部会〈肥田中村（麟）松本（俊）樺島、加藤小高〉によつて編集されることになつた。それだけバライエテイにとむことになり、ご期待いただけることと思う☆さて二十一号会報は昨年末の総会議事録を特集するただ私の「短篇映画の年間動向」だけは長さの点から次号廻しとした。出席されなかつた方（案外に多かつたのは驚いた、ついに岩波映画からは一人も出席なかつたのはどうしたものか）には特によくおよみねがいたい☆新任の運営委員はフリー七名、経営所属七名、新人会二名の計十六名、委員長と事務局長をいれて十八名だが、その各氏に新任の弁をいただく☆ほかは「新人会その後の報告」例号記事の運営委員会報告や会員動静等。会員の「声」は事務局のつごうでいただかなかつたのは残念☆来る三月末に開催する私たちの「推せん映画大会」上映作品を、まだ推せんされなかつた方々は、ぜひとも推せんのおハガキを至急いただきたい。（加藤）

教育映画作家協会々報

1957. 2. 25

教育映画作家協会

No.22

東京都中央区銀座西8ノ5日吉ビル4階 TEL(57)2801

第二回「推せん」教育映画の会について

三月二十四日（日）国鉄労働会館ホール

☆第1部（午後1時より）		☆第2部（午後3時より）	
漁村のくらし	1巻	根のはたらき	1巻
ちびくろさんぼのとらたいじ	2巻	雪国の生活	2巻
太陽と電波	2巻	結核と斗う	2巻
生きていてよかつた	5巻	双生児学級	4巻

協会では、昨年十一月より「推せん」教育映画の会の開催について、いろいろと準備をつづけておりましたが、去る二月十一日、かねてより会員各位におねがいしてあつた推せん作品（映画会の上映作品）投票を〆切り、その集計をもとにして、上記のような映画会上映番組を決定いたしました。

（推せん作品の投票結果、および上映作品の選こう経過については、本紙二七頁の記事を御参照下さい）

協会では、この映画会をいろいろの面で成功させるべく、ただちに慎重な準備にとりかかり、目下着々と進行中でありますが、会員各位にも、ぜひ、次のような、御協力をいただきたく、よろしく、おねがい申しあげます。

☆第二回推せん教育映画の会の会員券は、第一部第二部各別で一枚三十円です。協会ではこれを目標として合計一三〇〇枚、売り捌きますが、この前売りに御協力下さい。

☆勝手ながら、会員一名に、当日の会員券四枚の販売をおねがいいたします。これは原則として返戻は認めないことにしますがどうしても引き受けられぬ方の場合は、なるべく早くお申出下さい。

☆映画会当日は、会員の方は協会々員証で入場できますが、幼児以外の御家族の方は、この会員券を買つていただきます。

☆会員割当分以外に会員券を売り捌いて下さる方は、協会まで御連絡下さい。

☆会員券の当日売りも用意してあります。

尚、映画会全体の予算は、会員券の売上げ収入、三三五〇〇円。支出は会場使用料七〇〇〇円、映写料七二〇〇円、ポスター会員券プログラム印刷費七〇〇〇円税金三九〇〇円行動費雑費その他八四〇〇円となつております。

▽本紙に同封して、推せん教育映画の会会員券四枚を会員各位のお手許へ届けました。

短篇映画の年間動向

一九五六年一月〜十月

加藤松三郎

——これも前号の場合と同様、昨年末の会員総会で報告のあつたものだが、そのまま記録として原文通り掲載することになる。——（会報編集部）

これはむろん主として作家的な立場からみての動向——話題である。しかし私の受持ちは全般的な傾向であり、各作家の個々的な立場などについては後に各氏の報告があるはずである。

ただ資料や表計などの調査（時間がないため不完全だが）の関係から、今年一月から十月位までに切らざるをえなかつたことは申訳がない。それで実際に取掛つてみたら大変な仕事で、とんでもないことを引受けたものと思つた。殊に数字や統計の問題は非常に時間がかかつて（まる三日——実は一人では一ヶ月でも完全かどうか不明）そのわりに不正確と思われるが、まあ大体の大勢はご想像いただけるかと思う。

(A) 製作本数の問題

(1) 全般的な年度比較

製作本数というのは、われわれの生活経済に直接関係のある問題である。

日本映画教育協会（映協）の報告によると、昨年度の製作総数は五七一本、一二一二巻であるが、今年は上半期だけで三〇四本、六八一巻であり、これでゆくと今年はかるく六〇〇本を越えることになる。（なるべく正確な数字を出すべく努めてはみたが、たいへんなので割愛せざるをえなかつた）

教育映画では通例、昭和二十八年を一〇〇という指数で表わしているわけだが、その二十八年には日映、理研、東宝などが独立採算制となつて、新しい教育映画の製作企業がぼつ興した年である。そしてこの年の製作本数が三〇四本今年の上半期の本数と丁度同じであることは面白いが、つまり今年は昭和二十八年の二倍の製作能力をもつたことになる。大変な躍進といわなければならない。戦後、初めての短篇ブームとさえいえるだろう。

(2) 各社別の作品本数

つまり、どんなプロダクションが活動的であり、また有力かという問題である。

これは大体、有名なプロはやはり製作本数も多いことになるが、多少の例外もないわけではないいまそれをベストテン式に並べてみると（但、十月までの私の概況では）どうなるか——

(1) 東映教育　二四本　九六巻
(2) 日映新社　二三〃　五八〃
(3) 岩波映画　一九〃　五二〃
(4) 新理研　一九〃　四五〃
(5) 読売映画　一八本　三〇巻
(6) 日映科学　一六〃　三二〃
(7) 電通映画　一三〃　二七〃
(8) 三井芸術　一二〃　二一〃
(9) 日大芸術　八〃　二六〃
(10) 毎日映画　八〃　二三〃

以上はいわゆるベストテンとなる。

東映教育が本数にくらべて巻数が多いのは中篇児童劇のため、日映新社と読売映画が上位にあるのは、やはりニュース映画社に多い「まとめもの」関係の底力かもしれない。三位の岩波には中篇ちかい作が多いらしく、四位の新理研には二巻ものが多いようだ。

以下はベスト二十二？であり、（頭の製作本数が八〜五本のプロ——×印は製作者連盟外のもの）

(11) 学研映画　八本　一七巻
(12) 神奈川ニュース　八〃　九〃
(13) 理研科学　七〃　一八〃
(14) 東京シネマ　七〃　一二〃
(15) ×日本短篇（映画社）　七〃　七〃
(16) ファスト（映画社）　六〃　一一〃

（以下は上半期分のみの集計）

二

(17)×大和映画　六本　一〇巻
(18)×大日本相撲（協会映画部）　六本　一〇巻
(19)×伊勢プロ　五〃　一四〃
(20)×短映社　五〃　一二〃
(21)東宝プロ　五〃　八〃
(22)×国映KK　五〃　八〃

(11)の学研と(12)神奈川ニュースはベストテン最後の二社と本数が変らず、神奈川ニュースはほとんど一巻もの専門。(15)日本短篇（最近の会社か—山岸会員所属）では全部が下半期作品で、みな一巻もの教材映画である。

(17)以下は上半期分だけだから年間ではさらに多くなるはずだが、大和映画は十六ミリ色彩のコダクロームPRものが多い。(18)大日本相撲—は各場所（春場所、夏場所など）の記録映画専門。(19)伊勢プロは力道山のプロレスや柔道映画(20)短映社は以前は大都映画と称して宗教もの（「新興宗教はどこへゆく」など）やPRもので大変なプロだが、(21)東宝プロも大方ご承知の通りである。

以下はいずれも四本まで製作のプロ——

(23)産経映画KK　四本　七巻
(24)スポーツ科学映画
(25)モーション・タイムズ　四本　七巻
〃　〃
(26)映画日本社　〃　五〃
(27)三陽映画KK　〃　四〃

(22)の産経映画は同名新聞とは別会社（同新聞には別に映画部があり「雪山に生きる」—1巻など）だが数字は上半期分のみ。(23)スポーツ科学——は下半期分のみ。(24)のモーション——は案外すくなく、(26)三陽映画では一巻の教材ものだが他にもPRものがあるはず。

あとは三本から一本までというわけだが、中には今年一本も製作しなかつたようなプロもあるふうだ。

特に注目すべきはテレビ関係の製作だが——

NHKテレビ　二一本　四一巻
東京テレビ　九本　一七巻
日本テレビ（NTV）　？

しかもみな上半期分だけであり年間としたら最大の本数となるだろう。

そして以上はいずれも十月までの集計であり、ことに実際的な製作面などではまだ殖えることになるから、やはり今年は戦後最大の短篇ブームといえそうである。

(3)　委託と自主の数量制

これは短篇映画の年間動向を知る最も端的な参考と思われる。しかし時間のない個人調査なので、その概況だけをのぞいてみよう。

上半期
委託　一六二本　三三七巻
自主　一三一本　三三二巻
差引　三一本　五巻
（委—多）

上半期（二割増）
委託　四九本　一一〇巻
自主　七六本　一六九巻
差引　二七本　五五巻
（自—多）

すなわち上半期では委託は自主よりも多いが、本数のわりに巻数のふえ方が少ないのはなぜか。思うに速断ながら、自主作品における中篇児童劇の進出によるのではなかろうか。

次の下半期では、なんと自主のほうが委託より二七本五九巻も多く、まるで反対の現象となる。前年度の表計も不明なので確たることはいえないが、少なくとも今年

会員の動静

野田真吉　「東北のまつり」（才三部）（東京シネマ）演出。三月下旬完成。

岩佐氏寿　東映「仔鹿物語」（仮題五巻）才三稿執筆中。
ラジオ東京テレビ映画「町の子村の子—はじめての都会生活で」（三巻）執筆中。
岩波の「青年」東映の「煤煙の街」は、短いが大作なので、土俵のシキリナオシばかりしていて、立ち上れず、弱つています。
（以上一月三十日到着）

京極高英　記入なし

西尾善介　「黒部峡谷」（日映才二篇着手。白馬山系に二つのトンネルが掘られるのですが、工事そのものには興味ありませんので、今年一年間に、いろいろの目的でアルプスにやつてくる人たちや、またアルプスで飯をくつている人たちの生態をとらえて行く中で、何か人間の話が出来ないかと、迷想中。どなたか、名案をお教え願いたい。

度の下半キにおいて自主作品が進出したことは事実と思われる。

これはおそらく上半キにおいては、いつもながら各官庁の年度末予算や諸会社の年度初め計画などで委託作品は活気をていするためらしいが、それらのない下半キにあつては、特に短篇好況の波にのつて自主作品が活発化したもののように思われる。

ところで上半キと下半キをつきまぜた年間の数量比較はどうか。

両者を差引してみると年間では、委託は自主より四本多いが五四巻も少ないことになる。（しかもこの集計には、本数では多いが一本当り巻数では少ないテレビ作品は一作も入つていない—未調査のため—のである）それたのに本数では四本しか少くない自主作品が巻数では五四巻からも多いというのはどうしたことか。おそらく、これもまた中篇児童劇など多巻数ものの進出によると考えなければなるまい。

かくて年間の本数と巻数の比較からみれば、むろん一巻もの教材映画の増加は十分認められるが、それにもまして記録や劇ものの多巻数ものが進出したことにある。

そして特に今年度の教育映画は、あの戦時中のような国家の保護はなくとも、もはや自分たちの独力で一巻ものも意識的に増加される一方、長尺化への一歩をふみだしたものとはいえないだろうか。たしかに教育映画のはばは従来よりもひろがつてきた—という現象が特に今年はみられるようだ。

(4) 色彩映画や部分色採の本数

やはり時間的に調査不足だが、おそらくPR映画では約七〇%は色彩と思われる。しかし「PR映画はどうも色彩ででもなければ見られない、いや見てくれない」といつた傾向がやはりつよいのはどうか。また部分色彩のほうは作品数量よりも使い方の演出構成的な向上がみられる。（まず岩波の二作「画を描く子供たち」「陰画と陽画」などは好例）

では次に一歩をすすめて、作品の内容——ジャンル別にみた場合の動向はどうか。

(B) 作品類別の検討

(1) 学校教材映画の進出

いま統計の確実な上半期の製作状況を主として考えてみると——

上半期分の全作品数三〇四本のなかで特にふえたのは学校教材映画で、作年は年間二三本なのに今年は上半キだけで三〇本五〇巻、全製作の九・九%—約一割にもあたつて最高の進出ぶりだ。さらに下半キに入つて十月の教育映画祭までには六三本となるが、つまり七〜十月の四ケ月間で上半キ分の二倍以上の増加をみたのである。

それにはまず、その体制としていわゆる各社のシリーズものが出そろつた感があることをあげねばなるまい。

○教配の日本百科映画大系
○日本視覚の理科 〃
○製作組合の新文化映画ライブラリー
○仝 社会科教材映画大系
○学研の学習映画大系、理科シリーズ
○仝 〃 〃 社会科シリーズ
○日映新社の新日本地理映画大系
○毎日映画の日本地理教材映画シリーズ

冗談でなく、ほんとうに。

（以上一月三十一日到着）

稲村 喜一 「ちびくろさんぼ」の続篇「ふたごのおとをと」を二月末完成。次回は日本の民話ものを企画中です。人形アニメーションチームの技術も一作毎に熟練の度を加えてきました。企画シナリオに馬力をかけたいと思つています。協会の作家諸兄と一層のきんみつな提携をおねがいしたいと存じます。

間宮 則夫 東京シネマ「東北のまつり」助監督。先日、直江津のロケより帰つて参りました。来月中頃、また横手方面に参ります。

三浦 卓造 記入なし

（以上二月一日到着）

時枝 俊江 「町の政治」（岩波映画）編集中。

松本 俊夫 「マンモス潜函」の新理研映画）明日からまた青森へロケ。三月までにまだあと二回。はじめての演出で慎重ですが、あらゆる意味で条件が悪く頭を悩ましています。そのほか「時計」のシナリオ執筆中。

（以上二月二日到着）

上野 大梧 村上プロの「土と作

○モーションタイムズの体育教室シリーズ
○…陽映画の産業教育シリーズ
○文部省の学術映画〃
○仝　文部省学校教育映画

以上の十二系統の他にもまだ有名ならざるシリーズものが（奥商会なども）ある。

しかし教材映画は、どうしてこれまで進出したか、それはいつそう問題であろう。

オ一には、近年における教育映画一般の漸層的な上昇人気によつて、各製作社も映画館興行の複活を期待したのは事実だつたが、それが案外「期待うす」であるということが、ようやく昨年あたりから判つてきたこと。

これには、消極的には製作社側があきらめた点もあるだろうが、積極的には教育映画の非劇場性という本質にめざめたことが考えられる。

オ二には、その反作用として期待できぬ映画館をねらうよりは、もつと確実な学校用映画——教材映画のほうが安定性のあること。

かくて各プロでは教材製作に傾き（三陽映画の例）なかには新に教材映画の専門社（学研の例）までも登場する。

そして純粋に学校教材をねらつて十六ミリ製作が活発化された。

これは上半キ分の学校教材映画三〇本の内、十六ミリ撮影は六・二%で、三十五ミリ撮三・二%の二倍をしめていることでも証するにたるだろう。

オ三には、昨年度あたりから騒がれてきた例のフィルム・ライブラリー運動も、ようやく整備が進展したらしいこと。

かくて学校教材映画は、その本質的な内容問題はともかく、体制としては戦後十年にして、どうにかキ道にのつたものといえよう。

ところが、その反動としてか——

(2)　社会教育映画の不振

これには全視連企画作品、文部省社会教育用映画、地婦連企画（桜映画）作品等があるわけだが、ますますの学校教材映画と比べても作品系統が少ない。そして——

上半キにおける学校教材映画は全製作の九・九%——約一割だつたが、社会教育映画はわずかに二・六%で八本一七巻にすぎず、十月までにはやつと一四本（昨年は年間一三本だ）となる。これは最低本数である動画（一・三%で四本）に次いで少ないめけだ。

このような社会教育映画の不振は一体どうしたわけなのだろうか。

おそらく、ひろい観客層にただバク然と見せるだけでは実際の社会教育に役立つかどうか、という製作者側の不安がようやく反映しはじめたのではなかろうか——という説がある。つまり作品の使用法がハッキリしないことが社会教育映画不振の根本原因だ、もはやただの見せつ放しではいけない、見たあとのデイスカッションができる体勢で見せるべきだというわけだが、それはどうか。それこそ皆さんのデイスカッションにまつことにしたい。

(3)　児童劇映画の躍進

ところが児童劇映画はひどく躍進して、ことに中篇ものが目立つ。

昨年は年間一三本だが、今年は上半キだけで二〇本九六巻（上半キ全作品の六・六%——学校教材にはさすが及ばないが）十月末までには二七本とのびる。おそらく年間では昨年の三倍となるだろうが、児童劇映画が年間三〇本とは世界

物」撮影中。（九州ロケを終つて研究室撮影にかかる）また「肥料と作物」のシナリオ準備中

岩崎　太郎　「日本の農業協同組合」（全農映）のシナリオのために近く調査に出かけます。ほかに一、二企画中です。

深江　正彦　ニュース（神奈川広報）のロケに追いまわされて多忙ながら、目下、生活改善をテーマにした短篇を準備中。四月完成予定です。

山岸　静馬　昨年から引続き日本短篇で教材映画を作つています。「じしやくのはたらき」がアップ。「熱のうつり方」に入りました。同じ様な教材ものばかり作つていると、いろいろ考えさせられることばかりです。

富沢　幸男　桜映画社にて「日本の近代産業」編集中。近日中に完成の予定。

（以上二月三日到着）

苗田　康夫　（日映新社）今年に入つて、PR用のシナリオを二本ばかり書きました。

八木　進　二月上旬より、家庭科教材映画の撮影に入ります。

吉見　泰　東京シネマで、自主

でも有数といえるそうだ。

しかもこれらは、ほとんど一般興行館に上映されないというのだから、むしろサバサバとした痛快感すらあるほどである。これら児童劇映画の主流としては一カ月一本半完成とかの東映教育、民芸教配、全農映、特に今年度 下半キ 活躍の中川（順夫）プロなども入るが、東映教育の作品でも館上映は「野口英世―」他の二・三篇にすぎないことは銘記されたい。おそらく中篇ものでも「教育的」ではシスター映画にならないふうだ。

しかしこれらの児童劇ものが、なぜ急激に躍進したかは私にもまだ不明で、やはり大方のご検討にまつほかはない。ただ特に今年度の中篇児童劇映画にあらわれた一つの特長ある作品傾向には見逃せないものがある。

それは東映「北風の吹く日」と民芸「小さな探偵たち」の二篇の特質なのだが、どちらの作者たちも（それは偶然だとは思うが）その製作態度としてこんなことをいう。「北風の―」では子供たちにも探偵趣味の スリラー気分を味わせたとて悪くはあるまい、称して〃児童スリラー〃といわれる。「小さな―」では、特に従来のいわゆる教育映画の場合、とかく教育や修身などが過多であるが、われわれはチャンバラや西部劇にうつつをぬかす子供たちに対して、もっと健康な娯楽を夢をあたえたい！まずそれで十分であるともいう。

そして作品は、その宣言通り子供たちに娯楽や夢をあたえるためにいろいろ苦労して、それなりに子供にはうけたふうだ。以前にも東宝教育の冒険劇もの「水晶山の少年」があり、これは文部当局の問題までおこしたが、こんどのは意識的に計算されたところが特長といえる。しかもお母さんたちだけはやはり一応、内容のイサマシさにマユをひそめたわけだが、むしろ作家たちは「だから、このような作品（作風）が必要なのだ」と胸をはったことだろう。つまり教育映画の、ではない児童劇映画の一歩前進を意味することになる。

またこの子供たちの夢を文字通り育てるということを、そのまま主題として作品化したものに、やはり民芸の中篇劇「ガんばれヨッチン」がある。しかし、これにはまだ従来の「教育味」が盛大だが、まえの二倍、殊に「小さな―」はさすがに大たんといえよう。その作品上の方法論はともかく、あらためて考えるべき問題ではなかろうか。

(4)　アニメーション映画の問題

いわゆる動画は昨年の七本にくらべて今年は上半キ分四本、十月までに九本で二倍を上廻るが、年間に十本位で、あまりのびたとはいいえない。

また質の点でも、はっきりいわしてもらうなら、派手なアメリカの亜流でなければ、くすんだ民話調である。カナダの「数のリズム」などは最近お目にかかったものとしても、前作の「プリンキティ・プランク」や「カナダ交通物語」などは日本の動画陣はどうみたのか、ちっとも影響などは感じられないのはどうか。

一方には今年のベニス映画祭だけをねらった千代紙映画社のセロハン影絵映画「幽霊船」などもあるが、やはり今年度の話題としては人形映画製作所のコマ撮り人形映画の進出が特記されよう。来年は色彩化の問題となろうが、稲村

作品準備（以上二月四日到着）

中島日出夫　仕事待ちです。

下村　和男　相変らずアルバイトで追われております。ぜひ今年はすばらしい仕事につきたいと考えております。

竹内　信次　新理研で文部省の学術映画「パラメトロン」の演出をしています。三月一杯で仕上げる予定です。

日高　昭　海外輸出産業映画「日本の近代産業」四巻（桜映画社）編集、録音中。二月末完成予定。次回作未定。

諸橋　一　ＴＶコマーシャルの製作と次回作品の準備中。

本間　賢二　東映製作所にて「麦作日記」（演補）

田部　純正　「荒海に生きる女たち」編集中。八日に録音です。

（以上二月五日到着）

北　賢二　目下、興映株式会社で児童音楽映画の準備に忙殺されています。

加藤松三郎　進んでるのもあり、進まないのもありますが、相変らず、日映科学、東京シネマ、モーション・タイムズの脚本中です。次回にはなんとか転進したいものです。（二月四日現在）

プロデューサーとしては特に若手の専門演出家を求めているのである。会員の中からの出陣をのぞみたい。

さて我国の動画の低調は才一に作家の経済問題によることと信ずるものだが、その点いわゆる物量にものいわせたとか、今年の東映教育の日動併合は大きな意味をもつものといえる。

これは特に東映のテレビ進出にそなえての布陣にはちがいないがより安定感をえた東映日動の問題はどう発展するか。とかく自分のカラにとじこもって職人化へばかり走ることも考えられないではないが、まずテレビをのぞいた映画の世界だけにおいても今後の動画は、ただ発展の一路をたどる大きな将来性があるのだから、特に世の一般動画陣には精進と努力を祈りたい。

ということは動画陣が進んでくれないと、われわれ脚本演出家もまた困るのである。

(5) PR映画の現実

PRの作品本数は前述のように下半キなどでは（不備な集計ながら）自主作品に追越されているという珍ケースが生れた。でも十月までの年間通算ではまだ四本ばかりPRが勝つことになるが、とにかく接近していることは事実のようである。しかし委託映画でもその全作品の約三分の一？位は自主性にちかいものがあるわけだが、そういえば作家大方のいわゆるPRノイローゼは幾分でも解放されるであろうか。

そして、われわれの短篇界には東映教育や民芸教配（児童劇映画）学研映画や毎日映画や（特に非劇映画）などのPR映画をつくらぬ自主作品専門プロもあることをあらためて承知されたい。しかしその一方には新理研、電通映画、東京シネマ、理研科学、インターナショナル、産経映画、銀座さくら屋などから群小プロにいたるまで、ほとんどPR専門であることも忘れられたくない。だがここで私としてもPR映画のPRをするつもりはなく、実はかくも多作なPR映画ながら（私の作品などもふくめて）どうも全般的に佳作が少ないのはひどく残念でならない。

なかでは岩波の「鉄もの」もあるが、さらに話題の実験的作品の一連として新理研の「銀輪」東京シネマの「クロマイの療法」電通の「ビールむかし」の三作は忘れられない。ことに三社ともPR映画の専門プロであることはさすがである。

いずれもむろんイーストマン色彩だが、今年度色彩映画の話題作は、やはり色彩で売る？東京シネマ作PR「この雪の下に」といわれる。また色彩ついでにいえば自主映画ながら日映科学の「花と昆虫」は特にイーストマン色彩による自主作品の皮切りであろう。

(C) 特に話題の作品

これまでの類別や系列には入らなかった数作にかぎってひろってみると—

(1) 長篇記録映画の進出

国内では新社の「カラコルム」と毎日の「マナスル」の二作。それこそヘタな劇映画どころか二作とも圧倒的に劇映画を食ってしまったといわれる。

さらに今年は海外作品でも「緑の魔境」「失われた大陸」「沈黙の世界」などの長篇や、また例の国際短篇映画祭における諸作品な

厚木たか　ポール・ルータ「ドキュメンタリイ映画論」を一九五二年版によつて、改訳出版する事と「日本ドキュメンタリイ映画史」を岩佐氏寿さんと一緒に書いて出版する予定になつています。皆様の御援助をお願いいたします。

小島義史　「新東京火力発電所」（岩波）の助手。二月六日よりクランク・イン。三月十日頃アップの予定です。

（以上二月六日到着）

各務洋一　永い東芝貿易の仕事が終り、ホッとしたのもつかのま、今「鹿島建設PR真管式工法」にかかり、毎日ビルの地下にもぐっています。

小谷田亘　岩波「ガス供給」篇で矢部さんの演出補を致して居ります。何やかやで四月一杯掛りそうです。

岸光男　新理研映画にて、①原子力研究所才一部（ウォーターボイラー型原子爐の建設）②千里山建設記録才二部　何れも天然色、演出中。

（以上二月七日到着）

大沼鉄郎　東京シネマにて科学映画を準備中です。

とでも自由共産両系の計二六篇五九巻が紹介された。いろいろな意味で非劇映画にとってはプラスであったにちがいないが、とにかく製作ばかりか上映面にあっても劃キ的な年といいうるであろう。

しかしながら、すでに協会会報でもご承知のように「そんな山や海の長篇記録ばかりでなく、もっと沖縄（砂川はあっても）やスエズあたりの問題作はどうか」といった会員の声がある。いや―少なくともお隣りの中国ぐらいには、なんとかカメラを持込みたいものと思われてならない。協会あたりが主体となって、あるいは有志としても考える手はあるだろう。

(2) 地理映画の進展

日映新社の新日本映画大系と毎日映画の日本地理教材映画シリーズが出発して、ここでもまえの長篇と同様、新社と毎日が対立みたいなことになる。

ただ、ここには新たな問題があるように思われる。いささかいい方はややこしくなるが、地理映画はむろん社会科教材映画の一つであるわけだ。ところが、社会科問題は教育二法案や逆コース傾向の代となると、とかく教授法もむずかしいことである。従って社会科専門の社会教材映画がある種の制限をうけるとなれば、地理映画の内容もまた当然、特に心ある作家としては考慮しなければならないことになる。

つまり特に地理映画を通して正しい社会科教育をいかにして学校であたえるか、そんな正しい地理映画をつくるには（それを頭から不可能といわずに）われわれはどうすべきか。これは教材映画研究部会あたりの問題となるべきだろうと思われる。

(3) 短篇シネスコの試作

毎日映画の「ダイヤル一一〇」（岩下正美演出、佐竹三郎撮影）と「サラブレット」（渥美輝男と佐竹）に対する日映新社の「メソポタミヤ」（桑野と中村）の三製作がある。ここでもまた毎日対新社なのだが、思えば毎日新聞対朝日新聞ともなって偶然ではない興味があるだろう。

ただ私のみた毎日作品のかぎりでは、やはりシネスコはまだ試作程度につきるようだが、けっして人ごとではなくなったのは事実である。

(4) 個々の話題作はどうか

(a)「生きていてよかった」。むろん当初は館側から敬遠されたわけだが、銀座並木座の異例的な連続興行がヒットしてから、全国を打って約二千万からもかせぐという。そして今でも「生きて―」さえ出せば、どこでもカブルというから原爆はさすがにこわい。

(b)「お母さんの仕事」。中研の矢口新先生からはアレコレと教わったわけだが、つまり先生としても教育の現場はあまりご存知なかったふうである。しかし、これがケイキとなって、われわれの教材映画研究部門が躍動したとすれば、たしかに歴史的な作とはいえる。いや今後はあんな対立は止揚して、なんとか相互の協調をはかるべきではなかろうか。

(c)「われは海の子」。宇野重監督、教育映画にも進出して飯田心美や森本哲郎の両家をうならす等。

(D) プロダクションの話題

(1) 東映教育のバク進

いわゆる物量攻勢などと称され

吉田　和雄　自主作品の民話劇の製作につき、会社（神奈川ニュース映画協会）の同僚とプランをねっています。

矢部　正男　「ガスの供給」のクランクをはじめました。三月末まで撮影。四月末完成の予定

杉原　せつ　記入なし

原本　透　「地下鉄」（新理研映画KK）演出中

（以上二月八日到着）

大方　弘男　電通「国際都市、東京」脚本脱稿、読売映画社「ハンガリー、エジプトの諸問題」（仮題）構成編集中、大映「独逸かく戦えり」準備中

楠木　徳男　現在待機中です。

川本　博康　手術後の経過は極めて良好どうやら仕事につける状態になりました。読売映画社の「ハンガリー動乱」をあつかった六巻仕上りの編集物の助手です。初号完成が今月末頃でしょう。これが私の今年の初仕事です。

（以上二月九日到着）

杉山　正美　東京シネマで大沼君のお手伝を致しております

松本　治助　東京ガス「豊州工場の建設」（電通）仕上げにかか

るほどのバク進ぶりだが、われわれの会員からも脚本二氏の足がかりがあって演出三氏もすでに送ったわけだ。自映連関係などの問題もあるだろうが、今後とも絶好の足場として、なるべく演補諸氏も送るよう研究努力したい。

(2) 新理研の猛進

これはスキャンダルで恐縮ではあるが、しかしこんな問題はわれわれとしても考えねばなるまいと思われる。

そのすさまじいPR映画における攻勢ぶりは業界でもヘキエキするばかりだが、なかでも有名な二つの話題――専売公社の飛入落札事件とJETRO委託作「真珠」の無断興行問題がある。まさしく強引グ・マイウエイ！

われわれ協会の力ではまだ処置がないかもしれない。しかし逐一を承知のくせに、どうにもならない製作者連盟たるものも、また悲しい無力ではなかろうか。今後の研究課題としたい。

(3) 学研の進出

ご承知の本屋さんでありスライド屋さんであるが、今年度の短篇界進出ぶりはめざましい。「カニの誕生」で売出し最近の「アリの世界」は特選となる。われわれの若い二会員がすでに専属で働くがちかく映画部は特に拡大化の予定ときく。

(4) 三木プロの復活

人も知る一度は解散の三木プロではあったが、苦肉の佳作「漁村のくらし」以来、起死回生の息をふくとはめでたい。しかも「漁村―」も「社会保障」も文部省「非認定」の社会科教材映画なわけだが、やはり「おかあさんのしごと」で勉強したかたとい一身はどうなろうと、多難な社会教育映画で貫くという悲壮な決意は立派だと好評なようである。

(5) 新興プロのゾク出

○東京短篇――?』「村の有線放送」二巻（西沢周基氏）東京映画社配給。

○スポーツ科学映画研究所』「正しい野球」「われらのスキー」「運動と身体のはたらき」（韮沢・かんけまり両氏）各二巻、前二者は北星商事、後は共同映画配給。

○日本短篇映画社』「そろばんの学び方」上中下の三篇「標本のつくり方」（山岸静馬氏演出）二篇、各一巻、東京映画社配給。

○S・C・P?』パイロットのPR映画三篇、会員関係なし。

○世界文化映画社』「試験管の使い方」「アルコールランプの使い方」など特に実験もの理科教材シリーズ。会員なし。

○三陽（もと日京）映画KK』例の産業教育シリーズ、長野光晴氏代表、会員なし。

○東映社映画部（スライド屋）』「青い桃」「先生の湯呑」各二巻、日本視覚教材配給、鈴木喜代松氏代表、会員も関係の由。

○国映KK』委託も自主も。会員不明。

○連合映画』不明だが暗躍、会員も関係とか。

○新東宝教育映画』菱川ザンバ部長、予想より難調らしいが「テニス」などPRの二・三作あり村田達二氏関係。

なお現在、教育映画関係は一二〇社内外らしいが、そのうち半分の六二社が製作者連盟に加入。

っております。

岡野　薫子　日映科学で、PR映画のシナリオを書き上げ、引続き、同社で、百科映画のシナリオを書いています。

谷川　義雄　三井プロで新作準備中。

河野　哲二　「図形」という映画のシナリオを書いております。

衣笠十四三　読売映画社で文部省映画を演出中

中村　麟子　日映科学で次回作品調査中。

伊勢長之助　佐久間ダム（第三部）黒部第四ダム（第一部）編集中。その他、昨年度の作品の改訂作業、ニッサン自動車の中共向け宣伝映画の製作など。健康の調子も恢復しました。

八木　仁平　一月三十一日「生きている勉強」（東京シネマ）録音。これから東映教育映画部の脚本にかかる。

（以上二月十一日到着）

丹生　正　日映新社にて準備中

高島　一男　「キユーポラ」―村上プロ―の九州』ケから八日帰京。編集にかかります。

村田　達二　日映新社でPR物の演出待機中ですが、どうなるか

(6) 配給会社の製作参加

○教配＝民芸と提携は著名だが作品に融資、配給権をもつても参加する

○共同映画社＝最近はあれこれと嘴んで参加。

○奥商会と土田商事＝科学ものなどで参加。奥商会などには教材シリーズもある。

○アジヤ商会＝三井プロと二作も提携、専らスポーツものでいく。

○十六ミリ映画KK＝狩谷太郎氏代表、新潮映画社（佳作「水泳才一課」伊勢・大小島）の製作陣や東京映画社の配給陣をさん下にもち、日映科学「花と昆虫」でも活躍、大いに製作に理解をもつらしく作家協会自主作品の話もあるほどだ。

○日本視覚教材＝自主作品はあまりにも有名だが、最近ではPR映画に着手才一回作もすでに完成。

(田) 一般的な話題

(1) 上映公開の問題

教育映画を一般興行館でみせるということには元来、問題がある。つまり、ものによつては観賞効果が期待されぬ環境問題があり、また見せつ放しでも効果は減少される。（映教「視聴覚教育」誌の前年十二月号トップ記事、岡部久氏〈山峡視覚教育研究所「芦沼」の作家〉の「農民は前進する―農山村における視聴覚教育の動向―」参照のこと。これは特に当時、関係者の話題となつた）

かくて、ここに映画館にかけてもらうよりも、もつとむずかしい教育映画の本質的な問題がある。それを、ただ一人でも多く見られれば喜ぶのは、PR映画におけるスポンサーと同様な心理といえよう。

さて今年度作品の映画館上映は東映「野口―」ほかの二・三篇が東映系に（いや笑つては困る！）それから岩波作品「絵を描く―」「双生児―」などの数篇が日活系に、スミタ（光亜）プロの児童劇「えんぴつ泥棒」などが松竹系にかかつたことは、むしろ当然かもしれない。

しかし元来PR映画である新理研の「南極捕鯨船団」「銀輪」と日映科学の「只見川」「広重」が松竹系に、日映新社の「五人のデザイナー」（この一篇をのぞいて以上はみな会員関係作品）も東宝系にかかる。でも中には上映料金付もあつたふうだが、それでもむろんスポンサーは有頂点だときく。いや全くきけばきくほど、またよく考えるほど、むずかしい問題かもしれない。

ところで非劇場運動のほうはどうか。

東京における月例定期の各映写会はやはり続行されているが、地方としても大阪朝日新聞社の「文化映画の会」京都の「記録映画を見る会」（協会からも吉見、羽仁の両氏が招請されたが）酒田市の「文化映画を見る会」盛岡市の「文化映画鑑賞会」等、製作者連盟と直接交渉で進行するふうである。

それよりも今年度の特長としては、特に地域の婦人などによる組織的な「よい映画を見る会」「お母さんの映画の会」などといつたものが盛んになつてきたことであろう。いうならば、ついに太陽族映画、教育映画をはやらす！という、たいへん喜ぶべき皮肉である。

そして遉盟の阿部慎局長などは、これまでの「見せる」ことから「見る」ことに進歩した！とニンマリする。かれの立場としてはムリ

まだ分りません。

（以上二月十二日到着）

西沢　周基　企画中の二作品を調査中。最近、一九四五年以前の記録映画の単行本をすこし読みはじめています。

西本　祥子　日本視覚教材にて「道具と機械」演補

清家　武春　「軸流ポンプのキャビテーション」の仕上をして居ります（日映科学）

羽仁　進　岩波映画製作所にて「動物園」の編集中

吉田　六郎　岩波映画製作所にて企画中

高村　武次　「佐久間ダム才三部」（岩波映画製作所）編集中

小熊　均　「母親学級」（岩波映画製作所）ロケ中

肥田　侃　岩波映画製作所にて動物ものの企画とシナリオの仕事をしております。

榛葉　豊明　岩波映画製作所にて物理ものの企画とシナリオの仕事をしております。

黒木　和雄　「ガス供給篇」（岩波映画製作所）の演補

羽田　澄子　「母親学級」（岩波映画製作所）演出

（以上二月十三日到着）

もあるまい。それがホントだとすればご同慶にたえないが、いかにしたら、さらにこの傾向を助長できるか。われわれも無関心ではいられまいと思われる。

そこでもう一つ、特に名古屋市などでは市役所当局が世話をやく「家庭映画会」なるものがある。これはその宣伝映画（エルモ社作）までであつて知られている。映写機やプリントは市が貸出して、映画会は隣組組織みたいなものだが子供は参加できず、見たあとにはその映画ばかりでなく、各人の問題や市政の苦情までも話合うわけである。元来は市の苦情聴取から出たとかだが、こんな例は非劇場上映運動の参考になるかもしれない。

(3) テレビ映画の問題

各テレビにも自主作品があることは前述したが、今年度の教育映画に際しては、入賞全作品の十四篇をNHKが連日放映？したことは画キ的といえよう。

教育映画のテレビ放映も今年で二年めに入り、上半キ（四月～九月）分の放映作品は減少したふうだが、KR、NHK、NTVの順で協力的な由である。そして半期の合計はKR七八本一三巻、NHK四九本九一巻、NTV七本一一巻で、全部の総計は一三四本二三二巻となる。NHKがKRより少ないのは、それだけ自主作品を多くもつからだが、NTVがたつた七本とはどうしたわけか。いつたい徳光君などは何をしとるのか。

十二月からは大阪のOTV（下条吉君）や名古屋のCBCも開局されて放映作品もふえることになる。しかし製作者連盟の事務局では、まだふえぬ以前から、すでに作品不足になやんでいた。それはとにかく、テレビ放映の可否功罪などはどんなものか、これも大方のご判断にまつ。

(4) 海外への作品進出

○まず今年四月から九月ごろまでに参加招請のあつた国際映画祭と参加作品――

(a) ヴェニス・ビエンナーレ国際映画祭（八月十六日～九月十日）

「クロマイ療法」「能を描く日本画家」（ブリヂストン映画部）「雪国の生活」、「幽霊船」○「絵を描く子供―」○「小さな探偵たち」

(b) シリヤのダマスカス国際映画祭（九月一日～三十日）

参加作品なし。

(c) 第十回エヂンバラ国際映画祭（八月十五日～九月九日）

五篇―日本の鉄鋼、日本の大工、小さな探偵、楽しい版画、この雪の下に（入賞不明）

(d) イタリヤの第五回トレント国際山岳探険映画祭（十月八日～十四日）

福原健司氏（連盟非会員）の「ロック・クライミング」

(e) 北京上海の日本商品展覧会（北京十月、上海十二月）

六篇―谷間の学校、心に太陽を（平凡映画）声なき斗い、鷺のふるさと、芸術祭（読売）ひとりの母の記録。

(f) その後としては

イタリヤにおける電子工学、原子力、テレビラジオ、映画の第三回国際会議（六月七日）南阿のヨハネスブルグ国際映画祭（九月十七日～十月五日）第一回マニラ国際映画祭（九月八日～十五日、例の「カジ

松本　公雄　目下のところ、いろいろとアルバイトの雑用に追われていますが、何かまとまつた仕事をしたいと思つております。

桑木　道生　仮題「釈迦をたづねて」の準備は今のところ順調に進んでいます。いずれ御挨拶しますが、新会社も設立を終り、新橋に事務所をかまえることになりました。今後ともよろしく。

（以上二月十四日到着）

かんけまり　第一映画「誕生会」の演出を三月に予定され、決定稿を執筆中です。

日本テレビの教配作品（教材）二月末クランクインの予定で目下ロケハン中です。

前田　庸言　東京シネマの職業科教育が二月四日にあがり、つづいてPR「銀行」の準備中です。

小泉　堯　二月十八日から岩波で仕事をする予定です。

近藤　才司　「日本の近代産業」（桜映画社）仕上げ中。

島谷陽一郎　やつと、アルバイトで岩波の火力発電所にくつつきましたが、これが今年の初めての仕事ですが、次があるかどうか心配です。なにか、金につまつてくると、いじけて、すねて

ュラホ」入賞の際?)ベルギーの才二回国際産業労働映画祭(十二月)

いずれも参加不明。

○次は海外テレビ放送――ロスアンゼルスのローカル・エリアだが、才一回分は日本の漫画映画(共同、教配、日動、日本短篇の四社)一六篇を輸出する。

○さらに日本映画海外普及協会(仮称)設立の計画。内閣映画審議会の答申にもとずいて外務省が日本映画(劇、短篇とも)の海外宣伝機関を設置する方針が決定され、計画は目下進行中らしい。だが例の国際文化振興会みたいなものでなければよいが……。

(5) 8ミリ映画の発展

8ミリは現在アマチュアにのびている(現在、映写キは一万五千台、撮影キは二万台ちかい。撮影キの生産がまにあわぬほどで、また各会社のPR活動にも入ってゆく)由だが、こんどは特に教育映画に活用する気運が動く。すでに日本視覚作「海べの動物」の試作品をみる。

電球光線でも一〇間の距離から映画館と同様に映写でき、またアークも使用。特に録音は十六コマの磁気録音(世界でも日本だけの由)、8ミリのシネスコも見た。

撮影機は一・九のレンズ付で二万九千五百円、ズノウエルモ付なら三万九千五百円。映写機は三万九千五百円。以上はサイレントだが、8ミリトーキー映写機のワンセットは十二万五千円。

カメラの廻転は一枚撮り、八コマ、三五コマ、高速度の四段に切替えできるが、ロングの撮影はテレビなみの制限がまぬかれない。テレビもまた8ミリに乗出した。

今のところ反転現像だけでプリントは不可能。従って教育映画などの場合は十六ミリ撮影から縮写現段階では三十五ミリからのを接縮写はダメで、十六ミリへのエンランジも無理である。

プリント価格はロヤリテイをいれて壱巻五千円(十六ミリでは一万五千が相場だから三分の一)生フイルムは十六ミリ・フイルム(二五呎で七五〇円、反転現像付)を使用して、撮影機タテに二本に切るため出来上りは五〇呎となる。いわばサウンドフイルムの両側使用みたいなものだ。

かくて8ミリ映画はプロダクション側にもショックをあたえたふうだが、われわれの教育映画としては撮影はまだ問題にならず、問題はプリントだけにとどまるだろう。しかし次にはさらにビデオ・テープ(磁気録画)の問題が現実化することになる。

もっと実地に8ミリを知られたいなら、作家協会としてもエルモ社を見学する手はある。

× × ×

最後に来年度の考察だが――

全般的に恐れられてることは、このような戦後最大の短篇ブームのあとなどには、そろそろ反動がこないかということである。いやそれは現にはじまっているふうだ。というのは最も躍進したはずの学校教材映画が、教室では勝手にチョン切られて使われているとか。つまり映画的ではあっても教育的ではない、現場の役には立たんという現職からのキャンセル!ために最大躍進の教材映画がもはや頭打ちしはじめたときく。そして新作品だけは次から次へと製作されても、いっこうにプリントは出ず足ぶみの状態らしい。

だが、ただそれを切抜ける方法としては、われわれがもっと現場

良い仕事などという考え方など出来ない風になってくる自分にあきれています。これではいけないと、我張ろうと努めています。皆様の力をかりたいと願っています。

(以上二月十五日到着)

荒井 英郎　待期中

赤佐 政治　東京シネマにて次回作「銀行」を準備中

渡辺 正巳　待期中。先日、二日間ほど三井芸術プロの仕事をしました。

渡辺 亨　平凡のテレビ部の仕事をしていましたが、一身上の都合により、やめました。

(以上二月十六日到着)

菅家 陳彦　東映製作所の「麦作り日記」の脚本が終りました。次は共同映画社で「船員」(海員組合企画)を撮ることになっています。月末頃シナリオハンテイング、少し寒いところを一週間ばかり船に乗ってくる予定です。

山添 哲　待期中

山本 升良　三木映画社の「オイル・シール」がエンエンとのびています。三月末に完成の予定です。

使用にたえうるものをつくる研究のほかはない。
ほかにも何かとあるかもしれないが、あとは教育映画プリントの8ミリ化実現もあり、また何らかの短篇国際運動（交流でも製作でも）などが考えられるであろう。
いささかどうも自分ながら教祖的な思いだが、これ以上、来年のことをいうと、それこそ才ニに笑われることになる。ながながとご静聴を感謝。——

記録映画研究会の報告

才一回研究会報告
十二月十七日　午后六時より
国鉄労働会館会議室にて

※

参加者　小西久彌　谷川義雄　島谷陽一郎　小谷田亘　かんけまり　楠木徳男　小島義史　中島日出夫　菅家陳彦　厚木たか　京極高英　野田新吉

※

(1)会のもちかたについて、世話人より提案。

『研究会は、かた苦しいテーマをだして、抽象的な論争におちいるようなことをまず さけたい。おたがいに作家活動のなかに問題となっているものを具体的にだしあい、自由に話しあって、勉強していくようにしたい。つまり、実践に役たつことを創作上の経験や事実をもって話しあい、話しあいをふかめるなかに理論などもたかめていくようにしたい。』

一同賛成。

(2)どうしてみんなは記録映画をつくる気持になったか。——を自己紹介をかねて話す。

『戦前の劇映画のダラクに対して記録映画のもつ、リアリティのつよさをしり、記録映画をはじめた。（小西、京極、野田）『ルーターの記録映画論や「雪国」「小林一茶」「たたかう兵隊」などに刺激され、記録映画の世界をしったのが契機であった。（谷川、かんけ）また、新しい人々のなかには「砂川事件などにショックをうけた。現実にまさる劇はない。現実をうつしとることだ』（島谷）ということで記録映画をやろうと思っている。

『戦後の劇映画の発展と前進のなかで、記録映画的な手法の大切なことをしりその勉強をしたいと思ってやっている』（小島、中島）『今は劇映画に魅力をもっているが、記録映画をもっとしりたい』（小西）など。

自己紹介のあと、後者の考えについて、『記録映画は戦後、製作の基盤が非常に弱くなり、作品の数もすくない。やっとすこしづつ本格的な作品が出かけている。ただ眼前の現象だけにとらわれないで記録映画のもつ　ほんとうのよさをわすれないようにしないといけない。』（野田）『劇映画にたいするコンプレックスにおちいる前に、映画芸術家といえるような作家になり「生きていてよかった」のレベルにみんなの作品を向上すべきだ。この研究会はそのような作品をうみだす力となるような会

諸岡　青人　只今、日映科学のロケで山口県の下松に来て、汽車や電車の製造状況を撮影しています。月末頃には、北陸線の交流電化の記録映画の方に回り、雪山や雪中作業の撮影をする予定です。

（以上二月十八日到着）

桑野　茂　日映新社の仕事でイラク地方メソポタミアに出張中
玉上　義人　山形市に帰省中
頓宮　慶蔵　病後の静養中
相川　竜介　福岡・甘木市帰省中
岡野　巖　日本短篇および連合映画の仕事をしております。
片岡　薫　テレビ映画の脚本準備中
秋元　憲　新理研映画で仕事をしております。
柳沢　寿男　「東京火力発電所」（岩波映画製作所）演出中
岩堀喜久男　「電弧熔接棒」（三井芸術プロ）演出中。
大野　芳樹　国際教育映画株式会社にて次回作準備中
尾崎　好男　待期中
清水　信夫　東映教育映画部の仕事をしております。
下村　健二　次回作準備中です。
竹原　繁雄　アルバイトをしてお

にしたい。「生きていてよかった」に感動したその感動を忘れないようにし、さらに、作家活動のなかにその感動を発展さしていくようにするのが会の目的ではないだろうか。』（京極）という話しあいがなされた。

(3)『生きていてよかった』を中心にして、その創作態度、方法におよぶ。

楠木――「生きていてよかった」は大阪でも大変感動をよんでいる。それは素材だけでなく創作方法にあると思う。原爆被災者の立場にたってつくっているから、深い共感をよんだのだ。たんなる技術的な点にあるのではない。そうした同作品のもっているものを身につけて、のばしていきたい。

（では、私たちが描かんとするものをとり、その立場にたってということはどんなことか。）

京極――生活を身をもってしるということだ。「米」のシナリオハンチングで生れてはじめて田植を手伝った。まったくつらかった。そして田植がどのようにつらいものかをしった。

厚木――ある時、シナリオを十日間ほどの体験をもとにしてかいた。ぼう観者の態度（または参考のための経験）だったので充分なものにならなかった。しかし、ロケで三十日も現地にはいって生活したら、経験が飛躍的にゆたかになり創作に非常にプラスした。

京極――記録映画のシナリオをうけとって演出をする場合はどうしても現地で生活し、シナリオのテーマをふかめながら、ふくらませていかなければならない。記録映画のシナリオと演出の関係でこの点は大切だ。

厚木――もちろん個人の経験には限界がある。大作家は体験なくとも民衆の生活をしっている。描くことができる。作家はそうならねばならない。

野田――作家にあって、体験を拡大し、そのワクをのりこえさすものは作家の事物、現象をみる眼がしっかりした体系をもっていること、と作家的な想像力だ。

（生活をしり、体験をふかめる場合に、どういうことが大切だろうか。）

小西――戦争中軍需工場にはいって工場の生活をしろうとしたが、ただつらいだけで何の役にもたたなかった。立場がなかったためである。

菅家――体験も立場がなかったらどうにもならない。調査の時でも同じだが、アンテナをはっても　どれをキャッチするか、――にこまってしまう。

京極――「ひとりの母の記録」の時、日照りで村がこまっていた。村の人々と同じ立場で仕事をしていると、川の向岸に雨がふった時、村の人が『もうけあがった』といった気持がピッタリとわかった。

（記録映画はもっと当面している「砂川」や「沖なわ」また北海道の凶作といった歴史的な事件をとりあげていくべきではないだろうか。「記録映画作家は貧乏呆けしていないか。――小西）

野田――そのとおりだ。記録映画の製作には社会的、経済的にたくさんの困難な問題をもっている。誰もがとりたいと思っているが、現在でやるにはどうしたらよいかという壁

ります。

竹内　繁　協会事務局で映画会の仕事を手伝っております。

豊田敬太　「荒海に生きる女たち」（新理研映画）演出

豊富　靖　「電弧熔接棒」（三井芸術プロ）演補

中川順夫　中川プロダクションで仕事をしております。

永富映次郎　新理研映画で仕事をしております。「憧れの大空」

韮沢　正　文化映画研究所でいろいろと計画をねっています。

秦　康夫　記録映画社で仕事をしております。

馬場英太郎　名古屋市へ帰省中

丸山章治　「雅楽」（日映科学）撮影中。

道林一郎　待期中。

森永健次郎　日活撮影所で仕事をしております。

樋口源一郎　新理研映画で仕事をしております。

松岡新也　「荒磯を拓く子供達」（三陽映画社）演出完成。

高綱則之・森田　純
学習研究社映画部

大場秀夫・高見　貞衛
日本記録映画社

田中舜平　記録映画社

につきあたつている。私たちがかつてやつた記録映画製作協議会の運動も不充分だつたがその壁をやぶる一つの方向をすすめるためだつた。私は「砂川」や「生きていてよかつた」をその発展の一つとみている。だが、全体として積極的な意欲が低下している。

かんけ——作家が生活的にまいつているのだ。芸術と生活の分離でなやんでいるのだ。

野田——このような現状で、作品活動をさかんにするにはどうしたらよいかということもこの会で、今後、おおいに話しあう問題の一つであると思う。

なお、厚木氏より記録映画史をかくので　みんなの協力を要請され、一同、積極的に支援することにした。(註）当日の発言のなかで問題となつたおもなところを要約しました。（文責　野田）

※

才二回研究会報告

一月二十六日　午后六時より
中央区役所銀座東出張所にて

参加者　岩佐氏寿　矢部正男　島谷陽一郎　苗田康夫　韮沢正　河野哲二　丹生正　京極高英　菅家陳彦　かんけまり　西本祥子　小島義史　野田真吉(司会)

（記録　苗田）

才二回の研究会は、道林一郎君の演出、吉見泰君の脚本になる『愛は惜しみなく』を参会者の大多数がみており、しかも、力作であり、期せずして同作品を中心にして話しあいがなされた。スタッフの方がみえてないのが残念だつたが、以下は当日の発言記録をもとにして、まとめたものである。非常にゆきつもどりつした討論だつたので、充分に報告としてまとまつていないかと思われる。そして、提出された問題は解決されたのでなく、今後にもひきつづき研究されるものであることも報告にあたつてつけくわえねばならないと思う。

※

(1)みんなは作家としてどんな感想をもつたか。

島谷——同作品が記録映画か、否かについて考えさされた。素材はとても現実性のあるものだが、エピソートがまだ充分にまとまつていない。

菅家——何をうつたえようとしたのかよくわからない。教師の停年制についても思つたほどわかるようにでていない。脚本としては「中学生」よりも低調のようだ。演出については、客観的に描いているのか、主観的に描いているのかあいまいである。とくにダイヤローグとコメントとの組あわせなどのところでそれを感じる。

苗田——教師の描き方が主観的で、子供たちを描くときは客観的である。おのおのみる立場がちがつている。

丹生——つつこみがあさいように思う。悪い子供をこうすればよくなるという例などがその一つである。

野田——週刊よみうりの映画評では教師を愛情をもつてみつめた佳作だといつているが。

韮沢——その評者は教師の生活をしらないからでないだろうか。

河野——再現したのでギコチなくなつている。

丹生——にんしんした教師と話しているところは演技が気にならなかつた。

菅家——そうだ。教師自身に語らせた方がよかつたのではない

島内　利男・富岡　捷・中島
智子　新理研映画株式会社
八幡　省三　東京シネマ
片桐　直樹　中部日本ニュース映
画社
長井　泰治・平田　繁治・吉岡宗
阿彌　日本アニメーション映画社
大久保信哉　たくみ工房
岡本　昌雄・樺島　清一
日本視覚教材株式会社
奥山大六郎
日映科学映画製作所
落合　朝彦・中村　敏郎・山口
淳子・西沢　豪・大峰　晴
日本映画新社
高井　遠人　三井芸術プロ
大橋　春男　英映画社
小西　久彌　TCJプロ
大野　祐　電通映画社
石田　修　日本観光写真映画社
西浦　伊一　綜合映画製作所
水木　荘也　三井芸術プロ
（以上は、おしらせがないので、事務局の調査にもとずいた分であります）
大鶴日出夫　田中　喜次
盛野　二郎　下坂　利春
小野　春男　小野寺正寿
尾山　新吉　小森　幸雄
新庄　宗俊　原口　光人

だろうか。

かんけ——どうもテーマがはっきりのみこめなかった。

(2) この映画はいったいどこに以上のような問題をうんだ原因があるのだろうか。

京極——実際あったことをそのまま再現することと作品の上で再現することとが同じことのように考えられている。「ひとりの母」の場合は事件を再現したのではない。事件を再構成したのだ。「愛」は事件をそのまま再現しているから心理が描きたりなかったのではないか。

岩佐——「ひとりの母」の時にも手法の上で主観と客観のとりあつかいに悩んだが、「愛」もそこに破たんがあったのではないか。

萱家——京極さんの意見の点で、「愛」は消化不良だと思う。教師の公的な生活を描くところはいいが、ひとたび一身上の問題—家族関係になると混乱してくる。亭主が不貞寝するところはその例である。

京極——それは事件をしかも、その教師をつかって再現したからだ。

丹生——あの場合は俳優にはかなわないと思う。

京極——同感。

野田——現実にあったという事実と作品の上にその事実を表現するということはちがうと思う。とくに記録映画の場合は再現することのできないことがある。その場合について、「愛」はそうしたことを再現しようとしているのではないか。劇映画にするなら話は別であるが——。

京極——中小炭鉱の荒廃と失業した炭鉱労働者の生活を記録するために九州へいった時、ある失業炭鉱夫の家にいった。戸をがらりとあけるとせまい家のなかにたくさんの家族がおり、そのなかにアメリカ兵が娘と炊事をしていた。娘がパンパンをしているのだ。なんともいえない思いにつまされた。そして失業炭鉱夫の生活の典型的な情景だと思った。でも、このようなシーンはその時以外とれない。「愛」もそのようなルポの記事をそのまま、再現しようとしているところに問題がある。現実にあった感動をどういう表現をすれば記録映画では再現できるか、という問題が解決されなくてはならない。

野田——そこに再構成の問題がある。記録映画では、アメリカ兵と失業炭鉱労働者の娘のいた生活の典型的な場面のつよい印象を、ちがった形で、例えばアメリカ兵とパンパンの姿で、基地の姿で、子供たちがアメチョコをなめずってたべている姿で、——といったシーンによって、再構成しなくてはならない。また、「ひとりの母」のような再構成もある。

丹生——新聞記事の切りぬきをそのまま、脚本にすることは未消化のもとだ。それは「原作」というべきでなく、素材、資料である。

京極——ともかくいろいろ問題があるが、素人をつかってよくうごかしている演出力は大したものである。テーマについて、夫婦共稼ぎをし、子供をあづけて生活しなければならないといったところにある矛

平野　直　古川良範
森田　実　中江隆介
真野義雄

(以上は、原稿〆切の期日までに詳しい動静が分りませんでした。ぜひ、動静をしらせてください。たのみます。)

新入会員

飯田勢一郎　神奈川県藤沢市鵠沼二四七二(日映科学映画製作所所属・演補)昭和五年四月生。昭和二十九年早大文学部国文学科卒、昭和三十年一月日映科学映画製作所入社。作品——三十年「水車の高速化」「只見川」「広重」「せき」「健康を作る工場(海外版)」三十一年「結核と斗う」「健康への贈物」「花と昆虫」三十二年「結核と睡眠」など。

長野千秋　渋谷区原宿三ノ二九二土居方(日映科学映画製作所所属・演補)昭和六年十月生。昭和三十一年三月早大才一理工学部金属科卒業、昭和三十二年

盾をとらえて発展しないで子供の方へすりかえられている。そこにある矛盾は発展する可能性をもつている。そこをとりあげたら もつとおもしろくなる芽があつたのではないかと思う。

菅家――いろいろいいたいことをいつたが、「愛は惜しみなく」では記録映画作家の苦斗のとおといあらわれであると思う。それ故におそわるところがおおかつた。

＊

次回より、運営委員の担当者としての野田の外に もちまわりで一名が書記の仕事をうけもつことになつた。なお、次才に会が活発になれば議事録をプリントしたり、研究試写会などをすることになつた。

以上。　（文責　野田）

「話しあい」の推進

＜子どもを守る文化会議＞についての報告

岩佐氏寿

昨年末開かれた「子どもを守る文化会議」の成果を、さらに発展させるためにどうするか――とくに映画の部門をどうするかという会議が、一月半ばに開かれました。出席者は、山家（子どもを守る会）宮永（映教）、鈴木（教配）、陣野（映演総連）、岩佐（作家協会）などで、私は所用のため、中座しましたが、大体、やはり「よい映画を守る運動」を、おかあさんたちを中心に推進して行くこと、またそうしたあつまりと、映画サークルとの関係、労組との関係をどうするかなどが、問題の中心点でありました。これは、もう少し会議を重ねなくてはならぬと私は考えますので、くわしい報告は省略します。

× × ×

一月八日、大岡山附近の、「よい映画を見る会」に招かれて、そこのおかあさんたちにお話をし、懇談しました。そして、ますます作家とおかあさんたちが、つながらねばならぬことを痛感しました。私がお話をしたことは、現在子どもをとりまいている映画的環境はどのようなものであるか、ひいては、日本の映画界はどのような状況にあるか、それに対して、私たちは何をしなくてはならないか――というふうなことでした。

つまり、わるい映画が多いからといつて、それも子どもに見せないということでは、問題は解決しない。よい映画をつくり、それを推進して行かねばならぬ。しかしそれは教育映画をつくるだけでは対抗できない。映画館の映画をよくして行くことが大切である。そのためには、地域の人たちが、よい映画を見に行くようにし、映画館に、よい映画をかけるように、どんどん要求することが大切である。教育映画はそれと平行して、見られるべきである。子どものための映画は、おかあさんたちや、

一月日映科学映画製作所入社、現在、教材映画「やきもの」演出助手。

坊野　貞男　横浜市神奈川区六角橋町五五二小松方（岩波映画製作所所属・演補）昭和二年六月生、現在岩波映画製作所にて「佐久間ダム」才三部の編集の仕事をしている。

秋山　矜一　品川区大井山中町四三二二（岩波映画製作所所属・演補）昭和八年九月生、現在岩波映画製作所にて植物関係の企画とシナリオの仕事をしている

田中　実　武蔵野市吉祥寺七二八（岩波映画製作所所属・演補）昭和八年一月生、現在岩波映画製作所にて「動物園」の編集の仕事をしている。

草間　達夫　横浜市金沢区寺前町三（新理研映画株式会社所属・脚本演出）

（以上一月十九日付入会）

木村荘十二　北区赤羽町五ノ一三二〇赤羽住宅一号（フリー・演出・賛助会員）

（以上一月二十五日付入会）

徳永　瑞夫　福岡市住吉上宮崎町住吉ビル 共同映画社九州支社内（共同映画社九州支社所属・製

先生たちや、作家たちが、協力して、相談づく、納得づくでつくっていくことがいちばん望ましい。

しかし、今までそれがなかった。「子どもを守る文化会議」は、この三者が手を結べば、ひじょうに大きな力になることを証明した。あちらこちらで、映画館が、おかあさんたちに協力する態勢をとっているところが、できて来ている。もっとふえれば、直接、製作・配給会社に影響を及ぼすだろうし、また、巨大なマスコミに対抗する方法はこれ以外にないのである。

――紙数の関係で、くわしくは書けませんが、大体こういうことを力説しました。そのときは「運動ぐつ」と「少年合唱隊」を上映したのですが、あとの懇談会では、おかあさんたちの要求がひじょうに鋭いことを感じました。例えば、「運動ぐつ」は結末が甘すぎる、もっとリアルに、あるいは「少年合唱隊」は、話がきれいすぎて、お伽話じみる。実際には、合唱隊ができるには、もっと廻り道をしなければならなかったのではなかろうか――というふうで、要するに、子どもの現実生活の掘りさげが、どの教育映画にも総じて足りない、という意見でした。お客さんは決して甘くない――と私はかねがね主張して来ましたが、ここでもそのことを重ねて感じました。お客さんは、決して教育映画に「教訓」を要求していなくて、私たちのことばでいえば「リアリズム」を要求しているのであります。

ただ、私は今まで歩いたどのおかあさんたちの集りよりも、大岡山では、発言が少いのを残念に思いました。尤も、目黒八中の校長先生をはじめ、先生方がずらりとおられたので、おかあさんたちは少しコワかったのかも知れません。

しかし、先生・おかあさん・作家が、みんなそれぞれの立場から、いいたいことをいうのでなければ役に立ちませんから、私たちは、できるだけ、会合の雰囲気をそうするように努力する必要があると思いました。しかし、それは、出かけていった私よりも、主催者側の責任の方が大きいと思います。いままで行ったところでは、豊島区の要町のおかあさんたちはなかなかよい意見をきかせて下さったし、台東区の黒門町・七軒町などは、処置に困るほどの発言もありニカイで勉強になりました。大岡山の、私にとってのいちばんの収穫は、熱心な先生方の発言に傾聴すべき事柄が多かったことです。先生方は、コチコチの「教育映画屋」でなく、むしろ、現場と作家の話しあいを、向うから強調されるような具合で、それも「どこかのように「お前たちは教育にはシロウトだから教えてあげる」てい言でなく、「肩を組みあって子どものためによい映画をつくろうではないか」という感じだったので、ひじょうにうれしく思いました。

この紙上を借りて「よい映画をみる会」をはじめられた「教配さん」や、その他の普及団体におねがいですが、よい映画をみる会が開かれたら、作家のだれかが参加できるように、ひとつ、積極的に考えてみてくれませんか。お互いに大へん勉強になるだけでなく、その力が結集することで、よい映画を支えることになるのですし、作家側は、そこへイバリに行くのでなく、学びに行くのですから。

以上、報告・感想・意見を、あわてて書きましたが、おかあさんたちの会合は、なんといっても、生活からじかに出てくる発言が多

作、演出）

（以上一月二十六日付入会）

清水　進　杉並区方南町六十七（新理研映画株式会社所属・演出）大正十五年四月生、昭和二十二年理研映画株式会社に入社現在に至る。作品――昭和三十年與人音頭（一巻）九州電力（一巻・イーストマンカラー）民謡を訪ねて（三巻・イーストマンカラー）

入江　勝也　新宿区西大久保二ー二六二・TEL（三五）三七二一（フリー・脚本演出）明治四十四年四月生。竹内信次紹介。昭和十四年より理研科学映画KKにてもっぱら物理科学映画など計十五本の脚本演出。戦時中は軍の術科映画など六本の脚本演出。戦后「文化ニュース」才三号まで脚本演出。昭和二十三年理研映画を退社。以後昭和三十年迄、北海道映画ペンクラブ事務局長、北海日日新聞嘱託など。「北の風物詩」など十六ミリ計六本製作。昭和三十年以後フリーとして読売映画社にて「高血圧」「アカシヤ」（脚本演出・カラー他に編集三本、脚本三本、新理

いので、私たちは、映画つくりの上で大へん責任も感じ、また勉強になることが多く、その支持によって私たちは映画をつくっているのだということを、更めて確認する機会になると思います。

才六次
日教組

教育研究全国集会から

―加納さんを囲む座談会―

本年度の日教組教研全国集会は去る二月一日から四日間、金沢市で開かれました。この集会には映画教育協会をはじめ、視聴覚教育の関係者も深い関心をよせています。当協会でも去る十六日午后、この集会に芸術部門の講師として出席された加納竜一氏を囲んで集会の模様や、教育映画の役割りなどについてお話を伺いました。以下は加納氏の談話を要約したものです。(協会の出席者は一五名)。

今までの教研大会では、基本的人権だとか平和教育だとか国際理解を深める教育だとか、そういうテーマで研究が行われてきたんですが――そういう内容はよく判るけれど、実際に明日から教育現場でどうしたらよいかは判らない、例えば「基礎学力」をつける問題「進学」の問題などにぶつかると、平和教育だ国際理解だと云ってみたって、答えにはならない。実際は、学力や進学の問題を、父兄たちの身になって具体的に解決してゆくなかで、平和教育や基本人権やというスローガンも解決されてゆくべきなんですが、そんな問題を口にすると反動あつかいされるような空気もあって、現場の問題の解決よりは、スローガンで手一杯という感じでした。

それが今年は、そういう行き方が壁にぶつかってきたので、教師が毎日の現場で斗っている問題に研究の中心がうつりつつあって、各教科に即して分科会がもたれて、教育技術としての問題をとりあげてきています。

地方の女の先生の手紙が芸術教育の分科会で発表されましたが、その内容は―『私は小学二年を担任している・学校を出てすぐ現場につきましたが、人から良い絵だと云われているものが、自分で良いと思う絵とちがうし、又子供に伸び伸びと好きなものを描かせろと云われるけれど、考え方としては判るが、どうも果してそれだけでよいのか迷っている。ある時、生徒たちに花の絵を描かせたら、一人の子が絵を見せにきた。何と云っていいか判らないので、「花にきいてごらん」と云ったら、その子が花のところへ行って戻ってきて、「花にきいたら、先生にきいてごらんと云ったよ」と云った』

こういう現実の問題に答えられるために、技術教育だ技術主義だ訓練主義だと云われようとも、覚悟してやらねばならぬし、各部門での研究もその方向にむいてきているようです。

研映画KKにて脚本一本を担当。
(以上二月十二日付入会)
(会員総数　一五八名)

☆住所移転

韮沢　正　新宿区市ヶ谷台町一平和荘八号室へ転居。

谷川　義雄　練馬区春日町二ノ三〇八九へ転居

盛野　二郎　世田谷区太子堂町三〇九へ転居

渡辺　正巳　練馬区向山町一六六へ転居

各務　洋一　大田区池上洗足町三〇九へ転居。

衣笠十四三　大田区馬込西二ノ一五三九へ転居

☆会報記事の訂正

会報才二十一号の記事のうちに次のような誤りがありましたので訂正いたします。

▽「記録映画に関するいくつかの当面している問題について」のうち、二頁一段四行目、「人文的という言葉に」、は、「言葉を」の誤り、また、九頁一段九行目、「映画」は「映協」の誤りでした。

☆本紙に同封した動静おしらせ用アンケートはがきは、必ず三月十五日迄に御返送下さいませ。

私の同じ宿にとまつた講師の数学者が、『われわれ数学者は式を一つまちがえても、明日からすマンマの食いあげになる。技術を身につけることなしには生活できない。しかし、それだからと云つて創造力がいらないのではなく、技術がすつかり身についた上では、もはや創造力の必死の競走だ』と云つていたが、これは映画作家にとつても関連のあることです。

こんな風に今や教育技術が問題となつてきたので、そうなれば視覚教育もこれから問題となつてくるでしよう。

しかし、社会科にしろ理科にしろ、現場で熱心に教育をやつている人が、必ずしも視覚教育に熱心なわけではないし、さりとて、そういう人達に教育映画をつかつたらどうかという話をしてみても問題は解決しません。日教組の教研大会そのものが上から作らない主義だから、下部に熱心な先生がでてきて、研究部会をつくつてくれとか、地方から部会へもちこむ要求がでてくるのでなければ、教育映画が教研大会で研究課題にならないのです。だから、われわれも、視覚教育の専門マニヤだけでなしに、社会科や理科を本当に真剣に考えている先生たちとむすびついてゆかないと、教育映画研究も全国的な動きになつてこないわけです。そうするためには・フイルムや機械などの物の便宜を先生たちに提供してゆくことも考えねばならない。教科一般を通じて子供を教えてゆくのに、映画教育というものをぬきにしてはこれ以上伸びない、ということが現実に判つてくれば、映画教育に対する関心はイヤでも高まつてくる筈です。（それに一方では、太陽族映画などをキツカケに父兄が良い映画を見る自主運動を示してきているし、政府や文部省も逆な関心をしめしてきているし、現場の先生も教育映画に無関心ではすまされない条件もでてきている。）又その一方われわれの方でも教育映画というものを、もう一度考えなほしてみる必要がありはしないか。教育映画理論を確立しなければならない時ではないか。そのために、波多野完治さんの云つている「理性と感性の間」という考え方（視覚教育一月号）を——あれ位のものを、皆で考えてみるのもいいじやないかと思います。

☆ごあいさつ

去る二月はじめ、朝鮮国立映画撮影所創立十周年記念にあたつて当協会よりお祝いの祝電を送つたところ、在日本朝鮮映画人集団より、つぎのような挨拶状がまいりました。

あいさつ

朝鮮国立映画撮影所創立十周年の記念の際は、お祝いの御言葉を戴きましてほんとうに有難うございます。朝鮮映画と日本映画の交流のため、今後とも御尽力くださることをお願いします。

一九五七年二月

在日本朝鮮映画人集団

× × ×

作家協会の皆様

今度、私たちの結婚式にはお忙しい中を多勢の方々においでをいただき、身にあまるお祝いの言葉、はげましの言葉をいただき深く感謝しております。また作家協会からは多額のお祝をいただき、かさねて厚くお礼を申しあげます。

河野哲二

教育映画作家協会 殿

委員会だより

才一回会費問題審議委員会
一月三十日（水）午後五時より
出席：中村（敏）豊田　荒井　諸岡　菅家　間宮　苗田　矢部

▽この委員会は、来る四月に開催される会費問題についての臨時総会までの期間に、会費問題の審議検討をするための委員会であり、今回はその才一回目なので、今後の委員会の能率的なもち方などについて話しあつた。

昨年度総会の際に、事務局案として提起された四案を確認し、その他に良案があれば考えることにした。

協会の経済的な運営そのものを従来のような会費収入のみに頼るのではなく、附帯的な事業活動を行なうこととの収入によつて支えるようなことは考えられぬか。との提案があり、事業活動については機関誌の刊行案、また協会の運営そのものをスムースにするための組織の法人化案、さらに

新入会に際して

木村荘十二

今度加藤松三郎君の尽力で教育映画作家協会の一人に加えていたゞいたことを心から喜んでおります。私は一九五三年三月十三年振りで中国から帰り、その后も既に四年。昨年は凡そ十七八年振りで「森は生きている」の製作に加わることが出来ましたものゝ、誠に永い作家としての空白を持つて了いました。しかし、この空白は、一人よがりの傾向が強かつた私に、「誰のために」ということ「正しい歴史の発展の方向を見つめ、生活の真実を追求して行くこと」を多少とも解からせてくれたこの上ない機会でもありました。その一面、日本でずつと仕事を続けて居られた諸君、戦后活躍されている若い諸君の仕事を拝見していると、諸君の創作方法、手法、技術、等々の面で私が教えを乞いたい多くのものが山積して了つていることを痛感します。とりわけ、所謂劇映画以外の諸君の仕事の中により積極的な探究、創造意欲の表現を私としては感じさせられておりますので、前からこの様な仕事をされている諸君に勉強させていたゞく機会の出来ることを念願していたので、その糸口がやつと発見された様なよろこびを感じている次才です。

卒直に云つて、甚だ巧利的ながら、これが私が協会に期待する一番大きな希望です。だが、こういうエゴイズムがあるとしても、協会に入つた以上、協会の目指す歩みを私自身のものにしなければならないと考えておりますが、協会の歩みについて具体的にはほんの僅かしか知らないという現状です。実は、それ以前の問題、今、日本の映画にたずさわる人々（映画評論家を含めて）が自分たちの映画に対してどの様な共通の認識を持ちあつているかということも不充分にしか知らない状態です。

たまたま私の目にふれ耳にふれる映画論評のいくつかは、如何にもその人々の考え方が主観的、一面的、表面的であり、これから映画に道を求めて進もうとする若い諸君の私などに対する質問等を見ても、狭い固定した外観上の形式、技巧から入ろうとする傾向が強い様に思われます。この様な傾向は、それぞれの人々の活動を狭い袋小路に追い込み、互いに孤立し、お互が映画に対する共通の本質を認識しあうことを遅らせる結果ともなりはしないかと思われます。こういう傾向が日本映画界全部をおゝつているとは思いませんがしかし一つの大きな傾向の様に私には感じられます。そして、これは私たちの克服しなければならない課題の様に思います。

毛沢東は「矛盾論」の中で人間が真理を認識する正常な順序というものについて「人間は先づ多くの異つた事物の特殊な本質を認識し、その后に一歩すゝんだ概括の仕事が出来、いろいろの事物の共通の本質を認識し、それをまた手びきとして、まだ研究されていな

収入の面については、会員作品のテレビ上映の場合の著作権料の問題、などについて話し合つた。結局、委員会としては、この三問題について、直ちに詳細な資料調査にとりかかることをきめた。次回はこの調査の結果をとりまとめて、二月末に委員会をひらく。

才一回事務局相談役会

二月二日（土）午後五時より

出席：：菅家、丸山、加藤

▽映画会開催準備について

来る三月二十四日に開催する協会主催の才二回推せん教育映画の会の開催準備について話しあつた。映画会の準備については映画会実行委員会を構成し、その委員会が準備をすすめて行くことになつた。

会報No22編集部会

二月七日（木）午後一時より

出席：：加藤、中村（麟）諸岡（臨時）、小高

▽会報No22の編集内容について

意見を交換し、話しあつた。編集内容については本号掲載内容の通りであります。

才二回事務局相談役会

二月十一日（月）午後四時より

いろいろな具体的な事物について研究を行い、その特殊な本質をさがし出す。こうして又共通の本質の認識を補足し、豊富にし発展させるものだ」という意味のことつまり、個別的なまたは特殊なものから、次第に一般的なものの認識へと拡大してゆく、それが循環往復すると云われていますが、私などこの様なことは昔から知つていた様な錯覚を起すほどあたりまえなことと思いながら、それではそういう認識で周囲を見、行動していたかと云うと、そうではなかつたことを反省せざるを得ません。私はこの真理を認識する正常な順序というものを教条主義的にではなく心にとめて、動き発展する映画の仕事を改めて見直す様心掛けたく思つています。まず、貴重な実践を積み重ねられている会員諸君と親しく接触し、それぞれの諸君の仕事、ジャンルの仕事を具体的に承知すること、それから共通の方向も私自身のものにすることが出来るのではないかと思つております。

甚だ抽象的で、幼稚な感想を述べましたが、私自身まことにこの段階なので、日本も新しいルネッサンスを迎えようとしているこの時代に生きているということを自覚している丈け、本当に一生懸命勉強しなければならないと思つております。

助監督部会の報告

――第二次新人会総会と幹事会――

一月三十一日、新人会は本年度の新しい運営方針を討議し、幹事と運営委員を選出するために、再び総会を開きました。当日は投票のこともあり、あらかじめ、五十一名の会員諸氏に往復葉書による出欠の連絡と委任状の送付を手配してあつたので、出席者十七名、と委任状十二名（指名七、白紙五）出席予定二名、計三十一名で、討議に入りました。

先づ会報の前号に提出された議案に基いて討議は進められ、（A）の部会については、これは新しい人たちのための映画入門としては必要な勉強会であるとして承認されました。

（B）の演出助手の技術研究は、特に層を限り区別するまでもなく、演出助手として働く会員の凡ての研究問題として、研究会の中心部会として承認されました。

（C）の理論研究部会というのは、将来演出家として立つてゆくための創作の方法の研究をする必要があるということから、この会も承認されました。問題は、A、B、Cと分けられた研究会を自主的に運営するためにどういう方法がいゝか、ということについて、各世話人から提案がいくつか上がりましたが、時間の関係で総会では結論を持たず、次の研究会で相談することにしました。

（D）の生活対策問題については、問題なく強化して欲しいの要望があり、専任幹事を置いて、動静を掌握して、失業を出来るだけなくするよう努力する。そのための協

出席：：吉見　菅家　加藤　丸山　八木

▽日映技術集団の事務局の移転が決定したので、当協会の事務所の維持運営および人事構成などの対策について話し合つた。

第二回運営委員会

第一回映画会実行委員会

二月十一日（月）午後五時より

出席：：八木　丸山　加藤　菅家　吉見　竹内　野田　大沼　苗田　原本　高綱　中島　小泉　竹内（繁）

▽去る一月三十日に開催した第一回会費問題審議委員会の討議内容が菅家事務局長より報告された。

▽事務局問題について

日映技術集団の事務局移転にともない、従来より集団と当協会の事務局を兼務していた原子英太郎氏が二月末日をもつて退職することが、報告確認された。

▽新入会員について

新入会員、徳永瑞夫、木村荘十二、入江勝也、清水進の四氏が、その入会を確認された。

▽映画会の開催準備について

事務局より、推せん作品投票の集計についての報告があり、そ

議会を適宜開くようにすることに決定しました。

続いて会の名称について、助監督部会と、演出助手部会の二案あり、多数決で助監督部会に決定しました。

幹事の選出については全体から六名を選出し、研究会、生活対策、運営委員、を互選することにして、六名連記制投票を行い、間宮、大沼、松原、苗田、山本、渡辺（正）が幹事に決まりました。任期は一年間で、会長制度はなくし、幹事会が部会を代表することになっております。（終了十時半）

つゞいて二月二日に幹事会を開き、充分、論議の果てに担当をきめました。

大沼鉄郎（運営委員、生活対策）
渡辺正巳（〃　研究会）
間宮則夫（生活対策）
山本升良（研究会）
杉原せつ（会報、その他）
苗田康夫（〃　〃　）

特に生活対策のために、協会事務所に助監督部会の動静表を設け、仕事の有無、稼動期間一就働プロ、なども記入出来るようになっています。これはフリーの助監督諸氏のみならず、演出家各位にも便利に利用して頂きたいと思います。

以上で報告としては甚だ粗末で申し訳ないのですが、具体的な事柄については二月十三日の生活対策協議会、二十日の研究会にゆづっておきます。

尚、幹事会としての注文ですが、近来、演出家と助監督との仕事の交流が不定であるために、相互の意志疎通が円滑でないようなので特に、会員の方々から、演出家への質問、或いは演出助手の仕事についての原稿を求めています。非常にあいまいな演出助手の仕事を明確にし、技術の向上を計るためにも是非、投稿して下さい。

幹事会（N）

「作家の自主性のために」に対して　（声）

（諸岡　青人）

先月の会報（NO21）の冒頭に「作家の自主性の為に」と云う運営委員会の言葉が載つていましたが、双手を挙げて賛意を表します。「自主性を守ろうとする努力とその苦斗の経験を、自分一人の中にだけ孤立させず、その話合いをひろめ、深めてゆくことにこそ、作家全体としての自主性確立の道がひらけていると考えます。私達は今、そのことをひろく皆さんに訴えてやみません。」と云つていました。

私はPR映画以外に作品経歴の無い、才能も貧しい作家です。いや作家というにはおこがましすぎるかも知りません。そうした私にとつて、自主作品等と云うのは、思いもよらぬ遠い夢です。たとえどんな悪条件のもとに置かれたとしても、思う存分意欲を満たし作品に自主性を確立できる身分がうらやましくてなりません。

私はスポンサーに迎合したくない、屈服したくない。作家としての自主性を確立したい。私の身体中がそう叫けんでいる。だが今迄どんなにか、その為に一人で苦し

れに基いて、映画会の上映番組を検討し決定した。（別記参照）また、映画会開催準備スケジュールを組み、前売券販売（観客動員）について話しあい、協会員も積極的にこれに協力してくれるよう、よびかけることにした。（別記参照）

協会日誌

一月二十四日（木）
会報才二十一号校正および発送準備。
来訪者　荒井　菅家　島谷　川本

一月二十五日（金）
新作教育映画試写会（一月二十八日）の通知状を発送
来訪者　野田　加藤　中村（敏）　川本　河野　韮沢

一月二十六日（土）
才一回記録映画研究会（於中央区役所銀座東出張所集会室）
来訪者　川本　島谷　大沼　苗田　杉山　菅家　岩佐　かんけ　矢部　丹生　小島

一月二十八日（月）
会報才二十一号出来上り、発送

んで来たことでしよう。然し私一人の力ではどうにもならない事でした。

スポンサード映画の存在は、資本主義社会に於ける派性的産物であるかも知れない。封建主義的な環境に育ち、資本主義的な社会機構の中で思う存分弄されている。そして私はこのスポンサード映画の仕事を止めては喰つてゆけない。早速明日から妻子を路頭に迷わすことにもなる。そうかと云つて、このまゝ目をつむつて済ます訳にもゆかない。ぎりぎり一杯の処迄追いつめられてしまつた。

只、なぶり放題なぶられるまゝに、顔をつき出しているような格好である。何とかして、この窮地から脱け出す方法を見つけたい。

企画活動をしてスポンサーを探して歩くなんてそんな余猶は無い。

スポンサーに注文を受けてから研究を始めるなんて云うのも手ぬるい。その前に何とか方法は無いものでしようか、その方法を見つけることが自主性確立への努力であり、PR映画研究の一つの課題になるのでは無いかと思います。

スポンサーの要求と、作家の自主性とは、永遠の平行線なのでしよ

（松本　俊夫）

会報21号の冒頭に載せられた「作家の自主性のために」のよびかけに、深く同感せずにはおれません。私たちの企業では、社長が社会党議員であるにも拘らず、ビジネスはビジネスと、営利のためには、自衛隊募集用の宣伝映画をはじめ、いわゆる逆コースものも、平気でじやんじやん仕事をとつてきます。私も去年の暮、そのシナリオを書くよう命ぜられ、まさにはいふをえぐるような苦しみを体験しました。私が生きていくことの中で、私が作家たらんとすることとの中で、歴史を逆にひきもどし、人々を再び暗黒の中へおとしいれようとする反動の試みを助けるような仕事をするということは、私の人間の条件を、作家の条件を、自らの手で、内部から崩壊することのほか、何ものをも意味しないということは明らかです。私は拒み、叱られもめにもめて、結局は書かずにすむようになつたのですが、客観的に作家のおかれたそのような状態は少しも変つていないということを、悲しいことながら確認しないわけにはゆきません。短篇映画のおかれた、現在の具体的条件の中で、私たちはともすると作家としての強固な主体を見失いがちです。しかし、現代に生きる作家ということの自覚にみちびかれ、そして作家と呼ばれることが、本来、人間性を守り、人間を豊かにしていくことと深くつながつて、はじめて許されるものだという厳しい事実を確認することによつて、私たちは、私たちの中から奴れいの言葉を拒否し、しめだしてゆく、大きな決意をしなければならないと思います。「現代詩」を中心に、吉本、武井らの「詩人の戦争責任」論争をはじめとして、文学や美術などで盛んに問題にされている作家の主体性と責任という重要な問題を、私たちの中においても、もつともつと広く論じあつていくということ、作家協会とその会報がその有力な「場」となることを期待してやみません。

新作教育映画試写会（於山葉ホール）
来訪者　岩佐　島谷　秦　菅家
荒井　竹内
一月三十日（水）
第一回会費問題審議委員会
一月三十一日（木）
新人会総会（於中央区役所銀座東出張所集会室）
二月二日（土）
第一回事務局相談役会
第一回助監督部会幹事会
新作教育映画試写会（二月五日）
通知状を発送
来訪者　荒井　中村（麟）長野
飯田　岩堀　野田　菅家　丸山
加藤　大沼　間宮　苗田　山本
杉原　渡辺（正）
二月四日（月）
来訪者　荒井　吉見　河野　山添
苗田
二月五日（火）
新作教育映画試写会（於山葉ホール）
来訪者　島谷　川本　中島　竹内
（信）竹内（繁）
二月六日（水）
来訪者　富沢　日高　上野　西浦
二月七日（木）
会報第二十二号編集会議

うか、私はそれをたしかめたい。PR映画とはいえ、映画予算を多額に持つているスポンサーグループと作家グループが一堂に集まり話し合いのできる場を持つ事によつて、両者の慾求を少しづゝでも近ずける事が出来るのではないのでしょうか。

教育（材）映画の研究会で、教師のグループや子供達との話し合いの場が必要なように、PR映画研究の場合も、作家だけの研究会ではなく、スポンサーグループとの話し合いも必要だと思います。

PR映画の脚本演出で、当面の暮しを支えている立場から、以上のような事を考えるのですが、協会としての全体的な立場からいえば、或は京極委員の言葉のように、一括して、「ジャンル別の研究」と云う事で済まされるのかも知りません。然し、案外私のような立場の方が多いのではないかと思いまして、PR映画研究会を設けて頂き度いと切望する次才です。それが、とりもなおさず、委員会の言葉にある「作家の自主性確立」への道につながる一つの緒口だと考えます。

声

（岩佐　氏寿）

助監督部会のみなさんへ。シナリオを書いて下さい。演出志望の人が多いのは知つていますがシナリオを書くことは、いちばん演出の勉強になりますし、手薄なシナリオ陣に新風を吹きこむことにもなり、なお且、よければ、今や持ちこめるのである！喝！

（京極　高英）

いい仕事をしたい。したいが出来ない。等々、どうも暗い話ばかりで、うんざり。皆さん、少し元気を出しませんか。そんな事を話し合つてばかり居ては、少しも作品は生れない。それでも我々の間から、毎年々々すぐれた作品が生れて来ているではありませんか。それより作家の生活を引き上げるような話し合いが協会と製作者連盟とで出来ないものか。

（岩崎　太郎）

註文を出す方は勝手勝手に思いつきを言いたてるけれど、委員諸

氏には交通費さえ出していないとが、何かあたりまえのように思われているのはどんなものでしょう。今年はせめて電車賃ぐらい補償することを考えてはどうでしょうねえ。

（苗田　康夫）

私の推せん作品の基準は、特に一般公開という点に注意してはいないが、映画会において上映する作品を決定する場合には特に注意を払つてほしい。不幸にして一般向きの作品をあまりしらないので、何となく推せんしたのだが、番組を組む場合には特に広い視野から楽しめる作品をえらんでほしい。

（吉見　泰）

京極君がPR研究会についての疑問を出していますが、それについての小生個人の意見を書きます。

——その要望がでているのは、PR映画が現在、作家の最も一般的な場になつているということの上に立つて、PR映画をめぐる諸条

来訪者　加藤　岩崎　苗田

二月八日（金）

助監督部会会合通知状を発送

教材映画授業研究会（二月十四日）読売映画社カラー映画会（二月十五日）加納竜一氏報告講演会（二月十六日）の通知状を発送

来訪者　川本　菅家　竹内（信）　苗田

二月九日（土）

来訪者　富沢　加藤　かんけ　渡辺（亨）

二月十一日（月）

才二回事務局相談役会

才二回運営委員会

才一回映画会実行委員会

来訪者　野田　道林　菅家　加藤　間宮　吉見　八木　丸山　小泉　竹内　中島　原本　大沼　苗田　高綱

二月十二日（火）

来訪者　山本　中島　島谷　小泉　竹内（繁）　渡辺（止）

二月十三日（水）

新作教育映画試写会（於山葉ホール）

助監督部生活対策協議会（於中央区役所銀座東出張所）

来訪者　丸山　野田　菅家　苗田　加藤　かんけ　荒井　肥田

件の中で、作家がその自主性を少しでも守るための、経験を交流し合おうという所にあるのだと考えます。協会としては、そのように受取りたいと考えます。

（下村　和男）

昨年中は御無沙汰致しました。自分の様な素人は仕事など無いだろう。等考えている内に数ヶ月すぎ、だんだんとしきいが高くなり困りました。協会に行つても知つた人も、ほとんど居られませんし……と云う様な事が、つもりつもつて一度も訪ねませんでした。今年はぜひ度々おうかがいして先輩諸氏の御指導をうけたいと思つて居ります。どうぞよろしく御指導下さいます様。

（加藤松三郎）

かげながら才一回会費問題審議会の模様をきいて、なにか一つの明るみをもつた次才です。要はどうして実行に移すかという運営委側の問題となりそうですが……とにかく、みんなが本気にさえなるならば、なんとかなりそうだということ――ちかごろの実感です。

（竹内　信次）

今年こそは協会員である我々一同の生活水準を何とかして高めたいものと願つて止みません。それには先ず協会内規の最低基準を改め、脚本料にしても演出料にしても、これを高め、これを維持する事。それにはどうしたらよいか。皆で考え、皆で実行してゆきたいものと思います。

（日高　昭）

ここ半年ほど長期地方ロケ、その他仕事が繁雑であつたため、協会会合、催しに全く出られず残念に思つています。したがつて角自分の穴の中しかみられない状態の中で、会報は広い視野を齎らす覚醒剤のように味えます。今年こそは自主的な記録映画――目下考慮中の「太陽族記録映画」を作つてみたいと考えています。

（大沼　鉄郎）

原子さん、小高さんの事務局活動に対し、感謝しています。当方の怠慢も反省しますが、それをカバーして下さる人々がいてくださり、ありがたいです。春に、助監督部会でリクリエーションをやりたいと思つています。

（谷川　義雄）

ドキュメンタリー映画の発展に寄与している理解あるPR映画のスポンサーをよんで、話をきいてみたい。PR映画を有力な支えとして記録映画の火が燃えつづけて来た現実からの一案。

（高島　一男）

さいきん「新人会」というあやふやのものから、「助監督部会」という明確なものが誕生した。これを、スクスク育てるのも、栄養失調にさせてしまうのも、要はその会に属している己れの努力如何。がんばりたいと思う。

（丹生　正）

もうすぐ春なんだが、どうだろう。会員で旅行としやれてみる気はありませんか。われわれどこへ行つても、たいてい仕事がついて廻つてるんで、温泉に入つても気分が出ない。大いに駄べつて、気エンを上げて、というのも、たまには悪くないと思う。会費は勿論会員負担だが、安くて、が才一条件で一寸いけるところを、誰か考

二月十四日（木）
来訪者　丸山　赤佐　竹内
二月十五日（金）
来訪者　菅家　大沼　島谷　前田
かんけ　小島
二月十六日（土）
加納竜一氏報告講演会（於映教会議室）
来訪者　中島　丸山　菅家
二月十八日（月）
来訪者　中島　竹内（繁）菅家
加藤　荒井　赤佐　大沼　杉山
二月十九日（火）
会報才二十二号の編集つづく
来訪者　丸山　かんけ

原子氏「自映連」へ
事務局の人事変る

「自映連」の発展的改組にともない、長い間協会と事務所を同じくして活躍してきた技術集団が、三月一日をもつて「自映連」に合流し、事務所を世田谷下北沢の自映連事務所内に移転することとなりました。現代撮影協会、東宝芸術家協会（撮影部）等と共に、職能別単一組織が出来上るわけで、心

えてみる気はありませんか。

（韮沢　正）

「算数映画」教室で先生がやれるという理由で不選定になりました。しかし現場の先生はこの映画のように親切に整理して生徒に教える事の出来る先生はほとんどいないだろうと云つていました。

文部省のオエラ方と現場の先生と、どちらが本当なのでしょうか、

又、画の数字の書き方が少々きたなく生徒に悪影響を与えると云うのも理由だそうですが、そんなこまかい事に大影響を受けるような子供なら、チャンバラを見たらどんな影響を受けるのでしょう。

心配する所が違うのではないでしょうか。

教育映画の評価方法に就いて作家協会で話合をしては如何でしょうか。

（清家　武春）

何時も連絡不充分で申訳ないと思つて居ります。今年からは、協会へのお便りも、新人会や各種の研究会にも出来るだけ出席して勉強させて頂かなければと考えています。一九五七年、今年こそはナントカしてナントカしなければならない年ですから。何卒宜敷くお願い致します。

一九五六年度推せん作品投票について

さきに会員各位におねがいした一九五六年度当協会推せん作品投票は、去る二月十日をもつて最終的に〆切り、その集計は次の通りになりました。

投票者数　六二名
総投票数　二三六票
推せん作品および票数

①生きていてよかつた　四四票
②絵を描く子供たち　二七票
③九十九里の子供たち　二一票
④ビールむかしむかし　一二票
⑤双生児学級　九票
⑥雪国の生活　九票
⑦谷間の学校　七票
⑧流血の記録「砂川」　七票
⑨野口英世の少年時代　六票
⑩鬼太鼓　六票
⑪結核と斗う　五票
⑫カラコルム　五票

五匹の子猿　ひまわり日記　各四票

根のはたらき　一九五六年メーデー　太陽と電波　各三票

わたしたちのリズム楽器　幽霊船　中学生　花と昆虫　百人の陽気な女房たち　コトバと態度　社会保障　雪舟　漁村のくらし　いけばな　生きている絵　日本の鉄鋼　露地のある街　クロロマイセチン療法　雲のできかたかわりかた　愛は惜しみなく　各二票

運動靴　水泳　食中毒　麦死なず　佐久間ダム　学校劇　コロと車　志野　がんばれよつちん　白いきこりと黒いきこり　小さな探偵　つるのはね　風の又三郎　ギニョールと二人の少年　少年合唱団　少年音楽団　桂離宮　明るいガラス　丘の上　新

からお喜び申上げたいと思います。

と同時に、技術集団と当協会の事務局を兼務して来られた原子英太郎氏は、技術集団と共に自映連事務局に移られることとなりました。

こゝに、原子氏の自映連転出をお知らせし、あわせて協会発足以来、絶えず協会の発展に尽力して来られた原子氏に心から御礼を申上げたいと思います。

原子氏は教育映画界にも古い顔なじみであり、会員諸氏の契約事務等に残された業績は決して少くありません。また協会が過去二ヶ年余の間、経済的な危機に見舞われたことも再三でありましたが、原子氏はその誠実さをもつて、よくその困難を切り抜けて下さいました。

当協会が、いよいよ巾広い活動を展開しようとしている矢先き、氏が協会を去られることはまことに残念でありますが、以上の経過を御報告して会員諸氏の御諒解を得たいと存じます。

（菅家）

☆　☆　☆

しい米作り　北風の吹く日　り
ズム運動　高血圧　売春　広重
点字の世界　　　　各一票

以上であります。
尚、御投票された方々に厚くお礼申します。

映画会
上映番組について

さる二月十一日、運営委員会と才一回映画会実行委員会をひらき才二回推せん教育映画の会における上映番組を検討した。当日は前記推せん作品の票数を尊重しつつ、また作品のジャンル別の問題、映写時間の問題、更に一般に見てもらいたくても、なかなか見てもらえない作品、などの点を考慮しながら検討し、別記のような番組を編成した。

会計報告

一月分

一、収入之部	
現金前月繰越高	三五、〇四〇
維持会費	二九、九八〇
前納会費	二〇〇〇
雑収入	七七〇
未払金	一三、六〇〇
計	七九、五九〇
一、支出之部	
交通々信費	七、七二六
雑費	五、七六〇
文房具費	一、五六〇
事務所費	一二、二四六
消耗品費	七五〇
新人会費	二、五五〇
諸手当	二五、〇〇〇
研究会費	三〇〇〇
プリント費	一三、六〇〇
計	六九、四五二
一、差引之部	
現金翌月繰越高	一〇、〇九八

振替口座開設のおしらせ

来る三月一日より、振替口座を開設いたします。東京九〇七〇九番、教育映画作家協会です。こんご会費、健保料などを郵便によつて協会へ御送金下さる方は、この振替を御利用下さい。御一報下されば振替用紙をお送り致します。全国どこの郵便局でも、手数料不要で、簡単安全迅速に御送金ができます。

編集後記

☆この才二十二号から初めて編集部会の編集となつたわけだ。でもあいにくと肥田・松本・樺島の三君ともロケ中のため、中村女史などとはかつてお茶をにごさざるをえなかつた☆従つて（というと彼女にはヘンだが）まだあまり変りばえがしないのは事実と思える。やはり今後はもつと対外的な記事も考慮したい☆いよいよ吉例の協会「推せん」映画会がせまつて本号でも巻頭文でそれを取上げる。上映作品の選考はあくまでも会員投票の集計（別項記載）を基本として、あれこれとかん考のうえ運営委員会で決定された☆あるいはご不満のむきもあるかもしれないが、やはり要は他人事ではない自分たちの映画会だということである。できるだけご協力のほどをお願い申上げたい☆次は前号野田氏の場合と同様、私の総会報告「短篇映画の年間動向」は本号にのせた。どうも長すぎて申訳もないがこれも総会記録の一つとしてご参考になりえたら光栄の次才☆つづくは貴重な報告が四篇ー野田氏の「記録映画研究会」岩佐氏の「子供を守る会」の各報告。従来の協会新人会もこんど改称されて、その「助監督部会の報告」、加納竜一氏の「教研集会の報告」は既報の金沢大会をきく当協会研究会の収録記事である。大いにおよみいただきたい☆やはり研究会活動などはタンマリと別号でいきたいものだが実現はなかなかで残念だ。また会[illegible]問題審議委員会は熱心な専門委員のもとに進行中である。まだとりたてて成果はできていないが、目下のところは別記報告の通り☆例によつて会員の「声」が少なく、たつた十五氏（全会員は百六十！）とはどうしたものか。まさか皆さんが満足しているから「無言」とは思えない。いや「あきれてモノもいえない」とあれば運営委会も頭がいたむ☆だが前号の巻頭言にこたえた新理研からの「松本発言」と諸岡氏の「運営委の言葉に対して」、また賛助会員として木村荘十二大先輩の「新入会に際して」などは特記さるべきであろう☆最後に原子英太郎氏は三月からお別れ（技集と同行）するが、改めて編集部員としても心から感謝をささげる。　（加藤）

教育映画作家協会々報

1957.3.25

教育映画作家協会

東京都中央区銀座西8ノ5日吉ビル4階 TEL (57) 2801

No. 23

臨時総会を前にして

脱皮ということはかくもその苦悶切なるものかな。

協会の質的発展を控えての維持会費制度改訂に就て、会費委員会並びに運営委員会は全く惨たんたる苦心を重ねてしまいました。

別掲の報告のように、事務所費、人件費のほかに、必要な活動費を加算すると最低月額六万八〇〇〇円かかります。そしてどんな制度を考えてみてもそこからの収入総額が、六万八〇〇〇円を割るわけには行かないのです。

迂よ曲折の末、考え方として、一律会費制度が基本であることに一致しました。たゞ、一本の作家と、専ら、協会の斡旋に依存し、且収入も比較的少ない助監督部会との扱いは別にすることにし、助監督部会は助監督部会として、一定の負担額を協会に収めるという形を考えました。

そして、一本の作家の月額会費は企業所属、フリーを問わず一律に三〇〇円でおさえることにしましたが、それでは到てい、まかない切れないので、フリーが仕事をした場合、それに加えてギャラの1%（現行4%の引下げ）、更に協会が斡旋した場合の斡旋料を1%収めて頂くことにしてみました。

しかし、なお且つ、最低の月額予算を満たしません。

そこで、われわれはこれを積極的な事業活動に求めることにし、色々知恵をしぼり合いましたが、これも別掲の報告のように、プロダクションとの共同事業をできる所から計画し、各プロダクションからの基金を集めてやつてみることにしました。

すべてこれ、無い袖をふりつゝの、苦計でありまして、事務所の移転問題さえ話題にのぼつたほどです。

われわれはこうした重大なかん頭に立つています。会員諸兄の責任ある御討議を切望してやみません。

（運営委員会）

臨時総会のおしらせ

協会の維持会費徴集制度改訂のための臨時総会を右記のように開催いたします。ぜひとも全会員もれなく御出席下さいますよう、おしらせとおねがい申しあげます。

尚、どうしても御出席できない方は、同封の委任状はがきを必ずお送り下さい。また出欠についての御返事も同様におねがいいたします。

臨時総会　とき　昭和32年4月6日(土)午後6時ヨリ
ところ　銀座3丁目新聞会館2階会議室

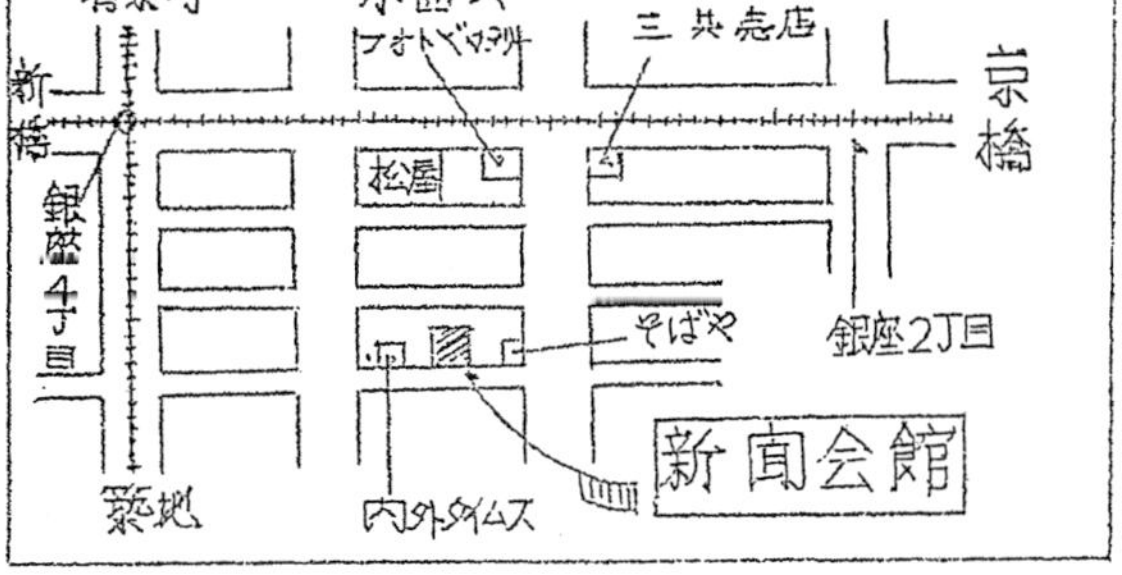

1956年

教育短篇映画の製作状況調査成る

一八七社　七五三種　一六八八巻

—日本映画教育協会調査—

日本映画教育協会では、例年通り、昨年一ケ年間に製作された教育短篇映画についての調査を行っていたが、このほど集計がまとまった。これによると、一九五六年度の製作状況は次の通りである。尚この集計は参考となるべき点を多く含んでいるので、とくに同協会の御好意により、同協会発行の「視聴覚教育ニュース」オ三六六号より、この集計記事を転載したものである。

製作者別の作品数

一九五六年（一月より一二月まで）に製作された教育短篇映画の総作品数は、七五三種・一六八八巻で、製作者数は一八七となる。

主なる製作者について、この状態をみれば次の通りである。

☆製作者別

NHKテレビ局（五〇種一〇四巻）・日映新社（三四種八四巻）・新理研映画（三一種七三巻）・東映教育映画部（二八種一〇四巻）・読売映画（二七種四四巻）・岩波映画（二六種七二巻）・日映科学映画（二〇種三九巻）・東京テレビ映画（一六種三一巻）・日大映画学科（一五種四五巻）・電通映画（一四種三四巻）・栃木県広報課（一二種一四巻）・理研科学映画（一一種二九巻）・伊勢プロ（一一種二七巻）・毎日映画（一一種二五巻）・東宝プロ（一〇種一七巻）・神奈川ニュース（九種一〇巻）・東京シネマ（八種一五巻）・日本短篇映画（八種八巻）・三井芸術（八種一四巻）・学習研究社（七種一二巻）・銀座らくら屋（七種一二巻）・世界文化映画社（七種一〇巻）・大和映画（七種一三巻）・西川発声映画（七種一一巻）・ファースト映画（七種一二巻）・映画日本社（六種一七巻）・国映（六種九巻）・三陽映画（六種七巻）・大日本相撲協会（六種一〇巻）・NTV（六種一二巻）・福島県広報課（六種一一巻）

以上が製作者別にみた状況であるが、前年に比べてめだつのは、上位の製作量が平均して数量の大きさを示していることと、五五年では上位をNHKテレビ並びに東京テレビのテレビ用映画にしめられていたのに対し、昨年は、上位はNHKテレビのみであり、教育短篇映画の伸長が上位数者をみただけでもうかがうことができる。

☆製作フイルム巾

各々の製作者による製作状況は以上の通りであるが、これを一六ミリ撮影作品やカラーフイルム使用状況等から製作フイルム巾をみると次のような状況となっている。（カラー及びパートカラーの数量は総作品の中でしめる量）

(1) 製作フイルム巾

作品総数		三五ミリ作品		一六ミリ作品	
本数	巻数	本数	巻数	本数	巻数
753	1688	390	994	363	694
		51・8	58・9	48・2	41・1

(2) カラーフイルム巾

175	415	115	278	60	137
23・2	24・6	15・3	16・5	8・0	8・1

(3) パートカラーフイルム巾

13	30	7	22	6	8
1・7	1・8	0・9	1・3	0・8	0・5

（註）作品数の下の数字は作品総数に対する％

表でもわかるように、当初から一六ミリ撮影による作品が全体の約半数にのぼること、カラー作品が五五年の八五種に対して昨年は九〇種の増加、すなわち二倍余の上昇率となっていることは後記の教材映画等の増加と共に最も注目されることである。

教材ものと児童もの

当初から学校教材、社会教育用等の目的で作られた作品はどうかというと、前記作品傾向の中にもふれているが、昨年は飛躍的な増加を示している。これは昨年を境界として教材製作の体制が本格化してきた証左でもあり、映画教育運動の新しい発展を物語っていることにもなり、最も注目される現れと断定してもよいといえる。そしてそのほとんどは、体系的製作を基盤としている。

内容的にみると、次の通り。

☆学校教材用〃

八五種（一一・三％）

一二〇巻（七・一％）

この中で一六ミリ作品は六六種（七七・六％）・八九巻（七四・二％）、カラー作品は五種（五・四％）・九巻（七・五％）となつており、ほとんどが一六ミリでしめられている。内わけは次の通り。

社会科（二一種三七巻）・理科（三九種四六巻）・算数（六種六巻）・保健体育（六種八巻）・職業家庭科（五種五巻）・音楽（二種四巻）・図工（二種四巻）・教科外（二種三巻）・現職教育用（二種七巻）。

体系的作品は次のようなものがある。

「新日本地理映画大系」三種・「日本地理教材映画」四種・「学習映画大系」七種・「社会科シリーズ」一種・「教材映画シリーズ」二種・「日本百科映画大系」五種・「理科映画大系」五種・「実験観察シリーズ」四種・「電気シリーズ」二種・「算数教室」二種・「体操教室」三種・「産業教育シリーズ」五種・「楽しい学習映画シリーズ」二種・その他「東映教育映画部学校教材」三種・「文部省現職教育用」一種、他。

☆社会教育用〃

二四種（三・二％）

五四巻（三・二％）

この中で一六ミリ作品は一一種（四五・八％）・二一種（三九・一％）あり、約半数が一六ミリ作品となつている。内わけは次の通り。

職業教育（二種五巻）・団体活動（四種九巻）・青少年教育（六種一三巻）・保健衛生（一種二巻）・道徳家庭教育（五種一二巻）・生活改善（六種一三巻）

体系的な作品は次の通り。

「全視連企画作品」二種・「東映社会教育用」三種・「文部省企画作品」六種・「新文化映画ライブラリー」二種、その他。

☆児童劇映画〃

四〇種（五・三％）

一九〇巻（一一・三％）

児童劇映画の増加も学校教材同様、著しい飛躍をみせている。その主な製作は、東映教育映画部と民芸・教配によつてしめられている。主な作品には、「われは海の子」「少年合唱隊」「がんばれヨッチン」「川風の子等」「いねむり一家」「風の又三郎」「えんぴつ泥棒」「父と子と母」等がある。なおこの中で一六ミリ作品は五種一八巻ある。

☆動画・人形劇〃

一三種（一・七％）

二一巻（一・二％）

この種の作品は、三、四年前にくらべると増加というほどには至らないが、五五年の低調さにくらべると昨年は飛躍をとげているといえよう。けれどもその主なものを拾つてみるといわゆる漫画映画は低調で、目立つ作品は、人形劇映画に集中されている。

「五匹の子猿たち」「ちびくろさんぼの虎退治」「白いきこりと黒いきこり」「幽霊船」等が主なもの。この中でカラー作品が五種七巻をしめている。

新入会員

川崎　健史　彦根市東新町四三
（賛助会員）

（一月　日付入会）

岡　秀雄　練馬区中村町三ノ六七八　（記録映画社所属・演出）明治四十二年八月生。十字屋文化映画部企画課、日映文化映画部企画課などに勤務し、現在記録映画社にて演出作業中。

水上　修行　鎌倉市長谷一二一（フリー・脚本演出）大正十四年三月生。日本映画学校撮影科および東北大学文学部英文科卒業。昭和二十年より同二十三年まで松竹大船撮影所に勤務。作品―昭和二十九年「夕空はれて」四巻、昭和三十年「オルゴールの少女」五巻「ともだち」四巻「涙のホームラン」四巻昭和三十一年「私のおとおと」五巻、「この子らに光を」五巻昭和三十二年「十八鳴る鐘」六巻、いずれも脚本監督。

（以上三月四日付入会）

製作主体からみた傾向

以上で作品内容の傾向を概説したのであるが、さらに製作の基盤はどこにあるかについてみてみよう。

☆自主的製作によるもの

一応自主製作といえるものは、二二八種（二九・〇％）五四五巻（三五・三％）となっており、このうち教材児童劇等を除く作品数は五六種一六〇巻ある。

☆テレビ用映画

これはNHKテレビ局・東京テレビ映画・日本テレビ放送網を中心とするもので、スポット・テレビニュース等を除く短篇映画にまとめられたもの。総数、七七種（一〇・二％）一五七巻（九・三％）で内容は、前記の作品内容別分類表に示す通りである。

以上の他はそのほとんどがスポンサー付若しくはこれに近いPRものとなっている。これが四五八種（六〇・八％）九八六巻（五五・四％）、五五年にくらべると全体比で四％下っている。なお米国大使館が日本の製作者に委託した作品VSIS映画は、この中に五種一三巻含まれている。（製作資金の出所やPR映画製作主体については後でふれるのでそれを参照されたい。）

一六ミリ版の市販の傾向

製作況状は以上であるがこの中で最も問題となるのは、一六ミリ版としての発売状況であるがこれは昨年では、次のような傾向となっている。

総発売作品数　二八五種（三七・八％）六五六巻（三九・五％）

内わけは

A・自主的なもの＝一九五種（六八・四％）四五二巻（六八・九％）

①教材もの等　一六二種三八六巻

②その他　三三種・六七巻

B・PR映画等＝九〇種（三四・五％）二〇四巻（三一・一％）となっており、五五年総市販数一八五種にくらべると大きな飛躍がみられる。

なお、五五年の内わけは、自主的なものが七五種・PR映画等が一一〇種となっている。

海外向作品

教材映画の躍進

去年一ケ年間の教育映画の製作状況は、一昨年にくらべて全体に三割がたの上昇を示し、上昇率も戦后はじめてのもので、教育映画の製作がいよいよさかんになってきたそのいきおいのほどがよくうかがわれる。くわしくは本紙掲載記事のとおりであるが、その中で特に著しく、注目をひくのは、教材ものが目ざましいのび方をみせていることで、学校教材をはじめ社会教育用、児童劇などそれぞれ一昨年の三倍というふえ方で、教材関係のわく内だけでみると、在来の自主製作と委託ものとの割合が逆転して、自主が委託よりも多く、しかも二倍以上の割合で委託をひきはなしてきていることである。つまり昨年度を境にして教材ものの製作がいよいよまともな態勢にうつってきたものとみることができ、今年に残された課題としては、地域ライブラリーの発展とにらみ合せたこれら教材の内容かためであろう。（視聴覚教育ニュースより転載）

会員の動静

中島日出夫　「食物の好き嫌い（一巻）」日本テレビジョンKの演補。テレビに出すので仕上り十三分（前後にコマーシャルが二分つくとのこと）にせねばたらぬとは頭の痛い話で、スタッフは苦笑しています。　――三月一日――

頓宮　慶蔵　四ケ月ぶりに、やっと退院しましたが、尚自宅療養がつづきます。御無沙汰ばかりで恐縮です。――三月二日――

永富映次郎　新理研映画「憧れの大空」演出中――三月三日――

高井　達人　「演奏のいろいろ」を終え、今は次回作品を待っています。　――三月三日――

丸山　章治　生れてはじめて音楽舞踊映画をプレスコでとりました。こんなムズカシイこととは思いませんでした。みんなのこういう経験の教え合いがあったら、もっと楽だったろうと考えます。どうしてそうならないのか？「雅楽」録音アリ。こんど

海外貿易の促進や、日本の国情、観光地紹介を目的とした海外向作品の製作状況は五六年においても変らずに多く、五八種一四一巻ある。

作品としては、鉄鋼造船金属等（一一種二四巻）・車輌（三種六巻）・電力電機（五種一三巻）・諸機材その他（一一種二二巻）・水産（五種一一巻）・化学工業（二種四巻）・日本の紹介その他（二二種六一巻）があり、カラー作品もこの中に多く、四一種一〇一巻ある。

映画館上映のものその他

映画館に上映されたものは、昨年は非常に多くなつて、従来の傾向を相当変化させている。これは、一般的な教育映画に対する関心の盛りあがりや、ジャーナリズムのあおりも多分にあるが、とに角まともな作品が映画館に数多く出るようになつたのも昨年の特徴の一端がうかがえるわけである。

主な作品は「カラコルム」「絵を描く子供たち」「双生児学級」「われは海の子」「野口英世の少年時代」「えんぴつ泥棒」「南極捕鯨船団」「佐久間幹線」「生きていてよかつた」「売春」「マナスルに立つ」等、それに相撲・プロレス等のものがある。

内わけは、「相撲プロレス野球大会記録等スポーツ」二三種四八巻・「児童劇等」六種三三巻・「その他芸能関係」四種一四巻・「その他記録映画等」二七種一〇三巻となつている。

この他にローカルニュースが、二〇都道府県市によつて、一四二種一五〇巻・その他のニュース・グラフ等が五三種五三巻を八者によつて製作されている。

声（1）

（中島日出夫）

記録映画研究会の才二回報告（会報No22）で、「愛は惜しみなく」の問題が取上げられていました。内容の大きさに対して紙面が余り狭ますぎて惜しい討論です。

スタッフの御意見も聞けたらもつとよかつたと思います。そこでもつとスペースをうんと取つてジックリ再討論していただければ、私のような新人にとつて、又とない勉強になると思います。

（永富映次郎）

私は従来殆ど自分の作品は自分のシナリオで演出していましたが、最近他人のシナリオで二作ほどやりましたが、痛感したことは、シナリオに書かれていることが現実（現地）に合はなかつたり、余りにも変つていることでした。この問題で会員諸兄の意見を聞きたいと思つております。

（丸山　章治）

運営委員というものになつて、協会の苦しさが、つくづくわかつた。どうしてこんなに金があつまらないのか、イヤになつてしまう。会費がてんであつまつてこなくては、運営もヘチマもあつたもんぢやない。仲間同志でちいさな集団をつくつていたときには、こんなことはなかつた。みなさん！会費をはらつて下さい！

（間宮　則夫）

岩佐さんへ、助監督たちよ、シナリオを書け！との御激励、ありがとうございます。御言葉にはげまされて、大いにはげみたいと思います。どうかよろしく。

はPRもの。――三月三日――

豊田　敬太　東映作品「煤煙の町の子供たち」（三巻）岩佐氏のシナリオ待ち。三月下旬頃からクランク・インの予定。――三月三日――

間宮　則夫　東京シネマ　東北のまつり才三部　編集、録音、三月末完成いたします。野田さんの助手をしています。――三月四日――

田中　喜次　引きつづき電通映画の仕事をして居ます。――三月五日――

苗田　康夫　短篇劇「赤い帽子」の助監督。劇は滅多にやらないので、俳優とか、衣裳、小道具、美術とか、厄介なことばかり。四月上旬アップ予定。――三月五日――

徳永　瑞夫　「豊後の石仏」「筆のはなし」を春から清水浩さんと一諸にやる予定で脚本検討中。一昨年から準備中の炭坑失業者のこどもの生活（「黒い砂」）記録、ようやく撮影開始の見透しがつきました。今年は無所属で自主作品だけを五つほど作る予定です。――三月五日――

京極　高英　「土と肥料」の撮影

社会教育映画について

石本統吉

1　試験問題

○　教育映画作家資格試験問題
（社会教育映画部門）

一、左の五問について答えて下さい。

1　社会教育課視聴覚教育係
2　全視連
3　地財法
4　関東補給部
5　地域AVL法案

二、貴下の見学した社会教育映画上映の現場について一例をあげ、感想を記して下さい。

右は、過日、映教で行われた国家試験の際の問題の一部。？

2　社会教育映画を知らない。

事実、我々は、映画法撤廃以来、唯一の、我々の作品の上映場であり、マーケットである学校教育、社会教育の現場を知らなすぎる。

知らなすぎてもすんで来たわけは、製作費の出どころはPR映画のスポンサー、従って製作者や作家の顔はスポンサーの方を向いて来たし、また、興行成績や販売成績も、この場合、第一義的と云うわけでない。たゞ一部ジャーナリズムの好意的、同情的な支持とアマい評価に頼って来たところがある。だから利用者については、どうせ、映画には素人、せいぜい勉強して作る方について来いと云った自負と底意がないでもなかった。足の方を靴に合せろーと云ったクチである。

この点、利用者側にもオチがある。

第一にその映画の使い方がマチマチなことだ。巡回興行映画と寸分違わぬ娯楽提供式から教室単位の学習一方のそれまで幾通りもあるのだからたまらない。使い方がマチマチなら利用者たちの考えもマチマチだ。

第二にこのマチマチな小さなグループ群がそれぞれ貧乏なくせに、映画といった出版物と同様、数がはけなければひき合わぬモノに対して、マチマチな注文を出す。これでは製作者側もたまらないから、八方美人式な水陸両用の作品を作りがち。従って、ドッチツカズのピンボケ映画も多くなる。

それなら、そうした団体が一緒になって意見を一つにし、金を出し合うようにすればよいものを、現実はナカナカそうはゆかない。従って、これ等の連合体は弱体であった。

つまり、需要が散在し、その波にもムラがあったから、作る方は映画の再生産費を利用者側に期待しないで、一挙に製作費を保証するスポンサーに頼る。このところに製作者側と利用者側との間の不幸なギャップが続いた。

ところが、この二三年来、教材の共同利用という点から、地域フイルムライブラリーの趣旨がかなり徹底し、フイルムの共同購入利用に伴って、映写機さえ備えればAV教育の実施も容易だということが判って来た。

一にも二にも地域AVLと云うことで押して来たカイがあって、

にかかっています。これ又「十二指腸虫」と同じように科学映画で全く如何なるめぐりあわせか、こうした映画を演出しようとは。全篇説明的場面の連続のような気がして、いまさら科学映画の得意な方々の御努力に敬意を表したい気持です。「青年」は調査中です。

――三月五日――

加藤松三郎　例によって日映科学ほかPRものに追われています。景気のほうはさっぱりですが、いそがしさだけは「神武以来」です。

――三月五日――

野田真吉　「東北のまつり」（第三部）（東京シネマ）三月下旬完成予定。「けがはどうしておこるか」（東京テレヴイジョン）三月中旬クランク、四月上旬完成。

――三月八日――

村田達二　芸術プロの「八十番目の国」演出中、四月一杯で終るかどうか。現代というものを考えさせられる主題です。矛盾に満ちた自分自身の問題でもあり、苦しんでいる次第。

――三月九日――

高島一男　明日、ひるの汽車で越後にたちます。ダムの写真で

その数も増えたし、質も向上して来た。映画機が増えれば、自然巡回方式も少くなる。巡回が減れば上映のテーマに従っての選択貸出が盛んとなり、当事者たちも自主性を持ち、張り合いも出る。

こうして、学校、社会AV教育が地について来たから、最近は、この教育専用の作品、つまり、このマーケット自体でペイする所謂「自主作品」教材映画が増えて来たことも当然の勢いであろう。

3 社会教育映画とは

ここで社会教育映画と云われているのは概念的な一般成人教育映画ということではない。

戦后、アメリカ軍CIEが一、三〇〇台の映画機、一〇、〇〇〇巻のアメリカ文化映画を揚陸して全国に上映網を布いた。占領政策の短期達成のため「日本の民主化教育」をAV手段によつたものではあることは先刻、御承知のこと。

その実施体制は、各都道府県の社会教育課が、占領軍の監督下に、その中心となり、都道府県立図書館の中にAVライブラリーを置き視聴覚教育係長が指揮して、各地くまなく巡回映写をする。関東、関西、東北等の大区分ごとに、その兵器廠と云えるAV資材の補給と修理、運送といつたことを担当する補給部を設けるといつた形であつた。

これが占領費をもつて、猛烈な勢で遂行された。その上映法も極めてオーソドックスな事前、事后の討議、指導ということが厳格に指示され、ついでに娯楽映画の便乗上映などと云うことはトンデモハップンであつた。

これが占領中の映画による社会教育の本体であつて、この体制、方法が現在も力強くあとを残していることはよくお判りと思う。

右の占領中、アメリカ文化映画だけではモタなくなり、国産のCIE映画が作られ、又日本の中央諸官庁も右にならつてPR映画を作つたから、ここに、我々の出る幕が一つ出来たことになる。占領が終つて独立となり右の体制はそのまま日本にひきつがれた。

しかし、今度は、各都道府県の公費でまかなわなくてはならない。その上各、自治体が次才に赤字となつたから、とうてい、占領中のようなハデな具合にはゆかなくなつた。中には補給部と縁を切る県も出て来た始末。そこで、巡回先に費用をイクラカ持つてもらうところも出来、それが娯楽映画も併映することになつたものである。

一方、上映先の費用負担と云う形が、よい方に固定したところでは、次才に、地域AVLが生れて来て大勢は県費から地域の公費その他これに代る拠金という形に進行しつつある。

現在、社会教育映画の上映方式は、娯楽映画を併映するプログラムによる一連の映画を興行映画と同様に見せ放しで見せる巡回式のものから、定期に教育映画だけを集めて一定の場所で見せているやり方、青年団、母の会といつた特定の対象だけにその日の研究テーマに副つた小数の映画を提供する学習的な方法、又、家庭映画会といつた小集団対象の定期上映等の各種各様な上映法が行われている

大きな傾向としては、巡回方式から次才に学習的な方式に移る様子を見せていることは前述した映写機、地域AVLの増加という形からしても判ることである。

4 全 視 連

さて、右の各都道府県のAV手段による社会教育団体の全国組織

す。十日程で帰る予定。

――三月十日――

黒木 和雄 「ガスの供給」演補クランク中です。

――三月十日――

深江 正彦 生活改善をテーマにしたものを製作の予定でしたが最近、保健所の仕事を紹介した「健康への道しるべ」を手がけ完成を待つて、今度は警察の科学捜査陣の活躍を撮ることになり、いずれも既製のものが多くそのとりあげ方に苦労しています。

――二月十一日――

尾山 新吉 目下、種々と、計画しておりますが、仲々具体化する処までいたらず、それでもなんとかがんばつております。その内、みなさんの御援助をお願いするようになるかも知れません。その節、宜しくお願いします。

――三月十一日――

岡本 昌雄 教材映画「雪と氷」と「日本の気象」併行でいささか頭が狂つてきたようです。会の方の任務も、ともすれば忘れそうです あしからずおゆるし下さい。――三月十一日――

島谷陽一郎 すつかり落ちめになりました。自分を反省してます

が全国視聴覚教育連盟略して全視連という連合体なのである。 その中心層となつているのが、各都道府県社会教育課の視聴覚教育係長というお役人さんたちだ。一方学校教育の方の全国組織が学視連詳しく云えば、日本学校視覚教育連盟この方は、各地のAV教育による学習を行つている先生方の連合体。

全視連は行政的、学視連は研究的と云つた性格の相異はある。

5 全視連広島大会

この三月二一日から三日間、広島市で全視連才二回の全国大会が開かれた。 会するもの九〇〇と云われ、全期間中、まことに充実した大会であつた。 主催者たる広島県はモチロンだが、地元の広島大学、国鉄等の協力はまことに見事。 新築の、東京都庁を思わせるモダンな県庁の中で四部会にわかれて、寸刻も惜しむ熱心な討議研究が行われた。 由来、全国大会というものは、トカク、お祭り騒ぎに終るところが、今度はそうでない。

参会者は、いずれも、各地で地域AVLを根城に相当、実践をつんだ人たちばかりか発言はいずれも他について、従来のような浮ついた論議はなく、全国的にAV教育の実績があがつて来たことをしみじみ感じさせられた ただ、この真剣さの裏には、極めて悲壮な現実があることを知らされた。即ち、各都道府県とも地財法、つまり地方財政法の適用をうけて、地域AVL要員のうち、学校教員をこの三月かぎり引きあげられるところが多いと云うことだ。 現実には、地方末端の社会教育、ことにAVLの指導者には従来、学校教員が多く動員されていた。 教育技術を持つた之等の要員が社会教育にあつても、その実績をあげて来たのである。 ところがこれが引きあげられたのでは、せつかくここまで辿りついた地域AVLを中心にした社会AV教育が、大げさに云えば、崩カイに近いことになる。 深刻、痛切な問題なのだ。

この対策をどうしたらよいか。

AV教育そのもののPRを各自が不断に実践すること。AVL要員の身分を保証する適切な対策を立てること。 大きくは、地域AVL法案の成立を促進すること等に全員が全国的に協力一致すること等が万雷の拍手のうちにこの大会の結論となつたのも当然であつた。

カリキュラムに従い、単元があり、所定の学習時間の中に進んで行く学校AV教育と異なり、社会AV教育は多岐、多端であり、容易ならぬ困難と混迷を伴う。

しかも、日本全体の教養を高めるため、一般成人に対するAV教育は欠いてはならぬ時 まず、痛感されることは、あらゆるこの面での実践をムダなく果すための基本的指導理論の確立ではなかろうか。

声（2）

（野田　真吉）

最近よんで大変役にたつた本を三冊。△現代の演劇（ローヂエ・ヴイヤン）△映画シナリオ論（エイゼンステインその他）△映画言語（マルセル・マルタン）ともにほん訳書。ぜひ若い方々におすすめしたいと思います。よんで話しあう会でもしたいと思いますが、どうでしょう。

が、もう何もいうことありません。

——三月十一日——

竹内　繁　東邦プロダクションへ二月の末より、イーストマンカラーで「カネカロン」（仮題）を撮影中。相手が小さなせんいだけに大変です。四月中旬に中間プリント、七月に残りを撮り完成は九月の予定です。

三月十二日より二十五日まで横浜。三月二十八日より四月十二日まで京阪神方面へロケ。

——三月十二日——

楠木　徳男　教材用のシナリオ「瀬戸内海の漁村」を、一応何とか書きあげ、七日から岡山方面へロケに出ます。まだ冷い汐風に吹かれ、静かな美しい瀬戸内海にある漁村のくらしを、何とかうまく掴みたいと思つています。今のところ自信はありませんが、精一杯の仕事をしてくるつもりです。

——三月十二日——

山岸　静馬　日本短篇「音」のシナリオを書きあげたところです。

——三月十二日——

西尾　善介　「黒部峡谷」完成。

日映新社——才二部着手したところ、ごたごたして工事記録

会費審議会の経過と提案

会費は定額制を基礎に

運営費は事業活動にも期待

才三回定例総会の決定にもとずき、運営委員会はここに臨時総会のための議案を提出致します。この議案は、会費審議委員会の三回にわたる正式会談の討議を基礎として作成されたものでありますが、問題の困難さと重大さのために、その細部については目下審議を継続している点も少くはありません。併しながら三月十一日の会費審議会と運営委員会の合同会議に於いては、会費問題についての基本的な見解の一致を得ましたので、紙上をもつて取敢えずその大　を提示し、会員諸氏の御批判を仰ぐ次才であります。

一、会費審議委員会の経過

☆才一回会費委員会（一月卅日）

この委員会では運営委員会から依頼を受けた審議委員の殆んど全員が集り、まず才三回定例総会に示された事務局提案の四案に対する再検討から入りました。この日の討論では、事務局四案の分析に止まり、新な具体案を発見することは出来ませんでしたが、特に注目しなければならない問題点として、従来の協会運営が全面的に会員の会費に依存していたことと、今后は協会の独自な事業活動によつて会費の引下げを行うべきであることなどの意見があげられたのであります。その結果として、審議会は事務局に対して次の三点を調査するよう依頼しました。

① 協会を法人化（例えば社団法人）することによつて、会員の契約金徴収や納税処理を便利し、協会もそれらの回転資金によつて有利に運営することは出来ないか。

② 会員の製作した映画のテレビ上映についてプロダクション側と話し合いを行い、上映料の一部を協会基金に当てゝ貰うことは出来ないか。

③ 事業活動としての雑誌出版によつて事務局人件費の一部を補うことは出来ないか。

事務局は以上の三点を調査することとし、会費審議会は次回までに従来通りの％制とするか、一律会費制とするかの原則について更に問題を深めてくることとなりました。

☆才二回会費委員会（三月四日）

この委員会では前回の三点について先ず事務局側から調査の結果を報告。

① 法人問題（吉見委員）——法人化するには団体としての性質上、社団法人であること。しかしこの認可をうけるには官庁関係の夥しい手数を経ねばならず、その繁雑さや認可までの期間を考え合わせると、われわれが当面要求している問題の解決には

に変更になりそう、目下思案中。

川本　博康　新外映「独乙かく戦えり」の編集助手。初号完成は十八、九日頃。これが終ると、電通映画部の「東京・日本」のロケハンに行く予定です。——二月十二日——

大久保信哉　文化映画研究所の「図形」を、線画、動画、模型で三角、正方形、円錐、角柱などを作り、16ミリで撮影中。その他、記録映画よりカラーで「オートメーション」という横川電気からの仕事を受け、厚木たか氏のシナリオが今週中に出来上る。——三月十二日——

西沢　豪　日映新社、昨年からかかつていた国鉄PR「青い路線」漸く録音を終りました。地理大系「新しい土地」（北海道）は雪の撮影を終り、次は五六月に最後のロケに行きます。この間、自主映画一本、地理大系一本の準備を進めています。どうやら今年はこれで、一年中動きまわらなければならぬようです。——三月十三日——

原本　透　「地下鉄」（新理研映画KK）演出中　——三月十四日——

ならない。
従つて法人問題は、協会が将来社会的地位の保証を明確にし、またより広い事業活動を行うために準備することは無益ではないが、それはあくまで当面の会費問題とは切り離して考えてゆくのがよいと思う。

② テレビ上映料について（菅家）――テレビの著作権については目下劇映画を含めて様々な問題が起つている。特に教育映画、記録映画として上映されているプリントは、その殆んどが所謂PR映画によつて占められているので問題は一層複雑である。従つて会員作品のテレビ上映について当面著作権的な見地からのみ上映料の一部を公式的にカタトクすることは困難である。現在、製作者連盟ではテレビ上映料の一部を連盟運営の基金に充てていることは御承知の通りだが、この場合、連盟事務局は各テレビ放送会社の一括したエージエントとして、積極的に各プロダクションの作品をテレビ会社に売り込んでいるので、上映料の一部はその手数料と考えられている。民放をまじえて短篇映画の上映は今や月一〇〇巻にも及んでいると云う。協会の財政的危機に当つて会員諸氏がこの問題に深く思いを至されるのは当然のことである。しかし以上の通りで早急な解決には無理があるが、今后も協会としては作家と協会の利益をまもるために、各プロダクションと理解ある、辛棒強い話し合いをつづけてゆきたいと考えている。
委員会では、僅かではあつたが以上の話し合いを通して、教育映画の発展のために、連盟側のプロダクションと共に提携して共同の事業をすすめてゆく可能性を発見した。こうした共同行動（例えば研究活動、新人教育問題など）を通して、協会もその基礎を固めてゆく幾つかの要素をつかむことが出来るのではなかろうか。

③ 雑誌出版問題（菅家）――雑誌出版についてはその数々の意義をさておき、ここではその経済的な側面のみ報告することとする。先ず予算であるが、表紙を二乃至三色刷り、口絵に写真の数頁を設け、略々八十頁程度に仕上げれば、その直接費は一、〇〇〇部で約十一万～十三万円それに独立採算で経営するとしてその人件費を考慮し、資金の回転を考え合わせると、相当な予算を必要とし、充分な調査活動を経ずして雑誌出版を敢行することは危険である。
従つて暫くは出版の機構、資金、市場等の調査活動に主眼をおき会員の要請に応えてゆきたいと考えている。
以上の通りで、現状では三つの事業計画は協会の当面する経済問題には即応出来ず、従つて会費問題に直接の影響を与え得るものとは考えられません。
これらの諸条件のもとで、会費委員会はさらに討論を重ねた結果、
(イ)会費を下げて欲しいと云う会員の要請には是非応えねばならない。
(ロ) 一本契約、長期契約者の会費を調製しなければならない。
(ハ) 協会アツセンの場合を除いては、企業所属、フリー会員の協会に対する関係が接近してきている。
(ニ) 助監督部会の組織が明確に

小森 幸雄 ――三月十四日――アルバイトに少々疲れを感じて来ました。然し創作意欲は益々旺盛になりました。今、レフ・クレショフ著「映画制作法講座」を読んでいます。助監督部会の諸兄に。御無沙汰しています。三月一杯でアルバイトが終りますので、四月から研究会に是非出席させて戴きたいと思つています。どうかよろしくおねがいします。

大方 弘男 ――三月十四日――電通PR映画「東京日本」（脚本、監督）今月二十五日頃よりクランク・イン

八木 仁平 「ガラスの文化」（東京シネマ）準備中

小野 春夫 児童映画の脚本で茨城県に調査に出かけました。月末までに一稿を書く予定です。

河野 哲二 「図形の誕生」という映画をつくつています。

杉原 せつ 只今は自宅に引きこもり企画もののシナリオ（長篇劇）を書いています。目下悪戦苦斗中です。

森田 純 「うおいちば」「日本のはじめ」のシナリオ。頭にいつぱいで、今は、つぶやきも

なり運営的には独立採算の可能性も芽生えようとしている。

(ホ)　会費の納入に便利である。

等の理由から、「会費の基本は一律の定額会費制とすべきである」と言うことにまとまり、その細目についての検討を事務局に委頼することとなりました。

☆第三回会費委員会（二月十一日）

この会合は運営委員会と合同でもたれ、一律会費制にもとずく幾つかの事務局案について検討を行いました。

そして事務局の提示した毎月の運営費予算（表1）をまず承認し、この月額六万八千円を得るために、凡そ次のような会費制度を臨時総会に提案することに決定したのであります。

二、会費制度に関する新提案

①協会の運営は基本的に会員の納める定額の会費によってまかなう。

②フリー及び企業所属の脚本、演出家の月額会費は一律に三百円とする。

但し、協会財政の安定するまで漸定的に各自収入の一％を援助資金として附加する。

③フリーの脚本、演出家が協会のアッセンを経た場合は、手数料として契約金の一％を別に納入する。

④助監督部会の協会に対する納入会費は、当面月額一万五千円とする。

（註。この額については、助監督部会で目下検討中）

⑤会費による運営費の不足分は、協会の事業収入によって補う。

△これを表にまとめると次のようになります。

（表1）　月額予算の収支表

支出の部		収入の部	
(1)事務所費	18.000.—	(1)定額会費	30.000.—
（但し　家賃）		(2)援助附加金（1％）	8.000.—
(2)電話料	4.000.—	(3)手数料（1％）	2.000.—
(3)印刷費	10.000.—	(4)助監督部会	15.000.—
(4)交通，通信費	6,000.—	(5)賛助会員費	3.000.—
(5)研究会費	2.000.—	(6)事業収益及び寄附金	10.000.—
(6)人件費	20.000.—		
（但し事務局員二名）			
(7)雑　費	3.000.—		
（但し文房具，光熱費）			
(8)事業準備費	5.000.—		
	¥68.000.—		¥68.000.—

三、後記

運営委員会は会費委員会の討議にもとずき、以上の会費制度を提案致しました。

併し乍ら、これは会費の納入率をあくまで一〇〇％として計算した予算案であり、また事業収益を予算の一部に加えねばならない危

出ません。

吉見　泰　東京シネマで、自主製作準備。その他、同社で「限りなき創造」（若さを作る人々篇）の脚本をもうすぐ決定稿をします。

――以上いずれも二月十四日――

谷川　義雄　「草」（三井芸術プロ）第二次撮影準備。六月一ぱいまで　これに専心。

――二月十五日――

荒井　英郎　共同映画社企画の「青年婦人の恋愛と結婚を主題とした映画」製作運動に参加するため、全国青年研究集会を三日間傍聴しましたが、社会の生きた動きに対する自分のたち遅れを叱咤されたような思い、大変な勉強をさせてもらいました。

――三月十五日――

前田　庸言　東京シネマでPR「銀行」の仕事をしています。四月中に完成の予定。

――三月十五日――

小泉　堯　東京シネマ「限りなき創造」（宮沢組）の助手。

――三月十五日――

松本　俊夫　「マンモス潜函」演出中。

東北電力八戸火力発電所本館建

険を含んでいるなど、決して充分な提案とは考えられません。

事業活動もまた、想を新たにして身近かに出来る事柄からとりあげてゆかねばなりますまい。

また、協会の現状から、以上の提案にはこだわりなく、力関係に応じた縮少運営も考えなければならないかも知れません。

こうした幾つかの問題を含み乍らも、会費委員会の諸氏は終始協会の発展のために尽力して下さいました。新会費制度の提案に当つて厚く御礼を申述べる次才であります。

尚、細部については臨時総会の席上において、運営委員及び事務局より逐一御答えする予定でありますが、会員諸氏にも活発な御批判を願い、より完全な会費制度を作つてゆきたいと考えております。

（菅家）

（表・2）

会費審議委員会

運営委員会は、広く会員の声を代表して戴くために、左記の方々に会費審議会の委員を依頼致しました。

記

運営委員会より
菅家 陳彦
矢部 正男

フリー会員より
荒井 英郎
樋口源一郎
豊田 敬太
赤佐 政治

企業所属会員より
諸岡 青人
肥田 侃
松本 俊夫
中村 敏郎
西沢 豪

助監督部会より
川本 博康
間宮 則夫

声（3）

（八木 仁平）

「春水泛桃花」。タイの中部の田舎町のランパンで見た中国人の喜劇芝居。その想い出がしきりに此の頃うかんでくる。陽気が春めいて来たせいでもあろうか。人間は生れながらにして詩人である。ヘボ詩人であろうと何であろうと。今その精神の春水に桃花を泛べつつ一巻の短篇をものし得るや否や。それを自問してみる。而してニヤリと自答する。

（松本 俊夫）

厚木さんと岩佐さんが「日本ドキュメンタリー映画史」を書いて出版されるという前号記事を拝見。心から期待しています。それと関連して思うのですが、協会で、戦前、戦后を通じて、すぐれた記録映画（とりあえず日本のもの、更に「トルクシープ」など日本にある外国のもの）のうち、残つているものを、何回かに分けてプランを立て、特別の観賞の機会を作つてもらえないものでしようか。

（西沢 周基）

最近「白い山脈」について、その記録性について問題が出て来た。私たちも記録とフイクションについて考えてみる必要があります。

築編」（大林組）シナリオ執筆中

八幡 省三 ——三月十五日—— 東京シネマで次の仕事の準備中で、三月中頃にはクランクインするでしよう。進行係ですが、一方自分で少しずつ脚本の勉強をしています。

岡野 薫子 ——三月十六日—— 教材映画の調査中です。

西沢 周基 ——三月十八日—— 企画調査中。特にお知らせする作品はありません。

岩崎 太郎 ——三月十八日—— 全農映「日本の農業協同組合」新世紀・共同「シラサギ学級」のシナリオ執筆中です。

韮沢 正 ——三月十八日—— 東京映画の人形映画の編集を手伝いました。現在、共同映画を中心に製作する農村青年の恋愛と結婚問題の準備に過しております。

かんけまり ——三月十九日—— TCJプロ「食物の好き嫌い」の撮影を終りました。

柳沢 寿男 岩波の「東京火力発電所」を終りました。

岩佐 氏寿 東映教育映画部、ラヂオ東京テレビ、岩波のシナリオを書いています。

「作家の自主性のために」について

反映

自分のこととして

二二号の会報を読みました。諸岡さんと松本君の言葉に共感しました。自分の事として考えて見ると、僕はまだ「子」がありません併し、事情は諸岡さんと同じようなものです。そういう中で松本君のような立場に置かれたらどうするのか。僕は、民主的で平和な文化の発展という主旨に賛成だし、その事に賛成した自分を守つていきたいと思つています。その事が僕にとつて自主性の一つの面を貫く事になるのです。自衛隊募集の映画を作ることが、僕は僕なりの判断で、自主性の放棄につながるものだとして、その作品には参加すまいと思います。だが、その事が、ギャラの入る道を一つ閉すのだと気がつくと、これは本当に簡単なことではない。こういう中で自分の気に染まぬ仕事を現に拒否した場合の仲間たちに僕は心から敬意を表します。その人たちが、その人たち自身の心の奥で思つていることに忠実であつたという理由で。そして僕達は、自分自身に忠実であるという作家にとつて必須の条件を守るために、その人達を守るべきだと思います。作家が自分の芸術上の思想を他人の力でねじ曲げられずに生きていく、そんなことさえ今は困難だ、というのは考えてみればおよそ腹立たしい事です。けれども、自分の心を一八〇度まではねじ曲げられずとも、何度かはねじ曲げているのが現実であること、それは松本君と同じように悲しいかな確認しないわけには行きません。だが、その悲しいことを悲しい顔をして確認するのは止めようではありませんか。会報第二二号巻頭大論文に僕は希望を感じます。先ず、自分から自分の心をねじ曲げまいと思います。そして、協会の仲間達の芸術的良心や自主性を、仲間同志でひん曲げ合うことのないようにしたい。だから、「妻子が路頭に迷う」危険を冒して仕事を拒否した人は、自主性を堅持するためのたたかいとも言うべき自分の経験について今後とも発表してほしい。たとえその人の名がわからなくても皆でその人を応援しよう。そしてまた、自分が体を張つてキャンセルした仕事を誰かがやつているということが、各作家の芸術上の見解の相違から起つてきても、恨みつらみの余計な心のねじ曲げ合いがないように、たとえ万機公論に決しないまでも広く会議をおこすのがいいと思います。

今まで最も自主性を豊かに具えて映画を作つてきたのはスポンサーでした。自分の作る商品を宣伝して金儲けすべく確乎たる自主性を持つて。そのスポンサーの自主性と僕達の自主性が全く喰い違う場合、お前の妻子を路頭に迷わせてやるぞという無言の圧迫がプロデューサーに及び作家に及んで来

稲村　喜一　人形劇映画「ちびくろさんぼとふたごのおとおと」を完成しました。

三浦　卓造　このところ、事務局のお手伝いをしたり、アルバイトをしたり、していました。

時枝　俊江　「町の政治」（岩波）が近く完成します。

上野　大梧　理研科学村上プロで仕事をしております。

富沢　幸男　東京シネマ「限りなき創造」演出中。

八木　進　モーション・タイムズで仕事をしています。

下村　和男　アルバイト中です。

竹内　信次　新理研「パラメトロン」の演出中。

日高　昭　桜映画で仕事をしています。

菅家　陳彦　共同映画社と日本海員組合の「海員」の演出です。三月末に海路フイリッピンへ発ちます。

本間　賢二　東映製作所で働いております。

北　賢二　次回作を準備中です。

厚木　たか　「ドキュメンタリイ映画論」の出版の仕事をつづけています。

小島　義史　岩波の「新東京火力

ています。そういう時のプロデューサーの苦しみや作家の苦しみを僕は助監督の立場から何回となく体験して来ました。その中から感ずるのですが、「妻子を路頭に迷わす」危険が大きくなればなる程僕達は自分の心を一八〇度にも曲げられる危険が大きくなるし自主性を守ることも辛くなると思います。それはプロデューサーの場合も同じだと思います。僕達の多くが今やっている仕事、それは諸岡さんの言われる通りのものです。しかし、それが現実である以上そこから出発する以外ない。その意味で、作家の生活を引きあげるような話し合いを協会と製作者連盟でやろうという京極さんの、またギャラ基準についての竹内さんの意見に賛意を表したいと思います。それと共に、作家の自主性とプロデューサーの自主性を、お互い、根つから映画が好きでやっている仲間同志として、励まし合い助け合うのです。そういう事を協会として、また協会員としてもやろうではありませんか。

さて、僕自身も、大いに自主性を確立して岩佐さんの助監督部への喝!にも応えたき所存であります。

（大沼　鉄郎）

PR映画と作家の自主性

或る会社でこんなのが流行つている。「シナリオは書くけど、演出はやらない」というのである。

あまり意欲の湧かないスポンサー映画のシナリオを書かされる。スポンサーにいゝ加減悩まされた上、シナリオが出来上ると、会社の一番偉い人が読んで、御自ら手を入れられる。そして、こうやれー、と鶴の一声で宣言なさる。スポンサーは、あゝやれ!、と言い、偉い人は、こうやれー、と言う。どちらも絶大なる権力を持っているので、スポンサーが二人出現したような結果になる。それでも作家は抵抗する。偉い人が削ったり書き加えたりしたところを、元通りに直しておく、それを偉い人が発見して又直す。かくて双方消しゴムと鉛筆を握ってイタチごつこの態と相なる。前門を向けばスポンサー、後門を見返えれば偉い人……かくて作家はついに悲鳴をあげ根負けして、作品を投げ出す。給料やギャラの手前、眼をつぶつて御無理御尤なシナリオを書き上げる。だが、これを演出までさせられては三枚目だ。理屈はともあれ、作品の責任が否応なしに演出者にかゝつてくるのが現実だ。かくて「シナリオだけで、演出は何卒御勘弁を　」というのが流行し出したのである。周到なのは、その際タイトルに名前を出さないという条件を付けておくのを忘れない。

しかし、そんなシナリオでも結極誰かがやらされる貧乏クジを引く。その人の立場や性格によって断りきれない。　共喰い的自主性守備法?とでも名付くべき哀しき現実の姿である。

PR映画と一概にいっても、最低薬にもならないが毒にもならないようなものはまだよいが、それが人間本来の平和な幸福への希求を阻害するようなものになつてくると、嘆きのピエロばかりでは済まされない。作家の自主性というものゝ本質と対決しなくてはならなくなつてくる。これから、そういう問題に直面するような機会が多くなつてくるような気がする。

発電所」を終りました。
小谷田　亘　岩波の「ガス供給篇」の演補
大沼　鉄郎　東京シネマにて準備中
矢部　正男　岩波「ガス供給篇」の演出中
杉山　正美　東京シネマにて準備中です
衣笠十四三　読売映画社の文部省映画の演出を終りました
伊勢長之助　佐久間ダム、黒部ダムなどの編集中です
丹生　正　「赤い帽子」（日映新社）演出中
松本　公雄　アルバイト中です
桑木　道生　三宝プロダクションを発足しました。
近藤　才司　桜映画社で演補をしております
赤佐　政治　東京シネマ「銀行」を演出中
渡辺　正巳　東京シネマ「限りなき創造」の演補
渡辺　亨　いろいろと次の準備をしております
山添　哲　記録映画社で仕事をしています
山本　升郎　三木映画社で仕事をしています

言うは易く行うは難きことだが、我々はもう一度、昭和二十年八月の焼土の中に我々をおいてみて、もの想うことがあるのではないか。
　PR映画研究は、私の考えでは「ジャンル別の研究」でよいように思われる。
　というのは、私の考えでは、PR映画は、スポンサーの出した企画なりテーマが、たまたま作家がやりたいと思つていたものと一致した以外は、自主性はないと考えるからである。そんなPRの企画は少い。ある会社や官庁が出した製品なり、政策の啓発なりの企画は絶対に変えつこはない。とすれば、その扱い方や表現方法の中での自主性ということになるのではないか。そうなつてくると、PR映画にも記録あり、科学あり、劇的なものありだから、結局ジャンル別の研究でよいのではなかろうか。
　自分の貧しい経験からいえば、諸岡さんの「スポンサーに迎合したくない、屈服したくない」という気持には全く同感で、同時もそれ故に斗い悩んできたが、しかし考えてみると、それは扱い方や表現方法の範囲内のことであつた。

そんな企画やテーマは詰らんから引込めろ、とは言えなかつた。厳格にいえば、この第一段階ですでに自主性と妥協しているのである。しかしそれを言いだしたらPR映画はつくれない。こちらから企画を持ち込むのなら別だが——。そこで自分が痛切に感じるのは、自分の考えにスポンサーをどこまで同調させるか、という政治的手腕というか説得技術というか、そういうことの練達法だつた。本屋で真面目で、〃人を説得する法〃なんていう本を見たりした。木下恵介氏が「自分のやりたい企画を会社に承知させるのに、映画以前の交渉、努力で疲れてしまう」と何かに書いていたのを読んで、まして、やり度くないものもやらねばならぬPR映画においておや！——と思つたことがある。
　私は、PR映画の中で、作家が自主性を保つ努力をしなければならないことは、いうまでもないが、それより、そのような時には馬鹿くさいようなことが多い斗いの永年にわたる連続の中で、PR映画ズレして、自主性を喪失しないようにしなければいかん——と思つている。

（豊田敬太）

声（4）

（深江　正彦）

会員の末席をけがさせて頂いている私が、希望など、おこがましいと思いますが、一言……。私ども作家の自主性の確立……この意欲を、少い暇をみては脚本を書くことによつてみたす方も多いのではないでしょうか。そうした脚本を協会に持よつて、諸先生、諸先輩と共に、検討し研究し合う会を催すことは如何でしょう。たとえ作品にならなくても、ただ夢……だけにおわることはさけられましょう。

（豊田　敬太）

協会は、どうもドキュメンタリイを重視し、児童劇映画を軽視している感あり——との声を会員の中から聞く。研究会、催しもの等を、そう言われて振り返つてみると、そういう傾向なきにしもあらず。教育映画にもいろいろの分野があり、会員各々が、各自の志向に対して精進しているのだから

桑野　茂　日映新社の仕事でイラク地方メソポタミアに出張中。
玉上　義人　山形市に帰省中。
相川　竜介　甘木市に帰省中。
片岡　薫　テレビ映画の脚本準備中。
秋元　憲　新理研映画で仕事をしております。
岩堀喜久男　三井芸術プロの「電弧熔接棒」を終りました。
大野　芳樹　国際教育映画株式会社にて準備中。
竹原　繁雄　アルバイト中です。
豊富　靖　産業映画社にて仕事をしております。
秦　康夫　記録映画社にて仕事をしています。
道林　一郎　健康をそこねられた由、近く入院されるそうです。
森永健次郎　日活撮影所で仕事をしています。
木村荘十二　次回作準備中。
入江　勝也　次回作準備中。
原口　光人　理研科学村上プロを都合によりやめました。
樋口源一郎　新理研映画の仕事を終りました。
松岡　新也　次回作の準備中です。
高綱　則之　学習研究社映画部。
大場　秀夫・高見　貞衛

一考を要すると考えますが。

（苗田　康夫）

会報についての注文ですが、最近、いろいろな作品をつくる場合の創作方法についての原稿が少ないのを残念に思います。作品のジャンル別、または作家別にも大きく異つている創作の方法についての原稿を欠かさず出すようにして下さい。編集部の方々へ。

（竹内　繁）

一週間ばかり事務局の手伝をしまして感じた事ですが、少数の人なのですが、ほとんど協会に何の連絡もなく、ただ会員になつているだけの人があり、協会の発展をさまたげているようです。小さくても当事務局は、われわれにとつては城みたいなものです。それに有能で若さに満ちた者ばかりです。協会発展のため、そしてわれわれの仕事の向上のために心からの団結が必要です。外に出て他の団体の人々に作協は「サロン」化していると耳にしたし、僕も少なからず感じたものですから。

（岡本　昌雄）

私たちの試写会が、盛大に、そして有意義にひらかれようとしていますが、会員だけで充満するのでなく、広い階層の人が足を運んでくれればいいんですがね。

（京極　高英）

PR映画研究会の件　よく分りました。しかし、現在のPR映画の製作過程、つまり、各プロとそのスポンサーとの間柄をよく考えてからでないと、カン念論に落ち入りそうですね。

（加藤松三郎）

本職に追われて協会のほうは当面の運営問題ぐらいがせいぜいです。ために新しい協会の進展ものぞめず、いつも申訳なく悩みつづけています。やはり現在最大の問題はフリー会員に多い会費不納の件ですが、協会の成立すら危いのでは、とても新規事業どころではないでしょう。むしろ私は、一会員として未納の方々の良心に訴えて自主的な納入をのぞまずにはいられません。

（谷川　義雄）

先日、三笠宮さんと対で、ざつくばらんな話しあいをした。世界中のドキュメンタリストが国際交流をしているのに、日本の我我だけが、ツンボサジキ、いや井の中の蛙の状態におかれている現状のなさけなさ。沖縄へさえも自由に行き来ができないと。宮さんは中近東への旅で実に多くの収穫を得たことを語り、ドキュメンタリストが国際的に門戸を開くべきことを理解された。国際交流の実現のため、運動を、作協中心におこすことを提案します。

（八幡　省三）

原子さん、本当に長い間御苦労様でした。協会として送別会をやるとか、記念品を差上げるとか、原子さんの長年の労に感謝する計画はあるのでしょうか。

委員会だより

才三回事務局相談役会

二月二十七日（水）午后六時

出席…吉見　菅家　加藤　丸山

▽三月一日よりの協会事務局の

日本記録映画社
田中　舜平　記録映画社
島内　利男・中島　智子・岸
光男・富岡　捷・田部　純正
清水　進・草間　達夫
新理研映画株式会社
片桐　直樹　中日ニュース映画社
吉岡宗阿彌・長井　泰治・諸橋
一・平田　繁治
日本アニメーション映画社
樺島　清一・西本　祥子
日本視覚教材株式会社
中村　麟子・奥山大六郎・諸岡
青人・清家　武春・長野　千秋
飯田勢一郎
日映科学映画製作所
吉田　和雄　神奈川ニュース映画
協会
松本　治助・大野　祐
電通映画社
各務　洋一　羽仁　進
吉田　六郎　高村　武次
肥田　侃　小熊　均
榛葉　豊明　羽田　澄子
坊野　貞男　秋山　矜一
田中　実
岩波映画製作所
落合　朝彦・中村　敏郎
山口　淳子・大峰　晴
日本映画新社

維持運営および、二月末の経済危機対策について話し合つた。

第三回運営委員会
第二回会費委員会（合同）
三月四日（月）午后六時より
出席：：丸山　大沼　野田　渡辺（正）八木　川本　樋口　吉岡　荒井　奥山　諸岡　西沢　豊田　松本　菅家　吉見　矢部　加藤。

▽会費問題審議委員会の経過報告および会費問題についての討論

内容は「会費問題の報告」記事を参照して下さい。

▽新入会員について

賛助会員川崎健史氏が一月一日付にて入会し、フリー会員水上修行氏、企業所属会員岡　秀雄氏が、それぞれ本日付にて入会を承認された。

会報№23編集部会
三月八日（金）午後六時より
出席：：加藤　松本　小高

▽会報№23の編集内容について意見を交換し種々話し合つた。会費問題についての総会記事を特集することとし、その他の掲載記事は本号の通りであります。

第三回会費委員会
三月十一日（月）午後六時より
出席：：丸山　吉見　菅家　諸岡　豊田　樋口　松本

▽来る四月六日にひらく会費問題総会に提案する「会費徴集制度改正案」を最終的に検討決定した。詳細は「会費問題の報告」記事を参照して下さい。

映画会ニュース

▽第二回全日本視聴覚教育研究会終る

（広島）第二回全日本視聴覚教育研究会は、去る二月廿一日から三日間、広島県庁舎内で開催されたが参会者一千名に及び盛会をきわめた

大会は第一部会「社会教育諸活動の効果をあげる方法、手段の視聴覚化はどの様になしているか」第二部会「視聴覚教育振興のための組織を検討し、地域視聴覚ライブラリーの設置促進並びにその拡充を図るにはどうしたらよいか」第三部会「視聴覚教育施設関係者がその属する視聴覚ライブラリーの機能を充分に発揮するためにはどのようにしたらよいか」第四部会「映画・ラジオ・テレビ等の青少年に対する影響の対策と指導はどのようにしたらよいか」の四部会に別れ活溌な論議が交された。

特に第二部会の「地域ライブラリーの拡充」については、組織、促進、法制化の三問題にわたつて討議された、すなわち組織の問題については、従来の全視連の組織が文部省の社会教育の線にそつてきていたが、その巾を拡充、職場の視聴覚教育やその他の同様の組織に結びつく必要があることを確認設置促進の問題については、急速な展開が地方においてなされてきてはいるが、予算の点では財源が中央から地域化してきている、そのため県AVLと地域AVLはどのような機能をもつべきかが論議されたが次回の研究課題として持越された、また法制化の問題については文部省岩間課長から「法制化はぜひしたい、しかし現在は時機を狙つている」との発言があり注目されたが、これについては、組織を拡大、まず一般大衆に視聴覚教育というものを認識させなければならないことを確認、いま〻

大橋　春男　英映画社
小西　久彌　TCJプロ
石田　修　日本観光写真映画社
西浦　伊一　綜合映画製作所
水木　荘也　三井芸術プロ
（以上は事務局にて調査させていただきました）

大鶴日出夫　盛野　二郎
下坂　利春　小野寺止寿
新庄　宗俊　平野　直
古川　良範　森田　実
中江　隆介　真野　義雄
岡野　巖　尾崎　好男
清水　信夫　下村　健二
中川　順夫　馬場英太郎
（以上は、原稿〆切の期日までに詳しい動静が分りませんでした。ぜひ、動静をしらせてください。たのみます）

（会員総数　一六一名）

☆住所移転
原口　光人　大田区入新井六ノ二十八本田アパートへ転居
前田　庸言　中野区住吉町三十四津田方へ転居
坊野　貞男　横浜市神奈川区六角橋町八〇八萩原方へ転居
黒木　和雄　板橋区志村蓮根町二蓮根住宅一七号館一七二一号室

で比較的視聴覚教育が手薄であつた大学等へ積極的に働きかけることになつた

▽教育映画製作者連盟の社団法人化改組なる

　昭和二八年に発足以来、わが国の教育映画製作者六五社（二月現在）の連絡団体として事業活動を活発に続けてきた教育映画製作者連盟では、事業の発展にともない、昨年、社団法人化の方針を決定、以来改組の準備を進めていたが、二月二五日午後三時より毎日新聞社講堂において設立総会を開催。定款・事業計画。収支予算等の可決、新役員などを決定。念願の「社団法人教育映画製作者連盟」へスタートした。

　正式発足は文部省の設立認可をまつて四月一日よりとなつている。

　本年度の事業計画は次の通り。

　年間予算三九三八〇〇〇円で、左のような事業を行う。

　一、教育映画の質的改善の施策をたてる。学校教材映画・社会教育映画の製作・企画、産業教育・技術教育における映画製作等の協力や、映画製作事業の保護助成方策の建議、製作技術の研究講座開催、教育映画の選奨、教育映画利用の研究等への協力など。

　二、教育映画の利用啓蒙のための宣伝及び普及活動。ライブラリー設置推進、教育映画の劇場上映をはかり、普及、利用団体の強化への協力、会員作品の報道関係に対する試写会・教育映画をみる会の組織化・テレビ放送への会員作品の斡旋などを行う。

　三、教育映画の製作技術の向上を図るための研究及び調査。各表現形式の部門別技術研究や内外映画の参考試写、十六ミリ・八ミリの縮少技術、撮影、現像等の研究。

　四、教育映画の海外交流をはかる。海外各国との資料の交換、国際的教育映画関係団体との連絡協調や各国の映画祭・コンクール等への参加の斡旋、輸出についての市場調査や輸出手続等の斡旋及び事務の代行、海外向作品リストの作成等。

　五、教育映画事業についての調査、研究、資料の蒐集、統計を作成し発行する。教育映画の製作統計・資料や会員作品の目録作成、教育映画事業の実態調査、教育映画の発達史の編纂、製作事業の経営合理化の研究調査等。

　六、教育映画の著作権擁護。会員作品の著作権登録か脚本・企画の著作権擁護及び著作権紛争に関する解決斡旋・委託映画の著作権帰属を明確化など。

　七、教育映画に関する関係官庁関係諸団体との連絡及調整。関係官庁の諮問に応ずることや、官庁よりの事業の委託を受ける、映画団体との連絡及び調整を行うなど

　なお、事務所は現在の映画教育会館内で、会員は、日本における教育映画の製作を行う事業者でこの連盟の目的に賛同し、会費年額一口以上（一口一八、〇〇〇円）を納める者となつている。（月割分納も可能）現在加盟者は六五社。

▽教育映画製作者連盟短篇映画の輸入行政について大蔵省へ意見書

外国映画の輸入業者が現在の短篇割当百本を二百本に増加してほしいなどの陳情や運動を活潑化している、一方大蔵省でも一昨年廿五本、昨年卅本の輸入を許可した枠外教育映画短篇を本年度から五、六十本に増本するもようなので、教育映画製作者連盟ではこのほど大蔵省石田為替局長に「外国短篇映画の輸入割当についての要望書」を提出、短篇映画の割当増加に反対すると共に、優秀な短篇の輸入を促進するよう申入れた

要望書の要旨は次の通り

日本の短篇製作六五社からなる連盟では、日本の短篇教育映画の質的、経済的な向上をはかつているが、最近、大蔵省が外国短篇映画の輸入本数を増加すべく、種々考慮しているときくが、これが日本の短篇製作業者に重大な影響をおよぼすばかりでなく、国内産業保

へ転居。

吉田　和雄　川崎市小関御殿町二十五　三号館三二三　秋本哲司方へ転居

森田　純　杉並区阿佐ケ谷一ノ七六一　栄荘十号室へ転居

小森　幸雄　杉並区阿佐ケ谷六ノ一五〇村主方へ転居

☆その他

秦　康夫　企業所属会員、記録映画社所属に変更。

片岡　薫　企業所属会員、劇団民芸所属に変更。

桑木　道生　賛助会員に変更

森永　健次郎　賛助会員に変更

松岡　新也　賛助会員に変更

富沢　幸男　去る三月十八日、厳父正春氏がマルセイユにて死去された旨の入電があつた。

養護育成の見地からも慎重に検討していたゞきたい。

むろん日本文化の向上、映画技術の進歩に役立つような優秀な作品の輸入に反対するものではない、今後とも既存の割当方式にそつて、優秀作品を輸入するよう考慮してほしい

なお連盟では現行の「教育映画枠外短篇輸入」についてはかなり批判的で、これらの輸入審査機関は文部省の教育映画等審査分科審議会ではなく、もつと教育映画関係有識者による審査方式が妥当であるとの見地から、さらにこの点に関して才二次要望書を提出するといわれる

▽東京シネマ「限りなき創造」シリーズ製作

東京シネマでは「限りなき創造」シリーズを中外製薬企画によつて製作することになり、その才一篇「若さを作る人々」（二巻）を近く撮影開始することになつた。

▽松竹「火を吹く世界」配給再確認

ハンガリー動乱の記録映画「火を吹く世界」（読売映画社製作）は、既報の如くソ連側が提供したニュースの部分を削除することになつたため、松竹では配給を再検討していたが、十四日予定どうり配給することに意見が一致した。

松竹では、ソ連側のニュースを削除すれば同映画の面白味が半減するとの意見が出て配給を保留する態度だつたが、大阪支店が非常に乗り気で配給に積極的だつたので、予定どうり配給することになつたもので、東京支店は外画部扱いで松竹シネスコ系の四月一週「不滅の守備隊」に併映することに決定、

▽平凡、日中文化交流会「あたらしい北京」を完成

平凡映画部、日本国文化交流協会（会長片山哲）ではこのほど中国の記録映画全六巻「あたらしい北京」を完成した
この映画は才二次大戦後十数年にしてめざましい復興ぶりをしめしている新中国の首都北京の記録である
スタッフは構成関川秀雄、撮影白石彰、編集河野秋和、音楽小川寛興、解説青木一雄。

▽海員組合で「船を動かす人々」

日本海員組合では共同映画社と共同製作で「船を動かす人々」仮題（三巻）を製作することになつた
この映画は流行歌などに唄われているマドロスさんでなく、貨物船に乗る人々の労苦の姿を描くもので、今月末撮影を開始し四月中旬完成の予定である
スタッフは製作田中喜次、脚本吉見泰、演出菅家陳彦。撮影清水浩、浅岡宣吉

▽芸術映画社児童劇映画「馬」を企画

芸術映画社ではジョン・スタインベック原作の「赤い仔馬」から翻案した児童劇映画天然色五巻「馬」の製作を決定、脚本の執筆にとりかゝつた
クランクインは七月北海道根室で開始、秋には完成を予定している

▽才一映画社はこのほど豊島区雑司ケ谷一ノ四に移転した

▽東宝プロは事務所を左記に移転した中央区銀座東三ノ三TEL(54)五八八四

▽才二回全日本視聴覚教育研究会へ祝電を送る

才二回全日本視聴覚教育研究会は、去る二月二十一日より三日間広島県庁舎内で開催されたが、当協会では、この大会に対して左のような祝電を送つた。

祝電

才二回AVE全国大会の開催を祝し成功を祈ります。

教育映画作家協会

▽中国映画人団体へメッセージを送る

日本映画人懇話会が日本中国文化交流協会と共同で計画していた「中国訪問日本映画人代表団」一行十一名は、去る二月二十七日、出発したが、当協会では一行中の田口助太郎氏（教育映画製作者連盟理事長）に託して、左の中国映画人団体へ左のようなメッセージを送つた。

メッセージ

この度、待ちに待つた機会を得て、皆さまに御挨拶できることを心から嬉しく思います。

私たちはあなた方がお作りになつた作品のうち僅かながら日本に輸入される作品を通じ、またその他の報道ニュースを通じ、また貴国を訪れて帰国した人々の話を通じて、あなた方の御活動や、あなた方の映画製作の発展と前進を目のあたりにし、深い尊敬と限りない期待を寄せております。

私たちの協会は、日本の記録映画、教育映画、漫画映画、作家の日本で唯一つの統一団体です。

日本では昨年度一年間に六〇〇本以上もの記録教育映画が作られ

ました。しかしその殆んどが大商業会社や大工場また官庁の宣伝映画で、私たちはそれをP・R（パブリック・リレーション）映画と呼んでいますが、ことほど左様にP・R映画のはんらん振りで、私たちの仕事の殆んどもまたP・R映画なのです。私たちは、そうした条件の中でしかし、P・Rをたゞ単に大会社や官庁の一方的な宣伝に終らせず、真に民主的、かつ平和的な人民生活の前進に役立ちうるものとするために斗つています。それは困難な斗いです。例えば、生産性向上本部や防衛庁の如き反人民的、反平和的な宣伝映画の企画に対しては原則的には拒否の態度をとつて斗つておりますが生活に追われる作家の中には、悪いと知りながらも、そうした映画の製作に従事してしまう作家が出ます。私たちは、作家全体のそうした弱い生活基盤を強めるための斗いをも進めねばなりません。

しかし私たち全体の日常の努力は少しづゝ成果をおさめ、真に作家の人民的な主張を通した自主的な記録映画、教育映画も製作されるようになりました。昨年度の「砂川、流血の記録」「絵をかく子供たち」、一昨年度の「ひとりの母の記録」はその一例です。

私たちがそうした斗いを進めている時、あなた方の御活動との交流が切に望まれてやまぬ次才なのです。

私たちは、今度の機会を端緒として、文書を通じてでも、またなにを通じてでもあなた方との交流を積極的に押しすゝめてゆけるよう大きな期待を抱いています。

単に作家としての交流ばかりか、国民としての交流をあなた方と交わすことの必要を今日ほど痛感する時はありません。

映画製作を通じての日中友好万才。

記録・教育映画製作を通じての日中平和提携万才。

日中友好、日中平和提携を通じてのアジアの平和、

世界の恒久平和万才

一九五二・二・二〇

教育映画作家協会

中国電影工作者連誼会　殿

中国記録電影製片廠　殿

青年婦人を対象とした映画製作について

共同映画社より申入書

今回、弊社、みどりの会、日青協等が中心になり、表記のような映画製作の準備がすすめられています。現在に至るまで、この準備活動に参加していた作家は、貴協会所属の河野哲二、韮沢　正、荒井英郎の三氏でした。たまたま日青協の研究集会が行なわれ、右三氏もそれに参加し、参加した総括を行なうと共に、本映画の製作準備を、今后如何なる方法で行なうかを討論するため、日青協代表、作家三氏、共同映画社代表の会合がもたれました。

右の会合の結論として、教育映画作家協会に、次のことを申入れることになりましたので、ここにそれをまとめ、申入れを行ないます。

一、本映画の製作は、広汎な青年婦人層を対象とした運動として展開し、その要望をくみ取り、その支持を得る中で行なう。

二、本映画のテーマは、農村における「仲間づくり」と「青婦人間の愛情、恋愛」におく。

三、本映画の製作を、スムーズに行ない、本映画を全国の青年婦人に真に応えるものとするため「製作推進懇談会」のようなものを設置する。それに参加する団体は、みどりの会、日青協、共同映画社、それに教育映画作家協会も参加されたいこと。

四、教育映画作家協会より、スタッフを推せんされたいこと。即ち、プロデューサー、シナリオライター、演出家を当面必要とすること。

五、以上のことを、教育映画作家協会の運営委員会において討論されたいこと。説明を必要とする時は、しかるべき者が出席すること。

昭和三十二年三月十三日

共同映画社

教育映画作家協会御中

協会日誌

二月二十日（水）
会報No.22の原稿および映画会プログラムの原稿を印刷に渡す
助監督部会研究会ひらく（於中央区役所出張所）
新作教育映画試写会ひらく（於山葉ホール）
来訪者　かんけ　大沼　加藤　荒井　間宮

二月二十一日（木）
会報No.22の発送準備完了
来訪者　かんけ　吉見　大沼

二月二十二日（金）
会報No.22校正
訪中映画人代表団歓送会（於レストラン・パリー）に野田真吉氏出席
来訪者　山本

二月二十二日（土）
会報No.22および映画会プログラムの校正　事務局応援――竹内
来訪者　かんけ　杉山　間宮　小西　原口

二月二十五日（月）
来訪者　かんけ　荒井　加藤　萱家　苗田　丹生

二月二十六日（火）
会報No.22山来上り　発送。
映画会プログラム、ポスター出来上り　事務局応援――中島

二月二十七日（水）
オ三回事務局相談役会ひらく。

二月二十八日（木）
日映技術集団移転
原子英太郎氏退職
来訪者　加藤　かんけ　中島　竹内（繁）　渡辺　肥田

△協会日誌は紙面の都合により、以下は次号に掲載いたします。

事務局だより

会計報告

△二月分の会計報告は次の通りであります。

一、収入の部

現金前月繰越高	一〇〇九八
会費	五〇八八〇
合計	六〇九七八

一、支出の部

前納会費	三〇〇
交通通信費	八三七七
文房具費	三六四
事務所費	九〇〇〇
助監督部会費	六〇〇
消耗品費	四五〇
印刷費	一〇〇〇〇
電話料	三二七八
諸手当	二六八〇〇
貸付金	四〇〇〇
雑費	二七三五
合計	六五八五四

一、差引の部

不足金	四八七六

△会計報告の訂正　会報前号掲載の会計報告（一月分）のうち、収入の部の未払金の項および支出の部のプリント費の項を削除いたします。

会費納入についておねがい

振替送金は東京九〇七〇九番へ

△会費の円滑な納入については、従来からもたびたびおねがいして参りましたが、本年初頭より、ふたたびその納入率が低下してきたので、事務局では協会の財政的な運営に四苦八苦しております。即ち、二月分会計報告にも示されているように、二月末には五千円に近い不足金があり、借金をして辛うじて三月を迎えたような次第であります。更に三月よりは日映技術者集団の移転にともなつて、従来折半負担であつた事務所屋賃が全額負担になるので出費は更に増大するわけであります。会費を完納されている多数の方々には、まことに不愉快な、たびたびのおねがいとは存じますが、更に会費完納のために、絶大な御協力をいただきたく、おねがい申しあげます。

△三月末には、二月末以上の財政危機が予想されますので、未納会費のないように、月末までに御納入下さいませ。

△会費未納の甚だしい方は、その清算について、事務局まで御連絡を頂きたく存じます。御相談のうえ未納を処理いたしたいと考えておりますので、なにとぞ自発的な御連絡をおねがい申します。

△滞納の甚だしい方には、事務局で順次、御連絡申しあげるつもり

でおりますが、奇襲的な画会は、される方も、する方も、あまり気持のよいものではなかろうか、と考えますので、なにとぞ、よろしく、おねがい申す次才であります。

△また会費の納入については

一、ついでがあつて、事務局までお出かけ下さつたときに、御納入下さつても結構であります。

一、御一報下されば、いつ、どこへでも受取りに参上いたします。

一、現金書留、小為替など、郵便によつて御送金下さるのも結構であります。

もつとも便利な振替送金を御利用下さい。

△会報前号でもお知らせしましたように、去る三月一日より振替口座を開設いたしました。この振替によつて送金するには、所定の振替用紙（本紙に一枚づつ添付いたしました）に必要事項を記入して、これに送金すべき金額をそえて、全国どこでも最寄の郵便局の窓口にお出しになれば、手数料は一切不要で、もつとも安全、簡易、迅速に、当協会へ入金いたします。ぜひ御利用下さるようおすすめいたします。尚、振替用紙の必要の方は、御一報次才、直ちに御送付いたします。

健康保険証交換について

△健保加入の会員の方が現在もつておられる健康保険証は、来る三月末日をもつて使用期限切れとなり、あらたに四月一日より有効の新年度健保証が発行されます。ついては、その交換をいたしますので、旧保険証と引きかえに新保険証をおうけ取り下さい。尚、わざわざ事務局までお出かけになるお暇のない方は郵便でお送り下さい。折返し新保険証をお送りいたします。

△健康保険料は前月末日までに、その月の分を前納していただくことになつております。滞納のないように、御注意下さるようおねがい申します。

映画会・会員券代金を御清算下さい。

△会報前号でおしらせしました通り、来る三月二十四日に、当協会主催の才二回「推せん」教育映画の会が開催されますが、これについて、さきほど、会員各位にその会員券の販売方をおねがい申しあげましたが、代金の清算を早急に済ませてくださるようおねがいいたします。勝手ながら、三月末日までに、もれなく御清算くださるよう、おねがい申します。

編集後記

△会費が円滑に集らぬ、と事務局が嘆く。会費が高くて、払うのがしんどい、と会員が嘆く。いうなれば嘆きの会費問題であつた。会費問題審議委員会という「嘆き」解決のための専門会議まで出来ていよいよ会費問題の臨時総会である。果してこの総会が、なげきの曲者に、とどめをさすや、いなや。本紙特集の会費問題記事を、よくごらんになつた上で、全会員もれなく、総会にはせ参じ、曲者に、とどめをさしていただきたい。

△本号の編集部会は、松本（俊）加藤　小高の三氏によつてもたれた。いろいろと意見はあつたが、何を載せよう、ときめた結論が、本号掲載内容の通りである。

△才二回「推せん」教育映画の会が、いよいよ明日に迫つた。手落ちなく手を配つたつもりだが、うまくゆけばよいが、と、いささか、気にもなる。まつたく、うまくゆけばよいが、である。

△会報も、このところ、部厚な号がつづき、大体このぐらいの頁数が、きまりとなつた模様である。六頁の編集に、原稿不足を嘆いたころを思うと、まさに隔世の感がある。事業活動のひとつとしての機関誌刊行案なども、そう考えてくると、案外、とんとんと、事が運びそうである。

△とんとんと云えば、とんとん事が運んでもらいたいことは充くさんある。いろいろと考えている事は数多あるのだが、事を進めるのに、これまたいろいろと障害がつきまとつて、なかなかに、うまくゆかぬのが悩みである。

△くどいようだが、やはり、なげきの曲者を、なんとしてもさしとめねばならぬ。きちんとわかり、きちんときめて、きちんとまもる。転換をこえて、更に歩んでゆくために、来るべき臨時総会を成功に終らせたい。

（小高）

教育映画作家協会々報（緊急号外）

一九五七年四月二日・中央区銀座西八ノ五　日吉ビル
教育映画作家協会　（会員のみに配布）

協会財政ついに 未曾有の危機に遭遇

会費の未納額は約二十万円

三月末の不足金は一万五千余円

▽会費を完納されている会員の方々、および、最近の極めて少額の会費だけが未納になっている方々には、たびたびの連絡で申し訳ありません。このような方々には協会の状況を知っていただくための事務的な連絡として、参考までにお目通しくださるよう、おねがい申します。

▽さて、会報No23紙上でおしらせしましたように、去る三月末における協会財政は、ついに一万五千余円の不足金を計上するに至りました。これは会員有志より借金をすることによって月末をきりぬけましたが、原因はもちろん会費の未納滞納にあると思われますので、会員各位の未納滞納会費の早急な納入が望まれる次第であります。

▽来る四月六日にひらかれる会費問題の臨時総会では、会費納入内規の改正案について審議いたしますが、四月分よりの会費については、当日、決定するであろう内規にしたがって納入していただきます。

▽本年三月までの会費については、未納滞納のある方は、もちろん全額を完全納入して清算していただきます。事務局が、目下、その未納滞納金額を調査算出しておりますが、三月末に算出された一応の集計では、滞納会費の総計は約二十万円近くになっております。

▽滞納会費のある方々には、順次事務局が連絡を申し上げて、滞納会費額の確認と、納入についての御相談をいたしておりますので、ぜひ、自発的な連絡を下さるようおまちいたします。

▽以上、会費の円滑な納入について、かさねがさねの、あまり気持のよくないおねがいでありますが、よろしく事情御了解のうえ、更に御協力下さいますよう、おねがい申し上げます。

四月六日（土）は午後六時より、銀座三丁目の新聞会館会議室で、会費問題の臨時総会です。お忘れなく御出席下さい。欠席なさる方で委任状を出していない方は、いますぐにお送り下さい。

健康保険料の滞納、未払は ついに一万円を超過

▽健康保険料については、協会事務局では、加入会員から健保料を集金して、一括して健保組合へ納入しているので、滞納があると、その立替などに大変苦慮するのであります。　そこで事務局では、つねづね滞納のないように、おねがいして参った訳でありますが、加入会員も大勢になると、いろいろの人が居るもので、去る三月末現在で十ヶ月分（二千円）滞納一名、五ケ月分（一千円）滞納一名、四ケ月分滞納（一千二百八十円）一名、のほかに、二ケ月分

会計報告

▽三月分の会計報告は次の通りであります。

一、収入の部	
会費	五二、五四〇
雑費	五七五
合計	五三、一一五
一、支出の部	
事務所費	一八、〇〇〇
電話料	六、八四五
人件費	一六、四〇〇
印刷費	一〇、〇〇〇
通信費	三、九一一
交通費	一、六二五
用品文具費	二、六五二
会合費	六〇〇
雑費	一、五五八
貸付金	二、〇〇〇
前月不足金	四、八七六
合計	六八、四六七
一、差引の部	
不足金	一五、三五二

一ヶ月分の滞納が五千八百円あり、合計一万八拾円もあります。協会財政に余裕があれば、一時立替もできますが、それが前述のような状況なので、この滞納一掃に御留意下さるよう、おねがい申します。

映画会の会員券代金
未納者は九八名
未納金一万一千余円

▽会報などで、たびたびおねがいしている映画会の会員巻代金、一人一二〇円を、まだ支払っていない方が九十八名、金額にして一万一千七百六十円あります。一日も早く納入してくださるよう、かさねておねがい申します。

会費改正案にさらに新案

▽会報NO23に、来る四月六日〆時総会にて審議するための会費徴集制度改政案を発表いたしましたが、さる三月三十日に開催された運営委員会において、左のような新案がでましたので、総会当日は、この二案の審議検討を行なっていただきます。

※会費改政案の第二案

▽協会の運営は会員の納める定額の会費によってまかなう。

▽フリーおよび企業所属の脚本演出家の月額会費は五百円と三百円の二種とする。

▽助監督部会の協会に対する納入会費は、当面月額一万五千円とする。

▽賛助会員の月額会費は三百円とする。

▽以上の会費による運営費の不足分は、三月末までの滞納会費の集金および仕事あつせん事務の礼金などによつて補う。

月額予算收入表		
定額会費	500×51	25,500
	300×49	14,700
助監督部会		15,000
賛助会員費		3,000
未收金集金および仕事あつせんの礼金		10,000
合計		68,200

▽四月六日〆時総会は、午後六時より始まります。夕食は済ませてから出席してください。会場で、食事を註文することもできます。

総会にさいして

助監督部会幹事会

吾々は協会運営委員会提案の会費制度について討議の末、助監督部会の自主性を高めようという立場から定額の分擔制について讃成し、更に次のことを提案します。

(一) 助監督部会分担額一万五千円は、所謂ノルマとして受取れば少ない方がいゝが、今までの実績を考え必要経費を確保しようという積極性を発揮して諒承する。そしてこの額を割らないために、部会も協会事務局もあっせん活動を強化する。もし一万五千を上廻った時は差額を部会の費用としそれを一定の割合で事務局に還元する。

(二) 以上のような独立採算をする上から、また部会の主体性を高めるためにも、部会の会員の資格を明確にする必要がある。会員は助監督を転業とし部会幹事会と協会運営委の両者が認めたものとし、会費を六ヶ月以上納めないものは脱会してもらうことがある。また一本立ちになつたものは原則として脱会する。これらの場合協会運営委は一般会員に入れるか協会を脱会してもらうか何れかに決定しなくてはならない。

(四) 部会内部で一万五千円をどういう方法で確保するかについては至急に部会の総会を開いて決定すべき問題ですが幹事会案として、

(1)全員一律に一五〇円の維持会費。

(2)フリーはこの上に二%うわのせ。

(3)協会あっせんの場合は手数料として更に二%、計四%うわのせ。

この考え方は、(1)は企業フリーを問わず仕事の有無に拘らずともかく協会維持の費用として、(2)は現在は長期契約或は自分で仕事を獲たにしても、協会あつせんに頼る可能性があり、またあつせんを受ける場合の過重負担をカバーする意味です。また例えば自己あつせんで二万円の契約をした場合、協会を通すことで二万五百円になれば、手数料二%を余計に納めても八十円の収入増加になり、協会の権威を高める事で同時に実質的な利益を得ようとするものです。

なお別に試案として

(1)企業会員　一五〇円定額会費

(2)フリーチーフ　四〇〇円定額

(3)フリーセカンド　二〇〇円定額

(4)協会あつせん　二〜三%上のせ

等々、考えられますが、他にもいゝ案をどゝどし出して皆で検討して頂きたいと思います。

1957・4・25

教育映画作家協会々報

教育映画作家協会
東京都中央区銀座西8の5日吉ビル4階 TEL(57)2801

No.24

臨時総会を終って

運営委員会

とにかく臨時総会をぶじにすませて私たちも一応はホッとしました。ながい間あゝでもないこうでもないと難航した会費問題が、皆さんの御研討の結果、比較的ムリの少い定額制にまとまりましたので、すつきりいたしました。

当日出席できなかつた会員の方も議事録をよくおよみ下すつて、この決定に従つて下さるよう願上げます。

当日の会場でも、くりかえし運営委員から申上げましたように、この定額会費制は、これが一〇〇パーセント納入されたときに、はじめて協会の経常支出がまかなえるという、ギリギリ一杯の線を出したものなのですから、今后は皆さんの御努力によつて未納や滞納のないように是非していたゞかなくてはなりません。

なお、今までの未納滞納会費も、立派に完納されてきた会員の方々に不公平にならないようにするため、これも無理のすくない形で分割納入していたゞかなくてはなりません。

この二つの点がまもられないかぎりは、せつかく苦心の末、衆智をあつめてつくられた定額会費制も、絵にかいたモチになつてしまわなければなりませんし、作家協会自体の運営も止まつてしまうでしよう。

すでに、こゝ数ヶ月、毎月くりかえして月末に不足分を生じ、事務員の人件費や、印刷の支払や、家賃、電話代の支払いにこまるような状態を生じています。現に前々からのくりこしの借金もあり、先月分の人件費は、今月になつてヤット支払いをしたような始末です。

運営委員会としましても、こんなくるしいヤリクリをこの上くりかえしたくないので、少い経常費をもつときり下げてゆくために、現にいろいろ工夫をつゞけてはおりますが、とにかくそれも会費の納入がキチンと行われてはじめて効果があがるのですから、是非是非会費をキチンとはらつて下さるよう願上ます。

原子さんが退職しても退職金が支払えず、そのため皆さんからカンパをあつめることに決まりましたのも、今まで多少づゝでも積立金があつたらそうしないですんだ事なのですし、会費さえキチンと集まつていたら問題にならないことでした。

なお次に、三百円、五百円の二つのランクをつくりましたが、(本来会費は一律であるべきものなのでゆくゆくは三百円一本にまとめたいとは考えております)これも今日の状態では、できるだけ五百円クラスの多い方がのぞましいので、すすんで五百円の方に加わつて下さるよう願います。

最后に、切実なお願いですが、会費の納入は今月から実行していたゞかなければ、今月只今から協会の活動は息のネをとめられてしまいますので、この会報をおよみになり次第、まづ新しい会費の第一回分を、あらそつて納入して下さるように切に願上ます。

私たちは、すでにこの月末を考えて、たまらなく不安を感じています。皆さんの協力をのぞみます。

会費問題の臨時総会議事録

一九五七年四月六日（土）於新聞会館会議室

午後六時十五分開会
出席二五名委任六〇名計八五名

吉見委員長挨拶
昨年末の総会の決定によつて、会費問題を審議するための会費委員会を設け、この問題を検討してまいりましたが、その結論をここに提案して臨時総会を開催いたします。

△議長団に河野哲二、かんけまりの両氏を選出、書記は中島日出夫、岩崎鉄也を確認。

樋口　去る三月十一日に運営委員会と合同でもたれた会費問題審議委員会の結論を報告する。本案は多数案の中からの理想案で現行経費六八〇〇〇円の収入を見積つたもので、一〇〇%納入でなければならぬ。現行の四%では納め難いということから、フリー、企業所属の演出、脚本家は一律に月額三〇〇円とした。ただし会の運営が安定する迄、収入の一%を援助資金として附加する。また協会のあつせんにより仕事を得た場合は契約金の一%を会費とは別に納入する。助監督部会の協会に対する納入責任額として一五〇〇〇円を同部会と話しあつてきめた。運営費の不足分は会の事業収入によつてまかなうという事だが、雑誌発行などで果して儲かるかどうか疑問であり再検討を要する。以上第一案は、多少の無理があるが、如何に負担を少なくするかという点に意を置いたものである。

議長　第二案について説明してほしい。

八木　第一案は全体として不安定な点がある。従来の%を下げるという事はわかるが、企業所属フリーを問わず、会費を一律に納めて協会を運営できぬものかと考えたのが第二案だ。一律会費の場合、会員一名が三〇〇円では協会運営ができないので、五〇〇円と三〇〇円のランクをつけたわけだ。この区別はデリケートであり、まあ古い人は五〇〇円、比較的若い人は三〇〇円と、大体の線で区別し、決定は運営委員会にきめさせて貰いたいと思つている。現在の脚本演出家一〇〇名のうちで五一名を五〇〇円クラスと目星をつけている。しかし五〇〇円クラスの人でも三〇〇円しか納められぬ人もいるだろうし、三〇〇円クラスの人でも五〇〇円納めたい人もいるだろうから、これは話合いによつて決めたいと思う更に助監督部会が一五〇〇〇円でこれは第一案と同じ。賛助会員は、一〇名三〇〇円として三〇〇〇円である。
協会の危機の原因である未収金が現在二〇万円あるが、これを何ケ月かに分けて納めて貰わねばならない、その方法も皆さんに考えて貰いたい。
協会が仕事を幹旋した場合における謝礼云々と書いてあるが、協会が幹旋するのは当然の事で謝礼は貰わない。但し謝礼を出したい人もいるだろうから納めていただけたら、いただくという事だ。第一案と違うのは定額会費制度で割切つてしまうということだ。

議長　今までの説明について討議質問に入りたいと思います。

柳沢　助監督部会が一五〇〇〇円という根きよと一人頭の額は、

大沼　実績が一五〇〇〇円から一八〇〇〇円であり企業を含めた総員五〇名で割ると一人当り三〇〇円見当になる。

柳沢　いずれの案にしろ、委員会の会費回収に対する確信があるか。

吉見　四%制は公平であるが、実際に仕事したかどうか見分けがつかず取る方が検察庁的になつて心良くない。一律となれば、四%よりも遥かに回収する確信がある。
しかし一〇〇%入らなければ危いと思つている。一、二年後の事は私もわからぬが、会員も増えるだろうし会を発展させる各種の条件もあることだから今は考えずにやつて行きたい。未収金の問題はこのまゝにすませては、完納者に申訳ないし、未納者も心にカスが残るのではないか。アンバランスは除去するという方向をはつきりさせたい。

丸山　経営の方は今迄三〇〇円、四〇〇円、五〇〇円だつた。第二案では四〇〇円の方は三〇〇円に下がつた。

事務局　四〇〇円から三〇〇円に下つた人二〇人位、三〇〇円そのままの人二〇人、五〇〇円そのままの人七人です。

柳沢　第一案の事業収入一〇〇〇〇円というのは、

八木　事業らしいことは今までやつていないのだしこれは当てに出来ぬ。

丸山　事業収入一万円は収入見積りで一万円たりないので、何とかやりくりしようと云う苦しまぎれのものです。

樋口　テレビ上映料問題もからんでいる。

吉見　取らぬたぬきの皮算用で、テレビに上映されたものは関係プロが一万円受取る。その一〇%は製作者連盟が手数料として取つている。作品は作家が作るものだから、製作者連盟の取る一〇%を一二%位に増徴して貰いその二%を我々に廻して欲しいと交渉した。

新人教育問題も連盟として考えており協会と共用の事業を進めていく中で考えていきたい。

第二案では事業収入は、はずしてあるがこれでは駄目で何か事業的なことをやりこれを蓄積の方向に持つて行きたい。

丸山　運営委員になつて始めてわかつたが、不足分は事務局長が六〇〇〇円委員長が六〇〇〇円樋口さん一〇〇〇〇円借入れている。事務局の小高さんには先月の人件費を払つていない。こういうせつぱつまつた状態である事を申し伝えておきます。

八木　今こそ会を盛たてていかねばならないのに、お祭りの寄附を貰う様な気になつてしまつていいものかどうかアッピールしてみたい。祭りの寄附集めの相談をしているのではないということだ。二者択一という意味ではないのだから第三案があつたら出して欲しい。

椛島　提案、企業の場合は会社側から直接徴集することが出来ますか。

吉見　むづかしいので現行では委員がまとめるという事をしております。

丸山　企業の人は完納しているが問題はフリーの側にある。

加藤　企業の人で五〇〇円の人は変化ない。フリーは安くなる。こういう点に疑問があるという方はいませんか。特に企業の方の御意見はどうですか。

議長　助監督部会の人にも同じ人がいると思いますが。

中村　払う方では、%の時より払い易い状態ですか。

丸山　僕の例では、月三〇〇〇円として四%で一二〇〇円だつたのが、五〇〇円になる。これは楽だ。

吉見　改正になることにより運営上の問題にも変化が来るのではないか。フリーは斡旋が眼目だから四%という事だつたが、これが一律だと、今後はこの差別

会員の動静

肥田　侃　岩波映画製作所にて動物関係の調査、シナリオを担当。中部電力「ホーロー式井川ダム」（仮題）シナリオ第三稿進行中。　ー二月二十日ー

大沼　鉄郎　東京シネマで相変らず科学映画の下調べをやつています。色々な細菌に色々な人間を連想させております。　ー二月二七日ー

永富映次郎　新理研映画作品「憧れの大空」完成。

菅家　陳彦　三月二十九日に神戸港を出航、約一ケ月程、海上ロケに出発致します。（神戸発）

水上　修行　次回作品脚本「罪ふかい恋」全十一巻執筆中。

かんけまり　日本テレビKK「食物のすききらい」編集中。　ー三月二八日ー

西尾　善介　「黒部峡谷」第二部のロケ、冬の部二月二十九日より、北ア、冬営飯場病人のヘリコプター救助。（日映新社）

をなくす。といつて斡旋を拒絶する事ではない。益々協会的運営に近ずく。

肥田　岩波の場合、月給が安い。助監督部会の人では上る人もある。

八木　上つてはまずい、一五〇〇円が決つたとしたら困りはしないか。

大沼　助監督部会を今迄より斡旋を積極的にやり、会費の上つた分を補充していかねば無理が来る、しかし会費が高いことよりも仕事をうんと貰うという方が切実でそこを勘案した。

議長　支出の面も検討して欲しい。

吉見　部屋代以外の金額は動かぬ数字である。部屋代が一番大きい、若し緊縮するとすれば部屋の問題である。

加藤　委員は自弁で委員会の運営を行つているから、その点お含みおき願いたい。

吉見　毎月の経費六八二〇〇円の七〇%の四、五万円が安心出来る力だとすれば、この範囲で出来る運営を考え、事務所も移転し雌伏して、将来の雄飛に備えるという考えも出て来るが、そこまで後退していいものかどうか

富沢　事務局の活動が活潑に行けば私は共同事務所に移つたとしても、後退にならぬと思う。

大沼　助監督部会も専任の事務局員を持ちたいという案を持つている。余計な経費は少くなつた方がよい。

吉見　児童劇団から軒下を借りたいという申出があつたが、これを機会に家主から値上げの要求が、あるのではないかという懸念から、話を進めなかつた。値上げになつても負担の軽くなる相手ならばいいと思う。引越の場合は最底五〇〇〇円の処でなければ意味なく、二三当つたが惜しくも時期が一ケ月遅れて好機を逃してしまつた。

加藤　田中喜次氏の内外映画が電話もあり、場所も良く半値になるのでよいのだが。

諸岡　小さすぎないか。

加藤　五、六人は入るが。

野田　会費を安くするために移転するのか、会費を認め七〇%しか集まらぬから移転するのか、はつきりしないが、いずれにしてもそれは会費問題が決つてからの問題ではないかと思うのだが。

八木　AからBに移るという考えでは貧すれば鈍するの例で、今後の会の発展に寄与しない。今の事務所程いい所はない、ここを根拠に将来の発展を計るべきだ。

諸岡　積極的に前に進みたい。事務所をいいものを持ちたい。日本だけでなく、他のグループとも手広くやつて行くそこまでいつて欲しい。その気持から、あそこを根拠として前進したいと考える。

加藤　雌伏が御不満とあれば第三案を提出する。これは第二案にプラスアルファーを考えたもので、フリーに問題を置く。定額と%をかみ合せたもので、フリーが仕事をした場合は自発的に%を合せたものを収める。取りにくいが現在よりふえる。

議長　支出、収入どちらかが決めぬと、どうどうめぐりになる。支出を先に承認してからそれに合せて収入案を出して行つてよいか。

丸山　入るを計つて出るを制すと

（島谷陽一郎　三月二日まで記録映画「富士見村」演補、小野プロ。三月五日より二十二日まで「仲よし子供プロダクション」シネマンプロ。三月二十三日より「たのしい昆虫採集」演出準備中。あいかわらず細かいアルバイトばかりで、生活問題と相まつて身のふり方を考えています。

豊田　敬太　東映「煤煙の街の子供たち」三巻、四月一日から川崎方面へロケ・ハン、六日頃から撮影に入つて、五月下旬頃完成の予定です。

入江　勝也　「叡知の結晶」（イーストマンカラー二巻）読売映画にて準備中、下旬クランク開始の予定です。

大方　弘男　読売映画社作品、松竹配給「火をふく世界」完成。新外映提供、東宝配給「ドイツかく戦えり」完成。電通、海外向PR映画「東京・日本」四月一日よりクランク（右何れも脚本編集担当）

—三月二九日—

徳永　瑞夫　九州電力の「火力発電」（PR）を終りました。四月から不就学児童の生活記録（

四

言う通り、第二案の事務所費、電話費、人件費等の合計六八〇〇〇円の支出額は最低限のものでこれは動かぬものである。これを念頭において立てられた収入案が第二案であるのだから、支出はみとめられたものと考えます。

議長　六八〇〇〇円の支出を認めて、第二案の討議に移つてもいいですか。

異議なし（全員）

議長　これに合うような案が外にあれば出して欲しい。

丸山　プラスアルファーというのは第二案プラスアルファーですか。

加藤　そうです。

肥田　今までの協会が幹旋したケースのデーターは？

吉見　助監督部会の場合は一〇〇％である。一本の場合は第二案にみる幹旋一％二〇〇〇円というのが今までの実績で、これは結局月二〇万円という事だから一番からいところで一〇件という事である。

加藤　私のは幹旋と否とに係らず％という提案だ。幹旋はどこまでを幹旋とみるか判断がむづかしいので触れない方がよい。

丸山　プラスアルファーがついたために定額分も心理的に納めにくくなるという危惧がある。

吉見　プラスアルファーを附加すると考えずに第二案を基本経済と考え、それ以外の収入は蓄積と考えれば、つまり好意的寄付をプラスアルファーと考えるなら可能性がある。というのは協会の自主製作の話も出ておりそのための蓄積、或いは脚本の註文があつた場合同志が寄り合つてやつて、半額は寄付するといつた形を考えていい。

加藤　しかし客観的な定めがないとむづかしい、不安定すぎる。

八木　未収金の一〇〇〇〇は最底限でありそれにプラスアルファーが出てくれれば希望がわいてくるわけだ。プラスアルファーの方法を考えねばならない。

大鶴　賛助会員を三〇〇円とした根拠は。五〇〇円でよいのではないか。

加藤　大鶴さんの提唱に対して、協会としての応えをしなければならない。フリーで協会に入つておられるプロデューサーには活動の場がなかつた。協会の中でのプロデューサーのグループの場を作るようにして、作家との具体的な結びつきも考え合せて行きたい。

大鶴　フリー五〇〇円の線が出ているのだからそれに合せなければおかしい。

八木　祭りの寄付を貰うようになつてまずい、三〇〇円以上とすることで巾を持たせたらどうか。

岡本　私は一律四〇〇円にしたらどうかと思う。七掛として不足すれば運営が出来ないというのでは意味がない。電話も十円づつ入れて貰うとか他にいろいろ方法もあろう。カンパもいいと思う。

諸岡　実績からわり出されれば第二案が妥当と思う。

議長　案を整理して採決していいか。

樺島　第二案の方が良さそう。ただ幹旋手数料という項を入れたらどうか。

八木　義務づけるよりはつけぬ方がより沢山入るような気がする。

丸山　第一案にある通り幹旋謝礼

黒い砂）のロケ・ハンに入ります。撮影開始は五月上旬。

丸山　章治　四月一日から日映科学の「帝人アセテート」映画のロケ・ハンにでかけます。なんとかして四月中にクランク・アップしたいと考えていますが、少しムリかも知れません。

ー三月三十日ー

楠木　徳男　「瀬戸内海の漁村」の撮影を終えて三月末帰京。現在編集にかかりつつあり、五日には再び最盛期の漁場及漁港の様子をロケに行く予定。

吉田　和雄　箱根早雲山の崩壊復旧工事記録映画の撮影を終り録音の準備をしています。

上野　大梧　村上プロ「土と作物」撮影中。「肥料と作物」シナリオ。

坊野　貞男　岩波「佐久間ダム第三部」「有峰ダム」「新鋭火力発電機」で高村さんの演補です。

山添　哲　五月中旬まで記録映画社の「オートメーション」の仕事をしています。

伊豆村　豊　七月まで中井プロで漫画映画の仕事をしています。

田中　喜次　電通映画社で昨年来

は二〇〇〇円見当でこの程度のことでは義務ずけぬ方がよい。

柳沢　五〇〇円の会費は高いのだその上に斡旋手数料ではうなづけぬ。協会を育成するという事をわかつて貰つて、自分の出来ることをきめておいて、それを誠実に履行することが大事だ。

八木　プラスアルファーの方は会費とは別に独立に考えた方がいい。

丸山　会費としてはこう決め、発展策は別に決める。

加藤　プラスアルファーをみとめるかどうか。

議長　第二案だけを採決して良いですか。

丸山　第二案の賛助会員三〇〇円とあるのを三〇〇円以上に改めることを決めて欲しい。

異議なし

大沼　助監督部会としては、一五〇〇円を認めるという形で表決する以上のことは出来ぬ。

丸山　一五〇〇〇円で苦しくないのか。

吉見　その辺は一五〇〇〇円前後という事だ。

議長　では裁決します。

第二案賛成（一名反対）

加藤　プラスアルファーは委員会で研究したい。

竹内　会費問題はすでに定額制（第二案）と決つたので会費増こ徴はいかん。プラスアルファーは会員に義務ずけず、会費とは別個に考えるという事を確認して欲しい。

異議なし

野田　第一案、第三案も採決した方がはつきりする。

異議なし

裁決第一案賛成なし

第二案三四名　第三案一名

（このとき出席三五名委任五三名計八八名）

議長　会費が七〇％しか入らぬ場合運営を縮少するかどうかという点も討議してみたい。

八木　一〇〇％にするための徴収方法と、不足分の別途収入方法の二つに分けて考えるべきだ。

議長　採決する筋合のものではないから御意見だけ伺いたい。

かんけ　取りに行くこと、どう歩けるかが一つのカギだと思う。これを委員会でも確認して運営して欲しい。

肥田　会の活溌な活動のためにも徴収方法と関連して事務局員の給料が安いという事は問題だ、将来昇給などの保証で安心して働いていただきたいと願うが。

吉見　予算の中には昇給、ボーナス問題が入つていない、これは改めて責任額をもつたカンパを起す可能性も多い。

諸岡　責任というとおだやかでない。カンパの方がいいと思う。

吉見　今の点は決定と解釈しないで欲しい、方途は別に考える。

議長　助監督の身分問題について。

大沼　助監督部会の内規に従わなかつたり会費を六ケ月以上滞納したりする者はやめていただく場合協会の一般会員となるのかそれとも会から除名になるのかそういつた点は協会全体の問題となるので討議して欲しい。

議長　規約にふれて来るが。

吉見　委員会としては規約改正を考えたことはない、委員会に草案を提出して、そこでやつて欲しい。

以上

終了午後九時三十分

（終了のとき、出席四〇名委任五五名計九五名）

（議事録整理　荒井　英郎）

の仕ごとの仕上げにかかつて居ます。

間宮　則夫　東北のまつり　第三部　ようやく完成いたしました。四月十日　初号試写です。

野田　真吉　「牛と金魚」（村上プロ）脚本　四月中旬脱稿

岡本　昌雄　春めいてきたのに「雪と氷」という教材映画と暮しています　—四月一日—

道林　一郎　三月十七日に痔を手術しまして、只今慶大月ケ瀬研究所に入院しております。今月六日ごろに退院の予定でございます。　（夫人報）

手術の経過良好、四月上旬に予定通り退院　帰京しました。

黒木　和雄　PR「ガスの供給」演補、四月第一週中アップの予定でおります（岩波映画）

中村　麟子　日映科学映画製作所にて仕事をしています。

長野　千秋　国鉄の仕事に追われています。

松本　俊夫　新理研映画「マンモス潜函」ロケ中

西沢　周基　企画準備中　四月下旬には脚本作成に着手する予定です。　—四月二日—

教育短篇映画、過去数年間の
製作状況通観
——日本映画教育協会調査——

——昨年一ケ年間に製作された教育短篇映画の製作状況について、その集計記事を会報No.23に掲載したが、一九五六年度の製作事情を、過去数年間の実績と対照しつつ通観してみると、つぎのような状況になる。尚、この記事も、前号同様に日本映画教育協会発行の「視聴覚教育ニュース」より転載したものである。——

作品増加の傾向

まず、五年間における製作作品数、巻数、会社数についてみると左のようになる。

年度	作品数	指数	巻数	指数	社数	指数
52	304	100.0	608	100.0	83	100.0
53	380	125.0	774	127.3	107	128.9
54	480	157.9	1000	164.5	113	136.1
55	571	187.8	1212	199.3	138	166.3
56	753	247.7	1688	277.6	187	225.3

（註・通観する際の軸としては、諸般の情況から考えて、1952 年度を100とする。以下同じ）

この結果、本年度においては、それぞれ五九・九、七八・三、五九・〇と急速に指数が増加している。

これを、一社当りの平均製作本数と巻数についてみると、

年度	52	53	54	55	56
作品数	3.66	3.55	4.25	4.14	4.03
指数	100	97.0	116.1	113.1	110.1
巻数	7.33	7.23	8.85	8.79	9.03
指数	100	98.6	120.7	119.9	123.2

年度	52	53	54	55	56
一作品の巻数	2.00	2.04	2.08	2.12	2.24
指数	100	102.0	104.0	106.0	112.0

となり、五五年度にくらべて、作品については三・三％減じ、巻数については三・三％増加している。これは、会社数の増加率が上廻つたためと考えられるが、一作品当りの巻数の増加をみると、さらに巻数がのびていることがわかる。

十六ミリ撮影作品は順調に増加

純然たる十六ミリ撮影による作品数は、昨年度に引続き五六年度においても順調に増加の一途をたどり、作品数において　四八・二％巻数において　四一・一％となつて、前年度より一・六％の

日高　昭　「中外製薬浮間工場建設記録」（桜映画社）編集中

加藤松三郎　日映科学をはじめとする二、三のＰＲ映画にかかつています。なかにはニュー・フエイスの新東宝作品もありますが、ぼくにはＰＲという自体がたのしくてならない。

樋口源一郎　「住いの歩み」（新理研）編集中　建築完成が予定より延びたため、随分長期になつてしまいましたが、住いを通しての日本の歴史が、よく判りました。

富沢　幸男　東京シネマにて「限りなき創造」演出中

杉原　せつ　相変らず企画物シナリオに取組んで頑張つております。　—四月三日—

山本　升郎　相変らず三木映画「オイルシール」もやつと四月中旬初号という事になりました。引続き次の作品に入る予定です。

村田　達二　芸研プロにて「八十番目の国」という記録物を演出中。

高井　達人　アソンデイマス。

片桐　直樹　大変御無沙汰致しております。毎日、ＴＶニュース

増加をみせている。これを、同じく五二年にさかのぼつてくらべてみると、

52	53	54	55	56
18.4%	30.5%	33.1%	46.6%	48.2%
100	165.8	179.9	253.3	262.0

となつて、十六ミリ撮影作品が依然順調に増加を続け、殆ど全作品の半数に達しようとしていることを示している。

これは、製作合理化の動きなどから、製作面において促進されたものであると同時に、こうした状況をおし進めているのは、教育の場での利用が着実に拡大されつつあることであり、事実十六ミリ撮影による教材映画の製作は大きく伸びてきているのである。

色彩映画の状況

前年度においては、色彩映画の増加はほとんど見られない状態であつたが、五六年度の色彩映画は、かなりの増加を示している。

しかし、色彩映画は、依然として、海外向映画や、鉄鋼・造船・電力等のPR映画ならびに観光映画等特殊な作品に多く、全般的な向上を示すに至つているとはいえない。

海外向作品は、作品数そのものは、前年度にくらべて非常に大きく増加してはいないが、これは、国内向作品数が増加したことの裏付とされ得るものであろう。

本年度の海外向作品は、計五八種一四一巻で、ここでも一作品当りの巻数の増加が目立つているが、そのうち色彩版は四〇種（六九%）・九七巻（六八・八%）と前年度より増加しており、鉄鋼・造船・金属関係のものが、一一種二四巻で全作品色彩版、その他の機材（ミシン等）関係が六種・一一巻で全作品が色彩版、電力電機関係も全作品色彩版で五種・一三巻、観光関係は、若干減少して二一種・六一巻中、色彩は七種二六巻となり、やはりかなりの高率を示している。

色彩映画の総計は一七五種（二三・二%）・四一五巻（二四・六%）となり、五年間の推移をみれば

52	53	54	55	56
6.6%	6.6%	14.8%	14.9%	23.2%
100	100	224.2	225.8	351.5

という結果で、前年度よりは大きく増加しているが、工学系統に増加率が集中していて、まだ、全体的な傾向には至つていないといえるであろう。

教材もの等の趨勢

内容的にみて、当初から、学校教育や社会教育を目標にして作られた作品の数も、年々増加の傾向にあるが、五六年度では、学校教材が八五種・一二〇巻、社会教育用が二四種・五四巻で、ここでまた、五二年度以降のこの種映画の製作状況をみると

と、週一回のニュース製作に従事していますが、なかなか自分の時間のないのが残念です。

深江　正彦　「科学捜査」を完成　現在次回作品の脚本準備中です。

苗田　康夫　日映新社「赤い帽子」ロケ中。―四月四日―

河野　哲二　「図形の誕生」という映画をやつています。

中島日出夫　「食物のすききらい」（T・C・J）かんけ組の演補。アップ迄は順調でしたが、編集にかかつてから、諸々の事情で延びています。四月中旬完成の予定。

森田　純　モンタージュとトリックの勉強をしています。諸先輩の教えを乞うつもりですが、その節はどうぞよろしく。

石田　修　日本観光写真映画社は三月三十一日をもつて解散になりました。

中村　敏郎　地理大系「大都会の生活」のシナリオが仲々出来ず弱つていましたが、漸く近く決定、撮影に入れる予定です。

大野　祐　PR映画、企画資料調査の毎日です。

森田　実　目下、世田谷区桜新

年度	52	53	54	55	56
学校教材	17	13	24	30	85
対全体比	5.6	3.4	5.0	5.3	11.3
指数（本数）	100	76.5	141.2	176.5	500
社会教育	7	8	5	21	24
対全体比	2.3	2.1	1.0	3.7	3.2
指数（本数）	100	114.3	71.4	300	342.9

となり、学校教材用映画の数の増加がきわめて著しく、社会教育用は、おだやかな増加を見せている。

これは、前にもふれたように、学校教材のうちでも、特に十六ミリ撮影による教材映画の製作が伸びており、利用の体勢も、いよいよ本格的になってきたことを物語るもので、一方、社会教育用映画の製作も着実に進められていることがうかがわれるのである。

こうした教材映画と同じく、当初から目的をもって作られている児童劇映画、動画等の製作状況をみてみると、つぎのようになる。

年度	52	53	54	55	56
児童劇映画	7	4	7	13	40
対全体比	2.3	1.0	1.5	2.3	5.3
指数（本数）	100	57.1	100	185.7	571.4
動画映画	15	11	15	7	13
対全体比	4.9	2.9	3.2	1.2	1.7
指数（本数）	100	73.3	100	46.7	86.7

以上から、学校教材と児童劇映画が、近年大きく増加しているのに対し、動画のみはかなり低調で、この分野の伸長が望まれる。

これらの教材映画等の自主的作品が、全作品の中に占める割合はどうであろうか。過去３年間の製作状況は、次の表のとおりである。（この場合、特に５４年を軸とした）

年度	54		55		56	
	作品数	巻数	作品数	巻数	作品数	巻数
教材もの等自主的なもの	70	138	103	228	218	545
対全体比	14.6	13.8	18.0	18.8	29.0	35.3
指数	100	100	147	165	311	395
スポンサー付等のもの	375	791	370	792	458	986
対全体比	78.1	79.1	64.8	65.4	60.8	55.4
指数	100	100	99	100.1	122	125
テレビ用映画	35	71	98	192	77	157
対全体比	7.3	7.1	17.2	15.8	10.2	9.3
指数	100	100	280	270	220	221

これによれば、ＰＲ物は依然として多いがその割合は次第に減少してきており、逆に、自主的作品が急激に多くなったことが示されている。これは、映画教育運動が伸長しつつあることを如実に示すものであり、五六年度は、前年度までに準備された利用体勢と相まって、教育映画製作の道がはっきりと開かれてきたことの裏付けでもあるといえよう。

ＰＲ映画の発注者について

現在製作されている教育映画の経済的基盤を考えるとき、その役割の大きさはなんといっても、受注映画であるが、これがどうなっているかをこの二年間の状況からうかがってみると、次のような結果となる。

（註・この調査は過去にさかのぼって、現在映教でくわしく調査中で、ここに出す結果も中間的なものであるがおよそ傾向はつかめるものと思う。一応参考としてのみに留めたことをお断りしておく。）

製作主体	（五五年度）	（五六年度）
中央官庁関係	四四種	五三種
公社関係	五五種	五七種
地方官庁関係	七九種	八九種

町のパン屋さんの二階に泊りこんで、「集団就職」の問題をテーマにしたものをやっています。完成は今のところ見当がつきません。

小森　幸雄　現在、仕事待ち、シナリオの勉強をしています。

―四月五日―

衣笠十四三　次回作準備中。

草間　達雄　新理研映画で仕事をしています。

原本　透　「地下鉄」（新理研）演出中。

谷川　義雄　「草」（三井芸術プロ）演出中。

奥山大六郎　次の仕事、シナリオ改訂中です。

大鶴日出夫　インターナッショナル映画ＫＫで「安全運転」二巻準備、スタッフの編成にかかっております。

―四月六日―

秦　康夫　横河電機ＰＲ映画「オートメーション」（記録映画社）の助手、四月中撮影、五月初旬編集、録音となる予定です。

小島　義史　十四日まで、日映「赤い帽子」（丹生組）苗田さんの助手。

―四月九日―

特集　第二回「推せん」教育映画の会報告

製作主体	（五五年度）	（五六年度）
電力関係	一八種	二五種
瓦斯関係		四種
鉄道運輸関係	二種	一一種
紡績化繊関係	四種	一三種
水産関係	一種	二種
醸造・食品・菓子類	一二種	二七種
製紙関係	二種	三種
セメント・窯業・ガラス関係	七種	五種
石油関係		一種
土木建設関係	四種	四種
鉄鋼金属関係	五種	八種
造船関係	四種	八種
車輌・部品関係	七種	二〇種
電気機械関係	一三種	一六種
諸機械製作関係	六種	一二種
雑製作関係	二種	四種
化学工業・油脂関係	一三種	一二種

製作主体	（五五年度）	（五六年度）
製薬関係	七種	一七種
ゴム	七種	四種
光学関係	一種	二種
百貨店・商業関係	七種	四種
ホテル・観光関係	一種	二種
興業関係	三種	一〇種
銀行・証券関係	三種	三種
保険関係	三種	二種
新聞社	一二種	二七種
出版関係	三種	一一種
通信放送関係	四七種	二三種
学生・婦人団体・労組関係	一五種	九種
経済団体関係	三種	二種
貿易振興団体関係	一一種	一一種
農林水産組合団体関係	一三種	六種

製作主体	（五五年度）	（五六年度）
社会事業団体関係	二種	四種
スポーツ体育団体関係	一八種	二一種
学会文化団体関係	五種	五種
学校・研究所関係	七種	一〇種
宗教団体・寺社関係	二種	二種
その他諸団体	一四種	一一種
商工会議所等（含取引所）		二種
その他不明	九種	十種
米国大使館	二種	五種
海外関係	三種	一種

吉見　泰　自主作品準備（東京シネマ）その他、自主的な企画を考えています。

―四月一二日―

荒井　英郎　仕事待ちです。

前田　庸言　東京シネマ「銀行」の演補です。

小泉　堯　東京シネマ「限りなき創造」の演補です。

岡野　燕子　次回作の調査中

京極　高英　岩波映画で仕事をしております。

頓宮　慶蔵　自宅にて病後の静養中です。

高島　一男　村上プロで仕事をしております。

尾山　新吉　次の仕事を、いろいろと計画しています。

竹内　繁　東邦プロ「カネカロン」の演補です。

小野寺正寿　仕事待ちです。

山岸　静馬　日本短篇で仕事をしています。

川本　博康　電通映画部の「東京・日本」の撮影中です。

大久保信哉　たくみ工房で仕事をしています。

八木　仁平　次回作の準備中

新庄　宗俊　オート・スライド。

映画会を終つて

さる三月に行われた「推せん教育映画の会」は、入場者総数五五六人（その半数以上が当日売り）で、前回の映画会より下廻る数字です。この数字はまたわれわれの見込み数字よりもはるかに下廻るもので、予想をうらぎられました。

しかし、それにもかゝわらず、会員皆さんの努力によつて、きわめて小額でわありますが、黒字になつたこと、しかもアンケートの葉書は百枚以上も回収されたこと、このことは重要です。

アンケートの内容については、ケイサイされたものから御判断ねがうとして、とにかくよい感銘をあたえたことは疑えませんし、入場者が記録教育映画にきわめて強い関心をもつていたことを物語つています。

以上の点から判断できることは、このような協会独自の映画会をもつと数多く定期的に持つことが可能でもあるし、必要でもあるということです。

今回のプログラムは、時間の関係から長篇児童劇映画などをカットしましたが、数多く会をもつことによつて、もつとプログラムを充実できますし、又時間のゆとりをつくりタダ見せるだけでなく、この機会にわれわれ作家と観客とが話し合いを行うことも考えられます。

年中行事として年一回だけお祭りのようにやるのではなく、運動として事業としてもつと計画的に協会独自の運営による映画会をもつことを考える段階にきたのではないか、と思います。

この点について会員皆さんの創意ある意見がドンドンあがつてくることを希望します。

（運営委員会）

▽映画会当日の実際入場者数を集計したところ、次のようになりました。

	招待	会員割当	団体前売	当日売	計
第1部	10	60	59	122	251
第2部	10	55	37	203	305
計	20	115	96	325	556

▽団体善売は、約一ヶ月前より前売券を、労組、映画サークル、学校その他の諸団体に販売を依託したのであつたが、売れ行きは意外に振わず、売り上げは二三八枚、実際入場者は前記のような結果になつた。

▽会員割当は会員一四七名に、一人四枚づつ計五八八枚を、責任をもつて販売していただいた。

▽当日売りは、朝日新聞紙上に掲載の社告記事およびその他の宣伝によつて、この映画会の開催をしり見にこられた方々です。

会計報告

▽映画会の会計報告は次の通りであります（四月二十日現在）

プロで仕事をしています。

岩崎　太郎　シナリオ執筆中。

韮沢　　正　いろいろと準備中です。

岩佐　氏寿　シナリオ執筆中。

柳沢　寿男　岩波映画を離れて、フリーになりました。

三浦　卓造　日映新社「赤い帽子」の苗田さんの助手をしています。

小谷田　亘　岩波の「ガス供給篇」の演補をしています。

杉山　正美　東京シネマにて準備中です。

伊勢長之助　岩波にて仕事をしています。

丹生　　正　日映新社「赤い帽子」演出中。

矢部　正男　岩波の「ガス供給篇」の演出中。

桑木　道生　三宝プロにて準備中

松本　公雄　仕事まちです。

近藤　才司　桜映画社「妻と夫がけんかした話」の演補。

赤佐　政治　東京シネマ「銀行」を演出中。

渡辺　正巳　東京シネマ「限りなき創造」の演補。

渡辺　　亨　シネマンプロで仕事をしています。

収入の部	前回利益金	3,514
	広告料	5,000
	会員割当券収入	12,240
	団体前売券収入	6,135
	当日売券収入	9,750
	合計	36,639
支出の部	会場使用料	7,000
	映写料	8,900
	印刷費	7,000
	税金	1,260
	アンケートはがき	1,500
	雑費	8,781
	合計	34,441
差引利益金		2,198
未収金		5,040

観客のアンケート
九九通あつまる

▽第二回「推せん」教育映画の会の当日、会場で、入場された観客の方々にアンケートはがき（総計三〇〇枚）を配布して、御感想御意見などを求めたところ、現在までに九九枚（三割三分）が回収されました。

▽アンケートの内訳分類は次の通りであります。

到着の模様

	日	曜	通数
3月	25日	(月)	8通
	26〃	(火)	27〃
	27〃	(水)	18〃
	28〃	(木)	9〃
	29〃	(金)	6〃
	30〃	(土)	9〃
	31〃	(日)	5〃
4月	1〃	(月)	3〃
	2〃	(火)	3〃
	3〃	(水)	1〃
	4〃	(木)	3〃
	9〃	(火)	3〃
	10〃	(水)	4〃
合計			99通

男女年令別

年令	男	女	計
10才以下		2	2
10代	10	4	14
20代	40	17	57
30代	10		10
40代	5	1	6
50代		3	3
60代	2	1	3
不明	3	1	4
計	70	29	99

職業別

学生	35
会社員	17
公務員	10
教師	9
無職	8
主婦	6
医師	3
工員	3
商業	3
労組員	2
保険看護婦	2
その他	1
計	99

一二

桑野　茂　日映新社の仕事でイラク地方メソポタミアに出張していましたが、四月上旬に無事帰国しました。

玉上　義人　山形市に帰省中。

相川　竜介　甘木市に帰省中。

片岡　薫　脚本準備中。

秋元　憲　日教組映画のシノプシスを書きました。

岩堀喜久男　三井芸術プロの仕事を終って次回の準備中

豊富　靖　産業映画社にて仕事をしています。

竹内　信次　新理研「パラメトロン」を終りました。

下村　和男　アルバイト中です。

厚木　たか　「ドキュメンタリイ映画論」の仕事をしています。

北　賢二　次回作を準備中。

稲村　喜一　人形映画製作所。

本間　賢二　東映製作所。

八木　進　モーション・タイムズ

高綱　則之　学習研究社映画部

高見　貞衛　大場　秀夫

日本記録映画社

岡　秀雄　田中　舜平

記録映画社

八幡　省三　東京シネマ

西沢　豪　落合　朝彦

第二回「推せん」教育映画の会 観客の声

——前記の九九通のアンケートのうちから、特長のあるものを選びだして、ここに掲載いたします。——

新宿区 貸本業 都崎マリ子（28才）

日夜の御奮斗に敬意を表します。この様な映画の会において、ともすれば多繁な日常生活の中に忘れがちな物事に対する科学的な考え方を再認識させられます。又日常生活の折にふれるいろいろな物に対して深く観察できる知識の手引ともなります。

練馬区 山添綾子（27才）

よい番組であつたと思います。教育映画を知る上で貴重な勉強になりました。「太陽と電波」は分りにくい題材をリズミカルな美しい画面で画かれ感心しました。音楽もよかつたと思います。「双生児学級」も楽しく観賞しました。「結核と斗う」は一般人にみせるものとしては余り印象が強く少々不快を感じました。

練馬区 小学生 岡すみ子（7才）

「ちびくろさんぼの、とらたいぢ」がおもしろかつた、そのつぎに「生きていてよかつた」というのはおねえさんがびつこになつてあるけないのや、または「ぎよそんのくらし」とゆうものもおかあさんたちやおとうさんたちがよるもひるもはたらいているのです、どれもこれもとてもおもしろいのです。

渋谷区 高橋梅子（60才）

皆様の御努力を感謝しつゝ拝見いたしました。「生きていてよかつた」は前にもみましたが何度みても云い知れぬ感概に涙が出てまいります。此生々しい映画をぜひ外国の人に広くみせていたゞきたいと言う願で一杯でございます。実際を知らない人にもぜひ知ってもらいたい祈願で胸一杯になりました、双生児学級も感深く拝見しました、根の成長等一つ一つ勉強させていたゞきありがとうございました此上ともよろしく御活躍御願いいたします。

豊島区 医師 吉田泰二（32才）

この様な催しを開いて下さつた事を深く感謝致します。全くこの様な映画を作るために国家が充分の予算をとつてくれるといいんだがと話合ひながら帰つた次第です。

目黒区 長尾秀子（28才）

とてもたのしくすごしました。漁村のくらしは、一巻で一寸充分でない様でした、太陽と電波はカラーの美しさにひきつけられました、教育映画は常時上映してほしいものと思います。

江戸川区 公務員 吉川欣延（24才）

この種の会に参加したのは、始

大峰晴 山口淳子
日本映画新社
各務洋一 羽仁進
吉田六郎 高村武次
時枝俊江 小熊均
榛葉豊明 羽田澄子
秋山羚一 田中実
岩波映画製作所
諸岡青人 清家武春
飯田勢一郎
日映科学映画製作所
大橋春男 英映画社
小西久弥 TCJプロ
島内利男 中島智子
岸光男 富岡捷
田部純正 清水進
新理研映画株式会社
吉田宗阿弥 長井泰治
諸橋一 平田繁治
日本アニメーション映画社
樺島清一 西本祥子
日本視覚教材株式会社
吉田和雄 神奈川ニュース映協
松本治助 電通映画社
西浦伊一 綜合映画製作所
水木荘也 三井芸術プロ
松岡新也 次回作準備中
木村荘十二 次回作準備中
川崎健史 彦根市に居住
大野芳樹 国際教育映画株式会

めてだつたが、主催者観客とも教育映画を心から愛している　といつた雰囲気が流れていて、好ましい会であつた。主催者側の応接も終始、和やかで近来になく楽しい観賞会となつた。プロの組み方も、細かい配慮が窺えてまずまず妥当であつた。ただ、こうした会が、友人に聞かされるまで全然知らなかつたという事実から推してみても主催者側の大衆えの働きかけが徹底していないように思えた。予算の関係もあるのだろうが、もう少し活動的に教育映画普及に乗り出して欲しい。おつとり構えているだけが「作家」ではあるまい。何故切角のこの会を利用してパンフレットの配布、講演などところみなかつたのが解せない。PR映画製作も結こうだが自分自身たちのPRも尚大切だと思うのだが。

港区　公務員
作間美代子（27才）

大変良い映画を見せていたゞき得るところがありました。一般では知る事の出来ない事も映画に依つて得る知識は可成り大きい事です、この様な良い映画は今後も沢山作られる事を期待すると共に、なるべく多くの人達に観賞させていただける方法を考えて欲しいと思います。

目黒区　藤井　敏貴（25才）

十六ミリの映写効果についてもつと考えて欲しいと思う、秀れた機械も出来ていることですから、そして埋れてしまうことの多い十六ミリ作品の中からもぜひ秀れた作品を選び出して見せて欲しいと思います。

大阪市　医師
神谷かおり（28才）

ほんとうに良かつたと思いました。苦しい経済状態の中でこういう映画を作つておられる方々を心から尊敬します。それとともに日本の再軍備政策のためにますますこういつた文化がヨクアツされていくのに反対しなければならないと思いました。どうぞみなさんがんばつて下さい。

大田区　公務員
佐藤　裕二（25才）

とても良かつた、第三回映画会が待ち遠しい。吉見氏が云われる如く、我々は斯る素晴らしい映画を見る機会がとてもないです。だが総ての人達に見て貰いたい映画ばかりです。殊に今日の「太陽と電波」「生きていて良かつた」「結核と斗う」は一人残らず見て貰いたい映画です、此の映画会の宣伝が足りない様です。もつと労組、学校、各種団体に入つて活動して頂きたいと思います。

豊島区　大塚　正彦（20才）

こういう催しは非常に有意義で又必要なものであるのに良い映画ができている事は朝日新聞紙上でも時々紹介されるのですが一般にはなかなか見る場がないのが実状です、この点この会は今後是非続けてもらいたい。できれば各季に一回位は、維持のためならもう少し位高くても良いから秀れた科学（自然科学並びに人文、社会、科学）映画をどしどし紹介して欲しいと思います。

新宿区　教師
岩上　行忠（46才）

二ヶ年間の教育映画作品のうち優れた集約的作品を観せて頂き有難う存じました。第一回を見てから、実は見なければならない教師

社にて準備中。

森永健次郎　日活にて次回作の準備中。

（次の方々は、原稿〆切までに詳しい動静が分りませんでした。ぜひ、連絡をしてください）

小野　春男　盛野　二郎
下坂　利春　平野　直
古川　良範　中江　隆介
真野　義雄　岡野　巖
尾崎　好男　清水　信夫
下村　健二　中川　順夫
馬場英太郎　原口　光人

☆住所移転

小谷田　亘　八王子市大和田町大和田薬局方へ転居

☆その他

古川　良範　自宅に電話が開通しました。（七二）二一一一番

声

（水上　修行）

私、この度協会に入会させて頂きました。よろしくおねがい致します。

のはしくれでありながら、また大きな興味と関心を持ちながら、今日見たものはどれも初めて見るものばかりでした。教材映画として「漁村のくらし」よりも「雪国の生活」の方が判りやすくよかつた様に思いますが、同じ十六ミリの撮影でも「根のはたらき」のように植物がほんとうに生きている姿をとらえた、作品はぜひ子供たちに見せたいものです。あれが更に「太陽と電波」の色彩を持つたらどんなにすばらしい事でしょう。この事は「ちびくろさんぼ」にも当てはまります。もうどんな教材映画も「太陽と電波」の美しさを獲得せねばならないでしょう。そういう作品が楽に作れる世の中が早く来る事を祈ります。そうしてそのために御苦労されていられる協会の皆さんにほんとうに感謝します。

目黒区　公務員
長松谷蓉子(25才)

皆様御推選のものだけにどれも興味深く見せていたゞけました。地味な御活躍を陰ながら声援いたします、「ちびくろさんぼ」とつてもあどけなくて可愛らしく、でもトラがバターに変るアイデアは少々胸の悪くなるような感がありましてそのバターで作つたお菓子にトラのしまが出来たのには思わず苦笑してしまいました。「双生児学級」では子供達の自然で無邪気な動作や表情が見る者の心を明るくしてくれました。そして一人一人の個性が次第にその子のものとなり成長して行くさまに心うたれました、これからも意義あるお仕事しつかりお願いいたします。

渋谷区　沖西喜代美(　才)

第一回の映画の会の時にも良い映画があり今回をたのしみにしておりました。「推せん」にふさわしい第二回の映画の会だつたと思います。「生きていてよかつた」強い感動をうけました。まだ生々しいひとつひとつの画面が脳裏にやきついて今更ながら原爆の恐しさに慄然としました。あらゆる人達に見て頂きたい映画と思います。「結核と斗う」はカラーフイルムなので画面が生きて実際に効果がありました。只私が少しだけ物足りないと感じたのは「斗う」と言う強い言葉にもつと色々のものを期待しすぎたのかも知れません。

「双生児学級」よかつた。盗みととりカメラが捉えた巧まない表情、動き興味ある種々の事柄をうまくたのしく見せていて感心しました。「ちびくろさんぼ」ドーナツまで虎の毛波の模様とは恐れ入りました。微苦笑の一篇でした、「太陽と電波」「雪国の生活」も良かつたと思います。「漁村のくらし」はどの地方の漁村だつたのでしようか知りたかつたのですが　必要なしかも知れませんが　十六ミリ映画は画面が暗くて一寸見難い気がします。もつともつと教育映画を見る人達が多くなる様作家協会が赤字になりません様祈つております。

港区　公務員
石井　勝(25才)

一、既存のニュース映画館等に教育文化映画の価値を認めさせる様積極的に売込み徐々一般劇映画館えと拡大する。
二、学校官庁等に巡回して組織を利用し宣伝する。
三、協会に会員組織による連絡会を設け映画会、批評会等を開き会員を基盤として普及宣伝を行う(最も可能性ありと思う)

すばらしい足跡の数々を映画界に残して来た先輩同輩諸兄
貴兄たちの各々の智慧の輪を持ちよつて、すばらしい世界的名画を一本、ここぞ一番、製作、脚本、監督、キャメラ、照明、スクリプター、編集、など全部を各々の得意のパートをお互いに引き受けて(キャストだつて自分たちの中に案外掘出しがひそんでいるかもしれませんし)どうでしよう、みんなで作家協会の高揚の為にも企劃して見ようではありませんか。
みんなでやり度い作品、みんなで自信もちる作品、きつと出来そうな気がするんですけど
きつと出来ますよ。
私はこんな情熱を真面目に考えて見たのです。

(島谷陽一郎)

もうまもなく五月がやつてくる。本当にいいメーデーのドキュメントを作りたいと、皆んな考えておられると思います。そのために今から、話合いや良いプランを練つたらどうでしよう。

(菅家　陳彦)

仕事とは申し乍ら、総会欠席の

大田区

石政　静子（27才）

「双生児学級」を観たいと思っていた同じ双生児を持つ母親の願いはなかなか、かなえられずなかばあきらめかけていた此の頃ふと朝日新聞を手にしてうれしく思いました。町の映画館のはほとんど行く機会もないのですがこの映画だけはと張り切つて出かけました。「結核と斗う」と双生児学級を特に感銘深く観ました。この種の有意義な映画が数多くつくられる事はたまたま新聞や雑誌で知りますが発表（一般に）される機会は案外少ない様に思います。私自身、引つ込みがちな主婦の生活であるいは知らなさ過ぎるのかもしれませんが、図書館や博物館にでも常設した教育映画観覧施設があつたらと思います。それからテレビなどでこの様なものを観せてこれを良心的なスポンサーがあつたらよいですね。「双生〃学級」えの興味で教育映画なるものの認識をふかめたのですがこれからもよい作品をつくつてどしどし発表して下さい。

千葉県　大学助手

佐藤　健蔵（25才）

今后創られるであろうと思われる幾つかの物理、化学関係の作品に私は大くの物え期待したい。科学者が二十世紀前半に切り開いた広大な自然科学の理論、それはどの一つもそれに対応する自然現象が実在しているのだが　のどれ丈が作品化されているだろう？それを表現し、映画とするためには、映画製作者自身が高度の技術を持つと共にすぐれた科学者であり、実験家であり、理論の理解者でなければならない。映画技術でなく科学的頭脳が先行しなければならない。技術は表現の手段でしかないと思う、優れた科学映画の出演のためには科学者が映画人となり映画人が科学者となる事が望まれるのであるまいか。

中野区

小方　柳（45才）

有りがとうございました。大変の御事と感謝致します。つぎに取急ぎ感想を一つ、

一、四つの映画を一まとめに致して考えた場合、欠せる人間をどの位のものを相手にしてかが一寸はつきりしなかつた。

一、結核と斗う：：の如きは患者をはじの結核菌のおそろしさのみでは困ります「予防はさてこうして」とも考えられなければ「治療法をどうして」とも考えられず映画の目的が（教育映画だけに）はつきりしない。

一、雪国の生活はそれを知るにほんとうによいと思いました。只「かまくら」の如く特殊の行事もいいが常々子供等の生活（遊んでいるところ：：室内でアヤトリ、マリッキ、お手玉、スゴロク、こたつで読書、仲よく友達と縄ない競争）を入れてやつたら直接子供等は自分の生活と比べられてひとしおいいのではないかと思いました。しかしこれは子供にも大人にもよく分りいい映画でした。

一、根のはたらき：：これは短いが子供等にも科学的によく分り又科学的好奇心もわき、よい映画と感心しました。

一、双生児学級、これも親、教育者には特に面白かつたと思います、子供（一緒に連れて行つた四年生）もたのしそうに、そして遺伝というものの不思議（これまでは只あたり前と思つてい

こと、心から申訳けなく思つています。会員の皆様始め、委員の各位にお願いして、協会発展のために、よりよい結論を得られるよう、念願するのみであります。

（大沼　鉄郎）

今までちゃんと会費を払つていた正直者がバカを見ないように、みんなで会ヒを払おうではありませんか。僕もおさめます。

吾々の作つた映画をよろこんで見に来てくれる人達に接し、推せん映画会当日、大いに発奮させられました。

（野田　真吉）

協会もいよいよ「集まる段階」から仕事、つまり運動の方向をしつかりきめて「動く段階」にきたのではないでしようか。行動するなかで結集の力をつよめていくように努力する時のように私は思つています。

（かんけまり）

協会の経済危機については六日の総会で名案も生れるでしようが、よくよく考えれば、各自の個人生活の苦しさの反映とも思えます。

た事がこんな事も遺伝かと感じたらしい）を感じると共にそれと対抗して行くには（よりよい人間になつて行くには）自分から後天的に努力しなければならないものだと思つたらしいです「よい遺伝とよい後天的努力ね……と申していました。

有がとうございました第三回をたのしみに致しております。

世田谷区　助監督

日高　昭（27才）

他人事の会ではなかつたのでしようが、今日は一観客として観せていただきました。教育記録映画の製作に携りながらぼくらでもその作品をみる機会はそれ程ない。統計で調べてみたら五六年度には約七百本つくられているらしいが、その中四十本、つまり一割の半分位しかみていないことになる。そして口の悪い、いい方を許して貰えるなら、今日みた八本が七百本の中の代表的な作品だとすると、全体の質がどんなに低いかが思われる。そしてそれはぼくら製作者全体の責任の問題であろうとつくづく思つた。

葛飾区　保健婦

田口　富子（24才）

一、漁村のくらし。二、ちびくろさんぼのとらたいじ。三、太陽と電波。四、生きていて良かつた。時間の都合で一部丈みせていただきましたが、どれも興味深いものでした個々の作品については各々専門家が　　されてつくられたものであるので大変わかり易く、面白くみる事が出来ました。一、の作品では漁村のくらしが部分的に現象的にとらえられてあるので、天候悪化の折、漁の出来ない人々の姿がもつと切実にえがき出されたろうとも思い又これらの場合の社会保障が現在どの程度なのか知りたいと思いました。二、は、けつ作で、人形の扱い方など、トラがバターになりお菓子がトラの皮の色になる……心たのしくなる映画でした。三、は光源の波長の場面など、はつきりしない所もありましたけど大変勉強になる映画だと思います。四、はみたいと兼ねがね思つていたのですがみた後の感動は更に大きなものでした、「生きていてよかつた」とは言い乍ら未だにこれらの人々に対してはつきりした対策もたてられていない今本当に生きていてよかつたと全ての人が思える様な保障がつくられたらと思います。尚この映画こそ日本国内は勿論、全世界にみてもらいたいと思います。今後の教映の発展を心から願いつつ、どうもありがとうございました。

千代田区　学生

河村　潔子（28才）

第二回映画の会に参りまして前回より入場者の多いのと特に母親の多かつたのにはつくづく教映が一般の人達にも普及してきたと言う感じでした。よく教育映画と名がつきますと固くるしいの、つまらないのと言はれますがむしろ此の映画を通して教えられる事は随分多いと思います。私は今後ますます教育映画の普及されます事を望んで居ります。それと同時に協会の方達の非常に明るいユーモア振りと又三十円の入場券では前回も同じ考えを致しましたが赤字はあたりまえと思います、安くみせていただけるのはとても有りがたいと思います。

芸術とは申しますまい、労働に価するギャラを……。私のみの感想でしょうか。

（加藤松三郎）

ＰＲ映画を専業とする私ながら、ちかごろ自主作品の話がつづいています。一つはプロダクションの自主作品、もう一つは協会自体の自主作品です、いづれは会員有志の参加を仰がねばならないでしょう。でも私はやはりＰＲ映画の道をまい進したい。

（高井　達人）

会員券を利用して、特定の映画館にパス出来る様にならないものでしょうか？場合によつては、希望者だけ募つてそのための維持費を出す策もあると思いますが

（樋口源一郎）

日本の歴史を物語るいろいろな住いが、私にさまざまなことをささやいてくれましたので、それを記録してみました、それがこんど出来上る「住いの歩み」です。

（丸山　章治）

教材映画研究会の責任者となつ

助監督部会総会の決定
報告と訴え
幹事会

今年第二回の総会は四月十九日銀座にて、出席十七名委任十八名でにぎやかに開かれました。

一、会費問題について

協会の総会では助監督部会が一万五千円の分担金を何とか確保したいという幹事会の意見が出されたのですが、皆が納得できなくてはと更に検討しました。そしてこの額を集めたいという態度を認めた上で、それではどういうシステムでやつたらいゝかという問題に移りました。原案となつたものは部会総会前の幹事会で、協会々報号外に出したものを修正した第三案です。これはフリー企業を問わず各人の経済的能力に応じた三ランクの定額会費（二五〇円二〇〇円、一五〇円）と協会あつせんの場合はこの上に二％あつせん料を納める、というものです。すると、会費を約五十名として

二五〇円×一五人＝三七五〇円
二〇〇円×二〇人＝四〇〇〇円
一五〇円×一五人＝二二五〇円
　　小計　一〇〇〇〇円
二五〇〇〇×二％×一〇人
　　小計　五〇〇〇円
　　合計　一五〇〇〇円

となります。現在会員数は五十名を上廻つていますから一〇〇％納入の場合は定額の小計は増加します。これに対してフリーで仕事のない場合定額会費を納める辛さ、セールスで五〇〇〇円大丈夫か、企業フリー間にランクを設けなくていゝか、三ランクの妥当性等について討議されましたが、結局全員異議なく決定になりました。

二、これに従つて幹事会は、全会員に、推定のランクを通知しますが、異議があれば幹事会に言つて来てもらう事になりました。なおこの新制度は四月分からですが、フリーの人で現在の仕事が一月以后の協会のあつせんによる場合は二％うわのせする事になりました。

三、次に、会費を納めない人がある場合ですが、これは、この新制度を始めて三ヶ月位様子を見て幹事会でそのような人に会つて話しをする事にしました。協会の規約にも「会費を納入する義務がある」と明記されているのですから、皆で試実にやつていこうと話し合つたのです。また一万五千円以上集つた場合については幹事会で検討する事として残されました。

四、以上の点から部会が協会に希望し、申し入れる事は、第一に分担を固定した一定額としてではなく、この制度で集めた額として受取つて頂きたい。第二に助監督のセールスを強化してほしい、第三に協会で助監督をやつている人は必ず部会に入つてもらいたい、ということです。

五、他にも、協会のギャラ委員会に間宮君と川本君を出す。研究会を積極的にやる、等の議題が討議され確認されました。これらの事を含めて、忙しさに追われながらも、その忙しさに負けずにみんなで頑張ろうと思います。

ていますので、最近研究会をもてないためイライラしています。小生一人居ても居なくても研究会がはこぶようにするため、ぜひ有志の方々に右研究会の運営委をつくつてほしいと思います。そこで、有志の方で運営をやつてやろうとお考えの方は、大至急、協会宛お申出下さい。三人でも四人でも集りしだい早速委員会をひらいて、今后研究会をカッパツにしてゆきたいと思います。

委員会だより

三月第二回運営委員会
三月二十二日（金）午後五時
出席‥菅家　野田　丸山
▽映画会の準備について
三月二十四日にひらく第二回推せん教育映画の会について、事務局より、その準備活動の経過について報告があり、当日会場における担当配置などの諸手配について相談した。

三月第三回運営委員会
三月三十日（土）午後五時
出席‥吉見　丸山　大沼　八

第三回記録映画研究会報告

とき　三月九日午后六時ー九時
場所　中央区役所出張所集会室
出席者。豊田敬太、島谷陽一郎、河野哲二、渡辺正巳、中島智子、西本祥子、大沼鉄郎、かんけまり日高昭、高島一男、韮沢正（記録）野田真吉（司会）

※

前回の『記録映画における再現の問題』についての話しあいを『九十九里浜の子供たち』（演出、豊田敬太）を中心にすすめた。

※

（A）

野田　「九十九里浜の子供達」の演出をされた豊田氏が出席されているので、この映画を中心に記録映画の再現の問題について話しあおう。

豊田　純すいなドキュメント映画を目標にしていたが撮影日数（四五日）の関係で再現した所が多い。「教室の子供達」のような形で子供を捕えたかつたが、現地の子供には無理であつた。雨のシーンも作つている。

河野　子供の話から社会問題を出そうとしたところに無理があつたのではないか。

西本　最後まで子供がうつむいていた。発展的な芽がほしい。スタツフが題材にまきこまれていたのではないか。構成が類型的だ。

豊田　実際発展的な芽を見つけられなかつた。脚本の準備が少なかつた。又東映の枠がテーマを甘くさせた。

西本　その土地独特の画面がほしかつた。

島谷　映画に映されるのが現地の人に恥さらしの様になるのでなく現地の人が映画から発展的になれたらよかつたのではないか。

豊田　それを出すには製作方法を根本的に考えなおさなければならない。

野田　東映がこの題材をとりあげまた豊田君がとりあげさせたということは、大変意義ぶかいと思う。現地の人達と、ふかくつきあい、一諸に仕事をすすめたら、もつとよいものがつかめたのではないか。

（B）

豊田　一昨年の「段々畑」は、現地の協力はすごかつた。今考えると、もつとドキュメント的にやれば、迫力を出せたと思う。

中島　「段々畑」より「九十九里」の方が演出的にはうまい。けれども「段々畑」に出てくる肩のこぶには迫力があつた。「九十九里」でも、文学では伝え得られないこういう画面がほしかつた。構成は「九十九里」の方がいいが、そうした深味が少ない「一人の母」は、あまり演出がうますぎたせいか、農村の教科書のような気がする。

豊田　映画の上では、勉強したい子供らが、現実の本人は勉強したがらない。こんなとき、現地で非常に悲しむべきむじゆんを感じた。

木、野田

▽会費問題臨時総会の準備について

四月六日にひらく会費問題臨時総会の議事運営その他について協議した。当日、会費制度改正案の新案が提案され、これを検討立案した。総会当日の議事運営については、総会当日の運営委にて協議することにした。

四月第一回運営委員会
四月六日（土）午後四時
出席…加藤、丸山、八木、野田、吉見、矢部、竹内、大沼、西沢、中村（敏）樋口、間宮

▽総会の議事運営について

総会に先だつて開催し、当日の総会議事運営について協議し、議長団および提案理由の説明者などをきめた。

四月第二回運営委員会
四月十一日（木）午後五時
出席…丸山　野田　八木　吉見　中村（敏）西沢　大沼　加藤　矢部　樋口

▽新会費徴集制度のランク検討について

さる四月六日の臨時総会にて可決された新会費徴集制度による一本作家会員のランクについて

西本　それは、その実際の勉強したくない子供を歴史的に掘り下げていつた方がよかつたのではないか。
豊田　複雑な現実を一つのテーマにしぼつて行く場合、きれいごと的にまとめなければならなくなる。
かんけ　教育という言葉に、ついむりに前向きにひつぱられるが見る人はもつとリアルなものを求めている。あんまりきれいごとだと、客が映画に重みを感じなくなる。「九十九里」に出ていた子供たちはありのままのようだつた。スナップ的に撮らなかつたのが、むしろよかつたと思う。
子供の本をよむ所のような、再現された場面がリアルに感じた。
野田　場所の設定が九十九里浜であるなら、基地の問題をもう少しだせたらよかつた。
豊田　「九十九里」のアグリ網と基地の問題を撮りたかつた。
西本　どんな苦しい中でも親の子に対する愛情があるが、これが出たらあたたか味が出たと思う。
（C）
野田　移動を使つたり家庭訪問の所のようにカメラを切り返すとリアル感を失うということをつくづくしつた。そのものがリアルなら、一カットでももつ。
野田　「生きている兵隊」では、四〇〇フィートのカットがある。数時間の中隊事務室を圧縮して再現している。画面の内容の密度が深ければ充分迫力はだせる。
豊田　「愛は惜しみなく」は、あまりアクションがつながりすぎていた。同じ記録映画における問題があるのではないか。
大沼　「西の果て」のとき、視線やアクションのつなぎを無視してとつていて、リアルだつた。
西本　加納氏が、テレビが、あるものをそのまま見せてもおかしくない。短篇でも、時間をかけてとつていないで、このようなことをとり入れたら、といつている。
野田　テレビニュースは「ニュース」だ。それはそれでいいと思う。それは今の記録映画が、テレビとかわりないといういみでいつたのではないか。再現が問題なのではなく、その創作方法に問題があるのだ。英国の「夜間飛行」は全部再現だが、再現のただしさで、それを感じさせなく、感動させる。
豊田　「トルクシブル」もそうだ。

※

さらに、話題は「白い山脈」における再現の問題におよんだが、みていない者が多数なので、次回にまわされた。「動物園日記」もちがつた意味で研究対象となるので、みんなでみておくことになつた。次回は「小林一茶」（亀井文夫）を上映し、再現の問題をさらにすすめて研究することに決定した。

（文責　野田）

映画会ニュース

☆日中合作映画の製作など懇談中共訪問の代表団一行帰る

日本映画人懇話会の斡旋で中国を訪問中であつた日本映画人代表団一行九名は、廿九日午后十時廿五分羽田着の日航機で帰国、牛原団長が一行を代表して中国訪問の経過を左のとおり空港で語つた。一行は牛原虚彦、八木保太郎、林弘高、佐伯啓三郎、対馬好武、田中助太郎、今村貞雄（伊藤雄之助、

委員会案を検討判断ののちにつくりあげた。これを該当会員に往復はがきによつて通知し、本人の意向をきくことにした。

▽ギャラ基準内規の改正について

ギャラ基準内規の改正について協議し、協会は改正を確認することをきめ、その改正案の検討作成を専門委員会に一任することとし、ギャラ基準改正委員会（ギャラ委）を左のように候補構成した。

ギャラ委員会

フリー会員（演出）　三名
かんけ　まり
野田　真吉
柳沢　寿男
〃　（脚本）　一名
岩佐　氏寿
企業会員　五名
新理研、日映、岩波、日映科学視覚教材よりそれぞれ自主的に選出、各一名
助監督部会　二名
部会より自主的に選出
運営委員会より
委員長、事務局長、相談役が責任参加する。

岸旗江両氏は去る十八日帰国）の諸氏に随員の山内、町田両氏を加えた九名で、去る二月廿八日以来約一ヶ月にわたり中国各地を訪問した。

「代表団一行十一名は、長春、北京、上海の各撮影所、南京の映画機械製作所、北京の映画大学、演劇大学等を訪問中国の劇映画七本、科学教育映画九本、漫画四本をみせてもらい、こちらからは邦画各社の好意で携行した劇映画七本、教育映画六本をみてもらった。その上で文部省に当る文化部で中国の映画関係者と日中映画交流の諸問題を懇談したが、問題が多いので、演出・シナリオ・教育映画、ニュース、技術、配給の四分科会をつくり、双方が各部門に分れて専門的な問題を話し合った。

主な問題は、日中合作映画の製作、今秋中国で開かれるアジア映画祭への参加、日本における中国映画祭、中国が保管していた日本映画旧作の返還などで、その成果については、近く詳細な報告会をもちたいと思っている。周恩来首相とも二時間以上にわたる会見ができ、中国政府の映画についての考え方をよく知ることができた。一行のうち八木氏は朝鮮の国立映画撮影所に招かれ、同地の映画人とも種々交歓した」

☆免税で教育映画興行を提案　都庁都興組に協力方を要望

東京都庁の教育委員会では、このほど都興組に対して学童を中心とする映画教育の実施について協力を申し入れ、都興組も九日の常任理事会で協議した結果、盛り場の興行場を除く映画館はいづれも賛成の態度をとっており、近日中に具体案を作ることになった。

教育委員会の意向では、日曜日の本興行が開始する前の時間を利用して、中、小学生のために興行場を開校、短篇その他の教育映画を番組として映画教室をしたい計画で、都興組傘下の各館がこれに協力してくれる場合は、都庁予算を捻出してもよいという申出で、出来れば国税庁と折衝して入場税を免税にすることも考慮している。

現在、これらの興行に対しても入場税は一割課税されるので、もし都庁が助成金を出し、免税興行ともなれば、各館は日曜日の午前興行を若干繰下げても映画教育を実施した方が採算とれるので、乗り気を示している。

中国映画人団体より　メッセージの返信

教育映画作家協会殿

一九五七年三月二十九日

中国電影工作者連誼会準備委員会

司徒　慧敏

われわれは欣喜の気持をもって貴方達から二月二十日の日附の便りを受け取りました。われわれは日本映画界の多くの友人を得てうれしく思います。お手紙の中からわれわれはあなた達が困難な環境の中で苦しい工作と不屈の斗争を進められ、さらに勝利的な成果を勝ち取った事をほぼ理解しました。われわれは感激し、ならびにあなた達に心からの敬意を表します。

われわれは双方の関係を深めると云う御意見に同意すると共に貴会の組織の工作情況及び主要な責任者の性名をお知らせ下さる事を希望致します。それを持って今后の工作の便をはかりたいと思っています。謹んであなた達の工作が更に大きな勝利をかくとくする事をお祝い致します。並びに中日両国

新入会員

伊豆村　豊　川崎市生田二二一九（フリー・演補）大正八年八月生。十字屋文化映画部、日映を経て、戦後は移動映写、幻灯製作販売の業務に従事していた。

岩崎　鉄也　世田谷区玉川等々力町二ノ八十一九（フリー・演補）昭和四年十二月生。片山幹男氏の助手として録音の仕事に従事していた。

（以上四月一日付入会）

安部　成男　千葉県市川市真間町四ノ一〇一玉井荘三十六号（理研科学映画村上プロ所属・演補）昭和二十六年東京第一高校卒、昭和二十七年日本音映大久保スタヂオ録音部に入社、同二十九年九月大久保スタヂオを退職ののちフリーとして映画録音の業務に従事　昭和三一年二月東京テレビセンターに入社　昭和三十二年四月演出助手に転向の為退職　昭和三十二年四月理研科学村上プロと長期契約。

（四月十一日付入会）

映画工作者の友誼が日増に発展するために共に努力致しましよう。

☆あいさつ

米山　彊

皆様お元気ですか。大変永い間御無沙汰して居ります。昨年十一月個人の不注意による怪我で入院いたしましてから丁度四ヶ月になります。その節は皆様の心からなる御有舞をいただき本当に有難うございました。お蔭様でようやく独り歩き出来る様になりました。間もなく又皆様の仲間に加えていただき仕事を始めたいと思います。大変おくればせですが、お礼申し上げます。

原子さんの退職金問題など
臨時総会で討議

▽去る四月六日の臨時総会の際に、議事終了後、ついでに、原子さんの退職金問題について、その他の提案がありました。参考までに、その議事録を掲載いたします。

議長　原子さんの退職金問題について

吉見　全会員（昨年暮迄に入会した）の会費の半額を三回以内にカンパして欲しい（助監督部会は三〇〇円の定額に準じてその半額一五〇円を三回以内に）

異議なし

吉見　ランクの決定は委員会で決めて個別に相談する。会費徴集の第二案は四月一日から発効する。

異議なし

野田　物価の騰つている現在我々のギヤラ水準も改善すべきだ。企業の方とも相関関係がある。技術者の方はすでに良い条件をかち取つておる我々もその意志を表示をすべきだ。

吉見　ギヤラ水準特別委員会を置いて具体案を出したい。

異議なし

丸山　教材映画研究会の運営委員をやつていただける方があれば事務局に申出て欲しい。

大沼　一本立以外は必ず助監督部会に入つて欲しい。分担金と関係がある。

丸山　規約にない。話合いで入つて貰つたり。

吉見　それは新入会員の審査の際委員会で相談出来る……？

柳沢　ＰＲ映画は危険を伴う。労災保険の適用が受けられるかどうか研究してほしい。

メーデーせまる

▽五月一日メーデーが近づいてきましたが、有志の方々、相計つて今年もメーデーに参加しましよう。参加される方々の集合時間・場所デモ行進のコースなどについては只今調査中なので、きまり次第追つておしらせいたします。

助監督部会が〝ども又の死〟を公演
メーデー前夜祭で

▽助監督部会では来る四月三十日夜、華僑会館二階ホールを借りきつてメーデー前夜祭を開催するが当日、同部会速成劇団が有島武郎原作、富沢幸男、大沼鉄郎共同脚色演出の「ども又の死」を公演する。目下脚本決定稿の仕上げを急いでいるが、配役は未定である。

協会事務局に　五月より
児童劇団の連絡所が同居

協会財政のやりくりについて総会でも種々と論議されましたが、事務所屋賃の軽減を計るために、このたび来る五月一日より、児童劇団「あすなろ」（代表者高木秀雄、連絡事務員飯田）の連絡事務所が当協会事務局に同居することになりました。

深大寺詣で
まだ四月ながら
初夏の空はれて
ーリクリエーションの記ー

たまたま十九日の助監督部会の総会で話しが出ました。土曜日の雨で弁当作りをあきらめたのに、日曜日は快晴。十一時三鷹駅に集いしは、グローブ、バットを背負つた十数人の若者。バスを降りた深大寺の広場で四角ベース？に飛び交う白球を追つて欣喜雀躍。場外ホームランが観客？の頭に当つて柳沢監督がベレーを脱いで平身低頭の一幕もあり、一日を冷たくも爽やかな汗でたのしみました。帰りには皆でメーデー前夜祭の話しなどしたのですが、こういう楽しみは誰か一寸段取りすれば出来るもの。これからは協会あげてのリクリエーションもいゝですね。（Ｏ）

協会日誌

三月一日（金）　四日の運営委、九日の記録映研をきめ、招集の手配をする。
来訪、渡辺（正）富沢、島谷、川本、竹内（信）丸山、山本

三月四日（月）　運営委、会費委の合同委員会ひらく。水上修行岡　秀雄　川崎健史氏入会

三月六日（水）　協会と連盟会談ひらく。

三月八日（金）　会報No.23編集会議ひらく。十一日運営委の通知状発送。十三日新作教育映画試写会の通知状発送。
来訪、加藤、松本（俊）富沢、渡辺　小泉　杉山　大沼

三月九日（土）　記録映画研究会ひらく。

三月十一日（月）　会費委員会ひらく。

三月十三日（水）　新作教育映画写会

三月十五日（金）　会報No.23の編集開始。
来訪　菅家　大沼　杉山　加藤　荒井　河野　かんけ

三月十八日（月）　二十三日運営委の通知状発送。
来訪　吉見　加藤　丸山　菅家　大沼　杉山　野田

三月二十二日（金）　映画会準備の運営会ひらく。

三月二十三日（土）　事務局員岩崎桊子、本日より出勤。

三月二十四日（日）第二回「推せん」教育映画の会ひらく。

三月二十五日（月）　助監督部会生活対策部会ひらく。

三月二十六日（火）　会報No.23出来上り、発送。

三月二十七日（水）　新作教育映画試写会ひらく。

三月二十八日（木）　三月末までの会費滞納額表できる。

三月三十日（土）　運営委ひらく。会費案の新案をつくる。

▽三月中の業務契約、あっせんなどの事務については、新理研、産業映画プロ、東京シネマ、大鶴プロ、日映、中日ニュース映画社、東宝プロ、などと交渉があった。

四月一日（月）　会報の緊急号外を出すことをきめ、原稿を執筆
岩崎鉄也、伊豆村豊氏入会
来訪　荒井　吉見　丸山　加藤　松本（治）

四月三日（水）　会報緊急号外出来上り、直ちに発送。
来訪　岩崎　大沼　杉山　加藤　尾山　大鶴　小島

四月四日（木）　ＮＨＫラヂオ局より要請あって会員名簿を届ける

四月六日（土）　臨時総会および議事運営のための運営委ひらく
会報No.24編集会議ひらく。

四月十日（水）　十九日助監督部会の招集通知状を発送する。

四月十一日（木）　運営委ひらく。
定額会費額の運営委案をつくる

四月十二日（金）　定額会費額の通知往復はがきを発送する

四月十五日（月）　会報No.24の編集開始

四月十九日（金）　助監督部会の会費問題総会ひらく

四月二十一日（日）都下深大寺境内にて助監督部会春のリクレーションひらく。

事務局だより

会費制度改訂による
新会費の納入について

▽四月よりの新会費徴集制度のきまりにもとずいて、去る四月十二日に会員各位（除助監督部会員）のお手許へ、往復はがきを発送いたしましたが、四月二十二日現在で諾否の御返事が二十六通、（全部諾）届いております。尚、この御返事は会員としての資格継続の確認でもありますので、ぜひとも一人もれなく御返事下さるようおねがい申します。また、四月よりの新会費制度は、たびたび連絡しているように一人でも滞納があると、協会の財政運営に支障を及ぼしますので、こんどは、ひとりも滞納のないように頼みます。いつもおねがいしているように、御一報下されば、いつ、どこへでも受取りに参上いたします。振替送金の場合は、振替東京九〇七〇九番教育映画作家協会宛にお払込み下

さい。

三月以前の未納会費について

▽さきに会報の緊急号外でおねがいした「三月以前の未納会費」についてでありますが、その後、多数の方々が未納会費額の確認をされ、また納入清算をされて、既報の未納会費約二十万円のうち、四月一日より二十二日までに三万七千六百円が納入されました。しかし、まだ未納会費のある方が計九十名あり、そのうち未納額の確認をされていない方が五〇名もあります。これは順次に確認清算をしていただきますが、御相談の上で一日も早くこの未納会費を処理するよう一層の御協力をおねがいいたします。

原子氏の退職金カンパの臨時会費について

▽去る四月六日の会費問題臨時総会の際に、去る二月末をもつて事務局員を退職した原子英太郎氏への退職金カンパの件を運営委員会が提案したところ、左のように会員負担臨時会費の件がきまりましたので御承知下さい。

▽昨年末現在の会員全員にこの臨時会費を負担してもらう。

▽四月分よりの新会費の半額を一回（四月末迄）ないし三回（四、五、六月末に）に納入していただく。

▽助監督部会員は一人平均一五〇円を三回以内に納入していただく。

尚、この臨時会費は、協会の財政状態が、現在では前記のような臨時支出をまかなう力がないために、やむなくとつた臨時措置なのでその点を、御了解のうえ、御協力下さるようおねがい申します。

映画会の会員券清算をお早く

▽たびたびおねがいしている映画会の会員券代金一人一二〇円の払込みでありますが、四月二十二日現在で清算をされていない方が、いまだに四十二名おります。何卒一日も早く御清算下さるよう重ねておねがい申します。

「教育映画人名鑑」の資料調査について

▽ユニ通信社が、近く「教育映画人名鑑」を発刊いたしますが、それに掲載するための「教育映画作家の資料調査」について、発行所より当協会へ協力方を申入れて参りましたので、本紙に同封してお送りした調査用紙に、所要事項を御記入のうえ、五月十五日迄に協会事務局までお届け下さるよう、おねがい申します。

新事務局員 岩崎泰子さんにきまる

▽こんど、三月二十三日より、事務局に岩崎　泰子さん（世田谷区玉川等々力町二ノ八〇ノ九）という女性が、つとめることになりました。これで事務局は、従来よりの小高くんと二人になつた訳です。よい協会にするため、よい仕事をするために、二人とも張り切つておりますから、よろしくおねがいいたします。尚、四月一日より、事務局の執務時間を、午前九時三十分より午後六時までと定めました。御承知下さい。

編集後記

☆この第二十四号で会報は発刊以来、満二ヵ年を経過して三年めに入ることになる。やはり感なきをえない☆今回はご承知のようにモミにもんだ会費改正問題についての報告が主となり、前月の推せん映画会関係が従となる☆まず協会の死命を制する会ヒ問題については、巻頭言と臨時会員総会の議事録ばつすいをごらんいただきたい☆はたしてこれで会の運営ができるかどうか、事実は会員各位の良心にもとづく「完納」が切望される☆次の映画会報告は運委の言と事務局記事によつて大要をおつたえした。あとは吉例のアンケート「観客の声」で、そのうちのめぼしいもの約一割をのせるにとどめた。残部は協会でごらんねがいたい☆「教育映画製作状況」は前回につづく後半だが、ご参考になるものと思う☆その他は例号記事ながら、ここらにこそ事務局苦心の結集があることをお忘れなく☆次号では現在十名の女流作家放談会を計画中！全女史のご参加をまつ☆もう五月である。（加藤）

1957・5・25

教育映画作家協会々報

教育映画作家協会

No.25

東京都中央区銀座西8の5 日吉ビル4階 TEL(57)2801

海外交流に就て

会費問題も一応結着がつき、いま委員会は専ら、ギヤラの最低水準改訂問題と協会の正規な活動に就て具体的な案を検討し、出来る所から手をつけることにきめました。それに就ての詳しいことは、委員会報告の項を御覧頂きたいと思います。

最近、メソポタミアで長い間苦労していた桑野君や、南極でこれまたわれわれの間では曾つてない歴史的な経験を体験された日映新社の名カメラマン林田重男氏が帰つて来られ、われわれとしては両氏からその珍しい見聞をお聞きし、われわれの視野を広めたいと思つていますが、そのほかにも近頃の私たちのまわりには、新たな見聞を広める機会がふえてきています。海外交流が次第に盛んになつて来たからです。

海外交流と言えば、さきに製作者連盟の田口助太郎氏も映画界の訪中使節団に参加され、日本の教育映画界と中国の映画界の交流の橋渡しをして下さいました。その節、協会からもメッセージを田口氏を通じて、中国の記録映画の作家団体に送り、今后の実際的な交流を望む返書も先方からもらいました。このことは会報誌上ですでに御承知のことと思います。この実際的交流に就て、それをどう発展さしてゆくか、われわれによせられている現在の課題の一つです。

所が今度は、この夏七月にモスクワで開かれる世界青年平和大会に、私たちの協会の青年へも参加の呼びかけが来ています。

こういう動きと状勢に対して協会はどうするか。

海外交流の潮を前にして、私たちはこの問題を積極的に考えておかねばなりません。

原水爆禁止問題にしても、今や国内の力だけではなく、海外の広い力との結びつきを強く拡大してこそ、その実をあげることができる（またそれしかない）今日です。

私たちは、そういう意味で、映画の問題に就ても、広く海外との結びつきを積極的に考える必要があるのだと思います。

尤も、海外との結び付きをはかり、それを強化拡大するには、それだけの力をわれわれ自身が養い、われわれ自身の力を強め、広めねばならないことは言うまでもありません。

私たちの協会を充実させ、われわれの協会の力を強くするということは、ですから、非常に大きい意味を持つてきています。

委員会もそうした観点から、協会の力の涵養のために、色々と運営上の努力をはらつて行きたいと思つておりますが、協会の諸兄一人一人も、作家として、作家の集りである協会の力の充実のために御協力頂きたいと思うのです。私たちのまわりでは、ふとすると気がつかない程のスピードで、色々な事態が進展しています。うつかりして協会自身が立ちおくれてしまわぬよう戒心したいと思います。

（運営委員会）

第四回記録映画研究会報告

とき　五月十一日(土)
午后六時ー九時
ところ　新聞会館
出席者　中村敏郎　かんけ・まり　中島日出夫　苗田康夫　西本祥子　丹生　正　近藤才司　日高　昭　喜渡雅朗　榛葉豊明　田中　実　京極高英　岩佐氏寿　間宮則夫　島谷陽一郎　杉山正美　飯田勢一郎　長野千秋　渡辺享　中島智子　厚木たか　岩崎太郎　野田真吉。

※

記録映画『小林一茶』を上映し、同映画を中心にして話しあいをしました。開会とともに上映し、話しあいの後にもう一度上映して話しあいの内容をふかめるようにしました。同映画と映写機は日本視覚教材KKの御好意によって提供していただきました。あらためてここで御礼いたします。

※

はじめに『小林一茶』がつくられた条件や当時の社会状勢について、中村、京極、岩佐、野田などが、発言。(内容について多少の思いちがいがあったりしたので、資料によってまとめてみました。)

○製作　東宝文化映画部
○企画　長野県観光課
○「小林一茶」は「信濃風土記」三部作(「伊那節」、「小林一茶」と「町と農村(未完成)」の一部。全三巻(七四三米)
○製作期間　昭和十五年(約一年間)
○封切日　昭和十六年二月十八日(「日劇」公開)
○スタッフ　脚本演出・亀井文夫　撮影・白井　茂　音楽・大木正夫。

野田　太平洋戦争に突入しようとして徹底的な戦時体制にきりかえようと軍国主義者たちがやっ気になっていた時に、公開された。そのどさくさのスキといってよい。その後すぐ、当局によって上映禁止をうけ、亀井氏が検挙される原因ともなった。

中村　ラッシュをみた時、どうなるかわからなかったが、できあがって、始めてああいう編集があるんだなと思った。

岩佐　僕の作品「南部鉄びん工」と監督協会で一緒に試写をやられ、まいった。いい作品だったと思っていたが、戦後、日映でみてあの時感動した作品がこんなものだったのかと思った。なぜ、そう思ったかというと、僕はニュースをやっていた。いまにも革命がおこるような状勢に思えていたので「小林一茶」がまったくマドロコシク感じたのだ。それはまちがっていた。その後また、機会があってみて、やはりいいと思った。

杉山　戦後、僕も日映にはいった時、みた。おもしろくなかった。その後、五回ぐらいみたが、みればみるほどよいと思うようになった。信濃の農民の心で表わしているという点からみるといいと思った。

榛葉　僕は始めてだが、後半の伝記にはいる前にもう終るのかと思った。もし、一茶を主題とするのなら、始めに後半をだすべきでないか。

京極　亀井氏は一茶という人をだすつもりではないのじゃあないか。

中村　そうだ。

岩佐　主人公はやはり農民だ。一茶はその立場にたった俳人なのだ。その一茶の目をかりて描こうとしたのだ。

丹生　小林一茶の句を亀井流に解釈して、自分のいいたいことを一茶の句でいいあらわしている。後半で、一茶をだして、しめくくりをしていると思う。後半は単なる伝記ではなく、大変作品として価値あるところだ。

長野　過去を表現する場合、現在にあるものでするか、また他のものでするかということを相当考えてやってある点感心した。

京極　「一茶」の場合は、今も変らないというところに目をむけている。

野田　僕は「小林一茶」の発想のなかにとても日本的な、いうなら随筆文学的な構成であると思う。「生きていてよかった」なども同じで亀井氏独得のスタイルだと思う。

京極　一茶をみて、我々の最近の

作品には何か、あの当時のような抵抗がないようだ。亀井氏の節をまげないという態度は銅像的である。

榛葉　今日みて一番感じたのは内容的にもこれが今日のもので、立派なものとしてみられる。自分のいいたいことをいつてのけているという気持のよさを感じる。

丹生　今、いいたいことがいえる時代なのに余りにもいわない。

京極　今は自主作品という形のなかでいおうとしているのではないか。

中島（智）　小林一茶の伝記のところは農民を表徴しているのだと思う。前半にだした農民の貧しさが集約されてだされている。

近藤　最近「雪国」をみたが、風土に対する考え方がずいぶんちがう。「一茶」にくらべると大変浅い。一番感銘したところは軽井沢と一茶の孫が「一茶さんは俳句つくつたがおれは米つくる」というところであつた。

榛葉　「苦のシャバや‥‥」と「ゆうせんとして山をみる蛙かな」のところが一番よかつた。

苗田　前半で農民を客観的に描いて農民のなかにはいり、後半の伝記の部分はその裏の姿をだそうとしたのでないかと思う。

岩佐　全体として一茶を代表とした農民の抵抗というものがでている。

京極　やはり前半で立地条件をださないと後半で一茶というものもでてこないのではないか。

丹生　亀井氏はやはり、単に一茶を利用したのではないか。「やせ蛙‥」のタイトルが二回つづくのはういたようだ。

京極　僕は大変そこを感激した。

間宮　タイトルと画面で内容を発展させている。

野田　あの場面はオプチカルをつかつて農民のバストへトラックアップして画面を強調しまた微速度撮影で桑の葉のしぼむカットをいれるなど当時の東宝の技術を最大限につかい、効果をだしている。

京極　当時の最高の技術をこなして、すぐれた表現にたつしている。タイトルでは二枚目は数字ではなくあれは画だ。フレームからはみだしそうになつているがあれでいいと思う。

岩佐　当時としてはあの程度しかいえなかつたのだろう。一茶の文学のもつているヒューマニテイと現実の農民の抵抗感というものが一つにむすばれているから、あの場面はあのように力をいれたいところだ。

厚木　今はいえないことがないのに、作家はあまりいおうとしない。何か小出しにしかいつていない。私たちは考えねばならないと思う。

野田　「一茶」は記録映画としての見事な形象化がなされている。と同時に弁証法的な見方がそのバックボーンになつている。そこにリアリテイがある。「一茶」の場合亀井氏の思想ということはみのがせない。

京極　全体に完全にそれが消化されている。

西本　音楽や音にとてもこまかい注意がゆきわたつている。

京極　亀井氏は「仕上げを大事にしなければならない」いつもいつている。

（註「一茶」のダビングは一週間ほどかかつた―中村）

※

二回目の試写のため、話しあいを八時半にうちきりました。やつと

会員の動静

富岡　捷　漸く海上自衛隊の「海の教育隊」がクランク・アツプして一休しています。

―四月二二日―

渡辺　享　学習館映画部で企画脚本、演出を担当。これでやつとカメラから離れられそうです。

―四月二七日―

西尾　善介　「黒部峡谷」第二篇着手中。「大阪」準備中。日映新社にて

道林　一郎　理研科学村上プロにて「牛と金魚」三巻演出中。五月末完成予定。

野田　真吉　自主企画作品のシナリオをかいています。

深江　正彦　次回の脚本準備中です。いよいよ、三崎と城ケ島とを結ぶ「城ケ島大橋」の建設起録をとることになり、先日プロローグの部分のロケに行つて来ました。

―四月二八日―

上野　大梧　村上プロ「土と作物」五月は　東大、富山農試、越後原野ロケです。五月末か六月初

話がはじまつたところで終つたのは残念でした。話は今後もつづけることにし次回は「アラン」（フラハーテイ作品）をみて、研究をすすめることになりました。次回研究会に「フラハーテイ論」（R・マンベエル）の「アラン」に関する個所の抄訳を参考資料にする準備をしています。

なお、今回のテキストとして「小林一茶」のシナリオの複写を実費で頒布しました。御出席にならなかつた方で入用の方がありますれば協会事務局で頒価十円で取扱つています。御申込下さい。

（記録　苗田・文責　野田）

※

研究会のあと、僕の書架に亀井氏の『小林一茶ノート』という一文をのせた雑誌『新女苑』（昭和十六年一月号）がみつかりました。研究会の話しあいで問題になつた点を作者がその意図をあきらかにしています。参考までに抄録いたします。（野田）

※　※

一人の旅行者として、或時は驚き、或時は美しいものに心を打たれ乍ら、ことし、雪解の頃からあんずの花が咲く時分まで信州の全土を遍歴した僕は、その旅行の驚きや喜びを、そのままに、一篇のフイルムに記録してみた。

映画「小林一茶」が、それなのである。だからこの映画は、たとへ題名は小林一茶であつても、一茶の伝記映画だなどと、早合点しない様に。或は亦、一茶の俳句を映画化しようと意企したものでないことも、理解されたい。

信州の風土と、そこに住む郷土の人々の心を、感じたまま書きつゞつた。云はば僕の紀行文でもあり、随筆と云つてもよい。

ただその紀行文を書くにあたり、いくつかの一茶の俳句を僕の言葉代りにつかつた。つまり、映画では、俳句を解説しているのではなくて、映画そのものの解説の為に、一茶の俳句をサブタイトルとして使つたのである。

また、映画の最後に附した一茶の小伝も、実は一茶を通じて、郷土の人々の類型的な心を語ろうとしたものである。

その為に、この映画に必要でないと思われる一茶その人の他の面は、僕は遠慮なく退けた。この故にこそ、映画「小林一茶」は一茶の伝記映画とみなすには、当らないものなのである。

（註　次に「やせ蛙まけるな一茶ここにあり」のシーンでどんなに俳句を活用したかを例をあげて説明してある。紙数がないので略す）……

事実下伊那の百姓達は、災害のあつたその日から、農事実行組合などが中心になつて、そのうへ農林省の応援を得て、即効肥料を入れるやら、一本一本の枝をさする様に手入れし乍ら、もう一度新しい葉を出させようと、懸命に立ち働いたのである。

そのけな気な姿を見て、僕等も、大いに応援し、鼓舞してやらずにはいられなかつた。―百姓よ、元気を出せ、こんどはもつといい芽が出るぞ―と、一茶の俳句をかりて応援したのである。即ち「やせ蛙まけるな一茶ここにあり」こんな風に、一茶の俳句を借用した。

もし誰かが、映画「小林一茶」の俳句の解釈は妥当でないなどともらす人があつたら、そんな時、僕は笑つて聞き流すのである。

「名月や江戸のやつらが何知つて」

（以上　原文のまま）

（亀井文夫「小林一茶ノート」より）

句クランク・アップの予定でいますが……―四月二九日―

樺島　清一　相変らず理科体系「道具と機械」にかかつていますとにかく早くあげる事に専心している状況です。すつたもんだしています。教材映画が素材提供から一歩、ぬきんでるにはどうしたらいいか、大方の御意見を望みます。

高井　達人　「草」長期撮影に入つております。三井芸術プロ演補

丸山　章治　四月三十日現在。帝国人絹のPR映画をやつています。今月中クランク・アップ、編輯終了までもつてゆきたい。これがすんだら又三木さんと一緒に、社会教育映画を一本とろうと相談しています。それがたのしみです。―四月三十日―

大久保信哉　記録映画でオートメーションの線動画及模型を五月初旬までやつています。EKカラー三巻の中受持は約千呎

八木　進　家庭科教材映画を完成、つゞいて体育教室ナンバー七「ドッジボール」の撮映に入ります。

河野　哲二　「貿易のお話」とい

第一回婦人会員の座談会

――ただ、なんとなくこの道に迷いこんだわけではなく、学生時代から映画製作の問題とは、まともに取組んできた積りなのですが一年半経つた今、自分が女であるという理由だけで心細くなつてきました。他社の女の方達とお話する機会を得たいと思つています。――――これは会報No.18に掲載された会員中島智子さんの声だが、このことが、きつかけとなつて、さる五月十三日（月）夜第一回の婦人会員の座談会がもたれた。当日出席された方々は、かんけ・まり、西本祥子、山口淳子、中村麟子さんなどであつたが、都合で出席できなかつた他の婦人会員の方々からは、それぞれ電話で「出席できなくて残念だ。今後もぜひつづけてほしい」旨の連絡をうけとつた。以下は当日のこん談のメモである。

かんけ　協会では目下、ギヤランテイ基準の改正について専門委員会を設けて審議している。私もその委員だが、みなさんの生活条件がよく分らないので、せめてその状況をしり、ギヤラ委員会に反映させたい。またギヤラとは別に、女性であるがゆえの仕事のやりにくい点なども語りあいたい。私たちは、ふだんは、めつたに顔を合わせられぬので、こんご、こういう話しあいを継続的に行なつて定期的な交流を考えたらどうかな。

西本　私は、会社で女ひとりだけなので、いろいろと問題がある。

山口　私は、会社で、現場作業に出ないで、社内での仕上げ作業や雑務についている。しかし自分は現場をやりたいと希望している。

中村　女は、とかく便宜的に扱われやすい。私なども経験があるがおさえられてもひるまずに自分のやりたいことを主張しなくてはだめだ。

かんけ　大体つかんだ自分の方向を、強く押し出した方がよい。女ひとりでは大変だろうが――。

山口　私は将来は編集なども希望しているが、目下は分らなくなつてもやもやしている。

中村　現場のスタッフは助監督などでも、女では重い荷物などあまり持てないので、役に立たぬ場合もあつて、つい敬遠されてしまう。

かんけ　男に伍していくためにはこちらも頑張らねばならない。それから、若い人は、企業の中で辛抱して仕事を覚えた方がよいと思う。それが将来に役立つてくる。

中村　山口さんの場合は本を書いたら、いかが。本なら自分ひとりの場で出来るし、本を書くことが他の方面にも、いろいろと役立つてくる。

かんけ　私はフリーだから、一応なんでもやりたい。その中からよいものをつかんで、消化して将来のために備えているつもり

うシナリオをかきました。（新東映画社）目下あそんでいます。

ー五月二日ー

肥田　侃　シナリオ「ホーロー武井川ダム」及動物もの二本が脱稿。後者の撮影準備とともに、更にもう一本の調査中。またPRで「人体と栄養」の関係を解明するようなものを考えています。いずれにしてもこれからは「生命」の神秘さを言葉のからくりにしてもこれからは、「生命」の神秘さを言葉のからくりではなしに、鋭く追求してゆきたいと願つています。

大方　弘男　電通海外向P・R映画「東京・日本」製作中。高千穂映画株式会社（代表取締役・島津斉視）創立に際し、取締役に就任

桑野　茂　御報告すべきものはありません。

島内　利男　ワイド映画「日本の、自転車」半年もかかつてやつと完成しました。ワイド画面に引きずり廻されて、自分の不勉強をつくづく痛感した次第。次回は「大豆」のPR映画にかかる予定です。

中島　智子　「すまいの歩み」演

だ。
西本　いい顔をしていると便宜的に使い廻されてしまうので、仕事を覚えたいためにいろいろと頑張つている。
中村　フリーの人たちの経済状態はどうですか。
かんけ　フリーの演出家は年間で三本ぐらいが、仕事のできる限度じやないかしら。そして一本か二巻ものとして最高十二万、長期のものは月割にして五万ぐらいでしょう。あなたの場合、そのくらいにはなりませんか。
中村　月給の他に出張手当があるが、とてもそうはならぬ。これをそうするために、何とか頑張りたいと思つている。
かんけ　ギヤラ委員会でも、それを考えている。月給の場合には製作手当をとるとかの方法を考えねばならぬ。
中村　本代を別にもらいたい、という案を出したことがあるが、なかなかうまく通らない。
西本　私の場合には、徹夜して本を書いても、これは金にならない。それについて何か言いたくても、一人では何も言えない。月給以外に何も入らぬことは全くつらい。
かんけ　経済的にある程度の余裕がないとよい仕事ができない。このことは私たちばかりでなく協会全体の緊急な問題だ。
終つて　こんごこのような会合を継続的にもつてゆくために、毎月第四週目の水曜日に定期的な集りをもつことが申し合わされた。

☆☆☆　声　☆☆☆

（中島　智子）
大変申し訳なくもお恥しい次第ですが、メーデーを機会にはじめて協会の内側に身を置いたような気持がしました。将来の希望としては①本格的な機関雑誌の発行と②積極的に「観せる」運動と③協会の自主製作です。

（島内　利男）
いつも御無沙汰して申訳けありません。委員諸氏の御苦労な運営状況いつも蔭ながら大変な事だろうと感謝しています。

（肥田　侃）
ある意味で新発足をすることになつた協会の発展を祈ります。

（真野　義雄）
会報拝見致しました。運営委員各氏の努力を感謝致します。今後ともよろしくお願ひ致します。

（飯田勢一郎）
会費問題で世話をやかせる人が一人でも減り、できれば無くなるように祈ります。

（島谷陽一郎）
メーデー前夜祭は圧巻でした。あの様な会をこれから数多く持つ事が皆んなの気持を知り、助け合つて私達の生活を守つて行けたら良い生活も良い国造りも、良い作品も数多く生れ育つて行くことだろうと思いました。今年の課題である創作活動の前進の地盤はこんな所にも一つはあるのではないでしようか。

（丸山　章治）
みんながキチンと会費を納入す

出助手。その他二つばかり企画、脚本を担当しております。

ー五月四日ー

丹生　正　日映「赤い帽子」完成、次回作脚本執筆中。
黒木　和雄　「ガス供給」演補。天気のため延々と待期、全く映画というものは不合理な企業ですね。五月上旬アップの予定です。
楠木　徳男　五月中旬より「瀬戸内海の漁村」を撮影に岡山方面に行きます。六月上旬頃までかかる予定です。

ー五月六日ー

赤佐　政治　東京シネマPR「銀行」五月中旬アップ
苗田　康夫　日映新社「赤い帽子」ダビング完了　初号まち
岩佐　氏寿　脚本「煤煙の街の子どもたち」三巻完成。「母親学級騒動記」三巻完成。「ボーフラ退治」二巻完成。「じぶんたちでかけた橋」三巻執筆中。以上、東映　脚本「青年もの」準備中「小河内ダム」演出中。以上岩波
真野　義雄　永らく御無沙汰致しまして申訳ありません。小生永らくロケ中にて近日帰京、現在

ること。何よりもこれが第一。そうなつてくれないかぎり、運営委員として他のことは何一つ手につかない。イヤ全くの話だ。

教材映画研究会をだれかバトンをうけて、やつて下さい。僕はいそがしくて五月一杯とても手がまわりません。

（樺島　清一）

映写会の件ですが、見てもらいたい映画の一つとして、PR映画だけの映写会などいかがでしよう。これこそ、一般には見る機会はありませんし、しかも、すぐれた写真がたくさんあるのではないでしようか。スポンサーの提燈持ちの嫌いがないでもありませんが、社会教育といつた面で十分にこたえ得ると思われますが。マスコミの面に乗せよ作教のPRの一助に、スポンサーをこの催しに乗せて費用はそちら持ちで。

（岡本　昌雄）

会報への苦言！（ちよつと）頁が多いと充実してるようにみえるのは錯覚ではないでしようか。なるたけ必読の記事を厳選されたし。加藤兄よ、おこるなかれ、失礼！

（韮沢　正）

メーデーの前夜祭、初めから予算もないのにノミモノに色気を見せた所、当夜になつて願いは天に通ずでプレゼントの大洪水、喜びすぎてアップアップとおぼれた人もあつたそう。又数多い女性の参加者は神武以来とかで、全く楽しい前夜祭でした。中には味をしめてもう忘年会や来年の前夜祭の事を積極的に考える人もあり、ともかく御協力下さつた方に厚くお礼申し上げます。

（丹生　正）

原水爆禁止を協会としてとりあげ当事国へ提議したし、時期はクリスマス島以前である事、併し相手は、米、英、ソ、いづれおとらず死ななきやわからない連中の居る国、効果はもとより期待しない事。

（西尾　善介）

新規前進を願つて止みません。各委員の御努力に敬意を表します。

（道林　一郎）

単なる「集りの段階」から「動く段階」へ移行する時ではないかと、野田さんの御意見ですが、全く同感です。オリジナルなシナリオ活動から先ずその動きが始まることを期待します。

（高井　達人）

会員の動静欄に、日時（×月×日現在）を附記して戴きたい。でないと実質的には動静欄が静静乱になりかねないから―

（八木　進）

最近「黒部峡谷」「村の婦人学級」と会員諸子の佳作を拝見してうれしく思つております。御健斗を祈るや切！

（河野　哲二）

皆さん、会費をおさめましょう。

（榛葉　豊明）

昨日出席しました「記録映画研究会」は大変面白く、有益でした。是非つゞけて下さい。

（松本　俊夫）

五月一日夜行でロケから帰つて来たその足でメーデーに参加。これで七年間連続参加したわけです。

新映画にて応援として作品準備中

飯田勢一郎　国鉄PR「新しい鉄道動力」をまとめ、次期作品準備中です。

―五月七日―

西本　祥子　教材映画「役に立つカビ」撮影待期中

島谷陽一郎　昆虫採集のやり方。昆虫標本の作り方。四月廿七日UP、五月四日初号完成。仕事待ち。

―五月八日―

岡本　昌雄　五月だというのに、零下一五度の低温室にて、氷の撮影をしています。懐中がさびしいので一層冷気が身にしみます。

岡野　薫子　PRのシノリオ草案をまとめてほつとしたところ。

谷川　義雄　「草」（三井芸術プロ）演出中

―五月九日―

韮沢　正　「図形の誕生」に三ケ月もかかりどうやら今月末に初号が出来そうです。次は共同で「国際地球観測年の話」か、たのしいシリーズの「理科工作」を予定しています。ともかく図形に三ケ月もかかつたら〃背に腹はかえられぬ〃苦しさです。

―五月十日―

か、更にあらためて大きなエネルギーを吸収した感じです。それにしても協会のO・Bクラスの方々の参加が大変少なかつたのはどうしたことでしょうか。例の「戦艦ボチョムキン」何か三十名以上まとめればプリントを借りられるという話を耳にしましたが、もし本当なら一つ特別鑑賞会を企画しませんか。

（かんけ・まり）

会報No.24は編集がコリすぎなのか、とても読みにくく感じました。協会の活動を全体としてスッキリとキャッチできるようにして下さい。

（岡　秀雄）

教材映画研究会開催して下さい。

（大野　祐）

どういう訳か、まだ入会后一度も種々の会に出席出来ず（会合の日が仕事その他やむを得ざる急用の為）先輩、友人の話、又は協会報でしか、御近付きになれない。今度こそと思う（思うだけぢや駄目だと言う声が痛い）

（森田　純）

教材映画研究会の活動を期待します。他のジャンルと同様いろいろな問題が山積している筈ですから、現場の教師の方々の御意見にも充分耳を傾けたいものです。

たのしかつた初のメーデー前夜祭

四月三十日夜六時半より華僑会館二階広間にて助監督部主催による初のメーデー前夜祭が催された。当夜は協会員の家族や、配給関係の二水会へも広く呼びかけたので、六十名からの参会者を得、其の上「劇団あすなろ」「共同映画社」「東京映画社」「日本アニメーション」「理研科学村上プロ」「教材映画組合」「視覚教材」の各位から、酒、ウイスキー、ジュースなど多量のカンパがあり、稀に見る盛会であつた。

大沼司会の開会の辞についで、映画会から初まつた。カナダ大使館提供になるノーマン・マクラーレンの色彩短篇「ラヴ・ヨア・ネイバース（汝の隣人を愛せよ）」東京映画社提供の中国の人形映画「小梅之夢」、視覚教材提供の「小林一茶」など、日頃見る機会のない世界的な傑作を上映した。

次いで、当日最大の呼び物である芝居に入つた。場内の電燈が消されて数分間、やがてあらかじめ用意されたスポットがともると、観客にとりかこまれた円形舞台に、しつらえられた「南向きのアトリエの場」に、役者の面々、火刑台上のダンヌジャルクよろしく、或は天井を、或は壁を、或はあらぬ方を見つめて位置についておる。周囲すべて観客の目につゝまれた中で富沢幸男語るところの前口上をきくと、ムリヤール一座の旗上げ公演どの由、

八

村田　達二　芸研作品「八十番目の国」編集中、今月一杯には終らせたいのですが

松本　俊夫　「マンモス潜函」の初号完成。一息つく間もなく、というよりO・Lで理研の生命を賭けると社長大はりきりの「大自然に羽搏くもの」（八巻）古賀監督のアシスタントとして監督の手のとどかないB・C・特撮班などを適宜渡り歩き、今のところ遊撃隊みたいな恰好で仕事しています。しかし何で今更大金を投じて出がらしの茶を飲もうとするのか理解に苦しむ点もあります。

永富映次郎　次回作品準備中

岩崎　太郎　全農映　新世紀ともにペンディングですが、目下は平凡映画社のためにストーリイを書いています。

尾山　新吉　別段変つた事もありません。視覚教材の谷口プロデユサーと種々と計画を練つております。

三浦　卓造　待期中。

—五月十一日—

間宮　則夫　東京シネマ契約中。

田中　舜平　「家庭の明るさの為に」（仮題）目下企画中の手伝

原　作　有島武郎
脚　色　大沼鉄郎
演　出　富沢幸男
舞台監督　渡辺正己
衣裳小道具　杉原せつ
照　明　三浦卓造
　下村和男
スチール　杉山正美

キャストは
ども又　川本博康
ロメオ　間宮則夫
ガンちゃん　小泉　堯
花　田　山本升良
友ちゃん　中島智子

何しろ、本読み、立稽古共二日前から始つた舞台稽古なしの「ぶつつけ本番」のお芝居、富沢演出、大沼脚色のハラハラするうちに、芝居は急ピッチでどんどんすすみ、プロンプターの両人、手にした台本でせりふの後を追うのに勢一杯で、大部紛失したせりふもあつた由、ともあれ、結果は大変好評をはくした。

引きつゞき、カンパの酒、ウイスキー、ジュース、菓子などで行われた茶話会の席上、出席された協会の監督氏らをして「この芝居が目的で五十円をはらつて出席した甲斐があつた」と讃辞があり、また役者の経験を持つ某氏も「何よりまして感心したのは、演技もさることながら、役者の度胸のよさである」とか、又、毒舌家で定評のある某監督をして「お金をもらわなくてもこれだけ熱心にやるのだから、お金をもらう本業の助監督の方でも、この位の熱意を見せて欲しい」とか、堪りかねて当の演出の富沢氏は「この位、演出家を無視した役者は知らない。舞台ではみんな自分勝手に芝居をする」と歎いた。ともあれ、この公演の成功に意を強くした一座の面々は、次の機会には、もつと広い舞台で創作劇をやりたい由、大いに結構。つゞいて当日始めて見えた二水会の方々から自己紹介があり、「配給の仕事を日頃やりながらも、製作される第一線の人たちとの交流がなくて残念です。これからは大いに交流しましょう」との挨拶があり、助監督部としても大いに賛同して今後の交流を約束した。六十名からの出席者が、自己紹介で色々面白く語るうちに時間もきて、岩佐氏寿氏の指揮で「原爆許すまじ」を合唱して十時散会した。

もう一つ。当夜公開の予定で助監督部の自主製作になる16ミリ映画が、残念なことに、日数の不足から完成に至らず未公開に終つてしまつた。但し一部の者は試写を見ることが出来たのだが、和製マクラーレンともいうべき作品で「死の灰」の恐怖を描いたものの由製作にたづさわれた韮沢、山本、西本、三君に一応感謝の意をのべておこう。当の韮沢プロジューサーは「次の機会には是非完成させて公開します。音のついた奴を」と語つていた。（N）

THE LIVING CINEMA

英国のヱヂンバラで発行しているドキユメンタリイ映画誌THE LIVING CINEMA（リーヴイング・シネマ）（季刊）の創刊第一号が協会事務局にあります。御希望の方はごらん下さい。尚、これは日映科学映画製作所の石本統吉氏の許へ届いたものを同氏が協会に寄贈されたものであります。

をしております。

―五月十三日―

本間　賢二　東映製作所で「桑の肥料」脚、演。

岡野　巌　日本短篇映画社にて仕事中

西沢　周基　企画調査のため名古屋に出張、五月から六月末日まで東山動物園（名古屋）、犬山遊園（犬山）の短篇各二巻製作中。

山岸　静馬　模型飛行機の映画を作つています。

榛葉　豊明　「大阪大学」を完成し、現在百科映画の「はかり」を準備中です。近くクランクインします（岩波にて）

―五月十四日―

原本　透　新理研映画K・K・で仕事をしています。

水上　修行　次回作品十一巻劇シナリオ第二稿執筆中です。

日高　昭　ＰＲ映画（桜映画社）編集・録音中。傍ら自主映画企画、脚本作成に努力しています。

荒井　英郎　日映科学で「ミシン美術」に入りました。六月一杯はかかりそうです。

岡　秀雄　教材映画「歴史もの」難稿中。

映画界ニュース

☆アジア六カ国によって合作決る
記録映画「アジアの子供達」

さきに中国を訪問した、日本映画人懇話会代表団によって話題となつた、アジア六カ国合作の長編記録映画「アジアの子供たち」の製作については、代表団一行の八木保太郎、林弘高両氏を中心に具体化の方針が進められていたが、四月一八日午後一時より両氏を中心に独立プロ協同組合がスポーツマンクラブにおいて製作構想を協議、いよいよ製作の態度が決定された。

これは、日本、中国、北鮮、インド、ヴエトナム、ビルマのアジア六カ国が、各国の子供たちの姿を記録した各二巻のフイルムを持ちより、全十二巻の長篇記録映画を製作しようという構想で、今回の中国訪問で日本が責任国となり独立プロ協組の八木理事長が総指揮を担当することになつたもので、中国、北鮮は直接日本に、インド、ヴエトナム、ビルマの三カ国は中国を通じて日本に、それぞれ撮影フイルムを送り、日本で編集完成することになる。独立協組としては、八木理事長ほか糸屋、若山、伊藤の各理事で実行委員会をつくり、国民文化会議の協力をえて児童映画に関心をもつ関係団体に広くよびかけて、来月一ぱいぐらいに具体的な構想をまとめることとなつた。

☆都教委〝映画教室〟開く
都内三十一地区で

青少年に良い映画を見せるために都教育委員会では都内卅一地区に分けて映画館側の協力を得て早朝興行の形式によって〝映画教室〟を開くことになつた。

このため都教育委員会では青少年映画観覧対策費として本年度予算に四、三八九、六〇〇円を計上した。これは映画館使用の補助金とプリント使用料の一部に当てられるものである。観覧についてはお客から十円を徴収する予定。

なお運営は地区毎に運営委員会を学校長、PTA、校外生活指導主任、婦人団体、青少年委員、青少年問題協議会、興行者、学識経験者などによってもうけられる。

☆昭和三一年度日本映画技術賞
日本映画技術協会賞きまる

日本映画技術協会では、三月二八日の理事会で昭和三一年度「日本映画技術賞」ならびに「日本映画技術協会賞」を決定したが、このうち教育映画・テレビ用映画関係のものは、それぞれつぎのとおり。

☆日本映画技術賞

∧文化教育映画∨◎撮影―「カラコルム」（日映新社）林田重男、中村誠二・「クロロマイセチン療法」（東京シネマ）小林米作ほか撮影スタッフ◎ニュース映画―読売国際ニュース第三五七号「華厳の滝壺」・同第三七三号「鳴門の渦潮」・同第三八四号「沖縄から来た糸満漁夫たち」の水中撮影、読売映画社製作部関係スタッフ

∧TV映画∨　TV映画技術―「海底の散歩」日本放送協会テレビ局映画部（特別賞）・「マナスルに立つ」の撮影、毎日新聞社依田孝喜・「森は生きている」の諸技術、関係技術スタッフ・「テレビ放送における迅速現像処理の利用」日本放送協会佐々木巌

☆日本映画技術協会賞

8㎜磁気録音装置付映写機―株式会社エルモ社榊秀信。

北　賢二　凡プロダクションの監督にて名古屋に撮影に来ています。

徳永　瑞夫　炭坑地帯長欠児の生活記録を撮影中、六月上旬までに終ります。

菅家　陳彦　共同映画（海員組合）作品「船を動かす人々」の編集にかかっています。

かんけまり　光亜映画作品「日本の版画」無期延期となりました。

西沢　豪　「新しい土地（北海道）」（地理大系）六月ロケで全撮影を終る予定で準備を進めています。「山下清」（仮題）の製作を並行しています。先方の体の都合で鹿児島、新潟とロケを終え、先日、セットで貼り絵の場面を終りました。これから本格的なシナリオにかかるわけで、合くテレコになつて弱つています。　―五月十五日―

大野　祐　PR映画の面白さと苦しさ、表と裏、製作者自身の作品えの戦いと同時にスポンサーとの話合いが一つ一つ完成される度に痛切に感じられます。
PR映画シナリオ執筆中

森田　純　学習研究社映画部勤務　―五月十六日―

事務局だより

▽四月分会計報告

収入の部
三月迄の未納会費　五四、四二〇
四月分会費　二九、一一〇
業務活動の礼金　九四〇
電話料収入　二、一二五
　合　　計　八六、五九五

支出の部
事務所費　一八、〇〇〇
電話料　九、二五三
人件費　二〇、〇〇〇
印刷費　九、〇〇〇
用品文具費　一、三八四
通信費　七、四七四
交通費　二、一一〇
会合費　二、二五〇
前納会費返済　四〇〇
前月不足金　一五、三五二
雑　　費　七六〇
　合　　計　八六、一八三
差引残高　四一二

▽本年四月以降の会費の納入状況は次の通りであります。
（五月二十日現在）

会費納入状況一覧表(5.20)	納入済会員					未納会員					合計
	フリー	企業	賛助	助監	計	フリー	企業	賛助	助監	計	
4月分	37	27	2	35	101	16	9	11	24	60	161
5月分	11	4	1	8	24	42	32	15	51	140	164

▽本年四月よりの新会費額についての御相談の返事を下さらぬ方（つまり会費を御納入下さらぬ方）が、いまだに左のようにあります。ぜひとも何らかの御返事を下さるよう、重ねてお願い申しあげます。

フリー会員　九名
企業所属会員　三名
賛助会員　八名
助監督部会員　一〇名
　合　計　三〇名

▽第二回「推せん」教育映画の会の利益金は、その後（五月二十日現在）四、一一八円になりました。会員券代金一名一二〇円の清算のすんでいない方は、あと二十四名おりますが、御心当りの方は、一日も早く御清算下さるようおねがい申します。

▽原子さんの退職金資金カンパのための臨時会費は五月二十日現在で、一二、一六〇円集りました。未納の方は、会報No.24掲載のさだめに従つて、御納入下さるようおねがい申します。

▽会費の御納入には、御一報下されば、いつ、どこえでも受とりに参上いたします。御送金には振替送金が最も御便利です。

近藤　才司　桜映画社作品「妻と夫がけんかした話」が四月中旬上り、次の仕事待ち、シナリオの勉強、記録映画理論の勉強などしています。

—五月十七日—

大沼　鉄郎　東京シネマで科学映画の下調べをやっています。

豊田　敬太　東映「煤煙の街の子供たち」演出中

入江　勝也　「叡知の結晶」読売映画社　演出中

吉田　和雄　神奈川ニュース映協

山添　哲　記録映画社の「オートメーション」の仕事をしています。

伊豆林　豊　仕事待ちです。

田中　喜次　電通映画社で仕事をしています。

加藤松三郎　日映科学をはじめとする二、三のPR映画の仕事をつづけております。

樋口源一郎　理研科学村上プロの仕事の準備をしています。

富沢　幸男　東京シネマにて「限りなき創造」演出中

杉原　せつ　企画ものシナリオの仕事をつづけています。

山本　升良　三木映画社で仕事をしています。

南極探険記録を林田さんにきく

――去る四月末、南極探険の大任を果して帰国した南極観測船「宗谷」に乗組んで、記録映画「南極探険」を撮影した日映のキャメラマン林田重男氏を囲んで、五月二十一日夜、銀座ユーエス喫茶店にて「林田さんの話をきく会」がもたれた。当日は協会員二十五名が出席して、盛大、有意義であつた。以下は林田氏の話の記録である。――

南極探険に私が行くことにきまつたのが昨年の始めのことである。当時朝日でやるのか文部省でやるのかわからなかつたが私自身カラコルム・メソポタミヤの体験から心がまえは出来ていた。ただ南極というある意味では地の果の様な所そして考えられない程の極寒の地での撮影であるためまづそのデーターを調べることに全力をそそいだ北海道等の耐寒訓練の日からが私の仕事であつた。南極の平均気温をマイナス二十〜二十五度として機械がそれに耐えるかそうさ出来るか又フイルムはどうかなどのデータを取つた。そして色々な温度で試験して見た。マイナス四十一度になるとレンズが凍つて絞りが絞れなくなる。マイナス十五度ではブースなしでも撮影出来た。それで私はマイナス二十〜二十五度ならばキャメラを裸で撮影する自信をもつた。（もつともテストで使用したキャメラはつごうでもつて行けなかつたが）探険に行くに際してそろえたものはターレット・アイモ、シングル・アイモレンズ群はニュースの関係で六吋まで二通りそろえ二十五ミリ五十ミリは特にクックのレンズを持つた。ライトはアイランプ等十K程度使えるようにそろえた。しかし実際には十Kは使えなかつた。平均して三K使用が一番多い。あとは三コマで五K二Kと云つたところです。カラーの関係で、セロフイルターも多くそろえた。撮影に際しては人手がたりず条件がそのたびに変るため又助手なしで一人で撮影から録音までやるので超人的な仕事である。南極についてからは二十三時間が昼間なのでその間撮影データを整理していると夜が明け寝ている時間はほとんどなかつたくらいである。インド洋での撮影ではカメラをぬらすと使いものにならなくなるので私の工夫したカメラと私の入る防水布の袋をかぶつて撮影・宗谷は小さいのでゆれる。その船によるカメラブレの問題は船にカメラをつるし、たえず水平になるような状態を作る方法等も考えたが反動ヂャイロを使つて撮つた。フイルムの撮影配分は行くまでに半分着いてから半分という予定で撮つた。帰りにシンガポールへ来ると又フイルムが来て撮れというので結局日本に帰り桟橋に上つて東京まで、フイルムのなくなるまで撮ることになつた。ケープタウンなど美しい景色

一二

中島日出夫　理研科学村上プロで上野大梧さんの仕事を手伝つています。
石田　修　解散した日本観光写真映画社の仕事の後始末をしています。
小森　幸雄　仕事待ちです。
衣笠十四三　光亜映画「蛇の森探険隊」の演出準備中
大鶴日出夫　インターナッショナル映画KKで仕事をしております。
奏　康夫　記録映画社「オートメーション」の助手をしております。
小島　義史　仕事待ちです。
吉見　泰　東京シネマで自主的な企画を考えています。去る十三日、路上で自動車にふれ軽傷を負いましたが心配ありません。
前田　庸言　東京シネマ「銀行」の演補をしています。
小泉　堯　東京シネマ「限りなき創造」の演補です。
京極　高英　岩波映画の仕事が始まりました。
高島　一男　理研科学村上プロで道林さんの助監督をしています。
竹内　繁　東邦プロ「カネカロン」の仕事をしています。

に回わしすぎた感もある。使用したフイルムはカラーが約三万フイト、白黒がトライXなど含めて全部で四万フイト、三回にわけシンガポール、ケープタウンで受けとり又撮影したものはケープターウンから飛行機で送つた。フイルムの保存は――――フイルムは寒さにはよいが暑さには持たないので途中が心配である。特別の箱につめて船底にしまつてもらつて保存した。

私が苦心したのは撮影よりも精神的コンデイションの方である。後で大分改まつたけれども、永田隊長は、それほど映画のことを重要に考えていないため、接岸の最初など、一番に乗つて行き、撮りたいカットなどあつたが、ゆるされなかつた。こういうことは、ニユースでなれていることなので強引にやれば、やれないこともないしかし始めから、強引に出ては、それ以上に撮りたいカットの時に完全にゆるされないこともある。強引さは、どこでやるかが問題でなるべくひかえ目にした。しかしやる所ではやつた。宗谷の船の条件は、タラップがないため、又狭く、撮影に困難であつた。特に、三脚、カメラ二台、チエンヂイングバック等と持つていると移動の際、困難でリックなどをつかつて処理した。

南極の夜は明るいけれども、大変感じがちがう。又南極はほとんど色がない。カラーで撮つても、白黒で撮つたのと変らない。しかしその中に、例えば白一色の中に、黒いものが一つでもあれば、アクセントになつて、強くうつたえるから、色のことは別に心配しなかつた。

撮りたかつたものとしては、空の雲の変化を撮りたかつたが、一日以上かかりきりにならないと撮れない。又手がない、時間がないので、やめた。

この作品は、南極予備観測隊の忠実な記録である。ここで働いている隊員は、何のために働いているのかを描くことが私の任務である。風景も沢山撮つた。宗谷内の隊員の生活、南極についてからの色々な出来事、食糧の流出、観測の実況、氷にとぢこめられた宗谷オビ号の救援等も撮つた。何といつても、中心になるのは、自然の力と闘う人間の姿で、それは良く写真によく出ています。クライマックスは、とぢこめられた宗谷とオビ号のくだりでしよう。

しかし、正直の所、南極は、あまりきれいな所ではない。つなぐのに困ると思つて撮つた。きれいだと思つたのは、インド洋の海の色と、夕日をうけて、赤く染つたパック――――。

カラコルムの場合など、一応の予想の中から撮るカットを考えることが出来たが、今度の場合、日程だけが頼りで、それ以上の確実なものは何もなかつた。が、これだけは、撮ろうと思つていたのは前々からの予想で、宗谷が南極へ到達出来るか、どうかという問題

恐らく、苦闘するにちがいない状態をキヤメラに納めたかつた。又、旗を上げる所、又荷をどれだけ運べるか、それらを中心に撮影した。探険の記録をシネスコで、と云う意見があつたが、この次にということで今回は、今の型となつた。やるならば、スーパースコープがいいと思う。他のは機材が大変である。スーパースコープならば、二〇ミリレンズをとりつけて、今のままでやつていける。

私はニユースにしても記録映画にしても作るものでなく、とるもの

小野寺正寿　五月末まで三木映画社の仕事をすることになりました。協会に感謝しております。

川本　博康　電通映画部の「東京・日本」の仕事です。

新庄　宗俊　オート・スライド・プロの仕事をしています。

柳沢　寿男　次回作品の準備中。

小谷田　亘　岩波映画で京極さんの助監督をしております。

杉山　正美　東京シネマにて準備中です。

伊勢長之助　日映新社で「南極大陸」の仕上げ作業中です。

矢部　正男　岩波映画で仕事をしています。

桑木　道生　三宝プロにて準備中

松本　公雄　内外映画の仕事を手伝つております。

渡辺　正己　東京シネマ「限りなき創造」の演補

岩堀喜久男　理研科学村上プロにて次回作品を準備中です。

豊富　靖　産業映画社にて仕事をしております。

竹内　信次　新理研映画にて次回作品の準備中です。

下村　和男　仕事待ちです。

厚木　たか　次の仕事の準備をしています。

だと思う。総てのものは動き変化している。それをどこでとらえ撮すかが問題である。キヤメラを器用に動かすことより、キヤメラをどう使うかということです。

私はニュース畑で経験してきた中で得たことは、強引さとねばりそして色々な知識の中から、ここをこうするああするの処理でなく、何かおきた時それを早く、てきかくに撮ることそれは理性でなく感覚だと思う。例えばインダス河の風景を私は見た。日本では見られない、すばらしい雄大な眺めであつた。だがただ撮つては、普通の河にしか見えない。そこで山の奥に入つて、それそうおうのカットを選んだ。ねばりと強引さが私の唯一のものだと思つている。

この次は、二〇〇呎を入れられるキヤメラを用意し、出来るなら越冬して、南極の一年の変化をフイルムに納めたいと思います。

終つてから、皆んなで拍手をもつて、林田さんを送り出した。

これからも、すばらしい写真を撮り、記録映画のためにつくしてもらいたいと心から願つてやみません。

（記録文責　島谷陽一郎）

教材映画研究会のおしらせ

いろいろの都合から、しばらく休んでいた教材映画研究会を、左記のようにひらくことになりました。ぜひ御出席下さるよう、おしらせ申します。

とき　五月二十八日（火）　午後二時より四時半まで

ところ　映教3階会議室（映画教育会館）

（都電・地下鉄・虎の門下車）

▽当日は日映新社作品・地理映画大系「上方の移りかわり」「本州の屋根」を上映し、映写終了後、研究懇談会をひらきます。奉明小学校の室井三郎先生が出席します。

教材映画研究会

委員会だより

四月第三回運営委員会

四月二十七日（土）午後六時

出席…吉見　西沢　高綱　野田　中村（敏）八木　京極　矢部　大沼

▽最近の事務局の活動について報告した。

その後の会費入金状況についての報告 — 本日現在で新会費制度による四月分会費の納入率は約三十パーセント。たいへん成績が悪いが、三月末までの未納金の集金によつて、やつと息をついている。（会計報告参照）

その後の映画会報告 — 映画会についての、しめくくりのすべ

木村荘十二　共同映画社「長崎の子」演出中

松岡　新也　次回作準備中

松本　治助　昨年末より身体の故障で万事に消極的でしたが、春と共に仕事にも勢を出したいと思います。現在、会社より与えられているのは、NTVの劇映画の時間の富士フイルムのCMフイルムを作つておりますが、その内、本格的なものもやつてみたいです。

玉上　義人　山形市に帰省中

相川　竜介　甘木市に帰省中

川崎　健史　彦根市に居住

稲村　喜一　人形映画製作所

八木　進　モーション・タイムズ

高綱　則之　学習研究社映画部

高見　貞衛　大場　秀夫

日本記録映画社

八幡　省三　東京シネマ

片桐　直樹　中日ニュースを退社

森田　純　学習研究社映画部

中村　敏郎　山口　淳子

大峰　晴　日本映画新社

各務　洋一　坊野　貞男

羽仁　進　吉田　六郎

高村　武次　時枝　俊江

羽田　澄子　秋山　衿一

田中　実　岩波映画製作所

てを報告した。（会報No.24参照）

新会費額の相談について
返事をくれぬ会員が、本日現在約六十名程いるが、この人たちには更につづけておねがいの手紙を出すことにした。

日教組映画について　日教組が結成十周年に当つて記録映画「日教組十年の歩み」を製作することになり、当協会へ協力を要請してきたので、協会では柳沢寿男氏を派遣して、この製作に協力している旨の報告があつた。

その他、劇団あすなろの事務所の同居の件、会員有志によるメーデー前夜祭とメーデーの参加の件などが報告された。

▽協会の行事についてのアイデアが話しあわれた。
原水爆反対のアッピールをしないか。プレイガイド活動をしたらどうか。研究会活動を活発にしよう。桑野、林田氏らの海外から最近帰国した人たちの話をきたい。

▽新入会員について
賛助会員として、石本統吉　村上喜久男　上野耕三氏が五月一日付で入会した。

第一回ギャラ委員会
四月三十日（火）午後五時半
出席　柳沢　岩佐　丸山　吉見　苗田　樺島　奥山　間宮

▽最近の諸物価の値上りにともなつて、現行のギャラ基準ではつりあいがとれなくなつてきたので、ギャラ・アップについて、この専門委員会で研究したい。こんご三回ほどの会合をもつて結論を出したいと考える。
現行ギャラ基準の検討について話しあつた。

五月第一回運営委員会
五月十日（金）午後五時より
出席・・吉見　岡本　吉岡　野田　菅家　西沢

▽前回の運営委員会にて話しあわれた協会行事についての研究検討を重ねた。
研究会活動について―更に活発に進展させよう。教材映画研究会の世話人を岡本昌雄氏が引きうけて、推進することになつた。
桑野、林田氏らの話をきく会について―桑野氏が当面しばらくの間、スケジュールが都合つかぬので、林田氏の話をきく会を早急にひらくことにした。

☆　新　入　会　員　☆

村上喜久男　品川区大井北浜川五九九五（理研科学映画ＫＫ村上プロ）
石本　統吉　港区芝新橋二ノ八太田屋ビル内日映科学映画製作所（日映科学映画製作所）
上野　耕三　渋谷区千駄ケ谷五ノ九〇五記録映画社（記録映画社）
（以上　いずれも賛助会員
五月一日付入会）

☆脱　会

尾崎　好男　三月三十一日付にて脱会（去る四月はじめより住所を移転し、行方不明のため脱会処理したもの）
片岡　薫　三月三十一日付にて脱会（本人の届出によるもの）

☆会報記事の訂正

会報No.24掲載の「記録映画研究会報告」のうち、左記を訂正いたします。
①（C）の章の最初の発言者は「野田」とあるは「豊田」の誤りにつき「豊田」と訂正します。
②（C）の章　野田の発言中「生きている兵隊」とあるは、「戦う兵隊」（亀井文夫演出）の誤りにつき、訂正します。

諸岡　青人　清家　武春
中村　麟子　奥山大六郎
長野　千秋　下坂　利春
　日映科学映画製作所
岸　光男　田部　純正
清水　進　草間　達夫
　新理研映画株式会社
大橋　春男　英映画社
小西　久弥　ＴＣＪプロ
吉岡宗阿弥　長井　泰治
諸橋　一　平田　繁次
　日本アニメーション映画社
西浦　伊一　綜合映画製作所
水木　荘也　三井芸術プロ
大野　芳樹　国際教育映画ＫＫ

（次の方々は、原稿〆切までに詳しい動静が分りませんでした。ぜひ、連絡をしてください。）

秋元　憲　森永健次郎
頓宮　慶蔵　小野　春男
盛野　二郎　平野　直
古川　良範　中江　隆介
清水　信夫　下村　健二
中川　順夫　馬場英太郎
原口　光人

▽動静おしらせ用のはがきは、お忘れなく送つてください。

協会日誌

四月二十五日（木）
会報No.24出来上り、直ちに発送
来訪…中島 諸岡 柳沢 小泉 かんけ 矢部 小島 韮沢

四月二十七日（土）
四月第三回運営委員会ひらく

四月三十日（火）
第一回ギヤラ委員会ひらく
メーデー前夜祭ひらく（於華僑会館ビル二階ホール）
▽四月中の業務契約、あつせんなどの事務については、新理研、岩波、理研科学村上プロ、光亜映画KKなどと交渉があつた。

五月一日（水）
メーデー。 会員有志が参加
来訪…加藤 渡辺（正） 八木 中島（智） 中島 大沼 杉原 杉山 間宮 小泉 富沢 柳沢 山本 島谷 下村 八幡 間宮夫人 荒井夫人
本日付にて、賛助会員 石本統吉、村上喜久男、上野耕三氏入会。

五月六日（月）
五月十日運営委の通知状発送。
五月十一日記録映画研究会の会場を新聞会館にきめる。
来訪…岩崎（太） 吉見 竹内 河野 野田 小泉 中島（日）

五月七日（火）
五月十一日記録映画研究会の通知状、および、会費額相談の御返事催促状を発送する。
来訪…かんけ 吉見 小島 韮沢 三浦 岩崎（太） 岩佐 加藤 山本 苗田

五月十日（金）
五月第一回運営委員会ひらく
来訪…河野 韮沢 大沼 小谷田 大野（祐） 吉見 杉山 三浦 川本 柳沢

五月十一日（土）
記録映画研究会ひらく（於新聞会館会議室）
来訪…山口 丹生 三浦 森田（実） 大沼

五月十三日（月）
第一回婦人会員の座談会ひらく

五月十四日（火）
会報No.25の編集はじまる。

五月十六日（木）
五月二十一日林田重男さんの話をきく会の通知状を発送。

五月二十一日（火）
林田さんの話をきく会ひらく（於 銀座ユーエス喫茶店）

五月二十三日（木）
会報No.25校正

五月二十五日（金）
会報No.25出来上り、発送。

一九五六年日本のうたごえについて

「一九五六年日本のうたごえ」（全三巻）の編集は種々の事情とくに経済的な事情のため、のびのびになつていましたが、メーデー前夜祭に上映するために急に編集録音をすることになり、四月二十五日に完成しました。協会員で撮影に参加された方々には試写連絡が充分でなかつたのでみられなかつたむきも多かつたようです。機会をみて試写をいたしますから、御諒承下さい。構成と編集は野田と杉原がいたしました。会報をかりて連絡いたします。（野田真吉）

編集後記

☆陽春五月ともサヨナラの今、会報二五号をおおくりする。やはり今月は協会としても相当の行事があつて誌面も多彩となる感だ☆まず巻頭言も大きく「海外交流について」の夢を語る。製作者連盟田口理事長の中国訪問をけいきとして中国へのよびかけを期したく、何とか夢だけにはおわらしたくない☆研究会中で最も盛んな記録映画部門では、かつての名作「小林一茶」を中心に具体的な研究がすすむ。野田氏の報告によつて、向後は一人でも多くご参加のほどを☆「婦人会員の座談会」は待望？のわりに参加は少なかつたが、いや不参女史の各位から、やむない事情の連絡があり、中には電話による『参加』もあつたとか。それだけにキエンもあがつたことはごらんの通り☆御承知のメーデーながら、今年度は協会でも助監督部会の主催で初の前夜祭を花々しく挙行する。それは苗田君の記事から全容をお察しねがいたい☆最後は日本の話題である〃南極探険記録〃を日映新社の林田さんにきく会は島谷君の努力で記録された。御愛読をまつ☆ところで四月分！の会費未納の方が全会員の三分の一からもある現状はどうか、御配慮を祈りあげ奉るや切。（加藤）

教育映画作家協会々報

1957・6・25

No.26

教育映画作家協会
東京都中央区銀座西8の5日吉ビル4階TEL(57)2601

第六回世界青年学生平和友好祭へ
富沢幸男君を協会代表として送る

世界の中堅であり、世界の次代を荷負う全世界の青年が相集つてお互いの交情を深め、平和の誓いを新たにする祭典、世界青年学生平和友好祭の第六回祭典がこの八月、今年はモスクワで開かれます。当作家協会の青年（三五才未満）諸君に対しても正式の参加要請があり、助監督部会を中心に討議を重ねておりましたが、富沢幸男君を代表として送りたい旨、非常な熱意をこめて委員会に申入れがありました。委員会も、渡航費に十万円以上の金が要るという経済問題さえ解決の見通しがあれば、何ら異議のない所であり、準備不足で些かドロ縄式ではありましたが、広く主旨を訴えてカンパ運動を起すこととしました。協会内部だけでは到底負担にたえる筈はないし、協会財政のために、しばしば会員諸氏には御無理を重ねていただいている矢先ではあるし、また、協会代表と言つても、単に協会にだけ責任を持つのではなく、富沢君には、広く日本の映画界とりわけ、記録教育映画界に対しても責任を持つてもらいたいと思い、そういう意味で、広くカンパ運動を起すこととしたのです。

幸い、製作者連盟の国際部の方々をはじめ各プロダクション、並びに先輩各位の絶大な御協力で忽ち目標額に達し、今や同君は、七月十三日東京出発の準備に忙殺されています。後に改めて御礼申述べることになりますが、御協力下さつた各位に、取りあえずこゝに心からの御礼を申上げます。

同君は会期中ぶつ通しでひらかれる映画のゼミナールに出席することになります。世界の青年が中心になつての記録映画の前進が色々な形で、力強く計画されることになりましよう。国際的に見ても非常に高く評価され、また事実それだけの水準を持つている日本の記録映画に寄せられる期待の中で、富沢代表の活躍を心から祈ります。彼はそのための各作品と資料とを持つて行くためいま準備中です。

こうして私たちの協会、ひいては日本の記録教育映画の動きが、国際的に結び合い、強力に前進してゆくのです。そしてこの国際的な結び付きは今后ますます広く深く進展してゆく見通しが明るくひらけています。私たちの作品活動をいよいよ強固にせねばならぬ所です。

私たちは真実の掘り起しのために斗つています。そして、真実を明らかにしようとする力の連帯が強くなればなるほど、私たちのそうした斗いは前進します。国内は勿論、国際的な連帯の力で真実はますます私たちの目と腕に握られてゆくでしよう。そこに、私たちの記録映画運動の国際的な前進が約束されている筈です。期待は限りなく大きいものがあります。

富沢君を協会代表として送るに当り、事後になりましたがその報告を記し、御承認を得たいと思う次第です。

（運営委員会）

記録映画の演出

京極高英

さいきん、記録映画についての発言が活発になつてきた。その中で、記録映画の演出理論としてまとまつたものに、この稿がある。これは「キネマ旬報」五月上旬号の映画講座第二十三講より転載したものである。

演出の基本的な仕事というものは、真実をどのような形でつかみだすかを決定してゆくものであるとすれば、広い意味では、記録映画の演出といつても、劇映画の演出と本質的な違いはない。しかし、劇映画の場合には、俳優を使い、セットを組み、あくまでも、演出家のイメージに従つて、そこで、一つのドラマを作りあげてゆくということが中心であり、それに対して、記録映画では、現実に起きる実際の事件、生活のなかから選択し、そこにドラマを発見してゆくというちがいがある。つまり、記録映画の場合には、現実からの選択ということが基本になるといえるが、そのために必然的に、記録映画の演出は、演出家の現実に対する態度によつて大きく左右されざるを得ない。とくに、私たちの考えているソシアル・ドキュメンタリーにおいては、この演出家の態度、また、その映画が今日の社会で、どういう意味をもつかという、この二つのことによつて、演出のプラン、形式なども決定される。

1

劇映画の演出の場合には、どういうシナリオを選定するかということが決定的に重要な意味をもち、そのシナリオの選定の背後にはその演出家の現実に対する態度というものがあるであろう。しかし記録映画の場合には、演出と演出家の社会に対する批判、悦び、憎しみがもつと直接的なかたちで結びついており、演出家の態度が、そのまゝ演出の方法になつてくるのである。だから、たとえば、小市民的な階層に属し、そのような生活感情を深く身につけていれば、どうしても、小市民的な見方で描いてゆくことになり、そういう階層にだけよくわかるような映画しかできないということも起りうる。いいかえれば、新しいテーマに取り組み、新しい作品を作つてゆくためには、たえず、古い自分を克服し、新しい自分を作りだしてゆくための努力が、まずなければならないのである。

記録映画の演出では、以上のように演出家の態度というものが、単なる心構えの次元にとどまらず、実際の演出のなかにまで、直接的なかたちで影響するのであり、この点を何よりも先に確認しておかなければならないが、次に、劇映画の演出と異る点は、調査が非常に重要な意味をもつことである。

いかなる芸術にしろ、その創造の前に調査が大切であることはいうまでもないが、現実のなかからドラマを組みたてようとする記録映画においては、調査こそが、生命だといつてもよいだろう。劇映画の場合、そのシナリオに映画的なヤマがあるかどうかが問題とされる。記録映画においても、一つの作品としてまとめ作家の感動を観客に伝えるためには、映画的なヤマ、いわば起承転結というものが必要となる。しかし、それは演出家が勝手に作りだすことのできるものではなくて、あくまでも、生まの現実のなかに発見してゆかなければならないのである。また、人間の生活というものは、いつも平平凡凡とした生活だけがだらだらと続いているものではなく、そこには、必ず、何らかのドラマ、起承転結があるはずだと思う。記録映画といつても、いろいろの性格があると思うが、私たちのソシアル・ドキュメンタリーの立場からいえば、調査ということは、ただ単に実際の出来ごとを調べるという作業以上に大きな意味をもつている。たとえば、農村のある生活に触れて感動したとする。しかし、実際にそこから作品を作ろうとしても、農村以外のところに生活している階層のものには農村の生活というものは少し調査したくらいではわかるものではない。そのためには、演出家は、農民のなかに入りこみ、その映画の目的を話して協力をもとめるなかで本当の農民の悦びや悲しみを理解し、お互いの話し合いのなかで問題点を一歩ずつ深く掘り下げてゆかなければならない。つまり、このような調査活動を通じて、演出家たちと農民が一緒になつて映画を作るという態度が、お互いの間に形成されてゆくのである。だから、記録映画の場合の調査は、劇映画の場合のシナリオ・ハンテイングやロケ・ハンテイングなどと異なり、演出家が、農民なら農民の感動、意見をよく理解しシナリオ、演出プランを間違いのないものにしてゆくという手続のほかに、農民の今までの映画に対する観念をうちやぶつて、映画を本当に自分たちみんなのものだという気持、彼らの発言の場としてこの映画の製作にたいする協力、また、そうしたことのもつ意味に対する感動を作りだしてゆかなければならない。

シナリオは、労働者、農民が書くのであり演出家は、それを技術的に援助するだけだということがいわれるが、これは、以上のような事情をさしている。

2

劇映画の場合には、シナリオは全体の青写真であり、このシナリオが精密なものでなかつたら、どんなにすぐれた演出家でも、よい作品を作ることはできない。しかし、記録映画の場合には、事情は大分異なる。例えば、ダム建設の現場の記録映画を作らうとする。この場合、どういうのがあらわれてくるか撮影の前にそれを予測することはできない。険しい自然と人間の闘いがあるのだから、それを克明に記録しようという大きなテーマがあるだけである。だから、記録映画の場合、むしろ、原則的には、撮影が終つたときにシナリオもでき上るといつたほうがよいのではなかろうか。勿論、初めから結果が予測されるような場合もありうる。しかし、それにしても、現実を記録してゆく場合には、予測もしなかつたような起状があつたり、ふくらみがついたりすることが多い。ここに机の上で考えた観念と、現実にぶつかつた事実とのちがいがもつとも鋭いかたちであらわれる。だから、大切なのは、そのテーマ、またシナリオの骨子になつている見方をはつきり確立しておくことでなかろうか。そうすれば、生ま生ましく生起する現実に対したときに、それがそのテーマに即応しているか、そして、それを記録すべきかどうかも、おのずから決定されてくるはずである。原則としては、各個人が描こうとした現実に入りこみその刻々と変る現実のなかからつかみだしてくるべきであり、そのつかみだしかたは、それぞれの生活感情、思想によつて決定されるものではないだろうか。むしろ、そういつた映画の製作方法が実際には許されないというところから記録映画のシナリオというようなものが生まれたのではないだろうか。

だから記録映画の製作過程では、劇映画のように、シナリオの製作過程と、演出の過程が段階的に劃然と分かれることはない。調査が同時にシナリオの作製であり、演出プランの作製であり、広い意味での演技指導まで入つてくる。映画の演出といえば、劇映画では演技指導が中心であり、そこで坐つてとか、三歩あるいてこちらをふりかえつて下さいというようなことが大きな比重をしめている。

3

しかしながら記録映画の場合、広い意味での演技指導と呼んでよいものはあるにしても、そこで泣いて下さい、笑つて下さいという調子の演技指導は許されない。記録映画の演出は指定することではなくて選択することである。調査の過程で、農民なら農民の生活感情、考え方を調べるとともに、その映画の製作に対する共感を作りだしてゆかなければならないと述べたが、これこそが広い記録映画の場合のもつとも大きな演技指導である。

農民や労働者が映画の製作の意図をよく理解し、その目的に感動してくれたときには、映画を全然知らない人でも、その目的に従つて動くから、非常に自然な、嘘も芝居も感じさせないような演技をしてくれる。それはスタニスラフスキー・システムの貫通行動のようなものかもしれないが、しかし、そこに台所への通路があるつもりで歩いてくれとか、外は雨が降つていると思つてくれというような指定は一切行うことはできない。ただ映画の目的だけ理解してもらつたら、あとは、その人の動く通りにカメラの方を動かしてゆく。人物が演出家の予期した方向と反対の方向に歩きだしたとしても、その時には、むしろ、カメラの位置を変えなければならない。そのうえで、その人物の動きに沿いながら、アップやロングなどのカット割りを決めてゆくのである。

この映画製作の目的に対する共感、感動を調査と話し合いの過程で、農民なら農民のなかに創りだしてゆくことのほかに演技指導と名づけうるものがあるとすれば、その一つは人々の気持を解きほぐしてゆくということである。つまり、撮影しているのかいないのかわからないような雰囲気を作り、一切の芝居心をとり去つてゆくことである。そうすれば望遠レンズで撮つたり盗み撮りしたと同じような効果を出すことができるだろう。

これは、ソシアル・ドキュメンタリーのように、人間を対象とする場合、つまり、自然ではなくさまざまの意識をもつた人間という存在を対象とする場合にはもつと中心的な課題の一つである。

また、そういう雰囲気を作るためには、まず何よりも、農民なら農民のなかにある映画に対する既成観念もうち破つてゆかなければならない。農村などで調査を始めたときにまず最初にぶつかる障害は、映画といえば、チャンバラ・ドタバタ喜劇を思い浮べるために、それだつたらあの人がヒョウキンだからよいとか器用だからというような意見が非常に多いことである。こういつた映画に対する偏見までも一つ一つ、長い話し合いのなかで克服し、本当に共通の地盤に立つようになることはなかなか容易なことではない。

4

記録映画は、このようにあくまでも、ありのままの現実のなかから切りとつてくるべきもの、現実の選択によるものであることはいうまでもないことであるが、しかし、ある場合には、現実の再現ということも許されてよいであろう。私の演出した「ひとりの母の記録」のなかで農協に売つた繭がトラックで運ばれる途中でこぼれ落ち、それを母親が拾つてゆくシーンがあるが、これなどは再現である。　こういうと、現実からの選択を生命とする記録映画としては邪道である。望遠レンズでも備えていて、そういうシーンが起るまで待つべきではなかつたかという反論があるかもしれない。しかし、あの母親の表情を顕微鏡写真にでも撮つて分析してみれば違いはあらわれるかもしれないが、それ以上の不自然さというものは、あらわれないのではないかと思う。ただ偶然性に頼つて待つということになれば、それは撮影期間中に起きるかもしれないし、起きないかもしれない。それはいわば確率の問題である。それは経費の上からも労力の上からもほとんど許されないことである。だから、それがもし、具体的な調査に基づき、そうして、それが事実であつたら、再現ということも許されてよいのではないかと思う。しかし、再現ということもテーマによつてそれが許される場合もあり、また許されない場合もあるのであつて、ある場合には、あくまでも、その事件が起きるまで待たなければならない。同じ「ひとりの母の記録」のなかで、蚕の飼育用の桑が足りなくて、農民たちが焦躁した表情で、他村から移入してくるのを待つているシーンがある。この場合には、私は、その場面を待つていて撮影した。実際に桑があるのに無いと思つて焦躁した表情をするということは俳優に指定すべきことであつて、農民たちに要求すべきことではないからである。従つて現実の再現だからといつて、また、素人の俳優を使つたからといつてそれがドキュメンタリーだとすることは非常に危険である。芸人の俳優を使つた方が、より一層効果的であるにもかかわらず、それを素人でやるというのは、まつたく意味のないことではないだろうか。

それは演技の問題についてばかりではない。たとえば、照明にしてもそうである。もし現実をそのまま、その起きた瞬間に、その場でとらなければならないとすれば、暗闇では真黒なカットばかりが続くことになり、撮影できないというようなことにもなりかねない。照明にしても、劇映画とちがつた、もつとナチュラルな方法が考えられなければならないと思う。

また、この問題とも関連すると思うのであるが、例えば、カメラマンなどがすべて閉め出された室で会議が行われているとする。その時、ただ、閉めだされたあとの窓の灯であるとか、白い壁だけを撮しているのも秘密会議から閉めだされた雰囲気の表現としては効果があるかもしれないが、それだけではならないだろう。むしろ、そのときには、その秘密会議に対する他の場所の反応を記録すべきである。記録映画といつても、その現場をとるというだけでなく、その現場に対する反応と共通した感動をえがくことによつて、テーマを強調することもできるのである。

こういつたような問題の混乱の裏には、フイクションという概念が大きな役割を果しているように思われる。そもそも、フイクションとか、ノン・フイクションという次元で問題を扱うのが間違いないのであつて、芸術作品にしろ、報道記事にしろ、現実の選択が行われているという点では、すべてフイクションといいうる。フイクションと嘘とは決して同じものではない。問題は、嘘か真実かということであつて、記録映画は、真実をこそ強く訴えなければならないのである。

5

今日の記録映画は、私は、芸術作品であるよりも何よりも真実に忠実でなければならないと考えている。最初にソシアル・ドキュメントは調査が中心でなければならないと述べたが、この調査の過程で行われたような、話し合いと討論は、映画の製作の全過程を通じて行われなければならない。

初めの調査でえらばれた真実というものはあくまでも相対的なものであり、それは、さらに映画の撮影の途中でも深められ、さらに掘り下げて確かめられてゆかなければならない。最初に立てられたテーマが、現実のなかで検証され、間違つていることがわかつたときには、それは勇敢に変更されなければならない。しかし、それは、最初のテーマを誠実に追求しているときにのみ、そのような新しい発見もあり、新しい創造が可能なのであつて事大主義的、追随主義的なことを意味するのではないし、まして、偶然性によりかかることはない。たとえば、撮影の途中で一匹の犬が画面を通つたために、非常に画面にふくらみを生ずるようなときもあり、またその反対の場合もある。しかし、それが、追求している問題に対して、基本的な影響をもつものでなければ、それ以上追いかけることは許されない。そのために芸術的完成からはほど遠くなることもあるだろう。

それは、最後の編集の場合についてもいえることで、あらゆる人の意見が参考にされなければならない。演出家の知識は限られたものであり、その生活経験は狭いものである。だから、あらゆる人の批判と意見のなかでそれを補い発展させ、より真実に近いものにしてゆかなければならないのである。こういうとそれでは芸術家の主体性というものがなくなるのではないかという反論がでるかもしれない。しかし、芸術家の主体性といつても固定したものではなく、むしろ、批判され、他人の意見をきくなかで、歪みを直されてゆくものではないだろうか。このことは新しいテーマに取り組んだ場合、とくに必要である。

今までの生活や習慣が、演出家の考え方や感情を決定しているから、それを打ち破るためには、どうしても、多くの批判と意見をきかなければならない。だから、極端な場合には、芸術性が薄くなつても正しいことは正しいとして描いてゆくことが必要なのではないかと思う。そうして、その正しいものの積み重ねのうちから、新しい芸術が生まれてくるのではないだろうか。

今日、記録映画をめぐつてフイクションの問題が盛んに論議されているが、私は、このフイクションにしても、以上述べたような観点から、真実を貫ぬくためには、ためらうことなく活用すべきだと思う。

ただ、このフイクションの作り方のなかには、当然、もつとも端的なかたちで、演出家の現実に対する態度が反映せざるを得ない。だからわれわれの日常生活を、強い思想によつて鍛え、とくに、社会が混とんとしてくると、ともすれば、それに押し流され、またそれを促進するような思想があらわれてくるか、それにたち向いそれを克服してゆくような演出家自体の鍛錬が、今後の記録映画にとつて何よりも先決の問題ではなかろうか。

地理映画大系の演出と実際

教材映画研究会報告

五月二十八日（火）午後二時より
於 映画教育会館会議室

出席者 西沢 岡野（蒸） 中村（麟）中村（敏）かんけ 岩崎（太）岡 加納 岡本 西本 近藤（協同組合） 室井三郎（泰明小学校）

上映プリント
北陸地方（自然と風土）
本州の屋根
上方の移り変り

岡本 野田さんがまだ来られないので、西沢さんの「上方の移り変り」から話を進めていつたらどうだろう。先ず西沢さんから製作過程をだして頂き、その後でいろいろ伺うことにしたら。

西沢 地理大系は三年前企画された。先づテーマを分け加納さんが原案を立てられたものを現場の先生と議し合い、その上でロケハンし、シナリオを書いた。仕上げに当つても、ラッシュを先生と共に討議、録音前には泰明小の生徒に観せ反応を確める等慎重を期した。

中村（麟） ということは作家の云い分が通せなくなるということにならないか。

西沢 それはある。画面転換したいと思つても子供に分らぬといわれて思い通りにいかないことが度々あつた

岡 本州、上方の二本共二度みたが、二度観てやつとわかつてきた。ということは二巻にしては材料が多過ぎはしないか。それについての現場の声を聞きたいと思う

西沢 材料の問題よりも、むしろ昔の形ではいけないと思つたので新しい意図を出そうと思つたのだがそれが出なかつたのではないか

岡 然し、雪国は一度でよく分つたが

中村（麟） 子供の頭は案外よく理解する。子供には分らぬと定めてかゝるのはよくないと思う

中村（敏） 又、先生の使い方でも随分違つてくる。映画の中から色々な問題を引出してもらいたいと思う。然し上方の整理は大変うまい

岩崎 整理の仕方がうまいことは教育映画として根本的な問題だ

岡本 古い形、新しい形について先生の間に喰い違いはなかつたか

西沢 大してなかつた

岡 今、教材映画は一巻にという声があるがそれについて

中村（麟） 先生の使い方で違つてくるのだから一がいに云えない。映画を使つた授業をみているとこれでいいのかと思うことが屡々ある。

岩崎 それは大事なことだ。映画も、よくものの分つた先生を対象にして作るのではいけない。日本全国に行くことを考えなければ

室井 教材映画はさつとみてわかるものより、ねらいや教室の要求が丹念に描かれているものが

会員の動静

京極 高英 「土と肥料」もどうやら終りです。こんなに自分でもなんだか分らない何物かを考えた作品は今までにありませんでした。「青年の結婚」岩佐君とスタートしはじめました。これは分りきつたテーマだけに大変な苦しさです。

富沢 幸男 東京シネマ作品「限りなき創造」六月下旬完成の予定です。

桑野 茂 異状ありません

西沢 周基 中部日本ニュース映画社にて短篇製作担当、名古屋ロケ、六月中旬、二作品、完成予定。

各務 洋一 ビルの基礎工事ロケがやつと終つたと思つたら、今度はガラスの映画です。どこまでも土木建築とエンが切れません。

頓宮 慶蔵 別に申し上げる変化はありません。静養中です。脚

利用価値も高い。教科書より映画の方が子供はよく覚えしかも喜ぶことは感想文を書かしてみるとよく分る。
然し十分利用されていないのは先生の横着から来ている場合が多い

西沢　ということは、先生という範囲に留らず社会教育の問題で啓もうが必要だ

中村（鉄）　教室では本を学んで映画をみせているのか

室井　映画をみせる先生は、映画が主体、本は従である。低学年にはまめな先生が多いのに現実には低学年向のものがない。ぜひ作って欲しい

岩崎　具体的に云つて地理は何年で利用されるか

室井　五六年だ。子供が喜ぶ映画が実際には利用されていないのは残念だ。

西沢　ラッシュをみせても、創造力を働かせ、色々問題をひき出している

室井　然し地理映画は学習の流れの中で使われて息づいている。そこで適確に使いたい時ライブラリーにあつたのでは満足に役立てることが出来ぬ

岡　今のシナリオは教科書の代弁の様だ。短い時間の中で話すのだからもつと違つていゝと思う

室井　然しあくまで教材であることを忘れないで欲しい。
地理は大体文字を通した観念的な授業は間違いである。その意味でも映画を大いに利用したい

西沢　短い巻数の中ではあるが面白い所では話を通してみせたくなつてどうしても無理が出る

中村（鉄）　それはいゝのではないか。本州の屋根には、西陣の様に積み重ねた所がないので、整理され切つてない感じを与えるのではないか

西沢　撮つている中に、これを一巻、あれを一巻と作りたいものが出て来て困る

室井　然し教材映画だ。常に本筋からはずれないで欲しい

中村（鉄）　作家としてはそれが一番むずかしい所だ。目をつぶつちやえばいゝんだが

西沢　どのテーマにも、一つのローカルカラーを出さねばと思うが、実際には現在の生活とは離れ、間違つた話になるのが一番困る。又映画としては画だけみせておきたい時にも説明を入れねばならぬことがある。

岡本　指導書のことだが、どんなのが良いのだろう

室井　大切なものだが案外使われていない。映画に入らなかつた写真も入れてもらい説明が付けられると一番いゝのだが

岡本　映画の中で使われている線画についてどんなにお考えか

室井　今までみて来たものをまとめるということで地理の代りに使つているのではない。

岡本　昔作られた地理映画でも今結構利用できると思うが、この地理大系との使われ方の違いについて

加納　先生の教え方により、それは違つてくる。先づ教え方の態度が決まらぬと抽象論になる。何故映画を使うか、いろんなバリエーションにより違つてくる

岡本　地理大系にもスタイルが出来たように思うが、大系ものの映画のスタイルについて

加納　内容により形は違つていいと思う。むしろ、いろんなスタイルを試みてもらいたい。そして一本一本の作品のキャラクターが出てくることが望ましい。プロジユーサーの英断をのぞみ本など書いています。

ー以上五月二七日ー

岡本　昌雄　「理科映画大系」次回作準備中

吉岡宗阿弥　会社が移転するのでこの所、何かと忙しい一日を送つておりますが、東邦プロ「カネカロン」の線画をやつている。

水上　修行　脚本の決定稿を急いでいますが、長篇もののこととて随分、色々プロデユサーや配給社の方からの註文があり、改訂、改訂を重ね、最後の追い込みをかけて居ます。

ー以上五月二九日ー

渡辺　正己　東京シネマ「限りなき創造」宮沢組演助。六月中旬初号完成。

村上喜久男　「鋳物の技術第二編」を東洋現像え出し初号プリント待つばかり。「牛と金魚」は録音中だが米山さんにまかせてあり、「作物の科学シリーズ」新潟ロケ中。「純水を求めて」大阪ロケ中。「七つの心臓」は準備中。で、この所ほつと一息を入れ新しい仕事を追いかけています。

野田　真吉　自主企画作品の準備

ー以上五月二十日ー

たい
岡本　ナレーションは多いのと少いのとどらがいいか
室井　少い方が使いよい
西沢　教え込まうと云う態度が出て来る。それが語りを多くするのだが恐ろしいことだ
岩崎　方言の取り入れ方が気になつた。
室井　生の語りを入れることは雰囲気を出し、現実を感じさせる為に必要だ
西沢　自分としては、押し込まれた話しがあそこで救われたと思つているのだが
かんけ　作家は、あくまで先生ではないわけだが、基本的なものだけは知つておかねばならない
二〇年の経験の上に立つ西沢さんの作品は立派だ
室井　かしこまつたものでなくたのしんでみられるものを作つて欲しい。そこで作家には社会人としての豊かな知識が必要だ
西沢　いつも最后になつて追い込まれるので困る
室井　又授業が昔の暗記ものゝ時代に返つて行こうとしている。映画をみせれば子供の理解も大きいという所から、皆関心をもち研究心を起さす方向にもつて行きたい。今はまだ映画の使い方を批判し伸びる芽を止めるような方向にある
岡本　大体結論が出たようだ。皆で案をもちよつて次の会に役立てたいと思う

（記録　西本祥子）

シートン女史歓迎懇談会に出席して

吉見　泰

とき　六月十九日
ところ　数寄屋寮

☆マリー・シートン女史は英国の映画評論家で、特にエーゼンシュタインの研究家として知られています。当年四七才。最近は印度にあつて、インド映画の映画並びに映画を通じて英印交流の仕事をしておられた由。さきに、映連の招請で来朝されました。

☆女史は、日本のドキュメンタリーに就て特に関心深く、製作者連盟では過日、女史の希望もいれて左の八本の作品を試写。今回の懇談会は、その批評を中心に、同じく教育映画製作者連盟主催で持たれたものです。

○生きていてよかつた
○くじら
○離れ島
○一人の母の記録
○雅楽
○新しい米作り
○結核の生態
○絵をかく子供たち

☆会は、（製作者連盟事務局）阿部、槇（日映科学）石本、（岩波映画）小口、（共同映画）坂斎、（読売映画）田口、（教配）金指、（東京シネマ）八幡（東映教育映画）赤川、（平凡教育映画）佐藤、それに岩崎昶牛原虎彦の諸氏、並びに当作家

をすすめています。

入江　勝也「MORE LIGHT!」（モアー・ライト）（叡智の結晶・改題）クランク・アップ。引つづき読売で、編集物（英語版）にかかりました。

—以上五月三一日—

松岡　新也「水源林」（都映協）の仕事をしています。

清水　信夫　今は東映の仕事をしています。

中島　智子「すさいの歩み」クランク・アップ。脚本「養老院」の決定稿を書き終えてホッとした所です。

黒木　和雄「東芝の車輌」準備中です。六月下旬クランク・イン。

—以上六月三日—

中島日出夫　理研科学村上プロの「七つの心臓」の演補。

—以上六月四日—

上野　大梧　天候にめぐまれず、六月四日、ようやく富山、新潟地方のロケを終え、帰京しました。そろそろ整理にかかり、併行して肥料の撮影にとりかかります。

楠木　徳男　六日より「瀬戸内海の漁村」最後の撮影に岡山の下津井という漁村に行つて来ます。

協会から小生が出席。それぞれの自己紹介から始まりました。ついで女史の意見がのべられましたが、まず、日本の記録短篇の良心とその水準の高さに就て賞讃されました。

一本、一本に就ての批評を述べられたのではありませんでしたが、その大要をお伝えします。

開口一番、「黒部溪谷」に触れ（これは女史が連盟政試写とは別に見られたらしい）、単に機械による建設だけではなく、その背後の自然と人間との斗いを総合的に描いている点に注目、殊に自然条件を描写するカメラの刻明な迫力に就て、驚嘆すべき感動を受けたと絶讃。私たちも意を同じくするものがありました。

ついで「生きていてよかつた」を取あげ、スケールの非常に大きな世界的問題と対決した良心を高く評価。世界のどこに持つてでても、強いショッキングな感動を与えるであろうと言われました。

そしてこの作品に就て次のような言い方をされました・・・

ー このような「衝撃療法的な手法」を用いた作家はヨーロッパにもいる。フランスの或作品にこういうのがある。

最初にパリの博物館を描き、観客を美術の世界に導き入れて置いて、突如、アフリカでのフランス人の黒人虐待の現実を描き問題を衝撃的に提起して、世界の良心に訴えたものである。そして好んでそうした「衝撃療法的な手法」をとる作家は社会的良心で貫かれている作家たちである。ー

（フランスのこの作品の手法に就ては私（吉見）も深い興味を感じました。しかも、「生きていてよかつた」も含めて、こうした作品に就て、単に「衝撃療法的手法」の作品と言うだけで済むものなのかどうか。リアリズムの課題を前にしては、なんだかプリミテイヴすぎて、食い足りない気がしました）

そして、女史は、そうした社会的良心に貫かれたドキユメントが、ヨーロッパでは最近、次第に影をひそめつゝあると、付け加えられました。何故そうなのか、深い解明はついに聞かれませんでしたが、敢えて付記しておきたい問題です。

更にまた「一人の母の記録」に就ては ー

これは或る一農村地帯の婦人の状態という風に、限られた特殊な問題とは受けとれない。日本の婦人の六割乃至七割は恐らくそうした状態におかれているのではないか。その点、婦人のすがたが典型的に描かれていて感動した。これもまた世界のどこに出しても感動を呼び、問題を投げかけるに充分成功した作品である。特にインドでは、同じような境遇の婦人が多いだけに、共感を呼び、一つの連帯意識を呼び起すだろう。かつてインドの人々はフラハテイの「極北の怪異」によつて、はじめて見る雪と氷にうざされたエスキモーの生活の驚異と共に、苛酷な労働をしなければ生きられないその人々の生活条件と自分たちの生活条件が余りにも共通しているのを見て、共感し、はげまされた経験を持つている」と言い、

「新しい米作り」は、「一人の母の記録」とはテーマも違い、ジヤンルも違うから同じ角度か

下旬迄には帰京の予定。

ー以上六月五日ー

八木 仁平　「小河内ダム建設記録」第五集完成（五月末）目下ＰＲ映画作成のため「東洋レーヨン」に臨時雇用。九月解雇の予定。

三浦 卓造　日映新社で庶務にたずさわっています。

荒井 英郎　「ミシン美術」撮影中。クランクアップは六月末の見込。元気です。

ー以上六月六日ー

新庄 宗俊　社会教育映画「商店主と小店員」のシナリオ完成。

高村 武次　谷川岳でロケ中です

杉原 せつ　特別御報告するものも持ちません。

ー以上六月七日ー

豊田 敬太　▽「煤煙の街の子供たち」（三巻）六月五日完成。京浜工業地帯の子供と父母を描いた記録映画ですが、諸種の事情で、実働二十七日間というこの種のものとしては短期間で撮つたものでもつと時間が欲しかつたと痛感しています。

▽次回作品待期中。

高島 一男　「牛と金魚」完成ー村上プロ道林組の演補。続いて

ら評価はできないが、それはそれでまた、すぐれた成功作である。特にインドではこの作品も亦大いに受けいれられるだろう。インドの農業は冷害という共通の課題に直面しているからだ。

　大体、以上のような話のあと、夕食を共にしながら、列席の諸氏との間に質疑応答、懇談が重ねられました。私は、ドキュメンタリーの伝統を持つイギリスでの最近のリアリズムの傾向や当代のドキュメンタリー作家の当面している課題を中心に質問しました。以下に、そうした質疑応答から得られた大要を記します。

☆
　英国では、日本のような十六ミリ版による非劇場上映、乃至非劇場運動はない様子です。

☆
　英国のドキュメンタリーは一九三〇年代には大きく昂揚したが、現在では、見るべきものは少ない。

　その原因に就ては、専ら作家たちの間のドキュメンタリーへの熱意の減退によるということでした。（それ以上の分析はついに聞かれませんでした）

☆
　尤も、現在では、真実のためのドキュメンタリーの伝統の灯を守れというわけで、「フリー・シネマ」という組織が唯一の拠点となつて、積極的な活動を展開しようとしており、今後に期待が持てるそうです。

　そして、最近の面白い作品に、こんなのがあるそうです。

十八世紀の城を次々にとりあげその中にある CHINA DOLL 乃至 CHINA FIGURE（通訳者は陶器と翻訳していたが、むしろ文字通り支那人形だと思う）をとらえ、十八世紀の英国の城の中に何故こういうものがあるのか、辛らつなコメントを展開、英国人の性格にまで鋭い批判の言葉を投げかけたものがあるそうです。

☆
　ブリテイツシュ・フイルム・インステイチュートは、半官半民の国家的機関だが、常に不備不党、かつての所謂冷戦時代にも、人民民主主義乃至社会主義国家と言わず、また、自由主義国家と言わず、世界のあらゆる国々との映画による交流のための努力をつゞけて来ましたが、今年の十月には、日本映画祭を主催するそうです。そしてひきつゞきインド映画祭なども計画、アジア映画祭まで持つて行こうとしているそうです。

　製作者連盟をはじめ、これへの積極的な参加が望まれています。

　なお、すぐれたシナリオその他の資料の交換交流なども、このブリテイツシュ・フイルム・インステイチュートを通じて行なつて行くのがよいということです。これは私たちも早速とりあげた方がよいと思います。

☆
　この九月には、クリス・マッケアという、まだ無名だがすぐれた作家が来るそうです。シートン女史は、その時もまた本席のように懇談会を是非持つてもらいたいと希望されました。私たちもその日を待ちたいと思います。

☆
　最後に、かのポール・ルーターの近況一つ。―神経痛で悩み、演出はやめて、本を書いているそうです。

　以上で報告を終りますが、本席の限りでは、日本のドキュメンタリーと、リアリズムを目指し

「七つの心臓」にかかります。

―以上六月十日―

永富映次郎　新企画準備中

河野　哲二　「図形の誕生」長い間かかりましたが、やつと完成しました。「鳴子ダム」編集中

西沢　豪　十三日より「新しい土地」―地理大系―の最後のロケで今月一杯北海道へ参ります。帰つてすぐ仕上げ、また、七月上旬には「山下清」の撮影があります。

西本　祥子　「役に立つカビ」演出。

―以上六月十一日―

徳永　瑞夫　炭坑長欠児童の生活記録（ボタ山の絵日記）の撮影完了。ひき続き教材映画「石炭のはなし」（歴史篇・生産篇）を新文化映画（九州）で演出中。

苗田　康夫　「大地の子」四巻
日映新社　脚本第一稿脱稿

盤富　埼　産業映画社で仕事をしております（赤佐組）。題して「四季の富士山」。EKで六巻十二ケ月かかるという代物。四尺の積雪を踏んで七面山に登つたのを手始めとして、金峯、北岳、富士と次々に登る予定。富士に関しては「物知り」にな

ての作家の精進は、世界的に見ても非常にすぐれたものだという印象を強くしました。そして同時に、経済的不過に堪えての教育映画運動の根強さに就ても、世界的に言つても類のないそのやり方とねばりに、色々な意味で、感を新たにしました。

平和友好祭を是非成功させたい

第六回世界青年学生平和友好祭
記録教育映画部門実行委員会

第六回平和友好祭の開会は、七月二八日。もう目前に迫つた感じです。この六月はじめに記録教育映画部門代表派遣実行委員会がつくられ、当作家協会、岩波、日映の組合の人たちがこれに参加して正式な活動が始まつてから一ケ月たちました。この間に、当初青年達が予想していたよりはずつと素晴らしいテムポで事が進んで来ました。基金の募集も、目標期日をせり上げるほどですし、友好祭ニュースも先日第二号を発刊しました。こういつたこと、すべて先輩友人の方々のおかげだと思い、当事者の若者たちは本当に感謝しております。現在までの経過や資料については友好祭ニュース第二号をごらんいただきたいと思います。

さてところが、モスクワに私達の代表を送ろうというこの運動にも、いろいろな障害が目に見えて出てきました。一つは、代表が選出され準備を進めているうちに、各代表の選出母体の中で障害が起つてきたことです。映画部門で言えば、新東宝労組から出た四名の代表について、新東宝の会社の方で、四名は多すぎるから一名にしろと言つて来ています。この記録教育映画部門でも、それぞれ違つた条件や理由があるのですが、日映新社から出た井沢君や岩波映画選出の代表二君も、今相当な困難に直面しています。当部門の代表については実行委員会で調査検討を進めており、近日ニュース第三号で発表したいと考えています。

もう一つは、最近の新聞紙上で御承知のように、政府が代表数を十分の一にへらせと言つてきていることです。全代表五十名というと、一昨年ワルシャワの第五回友好祭のときよりも人数が少なくなつてしまいます。

六月十一日新聞会館での映画会で私達は四年前のブカレスト第四回友好祭の記録映画を見ました。二時間近い大作ですが実に楽しいのです。私達の知つている文化人も多勢出てくるし、イヴモンタンの歌やマルセルマルソーのパントマイム。それよりも、入場式の物すごい重量感。世界百十一ケ国三万人の代表団に加え地元ルーマニア青年の大行進。ファンファーレ。森のような旗、旗。三色旗、鎌と槌。ユニオンジャック、星条旗、等等。たゞ一人アフリカ黄金海岸から参加したという黒人青年に湧きおこる拍手。各民族芸術の粋をのせた舞台何十となく。歌い踊り話し合い勉強している。あらゆる

（十四頁一段へつづく）

りそうです。

赤佐　政治　日本産業映画社にて仕事をしております。

ー以上六月十一日ー

深江　正彦　「城ケ島大橋」建設記録にかかつています。

樋口源一郎　岩波映画製作所にて次回作品の準備中。

ー以上六月十二日ー

岩崎　太郎　いまのところ格別報告の材料はありません。

岡野　薫子　資料調べをしています。

日高　昭　記録映画の製作企画中。材料はいくらでもありますが、脚本（とくに様式化の問題）のむずかしさ、製作条件のむずかしさで頭が痛いです。

西尾　善介　「大阪の鐘」クランク・アップ（七月二十五日天神祭を除く）。「黒部峡谷」第二編ロケ出発準備。第二編は非情な世界における人間の状態に焦点をしぼつてゆく。第一編より使用呎が少なくなり条件は悪くなつた。したがつて二年間でまとめる予定。スポンサー説得に努力中。

松本　俊夫　新理研「大自然に羽搏くもの」（八巻）演補とし

声

（村田　達二）

林田さんの話をきく会に出られず残念に思つていましたので、会報の記事は本当に有意義に拝読しました。

会報の充実を望みます。

（加藤松三郎）

会員であるからには一〇〇パーセントに協会を利用すべきでしようが、利用しない人のほうが多いようです。いや利用できるようにしてくれ！ですつて？それは大いに問題です。しかし会を運営するのは当座の委員だとしても、あれこれと進言、注告あるのは会員のケンリであり、ギムでしよう。もつと協会をナニカト利用しようではないですか。

（羽田　澄子）

しばらく協会のいろんなことに御無沙汰をして、事務的なことをきちんとできなかつたので申訳なかつたと思つています。

（丹生　正）

一本上がると懐中も上つているとゆう状態、思考力もヒ上るおそれがある。待遇問題大いに進めたいもの。

（苗田　康夫）

平和友好祭代表派遣について会員各位の御協力を厚く感謝しております。

（赤佐　政治）

シナリオ研究会の活発な活動を望む。自主映画シナリオのストック、それをこそ僕は利用させてもらいたいのだ。

（岡野　薫子）

五月二十八日の教材映画研究会ちようど連盟の試写会と重なつて大変残念でした。

これからも、一ケ月に一度位は教材映画研究会を開いて下さるようお願いします。（会報の25号、たいへん充実していて、全ページ興味深く読みました）

（京極　高英）

もうそろそろ教育映画等と云わないで内外共に記録映画作家協会としませんか。いい名ですよ、安定した名ではありませんか。

（桑野　茂）

御努力を感謝します

（西沢　周基）

特にありません。協会会報を読むのが楽しい

（西本　祥子）

月に一回、折角もてた研究会が他の試写会とぶつかる様なことはぜひさけて頂きたいと思います。

（永富映次郎）

南極帰りの林田氏の話はたいへん面白かつた。桑野氏のメソポタミヤの話も、なるべく早く会主催で聞きたいものです。出来ればスライドで説明して欲しいものです。

会員動静一人ももれなく出してもらいたい。

（河野　哲二）

みんなできめた会費ですから、めんどうでもきちんとおさめましよう。協会の運営費はみなさんが知つているように会費以外にはないのですから。協会に行つて坐つ

別班の演出をしていますが、目下猛烈に忙しく、殆ど日曜も返上で仕事に追われています。

—以上六月十四日—

丹生　正　次の日映新社の作品で北海道ロケハンに出発。

田部　純正　柳沢さんについて、「大豆」の写真を撮つています。

加藤松三郎　やつと新東宝から解放されて、いよいよ日映科学の長尺ものに着手。とはいつてもキチンと割切れたものではなくいつもテレコで進行中です。

—以上六月十五日—

丸山　章治　日映科学の帝人PR映画の初号の上りをまつています。一方去年同様再び三木映画で働くことになり、一本PRの脚本を書き終つたところ、ひきつづきすぐ次の社会教育映画の脚本にかかります。

島谷陽一郎　「楽しい昆虫教室」採集篇標本篇を演出。現在待期中。

村田　達二　六月中で表研の仕事を終り、あとはまだ何もありません。

—以上六月十八日—

羽田　澄子　国立博物館の美術シリーズの一つである「古代」のシナリオを準備中です。

ていると、未払金のいいわけをしている事務局の人がまつたく気の毒でなりません。

（豊田　敬太）

短篇作家といつても殆どはスポンサー映画に依存している現状故作家自らセールス（仕事を取る）活動みたいなことをしなければならない場合もある。そういう時の便宜のため、例えば山葉ホールなどで毎月行われている教育映画の新作発表試写会に、そのライターなり、演出者なりの作品が出ている場合、自分に来る案内状以外に数枚か、作協へ用意しておいて、申出によつて作家へ招待状を渡すようにしては如何？作家はそれをお得意のスポンサーに送つて、仕事の便宜を計るということです。

（八木　仁平）

〃道〃を見て感動致しました。それ以来〃デエルソミーナ〃を口ずさんでいる始末です。さて、それはそれとして、単に映画とかぎらず芸術にとつて大切なのは事実ではなく真実であるという古い真理をあらためて感じ入つたことです。ドキユメンタリズム、ネオレアリズム、名前はどうでもいいようです。フアンタジーばかりの作品でもその中に〃何か〃があれば。

因に、〃道〃のフエデリーコ・フエリーニをまじえて、ミケランデニロ・アントニオーニ、ラットウアーダ、デイーノ・レージ、フランチエスコ・マゼツリの五人が合作した〃都会の恋愛〃がフランスで絶讃を博している様です。〃五つの恋の物語〃というところでしようか。事実あり、フイクシヨンありで、仲々面白いといいます。中でもフエリーニの〃結婚媒介所〃がぬきんでているという批評をよみました。（フランス文芸週報〃による）

（野田　真吉）

海外交流も結構ですが、足もとの会員の交流そして、創作の上では観客との交流をふかめることも忘れないよう。それなくて海外交流もうまくできますまい。

（水上　修行）

協会の御発展を心から祈念しますす。

原本　透　新理研映画で仕事をしています。

―以上六月十九日―

小泉　堯　東京シネマの「限りなき創造」を終つて、あと待期中です。

小島　義史　事務局の仕事を手伝いながら、次の仕事を待つています。

韮沢　正　記録映画社で「国際地球観測年の話」を準備中です。もしかすると、「五色の集い」をやるかもしれません。その節は御協力をお願いします。

片桐　直樹　五月三十一日付で中日ニユース映画社を退社し、再びフリーになりました。目下待期中です。

渡辺　享　学習館映画部で仕事をしています。

道林　一郎　「牛と金魚」を終つて、引きつづき理研科学村上プロにて仕事をしております。

八木　仁平　毎日映画社にて仕事をしています。

高井　達人　三井芸術プロにて「草」の演補をしています。

大方　弘男　電通映画部のPR映画「東京・日本」の仕上げ中です。

岩佐　氏寿　岩波の「小河内ダム」の演出中。

谷川　義雄　「草」（三井芸術プロ）演出中。

真野　義雄　次回作品の準備中。

尾山　新吉　シユウ・タグチ・プロで仕事をすることになりました。

間宮　則夫　東京シネマ契約中

岡野　巌　日本短篇映画社にて仕事をしています。

北　　賢二　平凡プロダクシヨンの仕事をしています。

近藤　才司　新世映画社にて「幼き社会」、かんけさんの助手をしております。

大沼　鉄郎　東京シネマで科学映画の下調べをやつています。

山添　哲　東映教育映画部にて「娘は娘、母は母」の助監督をしています。

伊豆村　豊　待期中です。

田中　喜次　電通映画社で仕事をしています。

山本　升良　三木映画社で仕事をしています。

かんけまり　新世映画社にて「幼き社会」演出中

山岸　静馬　日本短篇映画社で仕事をしています。

（十一頁三段よりつづく）

国の言葉で書かれた平和という文字。そういう祭典。そこに我々の仲間が出るということに、すごく感激したのです。一昨年第五回ワルシャワの祭典に出た早稲田大学の西江君は、ワルシャワ行きの汽車の中で、わらじばきの、（西洋で言えば下駄ばきの）袋を肩に背負つた若者に会つたそうです。何処に行くのかというとワルシャワに行くイタリア代表で画描きさんだという。

今、世界中の青年が平和と友情の祭典に、およそ気軽に出かけていく中で、何故わが祖国はこうもややこしく非人間的なことに満ちているのだろう。政府から一銭のお金をもらつたわけでもない青年がみんなの意志で行きたい処に行ける、そういう当り前な事を、皆さんと一緒に何とか成功させるため頑張りたいと思います。

（大沼）

対岩波野球戦始末記

恒例の岩波映画対作家協会の親善野球第二回戦は、六月二十二日雑司ケ谷・高田小学校グラウンドに於て行われた。

試合は先ず岩佐氏寿氏の始球から始まり、岩波の先攻で乱戦の火ぶたは切られた。

この日三塁協会側応援席には、河野、間宮、杉原の各夫人、野田、岩佐、柳沢の各監督の多彩な応援団と、二軍、三軍を含む十八名の選手曽は数に於てのみ岩波軍を圧倒していた。

試合はグラウンドの条件もあつて始めから混乱、ホームラン五本を含む無数の長短打が内外野に飛び交い、両軍の操り出すピッチャーは延八名（協会側六名・岩波側二名）紛失したボール四個、破損したガラス一枚、両軍の得点合計は実に三十八点、昨年の二十六点を軽く突破して、草野球史上にもまれに見る記録となつた。

しかしながら三十八点の内訳は、岩波側三十点、協会側八点で、野球のルールに従つて岩波軍は昨年

石田　修　つぎの仕事の準備をしています。

小森　幸雄　待期中

衣笠十四三　光亜映画にて「蛇の森探険隊」の演出中

大鶴日出夫　理研科学で仕事をしています。

吉見　泰　東京シネマにて自主的な企画を考えています。

前田　庸言　東京シネマの「銀行」を終つて待期中です。

竹内　鑅　東邦プロの「カネカロン」を終つて待期中です。

小野寺正寿　三木映画社の仕事をしております。

川本　博康　三井芸術プロの仕事をしています。

柳沢　寿男　新理研映画で仕事をしています。

厚木　たか　次の仕事の準備をしています。

下村　和男　待期中です。

竹内　信次　新理研映画にて仕事をしています。

岩堀喜久男　理研科学村上プロにて仕事中です。

松本　公雄　内外映画の仕事を手伝つております。

菅家　陳彦　記録映画社にて次の仕事の準備をしています。

桑木　道生　三宝プロにて準備中

杉山　正美　東京シネマにて準備中です。

小谷田　亘　岩波映画で京極さんの助手をしております。

伊勢長之助　日映にて仕事をしています。

矢部　正男　岩波映画にて仕事をしています。

中川　順夫　中川プロダクションにて仕事をしております。

玉上　義人　山形市に帰省中

相川　竜介　甘木市に帰省中　さる六月はじめ、次回作品の準備のために上京しました。

木村荘十二　共同映画社「長崎の子」を終つて、次回作、近代映協・歌舞伎座プロ作品「うなぎとり」の準備をしています。

富岡　捷　　島内　利男
岸　光男　　清水　進
草間　達夫

新理研映画株式会社

羽仁　進　　坊野　貞男
吉田　六郎　　時枝　俊江
秋山　矜一　　田中　実
肥田　侃　　榛葉　豊明

岩波映画製作所

諸岡　青人　　清家　武容
中村　麟子　　奥山大六郎

にひきつゞいて勝利の栄冠を握る事となつた。

主なる試合経過をたどると、一回協会側先発投手・小泉君のアンダースローの浮き上る球は、よく岩波軍の振り廻すバットに決り、飛んだボールに協会側各内外野陣は、右に左に、或は上に巧みにかわし、あらゆるエラーの典型を、見せて呉れた。ために岩波軍は塁間をほん走、打席は一まわり半、得たる得点は十二点を記録して、ここに試合の大勢を決定した。四回を終る頃になると、交代を希望するもの、応援席に座り込んで動かないもの、が続出、最終回七回迄に登板したピッチャーだけでも、小泉ー塩瀬ー片桐ー富沢ー片桐ー河野と延六名、自選、他選それに各内外野に、応援団席から飛び出して来た岩佐さん、昨年度名声をはせた、韮沢、川本両君を始めとして、自選、他選、勝手に出たり入つたり又出たり、遂に小島公式記録員はその職場を放棄するの止むなきに至つた。

そのため終始試合を観戦していた某君の、講評をもつて試合経過に変えたいと思います。

「両君の進歩は共にいちぢるしいものがあつた。岩波軍は特に、ユニフォームを含む装備に進境を示している様に思われた。これに反して協会側は装備の劣勢なる事さながら予備役召集を受けた終戦直前の日本軍の如きにもかゝわらず、岩波軍の挑戦にこたえ、よく試合を終らせしめた努力は称されてよい。

又協会側は、学究肌の人が多く、試合中に飛んで来る球の高さを測るだけだつたりグローブから球を落してニュートンの法則を証明したりする人が少し多すぎた感があつた。

しかしながら昨年度の得点数から今後の試合に対する理論的な考察を行うと、

協会側　8：4＝　2倍

岩波側　30：22≒1.4倍

この比率を以つてするならば、四年後の試合は、一二八対一一六で協会側の勝利に終る明るい見通しを持つたといえよう」。

予定された球場が、突然変更になつたため球場を探すために努力された小泉君の労を多としたい。

ー（S生）ー

なお両君のスターテイグメンバー及び得点記録は左の様なもので

長野　千秋　下坂　利春
飯田勢一郎
日映科学映画製作所
樺島　清一　日本視覚教材KK
大久保信哉　たくみ工房
八木　進　モーションタイムズ
岡　秀雄　田中　舜平
上野　耕三　奏　康夫
記録映画社
本間　賢二　東映製作所
大野　祐　松本　治助
電通映画社
高綱　則之　森田　純
学習研究社映画部
高見　貞衛　大場　秀夫
日本記録映画社
八幡　省三　東京シネマ
吉田　和雄　神奈川ニュース映協
川崎　健史　彦根市に居住
稲村　喜一　人形映画製作所
中村　敏郎　山口　淳子
落合　朝彦　大峰　晴
日本映画新社
小西　久弥　TCJプロ
長井　泰治　諸橋　一
平田　繁次
日本アニメーション映画社
西浦　伊一　綜合映画製作所
水木　荘也　三井芸術プロ
大野　芳樹　国際教育映画KK
石本　統吉　日映科学映画製作所

（次の方々は、原稿〆切までに詳しい動静が分りませんでした。ぜひ、連絡をしてください）

秋元　憲　森永健次郎
小野　春男　盛野　二郎
平野　直　古川　良範
中江　隆介　下村　健二
馬場英太郎　原口　光人

☆住所移転

岩崎　鉄也　北区滝野川六ノ二六藤井方へ転居
小泉　堯　渋谷区幡ケ谷本町二ノ三一五藤田方へ転居
豊富　靖　渋谷区代々木上原町一三二五野口方へ転居
村上喜久男　大田区馬込東三ノ六九二へ転居
日本アニメーション映画社
文京区本郷三ノ一越惣ビル三階
TEL (92)三七五一に移転

☆新入会員☆

米山　彊　中野区打越町三
（フリー・製作・賛助会員）
牧野　守　目黒区上目黒四ノ二一二六吉川方　昭和五年四月生

ある。

岩波		
（遊）	黒田	（撮　影）
（右）	田中	（　〃　）
（左）	川島	（　〃　）
（投）	藤木	（照　明）
（2B）	渡辺	（撮　影）
（3B）	神馬	（演　出）
（捕）	伴野	（　〃　）
（1B）	伊坂	（写真文庫）
（中）	川部	（事　務）

協会		
1B	塩瀬	（シネマ）
3B	河野	
中	大島	（シネマ）
遊	富沢	
左	藤枝	（日映連）
捕	豊岡	（シネマ）
右	山本	
投	小泉	
2B	大沼	

	1	2	3	4	5	6	7	計
岩波	12	0	3	0	6	0	9	30
作協	1	0	0	1	0	3	3	8

ホームラン　岩波　2
協会　3（大沼1　塩瀬2）

委員会だより

五月第一回相談役会
五月二十九日（水）午後五時
出席…丸山　八木　吉見　菅家

▽第六回世界青年学生平和友好祭に協会より青年代表を派遣する件についての協力方の要請が助監督部会より申入れられた。その後の経過は別報の通りであるが、協会としての協力要項について相談した。

六月第一回運営委員会
六月一日（土）午後五時四五分
出席…菅家　吉見　八木　丸山　加藤　京極　矢部　大沼

▽　第六回世界青年学生平和友好祭の代表派遣について
協会の青年代表の参加について協会は全面的に賛同し応援する。費用のカンパおよび代表参加のアッピールについては、協会だけで運動を起すのではなく、短篇映画界代表をひとつにまとめて合同の代表派遣実行委を設け広く短篇界全般に運動をおしひろげてゆこう。

▽五月分の会計報告と、その後の会費の納入状況が報告された。

▽日映科学における協会員の集団脚本制作の件が、ひとつの協会活動の新しいケースとして報告された。

▽賛助会員米山　彊氏、助監督部会牧野　守氏が入会決定した。

第二回ギャラ委員会
六月十五日（土）午後六時

（フリー・助監督）
（以上六月一日付入会）

松崎与志人　埼玉県東松山市神明町五四六一（フリー・脚本）
（六月十日付入会）

坂田　邦臣　新宿区原町一ノ六一
昭和六年一月生　高松市出身
学習院大学政治学部卒（フリー・助監督）
（六月十九日付入会）

☆脱　会

小熊　均　三月三十一日付にて脱会

☆会報記事の訂正

会報No.25の記事のうちに、次のような誤りがありましたので訂正いたします。

▽十二頁の二段十六行目　あとは三コマで五K二Kを、あとは二KK一Kに訂正します。

▽十二頁の三段十七行目　反動ジャイロはハンド・ジャイロに訂正します。

▽十三頁一段一行目　使用したフイルムはカラーが約三万フイト白黒がトライXなど含めて全部で四万フイート、とあるのを、使用したフイルムはカラーが三万四千フイート、白黒が七千フイート、と訂正します。

▽十四頁の一段十一行目の　てきかくに撮ること、それは理性でなく感覚だと思う　の記事について、林田重男氏より、次のようなお手紙が届きました。

「理性でなく感覚　これは　私何か理性の話が出たので　の場合、理性なんて何もありませんよ、体と頑張りでやっているだけです。　その一例として、あげたのがインダスの流れの件で　見た時　凄いと思った　その凄さが上からでは出ないので　無理して水面近くまで下りて行って望遠で撮った、と話したと思います。理論的なむずかしい話は出来ませんし、もし、そう感じられていたら　私の言葉ー表現のまずさです。」

☆事務局員に御知会いの方を御紹介下さい

事務局員として働いて下さる方を求めているのですが、御紹介下さいませんか。二〇才前後、男女不問委細迄連絡

出席…野田　かんけ　間宮
苗田

前回にひきつづきギャラ基準改正について審議検討した末、ギャラ委員会としての改正案表を作製した。これを次回の運営委員会に提出、検討ののち、決定発表することになった。

事務局だより

▽五月分会計報告

収入の部

三月迄の未納会費	九三六〇
四月分以降の会費	四八二〇〇
業務活動の礼金	一〇〇
寄付金	二三〇
電話料収入	一二四〇
前月の繰越金	四一二
合計	五九五四二

支出の部

事務所費	一三〇〇〇
人件費	二〇〇〇〇
電話料	七二六五
印刷費	七〇〇〇
用品文具費	五五五
通信費	五六九三
交通費	五〇五
会合費	四六〇〇
雑費	二六五
合計	五八八八三
差引残高	六五九

▽六月二十日現在の会費の納入状況は次の通りであります。

月＼会員種別		フリー	企業	賛助	助監	計	%
	数	54	36	17	61	168	
4月	納入済	43	32	5	52	132	82
4月	未納	10	4	8	7	29	18
5月	納入済	36	29	5	48	118	72
5月	未納	17	7	11	11	46	28
6月	納入済	13	0	5	11	29	17
6月	未納	41	36	12	50	139	83

▽この表によると四月五月分の会費未納会員は延七十五名で、未納率は一ヶ月平均二十三パーセントです。六月分は、六月二十日までに、十七パーセント納入されましたが、残る八十三パーセント（一三九名）が、月末までに納入されるか、どうか。事務局担当者は不安を感じています。かねがねおねがいしておりますように、協会の財政は全会員の会費が完納されて、協会運営がなりたつように計算されてありますので、会費は必ずその月の末日までに納入してくださるよう、くれぐれもおねがい申します。

▽原子さんの退職金資金カンパのための臨時会費は、六月二十日現在で、一五九六〇円が集りました。この臨時会費は六月末日までに納入していただきたいので、未納の方は、よろしくおねがいします。

▽会費の御納入は、御一報下されば、いつ、どこえでも受とりに参上いたします。また、御送金の場合は、全国どこでも最寄の郵便局にて振替による御送金がもっとも御便利です。

▽事務局員岩崎泰子さん退職

さる三月末より事務局員として勤務していた岩崎泰子さんは、このほど健康上の事情から、五月末日付にて退職することにきまりました。

協会日誌

五月二十九日（水）
相談役会ひらく

五月三十日（木）
第六回世界青年学生平和友好祭への短篇教育映画部門代表派遣実行委を事務局にてひらく

▽五月中の業務活動については、新理研、岩波、理研科学村上プロ、新世プロ、三木映画社、東映教育映画部日教組映画製作委、シユウ・タグチ・プロなどと交渉があつた。

六月一日（土）
六月第一回運営委員会ひらく。
賛助会員米山　強氏、助監督部会牧野　守氏本日付入会
来訪…間宮　杉山　小島　中島（智）

六月三日（月）
助監督部会緊急総会ひらく（於中央区役所出張所）

六月四日（火）
田口助太郎氏より中国の映画事情をきく会ひらく（於映教会館会議室）

六月十日（月）
第二回ギヤラ委員会の通知状発送。
松崎与志人氏入会
来訪…杉原　野田　苗田　丹生　富沢　相川　山本　加藤　丸山　原本　杉山　岩崎　豊田　小泉　渡辺　山口
臨時事務局員小島義史君　本日より出勤

六月十一日（火）
会報No.26の編集はじまる。
モスクワ行代表派遣実行委主催のアツピール映画会ひらく（於新聞会館会議室）
来訪…加藤　瀧沢　苗田　西本　杉原　河野　西沢　柳沢　杉山　小泉　落合　三浦

六月十五日（土）
第二回ギヤラ委員会ひらく
来訪…小泉　杉山　山本　杉原　苗田　大沼　河野　富沢　近藤　かんけ　菅家

六月十九日（水）
マリー・シートン女史の歓迎懇談会に吉見委員長出席（於数寄屋寮）
助監督部会坂田邦臣氏入会
来訪…小泉　渡辺　片桐　富沢　間宮

六月二十二日（土）
助監督部会対岩波チーム野球戦ひらく（於豊島区高田小学校）
来訪　杉山　大沼　片桐

六月二十四日（月）
エイゼンシユタイン研究のためのフイルム、試写会に代表五名参加（於東和映画試写室）
会報No.26校正

六月二十五日（火）
会報No.26出来上り　発送。

第6回世界青年学生平和友好祭に参加する
富沢幸男代表の歓送会をひらきます

と き　7月6日（土）午後6時より
ところ　西銀座華僑会館会議室
（会費不要）

ふるつて御参加下さいませ。

第6回世界青年学生平和友好祭
記録教育映画部門代表派遣実行委員会

編集後記

☆会報二十六号は梅雨ならぬ「爆雨」の中におおくりする。ただ本年は断続型とか、あいまに晴天があるので助かるが、やはり原水爆の雨には変りがない☆その中を協会々員からもモスクワの世界平和友好祭に「青年」をおくる件については巻頭言と、つづく「代表派遣について」の報告をよまれたい協会創始以来の画期的なことだけに心から壮行を祈る☆今月の読物は京極氏「記録映画の演出」だが映画作家には必読のものと信ずるもしも論中に不備な点があるとすれば、向後の分科研究会でガクガクねがうことにする☆来日したドキユメンタリー映画本場の英国女流評論家シートン女史「会見記」は吉見報告で味わわれたい☆西本女史の教材映画研究報告は久方ぶりの教材映画研究である。有力な短篇財源だけに向後とも発展を祈る☆田口連盟理事長に「中国事情をきく」記録は、つごうで来号廻しとなるが大いに御期待を乞う☆協会内では今、青年たちがモスクワ壮行準備にテンテコマイだ（加藤）

1957・7・25
教育映画作家協会々報
教育映画作家協会
東京都中央区銀座西8/5日吉ビル4階 Tel(57)2801
NO. 27

ギャラのスライド・アップに就て

かねてから審議中のギャラ・スライド・アップに就て、ギャラ委員会および運営委員会ではいろいろと検討の末、その改訂内規をつくり近く発表することになりました。スライド・アップの一番の根拠は物価の値上りによるものです。

もつと多額のスライド・アップを望まれる声もありましたが、また、あまりスライド・アップしては売れ行きが悪くなる怖れがあるという心配の声もありましたが、運営委員会では、物価値上りとにらんで、また、記録短篇界の状況も考慮に入れ、最低基準をつくつたわけであります。

これはあくまで協会の全般的な最低基準ですから、個人的に自分のギャラ基準としてもつと高額を望まれ、それ以下では仕事をしたくないと望まれる方は、特に事務局までその希望をお伝えおき願いたいと思います。ギャラというものの性質上、個人差は否めないし、ギャラ改訂委員会の討論の中にも、ギャラの技術料的性質を一層強く評価したい意向が強調されたようですし、最低基準の上に立つて、自分のギャラはいくらだという個人的な希望がそろそろ出て来てもよい頃だと思います。

最低基準を割るまいという努力も、協会がきめてあるから割りたくないと思うより、自分のギャラはいくらだと自分で自分の技術を評価して（勿論相対的な諸条件の中で）それを守ろうとする努力に出発した方が具体的だし、従つて強力だと思います。

所で、私たちとしては、今度ギヤラのスライドアップをきめたと言つても、実際の契約に当つては、相当な困難が予想されます。その時その時の製作条件によつて、或程度の曲折は見込まれます。けれど各プロダクションとの話合いと相互理解によつて、逐次、私たちのスライドアップを実現してゆく努力を重ねたいと思います。

これまでの最低基準も、各プロダクションでは予算編成の重要な参考材料として使われてきていました。

私たちの新基準も亦、今後の各プロダクションの予算編成上、重要な参考資料となるでしよう。しかしその切りかえを早く実現したいものです。事務局並びに運営委員会もそのための手だてを早急にうちたいと思つていますが、会員諸氏も、今後の仕事に当つては、今度の新水準への切りかえに就て、プロダクションとの間の話合いを積極的に進めて頂きたいと思います。

（運営委員会）

田口助太郎氏に
中国の映画事情をきく

— 去る六月四日、映教会館会議室において、訪中日本映画代表団のひとりとして中国から帰国された田口助太郎氏（教育映画製作者連盟理事長・読売映画社々長）に出席していただき、中国の映画事情についての話をきく会をひらいた。以下は当日の記録であるが、田口さんの話をテープ録音におさめたものを更に原稿化したものである。編集部が田口さんに、この原稿の会報掲載の是非を伺つたところ、「その心算で話をしたのではないので、どうも、ねえ —」と、田口さんは尻込み気味であつたが、内容にも参考になるべき点が多く、貴重な見聞記であるという点から、たつてお願いして発表させていただくことにした。（編集部）

司会　読売映画の田口助太郎さんを紹介します。皆さん御存知じのように田口さんは今年の二月二七日から三月二九日までの約一ケ月間、中国の対外文化協会、映画工作者連誼会から招待をうけた日本の映画人懇談会の代表として、伊藤雄之助さん、岸旗江さん等と中国に行き、向うの映画事情を視察してこられました。

本日は、我々若い者にとつて、新しい中国の映画事情がよく判らないので、二水会を教育映画作家協会の助監督部会の方々が集つて田口さんにいろいろと向うの映画事情についてお聞きしようというので御足労ねがつた次第です。

では —

田口さんの話

「視聴覚教育」六月号にのせた以外にあまり映画のことは知りません。あれは原稿としてまとめたものでなく綜合協議会で語つたことを速記したものですが、でも私のみてきたことは大体のつています。各方面から少しほめすぎているという声がありますので今日は映画の部門だけでなく新中国全般の欠陥から話をしましよう。

まず第一に映画界というより、これはマス・コミ全体の問題なんですが、言論の自由がないということ、これが新中国の最大の欠点です。だから、作品の内容がどれをみても同じように感じます。雑誌にも書いておきましたが、外国から映画を買う場合には、社会主義建設に役立つもの、日本の民族の生活を知る資料になるもの、又は社会主義、資本主義を問わず普遍的な倫理感を昂揚するもの、などが輸入選定の基準になる訳です。それから映画は娯楽ではなく、教育手段であるという。この考は徹底しておつて、何処にいつても、誰に会つても必ず口にしてました。

二

だから、いきおい作品は社会主義建設に役立つもの、教育手段として別用できるものに限られ、画一的になつてしまうんです。どの映画をみてもアイデアが同じだからテクニツクは多少変つても作品の変りばえはあまりしません。

一例ですが、向うで解放後の最大ヒット作といわれる戦争映画で、『上甘嶺』というのがありますが、これは朝鮮戦争をテーマにしたもので、上甘嶺に守備隊がたてこもり苦労する物語です。これは、上官と兵のいわば愛情物語ですある戦斗で一人の兵が傷つき山上の洞穴でうなつている。水のない山頂にも陽は焼けつくように照りつけ、元気な兵隊も渇を覚える始末です。水をせがむ傷兵のために、戦友は山を降りて水汲みに行くんですが、米軍の機銃掃射にあつて全滅してしまう。やつと雨の夜に濠雨をついて水筒に一杯の水をもちかえつてくることができた。早速傷病兵にのませようとすると「俺はもう死んでいくからいらない。君たちこそのめ！」といつて応じない。やむなく皆でのもうとすると兵の一人が中隊長にのんで頂こうといいだす。一同が隊長の所にゆくとお互いにゆずり合う・・・、といつた工合です。も一つの例を出しますと、農業問題を取扱つたものに『砂漠の戦斗』というのがあります。水のたりない地方に水源調査にゆく上役と下役技官との精神的なつながりを描いていますが、水を軸にして同巧異曲ですね。同じことは『平和のために』についてもいえます。

何処同じような企画しかないのか、一体映画は映画人たちだけで作れないのか、或いは外部の圧力があるのか、と質問してみました。彼らはないといつていましたが、そうとは受けとれない面が多いんです。丁度、今度の訪問旅行で私は『ビルマの竪琴』が仮契約のまゝで長引いていたのでどうなつているのか調べて欲しいと頼まれてたんですが、聞いてみますと、映画の輸入機関ではOKを出したけど、軍と共産党がしぶつているというんです。「吾々は侵略戦争はしないが相手がせめて来たら徹底的に抗戦しなければならない。『ビルマ・・・』のような全面的戦争否定のものは困る」というのだそうです。この例でも判るように言論統制は相当強いように思われます。

○

次に気付いたことは、製作本数が非常に少いことです。昨年は長春、北京、上海の三撮影所で二四本しか作つていません。それでいてこの五年間に二〇〇億円も映画事業に資金を投じています。撮影所は昔と余り変つていないので何に使つているのかというと大部分機械の購入にあてている訳です。それこそ全世界のいろいろの機械を集めています。アグファーの現像機なども最新式のものが何台もそなえていました。こんだけ金をかけて機械がありながら、二四本ではおかしいんで、理由をききましたら、脚本に時間がかゝるといつていました。企画から平均八ケ月かゝるそうです。普通撮影にかゝれば、スタッフの方で大巾に変更することはまずないとみていいから、結局これは外部から各種の発言が入つてくることによるんじゃないんですか。この非能率は外部の原因によるんでしょうと追求したら、皆否定しましたが。

それともう一つ。私は徳田球一さんとは生前に親交があつたんですが、この機会にぜひ墓詣りをしようと思いましたので、通訳を通じ申込んだんですが、お墓はどこにあるか判らんという返事でした。それで私は幹部に強く希望しましたところ相談してみようということになつたんです。その返事が仲々こなかつたんですが、帰る前の日に残念だがお案内できないとことわられました。新聞でも、人民日報は海外にもちだしてもかまわないんですが、地方紙は禁止されています。そういうところからみても中国の言論は非常に制限されているといえましょう。当然映画なども非常に作りづらいし、多くの制約をうけています。ですから単なる娯楽映画は出来ないし、テーマも社会主義とか倫理感の昂揚とかいう範チュウからでてません。もちろん、全部が全部そうではなく、『祝福』など、日本でもベストテン上位におせるものもあるんです。この作品は、婦人解放を取扱つており、封建制打破の問題をついています。併しこの種の作品の場合、映画の前后にタイトルと解説で、「この物語は今から〇〇年前ので、現在のものではない」旨のことわりがつきます。『祝福』には日本代表団も感心し、日本で一の映画祭には是非この映画を上映したいと、周恩来首相に話したところ、彼はこの作品は魯迅の作品だし、イデオロギーの面からみても、外国にだすと誤解を招く恐れがあるからそれよりも『李時珍』の方がよいのではないかといつていました。この作品は黒白もので官製の本の誤謬を訂正するまでの苦労を描いたものです。私は大変感動致しました。併しこの二作品は例外です。

○

『二十四の瞳』はどうして買つたかと聞きましたら、この写真は社会主義、資本主義にかゝわず師弟愛は普遍的なものだし、それと日本の戦争以后の生活が判る、という点で社会主義建設には役立たないけど買つたといつていました。その結果は割合に好評で、興行成績もいいそうです。

新中国の欠点について結論をいいますと、言論の自由がないこと、非能率であること、これはもう全般的な現象で、社会主義社会の共通、最大の問題でしょう。

ですから日本映画代表団が周恩来と会つたときも、雑誌にも書いておきましたが、彼は我々に二時間も会おうとしたのではなく、中国の映画人を教育するために我々を肴にしたという感じが歴然としています。例えば、日本は年何本できますか？　五一四本といいますと、それは素晴しい、どうしたらできるか、中国では何故できないのか、どこに欠陥があるのかと中国の映画人にたゝみこんで質問してゆきます。周恩来は柔い口調で、さとすように言つてるんですが、眼はきついです。だから向うの連中はさぞ痛かつたでしょう。諸君たちは芸術家だ、だから解放后生活は安定したが、解放后七年というのに、出演本数が各人一～三本という状況では、芸術的不満が強いはずだ。だからこそ諸君も日本の先輩を見習つて、能率を上げて芸術的欲望を満足するようにすべきだ、といつた調子です。

ところで、映画に限らず、この非能率ということですが、商店などは九時半に開いて、昼に二時間の休憩があり晩の六時には閉じてしまう。完全な八時間労働制です。デパート位なもんです、夜まで営業しているのは。大体向うでは国営を立てまえとしていますし、個人商店も殆んど公私合営になつています。公私合営とは、解放の際評価委員会が私有財産を評価して、その額を出資金として政府と共同で事業を行う組織です。そして営業利益は公私が分配するのではなく国家が全部取つてしまうのです。然し出資者には損益にかゝわらず第二次五ケ年計画が終るまで年五分の利息を払うことになつていますが私有財産の相続は認めない、だから親が死ぬと五分の利息は打切られてしまう訳です。その他に月給があるんですが、いくら働いても収入はきまつてるんです。自由主義世界に育つた商人には堪えられないでしょう。そんな所からも能率低下の問題がでてくるんだと思います。

物価は安いかというと、そうでもありません。家賃だけは非常に廉いですね。電気、水道つきで四・五畳二間位の家が九〇〇円です。私が訪問した新婚家庭など小綺麗でした。もつとも、この安い公営住宅に、はいれる人は、ほんのわずかですが。・・・・・・この住宅以外のものは非常に高いです。時計などはセイコーで日本なら三〇〇〇円位のものが四万円、部長級でないともてないといつてました。私達についてくれた通訳など、私に今何時ですかときく始末でした。これはゼイタクな品を買わせないで、建設に注ぎこんでいるからです。ですから今の中国は生活は苦しく、周恩来と日本の労働者とどつこい位なんです。所でそれなら不平があるかというと商人はともかく青年層はとても朗らかです。第二次五ケ年計画がすめば生産財から消費財の生産に切かわるんだ、それまでは苦しくとも我慢しよう、吾々は喜んで協力しようといつてました。このような着実な動きをみてますと、将来はとつても明るい見通しがあります。

○

周恩来は私に日本の農家の一戸あたりの耕地面積はいくらかとききました。彼に限らず向うの人は日本をよく調べてますし、入国者の経歴なども詳しくつかんでます。私が農林省の役人をしていたことを知らなければ、そんな質問を映画代表団としてきた私にするはずがないですからね。また日本の人口増加が一〇〇万を割つたから中国もこれに見習えなんていつてましたが、この数字を厚生省が発表したのは、私が帰つて一月もたつた四月に入つてからでした。日本人よりも早く正確な統計資料をつかんでいるのには驚ろきました。

或る高官が中国の欠陥は何だと尋ねましたので、私は二つ答えました。一つは農業合作社のことです。農業問題を扱つた映画をみたときにも云つたんですが、農民の指導者が老人なんですね。新しい国づくりを始めている中国がこんなことじやいかんのじやないか。農村の生活が貧しいところから、優秀な青年はどんどん都会に出てしまう現状です。いきおい老人の指導者にたよらざるを得なくなつている。農村の後進性を克服するためにはまず優秀な青年をいかにして農村に止めておくかにかかつている。この問題を解決することが必要なんじやないか、でないと農合作社の機能も高められないし、農村の発展も希めない、といいましたら握手を求めてきました。もう一つは官僚問題です。毛沢東もこれについては最近批判していますが、これはどえらい問題です。日本では国民総数と役人の比は小さいですが、中国はいつてみれば、全部がある意味で官僚です。しかもこれには学閥がからんでいるんです。一番の出世頭はモスクワ大学出、次が日本留学組で、三番目が北京大学出となつて居ます。日本の大学出がよいというのには、中国での日本に対する評価が高いことを知る上で参考になりました。でもこれからは中国の学制も体勢を整えてきたことだし、日本の大学にくることもむづかしくなつてますから、北京大学に対する株はどんどん上つてきてます。現在では北京大学の学生であることはセン望の的であり、全国の青年は北京大学に殺到し、物すごい入学率です。短い滞在期間でもこの空気はつかめました。中国のような社会機構の国が、政治、経済、文化全体に学閥をもつようになつたら、これは大変なことです。将来、共産党が崩れるとしたら、この点からじやなかろうか？といつたらさすがに握手は求めてきませんでした。ま、悪口はこの程度にしておきます。

司会　広範囲な問題について、色々と有意義なお話をうかゞいました。それではこれから、質疑応答の形式によるお話の会を進めることに致しましょう。

○

○配給関係は発行公司一社で行つているんですか。—

そうです。主な都市には支社があり、映画の輸出入など海外処理の一切を含めて配給業務全般を取扱つています。

○上映の組織やプリント数について—

中国の映画組織は左のようです。

文化部—映画管理局　発行公司　各撮影所

文化部は日本の文部省に相当します。映画大学は北京にあります。

映画館は全国で、

常設館　九八〇

クラブ（上映設備あり）　一〇〇〇

放影隊（移動映写班）　六七〇〇

上映フイルムの八〇%が三五㎜で、十六㎜は二〇%の現状ですが、最近どんどん十六㎜に切かえているそうです。移動映写隊について一言つけ加えますと、中国は未電化区域が多いので、発電機を持つて歩いてます。従つて移動映写といつても日本よりずつと大規模なものです。

次にプリント数ですが、一本当りの数をききましたら撮影所の所長がしらんのです。発行公司に聞いてくれという、あつちこつちで正確なことは判りませんでしたが、ヒツトしたものは六〇〇本位やいたそうです、然し最近フイルム事情が悪化してきたので少くなつてるそうです。

○フイルム・ライブラリーか或いは北京の師範大学の附属小学校にも視覚教材の設備がない位だから、学校教材は充実していないのではないか。しかし『回声』（山びこ）という教材と思われる作品をみた。線画をかなり巧みに使つてあつたが、あのような作品のあるところをみると学校教材を使つてる所もあるかも知れない。でもフイルム・ライブラリーはないようです。

○ライブラリーがないそうですが六〇〇本もやいたフイルムはどこにあるんですか—

放影隊です。併し、このフイルムが一ツの国のものでなく六ケ国のフイルムを使つて間に合わせているそうで、現像処理も一一ちがうのでやりにくい、早く日中貿易を再開して使いなれた日本のフイルムが欲しいなんていつてました。

興行についてふれると、殆どが一本立でニユースがついて二時間興行です。短篇はついたりつかなかつたりです。入場料は大てい六〇円です日本並です。広東で七二円とあつたのを見かけましたが、これは最高料金だそうです。それでもどの小屋も満員の盛況で、「万歴」の札がかゝつてます。街を歩いて行列をみかけたらまづ映画館があるとみて間違いないですね。興行は朝からやつてるようでした。

○中国の娯楽設備はどうなつているのか？何故映画がうけるか—

新中国になつてからはギャンブル一切を禁じました。賭てなければ麻雀をしてもいいことになつてますが、変な目でみられるといやだといつて皆してませんし、土台娯楽機関が少いです。行楽しようにも交通機関が少いので足を封じられてますしね。汽車に乗るには前の晩から並んでないと乗れない始末ですから、手軽に行ける映画・演劇が最高の娯楽になつてしまい、いつも満員になるんです。京劇などは一週間も前に買わないと切符が手に入らんそうです。それも日本にも来た梅蘭芳などの第一級劇団でなく、いわゆる旅廻りの田舎芝居がそうなんです。旧満映の撮影所は町から遠く離れていて辺ピな所にあるんですが、そこに解放后、映画、演劇学生の実験場が出来ましたが、この試演会ですら見物に来る客が多く、毎晩満員だとのことでした。

ですから国は映画を非常に重視してますね。吾々が魯迅の『祝福』がよいといったら即座に、いや『李時珍』の方が、といった工合で、周恩来首相も劇映画に限らず、記録短篇ニュースに至るまで、実によく映画をみてますし、その効果も知ってます。

○映画とテレヴイの関係は —

関係どころかテレヴイは全然ありません。公園とか、汽車の中とか公共施設にはラジオがあって丁度日本のテレヴイのように人が群ってそれを聞いてます。まだラジオの普及中といった段階です。

○北京映画大学について —

映画大学は、演出（脚本）・技術・演技の各学部に分れていて、学生数は一学部二五名づつです。昨年度の志願者数は六七〇〇名に及び、長春、上海、北京の三ケ所で試験をしましたが、応募者の居住地範囲は中国全土から遠くチベットにまで及んでます。実際受験したのは一二〇〇名。これは旅費などの関係でしょう。

ここは四ケ年修業です。学費は大学では官費でまかなわれますから一切無料、しかも月に三〜四千円（日本円）の手当がつきます。いろいろと見学させてもらったが同行の伊藤雄之助、岸旗江くんが演技力のすぐれている点に、とてもかなわぬと激賞していた。だから中国の映画で、出来の悪いものがあれば、それは監督がわるいのだと笑い話をした位だ。

○映画大学の教授内容は —

近く牛原虚彦さんが雑誌に報告するが「一年生で政治一五％映画基礎二五％、専門六〇％となってます。一般教養は基礎に含まれるんでしょう。俳優の訓練はソ連人とその奥さんがやってました、教授の方法は丁度俳優座のシステムと同じだと伊藤君は云ってました。見学に行ったとき三年生の自作自演をみせてもらいましたが、演後、後評がのべられ、相互に欠点を指摘してます。ここでの訓練はもっぱら劇映画に力点がかゝってます。

○合作映画について —

日中合作の件を申入して、随分がんばったのだが、結局、国交が回復していないから、そのうちにということで駄目になった。

○日本の短篇映画のセールスについて —

日本の短篇映画を買入れてくれるようにずいぶん交渉したのだがなかなかうまくゆかない。中国では東欧、ソ連などとはバーター方式で済ませてる訳です。先方の言うには、今度もってきた映画をみると、どれも厚生省企画とか何々大学監修とかになっているが、貴国の映画は国の援助で作っているらしいから、売るなどいわずに寄贈してくれてもいいのじゃないか、という訳です。そこでこちらは国が作っているのではない。衛生映画をつくるのに厚生省の文字が入ると商売上有利だし、また技術指導をうけているだけで、我々は映画を企業としてつくっているのだ、とよく説明をしました。

○映画の製作費について —

『ごうまんなる将軍』というエ巻ものゝ漫画映画が五七〇〇万（日本円）かかっているというので驚いた。日本で作ればもっと安くできるから註文してくれと冗談をいった。どうして、こんなに金がかゝるかというと中国の映画製作は労働に従事する人が多すぎる

会員の動静

清水 信夫　六月中に東映の五巻物二本を片づけねばならぬところ、殆どまるまる一ケ月病気で倒れたために、これからその仕事のために大車輪の活躍をしなければなりません。

（七月四日、清水氏が痔の手術のために千代田区九段四ノ十三荒川外科病院二号室へ入院しました。約一ケ月間入院加療の予定。夫人および豊田敬太郎氏報）

野田 真吉　あいかわらずノラリクラリとしています。「理研科学映画」でシナリオをかきました。さて、すこし仕事らしい仕事をと思っています。

永富映次郎　作品の企画準備中。

桑木 道生　〃釈　をたずねて〃が九月まで延期となり、フウフウいっています。〃ヒマラヤの民〃（安田徳太郎）というのも一緒に進めていますがカンチェンジュンカを征服するよりまだむづかしい。乞う御教示。

んです。教育映画の製作にたずさわつている人が三五〇人、漫画映でも三〇〇人もいる。これで年間六本しか作つていない。給料、事務費といつた間接費だけでも、ぼう大なものになる訳です。この不合理について質問したら、人材の教育過程だから止むを得ないといつていた。漫画映画の製作現場をみせてもらつたが、美術学校出身の人は、女のひと一名だけで大部分が未経験者です。作業はたいへんこまかい流れ作業をやつており、極端にいえば、線を一本づつ書いているようなものだ。年間本数の五～六本をこのシステムでやつてる訳です。それでいてたいへんなうぬぼれをもつており『五匹の子猿』などをほめない。持永さんのものだから期待していたがこれは案外な出来だ、なんていつている。私は『五匹の子猿』は二〇〇～二五〇万円位しかかかつていない、五〇〇万もかければ立派なものが出来るのだが、一〇〇本売れても一五〇万しか回収できないのだといつておいた。

〇科学映画について ―

中国の科学映画はあまり金をかけすぎるから良いものができないのだ、といつたら翌日のむこうの新聞の記事になつた。例えば赤痢の映画を撮る場合、日本では実際の病院にキャメラをもちこんで、患者をとつてくるのだが、向うでは金があるから、何でも作つてしまう。スタジオ内に病院をたて、病人も医者も役者をつかつて作り上げてしまう。実際の病でロケする不自由さより、それならステージを使おうという具合になるんだ。中国の科学映画で、むこうでも御自慢の『金魚』をみたが、産卵の場面でも上から卵をパラパラと落している、次のカットではもう一寸ぐらいの幼魚になつている。日本なら顕微鏡撮影でも使うところだ。」オスが精液をかけるところもない、宣伝には大変に力を入れて英文のパンフレットの豪勢なものを作つているが日本では問題にならない作です。

こちらの作品を見せたらびつくりしていた。顕微鏡や微速度撮影をしらぬのだから驚ろいたものです。今までは予算の都合もあつて科学映画の技術者をソ連に教育にやれなかつた、これからはやつてくれるから、だんだん、よくなるだろうといつていた。要するに中国の科学映画の技術は必要のない設備にばかり金をかけすぎているからのびないのだろうと思う。

優秀な映画人は劇に行つてることも科学映画の不振を考えるときに考慮に入れる必要があろう。

〇劇映画の長さは

だいたい二時間位ですが、なかにはものすごく長いものがある。もう終りかと思うと、また始まり出す。同じストーリーを何回もむし返している。八木さんも、どうしてここで切らぬのかとつつこんでいたが、中国の映画は最初にいつたように娯楽や芸術であるよりまず教育手段として扱われているところから、あとから、あとから素人たちが、あれもこれもとくつつけてしまうから、このようなことになるらしい。

〇中国ではいろいろリアリズムの問題が斗わされているが、

リアリズムの問題はたしかに重大なこととして取組んでいるが映画界では最もリアールでなければならない筈のニュース映画ですら、ダムとかの建設工事以外は大部分あとから作つてますね、（笑声）ニュースは五日に一回発行され支社六〇〇をもつ中央記録電影

―以上六月廿八日―

入江　勝也　引続き続売にて脚本執筆中。

吉見　泰　東京シネマで、東北電力「仙台火力」を中心にした東北での火力発電建設の構成をたてゝいます。（六月末現在）あわせて自主製作の準備。手がなかなかおらないで弱つています。

頓宮　慶蔵　お蔭様でどうやら健康になりました。OTVのTVCMをこの廿八日に完成、つづいて三本製作に入るため準備中です。

―以上六月廿九日―

上野　大梧　「肥料」（仮題）伊セ原ロケ中。七月はじめ田植を撮り終つたら「土」（仮題）の整理にかゝり、あい間に新潟県のダム工事場に調査のためでかけます。―六月廿九日伊セ原で

―以上六月卅日―

西沢　周基　「化学繊維」（三巻）企画、脚本準備東京敬内調査中九月完成予定。

諸岡　青人　昨年は、全く忙しかつたので、今年こそ何とか暇をみつけて、じつくりと取り組める仕事をしたいと思つていたが

が担当しているが、ニュースの七〇%は表彰式ー子供を救つたとか、職場の能率を上げたとかーのたぐいです。その表彰式を再現し、あと自宅に帰つたその労働者の家庭生活を写しているのだが、役者でもない彼等に演技をつけるから余計にギコチなくなつてしまう。

ニュースは速さと真実性こそが必要なのにこれではいかんといつてやりました。よく事情をきいてみると、何日どこで何がある、とか何が起つたというニュースが、すぐには撮影所に連絡されてこないんです。そこで、新聞、雑誌などにのつた記事をよんで、これはいい話だ、よし映画にしようという事例が多い訳です。今、読売とはニュースの交換をやつているが日本との関係に限つてみても、久原房之助とか片山哲など有名人が周恩来と会つたり中国を視察してきているが、その姿をニュースに撮つてくれたら使えるし、中国を理解する上に有効だと思うんだがやつていない。文化部長にも注意したら早速改めましょうといつてましたが、一週間后、周総理と我々との会見があつたのですが、その時もニュースはおろか新聞記者も来てなかつた。

司会　どうやら時間になつたようです。長い時間どうも有難うございました。

第二回婦人会員の集い　報告

第二回婦人会員の集い
とき　六月二十六日（水）
午後六ー八時
ところ　協会事務所
出席者　中島智子　山口淳子
かんけまり

第一回の集りのとき、お世話は廻りもちでということで、私が今月の係りをお引受けしたのですが、よい計画もないまゝに第二回をむかえてしまいました。

多忙の方が多くて出席者の少いのは残念でしたが、女三人寄ればなんとやら・・・結構たのしい近代的井戸端会議となりました。

シナリオや演出、編集などの各自の勉強のやり方を話合いましたが、それにつけても職場に於ける私たち婦人はどう扱はれているのだろうと、いろいろな角度から話合つてみました。

創作から雑用に至る巾の広い活動のなかで、何がほんものかを見出そうとしている、これが、多かれ少かれ、私たち婦人の職場の姿といえるようです。えして、これがほんものと仕事に打込んでゆけるまでには、長い時をかけねばならない、息苦しい私たちの日常を勇気づけるもの、私たち婦人の集りをそんな会にしたいものです。

次回は七月二十四日（水）皆さんのお集りを期待しています、たのしい話、嫌な話、なんでも持寄つて、私たちの放談会をにぎやかにして下さい。

今回の御通知が西本さんだけ戻りました、私が住所を間違えた次第、紙上をかり深くお詫び申上げます。

（文責かんけ）

やつぱりだめらしい。もうすでに一年の中ばを過ぎてしまつた。協会の行事にも顔を出したいと思つているが東京にいる日が少ないので御無沙汰続き。日科学で「国鉄もの」「石油資源開発もの」「デイゼル電気機関車もの」「水車発電気もの」を同時にクランクしている。

ー以上七月一日ー

岡本　晶雄　次回作品準備中です。

谷川　義雄　「草」（三井芸術プロ）演出中。七月中旬から二週間ほど最后のロケ北海道根釧地方に出かけます。

徳永　瑞夫　教材映画「石炭のはなし」編集中。ナジム・ヒクメットの詩「死んだ娘」を映画にしようと考えています。

岩佐　氏寿　「北国の大自然」（東映、構成編集、ダビング待ち）「小河内ダム」（岩波、演出中）「じぶんたちでかけた橋」（東映、三巻脚本執筆中）「ポーフラ退治」（東映、脚本完成）

ー以上七月二日ー

牧野　守　七月六日純芸プロの「豊かなみのりのために」のロケハンと現地打合せを兼ねて先発します。今月の下旬に完成予

新人作家の現場報告

PR映画の演出について

苗田康夫

ロケに出かける二三日前に編集部から、今やつている仕事について何か書けと言われた。今度の仕事というのは建築のPRで、私たち演出部三人はその準備やらロケハンで一ケ月位かゝり切りであつた。この間に私たちはハンチングと討論（スポンサーとの）を重ねて、殆ど完璧なコンテニユテイをつくり上げることに終始した。その期間中、演出部の努力は常にスポンサー本位の立場で、作品を面白くするかという点に集中されてきた。そのことはPR映画の場合、スポンサーと相対立して斗うべきものではなくて、映画の演出家としてスポンサーを乗りこえる努力が必要だと痛切に感じさせれた。

スポンサー側の映画製作委員らに囲まれて脚本の決定稿の打ち合せが終つた翌日から演出部は毎日東京のビルを見て歩いた。今度の映画というのは、某工務店が自社の特許である潜函工法という建築技術を、カラーの映画につくつて、新しくビルを建てたいという会社の重役たちに見せたいという意図のもとに出発したそうで、PR映画ということは全く疑いの余地がない。潜函工法というのは建物の地下室を地上で建てゝしまつてから、内側の土を堀りとつて所定の地中に沈めてしまうという工法で、他社の地下工法よりも遥かにすぐれた合理的な工法だそうである。

勿論、演出部の誰もが地下工法などという建築学には全くの門外漢であるので、最初は何となく東京の代表的ないゝ建物を色々見て歩き、ライカ二台で撮影候補地をスナツプしながら、まづ外観から勉強を始めた。一週間位、歩いてから、スポンサーの工務店の研究室から出張講義に出向いて貰い、撮影、照明、美術などのスタッフも加わつて、地下工法について講義をお願いした。大学生のように黒板を睨んでノートをしながら、山留法とか井筒式基礎工法だとか、ニユーマチツクケーソン工法だとか、オープンケーソン工法などの講義をきいた。

とりかゝつてからおよそ二週間目に、演出部は大体の内容を理解したところで、実写部分、模型部分、と夫々分担してコンテを立て、顔をつき合せて第一回の演出会議を開いた。その席上で納得できない問題点がかなり指摘された。

こうしてコンテ案が出来てから、撮影、照明、美術を加えてのロケハンをして、候補地をしぼり、コンテを修正してから、スポンサーの代表委員と再び検討会をもつ

定二巻ものです。

深江正彦　「城ヶ島大橋」建設記録の他に、今二巻ものの短編を準備にて七月下旬には完成させる予定です。

—以上七月三日—

畠谷陽一郎　日本写真新聞社映画部にて「毒蛾」十六ミリ一巻演出をしています。

—以上七月四日—

大久保信哉　人形映画「さるどんかにどん」（記録映画製作）の撮影をたくみ工房のスタジオで六月末より開始しました。線画部も今迄通り並行してやりますので目下ちよつと忙がしい所です。

三浦卓造　つとめて、劇曲やシナリオに目をむけています。動機が浅いせいか、主題はすつきりしないし、材料は消化しないし、落着いて筆をねんずる迄は末だ間がありそうです。

下村健二　七月中は新理研の仕事をしています。

—以上七月五日—

西尾善介　黒部峡谷第二部着手中。アルプスのドリ腹をくりぬくトンネルは今一八九〇米入つているが、予想もしなかつた地

た。こゝで私たちの物と大幅に修正されたのは、ビルの選択が、スポンサーの自社施工の建物に限られたことであつた。うかつにも普通の文化映画位の考え方をしていたことに気がついた。一番の問題は肝心の潜函工事というものが、現実に今、施工されていないので、一切を再現によるしかないということだつた。大ゲサに言えば、映画のために地下四階、地下十階位のビルを一つたてることが必要なのだが、それは全く不可能な話で、実際は宣伝のために映画で潜函工法によるビルを一つ立てて見せて欲しいという注文である。現実にないものをうまくごまかしてビルを立てて見せるということが私たちに対する最大の信頼らしい。専門家というものは何でも出来るものと門外の人は思うらしい。してみるとどうやら私たちはPR映画の専門家である。

長年PR映画をつくつてきてはいるが、極く当り前に、あるものばかりを適当に記録してきて、こう積極的に意図のもとにつくり上げるということは僕にはなかつた。「映画は影である」と誰かの言葉は、やはりこういう場合のことだと思つた。

殆どあますところなく検討されつくした項には、PR映画の基本態勢として、スポンサーに都合のいゝ物で、一つの映画をまとめ上げるという方針が作品の中にされてきた。

それから最後のコンテ作成を行い、撮影台本を完成した。こうして、三週間余りで、もう誰が演出してもいゝ位な殆ど完璧なコンテを完成し、スタッフはロケに出発した。

もう後はカメラに収めるだけになつた。これからは、撮影技術、模型、オープンセット、セットの一切をふくめて、我々スタッフの映画技術が、どのような結晶を見るか、それだけを楽しみにしている。

七月十八日（大阪の宿にて）

三年生の弁

飯田勢一郎

私が日映科学に入つたのは三十一年の一月、その時分は社員も十四、五人で二つか三つの班が仕事を順にこなしているといつた、小じんまりした感じの会社でした。二年半たつた今日では、三十数人の社員を擁し、常時数班が而もかけもちで活躍するというマス・プロ態勢になつてきました。

会社の発展は欣ばしいことです。ことに昨秋の事務所の移転を境に、社員は倍増し、それが殆んど若い人達なので大変賑やかになり、私も助監督の古株みたいなことになりました。それで、「そろそろ一本やつたらどうだ」という訳で、この春「アイロンの科学」を委されることになりました。その前に、やはりこの春、国鉄の近代化を扱つたものの脚本を書き、共同演出をしたのがトレーニングでした。

これは「新らしい鉄道動力」という題で、戦後急テンポで改善されている駅舎、通信信号、保線建設の現状と、電車やジーゼル車の進出によつて輸送力が増強されつゝあることを紹介するPR映画でした。

納期に間に合わせるために、徹夜で脚本を書いたり、多い時は三

層にぶつかり難工事となつている。弱い岩層の為に、地球の地圧力で、すぐつぶされてしまう上、左右から押しつぶしてくるだけでなく、下からももり上つてくる。地下水は一ケ月になつても止らず坑内は河となつており、一尺角の鉄の支保工で支うすぐコンクリートをまいて進んでいるが一日二十糎しか出来ず、地質学者にもこの地層がどこまであるか不明らしい。こうした自然の抵抗は映画になる。

木村荘十二　「長崎の子」を完成。引きつづき児童劇映画「うなぎとり」の製作中です。

丸山　章治　三木映画社で働いています。演助山本君に協力してもらつて「ゆうびん」二巻三十リオを書きあげ、次の社会教育映画「自主」のシナリオ方一稿を書きあげたところ。もう一本書く予定。シナリオは演出よりワリがわるい、とつくづく感じています。共同製作「シナリオ」ということを考えてみる必要があります。衆智をあつめてやりたい。

—以上七月六日—

高井　達人　長期撮影の「草」も

班に手分けして撮影するなど、随分と忙しいことでしたが、とも角脚本から委され、主力の班について行動し、編集も可成り自主的にでき、思う通りにやらせて貰えました。この仕事について幾分でも有利だつたことは、私が子供の時から鉄道に興味をもつていたこと、それに旅行好きだつたので、土地カンがあり、ロケハンの手間が省けたことなどがあります。

しかし、画面にあらわれた限定されている時間と空間から、普遍的な概念を構成すること、つまり、個を以て全体を説くことは容易でなく、それはまた迫られている納期の上からも掘り下げることが出来なくて、、皮相的なものを列挙することになつたのは、未熟のせいで残念というよりほかありません。

およそ、事物には好き嫌いというものがありますし、場違いということもあるのですが、短編製作者は、それを学習や習慣づけに依つて少しでも矯正しなければならないとも思いました。

そのあと引続いて「アイロンの科学」を撮りました。これは七月下旬現在、録音待ちの形で、まだはつきりしたことは云えませんが、内容は、ふだん何気なくやつているアイロンかけも、原理や理由を知れば一層無駄なく円滑にできるという生活科学ものです。

調べて行くと、アイロンのかけ方といつても、ノリ付けの問題、かけ順、各種せんいの適温など、デパートやクリーニング店それぞれ違い、どれを標準にするかで困惑、日本女子大の奥田先生、白洋社の近藤先生をお訪ねしたり、撮影中「暮しの手帖」を参考に、キヤメラの後藤氏とワイシヤツを前に討論している方が長かつたり、暑いことでした。

こういう指導映画には、理論の裏付けとなる実験、模範的な標準作業の二つが根幹であると思いました。ところが、紺屋の白袴の譬え、己れの実生活を特になおざりにし勝ちの映画人は、その作つている映画とまるで反対の様な暮し方をしています。つまり、教育映画、科学映画を作る、ということと、自分の生活とは全然関係がない、例えば、文化生活を唱えても電気カミソリ一つある訳でなし、労働衛生を扱つても御自分は連日徹夜・残業…。という具合です。皮肉にとれば、だから、自分の作る映画の中に、自分の理想を夢見るのかも知れませんが、お互い生活の中でそれを実現したい、それが、映画界三年生の今日の心境です。

三一・七・二一

はじめて演出をしてみて ◇

羽田澄子

「村の婦人学級」で演出をしなければならないと決つた時、経験も浅く、知らないことだらけなのにと思うと、学ぶべきであつたこと、すべきであつたことをおろそかにしていたのではないかというおそれがこの瞬間におなかの底からつきあげてくるようでした。

私は不安で落着かなくなりましたが、とにかく与えられた機会に、いまの力を出しきつて当つてみようと思つたのです。そして演出をしてみました。

出来上つた作品を目の前にして、私は、私が創作をする場合の大きな欠陥をみせつけられて、やりき

北海道ロケを最后に終りに近ずきました。

―以上七月七日―

西沢　豪　流行性感冒（自分ではなくて、他人の）に災されて、「新しい土地」北海道ロケは思いの他日数を食つてしまいやつと帰京しました。今月一杯編集にかゝります。この間、七日頃より「山下清」の貼絵を東宝のセットで撮ります。

川崎　健史　今明年中に「びや湖」二巻、「江州平野」一巻、「淡水の貝」一巻、仕上げる予定です。これで小生の資金は一応書きる事になるでしよう。

田中　喜次　中央教育研究所の教材映画の演出に当つています。

―以上七月八日―

菅家　陳彦　「船を動かす人たち」（共同映画社）完成、目下、記録映画社で全視連映画のロケハン中、今月一杯に撮影を終える予定です。

かんけまり　「友だちのできない子」（「幼き社会」改題―新世映画社）十三日完成にこぎつけました。

楠木　徳男　「瀬戸内海の漁村」編集を終え、撮り足し分の撮影

れない思です。

　私はいまゝで、材料を与えられてシナリオをつくる仕事が多かつたので、複雑で、種々雑多な現象をどのようにまとめるかが、関心の大半をしめていました。仕事の過程で多くのものを切りすてたり、整理したりすることに多くの精力をつかつていたのです。勿論、ある段階では、こういう操作も必要とは思いますが、今までの私は、あまりこのことに終始していて、残された一番大切なものを、また肥らせることに力がいたらなかつたのです。残された一つの芯は、丁度パン種がパンをふくらませるような力があるはづなのに、私のパンはふくらみのないコチコチの小さいパンにしかなりませんでした。大切なものをふくらませることこそ演出なのだろうと思うのですが、その点は全くいたらないことばかりでした。映画の表現ということについて、もつと謙虚になつて勉強しなければいけないとつくづく感じました。

　それからもう一つ感じたことは、演出というのは、いわゆる創作とはちがう面をもつていることです。スタッフと暮す日々におきるいろんなこと、一つの画面を実現するために、払わなければならない多くの精力と労力、それらのことすべては私の力をすりへらし、純粋に表現について考えなければならない時間と精力をうばつていつてしまいました。いま思えば、当然すべきであつたこと、当然考えられたであろうことで、到らないさまざまのことが目について悔いられてなりません、頭の中につくられたことを表現するために、映画ほど「労力」とよんでよいような多くの力を必要とする芸術は他にないのではないかと思いました。そしてこの労力はすべて創作活動として必要欠くべからざるものであることを知つたのでした。

　最後には体力と精神力が勝負を決するといえるのではないかと思います。

　私はいま、映画をゆたかな肉づきをもつて表現することを勉強しなければならないということ、それを画面にするまで、どんな条件にも屈しないでねばりつゞけられる精神力と体力をもちたいと願つています。

「マンモス潜函」を完成して

松本俊夫

　「この暗い穴の中で仕事をしているのは、殆どが朝鮮人、それから冬の間出かせぎに来ている百姓も大分いますよ。」息のつまりそうな潜函の中で、ぽつりと語つた一人の労働者の言葉が、いまでも私の耳の奥にこびりついているような気がする。

　場所は東北の北の果て青森県八戸市、昨年十一月から今年の四月にかけて、東北電力火力発電所の潜函基礎工事を撮影して、私は自分の生活範囲では実感として想像もしなかつた一つのすさまじい現実に対決せざるを得なかつた。

　この潜函は、前に矢部さんの作られた竹中式のものとはちがつて、函内が外界と遮断され、沈下に従つて四ポンドから十六ポンド（十四ポンドが大気圧プラス一気圧）の圧搾空気が内部にかかる圧気式

に十日より五・六日下津井という漁村にゆき、帰京後録音、下旬までには完成予定。

—以上七月九日—

豊田　敬太　東映教育映画部作品〃少年と海と魚の物語〃（仮題）—劇五巻。清水信夫氏がシナリオ担当のところ、入院されたので、古川良範氏が代つて、シナリオを書き、八月早々撮影に入る予定です。
—以上七月十日—

日高　昭　先月と同様。とくに報告することもありません。いゝ仕事をしたい気持でいつぱいです。
—以上七月十日—

大方　弘男　電通P・R映画「東京・日本」（製作・脚本・監督）の日本語版に続いて、泰語版、英語版を完成した処。次回作品脚本準備中。
—以上七月十一日—

河野　哲二　「鳴子ダム」という仕事をしています。二十日頃録音の予定です。
—以上七月十四日—

高島　一男　村上プロ「七つの心臓」—名古屋ロケから漸く帰京。お天気の悪いのにウンザリ。

渡辺　享　八ミリ・グラフの仕

潜函と呼ばれるものである。何故そういう工法を用いているのか、その理由はともかくとして、この函内圧が潜函夫の作業条件を大変困難なものとしていることは云うまでもない。私達スタッフも、耳が痛いとか、頭がぐらつくとか、息苦しい、関折が痛むなどと、一同血相を変えて大騒ぎしたものだつた。尤も、私自身は元来みかけによらず丈夫に出来ていて、肉体的には全身的な疲労以上に苦痛までは感じなかつたのだが、長時間函内にいると脳の働きが極度に鈍つて来るのには、困つたというよりは寧ろ恐ろしさを感じないわけにはいかなかつた。同行の撮影助手は、風邪気味だつた為か圧が鼻に抜けず、危うく鼓膜を破くところだつたが、聞くところによると、胸、心臓の弱いもの、耳鼻疾病のあるものは絶対ダメ、風邪をひいていると、激しい頭痛となつたり、耳をやられたり、性病が潜在していると、忽ち眼に出たり、関折に出たりするという。その上いやなことには、この函内は薄暗く、圧搾空気の送られる音が大きく無気味にひびき、いつどんな事故が起きて生埋めにされるかわからないという不安が断えず附纒つているのである。また事実、或る時函内天井のコンクリートが崩れ落ちて、一人の老潜函夫は即死した。

しかし問題は、こんな非人間的な世界で、毎日毎日、わずか五百円程度の日給で人々が働いているということ、ここには百姓仕事だけで喰えない東北の農民が可成り来ているということ、そして潜函夫の多くが朝鮮人であるということ、問題はこれらの事実にある。農民が農業だけで喰えず、その次三男に至つては完全に農村からしめ出されるというこの事実、これ程日本の農民の貧しさを、従つて現在の政治と社会機構のデタラメを物語つているものがあるだろうか。また、朝鮮人という只それだけで、今尚侮蔑され、危険で人間のする仕事とも思われぬひどい仕事以外に、あらゆる生活手段を奪われているというこの事実、これ程、被圧迫民族の長い悲劇的な歴史を深刻に物語つているものがあるだろうか。そして彼等のすべてが、この出力十五万キロワットの電力資本に、そのうち十万キロが、同じ八戸市に密集している、日曹、日東化学など数多くの工場地帯に供給されるのだそうだが、これら独占資本家たちの利益のために収奪されているのだ。工事現場の主任が、「近頃は連中が団体交渉とかなんとかいうて、何かというとすぐ要求を出しおるんで困りますよ」と私に語つた時、私は、心から「そうだ労働者諸君、負けずに斗おう」と内心強く叫びかけずにはおられなかつたのである。

ここには、まさしく現代のドラマがある。

日本の、朝鮮の、階級的、民族的、それ故にまさに政治的、社会的矛盾が、少くともその傷口の一断面が鋭く露呈している。私は猛烈にその現実を把みたい、現代を生き生きと表現したい、変革の力となるような作品を作りたい。

しかし矛盾は対象の側にだけではなく、同じく主体の側にもあつた事は云うまでもない。即ちスポンサーが資本家であり、従つて映画を作る目的はPRであり、製作会社もまた残念ながら利益の為には自衛隊の宣伝映画も平気で作るところだから、結局私には、あくまでも建造物を主とした潜函工事過程の記録とその説明という、至極窮屈な枠がはめこまれてしまつ

事をしています。プリント二百本で元金回収です。

西本　祥子　「役に立つカビ」が撮影待ちなので企画作品のシナリオを書いています。

荒井　英郎　「ミシン美術」撮影編集終了。月末まで録音待ちで、ほつとしたところです。

岩崎　太郎　芸術映画社のあたらしい仕事を手伝うことになりました。新理研で一本仕事することになりそうです。

—以上七月十五日—

加藤松三郎　日映科学の中篇記録とPR映画、モーションタイムズの自主作品と三つ。中篇ものは合作映画なため、進行にも時間がかゝりそうです・でも仕事はヨカです。七月十五日現在

片桐　直樹　盲腸炎にて入院しておりましたが、去る十四日退院致しまして、自宅にて静養致しております。入院中、多くの人々から、御見舞を頂きありがとうございました。厚く御礼申上ます。大体今月一杯静養する予定ですが、早くよくなつて働きたいものです。尚病気になりまして、初めて健康保険の必要性を通感致しました。常に何んで

たのである。私は良い意味でのニュース的センスを持つた高野潤カメラマンの協力を得て、説明性をなるべく排除し、対象を即物的に把えてゆくたと、メデイアム・シヨツトを少くして、アツプとロングの対立を意識化し、短いカツトのつみ重ねを強調して内的な表現性を強く打ち出すことに努めた。音もその点から現実音を効果的に多くし、音楽は四月新譜のショスタコーヴイツチの交響曲一番とプロコフイエフの「スキタイ人」組曲を選んだ。しかし根本的な骨組みを前記したような枠が支配している以上、それらの努力も結果的には可成り形式主義的な遊びごとになつてしまつたようである。私もまた八戸の労働者達と同様、同志の人達と腕を組んで、これらの矛盾と斗いつつ、やがて作るべき意義ある作品を現実的なものとする為のあらゆる努力と勉強に励まねばならないと決意を新たにしている次第であります。

シナリオ
小林一茶 ¥10
記録映画研究会資料 No.1
（御希望の方は事務局まで）

声

野田 真吉
六月の記録映画研究会は青年諸君が平和友好祭へ代表をだすために活躍中なので、休みました。おわびします。

永富映次郎
会報には毎号四ページぐらいの論文（といつた堅くるしいものでなく）或いは職場からの実際の仕事の報告などを短かく書いた会員の原稿を載せたいものです。会員の親睦だけでなく、研究の場にもしましよう。

桑木 道生
御無沙汰やら何やらですみません。一年一本製作ではメシのタネにならず頭痛のタネ。協会への思慕切なのですが不義理ばかりで。

吉見 泰
七月の会報がでる項までに、企画の蓄積のための研究活動を中心にした企画、シナリオ研究会を軌道にのせたいと思います。御協力下さい。そして目下、その会へ持込む企画原案を書いてます。

諸岡 青人
新会費と定める臨時総会で、事務所の家賃が高いから、もつと安い場末にでも引越そうかなどと云う消極的な空気もあつたが引越さないで大倖。後へ退るな、前へ進め。日本だけでなく世界の同志と手をつなごう。と云つていたやさき、今回の、世界平和友好祭へ協会代表を送れることになつて、真にうれしい。

岡本 昌雄
どうやら協会名変更の時のようですね。京極さんのとなえる「記録映画作家協会」とこの際きめたらどうでしよう。もつと「声」にならないものでしようかね。

谷川 義雄
各社の製作状況の一覧表を毎号掲載してほしい。

徳永 瑞夫
もそうですが備えあれば、憂いなし、となりたいものです。

田村 達二　七月中旬項から桜映画社の仕事に入る予定です。

—以上七月十六日—

丹生 正　「大地の子」撮影準備中。

赤佐 政治　日本産業映画社にて仕事をしております。

長野 千秋　「くもの糸」で、演補をやつています。くもの生態は愛嬌があり、仲々面白いものです。

飯田勢一郎　一年ほど前から、ほとんど出張がなくなつて東京の四季を瞠めながらくらしています。こゝしばらく、テレビの短かいものを担当することになりました。

—以上七月十七日—

京極 高英　岩波映画製作所にて「青年の結婚」の仕事をしています。

富沢 幸男　今度の平和友好祭に映画部門代表として出席するため七月十七日夜東京発、モスクワに向けて出発しました。

桑野 茂　日映新社で仕事をしています。

水上 修行　長篇劇映画の脚本の

会報が面白くてたまりません。勉強させて貰っています。色々な方の報告（製作の経験など）がもっとあれば、と思っています。

岩佐　氏寿

シナリオを書いて下さいと書いたら、大いに反響あり、早速K君から、力作が送られて来ました。いづれ相談の上、みんなで検討するなり、売りこむなり、とりあえず目下読ませてもらっています。ますますこんなところから。でも創作活動をカツパツにしようではありませんか。

牧野　守

各委員会の決定、協議事項を御知らせ下さい。新入りですから各位の現況と、協会の動向がよくわからないものですから・・・ギヤラ基準改正の決定、発表ありましたら御連絡下さい。

飯田勢一郎

会報にもう少し余裕を、たとえば季節感のある文章、カコミで、川柳、コントの類があつたらカタイ記事の息抜きが出来ると思います。「註」こんなことを希むのは、別に暑さのせいではありません。

加藤松三郎

こんなことをボクがいつてはヘンですか。どうもちかごろの協会はたるんでいるのではないでしょうか。会費のあつまりはもちろん、試写や研究の会などにしてもさびしいようです。なんとかしなければなりません。みなさんもあきらめないでモンクをおきかせ下さい。まつたくですよ。

西沢　豪

運営委員にあげられ乍ら、東京を留守勝ちの為、協会の充分なお手伝いが出来ず残念です。会報はいつも楽しく拝見していますが、二十六号の紙面のくみが多少混乱しているようで、読むのに少しヒツカカリました。今後の御努力をお願いします。

高井　達人

会報の装幀について。種々の条件に制約されて、無理はあるかもしれませんが、協会のマークを入れた表紙を作り、更に簡単に目次を書き込んだら如何。

丸山　章治

若い人たちの六月会費納入率がわるいのは、モスクプア祭のカンパによる影響と考えるがどうであろうか。若い人たちの御一考をわづらわしたい。

月一回でなくてもいいから、会員作品のなかで、注目すべきものをあつめて試写会をやつてほしい。お互にひとの作品に対する関心がうすれてきていないだろうか。

島谷陽一郎

富沢さんのモスコウ行きの成功をお祈りし、すばらしい成果を期待しています。

最近の協会では、小生に対する、色々な意味での風当りが強いようですが、色々の誤解やら、偏見、無理解があるようです。私の聞いている範囲では、ぜんぜん反対の意味、そして私には納得がゆかないこともあります。勿論、私のいたらなさもありますが、その態度は面白くありません。一度、ゆつくりと話合いたいと思います。又この辺のことが協会の地がためとしての統一の問題に附属した問題であろうと思うのです。

追込み中です。

渡辺　正己　待期中

松岡　新也　都映協の仕事をしています。

中島日出夫　理研科学村上プロの「七つの心蔵」の演補をしています。

八木　仁平　毎日映画社の仕事にかゝりました。七月十八日四国へロケハンに出発します。

新圧　宗俊　オート・スライド・プロの仕事をしています。

杉原　せつ　待期中

苗田　康夫　柳沢さんの仕事の手伝いをしています。

豊富　靖　産業映画「四季の富立山」を続けています。

樋口源一郎　岩波映画製作所にて仕事をしています。

岡野　薫子　資料調べをしています。

松本　俊夫　新理研「大自然に羽搏くもの」の仕事です。

尾山　新吉　三井芸術プロで仕事にかゝりました。脚本執筆中。

間宮　則夫　東京シネマで「建設すすむ火力発電所」（仮題）一巻、にかかつています。十一月完成予定

岡野　毅　日本短篇映画所にて

仕事をしています。

北　賢二　凡プロダクションで仕事をしています。

近藤　才司　新世映画社「友だちのできない子」完成しました。

大沼　鉄郎　杉山　正美　東京シネマで科学映画の準備中です。

山添　哲　東映教育映画部にて田代組の助監督。

中江　隆介　来年早々聯映映画でプークの人形を使つて撮る予定の人形映画「西遊記」（孫悟空）（十巻物のカラー）のシナリオの第一稿に取りかかつています。

伊豆村　豊　待期中

山岸　静馬　日本短篇映画社で仕事をしています。

道林　一郎　理研科学村上プロにて「七つの心臓」に演出中。

小泉　尭　待期中

小島　義史　事務局の手伝いを終つて東京シネマで間宮さんの助をすることになりました。

山本　升良　三木映画社で仕事をしています。

韮沢　正　待期中

盛野　二郎　英映画社で仕事をしています。

馬場英太郎　次の作品の脚本を書

東京国税労組自主作品
八ミリ映画

「Aさんのメーデー」を見て

河野哲二

七月九日の夜、東京国税労働組合の事務所で八ミリの映画をみせてもらいました。近項八ミリ映画がさかんなことは耳にしていましたが、実際に作品をみたことはないし、それに労働組合の作品だという興味もあつてゞかけていつたのです。

映写の前にシナリオをかりてよみました。題は「Aさんのメーデー」、内容は『妻と子供二人の四人暮しである税務署員Aさんは、寮に生活しているが、生活はあまり楽ではない。役所へ出勤すると山のような書類と面接者がまつている。それから一軒一軒と商店をまわり歩き、昼食にはささやかなもりそばをたべ、又歩く。雨の日も町から町へと歩きまわり、夜は残業する。家では子供二人が父親の帰りをまつており、妻は編物の内職をする。いつも生活におわれて働きつゞける平凡なサラリーマンのAさん。このAさんがメーデーも近ずいたある日、仲間と自分たちの生活の苦しさを語りあう。そしてメーデーに参加することになる。メーデー会場をうずめた五十万の人々にAさんは驚きと喜びを覚え、明るい気持で行進する』というものです。

Aさんがメーデーに参加するようになる転機の部分の説明が不充分であり又ストーリイがやゝ類型的ではありますが首尾一貫したすなおなシナリオでした。

きくところによると協会の菅家さん（事務局長）が何回か指導に行かれたとの事で、シーンのつなぎをAさんの歩くボロ靴で表現しようとするところなど、仲々細かい神経がみえました。

さて、いよいよ映写にうつりました。完成した作品かと思つていましたが、オールラツシユでした。二巻ですが、時計ではかつてみると四十分かゝりました。

ラツシユをみた感想では第一にカメラがたえず不安定なため、被写体がはつきりとらえられていないので、画面の訴え力が弱いし、カツトカツトの意味がぼやけがちだということでした。カメラが不安定なのは、パンが多いことゝ、パンのスピードが早いこと、手持の為のブレなどによるものです。標準レンズ一本で撮影しているので、うつる範囲が狭く、それでパンをするのでしようが、もつとカツトを割つてとるとか、省略の方法を考えるとか、構図を工夫するとかして、不要なパンはなるべくさけた方がいゝと思いました。

第二に、Aさんが考えこんでいる気持を表現するのに灰皿と吸いさしのタバコをクローズアツプでうつしたり、家庭の朝を表現するために、湯のわいたヤカンをうつしたり、そのことの良し悪しは別として細かい神経をつかつている反面、貧しい家庭の朝食に食後のリンゴをむくのをうつしたり、出勤するAさんの靴と顔を一カツトで二回も上下にパンしてみせたりするような無神経なところがあります。これは一例ですが、シナリオのシーンシーンの意味をよくとらえて演出していないのでこういうことになるのだろうと思います。

第三に　説明が非常にこんせつ

ていねいなのでだらだらしていました。小さい子供が、つまり方のかきはじめの頃「朝おきてそして、洋服をきて、顔を洗つてごはんをたべてそして、かばんに本を入れて、そして家を出て、歩いて学校へ行きました」という式のかき方をするあれと同じに、力点のおきどころのない演出なのです。と思うと一ヶ所、残業するAさんと内職する奥さんとをカットバックーでつみかさねていくような鮮かなところもありました。「菅家さんから、懇々と『映画は省略の芸術だ』といわれたのでそのつもりでやつたのです」といつていましたが、結果はていねいすぎてはがゆいものになつていました。そのほか細かいことが沢山ありますが、略します。

映写がおわつて、話をしましたが、出席者の意見ではやはり二十分以内のものにして、テープに解説と音楽を録音して完成することになりましたが、担当者は、せつかく撮影したカットを切つて捨てるのが惜しまれてならない様子でした。又、映画をみる人の立場からいうと「誰と誰がうつゝていた」ということに興味をもつので、なるべく、そうした場面は残したいという意見もでました。映画のつくりはじめに当然でる意見がこゝでも出たわけです。しかし、大勢は二巻ものに落つき、担当者は涙をのんで半分きることを了解しました。

組合では、映画予算がまだあるので、これからも映画をつくるといつていました。「Aさんのメデー」には新鮮さは期待できませんでしたが、ともかく、八ミリ映画の流行とゝもにいまゝで観客にすぎなかつた大衆が、自ら製作の経験をもつことによつて、日本映画に大きな影響を及ぼす日が近づいてきたのではないかと私はうれしく思いました。

☆☆☆☆☆☆☆☆☆☆☆☆

☆☆ 平和友好祭ニュース ☆☆

☆☆☆☆☆☆☆☆☆☆☆☆

富沢幸男代表

〃モスクワ〃へ

百五十名という政府の旅券のわくのため、日本映画界の唯一人の代表となつた富沢幸男代表は、十七日夜上野駅頭で、牛原虚彦、朝倉摂、新東宝岩山さんを始めとして、協会員多数の盛大な見送りのなかを、新潟に向け出発、十九日朝、見送りに出向いた近藤君と別れを惜しみつゝアレキサンドル・モジャイスキー号で一路モスクワに向かつた。

なお同代表の予定は次の通りである。

七月二十日　ナホトカ着
二十一日　ナホトカ出発
七月二十九日　モスクワ着

お詫び

吉見　泰

第六回世界青年学生平和友好祭へ富沢代表を送るにあたり、向うでの映画ゼミナールの討議資料として、「日本の記録映画の現状」という報告書を持つて行つてもらうことにしました。

いています。

坂田　邦臣　待期中

松崎与志人　東松山市にて病後の静養中

米山　彊　次回作品の準備中

前田　庸言　毎日映画社で八木さんの仕事にかかりました。

小野寺正寿　待期中

石田　修　つぎの仕事の準備をしています。

小森　幸雄　待期中

衣笠十四三　光亜映画「蛇の森林探険隊」完成。

大鶴日出夫　理研科学で仕事をしています。

竹内　繁　東邦プロの「カネカロン」を終つて待期中。

川本　博康　三井芸術プロの仕事をしています。

柳沢　寿男　新理研映画で仕事をしています。

大野　芳樹　待期中

厚木　たか　次の仕事の準備をしています。

下村　和男　待期中

竹内　信次　新理研映画で仕事をしています。

岩堀喜久男　理研科学村上プロにて仕事中です。

松本　公雄　内外映画の仕事を手

当時たまたま、中国電影工作者連誼会から、当作家協会の活動報告がほしいとの要請があり、それにこたえて、小生の手で、協会の現状と、記録、教育映画界の現況を書いていましたので、その中の記録映画に関する項を持つて行つてもらうことにしました。

所で、協会代表としての富沢幸男君に持つて行つてもらう報告書なのだから、その報告書は、当然協会の討論と承認を経たものでなければならない筈でしたが、執筆完了の遅れと、出発時日の切迫のために充分な手続きを踏むことができませんでした。僅かに、出発間際の運営委員会にかけはしましたが、時間に追われて非常に不充分な討論に終らざるを得ませんでした。

今后はこうした手続き上の不備をくり返さぬよう自戒して、こゝにお詫びする次第です。

なお、執筆したものの内容は、報告書なので、私個人の意見というよりは、客観的な事実と、批判と解釈を要するものに就ては、各方面で対論ずみのものに取材したもので、記録・教育映画製作協議会を中心とした一九五〇年代の記録映画運動と青年学生の間の記録映画運動、並びに現在の動きを報告したものです。

中国へ送るものに就ては、もう少し加筆して、討論にかけたいと思つています。よろしく。

中央区原水爆禁止運動協議会設準備すすむ

謹啓、酷暑の候愈々御清祥でお慶び申上げます。

さて、かの恐るべき原水爆の惨害は日本国民のみならず全世界の人々が再び被る事のないように祈る切なる願望から、我が中央区議会は再三に渉り原水爆核兵器の製造使用禁止の決議を行い、特にその運動の性質上、超党派的に、あらゆる立場の人々を結ぶ全区民の運動として、去る昭和二十九年九月区内の各層団体の御賛同を得て、多大の成果を得ました。然しその後における米、英、ソ三国は全世界のあらゆる輿論を無視して、核実験を波状的に繰返し実施しております。

斯々る現状が更に続かんか、原水爆の実験使用による人類滅亡の危機を全世界の科学者は声を大にして警告しているのであります。

ここにおいて我が中央区議会は去る六月二十六日の臨時区議会にて人類福祉と世界平和を願う一念より党派を超越して全員一致を以て「中央区原水爆禁止運動協議会」設置の決議を行い、同協議会結成のため準備を進めております。つきましては貴会（団体）の絶大なる御協賛御援助を賜わりたく、左記により結成についての御懇談を申上げたく存じますので御繁忙中乍恐縮御出席願いたく得貴意旁々御案内申上げます。

敬具

記

一、日時　七月十七日(水)午後一時
二、場所　京橋公会堂

昭和三十二年七月十五日

中央区長　野宗　英一郎
中央区議会議長　岩野　啓次郎
中央区議会原水爆禁止運動協議会
準備委員会委員一同

伝つております。
小谷田　亘　岩波映画で京極さんの助手をしています。
伊勢長之助　日映にて仕事をしています。
矢部　正男　岩波映画にて仕事をしています。
中川　順夫　中川プロダクションにて仕事をしています。
玉上　義人　山形市に帰省中。
相川　竜介　甘木市に帰省中。
石本　統吉　日映科学映画製作所
村上喜久男　理研科学映画KK村上プロダクション
樺島　清一　日本視覚教材KK
平田　繁次　吉岡宗阿彌
長井　泰治　諸橋　一
日本アニメーション映画社
稲村　喜一　人形映画製作所
中村　敏郎　山口　淳子
落合　朝彦　大峰　晴
日本映画社
西浦　伊一　綜合映画製作所
水木　荘也　三井芸術プロ
八木　進　モーションタイムズ
岡　秀雄　田中　舜平
上野　耕三　奏　康夫
記録映画社
本間　賢二　東映製作所
大野　裕　松本　治助

右の招請状がまいりましたので事務局は野田運営委員を出席させました。

※

事務局よりの要請で同懇談会に私が出席しました。簡単にその報告いたします。

会は定刻より三十分おくれて開会。出席者は準備委員、区長、区議、中央区労協代表、その他団体代表個人など約百名をこしていました。区長、区会議長の挨拶。小林準備委員長の経過報告。つづいて左記規約案の討議にはいりました。区会の準備委員会側は懇談会を総会にきりかえようとしましたが、とくに労組、団体の代表出席者がまだ労組や団体として正式参加の承認をうけていないので、招請状のごとく懇談会として会をすすめるように要求しました。そこで懇談会として、規約の草案討議、役員候補者のすいせんこうを話しあいました。討議された規約と役員は八月上旬に第一回の創立総会をひらき、正式総会にかけることになりました。

とくに、役員中理事は四七名でうち、労組代表五名。常任理事は二〇名。副会長は八名でうち労組代表一名。という構成が準備委員会からだされました。理事としてのすいせん候補者を準備会が発表したところをみますと、区会議員、町会長、婦人会長、PTA会長、が圧倒的で、青年団長二名、労組代表、五名の割合いでした。なお、準備会は会長に岩井区会議長をすいせんしたいという案を発表しました。

最後に八月上旬（八月六日を予定）の第一回総会には各団体などの参加を要請され、運動の拡大に協力をもとめられました。

なお、第一回総会には七月十二、三日に東京にひらかれる世界原水爆禁止平和大会に代表をやくることにしようということになりました。

四時　閉会。

（野田真吉）

※

中央区原水爆禁止運動協議会規約（案）

第一章　総　則

第一条　この会は、中央区原水爆禁止運動協議会と称する。

第二条　この会の事務所は、東京都中央区役所におく。

第二章　目的及び活動

第三条　中央区原水爆禁止運動協議会（以下「協議会」という）は人類の福祉と世界平和確立のために、原水爆の実験及び使用禁止の運動を行うことを目的とする。

第四条　協議会は、前条の目的を達成するため、次の活動を行う。

一、原水爆反対の世論を強化するため、署名運動、講演会その他の行事を行うこと。

二、原水爆の脅威に関する正確な知識の普及

三、関係機関に対する原水爆禁止の要請

四、原水爆禁止を目的とする他の団体との提携協力

五、放射能禍研究、学術団体への協力援助

六、その他目的達成に必要と認められる事項

第三章　組織及び役員

第五条　協議会は、その趣旨に賛同して入会する区民、区議会、及び各種団体をもつて組織する。

第六条　協議会に次の役員をおく。

(一)会　長　一名
(二)副会長　八名
(三)理事長　一名
(四)理　事　四七名
(五)常任理事　一〇名

電通映画社
高綱　則之　森田　純
学習研究社映画社
高見　貞衛　大場　秀夫
日本記録映画社
八幡　省三　東京シネマ
吉田　和雄　神奈川ニュース映協
羽仁　進　坊野　貞男
吉田　六郎　時枝　俊江
高村　武次　各務　洋一
羽田　澄子　秋山　矜一
田中　実　黒木　和雄
肥田　榛葉　豊明
岩波映画製作所
富岡　捷　島内　利男
中島　智子　岸　光男
清水　進　草間　達夫
原本　透　田部　純正
新理研映画株式会社
中村　麟子　清家　武春
奥山大六郎　下坂　利春
日映科学映画製作所

（左の方々は原稿のメ切までに詳しい動静が分りませんでした。ぜい、連絡をしてください。たのみます。）

秋元　憲　森永健次郎
小野　春男　古川　良範
平野　直　原口　光人

(六)顧　問　若干名
(七)参　与　若干名
(八)監　事　五名

二、会長は、協議会を代表し会務を総理する。

三、副会長は、会長を補佐し、会長事故あるときは、あらかじめ定める順位によりその職務を代理する。

四、顧問及び参与は、協議会の活動に関し会長または機関の諮問に答える。

五、監事は、協議会の事務、事業及び予算、決算の執行状況を監査する。

六、役員の任期は、一年とする。
ただし再任を妨げない

第七条　会長、副会長及び理事は総会において会員の中から選出する。

二、理事長は理事の中より選任する。

三、常任理事は、理事会において理事の中から選任する。

四、顧問、参与及び監事は、理事会において学識経験のある者、または関係官公署の代表者の中から委嘱する。

第四章　機関及び会議

第八条　協議会に次の機関をおく。
(一)総　会
(二)理　事　会
(三)常任理事会

二、総会は年一回会長が招集する。
ただし必要に応じ臨時総会を開くことができる。

三、理事会及び常任理事会は、会長の命をうけて理事長がこれを招集する。

第九条　総会は、全会員をもって組織する協議会の最高議決機関として、運動方針、事業計画の決定、予算、決算の承認、役員の改選その他特に重要な事項の審議にあたる。

二、理事会は、会長、副会長、理事をもって構成し総会閉会中の議決を行うと共に、予算、決算案の作成、運動方針、事業計画の立案、常任理事の選任、その他重要な事項の審議、調査にあたる。

三、常任理事会は会長、副会長及び常任理事をもって構成し、理事会に提出する議案の作成、協議会の庶務事務及び必要な事項の審議、調査にあたる。

四、顧問及び参与は、理事会及び常任理事会に出席して意見を述べることができる。
ただし議決に加わることはできない。

第十条　総会の議長は、会長をもってあてる。

二、議事は、特別の定めがある場合を除き、出席会員または役員の過半数で決定し、可否同数のときは、議長の決するところによる。

第十一条　常任理事会に次の部をおく。
(一)総　務　部
(二)情報宣伝部
(三)財　政　部

二、各部の部長、部員及び事務は、常任理事会が決める。

第十二条　常任理事会に事務局をおく。

二、事務局長は、常任理事の中より選任する。

三、事務局に書記若干人をおき、協議会の庶務事務に従事する。

第五章　会　計

第十三条　協議会の経費は、会費、寄附金及び事業収入等によってまかなう。

第十四条　会費は一団体につき（年額三百円以上）個人で入会したものについては、一人につき（年額百円）とする。

二、会費は毎年度初において、その年度の全額を徴収する。

三、既納会費は還付しない。

第十五条　協議会の会計年度は、毎年四月一日に始まり、翌年三月末日をもって終る。

第六章　補　則

第十六条　協議会に入会しようとするものは、所定の手続をもって会長に届け出なければならない。

第十七条　協議会から脱会しようとするものは、所定の手続をもって会長に届け出で、理事会の承認を受けなければならない。

第十八条　この規約の制定、改廃は総会の議決によらなければなら

真野　義雄　　二十

会員総数　一六七名

☆住所移転

小泉　堯　渋谷区幡ケ谷本町三ノ四六一中村方へ転居

坊野　貞男　千代田区神田司町二ノ一四野々村方へ転居

東京シネマ　千代田区神田駿河台二ノ一近江兄弟社ビル四階ＴＥＬ(29)大三五一　一三に移転

☆脱　会

小西　久彌　六月二十八日付にて脱会（四月より日本テレビＴＣＪプロをやめたので協会からぬけさせていただきます。と本人より申出があったもの）

ない。

第七章　付　則

第十九条　この規約は昭和三十二年　月　日から実施する。

第二十条　協議会の招集は、協議会設立世話人がこれを行う。

第二十一条　協議会の設立後最初の理事会は、第八条第三項の規定にかゝわらず、会長これを招集する。

◇事務局だより◇

▽六月分会計報告

収入の部	
三月迄の未納会費	三、六九〇
四月分以降の会費	三〇、五八〇
入会金	三〇〇
前月の繰越金	六五九
合計	三五、二二九
支出の部	
事務所費	一三、〇〇〇
人件費	一八、六〇〇
電話電報料	七、六二二
印刷費	八、三七〇
用品文具費	二、八九〇
通信費	四、九五〇
交通費	八一〇
会合費	三、〇〇〇
雑費	四一五
合計	五八、六五七
差引不足金	二三、四二八

またしても
新未納会費
六万円を突破
こんどは
集金に廻りますから
よろしく

▽会費の集りが悪い、というのはまつたく頭痛のタネであります。会報の前号一七頁にて、会費の納入状況を発表し、事務局担当者は六月末の不安を訴えましたが、それが図に当つて、六月末の協会財政は前記の会計報告にもあるように二万三千余円の不足金を生じました。まつたく頭痛のタネであります。では、どのように集りがわるいのか、どの程度集つているのか、というと、六月末現在で、四月分の未納が二九名（十八％）五月分が四六名（二八％）六月分は、なんと一一七名（六六％）合計で延一九二名。金額にして約六万円余り、全会員の会費が完納されて協会運営がなりたつように計算してあるのだから、これでは、とてもやつてはいけません。また、会計報告の支出の部をみると分るように、無駄な支出はないのです。最低これだけは、必要な金なのです。それが集らぬ。まつたく頭痛のタネであります。いろいろと相談の末金が集まらぬのは、事務局員が座つていて金を持つてくるのを待つているからいけないのだ。集めて歩かなければ駄目だ。ということになりました。そこで、今後は、毎月下旬の十日間を集金期間として、会員各位の許へ集金に参上することにいたしました。夜間に御家庭を訪問することもあるかもしれませんが、つらい立場の事務局員の苦衷をお察し下さつてお許しねがいます。また二ヶ月分以上の会費滞納のある方、四四名に、さる二十日付で「おねがい」を発送いたしました。集金に伺うから、よろしく、という、予告のごあいさつであります。何とぞ、よろしくおねがい申しあげます。

▽会費の御納入は、御一報下されば、いつ、どこへでも受とりに参上いたします。また御送金の場合は、全国どこでも最寄の郵便局にて、振替による御送金がもつとも便利です。会報にとじ込んである振替用紙を御利用になれば無料で御送金ができます。

振替東京　九〇七〇九番
教育映画作家協会宛

▽事務局員加藤喜恵子さん紹介
七月十五日より事務局に加藤喜恵子さん（世田谷区北沢二ノ八九泉方）が勤めています。会員長井泰治さんの紹介です。ついでの折にお見知りおき下さるとともによろしくおねがいします。

委員会だより

七月第一回相談役会
七月四日（木）午後五時
出席・・吉見　丸山　八木

▽六月末の財政危機について
会報本号の会計報告にある赤字財政について、事務局よりその状況報告があり、対策を協議した。要するに会費が集らなくて弱つた、という話であり、それでは集めて廻ろうということになつた。

▽毎月一回は会員が集る場をつくることにし、まずその試みとしてプロデユサーにものをきく会る実行することにきめた。

七月第一回運営委員会
七月十二日（金）午後六時
出席・・吉見　野田　中村
（緘）　大沼　渡辺　原本

▽財政危機について
事務局より赤字財政の状況報告があり、その対策として、集金に拍車をかけることが話し合われた。

▽事務局員に加藤喜恵子さんに動めてもらうことにきめた。

▽平和友好祭に出席する富沢幸男代表の、その後の実行委の活動経過報告があつた。

▽平和友好祭に資料として報告する論文（吉見泰執筆）本号頁参照）の報告と、その検討を行つた。

▽ギヤラ委員会が作成した新ギヤラ基準内規の改訂案を検討協議した。（これは、ほぼ完成に近いものが出来上り、本号にて発表する手筈であつたが、一部に若干の問題点が発見されたため再度討議することにして、発表を延期した。）

▽会員の作品歴つき名簿を作成、発行することをきめた。

▽プロデユーサを囲んで話をきく会をひらくことにし、第一回の内容について話しあつた。（本号同封のおしらせ状の通り）

作品歴つき会員名簿の発行について

☆協会では昨年九月に会員名簿を発行いたしましたが、その後一年足らずのうちに、訂正箇所が、かなり多くなり、新しい会員名簿の発行が必要となりました。そこで、こんどは会員の作品歴つきの名簿を作ろうということになりましたので、資料調査に会員各位の御協力をおねがい致します。

☆会報本号に同封してお送りしたアンケートははがきに、所要事項（一九五五年（昭和三十年）以降の作品名）を記入のうえ、八月十五日までに御返送下さい。または自己紹介文を字数一五〇字以内にまとめて下さつても結構です。この場合も〆切は八月十五日までを守つて下さい。

☆原稿が揃つたところで、早急に編集をして、八月末にはこの名簿を発行したいと思つております。

編集後記

☆七月も中ばをすぎたのにまだ雨がつづくとは「男性型」梅雨どころではあるまい。しかしお天気にかかわらず、われわれは働かねばならない☆そのギヤラ問題については、かねてから専門委員会で慎重討議中だつたが、まずその「大義名分」のほどは巻頭言で心しておよみいただきたい。そして次号では本番発表となる次第、ご了承のほどを☆前号でお約束の田口氏「中国の映画事情」は、特に会報発行以来の絶好記事としておおくりする。よまれて意外とおもい、また当然とおもわれるのもご自由だが、すくなくも初めておききのむきにはご参考になるはず☆さいきん新人演出家がぞくぞくと登場するのは何とも喜ばしい。そこで本号では特にそれらの諸兄から一言いただいた。どうか拍手をおねがいしたい。しかも、のせきれず次号廻しになつたほどの数である☆つづいて野田、河野両氏の報告や友好祭関係などの記事もにぎやかで増ページの始末である☆向暑の折ながらご健斗を。（加藤）

教育映画作家協会々報

1957・8・25

教育映画作家協会
東京都中央区銀座西8/5日吉ビル4階 Tel(57)2801

No. 28

前進か、後退か。

前進か、後退か。こんなつまらない対比の仕方はないかも知れません。前進する方がいゝにきまつているからです。

しかしこの数ケ月、財政問題に悩みつゞけている委員会は、この「前進か、後退か」という課題と対決することなしに、協会財政の討論を重ねることはできませんでした。

月末が来ればきまつたように赤字。赤字のまゝでは越せないから穴埋めの借金、事務局小高君の人件費も遅配つゞき。月末が近ずくたびに、今月はどうやつて月を越したらいゝかと財政報告を開く前から、色々と思案する。協会が借金すると言つても、委員会の個人の信用借りか、会員個人の好意的融資。そういうやりくりは長くつゞくわけはないし、或最少限度を越えるわけには行かない。委員会は運営上の困難な負担を避ける気持は毛頭ないが、能力を越えた経済上の負担には堪えきれるものではない。委員会としてできる正常な財政運営上の対策としては事務局が会費集めの事務態勢を確立し、できる限り足を運んで集金にまわるということ以上にはでられない。こうして実際には七月から、事務局は積極的に足を運ぶことになつたのですが、一〇〇%納入までには至りません。まだ一ケ月の実績だし、今後の努力がどう成果を産んでくるか未知数だとはいうものの、大体の見とおしとして、月平均の会費収入はよくて七〇%あたりと踏んでかゝらねばなりますまい。そうすると月々の財政問題はいつまでもあとをたゝないということです。

財政が不安では、なにをしようとしても足をひつぱられる思いで、尻ごみしてしまいます。

私（吉見）はひそかに、事務所その他、現状の縮少後退を考え、そこからの再出発を考えざるを得ませんでした。まるで月々の運営が財政のやりくりに尽きるような始末で、それ以上のことには手がつかない状態に不安を感じ、自責を感じたからです。そして会う人ごとに、また機会あるごとにその方向に就て打診してみました。

所が現状の縮少に就ての反対意見が圧倒的でした。

そして、協会財政援助のためのシノプシス乃至台本作製ぐらいはしようじゃないか、（そのギャラを協会にカンパする）、一度後退すればなかなか立ちあがれるものではない。一般的に今日のような困難な経済状態の中では、できる所で、協会を支えて行かねばならないのじゃないかというような意見を出してくれる人々もいました。

これは委員会からはなかなか言えないことです。私はそういう支持のあることに深い感動を覚えました。

そして委員会は、何事によらずそうした支持と結び付くことによつて、積極的な運営をはかることができるし、それを拡大して行くことができるということを改めて再認しました。

委員会は、財政的には一時、そうした好意的支持と結び、財政援助のためのシノプシスや台本作製の機会を積極的に掴み、ギャラの一部をカンパして頂き、財政を軌道に乗せてゆく努力を一層重ねて行きたいと思います。会費納入のことは勿論、そうした活動への御援助を厚かましいながらお願いしたいと思います。

（運営委員会）

プロデューサーにものをきく会

第一回

―「私たちが教育映画作家協会をつくり、そこで仕事をしながら、いままでにもプロデューサーの方々と話をしたいという案があつたが、なかなか実現しなかつた。じつは先日、いろいろとそのような企画を計つたところ、プロデューサーの方々と、今をはやりのゲスト形式で自由放談をしたい。その中から考えねばならぬことや、おききしたいことなどもでてくるであろう。そんなわけで本日の会合がひらかれました。」（吉見委員長開会のあいさつより）以下は、去る七月三十日夜、銀座新聞会館会議室にてひらかれた第一回プロデューサーにものをきく会の談話記録であります。当日は、ゲストとして日映科学映画製作所の石本統吉氏、東京シネマの岡田桑三氏を迎えて、出席会員十七名。午後六時半より二時間余り、盛況のうちに談話をつづけました。（会報編集部）―

吉見委員長あいさつ

プロデューサーにものをきく会と申しましても、本日がその第一回なので、別に、きき方、しやべり方のルールがあるわけでもなくどこから話をしたらよいか、むづかしい点もありますが、順序も不同で気楽に話しあいたい。課題としては、ワイド・スクリーンの問題、テレビと教育映画の関係について、教育テレビの問題、自然科学映画について、など。また、プロデューサーから作家への註文などもききたいと思います。

テレビと教育映画の関係ついて

石本　テレビの影響については、スポンサーが宣伝費をテレビの方に廻している。PRの金をそつちへ廻すという傾向はあります。この傾向は、こんごも強まるであろう。ところが一方ではPR映画を国内のみに考えず、海外へもどんどん紹介するという傾向もあるから、必ずしも心配することもあるまいと思う。農村ではテレビの集団聴取を国家の補助によつてさかんに利用しているがこれも結果は楽天的なものだと考えている。今までライブラリーの映写機やフイルムを買つていた地方の公民館などが、その金を、こんごテレビに廻すことも考えられる。しかし一方では、チャンネルもふえてきている。そういうことについての見透しを、先日も、TV放送の局側にきいてみたが、TVはだいたいが営利事業としてやつて行くべきものではないと言つている。来年秋ごろには教育放送のためのフイルムが必要になるのではないか、という見透しもある。

岡田　テレビが盛況になつたら、今までスポンサーに頼つていたPR映画のプロダクションは、どんな影響をうけるか。新しいものは当然栄えるであろうが、それがわれわれにプラスになるのか、マイナスになるのか。われわれがデレデレしていれば負けるだろうし、しつかりすれば勝つだろう。映画作家の方々はテレビにも必要なのだから、作家にとつてはテレビはプラスになるだろう。先日も大阪のある放送局と話しあつたが、これから将来は短篇映画の厄介になるだろうという話しあいをした。このようにテレビの方も、短篇映画依存の傾向もあり、テレビ側では、われわれがやり出せば、お前らはふつとぶだろうなどという考えは毛頭もつていないようだ。先日、あるアメリカ映画の放送をみたが、大変につまらぬものであつた。テレビの予言者はピーター・クロポトキンだそうだが、その予言が実現したので、たいへん結構なことだと考えている。私は、将来、テレビがカラーにでもなれば、そのときバスにのりおくれまいと、その程度の消極的な考えをもつております。

アメリカのテレビを知らずに言うのは乱暴かもしれないが、あまり金をかけていないらしい。やはりテレビでは金が上らぬから、そうなるらしい、と思う。映画とテレビは新聞と雑誌みたいに両立できるんじやないかな。新聞が出きれば雑誌は姿を消すんじやないかという必配がいらなかつたように、必配がないのではないか。

ワイド・スクリーンについては、テレビの攻勢にあわてたアメリカの映画人が、拡大スクリーンを考えて登場となつたのではないか。実は私は、将来映画は十六ミリに移行するのではないかと考えていたのだが、実は逆になつてしまつた。なるほど考えてみると、小よりは大の方がよいし、一度大きくなつたら、もう小さくはなりつこないでしよう。

石本　スポンサーは先へ先へという傾向がある。さつきのテレビの問題だが、テレビの映画に対する影響だが、金指さん（金指英一氏）に外国の模様をきいてもらつたが、性質の違うものだから影響はないだろうといつていた。影響は全然ないとは言えないだろうが、テレビと映画は本質的に違うものだし、当分は必配はないでしよう。ここ二三年の間はテレビが映画を追いかけるのではないですか。テレビ先進国では、目下のところ、どうという影響はないそうだ。

ビデオ・テープなどというのは、そのまま撮つたものが、そのまま出てくる。そんなものが出来ている。テレビ用映画の製作は、それのための特別のスタヂオがないと安く出来ないという話だ。

岡田　今はテレビもテンヤワンヤだが、それがおさまつた頃に、テレビ用映画の要求がおこつてくるであろう。

石本　往年、車屋が自動車に対抗したようなものでなく、テレビに切りこんで火中の栗を拾う意気込みがいるんじやないかな。

岡田　相撲とりがレスリングに転向するのと同じだ。テレビはわれわれの敵じやあないよ。だから、バタバタすることはないね、慶賀すべきことだよ。おとくいがふえるんだよ。

八ミリ映画について

石本　最近、八ミリの普及化がさかんになつてきた。地方での八ミリの進出は、ものすごいという程だ。値段も安いし、映写機、撮影機がサイレントなら五万円以下で買える。トーキーになるともつと高くつくが、利用する側も八ミリの方がよいらしい。言うなれば日本的ではないか、とぼくは思つている。地方へ行くと教育映画は値段が高いといわれる。一巻一万五千円ではもつてのほかだといわれる。五千人に三百回見せれば一人当り一円じやないかと説明しているが、商売じやなくて作つているんだから、もつと安くしろといわれる。安くすると、間に入つているブローカーから安くされると困るといわれる。そういう問題が八ミリの問題にからむと、八ミリは安いので、こつちとしてはどうにもならなくなつてしまう。

岡田　八ミリはレンズも小さいし、エマルジョンも今后もつとよくなるだろうし、八ミリがより大衆化

会員の動静

矢部　正男　「ガスー供給篇」完成後、一寸した病気で一ケ月半ばかり遊び。今度「トランジスター」をやることになるようです。

村田　達二　桜映画社にて「子供の病気」二巻物の演出準備中です。芸研の八十番目の国は製作者との折合つかず中止しました約半年の間、為めにノイローゼ気味、然し現代史の勉強になつたのが、せめても慰めです。

桑木　道生　丁度一年ぶりで仕事をします。中国向けの技術紹介映画（十六ミリ三巻）いろいろ考えていますが面白くしたいと思つています。どうも「お釈加さま」は大変重くてアゴが砕けそうでしたが、なんとかいけそうな雲ゆきがあらわれてきました。でもわかりません。（三宝）

ー以上七月二九日ー

小島　義史　「建設すすむ火力発電所」（東京シネマ）で演補、三

するというのも、写真光学の進歩からで、学校などでも先生たちが教材映画を自分たちで作りだしている。普通写真のカメラ熱が盛になれば、自分たちは飯の喰いあげになるのではないか、と心配した普通写真のカメラマンたちが、おちぶれるどころか、逆に写真界の先生となつて世の脚光を浴びている。八ミリが盛になれば作家は先生になるだろうし、われわれプロデユサーは、よもや、おちぶれることもあるまい。

石本　名古屋の瑞穂区での話だが映画会のときにフイルムの取扱を婦人会のひとたちがやつている。ふん囲気も和やかだし、取扱も叮重だ。だから八ミリになればさらに大衆化して、子供でも取扱えるようになる。

八木　要するに、八ミリ映画については、和気アイアイというところですな。

作家に　いいたいこと

石本　これは日映系の作家の方々に多い傾向じゃないかと思うのだが、シナリオを書くときに、ことばが余つたから、それを絵にするというくせがあるよ。これは困るな。トーキーというのは絵が七・五で、ことばは二・五だよ。

新人の育成について

石本　新人育成については、現状では余裕のある正規の教育というのは、なかなか出来ない。協会で学校でも作ればよいという考えもあるが、新人諸君の仕事の現状をみると、仕事のつながりがない。今日は日映科学、明日は東京シネマ、では、仕事をする方、勉強する方もとまどうし、教える方も、先をみてやろうどころではなく、仕事だけで手一杯だろう。中国だつて教育はよくやつているよ。なんとか、しなけりやいかんな。

（ここで、新人教育の難点について話しあわれた。絵を書く場合の基礎的な技術指導と違つて、映画の場合には体系的なものの確立がない。等について　ー）

岡田　先日、シエルで映画をみせてもらつたが、ヨーロッパのドキユメント映画は、かつてのサイレント時代のモンタージユ理論、いいかえれば映画文法というか、そういうものが身に備わつているという気がする。日本のものには、そういう文法のようなものを感じるものが少ないような気がする。トーキー以後に育つた作家の方々は、そういう基本的なものを、まず学びとつてもらいたい。そうなれば、ますますよい映画が出来て、われわれにもプラスになるのではないかと思う。

石本　松つあん（加藤松三郎氏）が、いま監督はこうこう、助監はこれこれと、しきりに売りこんで歩いているが、後輩を売りこむことも、松つあん式にどんどんやつていいな。秦さん（吉見泰氏）が大丈夫だ、と云えば、こつちも信用する気になるしな。

作家側の企画について

十月一杯です。

深江　正彦　メートル法実施啓蒙映画、「宏の計画」（仮題）二巻、劇構成で脚本完成、八月六日クランクインします。その他「城ケ島大橋」着々撮影進行中。

赤佐　政治　日本産業映画社で仕事をしております。

ー以上七月三十日ー

間宮　則夫　東京シネマ「建設すすむ火力発電所」演出。八月九日より、二週間あまり八戸、仙台へロケに行きます。

野田　真吉　次の作品を準備しています。

ー以上七月廿一日ー

清水　信夫　病気入院中の処、七月廿一日漸く退院、自宅療養をつづけながら、伸び伸びになつている東映の児童劇「あさかぜの歌」の脚本執筆をはじめます。

ー以上八月一日ー

西尾　善介　黒部峡谷第二部撮影中。大阪完成。

桑野　茂　異状ナシ。

松岡　新也　最近は三菱造船のカラー物を完成して、家で休んでおります。（マツオカ・プロ）

ー以上八月二日ー

岸　光男　相変らず原子力研究

丸山　協会の各部門別研究会から、新しい作品の企画がでた場合、プロダクションとしては、それを受けとめる用意があるか、どうか。

石本　こつちが註文を出して作つてもらうのなら別だが、そうでなければどうかな。プロダクションによつても受けとめ方が違うだろう。

吉見　企画について、プロダクシヨンと作家とが、始終話しあつていれば、よいチヤンスはあるが、限定されたものになるのではないか。企画についての話し合いは、プロダクシヨンとしても興味あるかな。

岡田　興味はあるが、そうすぐに企画を現実化できない面もあるだろう。聞かせてもらうのは、たいへん結構だよ。

石本　加納さん（加納竜一氏）のところは二巻ものフイルム・ライブラリーなどをよくやつているから、あすこあたりは実現の可能性があるのではないかな。

（終つて、最後に、石本氏より、名古屋の映画会などの経験では、老若男女の参会者が、みんな、よく発言する。ここはあまり発言がない。こういう会合は、みんながよくしやべるようにならないといけないのじやないか。と発言低調を語り、吉見委員長より、これで協会とプロダクシヨンが、お近づきにもなつたし、こんごも協会からプロダクシヨンに、いろいろとおねがいもしますし、面倒をみてもらいたいこともあると思います。よろしく。どうもありがとうございました。とあいさつがあり、八時三十分に閉会した。

科学映画の夢

長野　千秋

はじめに

「この映画は、原爆・水爆によつて生れる放射能—いわゆる、ストロンチウム・セシウムが、人間にどういう影響を及ぼすかを描こうとするものである。・・・映画は、冷静な実験を通じて原水爆のおそろしさ、そのおそろしさの正体を、いわゆる「死の灰」と称する放射能の面から追求することになる・・・・・・」

これは、亀井文夫氏の「死の灰を撮影して一ケ月」（キネ旬・七月下旬号）からの抜粋だが、私はこの文を読んで、素晴らしい科学映画ができる、と感じた。所が亀井氏は、更に、「単に事実を記録するだけ、学術映画や科学映画の手法では処理しきれない……」と述べられている。私は、それでは科学映画とは、一体どんな概念なのだろうかと考えこんでしまつた。

科学映画とはいかなるものか、といわれても、おいそれとは答えられないし、又こういうものが科学映画だと、定義づけられるものでもないだろう。科学という概念自体が時代の進歩と共にだんだん

所と集団住宅建設記録の演出中ですが、今月から地下鉄特殊工法の演出も担当させられ、企業内での仕事のシンドさに、いささか音をあげている処です。

上野　大悟　村上プロ。「日本の耕土」編集。八月中旬録音の予定。「施肥慣行」大部分撮影を終えました。

丸山　章治　今三木映画で、同時に三本のシナリオをつくつています。今月中に一本だけクランクにはいる予定です。

—以上八月三日—

牧野　守　桑田プロの「愛は鉄格子を越えて」（仮題）の製作準備に入りました。中旬浜松にロケの予定。全五巻です。今月一ぱいで完成という強行軍です。

—以上八月四日—

羽田　澄子　博物館の「古代」を準備中。旭電化のP・Rのシナリオ、住宅公団のP・R「衛星都市」をぼつぼつすすめています。

草間　達雄　目下綿のPR映画、「綿の息吹き」を演出中、新理研映画。

—以上八月五日—

八木　進　漆工競技大会の記録

その意味内容を広げてきているから。しかし現在の段階に於て、科学映画とはいかなるものかと考える事は、大衆に理解され喜ばれる秀れた科学映画を創造する為の一つの道標になるだろう。それは又私にとつて、生きる為の新らしい理由をみつける為のものでもあるから。

科学映画の三つの段階

そこで、私は科学映画を三つの段階にわけて考えてみた。

第一の段階　自然の観察記録映画

科学するということは、自然現象を観察することから始まる。

科学映画も、自然現象を観察し、記録することから始まる。この段階の科学映画は、「蛙の発生」や「根のはたらき」のように、未知の世界を、それも私たちの感覚だけではつかみとれないものをも、映画を媒介として展開し、私達を感動させ、自然現象を認識する一つの手がかりを与えてくれる。

端的にいえば、自然現象の漠然とした印象をロングで、構造をクローズアップで、その過程を微速度或いは高速度撮影で表現する、作者の忍耐と努力のたまものであり、対象自身の持つ未知なる魅力が大きな要素となつているのがこの段階の科学映画である。

だが、この感動からさめた時に、それは私たちにとつてどんな意味をもち、この世界の中でどんな関係があるのか、という疑問がでてくるだろう。

第二の段階　方法の科学映画

昔から多くの科学者が、その相互関係をつきとめ、その世界を理解するために、自然現象を観察し、分析し、研究し、事物の構造を明らかにし、種々の法則を発見してきた。この人類の経験の集積を一般化した学問（科学）を、私達に理解させ、知識としてくれるものが、この段階の科学映画の役割だと思う。そして、そこに重要な事は、法則発見に到る発展過程の表現である。たとえば、ニュートン力学が、十七世紀という時代の中でいかなる発想によつて生れ、又現在ニュートン力学の適用できない極微な世界を理解するために、量子力学がどうしてできてきたかという発展の歴史を知る事は、現代物理学を理解する上に重要な事柄だろう。だが、現在作られている科学映画は、研究の結果である法則や、単なる知識のみを紹介する、いわゆる解説映画が多い。私達の望む科学映画は、原因から結果を生ずる、その過程を追求する方法の科学映画である。

第三の段階　本質的段階の科学映画

しかし、これは、第三の段階の科学映画の道標でありその準備である。なぜならば、生活の中で体験されてこそ、私達は科学の存在をはつきりと認識する事ができるのだから。

自然現象が、科学者により研究され、法則化され、科学として解放されるや否や、直ちに社会に適用され、人間生活に大きな拘束力を持つようになる。それは原子力の問題を考えても明らかなように、原水爆は現在、世界政治の中心問題であり、その実験の被害はあらゆる面に及んでいる。一方アイソトープの利用や、原子力発電、原子力商船も現実の問題となつて来ている。これは又、科学知識をこの世界の中で実践し、私達の生活を変えていく事ができるという事を示している。

科学は私達の文明を変えてきた

映画（ＰＲ映画）の編集を完了。七月はこれといつた事もなく過ぎそうです。鋭意次回作準備中。

水上　修行　次回長篇劇映画の準備中です。

大野　芳樹　目下待期中。

山本　升良　目下相変らず三木さんの番頭です。ｕｓｉｓ「アメリカの窓」編集中。自主の社会教育映画を丸山章治さんを中心に準備中。その他いろいろと云つた状況です。

原本　遜　新理研映画ＫＫで仕事中。

楠木　徳男　本年三月よりつい先程七月下旬までかかつてやつと「瀬戸内海の漁村」を完成しました。荒井さん始め諸先輩の御指導に感謝しています。そして今は静かに次の仕事を待つています。

岡本　昌雄　「雪と氷」を終えて次の準備と、作品の完成を急いでいます。

榛葉　豊明　百科大系の「はかり」が三日ダビングを終りました。引きつづき土木建築のＰＲものを二本やらされることになりました。暑くて暑くて弱つています。皆様もどうぞお元気に。

し、将来も大きく変えていくだろう。この科学を人間、及び人間社会の問題が深く追求され、作家の思考ーそのドキュメンタリーの精神ーにより再構成され、創造された映画こそ、科学映画の本質的段階といえるだろう。

科学映画と技術映画

こゝまでくると、この科学は、技術という概念につながつてくる。（技術映画の問題は、更に項を改めて考察したいが一言述べておきたい。）

古代には、科学を発展させるもとは技術であつた。今日では科学が技術を発展させ、又技術の進歩が科学に大いに貢献している。

技術という言葉は、狭義には、経験の積み重ねによる熟練と、その対象に対する知識と考えられている。

この意味の技術映画には、技術指導映画、建設記録映画等が考えられるが、更に技術という概念には、「人間実践（生産的実践）における客観的法則性の意識的適用」（武谷三男著、科学と技術）という非常に難かしい定義がある。つまり広い意味の技術には、労働者と労働手段と労働対象（生産物）の三要素が含まれており、経済関係が問題となつてくる。技術の進歩は人間の歴史と離れては考えられない。技術の発展をえがく時、そこには程度の多少こそあれ社会機構の変化が当然現われてくる。（例をあげる）このような意味をもつ技術映画は、先に述べた第三の科学映画よりも、更に社会科学映画の分野に近づいてくる。そして将来、この両者（本質的段階の科学映画と広義の技術映画）をも包含した広い概念ーそれを科学映画といつてもよいだろうーの作品がつくられるだろう。それはエイゼンシュタインの「概念の映画」の一つの発展でもある。

おわりに

亀井氏の作品「生きていてよかつた」は原爆の恐ろしさや、戦争のみじめさを、私達の胸にたたきこんだ。しかし問題の解決には、単に感傷的な戦争反対や原水爆反対でなく、科学的な資料にもとずく、正確な科学知識が必要だという事を現実は教えてくれた。亀井氏が死の灰の問題を、今度のような形でとらえようとするのは「生きていてよかつた」からの必然の過程だろう。こゝには新しい科学映画の一つの道がある。人間精神の産物であり、思想を表現する武器でもあるところの。

（このレポートでは、主に科学映画の一般的な問題を取扱つたのであり、学術映画・技術映画・理科教材映画の問題、更にその各々とＰＲの諸問題は項を改めて考察したいと考えている。）

私は現在、科学映画をこのように考えています。しかしこれは私の微々たる資料と考察による科学映画の夢です。そしてこの夢を確かめ、実現していく為の一つの方法として、私は過去の科学映画作品を系統的に研究したい。それも単なる印象批評でなく、科学者を含めて、あらゆる面からの深い分析を行いたいと思つています。それは、科学映画は科学者との緊密な協力と、理論の発展なくしてはつくられないものだからです。

皆さんの御意見を聞かせて頂きたいと思います。

（一九五七年八月）

ー以上八月八日ー

古川　良範　東映の児童劇映画のシナリオを書いています。

西沢　豪　「新しい土地」「山下清」の二本八月上旬に全撮影を終ります。八月一杯に両方とも完成させる予定で居ります。

島谷陽一郎　日本写真新聞社にて「毒蛾」十月完成を目ざして追い込み中。又人形映画を撮ることとなりその台本を描いています。育映社にて小倉市の観光映画を演出しました。

下村　建二　新理研で仕事中。

ー以上八月十日ー

三浦　卓造　日映新社で製作庶務にたずさわつています。

ー以上八月十一日ー

永富映次郎　航空機を素材とした新映画企画。目下飛行場に出張してシナリオ・ハンテイング中。

伊勢長之助　岩波映画にて、鋼材倶楽部委託の鉄の宣伝映画「鉄時代」（仮題）にかかつています。なお「佐久間ダム」英語版、インドネシア語版など近日中にやります。

日高　昭　産業映画「神戸港」（桜映画）の脚本、演出。

ー以上八月十二日ー

新人作家の現場報告（2）

「役に立つカビ」について

西本　祥子

今度始めて「役に立つカビ」の演出を受持つてみることになりました。単にカビの生体を正確に捉えるということでなく、何処か我々の生活の隅つこに見捨てられているカビも又生命ある生物であり、しかも、その小さな生命は利用によつてはすばらしい威力を発揮し生活に役立てられるものだということを描き出したいと思つています。

何しろ三年足らずの経験の浅さです。然しいつまでもおつかながつていても仕方ないと、与えられた機会に大いに勉強させてもらうつもりで取り組んでみることにしました。教材映画は他の映画と違つて先づ単的に、親切に事物を描き捉えなければ、そして大人にも子供達にも共に胸の中でうなづきながら面白く観てもらえるものにしたいと考えながら撮影に入りました。

まだ十日余りですが、現場にのぞむと、あらかじめ、調査、観察或いは頭の中に描いていたイメージとの喰い違いに出会い、先づ演出上の失敗が始ります。そこでは忽ち、今までの自分の勉強の仕方に対する浅さ、欠陥が現れて来ます。しばし画コンテとの喰い違いにとまどう中に、気づいた時にはキヤメラがまわり始めた等笑えぬ一コマもあります。

ラッシュに、それらが如実に再現され、遠慮えしやくもなく自分に返つてくるのをみた時、これ程映画のこわさきびしさを感じたことはありませんでした。まあいゝや、と一ッ手を抜いた所は抜いた様に、自信を失つた所は失つた様に―。

又、今まで先輩のラッシュをみていて、随分無駄が多いな、もつと適切ズバリに焦点を絞つて撮影して行けないのだろうか、と思うことがありました。・・・ところが自分のラッシュをみてみると、画コンテの中ではきちんとつながつていたはずのものがどう考えてみてもカットが足りないのです。又或る所では狙いが浮き彫りにされてこないのです。対象を前に表現操作のまずさ、あらゆる角度から目と体を働かせ切らなかつた力と努力の不足もさることながら、どう考えてみても、フイルムをケチケチ節約したかの如き結果が解答として出てくるのです。

こうした失敗のおかげで、私は今まで言葉で話されても十分理解の出来なかつた遊びカットの必要性の一端をのぞくことが出来たわけです。これはまだまだ失敗の序の口でしょう。然し今こそ赤恥のかき時だと妙な決心で自分を元気づ

松本　俊夫　相変らず「大自然に羽搏くもの」で、山から山へととび歩いており全く休みなしの忙しさです。でも時々、こんな鳥や動物を追いかけまわして、貴重な青春の一年を費いやすのかと思うとやりきれない焦操感を覚えることがあります。

大嶋日出夫　理研科学映画にて、PR「エルボウの誕生」演出中。

諸岡　青人　今月は、今迄に撮りためた三作品を一ぺんに録音してさつぱりした気持です。本十二日から、二十日間位の予定で秋田、新潟から北陸路に回つて来ます。石油もの、国鉄もののロケです。

ー以上八月十三日ー

八木　仁平　五月以来の東洋レーヨンの仕事を続行中。九月完了の予定。

大方　弘男　次回作品の準備中。

苗田　康夫　日映新社「海明号の誕生」三井プロ「潜函」ロケ中。

河野　哲二　「エルボーの誕生」（理研科学映画）脚本完成。「原水爆禁止世界大会」の記録映画製作に参加しています。十六日で大会は終ります。世界的規模の大会だけになかなか感激

けています。

又、画を描き、小説を書く個人創作と異りスタツフを組んでの映画の仕事は、スタツフの一人一人が情熱をもち十分の力や智慧を発揮できる雰囲気と和があつてこそ生気のある作品を創り出すことが出来るのだと思います。これは、素人演技者を対象に仕事を進める現在の仕事にはそのまゝ当てはまることゝ考え演出の勉強と並んで今后を通じての大切な課題として行きたいものだと思います。

原稿を依頼され日数のないまゝに演出一年生、十日余りの撮影を通じての感想をまとめてみました。

無題

杉山　正美

此の間或る企画で、スポンサー側の人と、スタツフと話し合つた事がある。帰りぎわその人が、我々に向つて「どうか一つよいものをお願いします。どうか一つよいものをお願いします」と二度まで頭を下げて来た。

その態度のなかには外交辞令とばかり受け取れない真剣さがあつただがしかし、そのよいものというものが、一体どんなものを指しているのだろうか。
二、三年前、或る製薬会社の映画を撮つた事がある。純粋な学術映画を、という事で、色々努力を重ねた末、やつと録音という段階になつて、スポンサーの方から、コメントに薬の名前を入れて欲しいという注文が来た。
自分の会社の宣伝映画に自分の所で作つている薬の名前を入れる事は当然の事ではあつたが、映画の材料となつた病気には臨床的な効果のある薬はないというのが医学界の常識となつているものである。

今度は協力してくれた学者の方から、「薬の名前を入れるなら私達は学者の良心からいつて手を引かざるを得ない」という抗議を受けて、全く板ばさみの状態になつた。

結果は、スポンサーがオールマイテイである事が分かつただけだつた。

「〇〇などという薬も研究され、難病といわれた、この病気も、化学療法の時代はもう間近に迫つている」といつたコメントを入れて、一応無事におさまつた。

しかし、その当時の研究はまだめどさえも立つていない状態で二、三年たつた現在一向その姿を見ない事にでもその事は、はつきりしている。

しかし協力して呉れた人達を裏切る様な結果になつた事に対して、未だに後味の悪い思いを残してしまつている。

今度の仕事も、純粋な科学映画という名の映画だが、今度は、スポンサーの側の純粋さの要求を自分自身の純粋さと同一視する様な、おろかな真似は、やりたくないものだと思つている。

出直したい弁

松本　治助

書くと云う事に余り自信のない私に一本立ちの辯を書けと云われる。一本立ちと手ばなしで云える

的なシーンに直面することがあります。
中村　敏郎　地理大系映画「大都会の生活」の編集中です。久し振りの自主映画で却つてとまどいしているような始末です。次回は再び倉敷レーヨンのP・R映画にかゝる予定です。
荒井　英郎　日映科学「ミシン美術」完成。つづいて全農映で農協共済の映画「明日への希望」（二巻）に入りました。
渡辺　亨　十六ミリ撮影、八ミリ縮少所謂八ミリグラフの企画製作に当つています。フリーですからどの資本家とも組んで仕事しています。
前田　庸言　八木さんの助手をしています。二十二日には帰京の予定です。
—以上八月十四日—
中島　智子　脚本を書き演出のお手伝いをした「たなばた」—養老施設の人々—が完成しました。記録映画の難しさ、その意味の深さ、その可能性の大きさを体験し、小品作らい勉強になつたと思つています。
樋口源一郎　岩波映画で「大井川」に取組んでいます。

のは、テレビのCMについて位で、本格的な短篇では未だ半人前だと云うのがいつわらない現状である。
テレビのCMはテレビが始つてから一年位で、会社の都合もあつてかまかされる様になつた。これも勉強だと思つてやつている中に、二、三分のCMに毛の生えたものをやり、二年前から、会社とスポンサーの都合で、東京ガスの「豊州工場の建設」と云う工場の出来上るまでの記録映画を、それまでの助手兼進行係を補充されないまゝに引き受けるはめになつた。その為かどうか、どうも現場の仕事がどうも「ダンドリ屋的」になつて、本質的なものを見失なつてしまつた様である。目につく現象ばかり追つて、これでは不可ないと気がついたのは、仕事も終りに近ずいていた。それを又、編集仕上で何とかごまかせないかと思つている中に、身体の調子がおかしくなつて、そのまゝずるずる他人様にお目にかけるも恥かしい様な作品をでつち上げてしまつた。唯素材の面白さだけで何とか三十分をごまかせたと云うのが現在のいつわらない実感である。元来怠け者に出来ている私に坂つては、仕事の始まる時にチャンとした心がまえでケジメを付けなければ、作品がそれをそのまゝ反映して、作家でなくて、サラリーマンとして仕上げる様である。そうして作品自体については、それ程の感慨が残らず、その過程における裏話的なものが、ミーハー族の話題の様に残るのである。これでは不可ないと感じた時は、自分に取つて、又とない絶好の機会を取り逃がしていて、相も変らぬテレビのCM作りに追われる悲しい存在になつていると云うのが現在の私であつて、とても一本立ちと云えたものではないと思つているが、企業に属している者の、時におちいり安い穴ではないかと思つています。
これから先き、又何とか、新しいチャンスをあたえられる様に勉強をし直し、改めて、一年生として出直したいと思つています。

「集団就職」雑感

森田　実

三月の末、新潟県高田から集団就職者を乗せた夜行列車の中。ー
大きな希望に胸を脹まして飛び込んでゆくには、余りにも残酷な車内の混乱振りの中から少年少女達の社会への第一歩が踏み出され、我々の仕事もこゝから始まつた。彼等の挙動は修学旅行のそれとは違つて、キャメラや、ライトの光などにはなんの変化も見せられない程真剣な表情だつた。
あくる日、玉川商店会の合同入所式が終つてから店主に連れられて谷店へ、家族や先輩達と始めて顔を合せる。キャメラは、そんな彼等を次々に追つて行く。とても芝居でやれる雰囲気ではないし又それを上手くやらせる自信などまつたくない。唯次々と起る現象に追つかけられその事丈で頭が一杯の誠に悲しい監督だ。
一週間の合同教育が終ると商店会の好意で幹部のパンヤさんの二階が我々の宿舎に決まつた。
こゝを基地にして夜昼新店員の生活を眺め、各商店の店主に新店員の模様をあれこれ聞いたりして出来る丈網を拡げ、情報を得る事に努めた。
四月の半ば頃からぼつぼつ色々な

ー以上八月十五日ー

飯田勢一郎　東京電力TV映画製作中、三分半とは云え一週一本のプログラムピクチュアなので追われています。

韮沢　正　新東映画社の「たのしいはり絵」が終つて休む間もなく原水協の記録映画に参加しました。

長野　千秋　病気治療のため、一ケ月の予定で横須賀病院に入院中。白衣の美女多数に看護されています。

吉見　泰　東京シネマで仕事をしています。

西沢　周基　中日ニュース映画社で仕事をしています。

入江　勝也　読売映画社で仕事をしています。

頓宮　慶蔵　次の仕事の準備をしています。

谷川　義雄　三井芸術プロで仕事をしています。

徳永　瑞夫　目下在京中。共同映画社で仕事をしています。

大久保信哉　たくみ工房で仕事をしています

岩佐　氏寿　次の仕事の準備をしています。

岡　秀雄　八月末限りでフリー

問題が起きて来た。

職種を変えたいと云うもの、東京の叔母さんの家で水商売をしたいと云いだす女の子。先輩店員にいじめられて居づらいと云う子、はては自殺未遂まで出て来た。しかし、この問題だけは我々撮影スタッフには誰れも知らせて呉れなかつた。若しこれを知つたとしてもとてもキヤメラを向ける気にはならなかつたろうが――。

話によると学年末に就職の件で受持の先生に色々相談した際、彼女の実家の複雑な家庭の事情を汲んでか職業と自立生活と云うものに非常に安易な解答をしたらしく、後から面接に行つた商店会の選考委員の人のそれと大変な違いがあるのを知つて大分迷つたし実際その為にパーマネント屋へ就職したものは最初の四人が二人に減つてしまいその中の一人だつた。

彼女も他の二人と同様、きめ先生と商主の反する二つの意見を聞いて色々とかんがえ悩んだらしいがやはり信頼していた先生の言葉を信じて上京して来た。ところがそれ程世の中は甘くなかつた。と云つて今更、商店会の役員に相談も出来ず思い悩み万策つきてこんな事になつたと云う。これはほんの一例にすぎない、一般的に非常にうまくいつていると云われている「集団雇用」の裏にも未だまだ色々解決すべき問題が含まれている

商売繁盛は店員の質的向上にかゝつているとわかつていても、小企業では優秀な店員は集まらない。何んとか其れを打開しようと四苦八苦する。煎じ詰めれば自衛手段としての集団雇用だ――。

二ケ月程経つたある日この道へ入つた少年達の素直な意見を撮影したいと、一夕会合を持つた、席上さすがに店主達が居ては、意見らしい意見も出なかつたが、帰つた後であるクリーニングやさんで働いている少年は「ドライクリーニングをして呉れと云われた客に水洗をした洗濯物をドライですと嘘を云つて持つてゆかねばならない時、これが商売と云うものかと思うと悲しくなる。この時の気持が一番つらい」と云つていた。ある少年は又中学校の職業と云うものに対する教育が余りにも生温く地に着いていないとも云つていた。少年少女達は昔の小僧女中と云う観念ではまつたく通用しない。彼等は特有の鋭い目で社会を見自分なりの批判もしている、「集団雇用」と云う問題は単に人をかり集めると云う手段から一歩前進し、世の中の人々が彼等を暖かい目で見てやる事は勿論、店主自身、先づ正しい商道を身を持つて示し彼等を心底から薫陶せぬかぎり「集団雇用」も無意味にちがいない。

その意味でこれから先の彼等の成長振りを、フイルムは通さなくともじつと見つめていきたいと思つている。

暑中お見舞申しあげます。

教育映画作家協会

☆平和友好祭ニュース

富沢幸男代表帰国す！

モスクワにて開かれた平和友好祭に映画部門代表として出席していた同代表は去る二七日帰京した。

になります。

高井　達人　三井芸術プロで仕事をしています。

木村荘十二　「うなぎとり」（歌舞伎座プロ）を完成しました。

田中　喜次　電通映画社で仕事をしています。

川崎　健史　彦根市にて仕事をしています。

豊田　敬太　東映教育映画部にて仕事をしています。

菅家　陳彦　次の仕事の脚本を書いています。

片桐　直樹　原水爆禁止世界大会の記録映画の仕上げをしています。

加藤松三郎　日映科学映画製作所で仕事をしています。

岩崎　太郎　芸術映画社の仕事をしています。

かんけまり　原水爆禁止世界大会の記録映画の仕上げをしています。

高島　一男　理研科学村上プロにて仕事をしています。

丹生　正　日映新社「大地の子」北海道ロケ中です。

京極　高英　岩波映画製作所にて仕事をしています。

富沢　幸男　第六回世界青年学生

契約者ギャラ基準改訂について

去る三月の臨時総会において、ギャラ基準の改訂の要請が提案され、全会一致で可決しました。

総会の決定にしたがつて運営委員会は、ギャラ基準改訂特別専門委員会をつくり、同委員会によつて原案が作製され、運営委員会との間に数次の検討をなし、今回、左のような改訂基準を発表するにいたりました。

※

基準改訂についての算定のよりどころは

(1)、現在までのギャラ基準は五五年初めにきめられたものであり、その後三年間の間に、経済的、社会的なうつりかわりは御存知のようにはなはだしいものがあります。まず第一にこの現状に即することであります。

(2) 具体的な算定においては、旧基準額が一定額をしめしていましたが新基準額は旧基準額をもとにしてある幅をもつた基準額をだしました。それは作品の内容、製作条件のちがい、又作家の経歴や技能、或は社会的評価など契約当事者間の相対的な条件によつてギャラの決定がおこなわれますのでフレキシビリテイをもたしたのであります。

(3) 演出、脚本、シノプシス、構成編集の基準額と助監督料の基準額を別部門としてあつかいましたのは助監督の仕事を一つの職域職種とみなした方が契約する上に解釈がはつきりすると思つたからです。

ギャラ基準内規

(A) 演出料

○二巻までの基準（契約拘束四五日を標準として）

十万円乃至十五万円以上（手取、以下同じ）

○三巻より四巻までの基準（契約拘束四五日を標準として）

平和友好祭（於モスクワ）に出席し、二十七日に帰国しました。

渡辺　正己　東京シネマにて仕事をしています。

新田　宗俊　オート・スライド・プロにて仕事をしています。

中島日出夫　理研科学村上プロにて仕事をしています。

豊富　靖　産業映画プロにて仕事をしています。

杉原　せつ　待機中です。

尾山　新吉　三井芸術プロにて仕事をしています。

岡野　薫子　次の仕事の準備をしています。

北　賢二　凡プロダクションにて仕事をしています。

近藤　才司　桜映画社にて仕事をしています。

大沼　鉄郎　東京シネマにて仕事をしています。

山添　哲　東映教育映画部にて仕事をしています。

山岸　静馬　日本短篇映画社にて仕事をしています。

伊豆村　豊　待機中

松崎与志人　東松山市に帰省中

小野寺正寿　全国農村映画協会にて仕事をしています。

米山　彊　原水爆禁止世界大会

十五万円乃至二十万円以上
○五巻以上の基準
二十万円以上
▽オーバー・ギャラは基本契約料の三十%以上とする。また、長期間のものについては前記の基準にもとづいて話し合の上決定する。

(B) 助監督料
○一巻より二巻までの基準（契約拘束四五日を標準として）
三万円〜六万円（手取・以下同じ）
○三巻より四巻までの基準（契約拘束四五日を標準として）
五万円〜十万円
○五巻以上の基準
七万円以上
○日当計算が適当な場合
一千円〜一千五百円以上
▽なお経験年数や技術の浅いものは別途話し合いの上決定することがある。
▽オーバー・ギャラ、および長期間のものについては、演出料のさだめに準じる。

(C) 脚本料
○二巻もので八万円以上（以上の場合は一巻当り四万円）

(D) シノプシス料
○一万円以上（但し巻数および内容によつては脚本料に準ずる。）

(E) 構成編集料
○一巻当り四万円以上

の仕上げをしております。
馬場英太郎　次の仕事の準備をしています。
盛野二郎　英映画社にて仕事をしています。
小泉　堯　岩波映画製作所にて仕事をしています。
道林一郎　理研科学村上プロにて仕事をしています。
小森幸雄　待機中
石田　修　次の仕事を考えています。
竹内　繁　待機中
衣笠十四三　次の仕事の準備をしております。
柳沢寿男　次の仕事の準備をしています。
川本博康　三井芸術プロにて仕事をしています。
下村和男　待機中
厚木たか　次の仕事の準備をしています。
岩堀喜久男　理研科学村上プロで仕事をしています。
竹内信次　次の仕事の準備をしています。
小谷田亘　岩波映画で京極さんの助手をしております。
松本公雄　「農村のどこかで」（桜映画社）の助監督をするこ

私たちの考え

—ギャラ基準について—

助監督部ギャラ委・幹事会

本紙に発表してあるギャラ基準の決定↓に落着くまで大分時間がかかりました。そのために協会全体の基準発表をおくらせる結果になりすみませんでした。はじめは漠然と、こんなにとれればいゝなあという数字から始まり、だんだんに皆で検討していくうちに現実に即した実行出来そうな案に近づいたのです。協会の運営委員会や演出の方々の意見、注告をお聞きした上で当ギャラ対策の委員達の意見をまとめたものです。

ギャラの基準を改訂する必要については助監督部の一同異論はありませんでした。一つには旧基準が現在の経済的情勢にシンクロしないことと一つには旧基準を作つた当時と今とでは、助監督部の構成内容が推移していて、協会結成時代の者は多少なりとも年期が入りもはや助監督部の中での旧人に属すようになり、また、経験の少ない新人の層が部会に入つてきているためです。それで、旧来の基準をそのままプロダクションに掲示すると安すぎたり高すぎたりのちぐはぐが実際起つていました。ですから今度の基準ではそこに幅を持たせ、仕事の性質種類や当人の経験年数や得手不得手によつて適宜決定出来るように考えました。

特にフリーのギャランテイは、他の団体の助監督との、また企業所属の人々とのバランスが難しいので、その方面も調査しました。企業では経験年数三年位の人が、諸手当を含め月平均手取りで二万円強でした。フリーの者がこれより法外に高い基準を立てれば勿論プロダクションでは契約してくれず、また安すぎては企業の助監督の給与を引きさげることになります。最低生活費を割つてダンピングし合うことのないように企業の会員とのバランスを考慮に入れました。

フリーの助監督が持つている産業予備軍的性格は、基準を立てたからと言つて早急に解決する筈のものではなく、この点については今後とも企業会員との交流を深め話し合つてゆく必要を痛感します。

新しい人々にとつては、仕事を覚えることと仕事の場を獲得することが、鶏と卵の関係ですから、フリーの中でも特に不利な条件です。この場合は協会とプロダクションのお互の理解によつて、特殊な新人育成のケースとして取扱いたいと希望します。

基準が基準であるためには、それが能う限り守られなくてはなりません。だから今までの契約成立の経験から見て夢物語り式の基準ではしようがないので、新しい基準と云つても現実性と同時に亦その可能性を大きくしていく見通しも必要でした。ただし、契約というものはあくまでギブアンドテイクですから、ギャラはとれるだけ取つたがその一本で愛そをつかされる、ということは避けなくてはなりません。残念なことに今までそういう事がなかつたとは言われな

とになりました。

稲村　喜一　病気療養中です。
相川　竜介　甘木市に帰省中
中川　順夫
中川プロダクション
石本　統吉
日映科学映画製作所
樺島　清一　西本　祥子
日本視覚教材KK
村上喜久男　理研科学映画KK村
上プロダクション
平田　繁次　吉岡宗阿彌
長井　泰治　諸橋　一
日本アニメーション映画社
中村　敏郎　山口　淳子
落合　朝彦　大峰　晴
日本映画新社
西浦　伊一　綜合映画製作所
水木　荘也　三井芸術プロ
上野　耕三　秦　康夫
田中　舜平
記録映画社
本間　賢二　東映製作所
松本　治助　大野　祐
電通映画社
高綱　則之　学習研究社映画部
高見　貞衛　大場　秀夫
日本記録映画社
八幡　省三　東京シネマ
吉田　和雄　神奈川ニュース映協

いので、これからは改めたいと思います。

フリーの助監督は失業保険その他の社会保障がないのですが、それにもまして一本になる機会が全く保証されていません。

その意味では、当助監督部会のフリーの人々が流れ者の職人ではなく作家になろうという熱意を持つて勉強していくグループにならなければならず、プロダクションとの関係も、従つてギャランテイの決め方もそのことを反映するものにしていきたいと考えます。

演出家と助監督のギャランテイは演出家のギャラが大きくなれば助監督のそれも多くなる、というような機械的なものでは決してありません。しかし、製作条件を良くしていくことはどのスタッフにとつても実質的に有利な事であり、助監督としてもその事に努力しようと思います。まして、ひと頃のように、演出家であれ助監督であれとも角喰えさえすればいゝという条件から、一時的にもせよ脱して作家の権威が高まりつゝある現在、それに照応したギャラを演出家が獲得するよう努力して頂きたいし、それにつれて助監督を含めた演出部の重要性をまわりに認めて頂きたい。そして更に、こゝの助監督がその重要な演出部の一翼をになう力が十分あると誰もが認めるようにしていきたいと思います。

中央区原水協 発足す

かねてより設立準備をつづけていた中央区原水爆禁止運動協議会は、さる八月六日（火）、第一回創立総会を京橋公会堂において開催し、正式に発足する運びになつた。当日は当協会より代表として杉山正美氏が出席した。

総会は、中央区内の各種団体が参加して、規約の承認、こんごの運動方針、および、予算の審議などが行われ、満場一致でこれを承認したのち、次のような大会宣言を行なつた。

なお、当協会は加盟団体として、また協会より野田真吉氏が理事として参加することになつた。

宣言

人類の滅亡を招来する原水爆の実験は、今や現実の惨禍と哀愁を永却に死相に釘づけようとしている。暗黒と不安、不幸の恐怖は全世界の科学者もまた証明しているところである。

実験による放射能の雨、死の灰によつて、限りない脅威を子々孫々の上にまで受けなければならないとは、果して真理探究の成果としてゆるされなければならないことであろうか。

果然、世界をあげて、米、英、ソの相次ぐ原水爆実験に、はげしい憤りと抗議が燃え上がろうとしている。

世界に於いて、始めて原水爆の惨禍に悩む我々国民は、この人類の最大不幸を永遠にこの地上から抹殺する為に、世界人類の総ての人々に、この原水爆禁止を力強く訴え、共に手を携え、国民運動へと推進する大いなる力の結集がなされなければならない。

先に我ら中央区民は、原水爆禁止の署名運動を展開し、三〇万の署名を得、この熱意が燃えて、今日

羽仁　進　坊野　貞男
吉田　六郎　時枝　俊江
高村　武次　各務　洋一
秋山　矜一　田中　実
黒木　和雄　肥田　侃
岩波映画製作所
富岡　捷　島内　利男
清水　進　田部　純正
新理研映画株式会社
中村　麟子　清家　武春
奥山大六郎　下坂　利春
日映科学映画製作所

（左の方々は原稿の〆切までに詳しい動静が分りませんでした。ぜひ、連絡をしてくださるよう頼みます。）

秋元　憲　森永健次郎
小野　春男　平野　直
原口　光人　真野　義雄
玉上　義人　岡野　[illegible]
中江　隆介　坂田　邦臣

（会員総数　一六九名）

（動静おしらせ用のはがきは、必ず期日までに御返送下さい。会員の動静が、よく分つていないと、事あることに、事務事局が困つてしまうのです。）

の結成と発展して来たのである。

我々は、党派を超越し、あらゆる立場を払拭し、世界恒久の平和と、人類の幸福を守るために、原水爆禁止を目指して、全国民の力を結集し、この運動を最後まで強力に推進することを、大会の名において誓うものである。

右宣言する

昭和三十二年八月六日

中央区原水爆禁止運動協議会

委員会だより

七月第二回運営委員会

七月二十六日（金）午後六時

出席　吉見、丸山、野田、原本、吉岡

▽原水爆禁止世界大会記録映画について

日本原水協より、右の映画製作についての協力方要請があり、討議の末、製作に米山彊、演出に野田真吉、かんけまりの諸氏を派遣することになつた。（同映画は、同大会の終了とともに撮影を終えて、目下編集仕上げ作業中で、近日完成する。）

八月第一回相談役会

八月九日（金）午後六時

出席　吉見、菅家、加藤、丸山、大沼

▽懸案のギャラ基準改訂案が、数次にわたる検討の末、ほぼ決定に近づいたのだが、発表の直前に至つて、助監督料の部に問題点が発見されたので、その話し合いを行なうために、この相談役会をひらいた。話し合いの末殆ど了解がついたので、助監督料の基準案の決定は、次回の助監督部会ギャラ委の決定に委せることになつた。（その後、この件は八月二十二日夜に決定し、本紙上の発表に至つた。）

新入会員

勝田光俊　北区西ケ原町三ノ三九斉藤方（新理研映画株式会社所属・助監督）昭和九年生。昭和三十一年東大工学部卒、三十二年新理研映画入社現在に至る。

二瓶直樹　北区中里町四六一（新理研映画株式会社所属・助監督）昭和八年生。昭和三十一年早大文学部演劇専修卒。新理研映画に入社現在に至る。

☆住所の移転

羽田澄子　藤沢市鵠沼六一四四へ転居

小谷田亘　都内南多摩郡由木村堀之内一四六へ転居

重沢正　港区青山北町四ノ六九川中方へ転居

徳永瑞夫　（在京中の住所）新宿区戸塚町四ノ七七九三木方TEL（三六）二四三六

編集後記

☆八月の連日猛暑のせいばかりではなく、原稿のつごうで発行日が二三日おくれたのは申訳ありません。とにかく暑いです☆その暑さの折から恐縮ながら、巻頭言はまたまた会費未納による運営の危機を訴える。いいたくもききたくもないことながら、なんとか心しておよみいただきたい☆いよいよ懸案のギャラ基準料改訂が本号で発表[illegible]！。再三審議されただけに、われわれとしては穏当と思うが、その実現にはやはり個人個人の実力にまたねばなるまい☆会員相互の親ぼくはむろん、対プロダクションPRの一つでもある各プロデュウサーとの座談会第一回は石本岡田の両氏にモノをきき、今後ともつづけたい☆ほかではギャラ改訂に対する助監督部会の解説。前号で好評だつた新人作家の言葉は西本、杉山、森田実、松本治の四氏またそれとは別に長野君の「科学映画の夢」は新人にはめずらしい労作である☆あとは例号記事だが次号からは発行日を早めて、毎月二十日位にしたい予定。（加藤）

1957・9・25

教育映画作家協会々報

No.29

教育映画作家協会
東京都中央区銀座西8の5日吉ビル4階 TEL(57)2601

教育映画作家協会はなにをする所か。

作家協会は何をする所か。今ごろこんなことを言うと、今さら何を言うかと憤がいされる向きもあるでしよう。

所が案外このことがはつきりしていないように思われるのです。

最近再び協会財政の危機、ひいては運営上の危機に遭遇してみて、この案外はつきりしていない問題にも危機の一つの原因があるように思われてなりません。

例えば協会は作家の生活を守り合う所だと言います。そしてギャラ問題を中心にして協会は御承知のような活動をしてきました。しかしそれだけでは作家の生活は守りきれてはいません。

その点に就ての不満が会員の中にないとは言えません。けれど、ギャラ問題だけで作家の生活が守りきれるものでもありますまい。

仕事のあつせんに就ても、協会が作家を守りきれているとは言えません。協会の現在の位置と力とで仕事のあつせんが完全に行くとは考えられません。

こうしたことはほんの一例で、協会のやつていることで満足なものは一つもありません。なにか頼りなくて、直接自分には余り利益にならないという不満が会員の中に醸成されていないとは言えません。

こゝでこういうことを言い出したのは、協会のやつていることがすべて不充分なのは、現有の力では当り前なのだから、完全な成果を性急に求めないで力の蓄積を待つべきだと言つて、たかをくくろうというのでは決してありません。

ただ問題なのは、協会への期待—言いかえれば、協会はなにをする所かということに就て一人一の考えがまちまちで、協会を構成し組織する中心思想に就ての討論と統一的理解が不足しているのではないかということです。不充分でも今までの努力はすべて勿論つゞけねばなりませんが、協会の中心的性格をハツキリ討議してきめることが必要ではないかと思います。そして、それを中心に集まつているのだという確信が必要だと思うのです。それがないと運営は右往左往するし、会員の中には思つたような直接の利益が薄いということで失望する人も出るというものでしよう。

委員会は、月々重なる財政出血—未納会費の滞積による出血の対策として、九月は糊塗的ながら、「これを最后の借金」で月を越すことにし、十月からは運営上の基礎的な対策をたてなおそうとしています。

この基礎的な対策の立てなおしを、単に財政上の立てなおし策に終らせず、協会運営上の根本的な問題として考えたいと思い、以上のような点に触れてみましたが、協会の心棒を強くうちたてるにはどうしたらよいか、みなさんもどうか、御意見を寄せて頂きたく切望してやみません。（運営委員会）

プロデューサーにものをきく会　第二回

「プロデューサーの方々と、われわれ作家とが、いろいろと話合いをして、その中から得たものを、お互いの今後の仕事の中に役立たせていこう、ということで、先月から毎月二人づつのプロデュサーの方々にお出でねがつて、この「プロデューサーにものをきく会」をひらいております。今月は二回目です。ゲストは三木映画社の三木　茂さんに、記録映画社の上野耕三さんです。司会を丸山章治さんにおねがいします。」（菅家事務局長開会のあいさつより）今回は、さる八月三十日、浜離宮庭園芳梅亭にて、午後六時より約二時間にわたつてひらかれた。出席会員は十名。数は少ないが、談論風発　―　。以下は、その談話記録であります　―　。

（会報編集部）

丸山　作家にものをいうということで、できるだけざつくばらんに意見をいただきたい。三木さんがいちばん作家に対して文句があることはたしかで、まず三木さんから作家に対してのプロデューサーの注文ということから口火を切つていたゞきたい。

三木　自分から今の教育映画がまず考えてみなければならないのは、大変いま間違つて進んでいる、道を違つてきている気がする。教育映画は戦前大体自主作品でやつたが、戦後上映なんかで締出され、苦しい茨の道を歩んできた。その時にはPR映画で立たなければならなかつたが、現在でも自主作品は困難で、日本で七百何本作られている教育映画の中で、百本に満たない三十何本かがそうなつてきた状態の中で、教育映画の成立というものは容易でない。作家諸君もスポンサーぼけということを平気でいつて麻痺している。そういうPR映画になれて、本来の作家というも、自分でものを作りたいということに、さてわれわれが何を作りたいかと聞いても、自分の色彩にそつたものをこなすだけの力ができていないのじやあ、作家というものは何をしているか、広告映画のお先棒をかついでいる。そういう中で自分が何をやつていつたらいいかという理想が聞いてもすぐ出ない。それほど僕は失望を感じている。それで僕は作家がそういうふうにいまなつている原因というものが、デッサンが非常に足らない。僕は劇をやつているからいうんじやないが、劇の素養が非常にない。技巧として劇を見ていて内容的に見ていないということが感じられる。これは大勢の中でそう考えられる。それから着物がこういうふうにできるとか、そういうことはうまくまとめるが本筋の教育映画の作り方、実際面に非常に力量不足だ。作家に聞きたいのは、この前、石本、岡田両氏のあれで出たんだろうが、何を一体考えているか、何を作りたいか、聞いたら答えてもらいたい。私は金は持つていないが、そういうものを作り得る素地を持つている。自分が共鳴したらそれは必ずやれる。作者として当然持つていなきやならぬものをお持ちか聞きたい。宣伝映画製作者の集り、広告映画のお先棒をかついでいると痛感している。肝心の作家という精神を稀薄に感じている。

丸山　何か三木さんに質問したい人は・・・・

三木　これはキャメラマンも一緒ですよ。キャメラマンも極端にいつてそうですが、戦後使われたのでキャメラマンもいないんじやないか。デッサンのしつかりした人はやつぱり二、三人しかいない。これじやいい教育映画ができるはずないじやないか。

丸山　それについて上野さんはいかゞでしょうか。

上野　いまの作家も、われわれの方のプロデューサーという意味がよくわからないが、製作者連盟の連中とわれわれを差しているらしいが、大体プロデューサーといつたつて、製作、進行だと考える。プロデューサーは今三木君が作家に対していわれたけれども、いわゆる演出とか脚本、キャメラマンとかそういう技術者を集めて、こういう映画を作ろうというのが本当のプロデューサーで、販売関係はこうするとか、技術者を集めることからやるあれだと思う。僕は大体においてはそういうプロデューサーはあんまりいない、何か枠でも大きくきめてもらえばいいがその範囲内で何とか間に合わせをしたい・・、そんな定義はどうでもいいが、三木君がいつたことは作家だけではなく、そうしてそうだ、三木君はデッサンの場合そういう勉強が足りないといわれたけれども、たしかにそうだが、やつぱりたゞ勉強が足りないだけでなく、そういう状態にあるんだ、僕はそう思つている。最近は少し変つたけれども、とにかく死なないで生きてゆく為にはどうするか、めいめいがその人の全能力を発揮して死ぬのを免れるというのが、戦後の大体最近までの状態だつたと思うが、そういう中でも立派な人は心がけをちゃんともつてやつているけれども、それを多くの人にそうでないからけしからんということは無理じやないか。僕なんか自分自身にいつてみて、だからやつとその辺にあるということをまず認識して、だから仕様がないんだということでなく、そういう中でみんなが没落しないで、不自由な中で少しでも三木さんがいうような目標を見失わないで、お互いが助け合つてやつてゆこうという、そういうようにゆかなければならぬと思う。それからこの協会というのは僕らが企画したんですよ、僕らといつても島本というあなた方の仲間だ、それから中村、あれは劇の方にいつたかな、その人達でそういう話をしておつた。それがいつの間にか、いろいろいきさつがあるけれども、追ん出されたような形で、僕は吉見さんに文句いつたことがあるが、それはどうでもいいですが、現在は入れてもらつたけれども、その精神は僕らはそういう気持だつた。それで僕は特にその場合に、そういう前提をまずはつきりして、今後プロデューサーと作家という、一種の対立感情でものを見るということは、分析して見ることは一寸間違いじやないかと思う。これはどつちにしても経営者、金を払う方と払わしめる方はこれはどうしても矛盾する。会社が大きくなると個人差はない。経営の担当者は、その人は絵心があつて、音楽を愛好して、人情があつても、そういう面を出したら、経営は結局でさない。われわれもそういう要素が非常に多い。例えば中国の場合もいい例になる。デッサンが足りないのでよく分らないが、所有者と農民なんか似ていると思う。農民は生産手段を持つている、それと似ている。その分析を今短い時間で研究してゆく暇は持てないが、今現状を見ると、今三木さんが言われたことに関係してくるが、分析はできないにしても、こういう困難な状況の中でもいいものを作つてゆくということが、これが目標です。その場合に今言つたようなことを努力されているかどうかということから違つてくる。その為には今言つたことを分析することが必要だ。結論だけいえば大企業と質が違う。教育映画には大企業はないが、二、三年前からいつ

会員の動静

竹内　繁　最近少々遊び過ぎまして困つています。仕事がありましたら御世話願います。

桑木　道生　折角契約一歩前まできていた仕事がだめになりました。考えていた仕事は依然続けて準備しています。

―以上八月三十日―

入江　勝也　技術映画のシナリオ執筆中（新理研）つづいて科学映画演出（読売）します。

樺島　清一　例により学校教材、理研映画体系作品をてがけています。

丸山　章治　三木映画「誰かがやるだろう」二巻、やつと脚本が決定し、九月クランクイン、十八日頃までに完成予定。強行軍です。自主作品というのは責任が重くてまつたく息がつまりそうです。早く終りたい。

大野　祐　ＰＲ作品の企画資料集め、千葉のＰＲの仕事で県下を三日間にわたつてドライブしました。次の仕事にプラスにな

ていたが、その頃からよくいった、何か、使用者側が金を支払う側によつては思惜主義とか博愛主義とかいろいろあるが、変つた芽が出て来たが、そういう面があると考えるので、これは一つ大いに後で研究してもらいたい。それでむしろ協力していかなければならん面が沢山ある。それが今日の話合いにしても、三木さんがいわれたことを僕は根つからほじくることをしたが、僕がこういう話をするのも意味があると思う。そう思つている人もあるし、どうせ何か一緒のものじやないんだという考え方の、特に若い人も非常に多い。さつき協会におつて持ち出されたそういうことでなく、何か三木さんがある主体的な案を持つて作るといつたらないじやないかという、そういう具体的な話をできるようにもつていくようにすることが必要だ。いろいろな外部の人なんかでも、今の僕がいつた分析が正しければ、そういうことにあるんだから、やつぱりあなた方が指導的な立場に立つてやらなければ、製作者連盟で、僕は最初一年間理事をやつたが、無理だ。あなた方が中心になつて引張つてゆくべきだ。その場合に年寄なんかにまかしていてはそういう空気にならない。つまりそういう原動力みたいになつてほしいし、なり得るんじやないかと思う。

三木　僕はちよつと聞いていて、上野さんのいろいろ言つていることがよく分らない、おゝよそは分るが・・・、僕はプロデユーサーということを自信を持つていえる。これはおこがましい話だが、僕は金を集めてくる、そして作る、自主作品である。ＰＲ映画を撮つてゆくんじやない、自主製作だということをはつきり大胆に生かす、今多くの会社が撮つているけれども、果して自主作品で全部やつてゆく会社があるだろうか、僕は宣伝でなしに、演出、撮影全部やつてきた、自主作品で食いたいのが僕の念願だ。君達と僕は同じだ、期待するところは多いけれども、君達に期待するが、君達がそれを盛り上げてくれるとも僕は思わない、僕はそれに対して答える力があるだろうかということを言いたい。作家にそれだけのものがあるならばものを聞きたいよ。

丸山　三木さんが手袋を投げられた。

三木　みんなそれに答えてもらいたいよ、作家がいたら僕は聞きたいよ。

上野　話はだんだん横滑りするが、今の自主作品ということを三木さんがどの程度考えているか知らんけれども、その自主作品といつて、僕だつて一応作家の端くれとして、今でも作家でありたいということを考えているが、それは作りたいものはあるけれども、僕は自主作品はお金の面じや出ないから・・・。

三木　よその会社からタイアップしたり・・・・・・。

上野　会社は自主だけれども内容はいろいろある。配給会社とある程度タイアップしたりして作りつゝある。これは完全な自主じやない。僕の考えからいうと、いくらこつこつやつても非常に安い、一尺百円だね。そういうあれだからキヤメラマンが入れ替り立ち替りする。今、検察庁から金の出たスポンサー映画だが、スポンサー映画にもいろいろあるが、僕なんかものによつては棄権してやる場合もあるが、そういうこまかい話は別として、自主作品だから自分の作りたいものをやる、そうでない場合は宣伝みたいなものをやるると思つております。

田中　喜次　電通映画社で引き続いて仕事をしています。

ー以上九月三日ー

上野　大梧　村上プロ「土と作物」は「水田の土、畑の土」と改題。録音完了。引き続き「水田と窒素肥料」の残部撮影と整理にかゝり傍に「黒又川ダム建設」第二部のシナリオをかいています。

野田　真吉　八月は「原水爆禁止世界大会」の記録映画の仕事を手伝いました。九月は日映新社の地理大系「東海道、今と昔」の演出の予定です。

ー以上九月七日ー

苗田　康夫　「海明号の誕生」（日映新社）編集中、十四日録音。「潜函」（三井芸術プロ）調布映画のセットにて模型撮影中、十月までかゝりそう。

吉見　泰　東京シネマで「川崎重工」の脚本を書きあげました。

ー以上九月九日ー

水上　修行　もう秋だ早いとこ始めなければと思いながら未だ準備中。決戦をひかえて自重中。

岩堀喜久男　七月下旬完成予定がすつかり伸びて村上プロ「純水を求めて」二巻やつと九月三日

は考えない。大体配給社がスポンサーみたいにこれを売つて儲ける。これを買うのはどういうことだといろいろ考えてみると、スポンサーものの妙なものよりその方がわれわれやりきれる。僕は「オートメーション」をやつたが、これは僕の力が足りないで、ろくでもないものができたけれども、演出もやつたんだが、僕の方で作家的なものがあるならばデッサンの不足はカバーできる。僕のいうことは、いい映画を作るということで、自主作品を作つているからどうこうということは三木さんとは意見が違う。

木村　（荘十二）今の議論というのは大したものではないと思つている。自主作品だろうと、ＰＲだろうと問題じやない。それはやつぱり何を作るか、何を作りたいか、それがどんなにできたかということで、自主であつてもいい加減な考え方で、金もないのにやつてできたものは大したものでないというのですね。僕なんかどこかの大会社が金を出してくれて、製作がこつちの自由になる場合だつたら、随分力を入れるだろうし、いいものを作るだろう。自主だとかそういうことはそう気にしないで、とにかくよりいい写真を作るということは大切だと思う。

三木　それはそうだが、そういう中でいい写真が日本の教育映画の成果を高めたことは感じているよ。それは僕は自主だからいいんだ、スポンサーだからよくないといつているんじやない。僕だつて同じだ。多くの作家に、そういうプロデューサーがいた場合、使われた場合に、それだけにいいチャンスがあつた場合でも、やり得ない実例を沢山見ている。

木村　ＰＲの場合でもそうなんだろう。

三木　僕は、みんなは同じ立場から勉強していると思う、片寄つているよ。年歴というか、僕は劇のスタジオをふんできた人にかなわないと思う、そうでなくてもうまい人はおるが少数だ、大多数の作家と称しているもので失望することが多い。

木村　それは考え方が狭すぎる。君のデッサンというものをどういう面でいつているのか、お互い共通点に達しないと思うが、いろいろそこで内容を獲得したものはいろいろおるが、当然長所もあるだろうが、一面には大変に厄介な邪魔になつてしようがないものもあるんだ。

三木　それを整理したそうした人はいいと思う。

木村　一方では、けれども素直な、そういうものを経験しなくても、比較的それ以外の道でもつていろいろと勉強して、勝手にそれで皆いわば素朴な独創的なものをもつて持ち込んでいるものはいるし、僕は今の僕らの考えは大変自由に、皆がこうのびのびやりいいと思う。僕自身は僕自身で考えもあるが、うつかりすると、そう諸君はすべきだという意見に受けとられやすいが、おれはそうじやない、こういうやり方に共鳴する人はしてもらいたいが、他の諸君のことを否定的にはいまなれない。要するにいいものを沢山持つている。一部は大変そこに羨望を感じるものもあるが、非常に楽に考えているわけだ。そういう点で従来のおれにも持つていないんだが、僕は帰つて来てから去年から仕事を始めたばかりで、大きなことはいえないが、いろいろな仕事の仕方をしているんだが、態度としてみてですね、映画だけじやない、今の日本

録音しました。年にカラーのＰＲを二本、白黒の教育映画を一本と、個人的な製作方針を立てたのですが、どうも崩れそうです。半端なので九月はギャラの食い伸しで間に合わせ、教育映画の調査でもしながら十月からの仕事を探そうと思います。どうせ宣伝用のものであれ、やはり甲斐のあるものを選ぶ余裕がほしいものです。

―以上九月十日―

石田　修　読売映画社長篇記録映画仮題「民族の河メコン」を撮りに東南アジアへ（インドシナ半島）ロケにまいります。十一月一ぱいの予定です。

―以上九月十一日―

島谷陽一郎　三井芸術プロ「潜函」演補しました。日本写真新聞社「毒蛾」演出を終りました。

河野　哲二　「鳴子ダム」がおわりました。

―以上九月十二日―

八木　進　「わたしたちの発明工夫」（全二巻）完成。次回作品準備中。

小谷田　亘　岩波映画で仕事をしています。

の各所にわたつて経営とか何かが、中身でなくて外観を整えた形式主義というものが非常に強くて、その為に非常に本体を忘れてしまつている傾向がある。そこには大変すぐれているものもあるし、僕なんか感動を与えてくれるものすらその中にある。形式を通じて中身に感動させるんじやなくて、外観でおしまいになつている、そこに何か弱さがあるし、問題があると思つている。いろいろの美の探求そういうものにとまどいして、お互い理解し得ないのも、自分の形式探求みたいなものだと思つている。僕は大変僕自身が帰つて来て、諸君と仕事をするのに、自分自身若干やりたいものがあるが、それを理解して、スタッフ全体に理解してもらいたいが、おしつけたりするとなかなかできない。ほとんど僕自身は自分の主張というものを全くおさえつけて、今の諸君のそれぞれの形を諸君から学ぶようなつもりで仕事をしている。いろいろな情勢の中で楽にさせる。大変なまぬるい妥協的な仕事だと言われるかもしれぬが、その中から諸君から学びたい。一方それだけでなく、ぶらぶらのアクセサリーでなく肝心なものを学びたい。写真の流れとかつながりでなくて、何を分りやすくちやんと描くかということ、一応努力してやつてみたい。諸君は非常に古くさく、解放的な非常におくれた仕事をしていると言われるかもしれぬが、僕は三木君も知つているようにとんでもないことをやつてみたいんだ。今の僕は・・・。

上野　木村君自身は形式主義だ。

木村　僕はその裏返しした形式主義なんだ。形式主義だから反省して内容を重んじてやりたいという形式にとらわれてる。僕自身勉強して中身がないようで、いい加減だつたら自覚するわけだから、僕自身は今も命がけみたいな仕事をやつているわけだ。実際子供達に見せて、本当に僕達が対称としている子供達に素直に受けとつてもらえるかどうか、それからより強くより深く感動させることを発見してゆくこと。

上野　僕は一つ言いたいことがあつた。観客の話なんだ。これはその批評や感想を聞くんだが、これは一口に言つて映画的だ、映画的だと教育者がいくらいつても、それは映画にならぬとか、映画的にどうとか、絵のないものは入れられぬとか、これは教育映画ということに対して、これは三木さんの言われたことにも共通するが、作家側が受けてくれない。それで起つた問題だと思う。大ざつぱにはそうだと思う。僕はその点ではプロデューサーのわれわれとして研究したい。僕は人間が狭いから広い人とつきあいはしないが、何人かの人といろいろやつてみたい。それからこれは何回となく入れてくれと、涙をのんでいれるという、動くものならやたらに撮つてくる、これはこつちの指定した三倍から五倍撮つてくる、これは単純なことでないけれども、作家側からこれに対する答えが出ないということで、僕はかえつて不満を感じる、一つの映画を作る時に現場の協力がなければ映画はできないということはわきまえているが、今度農村にも行つているが、そういうことの大きなきつかけとなつたと思う。今度はカットを長くするということを今度は言つている。そういう面もある。しかし昨日までの悪人が仏様になるというものじやない。たゞそういうものの考え方が作家の側から出て来たというこ

西本　祥子　「役に立つかび」演出。他の作品の製作進行との兼ね合いもあつてすつかりおくれてしまいました。季節を取りはずしそうで、今懸命に追つかけていますが言葉は通じず中々思う様に撮れません。

富岡　捷　八月に北海道ロケに行つていました。来月もう一度参る予定です。仕事は農地開発機械公団のPR。

田中　舜平　現在記録映画社で働いております。

深江　正彦　「ひろし君の計略」（二巻）を完了。次回作品準備中です。

—以上九月十三日—

牧野　守　宝映画作品「愛は鉄窓を越えて」思いがけず時間がかゝりやつと完成しました。一寸ブランクになりましたので、その間懸案になつている本でもまとめたいと思つて腰をすえています。

永富映次郎　航空機（ジエット）を主体とした映画のシナリオ執筆中。

間宮　則夫　東京シネマで引続きいて仕事をしています。十一月一杯で完成予定。

とは、僕は今まで感じたものとして、始めてそういうものを受けたんだ。

木村　そんなことはないよ、何も。

上野　それは一つの気風としてそういうものが相当ある。これが大事だ。ある一人の作家がいつそうなつたとか、それはそういうものにじかに触れたので非常に美しかつたわけです。僕は前から映画というものは字で、フイルムにこれを印刷するんだ。劇的でなければいかんとか、芸術的でということはとんでもない。これを医学の方で利用したのがレントゲン写真であれでよく分ると思う。これは連続したフイルムが利用されたのと比較にならぬ、どれも大事だ。新聞記者がもつてゆけばニュース映画になる、そういつたからといつてわれわれの映画が軽蔑されるべきものじやない。うちで歴史ものをやる一年も前から教材と組んでいろいろやつているが、映画なんか忘れて教科書をやるといいと言つている。あれは教育者がやればいい。昔は文字を知らないと書ける人が一人いてそこへ持つていつて書いてもらつた。今のわれわれの映画が全部そうじやないんだが、大体そういう傾向がある。スポンサー映画はある会社の宣伝のところへ行つてくればいい。映画というものの歴史が浅く、非常に金がかゝる特殊なものであるところ、何とはなしにそういう空気が強い。それを利用しているわけだ。そういう特殊なもの、こういう文化があれば、すべて形のあるものを写すあれがあれば、映画をとつてきて、例えば医学の研究において、ある新しい手術の方法などを写して、地方に行つている外科の医者などは三十年も前から博士でいるわけで、それに映画を見せる。このように教育映画を生かす時、問題が現実となつて表れる。その時にわれわれの仲間はどういうことをやるか、映画は教室だといつているのに、何とかかんとかいつて教科書の映画を写してはといつているが、あゝいうものを撮つてみる理由がある。そういうものを勉強してほしい。三木君は視野が狭いと思う。劇畑から来た人についても、立派な人もおるし、そうでない人もいるし、あなたがいうデッサンという意味はよく分るが、しかしデッサンが大事だから劇でということは・・・・。

三木　劇映画を通つてこなきゃ駄目だということでなくて、今の映画の中で教育映画の作家ならびに技術者を含めて、やつぱりそういう人の方がうまい、すぐれてしつかりしているというのは、デッサンがしつかりしている。みんな一番好きなのは自己反省なんだから何を自己反省しているのだか、その見当がつかない。君達の好きな自己反省が何かというと、生活に結びつかずにやるというのは金を払う方ではついていけない、しつかりしてもらいたい。

木村　教育映画は芸術であつてはいけないという定義を下すのではない。

三木　一つは教科書だから・・。

上野　だから芸術であつてはいけないというのは間違いだ。

木村　芸術でなければいけない、芸術であつてはいけないは間違いだ。映画自身自由なんだから。逆にプロデューサー側が、芸術家ぶつてはいけないという言い方もいけない。芸術的教育映画を作りたいという意慾を持つている人もいるんだから、君達はそういう計画を持つた場合芸術的動機を必要とする。内容がいいならプロデュー

小島　義史　「建設すすむ火力発電所」（一巻）の演補、東京シネマにて従事しています。

西尾　善介「黒部峡谷」第二部ロケ中。

ー以上九月十六日ー

村田　達二　インターナショナル映画社で仕事をしています。九月末までで、あとはシナリオ・グループのことなど、雑務をやります。

加藤松三郎　しばらく以前より胃を抑えながら仕事をしていましたが、さる九月初めに診断の結果、胃潰瘍ときまり、五日に新宿若松町の国立東京第一病院に入院し、十日に手術を決行、潰瘍が三ケ所あり、それを切除したため、ついに、胃は従来の三分の一になりました。十四日昼より重湯を吸うようになりましたが、酸素吸入と輸血、注射をつづけており、経過は、まず良好。二十五日ごろ退院のち、あとは自宅療養をつづける予定です。（小高報）

肥田　侃　百科映画大系「卵からかえるこども」完成。ひきつづいて「トンボの生活」編集中です。なお「卵」進行中に、P

サーも適当な人が自然おるだろう。そういうことが原則だと思う。今の状態だと作家の側は、何か芸術家であると高いような、そうでないと低いようなあれがあるかもしれぬ。

上野　あるんだ。

三木　子供つぽいことだ、もうちよつと生長してもらいたい。

上野　金を払う立場だから云々というのは聞き捨てならない。

三木　僕は迷惑をかけている者もとんでもない者がいる。そいつはこつちがもらいたい。これが作家協会からくるとは、神仏を恐れざるものだ、これは驚きいつたものだ。払う方だからおれ自身も一生懸命やつているんだ。少くともわれわれは一生懸命になつて日本の教育映画、これはどこからも助けられていないんだから、これから先もそういうものに堪えて苦しみながらも、君達は安定しているんだから、そういうところに目を向けてもらいたい、そのことを言つているんだ。劇映画云々というのは取消してもいいよ。

上野　僕はむしろ反対なんだ、劇映画がかえつて駄目だ。

三木　邪魔になるのが多いのは入れてないよ、君達とは接触することが多いから、問題にしているから言つているんだ。とんでもないおやじだというかもしれぬが、おれの意見なんだからいいよ、反対意見があつたらそこから成長するんだ。

上野　劇映画育ちとかそういう区別はいかん、映画にはそういう多種多様のジャンルがあつてやつているわけですからね。昔は文化映画、戦後教育映画といろいろ言つているが、まだ可能性の問題なんだ。出来たものじやないんだ。何をやるのか、全然芸術と縁がないようだが、人を感動させる、そういうものがあるわけです。しかし何か劇だつても今そうだろうが、あるものはあると思う。ジャンル別のものがいろいろあると思うが、われわれがタッチしている仕事は可能性の問題だと思う。何か映画的なというような、シナリオの書き方を読んで書いたようなものはとんでもない話だと思う。

三木　僕は東宝のことに触れたんで、あの当時はPRということを考えていなかつた。みんなが作りたいものを、その企画を作り上げて作れた。従つて何かすぐれた作品が非常に多い。論争も非常にはなやかだつた時代だ。その時代から戦後殊にPRでなければ食えなくなつて、生活に追われたことが身について、みな反対の方向をとつて来て、明日のパンにも困るというような時代が今に流れて来て、それが今歴史的に混乱をもつて進んでいると思う。それを繰り返すことは、皆がパンのみの為にやつていた時と同じだ。そればかりが能ではない、それには一生懸命になつて肝心な教育映画の道にわれわれは進んでいかなければならない。

上野　そこをわれわれも作家の方も何故そうであるかを主観的にいつて、それは戦後の人間ばかりの問題じやないんだ。われわれと年輩の同じ人があるんだ。名前は言わないが、彼は非常に有能な人で今は食うことに追われているんだ。親友と言われる人からも忠告を受けたのだが、その人は女の問題がからんでいるが、僕はその人を今でも人の言う程、あいつは駄目だとは思つていない。いつてみなければ分らないが、いずれにしてもそういう困難な時をいろいろな人がそれぞれの生活なり、悩みを持

R映画「電話のつながるまで」のシナリオを作成。現在第二稿準備中です。

楠木　徳男　仕事待ち。

韮沢　正　「新東映画社」の「駅と生活」という仕事をしています。そのつぎに自主作品をやります。

三浦　卓造　日映新社で仕事をしています。

―以上九月十七日―

近藤　才司　桜映画社で仕事をしています。目下神戸にてロケ中。

大沼　鉄郎　東京シネマで仕事をしています。

岡野　殿　日本短篇映画社にて仕事をしています。

北　賢二　凡プロダクションにて仕事をしています。

尾山　新吉　三井芸術プロにて仕事をしています。仙台ロケ中

岩佐　氏寿　岩波映画製作所にて仕事をしています。

谷川　義雄　三井芸術プロにて仕事をしています。

丹生　正　日映の「大地の子」演出、北海道ロケ中。

日高　昭　桜映画社にて仕事をしています。目下神戸ロケ中。

岩崎　太郎　GES「緑のふしぎ

つて今日まで来ているんだ。それがこゝ一、二年はブームになつている。貧すれば鈍するで、これはお互いだけれども、今は一応食うことはある程度はそう心配しないですむのだから、こういう際に一日でも早く、行進曲みたいには揃わないが、できる人から一歩一歩出てもらいたい。そういう時期が来たと思う。一二年前は非常に大変だつたがもう違う、ようやくその時が来たような気がする。

三木　僕は自主とか何とかいうとまた語弊があると困るが、いいものさえ作ればその範囲などいらない。PRの中から作家という何があれば、作りたいものがあるならぱこつちから手を握りたい。

木村　作りたいものであれば、いわゆる作りたくないものを何とかまとめなければならないからというのでないから、本質的にまず表現方式が出てくる。そいつがないんだ。生活に困つてどうこういうのも問題だが、作品自身が魅力のないもので仕方なしに惰性的に撮つていればだんだん堕落する。

三木　惰性で撮つているもの、その中のものでさえもつといいものができるんじゃないかということが言える。それが見ていてないのが多い。

上野　商売人ならもつと研究してもう少しうまくなれそうだ。それを何かと弁解するんだ。相手が動かないからとか言うんだ。動かないやつを何とかうまくやるのが本当なんだ。これじやプロデューサーは張合いがない。

山本　（升艮）全部そうだということには意義があります。

三木　最大公約数ですよ。自主作品を作ろうという人は骨がある、というと語弊があるが、本当だ。

山本　スポンサーものと違うところは精神問題でしよう。

三木　精神の問題だ。

丸山　文字通り自分が主体になる。

上野　今まで一応努力はしたつもりですが、要するにまだ効果は出ないが、大体においてやつたわけです。

丸山　さつき上野さんがアナウンスを何故鳴らさないかと言う話があつたが、僕自身も今まで作つた映画もコメントを、あれ流すと、あれで説明することがすむ、それを説明するよりも表現することは非常にむずかしい。説明映画を作つてきたので、こういう絵を収めておいてコメントつけて説明すると一応分つちやうんだけれども、表現されてるのだと強く訴えてくる。そういうものを僕は作れなかつた。そういう映画を作りたい。そういうできるだけコメントを減らして表現する映画を作りたいという気持を持つている。

上野　コメントが説明だという考えがおかしい。コメント自身、何千年も昔から視覚があつて、大体動かないで人を感動させ得ておると思うが、むしろそういう考え方がおかしい。視覚と聴覚と生理的にいつてどつちがという問題があるが、コメント云々といつたけれども、映画的という形が動かなければという考えがあるが、とにかく作者になればいいというわけです。二巻作る映画で二十分演説を入れて十分は入れないと損したと思う。そういうようにいろいろあるんだ。そういうコメントで極端にいえば今はトーキーでサイレントじやないからコメントといえない。音楽も入れないである部分を絵だけで見せる場面もある。あるところは音だけでもつてこさえておいておく。

木村　視覚的のこととして必要だ。

終つて新理研の仕事に掛ります。

岡野　薫子　次の仕事の準備をしています。

赤佐　政治　産業映画プロにて仕事をしています。

樋口源一郎　岩波映画製作所にて仕事をしています。

徳永　瑞夫　共同映画社九州支社

豊富　靖　産業映画プロで赤佐さんの助手をしています。

清水　信夫　東映教育映画部にて脚本を書いております。

新圧　宗俊　オートスライドプロおよび日映科学映画製作所の仕事をしています。

渡辺　正已　東京シネマで大沼さんの仕事を手伝つております。

村上喜久男　理研科学映画KK村上プロダクション

松岡　新也　松岡プロダクション

頓宮　慶蔵　待期中

礒野　二郎　英映画社にて仕事をしています。

中島日出夫　理研科学村上プロにて仕事をしています。

桑野　茂　日映新社にて仕事をしております。

西沢　周基　中日ニュース映画社

水木　荘也　三井芸術プロダクション

表明が必要だ。こまかい絵を勘定しなきやいかんよ。

上野　黒い絵を出す。そういう形式の問題をも含めて書いているという考えでいい。

丸山　ロイドの喜劇にありましたよ、大変な表現だつたが・・・。

木村　見る人達に伝える為にはどうしたらいいかということが第一の問題で話は片付く。

上野　いろいろのものにこだわらないで、どうしたら内容を表現できるかだ。

木村　一人一人みんな違う。

上野　大体同じだ。僕は問題にしているところは同じだ。今言つているなるべく動くものを余計に、撮つている。そういうものは同じだ。

三木　作家に期待することと大ですよ。作家ですからね・・・。

上野　三木さんは昔のようにキャメラ一本でめし食う考えはないの。

三木　キャメラマンは損だ、安いよ、「挽歌」一本にしたつて宮島君で四十五万、僕で五十万、五十万もらつても困つちやう。今度はもらう方より払う方がいいよ。おれは技術はあるよ、だからそういつているんだ、技術のある者には、その人が働いてみなきや分らないよ。良かつたか、良くなかつたか、プロデユーサーはそれを買わなくちや、有能の人があつたら出してやりたいよ、そういう人を欲しいよ。キャメラマンも五十万じや、もうちよつとよくなつてからやりましよう。よく雨が降つているから写らないという人がいるが、雨が降つてもきれいに写るよ。おれはやれる時はやるよ、いくら商売とはいえそこまで良心は捨ててないよ。良心のないところは企業は育たない、自分の良心のおき方を考えてるよ、良心だけでも企業はつぶれる、最低限度の良心を考えている。

木村　おれは良心的であればこそ、時には我慢してこそ、それが明らかになつて出てくる。ある人達に何と言われようとそれが育つ、そういう仕事の仕方をしている。

三木　ところが下手な良心を振り回されても一番困る。キャメラ回したことがなかつたり、その人のいうこと聞いて大損している人がある。そこは良心がどこにあるかということだよ。それではやつぱり困るよ。

上野　良心的に撮るにはどうするか、疊つていては駄目だ、それが良心的に言つている、そういう単純なものが多いんだ。もう少し高い立場から考えることをわれわれは望んでいる。それだけ少しでも良心的な心を発揮しても一ぺんに駄目になる、一ぺんにではないけれども、最後のところはそういう気がする。

三木　今の企業はそういうところがあるよ。

上野　結論を出せば、形式的にものを考えることは、映画を作る場合のそういう点で、すべて内容から考えることがお互いがもつと大人になつてもつと見定める。

三木　今の実際の場合、キャメラがつながらない、つながらないというが、つながつちやうんだ、後でつながらないということでそうせざるを得ない。人にまかした場合、その人の技術まで侵すことはできないよ。心の中ではそう思つているよ。もつと本質的なものを疊つてもつながるということを見定めてもらいたい。

木村　日本の演出家の甘さは、そういう技術主義みたいなものに上下される、他の者あるいはプロデユーサーが損するとか、スタッフが日が長くてギャランテイーのあ

荒井　英郎　全農映にて仕事をしております。

京極　高英　岩波映画製作所にて仕事をしております。

富沢　幸男　八月二十七日にモスクワより帰国し、その報告事務などをしております。

大鶴日出夫　理研科学映画ＫＫにて仕事をしています。

前田　庸言　毎日映画社にて仕事をしております。

小野寺正寿　全農映にて荒井さんの助手をしております。

川本　博康　東京シネマにて竹内さんの仕事の助手をしております。

小森　幸雄　岩波映画製作所にて岩佐さんの助手をすることになりました。

衣笠十四三　英映画社にて次の仕事の準備中

柳沢　寿男　次の仕事の準備をしております。

厚木　たか　次の仕事の準備をしております。

下村　和男　待期中

竹内　信次　東京シネマにて仕事をしております。

松本　公雄　桜映画社にて仕事をしております。

れで損する。監督が自分の身の安全だという甘さがある。僕なんかもこれを乗り越えることは、自分だけが犠牲を払うつまらないという気持がある。そういう甘さなんだ。それから日本の演出家は批評家の受けがいいとか悪いとかで競争になる。分りきつたことだが、つながらないところをつながらなくつてもお客さまは一瞬だ、たゞ批評の中で乱暴な仕事をしているとかですぐこきおろす。それを若い人達もそれらを尊敬しているし、立派に思う。そういうことを考えてもらいたい。

三木　僕はジャーナリズムを軽蔑している。教育映画の中でも、特別に教育映画を知らない人が書いているよ。あれに断固として書いたんだ、実にもつと勉強してもらいたいとやつたけれども、批評家は実際ばかなことだ。それはどんなに道を誤らせているか、教育映画の道をあやまらせているよ。

菅家　予算を無視しても撮りまくることには、演出者のそれが野心作でもあるというように考えていることは、協会の仲間のことを聞いてみると、一概には言いきれない。やつぱりみんな話合つていろいろ聞いてみると、僕自身の問題をも含めてそう簡単に・・・。

三木　その時は非常に惨めになると思う。非常に惨めな状態に陥れられるよ、それはむろん同じだ。えてして現場にのぞむと、どうしても心の中で思つてもそうせざるを得なくなる、誘惑されちやうんだ。自分自身で枠をこしらえているから負けちやつている。

菅家　中国から最近帰つてきた吐夢さん（内田吐夢氏）が演出論で書いているのを見ると、演出家は条件を獲得することとあるが、いろいろ条件を考えてみると、最低の枠の中にあつてわれわれ自身仕事をして悩むよりも、それは三木さんに技術の人を含めて納得させることの方が苦労ですね。

三木　両方とも枠の中に入つているのをつきめけ、ようやくそこから新しいものが生まれるんじやないかな。

上野　今の最後の話で、惨めになること自体に問題がある。

菅家　自分達の通つて来た歴史的なものに感じますよ。

上野　ある革命なりを起した時にいろいろな場合において、惨めな感じを持つか持たんかということを直接に、全面的でないが関連を持ちますね。

三木　この薬は効きますという映画を作り、自分の考えでは効きもしない、そういう場合はちよつと違つた作品になると思う。百パーセントでなくある程度こういうものを作ろうという時に、作家の能力を発揮して作つて、一人でも多くの人に見せて感動させようと思う時、百パーセントまではいろいろな注文があるけれども、大体は考えもまとまるし勉強にもなる。この場合金がもし半分にということになると困る。十六が三十六かという話の場合、あの場合承諾したのは納得させる時間がしようがないと思つたからだが、あゝいうところにこだわる気持を持たないように常に勉強し、お互いにあれすることが必要だ。万年筆など立派なものでなければ書く気がしない、ぴらぴらなざら紙では本気にならぬ、それと一脈通ずることがあるように思う。

木村　マスコミということに引き入られた面がある。エゴイズムな問題に関連のあるものとして技術の問題が出てくる。自分の能力というものを百パーセント表現しよ

菅家　陣彦　日通の社員教育用映画の撮影にかかりました。

杉山　正美　東京シネマにて仕事をしております。

伊勢長之助　岩波映画製作所にて仕事をしております。

矢部　正男　岩波映画製作所にて仕事をしております。

中川　順夫　中川プロダクション

相川　竜介　福岡県甘木市に帰省中

高井　達人　三井芸術プロダクション

大方　弘男　次の仕事の準備をしております。

道林　一郎　次の仕事の準備をしております。

八木　仁平　毎日映画社にて仕事をしております。

山本　升良　三木映画社で仕事をしております。

片桐　直樹　英映画社にて「風紋」の助監督をやります。二十五日鳥取に出発です、六巻ものオールロケ。

渡辺　享　次の仕事の準備をしております。

山岸　静馬　日本短篇映画社

小泉　堯　岩波映画製作所にて岩佐さんの助手をしております。

うとするだろう。
上野　それは分る、それが大問題だ。あなたのようにそれをさつき、会の人が惨めだとて僕は何とも考えない。それは良心を守ることだ。
作家　現場で一緒になつて仕事をする場合、実際進めないのですよ。相当なエゴイズムを発揮することがいいと思う。十六ミリ、三十五ミリを繰り返しても事実そういうつもりはあつたんですよ。十六ミリかと頭をかゝえているのを前におれは頑張つた。とにかく三十五ミリに納得させちやつたわけだ。それはあるんですよ。そのかわりしてやつたとかそういう気持には少くともならない。
上野　三十五ミリでなきやりきれない、それは形式主義の作家である以上はそんなつまらんことでとやかく考えてくれるな、単なる一使用人であるという気持なら結構だ。作家だ、作家であろうという気持のある人なら、それではしばられている。その場合しばられていることの惨めさを自覚して欲しい。それを自覚して欲しい。
三木　食えなくなつたら八ミリでやる。そういうものだ。十六ミリだからと頭をかゝえちやつたということを聞くと情なくなる。
上野　僕はそういう考えは非常に多いと思う。
三木　それはある、そういうことは許せない。そういう料簡じや映画は作れないよ。その料簡があつたら駄目だ。おれはおれで今さら直らないから、いうのを止めたら面白くないからいうよ。そうやつてもらいたい、それが作家だ。おれは一人でもやつていけるから言えるんだ。おれは直さないよ。おれは直せないんだ。三木映画社の写真が没落するかどうかはみんなが決定するから、おれの信念で通すのだ。ワンマンかもしれない。
上野　やつぱりキャメラマンなんだ。
三木　分るだろう、分りやいいんだ。言おうとしていることが分ればいいんだ。
上野　それがなければ今映画界におれないよ。
三木　その問題について自己批判したよ。
上野　その一ぺん言われて反省するなんかじや駄目だ。しかし三木さんは自分でできるから・・・。
三木　地球はおれを中心に回つている。

（文責　会報編集部）
（速記　松原　幸子）

山添　哲　東映教育映画部にて仕事をしております。
木村荘十二　次の仕事の準備をしています。
伊豆村　豊　岩波映画製作所にて仕事をすることになりました。
高島　一男　理研科学村上プロにて仕事をしております。
西沢　豪　日映新社にて仕事をしております。
かんけまり　次の仕事の準備をしております。
岡　秀雄　八月末にてフリーになりました。
岩崎　鉄也　待期中
杉原　せつ　待期中
豊田　敬太　東映教育映画部にて仕事をしております。
米山　彊　次の仕事の準備をしております。
松崎与志人　埼玉県東松山市にて療養中。
中島　智子　松本　俊夫
田部　純正　二瓶　直樹
原本　透　勝田　光俊
島内　利男　岸　光男
清水　進　草間　達夫
新理研映画株式会社
岡本　昌雄　日本視覚教材ＫＫ
大橋　春男　ＮＨＫＴＶ映画課

四十五日の旅

―第六回世界青年学生平和友好祭より帰つて―

富沢　幸男

―五月二九日、記録映画部門の実行委員会で、第六回世界青年学生平和友好祭の代表として選ばれ、四五日にわたる旅券獲得の斗争と云うあわただしさのうちに、フェスチバルに対する充分な用意も出来ず七月十七日、当初五〇〇名であつた代表が、一五五名になり、その中での唯一人の映画代表として出発しました。それから四五日、シベリアの原野を旅して、モスクワを訪れ、盛大に開かれた第六回の平和友好祭に参加し、八月二八日、一五五名の全代表団と共に帰つてまいりました。
今までによせられた多くの方々の御支援に心から感謝すると共に、ソヴイエツトの印象、フエスチバルの模様などを御報告したいと思います。 ——

《日本出発》

私たちの今度の旅の半分は、シベリア鉄道の汽車の中で過したわけです。したがつてその車窓から見たシベリアの原野と沿線の都市から受けた印象が相当強かつたようです。ナホトカからモスクワまで、距離にしてざつと一万キロ以上、地球の六分の一を占める国を完全に横切つたわけでです。

七月十七日、歌声とスクラムで、見動きもとれないほどの上野駅ホームの興奮した歓送の雰囲気からモスクワへの旅は始まつたのです。新潟での代表団会議そして通関の事務手続を終え十八日の夕方には、すでに入港しているアレキサンドル・モジャイスキー号に乗船、岩壁に集まつた二千名余の新潟市民の最后の歓送を受けたわけです。平和友好祭と同時に開かれるスポーツ大会に出場するスポーツ選手団八〇名と日本代表団一五五名、合せて二三五名が、一万トンの豪華船に乗り込んだわけですから一、二等船室を使用しても尚船室が余つておる状態です。

七月十八日早朝、折柄降り出した小雨の中を、ア号は早朝にもかかわらず集まつた多ぜいの人々に見送られて、静かに岩壁をはなれナホトカえと出港してゆきます。

新潟からナホトカまでの三六時間の船の旅は、落着く暇もなくフエスチバル参加の具体的な準備活動えと入ります。先づ日本代表団の組織編成、一五五名を次の六つの代表団に分けました。

労働、学生、農村、日青協、芸術、文化(これには、平和団体、議員、地方から選出された文化代表)とのうち私の所属する芸術代表団は、日舞五名、洋舞八名、人形劇四名、邦楽四名、洋楽三名、演劇二名、美術三名、映画二名、服飾一名、写真一名の計三三名から編成されました。映画では私と映画サークルから選出された堀口君がここに加わり二名となつたのです。

その他にフエスチバルで日本が中心となつて開かれる集会のための八・六集会委員会、アジア・アフリカ青年集会委員会、その他に、一般集会の委員会などの専門部が作られました。一夜にして変つた生活に対しては、生活対策部、一千箇に及ぶ荷物に対しては、ソヴイエト側も協力する輸送部などが設けられ、なにはともあれ船内、上え下えの大騒ぎのうちに、ア号はナホトカ港えと入港しました。

日本代表団がはじめて第一歩を記すソヴイエトの大地、ナホトカ港の広い岩壁は、手に手に花束を持つた数千のナホトカ市民によつて埋めつくされている、やつと人が通れる程に開けられた人垣の間を、

羽仁　進　　坊野　貞男
吉田　六郎　　時枝　俊江
各務　洋一　　黒木　和雄
高村　武次　　秋山　鈴一
田中　実　　榛葉　豊明

岩波映画製作所

石本　統吉　　清家　武春
中村　麟子　　奥山大六郎
長野　千秋　　下坂　利春
飯田勢一郎　　諸岡　青人

日映科学映画製作所

大久保信哉　　たくみ工房
上野　耕三　　秦　康夫

記録映画社

本間　賢二　　東映製作所
松本　治助　　電通映画社
高綱　則之　　森田　純

学習研究社映画部

高見　貞衛　　大場　秀夫

日本記録映画社

八幡　省三　　東京シネマ
吉田　和雄　　神奈川ニュース映協
川崎　健史　　彦根市に居住
稲村　喜一　　人形映画製作所
中村　敏郎　　山口　淳子
落合　朝彦　　大峰　晴

日本映画新社

長井　泰治　　諸橋　一
平田　繁次　　吉岡宗阿弥

日本アニメーション映画社

手にかかえ切れぬほどの花束をかかえ、人々の心からの暖い眼差しに包まれて通り抜けてゆく、私たちが予想だにしなかつた歓迎の、第一陣である。

《シベリアの旅》

すでに、シベリア鉄道の東の端ナホトカの停車場にはすべての準備を整えた国際列車が、日本歓迎委員のソ連人と共に待期している。各列車に日本語の出来る学生たちが一人ずつ配置されており、この人たちと十日間の旅をするわけである。前にも述べたようにシベリア鉄道、ナホトカ、モスクワ間は約一万三千キロと云われている。この間に九六の駅があり、一日平均十ケ所に停車するのである、それぞれの停車駅で昼夜をとはず盛大な歓迎をうけるので代表団側としてもそれに応じて、昼夜交替で答えるのである。日本の列車よりは広いと云つても何分にも汽車の事である、身の廻りの荷物を整理しても身動きが出来ぬと云つた所、唯一の広い場所は食堂である、ここで大体会議、舞台の稽古、ロシア語の学校などが開かれる。長い様に思われる一日も、三度の食事と、食堂で開かれるそれぞれの仕事と、停車駅での交歓で、寝る暇もないほどのいそがしさである。

相変らず花束を送られる駅での歓迎風景は駅の大小によつて人数の違いはあるが、農村、都会などのこまかい相違がだんだん慣れるにしたがいわかるようになつてくる、バイカル湖附近までの極東に寄る地方では、集まつて来た人々の服装なども大変粗末なものである。野良回りから駅に来たと云う感じである。しかしこの地方で特調的に云えることは、後に経験したヨーロッパロシアなどに位べて、はるかに素朴なことである、互に振り合う大きなたくましい手からも、心からの暖かさを感ずる、子供たちは、初めて見る異国の人におずおずと花束を差出す、青年たちは、大声で〃ドルージュヴア〃(友情)と叫ぶ、ある老婆は私にこう言つた《あなたのお母さんは元気か、日本のお母さんたちに伝えてほしい、私たちはほんとうに平和をのぞんでいる、私たちの息子たちを再び戦場に送らぬよう、お互に平和を守るために勇気を持とう。このシベリアにも平和な花が咲いています》、と云つて私に花束を差出した。駅々で送られるこの好意あふるる心からの幾百の花束で、車内は足の踏み場もないほどである。

ナホトカから二〇時間でハバロフスクに着く、ここで二〇名からの先発を組織して飛行機で送ることになつた。二八日から始まる開会式に間に合わせるため(一三〇名の人たちは二九日に到着)と、モスクワでの種々の準備のためである、私も芸術代表団からこの先発に加わることになつた。

ハバロフスクの街は満々とした水をたたえて流れるアムール河のほとりに広がつている。駅から飛行場に自動車をかる途中、両側の見すぼらしい農家を背合に近代的な白壁の立派なアパートがたくさん建つているのが見える。それは働く人のアパートだということだつた。

アムール河を通じる航路、鉄道も西へ、東へ、そして北へと伸び、空路も、イルクーツクからモスクワへ、東方へは樺太、千島などへ、さらに北へは、マガダン・カムチヤツカ半島へと定期航路が開け、十分から十五分置きに飛行機が飛

西浦 伊一　綜合映画製作所

〇(左の方々は原稿〆切までに詳しい動静が分りませんでした。ぜひ、連絡をしてくださるように願います)

秋元 憲　森永健次郎
小野 春男　平野 直
原口 光人　中江 隆介
坂田 邦臣　真野 義雄
馬場英太郎　古川 良範
下村 健二　大野 芳樹

☆脱会

玉上 義人　紹介者道林一郎氏の申出によつて
竹原 繁雄　助監督部会の申出によつて
落合 朝彦　本人の申出による

(以上九月末日付)

☆新入会員☆

村上 雅英　目黒区柿の木坂二九一、大宅方(フリー・助監督)
昭和七年八月生　北海道大学理学部中退。昭和二十九年八月より映画の仕事に従事し、現在、三木映画社にて演出助手をつとめている。山本升良紹介。

(九月二十一日付入会)
(会員総数　一六七名)

び立つていると云う、あらゆる面でのシベリアの東方の門戸としてのハバロフスクの建設は槌音高く進められているようである。

ハバロフスクを双発の日本代表団専用機で発つて約八時間でチタに着いた、この辺の空から見る風景はいかにもシベリアといつた感じで、延々と白カバの林がつづいている、その林の真中を道路とおぼしい白い真直な線が涯てしもなく貫いている、それと同時に日本などでは見られぬ大きな河がおろちのように長々とうねつている、湖もかなり多く大小まちまちな姿でちらばつている。人家らしいものはおよそ見当らない。それでも飛行場から余り離れない処には同じ型のかなりきれいな家が一定の間隔を置いて並んでいる、シベリアのコルホーズである。

真夜中、雨のしよぼしよぼ降る中を、バイカル湖のほとり、イルクーツクに着く、めずらしく一人の歓迎陣も見当らない。

イルクーツクからクラスノヤルスク、ノボシビルスクと中央アジアのサバクと云つた感じの濃い地域を一気に飛び、ウラル山脈の麓、スヴェルドロフスクに着く、ここはもうシベリアとは別れヨーロッパ・ロシアの入口である、スヴェルドロフスクは無尽蔵の資源を持つと云われるウラル山脈を背景に、一五〇万の人口を擁する大工業都市である。

そこから三時間、ロシアの古い街カザンである、有名なヴオルガ河はこのカザンの街の中心を通つて流れている、レーニン、トルストイ、ゴリキーなどが学んだと云われ一五〇年の歴史を持つレーニン大学、古い城跡など日本の京都を思わせる、このカザンを後にして二時間、いよいよ最終の地モスクワ、ヴヌコヴオ飛行場に到着したのである。

＜モスクワと平和友好祭＞

私たちのために用意されていた宿舎は、モスクワ郊外にあるオスタンキノと云うホテルである、ここにはすでに中国代表、インド代表などが到着していた、その他にビルマ、セイロンなど東洋の代表団の宿舎になつている。

モスクワの中心地、クレムリン宮から二〇キロほど離れていて大変不便な所ではあるが、前に植物園などがあり、静かな郊外である。すぐそばには、イタリヤ、その他東欧諸国などのホテルがあり国際色豊かな街が出来上つた感がある、開会前、一週間のモスクワの街は、平常と変りなく、たまに、長い衣をまとつたインド人などを見かける位で、ここで果してフエスチバルが開かれるのかしらとの感じさえ受けるほどの静かさであつた。道路は日本の昭和通りの三倍以上あるほどの広さで、そこを走る自動車は、静かに文字通り静かに走つている、警笛を自動車は鳴らさないのである。至る所にある公園で緑の立木にかこまれたベンチに憩う人々、街路で花を売る婦人、アイスクリーム売り等、のんびりとした風景ばかりである。

モスクワの静かな風景も目を追うにしたがつて到着する各国代表団の姿で、国際色豊かになり開会間近の感が強くなつて来る。

広場と云う広場には舞台が作られ、建物と云う建物はみなそれぞれの趣向をこらして飾りつけ、夜になると特別に作られたイルミネーシヨンが輝きはじめる、各国語で書かれた〃平和〃〃友情〃の文字が街の何処に行つても見られる様

☆その他

韮沢　正　九月十六日、石山しぐれさんと結婚しました。

声

（八木　進）

いつも仕事などの都合であまり参加できないんですが最近、研究会ー教材映画、記録映画などのーが少ない様な気がしますけど・・そんなことはないでしょうか。

（小谷田　亘）

協会に御無沙汰致してをります皆様が御健斗していらつしやること心から喜こぶと共に、小生も心機一転これから頑張ろうと思い努力致してをります。

（田中　舜平）

シナリオ研究会の開催を切に望んでおります。

（村田　達二）

ベニスの記録、児童映画部門でグランプリを獲得された村山英治氏の栄与は吾々短篇や記録映画を

になる。

モスクワに集まつた国々の代表は、一四〇ケ国、三万四千名（アジアはその中一万名）その他に代表と共に集まつた外国人は三〇万名に及ぶと云われる、モスクワ五〇〇万の人口は平常の倍にもふくれ上つているだろう。そのようなフンイキの中に二八日の平和友好祭開会式の日を迎えた。

　モスクワの北方郊外に一四〇ケ国代表が用意された花で飾られた車に乗り待機するうちに、午前一〇時先頭からパレードがはじまつた、モスクワの南のはずれにあるレーニン、スタジアムまで、丁度モスクワを北から南に縦断するのである、日本は最后から二番目、最后であるソヴイエトの大量の代表団のすぐ前に、二〇名がチョコンと参加したのである。先頭が動きはじめてから二時間余りで、私たちの乗つた車がやつと行進を開始した、平和の通り、友情の通りと名づけられた中心の大通りに入ると、歓迎する人たちの人数もぐつと増し広い大通りを埋めつくしてしまつている〃ミール・イ・ドルージュヴア〃（平和と友情）このロシア語が熱狂的に叫ばれ、走る車には、花束その他いろいろの品物が投げ込まれる、何人の人と握手をしたのか判らない、しかし私たちの右手の機能が失われるほどの多勢の人たちと触れ合い結び合つた。パレードは、広場、広場で、埋めつくされた人々の波にさえぎられ乍ら八時間かかり午后六時、レーニンスタジアムの入口にやつと着く事が出来た。

入場式は、各国それぞれの民族衣裳と工夫をこらした方法で行われた、それぞれの民族の誇りに胸一つぱいをふくらませた青年たちの行進である。日本代表は、≪原水爆禁止協定を結ぼう≫のスローガンをかかげて、一五万人の嵐のような拍手を浴びて入場した、ロンドンで初めて、戦場では再び会うまいと誓い会つてから一二年、年を追うごとに参加者は増し、思想、宗教、立場の相違を越えて友情のきずなを結び強めることが成功したのです。

　二九日、一三〇名の日本代表団は、一〇日の旅を終え全員元気にモスクワに到着し、翌三〇日からそれぞれの分野に別れての活動が開始されたのでです。

　フェスチバルの集会は、あらゆ

国立モスクワ映画大学教授

レフ・クレショフよりのメッセージ

日本の記録映画作家のみなさん！


第六回世界青年学生平和友好祭にあたつて日本国民の自由と幸福をのぞみます。

また、日本の映画人が、真実の興味ある映画を、ますますたくさん作られることをのぞみます。

平和と友情、万才。

一九五七・八・十

レフ・クレショフ
（モスクワ）

やつている者にとつてはまことに大きな喜こびです。今までグランプリと云えば羅生門以来日本映画の国際的名声はひとり長篇劇映画の黒沢明氏に限られていたが、今度のことは その意味でも誠に欣快に堪えません。この機会に村山氏とそのスタッフの諸氏を囲んで祝福の会合を持ちたいと考えますが如何でしょうか。

　シナリオ研究会のことはかねて、この欄で赤佐政治氏からも投稿がありましたが、今度、仝君や丹生正氏等と共同で、シナリオグループを作りました。若い諸氏の参加を歓迎します。勿論協会の作家先輩諸兄の御協力をお願いする次第ですが、どんなさゝやかな仕事でも馬鹿にしないで具体的にやつて行こうと思つています。又他の文化部門の専門家の方々をそのつど招いて会合を持つことなどやつています。スポンサーも二三見当もついていますので今後なんとか発展させてゆけると思いますが皆さんの御意見をうかがいたいと思います。


（丸山　章治）

る分野にわたり一日に三〇〇ケ所以上の集会が開かれている。大体昼間は地域別、職業別、などの討論集会、芸術コンクールなどが開かれ、夜間は各国民族コンサート、映画会、音楽会、ダンス、など劇場で上演されるものが主体になつている。日本が中心となつて開かれた大きな集会は、ヴアフタンゴフ劇場で開かれた《日本の夕》である。日本舞踊、洋舞、邦楽、洋楽、人形劇、合唱などが約三時間にわたつて上演され、大きな興味をよんだ。日本で開かれた原水爆禁止世界大会に呼応して、八月六日、マネージナヤ広場で約五〇万の人々を集めて集会が開かれた。この日は、さながら日本デーの観を呈した。日本代表の原爆乙女の永田尚子さんの被爆状況の話、日本代表団とソヴイエト合唱団の原爆許すまじの大合唱と五〇万人の大デモストレーションが行われた、この日昼間開かれた討論集会では、米英ソ代表団による原水爆禁止に対する共同コミユニケの発表など平和を守ろうとする強い意志表示が行われた。

その他にも、アジア、アフリカ青年会議など日本の提案により開かれ、具体的に討論が進み多くの成果を収めることが出来た。

この様な種々な集会の中に国際芸術コンクールが開かれ、映画コンクールもブカレスト祭典以来第三回目を迎えたわけである。このコンクールが他の映画祭などと異なる点は、アマチユア映画、学生映画などが加わつていることと、最も大きな規模で開かれたことである。参加した国は三三ケ国、劇映画五六本、記録映画八〇本、そのほとんどの作品が青年の手によつて作られたものである。主なる授賞作品をあげると次の通り。

金賞〃真昼の暗黒〃（日本）
〃〃〃私たちの庭〃（ソ連）
〃〃〃運河〃（ポーランド）
〃〃〃死はひそかにしのびよる〃（フランス）

記録映画
金賞〃静かさの中の平和〃（フランス）
〃〃〃成層圏〃（ソ連）
〃〃〃深さの美しさ〃（ルーマニア）
名与賞〃マナスルに立つ〃（日本）
銅賞〃ひとりの母の記録〃（日本）

などである。

会期中開かれた、フランス、日本イタリア、エジプト、ソ連、ドイツ、などの映画の夕に上映された映画についても云えることだが、青年作家の作品の質が良いことである、今まで有勝ちであつた技術的低さも克服され、技術的にも相当高い作品が数多く見られた、専門映画人の会合でも、各国のベテラン演出家によつて、この点が高く評価されていたようである。

その他映画関係の集合としては、学生映画のゼミナール、映画愛好家の集りなどが盛大に開かれた。前者の会では、日本の記録映画の現状を報告した、前進する青年の姿をどう云う形で形象化するかと云う大問題が討議されていた。愛好者の集りは、アマチユアとプロその関連が大きな問題となつていたようである。

《ソヴイエト映画人と撮影所》

ソヴイエトの映画人と撮影所は今や総力をあげて、フエスチバルを記録するために動いている。モスクワにある撮影所はすべての作品を中止して、フエスチバルの

「プロデユサーと話合う会」について、あんな下らないことは止めろという人があるそうです。こういう意見を云う人にかぎつて、その会に出席したためしがないようです。切角苦労して、いろんな計画をたて実行すると、すぐブチコワシをはじめる人があるというのは誠に残念です。自分はどんな事をどんな風にやつたらいいと考えてるのか、意見をあげて欲しいと思います。

（野田　真吉）

記録映画研究会の開店休業をいかんに思います。来月は実行します。御協力を。

（肥田　侃）

富沢氏の訪ソを機に、協会の国際交流が促進されることを何よりも望みます。

☆御礼

私たちの結婚式には、雨の中多数出席下さり、身にあまる言葉、はげましの言葉をいただき深く感謝致して居ります。今後も皆様の御指導のもとに良心的な映画をつくつて行きたいと思います。また

記録映画製作に当つている。その作品の種類も次の通りである。

○シネラマ方式による記録映画。
○シネスコ方式による記録映画。
○〃一四〇の穂〃八巻、カラー　ソ連、イタリアの合作。
○〃民族コンサート中心の映画。
○子供のためのフエスチバル映画
○各国代表団に送る記録映画五巻
○スポーツ祭の記録映画。
○速報、ニュース（三日に一巻）

記録映画撮影所、モスフイルム、ゴリキースタジオ、何処に行つても大車輪の活躍で大騒ぎを演じていた。これらの映画の演出もアレキサンドルフなどと云う劇映画の演出家と記録映画の演出家が協力し製作が進められている。

これらの中で、女性の進出が目出つて多いことである。演出家は勿論のこと、助監督、カメラマンまで女性であるのには驚かされた。

記録映画中央撮影所などでは、青年演出家が相当第一線で働いている様である、映画大学などでの組織的教育の成果が具体的に現れて来ているのがその人たちの作品を見る中にも判る。国家計画五ケ年が達成される時には、一年の製作本数は、六七〇本位になるのだそうだが、それも質と量の両面で大きな変化をもたらすのではないだろうか。

映画大学を訪れた日、クレショフ氏と話合う機会を得た、映画大学に今年から記録映画演出科と云うのが新たに設けられたそうである、教育の方法も年毎に改良され新しく前進して行くが、何時でも変らないのは、映画人にする前にまず真実を語ることを教えると、クレショフ氏は語つていた。

ソヴイエト映画についてのいろいろは、また回を追つて報告けることにする。今后定期的に来る資料などもこの会報で、お知らせしたいと考えております。

映画だけの国際交渉だけを考えてもいろいろな困難が目前に立ちふさがつています。而し日本の映画ももつと多面的にあらゆる種類の映画を、諸外国に見てもらう必要があります。それと同時に、ソヴイエトの映画だけを見ても、日本に輸入される以外に、もつと良い映画の多いのに驚かされました。日常的にお互に理解するための努力がなされて、各国の政治的な異りがあつても、諸部門の共通した問題で話し合い、交流し各国間の偏見をなくしてゆくことでしよう。

協会からは多額のお祝をいただき厚くお礼申し上げます。

韮沢　正
志ぐれ

教育映画作家協会殿

☆加藤松三郎氏の病気見舞について

▽加藤松三郎氏の病気（会員の動静らん参照）について、知人間にて、御見舞の志をあつめて、おとどけしようということで、事務局が、その連絡にあたり、志をあつめております。有志の方は御連絡下さいませ。

☆教育映画研究会ひらく

▽さる九月十八日（水）午後二時より、映教三階試写室において、当協会の教材映画研究会と日本映画教育協会の共催にて教材映画の研究会がひらかれた。

当日は、さきに教材映画「おかあさんのしごと」を完成した国立中央教育研究所の第二回作品「綿紡績」を上映して、同作品を中心にした研究討論会がもたれた。

中央教育研究所の矢口新氏、日本映画教育協会、森脇達夫、宮永次雄氏、教育映画製作者連盟、阿部慎一氏など多数と、協会からは教材映画研究会の世話人丸山、

委員会だより

九月第一回運営委員会
九月二十一日（土）午後六時
出席　吉見　丸山　野田　西沢　竹内　大沼

▽新入会員について
新入会の申込中であつた村上雅英氏（助監督部会）が、本日付で入会ときまつた。

▽脱会々員について
会員玉上義人氏（フリー）竹原繁雄氏（助監督部会）落合朝彦氏（日映新社所属）が脱会（本紙会員の動静らん参照）した。

▽最近の協会運営の報告と検討
さいきん、協会費の納入率が、甚しく低下したため、協会の財政運営が危機にひんした。本年四月より八月までの五ケ月間の会費納入の状況を報告すると、九月十日

現在で、一ヶ月分の滞納者が二十八名（つまり八月分のみの滞納者）二ヶ月分の滞納者が十四名（つまり七、八月分の滞納者）三ヶ月分が八名、四ヶ月分七名、五ヶ月分十八名で、合計七十五名ある。これを延にすると一九八名。金額にして約六万二千円であります。

一方、協会の財政運営は、会員の納入する協会費、月額約六万円でまかなうようになつているから、未納会費があれば、それだけ支出の面にしわよせされる。五ヶ月間を通算して、未納会費の合計約六万円ということは、ちようど約一ヶ月分に当り、一ヶ月平均に換算すれば、約二割ということになる。また、未納会費の穴うめのために、協会には、現在、約四万円に近い借金があり、ここ数ヶ月の間は、月を追うごとに滞納会費がふえ、したがつて借金もふえてゆくという状態がつづいている。事務局では、未納会費の集金について、該当者に「おねがい状」を発送したり、面接、または電話連絡などによつて、おねがいするなど、集金に拍車をかけているが、数字的な集金成績の面では必ずしも、直ちに好転しそうもない。と、事務局より報告された。

いろいろと検討、討論の末、未納会費を更に集金するのは勿論のこととして、それでも尚、集らずに、不足金を生じた場合、その埋合せのための財源調達案として、各関係映画会社およびプロダクシヨンにも連絡を発して、シノプシスの製作引受を、協会が行ない、そのシノプシス料収入を、協会にカンパ、または貸付（この項検討中）ける。という案がだされた。これは、更に細部を検討して、具体化できると決定すれば、早速、実行にうつす意向であります。

事務局だより

▽七月分会計報告

収入の部	
三月迄の未納会費	一、二〇〇
四月分以降の会費	五九、一七〇
貸付金	一、〇〇〇
合計	六一、三七〇
支出の部	
事務所費	一三、〇〇〇
人件費	一九、六〇〇
電話電報料	八、四二一
通信費	二、九二八
会合費	一、七五〇
用品文具費	四九〇
交通費	一、六一三
印刷費	五、〇〇〇
雑費	一、六九五
前月の不足金	二三、四二八
合計	七七、九二五
差引不足金	一六、五五五

▽八月分会計報告

収入の部	
三月迄の未納会費	二、六〇〇
四月分以降の会費	四二、六八〇
寄付金	五
合計	四五、二八五
支出の部	
事務所費	一二、〇〇〇
人件費	二〇、〇〇〇
電話電報料	七、五一八
通信費	三、五四二
会合費	二、三九〇
用品文具費	二二五
交通費	一、六〇八
印刷費	八、二一五
雑費	四一五
前月の不足金	一六、五五五
合計	七二、四六八
差引不足金	二七、一八三

岡本氏のほか会員十名が出席した
なお、当日の討論記録は、「視聴覚教育」誌上に発表されるはず。
▽会員名簿の発行準備について
さきに会報No.27でおねがいした会員の作品歴つき名簿の発行について、事務局では、準備をつづけておりますが、会員各位におねがいした「作品歴」のおしらせはがきが、現在約六十枚たらずしか集らず、そのために更に準備をつづけております。まだ送つて下さつていない方は、至急にお送り下さるよう、おねがい申します。はがきを紛失された方は、適宜の用紙に記入されても結構です。郵送下さつてもよいし、御一報下されば、いつどこえでも受取りに参上いたします。
▽プロデューサーを囲む会、今月は、お休み。
第三回を迎えるプロデューサーを囲む会は、準備その他の都合により、今月は休みました。次回は十月末にひらきたいと思います。誰をゲストに迎えたらよいか。御意見があればきかせて下さい。
▽九月婦人会員の会について
みなさん忙しいのでお休みにしました。次回は十月第四週水曜日を予定しております。

編集後記

▽あきないだか、がつどうだかの、二、八月（につぱち月）という言葉が、たしか、あるように記憶する。そういえば、二月の末に、ぼくが協会の会計事務を受けもつことになつたとき、申し送られた会会の帳尻りが、さし迫つた未払金ばかりで、それに追われてふうふうした覚えがある。ことわざによれば、つぎが、ぱちである。またしても、払うべきものが払えなくて、ふうふうした。「まことにお気の毒でございますが、電話料のお支払いがないので、通話を止めさせていただきます。」冷感非情のテープ音とともに、電話がぷつりである。につぱち月とは、誰がいいそめしや、と、他のことなら、気楽な冗談の出ようところである。

▽ものいえば、金のことばかりなり、協会は。と、いわれそうだが、最近の運営の危機については、事務局の日常事務の担当者であるぼくは、まつたく申し訳ないと思う。二〇〇名に近い会員の方々。とくに会費をきちんと払つて下さる方々。顔を合わせれば「危機、きき」と、訴えられる協会役員の方々。まつたく申し訳ないと思う。勝手ないい方だが、ぼくの女房や、下駄をはくようになつたぼくの子供にもすまないと思う。一ケ月六万円の協会運営のやりくりに、手をあげるようでは、君は能なしだ、と、自分を叱る。これではとても、やりきれないから、この反動を、せめてものわがみのなぐさめに、会費未払の会員の方々に向ける。われながら、いやな理屈だと気づいて、思わずひるむが、気をとり直して、再び確信をもつ。なんとも、おかしな気分である。

▽「初秋の読物特集」とは、かなりオーバーだが、会報本号は、「プロデューサーのはなし」と、モスクワから帰国した富沢幸男氏の報告記を特集した。前者は、せつかく速記をとり、そのため長文のものになつたが、読んでみると削るに忍びないところだらけで、長稿掲載を断行した。この種のものはいかがですか。各位の御意見をききたい。「クレショフのメツセージ」は、在モスクワのレフ・クレショフ氏が訪ソした富沢氏と面談した際に、同氏にたくされて届けられたもの。

▽ふだんなら、仕事にあぶれるものの少なくないフリーの助監督が、このところ、あらまし仕事に出払つてしまつた。いま、プロダクシヨンから助監督派遣の要求があれば、もつたいないことだがお断わりせねばならぬ状態である。このことから考えても、業界は活発である。教育映画の国際交流も軌道にのつてきたし、来月は例年通り教育映画祭が、更に華々しくひらかれようとしている。最近の傾向としては児童劇作品の増加が、特長的であるし、本年度の教育映画作品本数は、昨年度のそれを更に上廻るであろう。「躍進する教育映画。ぼくらも、よい仕事をするために、もつと頑張つていこう」。

▽などと、気勢をあげているうちはよいが、印刷所から支払いの催促の電話が鳴つたり、払いを待たせてある事務所の家主さんの姿がドアの外に見えたりすると、とたんに、いけませんや。

（小 高）

1957.10.25.

教育映画作家協会々報

教育映画作家協会
東京都中央区銀座西8ノ5日吉ビル4階 TeL(57)2801

No.30号

一ヶ月半の後に来るもの

―私たちは方針を誤まりたくない―

一ヶ月半はすぐ経つてしまう。すると今年の総会です。

委員会は総会対策をはじめました。総会の討議を、当日一日だけのものにせず、事前から、会員諸氏の間で充分論議をつくして頂けるよう準備したいからです。

協会はこれまでにも様々な試みを重ねては来ましたが、未だに軌道に乗りません。一つの会に集つているということの成果は疑う余地のないことですが、そんなことはもう当り前のことです。集まれば力が出るという当り前な基礎の上に立つて仕事をしてゆくのが会の運営というものですが、その仕事が軌道に乗りません。今度の総会あたりで、核心をキチンと捉えてみたいものです。

これはまだ、委員会からの正式な提案というものではありませんが、委員会で話し合われていることがらの中で、見逃してはならないのではないかと思われる一つの点に就て、こゝに書きしるしてみたいと思います。

昨年の総会では、作家活動の前進のためにということが言われましたが、その点に就ての追求のされ方がまだまだ不充分なのではないでしょうか。色々な研究活動を盛んにしようというので、記録映画研究会、教材映画研究会など二、三の研究活動が持たれるようになりましたが、会員のふだんの仕事はまことに種々で、それら二、三のジャンル別の研究会だけでは到底しぼり切れないほどです。だから、かけ声ほどには多様な研究会が生れにくいのではないでしょうか。

それに、私たちはいつも作るということに直面しています。研究会も、この作るという現実と直結しなければのび悩むのではないでしょうか。

そこで私たちは、ジャンル別の研究会だけに頼るのではなく、具体的な仕事を中心にして創作技術、創作方法一般を研究しあつて行くグループ――脚本を検討し合い、ラッシュを検討し合い、企画を検討し合つて作品活動をすゝめて行くグループ活動を百家そうめい式に活溌化して行くことをやつてみたらどうでしょう。

作家活動の基礎は、作家個人の努力にまつものであり、協会が旗を振つて、足とり手とりして、作家活動の基礎が確立するものでもないのですから、作家自身でまず創作活動の前進のための努力をそうした形ででもまずやつてみることが必要なのではないでしょうか。

そして各グループの活動結果を各研究会に持込むようにして、作家活動を充実させて行くようにしたらどうでしょう。

そうした裏付けの上に立つてこそ、広く作家活動の前進のための協会の活動も充実できるのではないのでしょうか。(運営委員会)

報告

国立モスクワ映画大学を訪ねて

富沢幸男

日本でも映画製作法講座で知られているレフ・クレショフ氏が教鞭をとつている国立モスクワ映画大学は、モスクワ市の北にあたる郊外にある。

すぐとなりが、モスクワで最も古いゴーリキー・スタジオで、そこでは、人形劇、児童劇などが作られている。その古いスタジオに接して映画大学の建物がある、余り大きいとは云えぬが小ぢんまりとした綺麗な建築である。

私が映画大学を訪れた時は、わが国と同じに、夏休みにあたり、平和友好祭に参加する一部の学生を残して殆んどは、それぞれの故郷に帰つて居るとかで、校内はひつそりと静まり返つていた。

スタジオと映画大学の境目にある小さな広場で、ミッチエル型のカメラをかこんだ一団の人たちが、なにやらテスト撮影らしいことをしている風景が私にはこの上なく親しみを感じさせた。

私がたずねたレフ・クレショフ氏はたまたま不在で、演出科の主任教授であるスクヴオルツオフ先生と外国映画史を担当している女性の教授、それに卒業を目前にひかえた演出科の若い学生の三人の人たちが前触れもなく訪れた数人の日本人に驚き乍らも心よく歓待をしてくれた。

数日后、わざわざ自宅に私を招いてくれたクレショフ氏とスクヴオルツオフ氏からソヴエートの映画人教育の一端を知ることができた。

―真実を語ることを教える―

映画大学の教授にはソヴエート映画界にあつて第一線で働いている監督、カメラマン、俳優、その他技術者があたつている。

主となつている演出科では、エイゼンシユテイン、プドフキンなども生前は多くの学生の指導にあたつていた。現在では、クレショフ、ゲラシーモフ、アレキサンドロフ、ダブジエンカ、ローシヤイ、グローム、コトケヴイッチ氏等が中心になつている。

今年から新しく記録映画の演出科が作られ、カパーリン、アバネーフリフ氏らによつて指導されている。その他には撮影科（付随した技術を含める）録音科、シナリオ科、美術科、俳優科、映画学科（映画史、評論など）に別けられている。

厳正な試験を受け選ばれた学生たちは例年九月はじめにこの校門をくぐり五ヶ年の学生生活を経て専門映画人として、巣立つてゆく。その五年間（美術科は特に六年間）

会員の動静

真野　義雄　現在岩波映画の仕事をしています。尚来年一月迄岩波にて仕事をします。

渡辺　正巳　東京シネマの科学映画の仕事をしています。

徳永　瑞夫　瀬戸内海を運航している小さな船に住んでいる家族の生活記録のようなものを企画、調査のため、また九州に戻りました。

―以上九月二十二日―

岡野　薫子　火災の映画の調査をはじめたところです。

野田　真吉　十月は「東海道」（日映新社）のロケ。

西沢　豪　「新しい土地」「山下清」漸く完成にこぎつけました。次は地理大系「日本の工業地帯」―北九州―を十月下旬からはじめます。年内完成の予定です。

―以上十月二日―

豊田　敬太　「少年と魚と海の物語」（五巻児童劇）完成。やはり東映にて次回作品（短い社会

は、個々に一〇人ほどのグループを作り担当の教授が卒業するまで通して変らず指導するのである。日本などと違う点はこのあたりに良く現われている。教授たちは指導する学生たちと生活を共にし、映画人にする前にまず正しく生きる人間であり、真実を語ることを教えると云う。

— 五年間の教育 —

日本でも翻訳され出版されている、クレショフ氏の映画製作法講座は現在でも演出科の教科書として使用されているが、これに代る新しい講座が、エイゼンシュテイン、プドフキンなどのモンタージュ理論や他の古い文献を参考にして現在、約一年かかつて編纂されている。クレショフ映画製作法講座はなくなつたと云うわけである。

演出科の教授内容をあげると次のようである。

普通科目
政治、哲学、文学、芸術
特別科目
演出、演技、モンタージュ、撮影、実習

普通、特別科目とも五ヶ年間を通じてこれだけの種類の時間はあるわけである。一年生から五年生までの五年間に実習作品として五本の映画を学生だけの力で製作することと、演技は俳優としてカメラの前に立つことが大きな特長になつている。

特別科目では、第一年目は

1. モンタージュの純技術的な習得
2. 音合せなどの仕上技術の習得
3. 第二年目に製作する記録映画の準備
4. サイレント映画（一巻〜二巻）の習作

サイレントの映画を作ることによつて演出から演技、撮影、そして仕上げまでの方法を習得する。

第二年目

1. 学生たちの出身共和国の民族の古典を学ぶ
   第三年目の作品のテーマ、素材はこのなかから選ぶ。
2. 演技科の学生たちと共に舞台で演技し、演技の実際を習得する。
3. 第一年目に準備した記録映画を製作する。サイレント（一巻〜二巻）

第二年目の映画製作は表現と云うことより真実感があるように指導される。

第三年目

第二年目と大体に於て変りはないが、映画製作は第二年で用意した各民族のものをはじめてトーキー版で製作する。（一巻〜二巻）

第四年目

モスクワ、レニングラード、キエフなど主要都市にある国立撮影所に実習に入るのが第四年目の大きな特長である。ここで専門家たちの実際の映画製作を習い観察しレポートを教授に提出する。このレポートの中で今まで製作してきた自分たちの映画製作の欠陥などがあげられる。

そして二巻〜三巻のトーキー映画の作品を製作する。

第五年目

学生生活の最后の年である第五年目は、すべてを卒業作品の準備に使われる。

卒業作品は、大学内ではなくそれぞれの撮影所で専門家たちの協力を得て数十名のスタッフを組み、普通の映画製作と何等変りなく、長編映画を製作する、これらの作品で良いものは、一般映画館で上

教育映画）準備中。

入江　勝也　「電話」カラー二巻読売にて演出中です。

谷川　義雄　「高崎山のサル」十月中旬より大分ロケ。

—以上十月三日—

桑木　道生　ただぢつとしています。方向をみつけようとしているのです。

村上　雅英　三木映画で仕事をしています。丸山章治さんの「誰かがやるだろう」が終つて、次作品「義理と人情」の準備中、丸山さん、山本さんにいろいろ御世話になつてをります。今后ともよろしく御願いします。

—以上十月五日—

道林　一郎　日本文化映画関西製作所という会社で、縁あつて仕事することになりました。題して四国の「こんぴらさん」。脚本は吉見泰さんの名作？です。

高井　達人　次回作準備中。

富岡　捷　五年目の家庭的ブランクをやつと清算して、去月二十九日再婚致しました。新な気持で、仕事に精出す積りでいます。早速北海道ロケに出ます。

八幡　省三　東京シネマにて製作部の仕事をしていますが、余り

映されるのである。

こうして五年目の六月卒業製作を終えた学生たちは、学窓を巣立つて、各共和国の撮影所に専門家となつて散つてゆくのである。撮影所に入つた学生たちはそれぞれの職種の中で、助手として第一歩からはじめるのであるが、どの位の年月で一本立ちするのかとクレショフ氏に質問すると、「それはその人の才能次第である。一年にも満たぬ年月で演出家になる人も居れば、一生涯助手をする人も居る」との今更ながらきびしい回答をうけた。

ー学生の生活ー

ソヴエート連邦の一六の共和国と東欧人民民主主義国、中国、朝鮮などから集まつて来た学生たちは、映画大学附近にある寄宿舎に入りみんな生活を共にしている。生活費はすべて国家負担である。学年により生活費は違うが大体一人につき五〇〇ルーブル、その他に奨学金など出て八〇〇ルーブルほどになる。勉学の設備のととのつた学生生活では、この生活費は余るほどで、故郷に送金している学生も居るとのことである。

九月にはじまり翌年六月に終る学期末には、地方にある学生の家などに集まり楽しく休暇を過す、それぞれの出身国に帰り民族的研究をする時間もこの夏の三ケ月間が使われる。そしてそれらが習作の映画製作の中に生かされてくるのである。

めぐまれた環境の中で、正しい教育をうけている青年たちは文字通り次の時代のソヴエート映画の担手であることは勿論、現在も、この映画大学の教育をうけた多くの青年たちが、巨匠と云われる人たちに伍して、新しい映画をどんどんとスタジオから作りだしているのである。

（10月24日）

声

（諸岡　青人）

「火の車、火の車」と大変耳がいたいです。会費の納入率は経済的な理由だけではなく、協会員としての自覚の程度を、或は物語っているのではないでしょうか。（この事だけは、だまつていようと思いましたが）

（西沢　豪）

仕事に追われて忙がしい毎日を送つていると会員諸氏にお逢い出来るのは会報の動静欄だけです。皆さんがどんな仕事でどんな風に取組んで居られるかを読むことが大きな楽しみになつています。消息欄にもいろいろな形で報告されていますが「××で仕事をしています」というだけでなく、もつと詳しく内容にふれて頂きたいのです。又企業の方々も企業一括のものでなく個々人の活動を知りたいと思います。

変りばえのしない日常です。少しなんとかしなければと考えてはいますが考えるだけで……

西尾　善介　「黒部峡谷」第二部ロロケ。

吉見　泰　今度は農村の生活改善物語（東京シネマ）のシナリオ、ハンテイングにかゝります。

石田　修　アンコールワットのデカイ石造りにぶつかつて動きがとれぬ思いでした。けんらん豪華なこのクメール（今のカンボジヤ）文化が十四世紀でプッンと糸が切れたように潰え去つたのは国のおかれた環境とは別に極く一部の人の文化だつたせいによるものかもしれません。これからメコン河を遡航して稲作文化の民族をたづねます。

（仏印カンボヂア発）

西沢　周基　中日ニュース映画社にて企画準備中です。

河野　哲二　「秋の甲州路」（電通映画部）のロケに九月たちます。十月二十日頃帰京の予定です。「描きつづけた三才の生涯」（仮題）シナリオをかいています。

ー以上十月七日ー

上野　大悟　村上プロ「水田とチ

（岡野　薫子）
先日の、教材映画研究会大変勉強になりました。

（道林　一郎）
いろいろ持たれてきた研究会の他に、もつと深く作品活動と結びつき、刺戟し合うには、どうしたらよいのか……よくよく話し合い、考え合わせないとピンチはいつまでも解消しないのではないでしょうか。

（肥田　侃）
どうもこのところ、「心は二つ身は一つ」といつた類の多忙さで、協会にもとんと御無沙汰ばかり。小高さんや委員の方々にも申訳なくぞんじています。編集後記を読むと、身につまされるのですがどうも民主主義というものの難かしさを感じます。少しでも暇になりましたらぜひうかがいます。お許し下さい。

（坂田　邦臣）
教育映画の発展の為にも協会の活動に期待して止みません。そのためには微力ながらも精一杯の協力を惜まないものです。強いて希望を云えば、全会員同士の接触の機会が今一段と増えれば様々な面でいいんじやないかと思いますが積極的な運営を期待して止みません。

（岩崎　太郎）
協会を法人として確立し、協会員の仕事はすべて協会が契約当事者となり、従つて会費はギヤラの歩合制に戻す。この体制を樹立する以外に財政問題（その他もろもろ）の根本的な解決策はない。困難の多いのはわかつているが、その方向へ向つて打開のてだてを講ずべきだと思います。

（かんけまり）
協会の危機を積極策でのり切ろうという運営委の御意見には賛成です。私もなんとか具体的にお役に立つように心がけておりますがシノプシスの仕事でもあれば早速声をかけて下さい。

（村田　達二）
シナリオ研究会を大いに発展させたいと思います。吉見さんの声援もあり、共同研究制作の場としてゆきたいと思いますが……

（牧野　守）
大分協会の在り方が問題になつている様ですが、確にはつきりしない点がいろいろな面から出て来ている様です。此際本質的な問題にたちむかつて十二分に検討をする必要があるのではないでしょうか。

（泰　康夫）
記録映画研究会を再開しましょう。シナリオ、その他の文書をもとにしてもよいし作品を上映してやればなおよいと考えています。十一月になれば準備等やらせて頂きます。

（藤原　智子）
記録映画研究会、その他勉強会をもつと活発にして頂きたいと思います。

（小島　義史）
国際交流について、協会内に正式機関が必要になつてきたようです。各国の情報資料も自主的に交換してゆきたいです。

（飯田勢一郎）
会報二九号の「プロデューサーツソ肥料」残部撮影中。

田中　舜平　記録映画社で仕事をしています。

—以上十月八日—

飯田勢一郎　夏の三ケ月間担当していたTV映画から解放され、マンジユシヤゲとスキの野辺に立つて、次期作品の企画検討中、㊙とのことですから、これ位で勘弁して下さい。

深江　正彦　「飲み水になるまで」の製作中です。

—以上十月十一日—

肥田　侃　電々公社の「電話のつながるまで」第三稿執筆中。中部電力「新名古屋火力建設記録」シノプシス作成。百科映画「とんぼの生活」編集、録音準備中、なおT・V用動物ものも研究中です。

日高　昭　産業映画「神戸港」（桜映画社）の編集、録音中。十月末完成予定。

—以上十月十二日—

坂田　邦臣　去る一月より着手した半記録映画「光を求める子供達」シリーズ、六篇の取材調査に東奔西走、シナリオ第二稿完成に青息吐息。五ケ月程、東京を離れてましたが近々帰京の予

にものをきく会」は全くひどい記事でした。テープレコーダーを逆に廻してもう少し面白い音が聞こえる筈です。速記はもっと意味のわかる文章に整理し、長いものは中ミダシをつける位の編集常識があってもいいでしょう。

（永富映次郎）

「プロデューサーにものをきく会」は大変よい企画と思いますが、あゝしたやり方ではどうかと考えます。それに速記で長々と発表しているが、すくない貴重な紙面を考えたら内容を圧縮して出すとかしないと無理です。あゝダラダラではハラハラします。

（富岡　捷）

出席出来なかったが記録記事をみてプロデューサーとの会合はよかった。但し、ゲラ刷りのまゝを読まされたようで読み辛かった。草稿を、発行前に発言者にもう一度みて貰って修正して貰ったらよかったのではないか。

（田中　舜平）

プロデューサーにものをきく会（第二回）の記事を読みました。何か非常に貴重な発言が次々になされているようなので、目を皿にして一つ所を何度も読み返してみるのですが、そのたびに何やら判ったような判らないような気持にさせられました。レポの方法をもっと考えるべきではないでしょうか。例えば今度のように複雑な内容をもった討論の報告は特に適当な方にお願いして、いくつかの問題点の指摘に従って討論全体の解説をしていただくとか。……

（村上　雅英）

入会したばかりでよくわかりません。

一例ですがシナリオの研究会等を開いたらどうでしょう。

頭（づ）が高くて、頭（あたま）が低いと感ずるのは僕だけでしょうか？。

会報の「プロデューサーにものをきく会」おそらく速記者の原稿そのままでしょうが、会に出た人々でないと何を話してるか、よくわからない。僕は出たんですが、よくわからなかった。

（松本　俊夫）

先号会報の「プロデューサーにものをきく会」の記録、到るところ意味の通じない読みにくいところがあって閉口しました。仕事に追いまわされて会に出れないため会報に載せられる記録だけを頼りに、このような集りで語られた問題をも自分の問題として考えようと一生懸命会報を読もうとしている者にとっては、こういう不親切な記事はどんなに長く載せて貰っても無意味であるばかりかいらだたしくなります。

▽おわび　　会報編集部

会報前号の「プロデューサーにものをきく会」の記事は、御指摘されるように、たしかに、ずさんで不親切でありました。まったく申訳ありませんでした。御叱りをいただいて、編集部は平身恐縮しております。言い訳を申しますとあれは原稿の作成が時間的に遅れてしまって、印刷所に手渡す時期が遅延したことと、編集部の取扱い方の考えの中に、へたに整理をして手を入れるよりは、このまま発表した方が、あるいは面白いのではないか、といった勝手な考えが、ちらりとあったことが原因でありました。しかし結果は御指摘の通りであります。こんごは気をつけることにいたします。

定。

永富映次郎　新理研映画と読売映画の仕事をやっています。

―以上十月十三日―

大鶴日出夫　「伸びゆく生産」二巻編集中。

―以上十月十四日―

松本　俊夫　相変らず「大自然に羽搏くもの」の仕事です。最近山形で山火事のシーンを撮りましたが貴重な経験となりました。

岩堀喜久男　九月は休養して十月一日仕事探しの御用聞きをどのプロダクションから始めようかと迷っていたら電報が来てもう一本村上プロで続けることになりました。中国語版の「尿素肥料」二巻で十一月未完成録音の予定。ギャラは改訂基準通りに上り、お蔭様で年も越せそうですが、十二月は是非とも教育映画の本をまとめたいど思います。かんけまり　予定された仕事は何もないまことに気楽なことになっています。この暇を勉強にと思うのですが、怠けぐせがついていてサッパリです。

―以上十月十五日―

村田　達二　桜映画社で次回準備中です。

シナリオグループのことなど

丹生正

曽て、ささやかなプロを友人と共にやつた事がある。交渉や金勘定と同時に現場はやれないので、脚本や演出は一切人に頼んだ。そういう時一番頭を使つたのは脚本を誰に頼むかという事である。Aさんは堅実な脚本を作つて呉れることは間違いないが、この材料は軽快なテンポが欲しい。AさんにBさんの味を加えるといいんだがと考える。と云つてBさんではどちらかと云うと この堅い題材には不向きかも知れない。色々の人を頭に浮べて結局Cさんに頼んで、出来上つた脚本はCさんらしく、それはそれで仲々結構なんだが、Aさんならこの辺の運びがもつと適確に出せるんだがなあ、なぞと人の苦労もその時ばかりは考えないで批判する。製作者としては良いものを作つて貰い度いので、こう直して貰えませんかなどと注文するが、結局はCさんの線が別の面で出るだけで終ることになる。これは当然の事で何も彼も望む製作者の方が悪いので、Cさんに頼んだ以上Cさんの色で染め上げた脚本で押し通してこそ作者アビリテイをうまく活用した事になるのだが、現実は、殊に注文映画の場合など目的に少しばかりそれて、作製者としては頭をかかえる事がある。こんな時何人かのライターのアイデアを加える事が出来たらと考えることがあつた。それは何も何人かが筆を加えると云うのではなく最初に色々な意見を交し合つて納得の行つたところでCさんならCさんが筆を執る。と云う事の方がいゝものが生れる可能性が多いのではないかと云う事なのである。飛んでもない、それでは作家の自主性は何処にあると云う人もあるだろうし、物によつては確かにこの方法は適しない場合もあると思う。だが今日のようにマスコミの時代になると、名人芸のみに頼つて居れない場合も出来て来る。何んでも脚本なら引受けるシナリオ工房みたいなものゝ存在も必要なのではないかと考えたことである。そんな事を今私達幾人かの間で話合い、或る程度実行に移している。別に事新しいアイデアでもない。グループが団結してどうのこうのという角張つた訳でもない。名人も職人も集ってよりいゝシナリオを作つてゆこうと云うのである。力を貸して下さる方や、話合いに加つて下さる方があれば有難いのである。 こんな事を書いたのはシナリオは個人で書くだけでなく、衆智を集める方法も必要なのではないかと云う事を云い度いわけである。近来仲々いゝ写真が出来る一方、ナレーションに画が息せき切つて追いついている教育映画、センチな唄い文句を拝聴させられる記録映画、解り切つた話を何の曲もなく描いて見せるPR映画、下手な芝居の見本みたいな児童映画もまだまだ作られている。それはシナリオを作る時に狭い自分の意慾だけに頼つているからだと云える場合が多いと思う。ついで乍ら記録映画の世界に論客は

赤佐　政治　日本産業映画社で仕事をしています。

岩崎　太郎　十月から全農映で仕事をすることになりました。

諸岡　青人　十月初旬、国鉄もの石油もの、をクランクアップし録音準備をしながら次回作品の脚本執筆中です。

―以上十月十六日―

荒井　英郎　全農映、カラーPR映画がまだ進まず待期中です。

牧野　守　日本短篇映画社の三巻もの準備に入つています。今月中にアップ五日頃に初号の予定です。

―以上十月十九日―

秦　康夫　「オートメーション」改訂版八月末完成したのですが東洋現で全巻にわたつてネガにたてきずをつけられマイナスの苦労をしましたが又勉強にもなりました。十月末まで同じ記録映画社の人形劇映画「さるくん・かにくん」の編集。録音を手伝います。

下村　健二　全農映で準備中、

島谷陽一郎　「住いと都市計画」黒白二巻。共同映画社にて脚本演出。「新らしい東京」カラー二巻。LAT航空会社、脚本演出

多い。私達が映画を作る上に一番大切なシナリオに就て、いや別にシナリオの分野に限らないが、見解を協会誌上に戴せていたゞき度いと思う。市販の映画雑誌や、業界誌をたまに開くとケンケンガクガクの記録映画論なぞにお眼にかゝる事がある。だが内容は一般読者を眼指しているだけに私達この道で貧乏して来た者には映画入門書のト書きみたいに思はれるものが多い。それは併しそれで記録映画と云う代物の広報活動と見れば私達も有難がつていゝものかも知れない。併し、その執筆時間の一部をさいて協会誌に技術者としての、或は作家としてのキャメラの傍での意見を開陳して貰えたら有難いと思う。

腹の痛まない話

―お礼に代えて―

加藤松三郎

去る暑い八月中、再度にわたつて関西往復をつづけているうちにすつかり食欲がなくなりました。でも前年の夏の例もあるし、またいそがしさにもかまけていたら、こんどは腹がへつても胃が痛み、ついに地下鉄の駅で倒れるさわぎまでであつて入院。あとはガンなどとおどかされながら胃の三分の二を切除したわけですが、いろいろと事前にきいたように、この文字通り「自腹を切る」ことが一向に痛くもかゆくもなかつたのです。つまりマスイの発達のためですが、むしろ切開部分よりも背骨の痛いのには泣かされました。のんべいのわれながら、もう二度と再び酒なんかのむものか！と決意したほどなのです。

ところで今回の病気にさいしましては大方のみなさんから意外なお見舞いのカンパをいただき、恐縮と感激がゴッチャになりました。つつしんで厚くお礼申上げます。おかげさまで今はもはや、ただ体力の回復をはかるだけです。

ついては全快のおしるしまでに何かご返礼をと考えた結果、紅茶セットを協会におおくりいたしました。コーヒーはいつでものまれることであり、いや紅茶の方が私としても安上りだからなどでは決してありません。たまにはサラリとした味をという微意です。

そこで特に一つの提案があるわけです。というのは「協会の紅茶」が今回きりにおわらず、なんとか続行させたいと思うことです。ためには一パイおのみの方には、そのつど何分のカンパを、ぜひともお願いしたいのです。そして「協会にゆけば、まるでタダで、こころあたたかい紅茶がのめる」といつたノベルテイにでもなれば大変な喜びに存じます。

つまりは恐縮ながら私としてはこれもまた一つの「腹の痛まない話」にほかなりません。

十月二十四日

特にカンパのご芳名を記さしていたゞきます。（順不同）

高木秀雄氏、瀬川浩氏、大関八重子氏、小高都子氏、こたかしんいち君（以上は協会外）

渡辺正己氏、河野哲二氏、道林一郎氏、中島日出夫氏、韮沢正氏、荒井英郎氏、松本俊夫氏、菅家陳彦氏、森田実氏、岡野薫子氏、大野祐氏、吉見泰氏、下村健二氏、小島義史氏、米山彊氏、野田真吉氏、杉山正美氏、小高美秋氏、加藤喜恵子氏

高綱　則之　学習映画大系レリーズ姿を変える水クランクアップして編集中、おまわりさん、お金のはたらきと次回作品を検討しています。

大方　弘男　準備中の「秋の甲州路」（二巻）「よろこびを共に
共に十三日からクランクイン。今度はプロデューサー専門に廻りました。

岩崎　鉄也　電通映画部の仕事で山梨県下ロケ中、十　末帰京

安倍　成男　理研科学映画村上プロにて仕事をしております。

杉原　せつ　待　期　中

大野　芳樹　待　期　中

丸山　章治　流感のため一週間ほど寝こみましたが、起き上つて三木映画社の「義理と人情」の演出をしております。

大野　佑　電通映画社にて仕事をしております。

本紙同封の動静おしらせ用はがきを、無駄にしないで、御活用下さるよう、たのみます。

十月の助監督部会から

乱世をいかに生きるか、という大人の書いた本があるので、読みました。

そしたら、アプレ族とは、戦後にうまれた民主々義的人間以外のなにものでもないと考える。ということでした。

もつとも、戦後のマッカーサーの民主々義の意見で、この言葉は使つてありました。

戦前からの、民主々義的人間は、それを獲得すべき斗争の過程があつた。ということらしいのです。

いずれにせよ、アプレ族の民主々義には、いささか衝動的で、無秩序の感があるというソシリはまぬがれないかと、思います。

青年は再び戦場で逢うまい。という民主青年同盟のアッピールに馬鹿みたいに共感してる間に、富沢幸男さんが、モスコーの梁和友好祭から帰つて来ました。

正流派の民主々義的な人達の理解ある指導と協力が、この大仕事を成功に導いてくれたことは大きな幸せでした。

いま、私たちは、胸のふくらむ思いで、次のことを考えはじめています。

平和なくして、文化なし。国民文化会議のスローガンに、強く引きつけられているのです。

連帯のことです。私たちのまわりとの、そして海外の仲間たちとの。

富沢さんが海外に残して来た成果を、協会全体として受けとみる機関の必要を、感じているのです。

いささか、衝動的で、無秩序ですらあると見える私たちの行動に、適切な助言をいただきたいと思います。

乱世をいかに生きるか。一つの回答が、私たちがアプレ、ゲールの意識を持ちつづけ、永遠のアプレ族となることのように、考えられるからです。

（渡辺正已）

南鮮、京城（ソール）ドーンスター・ムービー・センター〟より交流の呼びかけ

協会は十月廿四日、朝鮮ソールの〝ドーン・スター・ムーヴィ・センター（DAWNSTAR MOVIE CENTER）〟からの書簡を受けた。

それによると、ドーン・スター・ムーヴィ・センターは、朝鮮の教育映画のセンターとして、ソールに堂々たるビルディングを擁して、去る九月に発足した。

就ては、日本の教育映画界の各団体（製作業者、配給業者その他の諸団体）とその代表者並びに作品目録、ライブラリーの所在地を知らせてほしい。ドーン・スター・ムーヴィ・センターでは目下、ライブラリー設置計画を実施しようとしているが、とり敢えず教育映画、科学映画、文化映画、PR映画、漫画映画等を購入したい。それに就ての価格を知らせてほしい。

また、朝鮮にエイジエントを置きたい向きがあれば、申越されたいというものである。

竹内　繁　待期中

樺島　清一　日本視覚教材KKにて仕事をしております。

田中　喜次　内外映画の仕事をしております。

苗田　康夫　三井芸術プロの仕事をしております。

水上　修行　次の作品の準備中です。

八木　進　モーション・タイムズにて仕事をしています。

中島　智子　十月七日に結婚しました。引きつづき新理研映画で仕事をしております。

小島　義史　東京シネマで「火力発電所」続行。十月一十一日で撮影を終え、十一月末に初号の予定です。

間宮　則夫　同じです。

小谷田　亘　岩波映画製作所にて仕事をしています。

西本　祥子　日本視覚教材KKにて仕事をしています。

米山　彊　次の仕事の準備をしています。

松崎与志人　埼玉県東松山市にて静養中。

伊豆村　豊　岩波映画製作所で「堯虫」の仕事ししています。

（十頁一段へつづく）

（九頁四段よりつづく）

高島　一男　理研科学村上プロで仕事をしています。

山添　哲　東映教育映画部の仕事を終つて待期中

木村荘十二　「うなぎとり」を終えて次回作「千羽鶴」の準備をしております。

山岸　静馬　日本短篇映画社で仕事をしています。

小泉　堯　岩波映画製作所で岩佐さんの助手をしています。

片桐　直樹　英映画社の「風紋」で、鳥取ロケ中です。十月末にクランク・アップ帰京の予定です。

八木　仁平　次の仕事の準備をしています。

山本　升良　三木映画社「義理と人情」丸山組です。快速撮影中で一週間でアップします。

相川　竜介　福岡県甘木市にていろいろと準備をしています。

伊勢長之助　岩波映画製作所にて仕事をしています。

矢部　正男　岩波映画製作所にて仕事をしています。

菅家　陳彦　引きつづき運輸新聞プロの日通映画の撮影中です。

杉山　正美　東京シネマで結核菌の映画をつくつております。

竹内　信次　東京シネマにて仕事をしています。

松本　公雄　電通映画部作品「よろこびを共に」カラー二巻、大方弘男プロデューサー、山下武郎監督の助監督をしています。神奈川県松田町にてロケ中。劇映画なので、だんどりが大変です。川本博康さんの弟さんが手伝つてくれています。月末にアップの予定。

厚木　たか　次の仕事の準備をしています。

下村　和男　光和照明にてアルバイト中です。

衣笠十四三　英映画社「ただいま勉強中」を、ただいま撮影中。

柳沢　寿男　次の仕事の準備をしています。

川本　博康　東京シネマにて竹内さんの助手をしております。

小森　幸雄　岩波映画製作所にて岩佐さん、小泉さんの助手をしております。

前田　庸言　産業映画社の仕事をしています。

小野寺正寿　全農映の仕事を終つて待期しています。

京極　高英　岩波映画製作所にて仕事をしております。

富沢　幸男　岩波映画製作所にて次の仕事の準備をしています。

桑野　茂　日映新社にて仕事をしております。

水木　荘也　三井芸術プロダクション

盛野　二郎　英映画社にて仕事をしております。

中島日出夫　三井芸術プロにて仕事をしています。

松岡　新也　マツオカ・プロダクションにて次の仕事の準備をしております。

頓宮　慶蔵　またまた痔が再発悪化し、寝こんでおります。（楠木徳男氏報）

新圧　宗俊　オートスライドプロおよび日映科学映画製作所の仕事をしております。

村上喜久男　理研科学村上プロダクション

豊富　靖　七ケ月にわたつた産業映画社の「富士山の四季」を終つて待期しています。

清水　信夫　東映教育映画部の仕事をしております。

丹生　正　日映新社「大地の子」北海道ロケを終えて、去る十月十三日帰京し、目下編集中です。

樋口源一郎　岩波映画製作所にて「井川ダム」の仕事をしております。

尾山　新吉　三井芸術プロで仕事をしています。

岩佐　氏寿　岩波映画製作所で日通映画の演出中です。

近藤　才司　桜映画社にて仕事をしております。

大沼　鉄郎　胸をやられました。しばらく療養生活に入ります。

岡野　嚴　新映画実業株式会社を設立しました。

北　賢二　凡プロダクションにて仕事をしています。

韮沢　正　新東映画社にて次の仕事の準備をしています。

三浦　卓造　日映新社の進行課で仕事をしています。

加藤松三郎　胃潰瘍の手術を終えて殆んど全快。そろそろ動き出しております。

楠木　徳男　理研科学大鶴プロの仕事を終えて、テレコマの小さい仕事にかかつております。

草間　達夫　田部　純正
二瓶　直樹　原本　透
勝田　光俊　島内　利男
岸　光男　清水　進

新理研映画株式会社
岡本　昌雄　日本視覚教材KK
大橋　春男　NHKTV映画課
羽仁　進　坊野　貞男
吉田　六郎　時枝　俊江
各務　洋一　黒木　和雄
高村　武次　秋山　衿一
田中　実　榛葉　豊明
岩波映画製作所
石本　統吉　清家　武春
中村　麟子　奥山大六郎
長野　千秋　下坂　利春
日映科学映画製作所
大久保信哉　たくみ工房
上野　耕三　記録映画社
本間　賢二　東映製作所
松本　治助　電通映画社
森田　純　学習研究社映画部
高見　貞衛　大場　秀夫
日本記録映画社
吉田　和雄　神奈川ニュース映協
川崎　健史　彦根市に居住
稲村　喜一　人形映画製作所
中村　敏郎　山口　淳子
大峰　晴
日本映画新社
長井　泰治　諸橋　一
平田　繁次　吉岡宗阿彌
日本アニメーション映画社
西浦　伊一　綜合映画製作所

（左の方々は原稿〆切までに詳しい動静が分りませんでした。ぜひ、連絡をして下さるように願います。）

秋元　憲　森永健次郎
小野　春男　平野　直
原口　光人　中江　隆介
馬場英太郎　古川　良範
渡辺　亨　中川　順夫

（会員総数　一六七名）

☆住所移転
渡辺　亨　港区麻布霞町十加藤方TEL（四〇）二八八五へ転居
徳永　瑞夫　福岡市平尾山荘通り三ノ六四へ転居
高綱　則之　目黒区中目黒二ノ四三三杉本方へ転居

☆結婚
富岡　捷　九月二十九日に再婚しました。
中島　智子　十月七日に結婚しました。
高綱　則之　十月末に結婚しました。

☆その他
中島　智子　結婚して藤原と改姓しました。
森田　実　十月はじめに女児が出産しましたが、死去しました。（斎藤久氏報）

九月分会計報告

収入の部	
三月迄の未納会費	二、三五〇
四月分以降の会費	四四、〇七〇
貸付金	一、〇〇〇
寄付金	五〇〇
合計	四七、九二〇
支出の部	
事務所費	一三、〇〇〇
人件費	二〇、〇〇〇
電話電報料	七、一二三
通信費	三、五七六
用品文具費	一四〇
交通費	一、四二八
印刷費	六、八〇〇
慶弔費	二、〇〇〇
雑費	三八五
前月の不足金	二七、一八三
合計	八一、六三五
差引不足金	三三、七一五

▽この不足金は、九月末日現在で、吉見二九、〇〇〇円、加藤三、三六〇円、小高一、三五五円を、それぞれ負担しています。

大沼鉄郎君の病状とその経過について

作家協会運営委員、助監督部会幹事、又、第六回世界青年学生平和友好祭記録教育映画部門代表派遣実行委員会事務局長として終始協会の運営に献身的な努力を続けて来た大沼鉄郎君は、去る十一月九日の健康診断の結果、肺結核の診断が下され現在自宅静養中です。病状は比較的発見が速かつたため化学療法剤の使用で治ゆの見込みが立つて居りますが若干の静養期間を必要として居り、現在伝研附属病院に入院手続き中です。

協会の運営、特に助監督部会の生活問題、平和友好祭実行委員会の要となつて、活躍された同君の御苦労に心からお見舞の言葉を差し上げたいと思います。

又、健康保険、生活問題、治療手続きに尽力された東京シネマに対して、協会の一員として又友人として感謝の意を表する次第です。

（杉山　正美）

一九五七年教育映画祭
入選作品きまる

さる十月十八日より開催された一九五七年度教育映画祭においてこの一ヶ年間に製作された教育映画の中から学校教育用映画、社会教育用映画、一般教養映画、動画映画、児童劇映画の五部門にわたつて、その優秀作品の発表選賞が次のように行なわれた。なお本年度の出品参加作品は七四本（一九二巻）であつた。

入選作品（☆印は最高賞作品）（▽印は当協会々員）

第一部　学校教育用映画

☆「地図と地形」　二巻
日本映画新社作品
製作堀場伸世▽脚本落合朝彦
▽演出落合朝彦　撮影橋本竜雄

「綿紡績」　三巻
中央教育研究所作品
製作矢口　新　脚本村　治夫
▽演出田中喜次　撮影植松永吉

「植物の芽ばえ」　一巻
日本視覚教材株式会社作品
製作谷口豊一▽脚本樺島清一
▽演出樺島清一　撮影鈴木武夫

第二部　社会教育用映画

☆「おふくろのバス旅行」　二巻
記録映画社作品
▽製作上野耕三▽脚本厚木たか
▽演出菅家陳彦　撮影江連高元

「町の政治」　三巻
岩波映画製作所作品
製作小口禎三▽脚本時枝俊江
▽演出時枝俊江　撮影藤瀬季彦

「娘は娘母は母」　三巻
東映株式会社作品
製作東映ＫＫ▽脚本清水信夫
演出田代秀治　撮影大山年治

第三部　一般教養映画

☆「黒部峡谷」　四巻
日本映画新社作品
製作堀場伸世　藤本修一郎
▽脚本西尾善介▽演出西尾善介
撮影林田重男　藤田正美

「北海道の大自然」　五巻
東映株式会社作品
製作大川　博▽編集岩佐氏寿
撮影松田定彦

「雅　楽」　二巻
日映科学映画製作所作品
▽製作石本統吉▽脚本丸山章治
▽演出丸山章治　撮影後藤　淳

第四部　動画映画

☆「ちびくろさんぼの虎退治」　二巻
電通映画社作品
▽製作稲村喜一　脚本村　治夫
演出持永只仁　撮影岸　次郎

「こねこのらくがき」　二巻
東映動画株式会社作品
製作赤川孝一　山本早苗
脚本木下秋夫　演出藪下泰次
撮影石川光明

第五部　児童劇映画

☆「いねむり一家」　五巻
東映株式会社作品
製作東映ＫＫ　演出田代秀治
▽脚本清水信夫　田代秀治
撮影大山年治

「ゴンちやんとヘリコプター」　五巻
平凡出版ＫＫ作品
製作平凡映画部
脚本関川秀雄▽中川順夫
服部正美
▽演出中川順夫　撮影上原雄二

「長崎の子」　六巻
共同映画社作品
製作坂斉小一郎
脚本山形雄策▽演出木村荘十二
撮影青島一男

編集後記

☆第四回教育映画祭の秋たけなわというのに、この会報三〇号の内容がいかにもさびしいのはどうか編集係としては、まことにザンキにたえない☆私事にわたつて恐縮ながら、九月当初から一カ月間の入院生活のあと十月一杯も自宅静養をつづけた自分だが、実は自宅でもすなおな静養などはできず、仕事の意外なゴタゴタがつづいて「しづごころ」のない近頃、会報編集も見送りのままここに至つた。ほんとに申訳がない☆ところで巻頭言は、そろそろ年末を考えて来る会員総会への問題をあげる。自分のことをタナにあげていうようだが、どうも大方の会員が協会への熱情になれきつてるように思われる昨今、協会の存在を再確認していただければ幸いだ☆本号の読物はただ一つ富沢君のモスクワ映画大学報告に負わざるをえなかつたが、何らかのご参考にはなると信ずる☆次号にはぜひとも内容のばんかいを期したく、今回はひらにおわび申上げる☆「白玉の秋」にのめないとは無念。（加　藤）

1957.12.20.

教育映画作家協会々報

教育映画作家協会
東京都中央区銀座西8/5日吉ビル4階 Tel(57)2801

NO 31

第四回教育映画作家協会定例総会特集

第四回定例総会にあたつて

報告と提案

運営委員会

昨年末の総会で私たちは「作家生活の前進のために――」という方針を基本スローガンとして採択しました。

それは協会員の経済生活の向上と、作家としての質的向上をはかるという両面を持つていました。

そして運営委員会はこの一年、右の基本スローガンを軸として活動を展開する任務を負うていたわけです。

運営委員会は、来る十二月廿五日の本年度末総会を迎えるに当つて、この一年間の活動経過をふり返り、総括し、右の基本方針に照らして、その成果と欠陥を分析しました。

1. この一年を通じて、運営委員会が最も頭を痛め、悩みつゞけたことは、本年度も亦、運営費の問題でした。三月の臨時総会で会費制を改訂して以来、その前半期は改訂前の未納会費の回収に助けられてどうやら毎月を切り抜けてきました。しかし後半に入つて、改訂前の未納会費回収のテムポが急激に遅れはじめると同時に、運営費は毎月一万五千円乃至二万円の赤字を出し、運営委員からの個人的借入金によつてこれを補いつゞけて来ました。

これは新会費制による運営費予算の基礎が、会費の100%納入に置かれていたにも拘らず――つまり、毎月の会費が100%に納

総会は
12月25日(水)
午後1時より
中央区役所
銀座東出張所
2階集会室

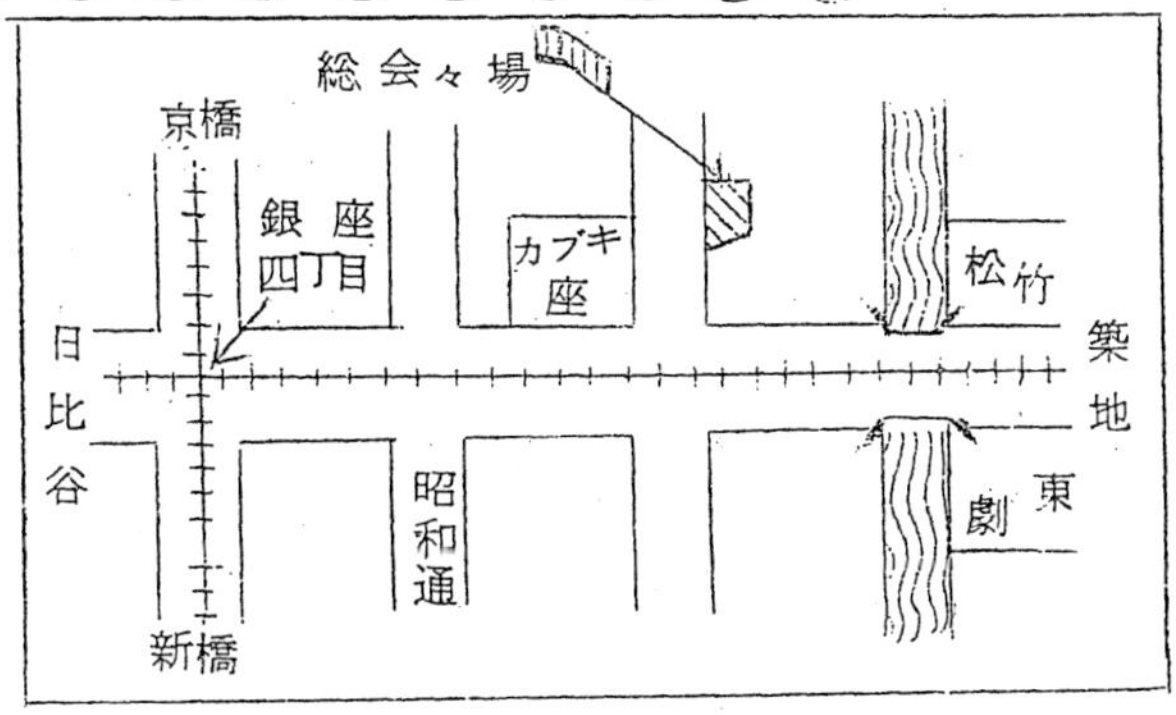

入されてはじめて協会の運営が普通に行われるという立て前にたつていたにも拘らず、新会費制によつて発足したその月からもう、会費の怠納がはじまり、これが毎月累増したからです。会費による月平均収入三万五千円乃至四万円予定総収入の七〇%強の成績です。

運営費に就てのまことに冷酷な数字のあとを会計報告によつてお辿り下さい。

2. こうした経済不安の中では、なにか一つ計画しても金がかゝるのが心配で、勢い運営は退嬰的になり、見るべき成績を残し得なかつたことに、委員会は責任を感じています。

3. 委員会は、成果と欠陥の分析に当り、会費の集まり具合が、何故こんなに悪いのか、という所からはじめました。

一般的に言つて、会員の経済生活が決して楽ではないということもさることながら、運営上の責任から言えば、会費をおさめるに値するだけの魅力ある活動をしていないという反省が、また今年も繰り返されました。魅力ある運営は何故できないのか。

会費の怠納による運営費の窮迫と消極運営とはたしかにいたちごつこです。しかし、この悪循環はどこかで早く積極的に立ちきらねばなりません。魅力ある積極運営とこの悪循環の立ち切り――この課題に対して積極的に取り組み、果敢な第一歩をふみ切ること以外に、私たちの道はないと思うのです。

そうしなければ、来年の末、委員会はまた同じ反省と悩みをくり返すでしよう。

悪循環の立ちきり――こゝに来年度の方針をたてる第一の手がかりを求めねばなりません。

では、魅力とは何か。

それは矢張、作家生活の前進にあると思います。

昨年末の総会は、「作家生活の前進のために――」という課題を基本スローガンとして採択したものの、それの具体的な方策と運営に就て委員会はまことに不充分であり消極的でした。

来年度は右の課題を具体的に展開してゆく軸を摑まねばなりません。――こゝに来年度の方針のための第二の手がかりが求められます。

4. こうした問題点の総括を進める中で、特にお詫びしなければならない問題があります。

一つは、会費を完納しておられる方々、若しくは、完納に近い形で会費を収めて頂いている方々が、魅力少ない協会を今日まで維持して下さつたことに就て、深い感謝とお詫びを申上げたいと思います。

殊に中でも企業所属の方々にそのことを申上げたいと思います。フリーの場合には不充分ながら斡旋とギャラ水準の問題で多少の御援助をする機会はありますが、この問題では企業所属の方々には直接の利益としては返つて来ません。

企業所属の方々が望まれることは専ら、他の作家たちとの交流を通じての創作研究に集中しています。にも拘らず、それに対して協会は一つとして積極的にお応えしていないのです。言わば最も利益うすい会員だつたのです。所が企業所属の方々は会費を規則的に完納し、協会の維持に大きな力となつて下さつているのです。委員の中には、企業所属の方に合わす顔がないと

会員の動静

西尾　善介　「黒部峡谷」第二部ロケ。

間宮　則夫　「建設すすむ新鋭火力発電所」二巻、ようやく十一月末初号の運びとなりました。

―以上十一月五日―

小島　義央　「火力発電」（東京シネマ）の録音、整理を十日で終え、続いて柳沢さんの「現代の民話」（自主映画）の助手につきます。十一月一杯大阪ロケの予定です。

富沢　幸男　岩波映画で「日本の学校」演出します。

加藤松三郎　おかげさまで静養のカイあつて、あれこれと動き出しています。さつそく二作品（日映科学と大阪第一映画）のシナリオで大阪行です。まさに「食欲の秋」とはいえ（のみはあきらめて）もつぱら「くい」を実行しています。もう一つの結核中篇のほうは新庄君と共作中ですが、なかなかむづかしそうです。

大野　祐　遂に結婚致しました。

文字通り頭を抱えて懊悩する人もいる程です。

委員会はこうしたギリギリの反省とお詫びの気持を活かす上から言つても、来年度の方針への具体的な手がかりを積極的に担もうと努力しました。

5. この一年間の主な業績。

A、新会費制への切りかえ。
B、助監督部会の確立。
C、会報の継続発行。
D、ギャラ水準のスライド、アップ
E、記録映画研究会、教材映画研究会活動
F、プロデューサーを囲む会
G、第六回世界青年学生平和友好祭への富沢代表巡遣

6. 成　果

A、会報発行

なんと言つてもこの会報活動が協会運営の主軸であつたことを否めません。勿論それに就て色々な意見や注文はあります。しかし、もし会報が無かつたら、対外的にも対内的にも協会はなにをして来たか問題になる所です。

対内的には会員相互の連けいのベルトとなり、対外的には各プロダクションに協会の活動と会員の動静を伝えて、プロダクションとの連けいの橋渡しとなつて来ましたし、少なくともよく読まれるようになり、協会外でも会報への関心、ひいては協会の存在への関心の高まりを呼ぶ材料になつて来ています。これは益々、発展させねばならない成果です。

B、助監督部会への斡旋活動と、養成。

これまでも、協会の斡旋活動の中で、助監督の斡旋件数は圧到的な比重を占めていましたが、助監督部会が確立して、委員会との連けいのもとで、自主的な斡旋活動をはじめた結果、助監督の斡旋が組織的になり、斡旋の能率をあげました。斡旋という点で今や助監督部会は100%に協会に依存しています。

しかもこゝでまた特筆に価することは、組織的斡旋と各作家並びに関係プロダクションの理解と御援助によつて、殆んど素人も同然であつた助監督部会一部の人々が仕事につくことが出来、逐次経験を積み、経験の度合いや技術程度の違いこそあれ、みんなもう素人どころの騒ぎではない、れつきとした助監督として通るまでに成長したのです。フリー企業にいるのとは違つて、フリーでは、なかなか仕事のチャンスも見つかりにくいものですが、本人の努力、周囲の援助、そして組織的な斡旋活動によつて今日を見たのです。

C、富沢代表の派遣

助監督部会の精力的な活動を中心にして、会員諸氏並びに各プロダクション、友誼団体、協会外の仲間たちの援助を得、先に述べた第六回世界青年学生平和友好祭に富沢代表を送り、国際交流の一端を具体的にきりひらくことができたことも大きな成果でした。これを機会にして、更に広く世界各国との民主的な交流のために、その成果を発展させて行きたいところです。

D、ギャラ水準のスライド・アップ

協会としての決定が十月になりましたので、その直接の成果はまだ広まつてはいないとは思います。しかし除々にその成果があがつて来ている実状です。スライド・アップができたのも、目下テンヤワンヤ。

黒木　和雄　現在「東芝の車輌」を編集中。先月は八幡製鉄の仕事を約四十日間応援で九州に行つておりました。

ー以上十一月六日ー

苗田　康夫　三井芸術プロ「潜函」模型撮影中、十一月末アップの予定です。

尾山　新吉　三井プロダクションにて文部省学術映画「かきの養殖」を完成。目下ほつとしております。

松本　俊夫　「大自然に羽搏くもの」ようやく峠を越えて半分足が抜けるようになりました。無論会社はその片足を遊ばせておくわけがありません。O・Lというよりは目下D・Ⅱで「原子力研究所第二部」（脚本、演出）「電子計算機」（脚本）にかゝつています。

村田　達二　岐阜県白川郷の御母衣ダム建設記録映画の演出中。

ー以上十一月八日ー

大野　芳樹　最近「マーケテング」天然色全二巻をプロデュースしました。まだ完成しません。児童映画の脚本を書きたいと思い材料もあるので目下構想をかた

それまでのギャラ水準が全体として守られて来た実績があつたからこそなのです。非常に不充分ではあつても、組織を守つてきた成果の一つとして挙げることができます。

なお、協会のスライドアップの線を、製作者連盟にも通じましたところ、連盟でも一つの案を作つて、ギャラに就て具体的に話合いたいということで、その機会を待つています。

この辺で、連盟と協会の組織同士の話合いの端初がひらかれゝば幸いだと考えます。

尤も、ギャラ水準に就てのこの話合いがすまなければ、協会決定の新水準が発効しないと言うものではありません。

個々には、新水準での交渉を進めてほしいと思います。

7、欠　陥

A、欠陥の最大なものは財政問題にありますが、それは運営上の欠陥と表裏をなすものだと考えます。

B、運営上の欠陥として問題になる点は、なんといつても「作家生活の前進のために―」という基本方針の具体化がまるで不充分なことです。

先に挙げた成果を見ても、残念ながら、その中には、「作家生活の前進のために」直接効果を挙げたという点はまことに乏しいのです。

C、作家の経済条件の向上という面から見て―

仕事の契約の窓口の一本化という課題はまだ困難な条件につきまとわれていますが、協会の活動も年を重ね、プロダクションから作家、助監督の斡旋依頼の申入件数もふえ、また会員同士の間での推せんのしあいもふえて来ています。

それと共に、プロダクションからの名ざしでの斡旋依頼もふえて来ています。

しかし、そうした傾向に対して、組織としての協会自身の斡旋活動は推進してはいません。

積極的な斡旋態勢がとられていないのです。

来年度からはこれを早急に改善しなければなりません。

D、作家の創作活動の向上という面から見て―

(a)記録映画研究会や教材映画研究会などのサークル活動は数回持たれましたが、一般的に言つて、サークル活動は思つたほど前進しませんでした。色々な研究会活動が起されて、それぞれが活潑に発展するためには何かゞ欠けているようです。

そこには様々な理由があると思いますが、協会は一つの流派或いは一つのイズムを中にして集まつた組織ではないという所にも、協会全体としての研究会活動のむづかしさがあるようにも思われます。そこで、〃さあ、それぞれの有志が集まつて、それぞれに、それぞれのテーマで研究会を持とう〃と言つても、どこからどう手をつけていゝか分りにくいというむづかしさがあるのでしよう。その意味では、サークル活動を盛んにしようという協会の呼びかけは、少々性急で抽象的、観念的だつたのではないかと思います。

各作家の日常の創作活動の過程で突き当つている具体的な問題、悩み―その打開に就ての具体的な話合いとその積み重ねの上にこそ各種の研究会も活潑に展開されるという考え方があります。

めています。こゝ暫らくよい仕事もしませんので、つくづくよい仕事をしたいものと考えさせられています。

高島　一男　「日本の尿素肥料」追いこみ中です。―村上プロ

小森　幸雄　岩波映画で岩佐、小泉両氏の助手をしています。引き続き岩波で十一月下旬から、次の仕事にかゝる事になりましたがこれも岩佐、小泉両氏の助手をする事になつています。

河野　哲二　「秋の甲斐路」（電通）秋の部のロケがおわりました。電通と日本映画テレビのシノプシスをかいています。

田中　喜次　電通映画社で仕事をしています。

―以上十一月十二日―

村上　雅英　十一月二日、三木映画社の「義理と人情」アップしました。三木様、丸山様、及山本さんに大変御世話になりまして紙上を通じて御礼申上ます。十一、二月は一寸協会へも出られないと思います。来春より又よろしく御教導の程、御願い申し上げます。

日高　昭　次回作企画考慮中。かたわらいろいろなシナリオを

もしそうだとすると、これまでのサークル的な研究会活動の呼びかけは、そうした基盤なしの呼びかけであり、そこにのび悩みの原因があつたのではないかと考えます。

勿論、今でも持てる研究会活動はできる所からやつて行くのがいゝのだし、今までの研究会もそのまゝ続けて行けるものは続けて発展させて行くべきことは言うまでもありません。

(b) 研究会の持たれ方が、協会内部だけの集まりになつて、広く外部との接触がはかられてはいませんでした。

自然科学関係だとか農業関係だとかの専門家との交流、教育専門家との交流を通じて作家と作品との発展をはかることは考えていながらも、経費の関係で全く消極的になつてしまつて、努力を怠つてしまつたわけです。

C、その他、脚本の検討だとか、自主的な企画、脚本の蓄積(ストツク)をはかる活動だとか、考えるだけで実現しませんでした。そうした所にも企業所属作家とフリー作家の交流乃至企業所属作家の創作研究への欲求にこたえることができなかつた原因もあるわけです。

ということは、色々な集まりを計画しても、多くの場合、一回こつきり、その場だけのおざなりに終つてしまつて、系統的に継続発展して行く方向がなかなかとりにくかつたのです。なにか、最大公約数的な集まりで、集まりが切実にならないのです。

これはどうしても、より切実な創作実践の場に直接つながりのあるやり方を考え出して、系統的に継続できるような方法と場とを作り出して行かねばならないと考えます。

8 来年度の方針に就ての提案

(a) 会報の充実ー機関誌化の第一段階。前述の成果と欠陥にかんがみ、委員会では会報を一層充実させ機関誌への第一歩をふみ出してはどうかと考えています。

はじめはれつきとした機関誌を独立採算制で発刊することを検討しましたが、収支に相当な冒険があつたので、協会の力に応じた行き方に落付いたのです。

その構想の重点は、会報を充実させ、それを以て、協会運営の中心的な軸として行くという点にあります。

つまり、強力な編集委員会による会報が諸行事の企画者ともなり、また、組織者ともなつて、作家の創作活動の前進のために働くということです。

これまでに行われてきた研究会活動はもとより、座談会、合評会或は個人執筆などの形で、作家活動の前進をはかつてゆくその中心者としての役割を会報に果してもらおうというのです。

それによつて、これまで一応持たれて来た研究会活動その他の行事が散発的になり勝ちであつた欠陥を補い、諸研究会、諸行事を系統的に発展させて行こうとする狙いです。

そして創作問題を中心にした作家の共通の広場としての役割を積極的に果して行くようにしたいと考えるのです。こうして会報が充実すればするほど、会報は記録短篇界の関心を集め、その前進のための推進力となるかも知れません。そして協会の社会的地位が向上するかも知れません。それは私たちの一つの期待です。

書いています。

ー以上十一月十三日ー

楠木 徳男 日本ドキュメントフイルム社で御手伝いしています。

豊田 敬太 二十日すぎから東映で短い劇の社会教育映画を撮ります。年内完成の予定です。

深江 正彦 吉田君演出の「へそくり娘」チーフ助監をやらしてもらつています。十二月は漁村のくらしをテーマにしたものを準備するつもりです。

大方 弘男 製作中の「よろこびを共に」(E・Kカラー二巻)は撮影・録音が完了下旬完成の予定。同じく「秋の中州路」(アンスコ・カラー二巻)は第一期ロケ終了。尚今度長篇「新しい沖縄」を監督の為、下旬より現地ロケに出掛けます。年内に帰京の予定。

ー以上十一月十四日ー

伊勢長之助 相変らず鉄関係の映画を担当しています。「鉄時代」撮影中、「八幡製鉄戸畑製鉄所建設記録」撮影中、「新しい厚板工場」撮影中、……編集に入つているものは東芝の「車輛工場」などすべて岩波映画です

ー以上十一月十六日ー

会報の充実に伴う経費増の一部は、各プロダクションに定期購読者になつてもらうとか、移動映写の人達に依托して売つてもらうとか、映画サークルに依托販売するとか、各種の映画会場でさばくとか、外部の方々に有料で買つて頂くことでまかないたいと思います。

そのためには従来の会報の体裁もそれ相応に改め、機関誌として販売に堪え得るだけのものにはしなければなりません。こうして内外の関心の高まりに応じて本格的な機関誌経営に移つて行きたいものです。

(b) そうした活動を充実するためには、作家個人個人が、日常の創作活動を基礎にして積極的に参加して頂かねばなりません。会報（機関誌）活動の充実は作家の日常活動の反映です。その意味で、個人的な経験をひつさげての参加はもとよりですが、日常の企画、創作活動を活溌にするため、作家同士の間に、同志的なグループを組んで、創作問題の追求、相互研鑽を積んで行つてはどうでしょうか。P・R作品の表現技術でも何でも同志的なグループで追求し合うのです。そしてお互いに創作の扶け合いをし、創作方法、創作理論を追求し合つて行くのです。そしてそうした日常活動の成果を各種の研究会に持ちこんだり、また直接、会報（機関誌）に発表して行くのです。

協会の基礎は作家一人一人にあることは言うまでもありません。創作活動の分野では殊にそうです。その意味で、作家の研鑽の一つの方法としてこゝに同志的なグループ活動を提唱したいと思います。

(c) 特に企業所属作家との連がりに就て。企業所属作家の協会に対する要望は特に創作問題に集中していることは前述の通りです。

この要望にこたえる一つの方法として次のことを考えます。企業所属の協会員は、それぞれの企業で企画・脚本の検討、ラッシュの検討、完成作品の合評、・検討を計画して頂きたい。そしてそこへ可能な限り、他の協会員が参加するという形をとるようにしたらどうでしょうか。大きな筋道から言えば、グループ活動や前述のような会報（機関誌）活動によつて、企業所属会員の要望も以前よりははるかに満たされることになるとは思いますが、それでもなお不充分な場合には、右のような方法も講じられていゝのではないかと思うのです。

要は企業所属会員と他の会員との間にいかにしてパイプを通すかということだと思うのです。

(D) 幹旋活動に就て

会員の中には、それぞれのプロダクションに根をおろされている方と、特に幹旋を必要とされる方とがあると思います。そこで協会事務局は、幹旋を必要としておられる方々に特に集中して、幹旋態勢をとらねばならないと思います。幸い現状では事務局専従者が二名おりますから、そのエネルギーを綜合して各プロダクション巡りを計画的に組むことができるし、またその必要があると考えます。

(E) 契約に就て

ギャラ水準に就て新規準もでき、その実現に努力中ですが、そこから言つてもできるだけ契約は

古川　良範　東映教育映画部の児童劇をかいています。

上野　大悟　村上プロ、一年来の仕事、どうやら今月末仕上げの段階に入ります。

ー以上十一月十八日ー

谷川　義雄　「草原地帯」（三井芸術プロ）ようやく完成しました。

ー以上十一月二十日ー

野田　真吉　日映新社の地理教材映画「東海道の今と昔」演出。「女の日々」（東京フイルム作品」のシナリオをかきました。

永富映次郎　浜松航空基地のジェット戦斗機を主題とした新理研映画作品「飛行準備完了」のシナリオ脱稿し目下撮影準備中。

吉見　泰　東京シネマで農家住宅改善の映画「私たちはこうした」（2巻、板ガラス協会）を書き上げました。かねて懸案の「保育園物語」（新世紀）の実現に協力しているほか、「煙にまかれてはいられない」（自主企画）を実現させたく、努力しています。

ー以上十一月三十日ー

韮沢　正　共同映画社のマンガ「かもとりごんべい」の脚本を

協会の窓口を通すようにして頂きたい。

最近、個人的に契約された作家とプロダクション乃至スポンサーとの間に、契約をめぐるトラブルが三、四件起き、その解決の斡旋依頼が事務局に持ちこまれていますが、これを見ても契約はなるべく協会を通すようにして頂きたいのです。そして来年度からは、文書による契約のとり交わしを実行する必要があると思います。

(F) 製作者連盟その他の団体、専門家との連けいの強化

(G) 運営費の問題
運営の消極性と財政の窮迫という悪循環をたちきる方法として次の提案をします。運営費の削減。(事務所費の削減案に就て委員会は考究中)

会費は現状維持とし、平均月収の枠の中で運営できる態勢を組むために運営費の削減を敢行するわけです。

そのため、研究会その他の行事は独立採算の形をとり、出席者で経費を負担して頂きます。

ただ、財政の無原則的な縮少は、協会活動のヂリ貧に終るしかありません。会費の現状維持もそうした意味からですし、運営予算の縮少は、蓄積を目指したいからこそなのです。

そこで蓄積分として、会報(機関誌)の販売に努力すると共に、仕事の斡旋の場合の%制を定めたいと思います。何%にするかは御討議頂きたい。

(H) 契約改正に就て
一部の方々の会費怠納が甚だしく、或場合には音沙汰なしという方も出て来ています。これでは完納している方々にも申訳ないし、運営上も大変支障を来たすような始末です。そこで不本意ながら、正当な理由がなく長期(三ヶ月)にわたる会費滞納の方は話合いの上、継続の意思がなければ脱会して頂くという条項を設ける必要があると考えます。

(I) 国民文化会議加入と国際交流部門の新設に就て ―
富沢幸男君のモスクワ訪問をきっかけにして外国との文書交換や通信がはじまろうとしておるのと共に、一般的な海外交流の気運の興隆に伴い、国際交流部門の新設に就て助監督部会から提案されています。またそれに関係して、海外交流の日本の一つの窓口が国民文化会議にあるので、そこへ加入してはどうかという提案も同時になされています。

これに就て委員会は総会での討議にまちたいと考えますので、御検討願います。

9. 結び
主な報告と提案は以上の通りです。作家の間にも、プロダクションの間にも作品の新しい発展がしきりに望まれはじめました。そして長年ていめいしていた新しい創作意欲が作家の間にほうはいとして抬頭してきています。私たちはこの機を逸せず前進しなければなりません。私たちの協会も、漸く新しい前進へのメドが分って来たような気がします。来年度への期待はまことに大きいと言わねばなりません。テレビも来年度は大きな躍進をとげるでしょう。テレビと作家との結び付きをどうするか、これまた大きな課題として私たちの前に投げかけられています。

しかしまた、来年度の業界には景気の後退 ― 不景気という悪

書きました。月末から「たのしい理科工作」第一部〃蒸気機関〃の撮影に入ります。

(十一月二十八日)

荒井 英郎 全農映で待機していた仕事が進まないので、とりあえず東京ニュースを一本かかることに致しました。
(十二月三日)

片桐 直樹 英映画社〃風紋〃予定よりも、日数も尺数ものびて、やっと完成。六八〇〇呎の七巻になりました。色々な意味で大変勉強させて頂きました。

(以上は、十月分の動静おしらせ用はがきによって、十二月十日までに到着した分であります。)

松岡 新也 松岡プロで仕事をしています。自宅に電話が開通しました。(三二八)一四四六

大沼 鉄郎 港区白金台町 東大伝研病院二〇九号室に入院しました。

島谷陽一郎 三井芸術プロにて仕事をすることになりました。

入江 勝也 読売映画社にて仕事をしております。

丸山 幸治 読売映画社にてセメントのPR映画にかかりました。

材料も迫つているように見受けられます。
私たちは結束をいよいよ固くして、すべての条件に対応しなければならない切実な段階を迎えようとしているのです。来るべき総会を曽つてないほどに意義あらしめるため、諸兄の熱心な御討議を期待してやみません。

協会のうごき

事務局報告

〈協会々員数のうごき〉

協会の会員総数は、本年十一月末日現在で一六七名であります。

これを昨年十一月末現在の会員数一四三名に比べると二十四名の増加、さらに昭和三十年三月の発足時、七十二名に比べると九十五名の増加になつております。

現在、一六七名の会員構成の内訳は左のようになります。

A、フリーの脚本家、または演出家……五十三名
B、企業所属の脚本家、または演出家……三十六名
C、賛助会員……一七名
D、フリーの助監督……三十八名
E、企業所属の助監督……二十三名
合計……一六七名

尚、この一年間における新入会員は二十九名、脱会々員は五名であります。

〈契約事務について〉

この一年間に、協会として契約事務を取扱つた件数は次の通りであります。（これは従来の関係において契約を続けておられる場合や、個人関係で契約された場合は含んでありません

東京シネマ……七作品　一四名
電通映画部……二作品　三名
全農映　……一作品　二名
英映画社……三作品　三名
三木映画社……三作品　四名
日映科学映画製作所……四作品　三名
日映……長期契約　一名
内外映画KK…一作品　一名
桜映画社　……二作品　三名
日本ドキュメント・フイルム社……一作品　二名
共同映画社　…一作品　一名
新理研映画KK一作品　一名
光亜映画KK…一作品　一名
三井芸術プロ・二作品　四名
毎日映画社…二作品　二名
岩波映画製作所……四作品　五名
理研科学映画KK二作品　二名
読売映画社　・・二作品　二名
計…三九作品　五四名

〈会員の慶弔その他〉

結婚された会員
韮沢　正氏
富岡　捷氏
藤原　智子氏
高綱　則之氏
大野　祐氏

近親者の御不幸
富沢　幸男氏の実父
森田　実氏の女児

会員の御不幸はありませんでした。

山添　哲　東京シネマの仕事をすることになりました。
伊豆村　豊　岩波映画にて「堯虫」をしています。
山本　升良　三木映画社にて仕事をしています。
衣笠十四三　英映画社の「ただいま勉強中」を終つて待期中
木村荘十二　桜映画社にて「お母さんの幸福」の準備中
小泉　堯　岩波映画にて仕事をしています。
小野寺正寿　読売映画社にて丸山さんの助手をすることになりました。
山岸　静馬　日本短篇映画社にて仕事をしています。
川本　博康　東京シネマで竹内さんの助手をしています。
大久保信哉　たくみ工房にて仕事をしています。
岩佐　氏寿　岩波映画にて「下水」にかかりました。
柳沢　寿男　新映プロ自主作品「現代の民話」（仮題）演出中
三浦　卓造　日映新社にて仕事をしています。
杉山　正美　東京シネマにて仕事をしています。

昭和三十二年度

会計報告

自昭和三十一年十二月一日
至昭和三十二年十一月末日

一、収入の部	
前期よりの繰越金	四〇、八六四
三月迄の会費分	二八六、六二〇
四月以降の会費分	三四一、〇二〇
業務活動の礼金	二〇、四〇〇
寄付金	七三五
入会金	三〇〇
貸付金	二〇、〇〇〇
雑費	四、七一〇
借入金	五三、五四〇
合計	七三一、八二九
一、支出の部	
屋賃電話料	二三一、二七四
人件費	二六八、四〇〇
交通々信費	七一、八三三
印刷費	九二、一三七
会合費	二五、〇七二
用品文具費	一三、九八〇
前納会費	二、〇〇〇
慶弔費	二、〇〇〇
貸付金	六、〇〇〇
雑費	一九、一三三
合計	七三一、八二九

人間の三つの型

―会員総会をまえに思う―

加藤松三郎

端的な一例を申しあげる。いま何か同業者間で「協会」のような団体なり組織なりをつくろうとすると、人々はきまつて次のような動きをしたがることになるふうだ。

Aは卒先してそれに飛込む。Bはしぶしぶ加入する。Cは超然としてシガにもかけずただ独行するそれは各人それぞれの自由ではあるかもしれない。しかし最後のC型はすでに今日からはズレたものである。問題にもならない。というのは、あの時流などには一見超然のチャンピオンみたいな詩人の間でも「現代詩人会」なるレッキとした団体があるほどだ。いや、きけば吉原の赤線街にすらも彼女らの組合があるというではないか人一倍の知識層であり、ことに人に「ものを説く作家」の場合ではむしろ団体もないなどとは、ひどくコッケイものであろう。

そこで一番問題なのは中間のB型である。元来がしぶしぶ加入したのだから、すべてが消極的となる。思うに、会員たることはさほど利益もありそうにない（あるいは事実上もないかもしれない）が、仲間はずれになるのも本意ではない。いつたん入会したからには、やめるのもまた改まつた思いがしてジャマくさい。仲間の共同活動とか団体存立の名分などはどうでもよい。ただ自分のつごう次第なのである。おそらくは、ほんとに弱い人間なのであろう。これらのB型群が団体活動の必要を痛感するには、かなりの必身上の「転機」を必要とするにちがいない。

ところで最初のA型はどうか。ひとくちにいつて団体や組織の力にすがらなければならない型なのである。積極的なわけでもある。なかにはマル共さんらのみの、いわゆる進歩分子のステロタイプ氏もいることだろう。ひどくコドモ

丹生　正　日映新社「大地の子」の仕上げ中

矢部　正男　岩波映画にて「五十万の電話」にかかりました。

渡辺　正巳　東京シネマにて仕事をしています。

桑野　茂　日映新社にて仕事をしています。

岩堀喜久男　理研科学村上プロにて仕事をしております。

豊富　靖　岩波映画にて「五十万の電話」、矢部さんの助手をすることにきぎりました。

竹内　信次　東京シネマにて仕事をしております。

下村　和男　光和照明にてアルバイト中です。

（以上は、事務局にて書かせていただいた分でありますｂ。尚、本号は編集の都合により、前記以外の分は省略させていただきます。御了解下さい。）

総会に御出席できぬ方は、委任状を、十二月二十四日までに必ずお送り下さい。

じみた半面、またオトナびた思案もちあわしているふうだ。

そして私自身はどうなのか。これはカンタンである。自分は個人の力の限界をよく知つている、といえばエラそうだが、もはや自分などの力だけではたよりなく、ひとにも相手にされないのである。なんとか大勢の中にもぐりこんでそこの一分子として「もつともらしく」動くでもしなければ、どうにもならないのである。見方によつては最もズルイ部類の人間なのかもしれない。いやナサケナイ人間であることは事実らしい。

それにまた何といつてもはや齢（とし）なのだ。いくらガンばつてみたところで先はしれたものである。きもちとしては、あと十年でも二十年でもつづけたいとは思うのだが、それは夢にすぎない三年もつづいたらオンの字であろう。今かりに三年と先を切つて考えてみたら、人間どんな心境になるかをご賢察ねがいたい。他人はともかく私としては、なんでも自分の力でできることを今のうちにやつておきたいと念願するだけだひとのためであろうと我身のためであろうと、何かしないではいられないのである。それにしてはまた自分の非力を痛感するだけだが、とても自分には協会を「ないがしろにする」などという芸当はできない。私などは一体どの型に入るのだろう？（十二月八日夜）

誰かがやるだろう

丸山章治

僕は今年三木映画で「誰かがやるだろう」という映画をつくりました。この映画のテーマは「こんなに大ぜい人がいるんだから、俺一人位がやらなくても、誰かがやるだろう—という考え方を攻撃したもの」です。映画自体の出来はよくありませんでしたが、こんなテーマを映画化したくなつたのは、—くる月もくる月も協会会費未納がふえるばかりで、運営委員としてやりきれない気持になつたことが、大きな原因です。誰かがやるだろう、でなく、自分も協会の一員としての責任をはたして下さい。このことを、皆さんに切に切にお願ひします。

年末につき、未納会費その他を清算してください。

会報その他で、たびたびおねがいしております会費、臨時会費、健康保険料、映画会の券代、また事務局員越年資金カンパ、などを御清算、納入下さるようおねがい申します。年末の財政対策のために、一日でも早ければ、それだけ助かりますので、何とぞよろしくおねがい申します。

尚、御一報下されば、いつどこえでも受とりに参上いたします。また郵便による御送金では、全国どこでも最寄の郵便局にて振替東京90709番教育映画作家協会あてにお払い込み下さい。

事務局は年末12月31日まで、年始は1月7日より執務いたします。

おわび

さきに会員名簿（作品歴つき）の発行について発表し、会員各位の御協力をわずらわせましたが、いろいろの事情によつて、その発行が遅延し、出来上らぬままに年末になつてしまいました。ついては、この発行を来春に延期いたしたく、各位の御了解をおねがい致します。不手際を、ふかくおわび申します。

一九五七年度

第四回協会々員総会は来る十二月二十五日（水）

午後一時より

中央区役所銀座東出張所

二階集会室（歌舞伎座右横）

にて開催します。

忘年会は同所にて午後六時半より

やむを得ず御欠席なさる方は委任状を、お忘れなくお送り下さい。

作家の主体ということ

―総会によせて、作家の魂によびかける―

松本俊夫

これは会員大方の沈たいをフンガイした力作の提言であり、ことに本人のご希望によつて「ぜひとも今度の会員総会にのぞまれる諸兄にお考えねがいたい。ためには総会前に会報掲載を！」とあるため、特にあわただしい紙面をさいてご一読いただくことにした。

ただし筆者の若い熱情のあまりか、たいへん難解きわまる文章であり、なかには自家特製の文字や熟語も散見されて面くらう。いや好んでむずかしくいつてるようだ。ついてはアレコレと賛否のご意見もあることだろうが、これも一つの意見として十分にご批判くだされば幸いである。（会報編集部）

また一年が過ぎようとしている。木枯しが服の隙間から滲み通るように吹きつけていつた時、私はぞくつとする皮膚的な感覚に続いて、瞬間的に襲つて来た或る一つの鮮明な幻覚の故に突然眩暈がした。まぎれもなくその男のふくれ上つた胴体は、ぽつかりと口をひろげた空洞であり、頭部は萎縮し、眼はつぶれ、口と生殖器だけが異常に発達していた。そして突き刺すような北風に、腐つて蜂の巣のようにささくれだつた内臓が妙にゆつくりと揺れたのである。いささかダリめくが、そこには蟻ならぬ蛆が一ぱい群がつていたようにも思われる。その時、私は烈しい厭感の中に、こみ上げて来る私の青春を濃厚に意識せずにはおれなかつた。また一年が過ぎ去つてゆく―。去年の暮にも、一昨年の暮にも私の胸をうずかせたものが、今年はもう私を窒息する程しめつけるのだ。

あらゆる周囲の世俗的な反対を押し切り、変革の芸術の希望を映画のもつ表現の可能性とコミュニケイションの機能に求め、而も、ドキュメンタリーとアヴァンギャルドという一見全く対立的なものを統一するところに新しいリアリズムを見出そうとする私独自の方法的立場から、俗物的な希望とは逆に、むしろ劇映画に対するアンチテーゼの地点から出発しようとした私―、その私は、今およそどのような創作意識とは触れ合うことのない別次元の世界で忙殺されている。これは一寸した場ちがいの喜劇に過ぎなかつたのだろうか。しかし私はその出発点に於て、そもそも出来合いの道を楽に進もうとは露にも思つていなかつた。むしろ創造ということの意味を、主

助監督部総会をひらきます。

３２年度の年末総会をひらきます。本年度の部会の活動の総決算をつけたいと思います。なお新しい年を迎えて、更に発展するために御出席ください。

と き　１２月２１日（土）　午後５時半より

ところ　中央区役所銀座東出張所　二階集会室

体的にも客観的にも、一切の既成のものの否定と変革というパースペクテイヴで把えていた筈だ。映画というものはただそれだけの限りでは単にコミュニケーションの一形式に過ぎないということ、従つて映画は文字と同様、芸術にも開かれていると同時に、教科書にも、広告にも、娯楽にも開かれているということ、事実今日の短篇映画という領域は、本質的に相異る雑多なジャンルの、それ自身何ものをも積極的に規定することのない非劇映画一般の総称にすぎず、これらの創作主体は分化されないまま珍妙に同一化されているということ、これらのことを私は充分認識していた。そして現実的な条件の中で、私の歩むべき道が具体的にはこの中からしかあり得ないということに誤りのない限り、私の歩みは始めからこの無気力な混乱と非妥協的に斗い続けることを前提としていた筈なのだ。疎外され、偽瞞にみちた現実の中では、死をも恐れることなく「ノン」と言い続けねばならなかつたアンチゴーヌのように、私もまたそのような責任と勇気をもつた主体でなければならなかつた筈なのだ。

私は昨年の暮れ、自衛隊映画とぶつかることによつて、作家的主体の問題と深刻に対決せざるを得なかつた。私は、ここでの妥協と屈服は、作家にとつて自己否定以外の何ものでもなく、自らの手による主体の崩壊を意味するものにほかならないと理解し、企業内的条件の困難さに傷つきながらも、無条件的拒否をもつてこれと斗つた。しかし、私の努力は結局シジフオス的な空しい試みに過ぎなかつたのだろうか。ともかく私にとつて、その時程作家協会が希望であつたことはなかつた。何故なら私の苦しみは多かれ少かれ今日すべての作家の当面している中心的な苦しみと本質的に触れ合うものと確信していたし、会と会報が作家の主体性をめぐつて厳しい追求の場となることを切望した私の訴えは、必ずやそれを主体的に受けとめた無数の積極的な発言によつて投げ返され、作家の自覚ある団結は強まるであろうと信じて疑わなかつたからである。しかし私の期待が幻想であり、楽観的であり過ぎたことは今や明らかである。まず殆どの作家が、何らの主体性もなく、まるで豚のように何でもかでも惰性的にくらいつき、いささかも苦闘するでもなく、唯々諾々として一年を過して来た。そして誰もが申し合わせたようにきまつて同じせりふを繰返すのだ。「生活に追われて」「忙しかつたものだから」——おお何という自己偽瞞！恐るべき自己喪失！木枯しと共に私を襲つた洞ろな男の亡霊は、無論私自身の化身であつたと同時に、主体を見失つた作家一般の状況的イマージュではなかつたのか。

もはや私たちは問題を回避してはならぬ。運営委員会の度重なる警告にも拘らず一向会費の納入が積極的にならぬこと、自主的な研究活動が低調なこと、とんと創作方法や作家主体のありかたが議論されぬこと、会報の内容が貧困なこと、会員相互が作家的生活の深い部分で結びついていないこと、内容的にも、形式的にも、協会は既に有名無実、まさに解体の危機にあること、これら今日の状態を作り出した根本的原因は一体どこにあるのか。問題を現象的な技術論に換元する誤りを、もはや二度と繰返してはならぬ。内部からの吹出物は、内部の病源菌を根絶す

声

(加藤松三郎)

ときには自分も度忘れすることがありますが、やはり協会への通信ハガキはむだにしたくないものです。こんな小さな一文が、どんなに相互のコミュニケーションに役立つか、その当人とサシで話している以上に真実にふれる思いです。いろいろと忙がしいことかもしれませんが、これぐらいの「よゆう」は心掛け一つでどうにでもなるものでしよう。きつとハガキをお忘れなく。

(豊田　敬太)

以前はいろいろな試写会の案内が来たのに近頃さつぱり来なくなつたのはどうしたことかと思つています。そういう催しが少いのか、協会が財政の都合上省略しているのか？

(無名　氏)

「抵抗」は仕上り八千呎に対して十八万呎のネガを費つたそうだ。「戦場にかける橋」は、本場の鉄橋に本物の機関車を走らせて爆破したという。こちらでは、カチン

ることなしに、全面的に治癒することは不可能なのだ。まさに問題は内部にある。今日の状況と対決した作家の現実意識にある。主体の世界、作家としての自覚にある。

ヴェルコールに「夜の武器」「昼の力」という姉妹篇の小説がある。この小説の主人公は十千の収容所に捕縛され、同胞の屍体焼却を仕事として命ぜられる。拒否は無論死を意味する。彼はいわばこの限界状況の中で苦悶の末、遂に屈服する。彼は虐殺された同胞たちの屍体を運搬し、それを火中に投げ込む。彼は自責の念と死の恐怖の間で日々苛まれるが、次第に廃人のようになり機械的になる。人格が破壊されたのである。解放の日が来る。彼もまた魂の抜けがらのようになつて救出される。新しい斗争は、かつて指導的斗士だつた彼を必要とし、戦列復帰を要請する。しかし彼は自己の人間失格、主体崩壊、内部腐蝕を自己批判する深刻さの故に、容易には立ち上ることが出来ない。長い内部での相剋と血みどろの主体変革を経て、或る日彼は要請に応えて立つことを決意する。こういうことがこの小説の骨格だつたと記憶するが、私の言いたかつたのは、主体の喪失という事実を直視し、これと対決することによつて自己を回復するという態度、つまり一言にして言えば、その厳しい内部批判の態度である。

このような観点から、「前世代の詩人たち」（詩学・五五年十一月号）で吉本隆明が、「戦後の戦争責任と民主主義文学」（現代詩・五六年三月号）で武井昭夫が、夫々、日本の詩人たちの主体の病める部分、そこに深く根ざした創作方法の貧困さを、いま一度戦争責任の問題を俎上にのせることによつて鋭く抉り出そうとしたことを私は高く評価する。無論戦争下の想像を絶した弾圧と歪曲、内部の論理も否応なくふみにじらずにはおかない強大な国家権力を前にして、主体的には労働者階級の抵抗斗争そのものが殆ど壊滅に瀕していたような条件の下では、屈服や転向それ自身を一律無条件的に糾弾することは出来ない。むしろ問題は、戦後のいわゆる民主主義文学が、これら作家のみじめな敗朴と頽廃という事実との対決を回避して、全面的な自己批判をしなかつたばかりか、何らの内的抵抗もみせぬまま、すでに黴の生えたナップ時代の衣裳を臆面もなくかつぎ出し、実に安易極まりない態度に出発したというところにあつた。従つて民主主義文学運動そのものの荒廃と挫折の原因が、戦後の戦争責任という問題提起により、作家主体批判として追求されたことは極めて妥当であつた。そして過去の創作方法の内部構造に対する、或いは創作主体の意識構造に対する批判的自己変革を抜きにして、ただ単に聖戦讃美と鬼畜米英打倒のお題目を、平和、独立、民主主義の昂揚と米日反動批判のお題目に置き換えていつたに過ぎないような、観念的なテーマ第一主義、素朴実在論的な自然主義など、これら方法的貧困の根源が、やはり創作主体のぬきさしならぬ貧困性に求められたことは更に一層妥当であつた。

これを契機に、主として詩、小説、演劇、美術の間には、今日に至るまで、政治戦線における前衛党の全面的な主体批判と平行して、古き創作主体と創作方法の根源的否定の理念が、全体としては正しく自覚されて来ていると云える。しかるに一方私たち映画の領域で

コの秒数に目の色を変へ、インアウトの回数に頭を悩ます。これでいいわけはない。毎度のことながら正月が近づくと、つい夢み勝ちになるようだ。

（谷川　義雄）

新作、旧作を含めて記録映画をみて語り合う会をつづけたいものです。

（村田　達二）

前号で拝読した岩崎太郎氏の提案に賛成です。

（松本　俊夫）

最近「宿命」と「世界は恐怖する」をみてすごく感激。おそらくは幾多の困難な条件の中で、こういつた作品を作りあげた人々に無条件に敬意を表し、心から拍手を送ります。もしも彼等の前で「貴方はどういうお仕事を……」などと聞かれたとしたら、きつと僕は恥かしさと悲しみで死んでしまうことでしよう。

（野田　真吉）

亀井さんの「世界は恐怖する」をみてその作家精神のたくましさに敬服しました。おおいにまなびたいと思いました。

（吉見　泰）

みんなそれぞれにグループを持

は問題はどうであつたか。私は劇映画をも含めて映画作家の問題意識は相対的に極めて低いと言わざるを得ない。殊に短篇界は無気力と怠惰な空気で充満しており、まさに慢性的な危機にある。映画の持つ可能性と未来性が、そして就中記録映画のそれが、新しい方法的見地からむしろ他のジャンルの作家や批評家によつて旺盛に論じられているのに、当の私たち記録映画作家の側からは、せいぜい「一人の母の記録」をめぐつて若干の論争めいたものがあつた程度で、それも今村ー岩崎の愚劣なすり合いと同じく、客観的には事実性とか虚構性とかの概念規定の粗雑さ曖昧さを暴露したにとどまり、結局は具体的な創作方法の前進にとつて積極的な契機とはならぬまま、再び底知れぬ沈滞に陥入つたのである。こうして殆どの作家が、現実意識などとはおよそ触れ合うことのない註文映画のメイキング・オペレイターとして、営々と年を過して来たのである。戦争中には無批判的に戦争協力の映画を作り、全く外在的な力で進路を転換されると、深刻な内部批判もせぬまま他動的に方向を変え、一寸した政治的高揚期には、すぐヒステリックに芸術を政治に隷属させるような小児病的偏向を犯し、一般的後退期には無節操にフイルム宣伝広告業に順応する。ここには終始一貫主体欠如の奴隷的転人がいるだけで、作家は始めから不在ではなかつたのか。もし映画製作に於ける経済的社会的条件を云々して弁解がましく問題の困難性を説く者がいるのなら私はこう言おう。それは資本主義社会では自明の理である。問題はそのような外的条件を一歩前進の為の当面の具体的な足がかりとしてふまえると同時に、新しい条件を主体的能動的に作り出してゆくという視点から、何よりもそれを変革の対象として否定的に把えているかどうかにあるのだと。要するに私に言わせるならば、外的条件ということを唯一無二の切札とし、現状合理化のための免罪符よろしく、その上に安穏とあぐらをかいていた生活態度にこそ、おそるべき主体喪失と内部腐敗を戦中戦後にわたつて温存し、慢性化させた主要な原因があるのだ。手をこまねいて待つていても、誰もこの現状を変えてくれるものはいないということ、映画によるPRということは、その本質的機能からして決して衰退することはなく、教材映画もまた同じであるということ、従つてこれらの仕事を自らの仕事として任じている者はともかく、そうでない者は作家的自覚の下に結束し、様々な人民の斗いと結合しつゝ自己の道を自らの手で切り開いていく果敢な斗争を即刻開始しなければならぬということを、私たちは、今やはつきりと確認すべきである。作家が、このような緊張した生活態度で自己を確立していない以上、創作方法の問題が遅々として前進しなかつたことも当然のことであつた。創作方法の問題は創作主体の問題に深く根ざしたものにほかならないからである。私は創作方法とは厳密に言えば、作家と対象との有機的な関係、即ち現実の総体を、独自に組織された形象によつて、主体的に対象化し再構成していく能動的な手つづき、乃至はその論理であると考える。従つて、PR映画や教材映画が、如何に高度に洗練され、充実されることを、それ自身の課題としていても、そこでは所詮実用的効用性が常に先行するので、言葉の正当

つて、作品活動を旺盛にもりあげてはどうでしょう。そしてその成果を協会の研究会に持ちこんで討論を斗わせて行けたらと思います。今年度の方針は「作家生活の前進のために」ということでしたが、効果的な具体策に欠けていました。来年度はその具体策を練り、着実に積みあげることだと思います。

会計報告

十月分

収入の部	
三月迄の未納会費	一、三〇〇
四月分以降の会費	四七、七五〇
業務活動の礼金	三〇〇
合計	四九、三五〇
支出の部	
事務所費	一三、〇〇〇
人件費	二〇、〇〇〇
電話電報料	六、九七八
通信費	二、三五七
用品文具費	七五五
交通費	二、三四五
印刷費	五、〇〇〇
雑費	一四〇
前月の不足金	三三、七一五
合計	八四、二一九〇

な意味に於ける作家の世界ーミクロコスモスは没価値のものとなり、それ故に、そこでは技術とか手法、或いは個性は問題となり得ても、本質的に創作方法或いは芸術的世界は問題となり得ないのである。だからもしもＰＲ映画や教材映画そのものが、その実用的効用性を逸脱し、芸術的ということを越えて芸術たろうとするなら、それは中途半端で自慰的な折衷に終るか、或いは自らの拠つて立つカテゴリーそのものの自己否定へと向わざるを得ないであろう。こういう観点に立つて創作方法を検討するなら、過去の方法意識に決定的に欠けているものは、やはり主体、乃至は内部の世界である。それは具体的には自然主義という形であらわれている。自然主義こそは、劇映画をも含めて、今日映画芸術の前進を阻む癌である。社会主義リアリズムは、いわゆる典型概念を軸とし、自然主義の無思想性、無党派性を克服することによつて対象の本質に迫ろうとしたが、一方作家の内部世界には全然照明を浴びせることなく、従つて内部の変革は回避されたため、対象に対する主体の関係は自然主義の本質をそのまま混在したのである。その特徴は、外部を唯一の実在と素朴に信じ、外部を外部としてしか把えることの出来ない点にある。自然主義者には主体意識が欠如しているから、外部を内部を手がかりとしてとらえるとか、内部を外部との厳密な対応でとらえるなどという弁証法的な方法意識はとんと持ち合わせていないとみえる。内部の意識とは、現代に於ける外部世界と主体との決定的断絶、その関係の物神化、古典的人間像の崩壊という事実の認識の上に成立する意識である。自然主義者は、資本主義的疎外が、何よりも自己の内部の物質化、主体解体の過程としてあるということを肝に銘ずべきであろう。自らの内部世界を自覚することなく安易に外部にもたれかかる時、彼等は因習的な意味と情緒、事柄と雰囲気を通してしか事物をとらえることが出来ず、想像力を涸渇させ、救い難き感性のパターンをつくり上げるに至つたのだ。対象を非情な眼で把えようとするドキュメンタリストが、内部のドキュメントということを媒介として現実の総体的把握に進みえず、一見縁もゆかりもないかにみえるアヴァンギャルドと鋭く対決し、これを自己否定の契機として、より高次のリアリズムを志向し得なかつたのは、ほかならぬ作家の主体意識の欠如に基ずくものであつた。

　要するに私は、現在短篇映画とその作家のすべてを覆う沈滞現象の根源を、様々な側面から分析し明らかにして来た。診断の結果は次の通りである。病名ー主体喪症。病状ー重態。治療方法ー自己の手による大胆な手術。それ以外ではあり得ない。もし時期をおくらすならば今度こそ命とりとなるであろう。その時期はすでにやつて来ている。

（一九五七・十一・三〇）

会員の動静

住所移転

大方弘男　世田谷区大原町一一一六ＴＥＬ(32)三四九五へ転居

荒井英郎　杉並区西田町一ノ七三六へ転居

北　賢二　転居先不明

坂田邦臣　転居先不明

結　婚

大野　祐　さる十一月に結婚しました。

差引不足金	二四、九四〇

▽この不足金は、十月末日現在で、吉見二六、〇〇〇円、加藤(松)三三、六〇〇円、小高五、五八〇円を、それぞれ負担しています。

収入の部　十一月分

三月迄の未納会費	二〇〇
四月分以降の会費	三九、四六〇
業務活動の礼金	七〇〇
借入金	五三、五四〇
（内訳）	
吉見　泰	二六、〇〇〇
菅家陳彦	一五、〇〇〇
加藤松三郎	一二、五四〇
合計	九三、九〇〇

支出の部

事務所費	一三、〇〇〇
人件費	二〇、〇〇〇
電話電報料	七、三四九
通信費	一、四七九
用品文具費	六九〇
交通費	二、一三五
印刷費	一四、一四二
雑費	一六五
前月分の不足金	三四、九四〇
合計	九三、九〇〇

ギャランティのこと

無記名氏

もみにもんで、ギヤラの基準が改訂されたのは、去る八月のことでした。

そろそろ、その成果が出て来る頃ですが、その後の状況はいかがでしよう。さしさわりがあれば、無記名でもよいと思うのですが、その後の状況を、各人が協会に提出して、確認する必要があるのではないでしようか。どの程度に、新基準が獲得されているものか、その結果によつては、何らかの対策をこうずる必要もでゝくることゝ思います。参考迄に、私の場合を報告させていたゞきます。

私の場合は年間契約だつたので、今年一ぱいは、税込で、脚本・演出ぐるみ月四万円です。改訂するとすれば来年からと云うことになりますが、十一月現在で、七本ー十二巻を完成しました。二巻当りのギヤラとしては、七三、三三三円ということになり、新基準の最底である十万円に二割七分不足しています。我が家の家計簿とにらみ合わせて見ると、月平均もう一万円位あれば、どうにかこうにか、人並の生活ができるのですが、参考迄に、現状と希望を別表(一)に記載してみました。

次に、脚本・演出以外のスタッフは、一体どの位のギヤラを貰つているのか、参考迄に、某社の或るPR作品の実行予算表を抜き書きすると別表(二)のような数字になつています。この表に、新基準の拘束四五日以内を代入して見ると、演出家のギヤラは、日当計算にして二、二二二円となり、キヤメラマンは三〇日間位

別表（一）　我が家の家計簿

妻及子供二人の四人家族

源泉所得税			4,000
固定資産税			350
市民税			670
交通費			1,200
協会費			500
健康保険（芸能人保険）			560
文教費（映画関係の旬刊、月刊、単行本及一般）			2,000
煙草、交際費等の小使（現在昼食をしばしば抜いてる）			4000
親元へ送金			5,000
主食費			2,000
副食費			8,000
調味料（味噌、醤油、砂糖、油、酢、ソース、化学調味料）			1,000
光熱費及水道			1,600
放送聴取料及新聞代			400
子供の教育費（某国大附属小一年生、給食交通費込）			1,500
医療衛生費（病気、風呂、理髪、石鹸等）			2,200
保険料（私の生命に万一の事があつた場合の子供の教育資金に）			2,185
衣料費			1,200
牛乳代			500
雑費			1,000
計			40,000
改善したい費用			
副食費（ラジオ、新聞の統計並）	8,000	＋	4,000
衣料費（ふとん手入れ、特殊洗濯含む）	1,200	＋	3,000
文教費	2,000	＋	1,000
小遣（昼食を食べたい）	4000	＋	1,000
臨時雑費（冠婚、葬祭及近所付合）	0	＋	1,000
計			10,000
新たに追加したい費用			
主婦の教養誤楽費	0	＋	800
〃　化粧品代	0	＋	500
子供のおもちや代	0	＋	200
家族のリクレーション費	0	＋	1,500
臨時雑費	0	＋	2,000
計			5,000

として三、三三三円、照明技師は三、〇〇〇円で、演出家のギヤラは、最も率が悪いことになります。演出の場合は、他のスタッフと違つて、撮影前の準備と、撮影後の仕上作業があるにもかゝわらず、その点が考慮されていないような数字です。又、脚本の六〇、〇〇〇円というのは、新基準より二〇、〇〇〇円安くなつています。撮影と照明の率のよいのは、自映連の現場や、キヌタ照明あたりの組織の力がものを云つて、このような数字を獲得されたものだと思います。又、解説料は、三万円になつていますが、NHKのアナウンサーは、二万円から三万円位の間だそうです。たかゞか半日位で、ぽんと三万円もつてつてしまうのですから、いゝアルバイトです。何としても、うらやましい限りです。それにひきかえ、私のギヤラを日割にしてみると、一、三三三円という照明の助手さん並のギヤラで、なんともはや、なさけない限りです。暮もおし迫つて、労働攻勢は、越年資金獲得の斗争を、華々しく展開していますが、フリーの身の悲しさで私達は、どうすることもできません。

私達の協会を、もつと強力な、もつと権威のあるものにしたいと、思います。

別表(二)　スタツフのギヤランテイー

35㎜イーストマンカラー		1,300呎仕上
脚本		60,000
演出		100,000
助手		50,000
撮影		100,000
チーフ		50,000
助手		30,000
照明	3,000×10日	30,000
チーフ	2,000×10日	20,000
助手	1,300×10日×5人	65,000
音楽(作曲、指揮、演奏)		200,000
解説		30,000
編集		20,000

協会のあゆみ

一月六日　新人会(現助監督部会)総会
一月七日　事務局仕事はじめ
一月八日　運営委員こん談会ひらく
一月十六日　教材映画研究会
一月十九日　運営委員会
一月二十四日　教材テレビ研究会
一月二十六日　第一回記録映画研究会
一月三十一日　新人会(現助監督部会)総会
二月二日　第一回相談役会
助監督部会幹事会
二月十一日　相談役会
運営委員会
二月十三日　助監督部会生活対策協議会
二月十六日　加納竜一氏報告講演会
二月二十日　助監督部会研究会
二月二十七日　相談役会
二月二十八日　事務局員原子英太郎氏退職
三月四日　運営委、会費委、合同委員会
三月九日　記録映画研究会
三月十一日　会費委員会
三月二十二日　運営委員会
三月二十三日　事務局員岩崎泰子さん勤務始め
三月二十四日　第二回推せん教育映画の会
三月二十五日　助監督部会生活対策部会
三月三十日　運営委員会
四月六日　臨時総会

四月二十日
　助監督部会
四月二十七日
　運営委員会
四月三十日
　メーデー前夜祭
　会費委員会
五月一日
　メーデー、有志が参加
五月十日
　運営委員会
五月十一日
　記録映画研究会
五月十三日
　第一回婦人会員座談会
五月二十一日
　林田重男さんの話をきく会
五月二十八日
　教材映画研究会
五月二十九日
　相談役会
六月三十一日
　事務局員岩崎泰子さん退職
六月一日
　運営委員会
六月三日
　助監督部会緊急総会
六月四日
　田口助太郎氏の話をきく会
六月十日
　ギャラ委員会
六月十五日
　ギャラ委員会
六月二十六日
　婦人会員座談会
七月四日
　相談役会
七月十二日
　運営委員会
七月十五日
　事務局員加藤喜恵子さん勤務はじめ
七月十七日
　富沢平和友好祭代表、モスクワへ出発
七月二十六日
　運営委員会
七月三十日
　第一回プロデューサーと語る会
八月六日
　中央区原水協発足し加盟
八月九日
　相談役会
八月二十七日
　富沢幸男代表、モスクワより帰国
八月三十日
　第二回プロデューサーと語る会
九月十八日
　教材映画研究会
九月二十一日
　運営委員会
十二月二日
　運営委員会
十二月二十五日
　第四回協会々員総会

『原水爆実験即時禁止』の声明をだそう

原水爆のおそるべきことはもうたにをいわなくとも、みなさんはごぞんじのことです。原水爆実験の即時禁止は人類の生存にかかわることであり、恒久平和への第一歩だと思います。

われわれが原水爆実験即時禁止の声明を出すことは、平和を愛し人類の幸福と進歩のためにつくす映画作家として、当然のつとめだと思います。

中央区原水協に参加している協会として、ぜひともみなさんの賛同をえて、会員全員の名のもとで、声明を内外にだし、さらに映画界全体へとよびかけようではありませんか。

総会までに声明の草案を用意しますから、ご討議をねがい、署名をいたゞきたいと思います。

右　提案いたします。

十二月十五日　野田真吉

編集後記

☆この会報三一号は来る会員定期総会の準備号としておおくりするその準備号のため再度にわたり委員会の論議をかさねたため発行もおくれて申訳ない☆内容はご覧のように(1)総会のお知らせ(2)協会の一般報告(3)協会の動静(4)委員の発言――――などの各項にわたる。いずれも総会の資料であり、ご一読あってご出席いただければ幸いである☆松本俊夫君の提言は原稿前文に記した通りであり、よくご判読をこう。また特に例外ながら某氏とく名の一文は久方ぶりの経済うちあけ話である。この種の問題については向後ともどしどしご報告公開をおねがいしたく、さらにこれから種々なる問題への発展も考えられることだろう☆この十二月中には会員総会の経過報告を主とする第三二号をつづけて発行の予定だ。そして来年からは内容形式ともに一段と一新される『会報の機関紙化』も考えているが、それは総会で議決せられることの一つでもある☆総会にはぜひともご出席を！（加藤）

1957・12・30

教育映画作家協会々報

教育映画作家協会
東京都中央区銀座西8ノ5日吉ビル4階 TeL(57)2801.

号外

第四回定例総会
盛況のうちに終る

第四回教育映画作家協会定例総会は、去る十二月二十五日、中央区役所銀座東出張所集会室にて開催された。午後二時一五分、出席二四名、委任五九名、計八十三名の参加をみて総会成立し、吉見運営委員長の開会のことばから始められた。議長団は西尾善介、豊田敬太、高島一男の三氏をきめ、吉見委員長の一般報告につづき、助監督部会(苗田幹事)の報告と提案が行なわれ、つづいて菅家事務局長より事務局報告、会計報告がのべられた。つぎに一般討論に入り、会費未納と協会の財政問題、研究活動について、会報についてさらにその機関誌化について、規約内規の改正問題、来年度の活動方針などについて討論を展開した。引きつづいて役員の改選を行ない、別記のように吉見委員長、菅家事務局長の再選などを確認した。総会の終了は午後六時五十分。少憩ののち、同所にて会員三十一名の参加を得て、忘年こん談会に移り、和気あいあいのうちに歓談をつづけ、午後九時、終了散会した。尚、当日東京シネマより清酒および共同映画社よりリビールの寄贈があった。

会報の機関誌化などきまる

総会の決定事項

会報の発展

現在の会報を、内部だけのものではなく広く外部にも幅をひろげた機関誌にしよう。作家自身の問題意識を高めようとする過程で、作品批評や作家の日常の創作活動の問題点を集約する広場として機関誌化する。その場合の経費のまかないについては関係プロダクションに定期購読者になってもらったり、その他配給関係会社、映画サークルの組織、教育映画をみる会、移動映写関係などへの販路を開拓したい。

（議事録・吉見　泰氏の発言より）

尚、刊行についての準備、編集などについては機関誌編集委員会を構成して、その委員会が任に当る。

慶弔金制度をやめる

従来、会員に慶弔のことがあった場合、協会内規の定めによって慶弔金を差しあげていたが、その規定の数字を廃して、そのときの協会の状態に応じて、お祝い、または弔意をお届けするようにしたい。

（議事録・菅家陳彦氏発言より）

核兵器の使用と実験禁止に関する声明

核爆発が人類にもたらす恐るべき災厄については、私たちの経験と科学的な証明によってあきらかになっています。

私たちは、日本人の一人として、また平和を愛し、人類の幸福と進歩のためにつくす映画作家として、核兵器の使用と実験禁止をつよく要求するものであります。

よって、私たちは一九五七年八月にひらかれた第三回水爆禁止世界大会の「東京宣言」を支持するものであります。

一九五七年十二月二十五日

（総会当日、野田真吉氏（協会派遣中央区原水協理事）より提案され、参加者の署名を得た。）

会費を三ヶ月滞納するとやめていただきます

会費の滞納の甚だしい会員が居るが、今後は正当な理由なくして三ヶ月以上の会費滞納会員をどう扱うか討議してほしい。

（議事録・菅家陳彦氏発言より）

討議の結果「規約として最初からこういう条項を設けなかったのがおかしいので、やはり正文として、正当な理由なく三ヶ月以上の会費滞納会員は協会を退いてもらうことをきめよう。

（議事録岩崎太郎氏発言より）

国民文化会議の加入

国民文化会議に加入の要

請が助監督部会より提案されているので、加入問題について討議した結果、「会員は国民文化会議についてよく知らない。実際に具体的にどのような活動をしているのか、よく分らぬし、経済的な負担の点も分らぬ、検討してからにしよう」
（議事録、河野哲二、菅家陳彦、野田真吉氏の発言より抜萃）

定額会費制度は現行のまま

現行の会費制度は、変更することなく、このまゝつゞけてゆく。

•手数料などノーチップ
仕事のあっせん。

協会の財政運営の一案として、会員に協会が、仕事をあっせんした場合のあっせん手数料（仮称）を徴集する提案を検討したが提案反対の声が多く、財政緩和については別途財源を考えることにして、提案を撤回した。ただし助監督部会員の場合については、あっせんの事情が異るので、別途に話し合うことにした。

会費ノルマをまけてほしい

現在の助監督部会の一ヶ月総計の納入会費ノルマ一万五千円を値下げしたい（助監督部会提案・数字的資料は省略）という助監督部会の提案は運営委員会処理に一任した。

（助監督部会）

新役員きまる
吉見・菅家 加藤・野田 氏再選

○役員改選

方法＝委員長、事務局長は総会出席者の全員選挙による。

フリー会員の運営委員は当選五名として、出席者中のフリー会員の選挙による。

企業所属会員の運営委員は、企業の各ブロック別に自主的に選出し、それを確認する。

助監督部会の運営委員は同部会にて自主的に選出し、それを確認する。

運営委員長選挙の開票結果

㊀当 吉見 泰 二〇票
樋口源一郎 一四票
中村敏郎 四票
菅家陳彦 三票
豊田敬太 二票
野田真吉 二票
以下各一票、加藤松三郎、竹内信次、奥山大六郎、道林一郎、丸山章治、京極高英

事務局長選挙の開票結果

当 菅家陳彦 一九票
一一票
西尾善介 六票
八幡省三 四票
河野哲二 四票
以下各一票、加藤松三郎、岩佐氏寿、杉山正美、かんけまり、八木仁平、神沢寿男

フリー部門の運営委員選挙の結果

当 加藤松三郎 一七票
当 富沢幸男 一五票
当 野田真吉 一〇票
当 道林一郎 一〇票
当 河野哲二 九票
丸山章治 八票
京極高英 七票

（次頁三段に続く）

ついに赤字のまま越年
苦しかった協会財政

会費を、会費をと、言いつづけているうちに、ついに年末になりました。会費を未納されている会員の方には耳の痛い話、完納されている方には、うんざりするぐち、ということになりますが、考えてみれば事務局は、会費を会費をと、言うのが仕事だし、仕事となれば言わなきゃならぬ、というわけなので、本年最後のぐちを聞いて下さい。十一月末現在で協会財政の赤字が五三、五四〇円(会報№31参照)になり、しかも他に印刷費・慶弔費の未払金が約四〇、〇〇〇円あり、しめて、協会は約一〇〇〇〇〇円の借金を背負いこんでいるわけです。どうしてこんなになったか、というと、入るべき会費が入らないからなのです。未納会費の総額は十一月末現在で、なんと一八一、八一〇円。前記した一〇〇、〇〇〇円の借金も、この未納会費が入ってくれれば、なんのことはなく片附いてしまうわけです。事務局が、念仏のように会費を会費をと、唱えるゆえんです。一八万余円の未納会費のうち、一一万円は本年四月以降の新会費分です。現在の協会の会費は完納されると一ケ月約六万円になるから、この一一万円は四月から十一月までの八ケ月分のうち二ケ月分に当ります。つまり、この期間における会費未納率は、一ケ月平均約二五%になります。この二五%の累積のしわよせと埋め合せが、一〇万円という多額の借金に表われているわけです。

次に十二月分はどうか。年末のこの月は、通常の支出額約五五、〇〇〇円に加えて、借入金の返済、大会費用、事務局費のボーナス、印刷費の未払金清算などで約一二万円(計一七万五千円)が必要なのです。この金をつくるには、やはり会費の集金に拍車をかけるのが急務なので、例の会費を会費を、になったわけであります。運営委員ならびに事務局では、このことに頭を痛め動いて廻りましたが、本年もあと三日で終り、この原稿を書いている十二月二十八日現在の集金実績では、前記した一八一、八一〇円の未納会費のうち三五、八〇〇円が入金し、十二月分会費のうち三五、八〇〇円が入金し、十二月分会費(全額で一六七名約六万円)のうち、八六名、二八、三五〇円が入金しました。(詳いま十二月分の未納の方が、まだ八一名おります)結局、このような状態の中で苦しいやりくりをしてゆくわけです。入るものが入らず、支払いに差支えれば、当面の策としては、やむなく延ばせるものを延ばすより手はなく、借入金はその全額を返済停止。事務局員のボーナスも納得してもらって一部遅配。印刷費の未払金も話し合いによって一部を来年へくりこし。というような状況で、協会財政は越年いたします。どうもしんどいはなしで、お耳ざわり、お目ざわりでした。

尚、さきにおねがい申しました事務局員の越年資金カンパでありますが、十二月二十八日現在までに四十五名の方の御賛同御応募があり、一三、八〇〇円が集りました。協会財政が前記のような事情なので、大へん助かりました。お礼と報告を申しあげます。(事務局)

※
岩佐氏寿 七　かんけまり 六、
赤佐政治 五　荒井英郎 四
丹生正 四　豊田敬太 三
矢部正男 三　八木仁平 二
岩崎太郎 二　堀口源一郎 二
以下各一票、竹内信次、厚木たか
柳沢寿男、桑野茂。

以上による当選役員を確認した。尚、企業所属および助監督部会の運営委員は後日自主的に選出して確認発表することとなった。

会計監査

会計監査は議長団提案による堀口源一郎・羽田澄子両氏の留任を満場一致で決定した。

あとがき

今回の会員総会の報告については、年内に第三二号を発行の予定だったが、時間や費用の点から、この「号外」をもって速報することに変更した。しかし総会議事録その他の詳細は来春の次号でおしらせの予定、ご了承をこう。

ところで今期総会では前期のように「会報の機関紙化」が可決されたのである。したがって新選任の第一回運営委員会(正月十日ごろ召集か)では、さっそく新編集部員を選考おねがいして「華新会報」の大要を決定しなければならない。

つづいて原稿依頼や編集をへて正月末には従前通りの月刊で発行したい段取りだ。

むろん現在のところでは、だれが編集部員になるかも未定だが、これと思わん方の他せん自せんをぜひともおねがいしたい。

最後に皆さんよ、どうぞよい年をお迎えあるように。

(加藤)

教育映画作家協会々報

1958・2・10

教育映画作家協会
東京都中央区銀座西8/5日吉ビル4階 Tel (57) 5418・2801 4498 (呼)

No.32

協会機関誌の刊行準備すすむ
三月に創刊の予定

昨年末の教育映画作家協会第四回会員総会にて提案され、賛成を得た協会の機関誌刊行案は、その後、本年初頭より、その実行準備が着々と進められている。

まず本年一月、運営委員会の相談によって会員中より機関誌編集部員八名をきめ、その部員によって編集部会が、さる一月十四日より、すでに三回にわたって開かれ機関誌の三月創刊を予定して部会および事務局では編集活動をつづけている。

機関誌の題名は

教育映画作家協会機関誌

「記録映画研究」ときまる

来る三月に創刊する教育映画作家協会の月刊機関誌の題名は、さる一月二十一日の編集部会にて検討の結果、表記のように正式決定をみた。

電話番号変更のおしらせ

教育映画作家協会の電話番号がこのたび次のように変更になりましたので、おしらせ申します。

新番号

東京(57)五四一八(直通)
〃 (57)二八〇一(呼出)
〃 (57)四四九八(呼出)

▽呼出電話は東京フイルム方より呼出す。

教育映画作家協会

機関誌刊行の計画と経過

一月十四日に、第一回の編集部会が開かれ、会報から機関誌への発展を試みるという地道なやり方で出発することを話しあった。

表紙は活版刷り、本文は従来の会報と同様の五号活字ガリ版タイプ印刷、三十頁程度の体裁を予定し、これを月刊で発行するための財政運営について相談した。

印刷部数は四百部、この印刷費（直接製作費）は約一万五千円。定価は一部五十円とし、売上収入は一部残らず売りつくすと仮定して、定価の八掛収入で一万六千円。他に広告収入を毎号一万円見込んで計二万六千円。差額の一万一千円を編集費、人件費、原稿料、雑費などの間接製作費に充当する。（教育映画作家協会々員には、協会が買い上げて、無料配布する）

つぎに、この財政基礎の上にたつて、創刊第一号の編集内容について検討した。第一号の内容は、まず巻頭言、評論、ルポ（研究）海外映画事情―これは世界映画資料を発行している岩淵氏のところから毎日資料のほんやくの提供をうける。

各社の製作状況、作品目標、会員、読者の声、製作所めぐり―など。

次回には具体的な編集本針をはつきり打ちたてるため各自の案をもちよることにした。

そして、第二回を一月二十一日に開いた。メソポタミヤの経験からシネスコの問題を桑野茂氏、主要な論文としては、松本俊夫氏に記録映画についての論旨を明確にして問題を提起してもらう。―という案がだされた。毎月座談会を一つ入れたい。その一案として、主婦の教育映画に対する要望、東大教育学部の教育映画研究グループの座談会。十六ミリキャメラの効用―共同研究など。

まず三十頁分の内容を頭から頁数をうめていくことにして、本文の第一頁に吉見委員長の発刊のことば、ついで教育映画製作者連盟阿部事務局長氏に協会の発展に寄せてという原稿を依頼（二頁）。松本氏論文を四頁。桑野氏のルポ四頁。それに読売映画から東南アジア（カンボヂア）へ行つてきた石田修氏の撮影報告（二頁）。教育映画の面白さというテーマで座談会をもつ。出席者は、協会から作家三、児童文学者三、現場の教員二、主婦三、司会一という顔ぶれ。

第三回を一月二十一日、運営委員と編集部員が集つて最後的な決定をみた。

・寒波の襲来におそれをなしてか運営委員側の出席すくなかつたが、編集内容を決めた。松本氏の論文は三頁。座談会は五頁。海外資料は一頁半。毎月定期掲載のロケだよりは各社の製作状況を調べて六組ほど現地に依頼。作品月評には毎月対談形式で第一号は厚木たか、藤原（旧姓中島）智子両女史に、小さな芽ばえ　子供のしかり方ほめ方　を中心に語り合つてもらう。資料室は、吉見氏に引受けてもらい、業界ニュースは、通信記事から編集。プロだよりは、各社の現況を編集部員が分たんして集める。なお、いままでの会員動向は本誌からきりはなして、はさみこみにする。

第一号は編集部員が中心になつて内容を決めたが、第二号以降、会員諸兄の積極的な意見や、原稿のもちよりにより、誌面をうめていきたい。

以上が、機関誌発行についての経過報告である。（以上谷川記）

アルスとの提携具体化
機関誌の活版刊行

その後、謄写印刷でなく、活版印刷で出してはどうか、発売を引き受けようではないかという好意的な意見が、「アルス児童文庫刊行会」の大久保正太郎氏から、岩佐を通じて申し入れがあつた。吉見、菅家、岩佐を中心として、経済的な問題、内容の問題等、種々検討し、大久保氏とも話しあつた結果、条件は悪くないので、目下その方向で話をすすめている。協会の機関誌であるという性格をそこねることなく、すなわち内容については、全然発売者側はタッチしないということで、九十九パーセントまで、具体化するだろうと思われる。この場合の機関誌の体裁はB５判（例・キネマ旬報）活版印刷三十頁程度のものとなる予定である。

（岩佐記）

機関誌編集部会員は、会員中より次の八氏に依嘱した。

岩佐氏寿　岡本昌雄
谷川義雄　飯田勢一郎
丸山章治　松本俊夫
諸岡青人　小島義央

一九五八年度 教育映画作家協会 新役員きまる

（前号既報）本年度新役員は、このほど左のようにきまった。

運営委員長		吉見　泰
事務局長		菅家　陳彦
運営委員	（フリー会員）	加藤　松三郎
	〃	富沢　幸男
	〃	野田　真吉
	〃	道林　一郎
	〃	河野　哲二
	（フリー助監）	高島　一男
	〃	山本　升良
	〃	渡辺　正己
	（新理研）	富岡　捷
	（日映）	中村　敏郎
	（日映科学）	下坂　利春
	（アニメーション）	吉岡　宗阿弥
	（視覚教材）	樺島　清一
	（岩波）	末　定
	（その他）	大野　祐
	（〃）	秦　康夫
会計監査		樋口　源一郎
〃		羽田　澄子

委員会だより

一月第一回運営委員会

一月十一日（土）午後二時

出席　吉見、菅家、加藤、野田、河野、高島、樺島、中村、大野

▽上掲の本年度協会新役員の選出が終り、これを確認した。

▽三ヶ月分以上の会費滞納会員に滞納事情についての照会連絡を発することにした。

▽経費節減のための事務室の移動の件について、経過と事情の報告があった。

▽本年度の協会の活動方針などについて検討した。会員の仕事あっせんとセールスの問題、プロダクションの製作事情を常にキャッチするためのプロめぐり、などについて相談した。

▽機関誌刊行について

別掲の機関誌刊行について、その具体的な準備に着手した。まず編集部会員（前頁参照）を推せん依嘱して、その部会によって実行準備をすすめている。

一月第二回運営委員会

一月二十七日　午後六時三十分

（機関誌編集部会と合同）

出席　菅家、河野、秦、他に編集部会員六名出席

▽機関誌の刊行について意見を交換した。（別掲記事参照）

会員の動静

住所移転

富沢　幸男　渋谷区代々木本町八一七に転居しました。

脱会

森永健次郎　大橋　春男

さる十二月に、本人の申出により脱会しました。

結婚

富沢　幸男　さる一月二十一日、朝倉　摂さんと結婚しました。

豊富　靖　さる二月九日、高石怜子さんと結婚しました。

その他

八幡　省三　企業所属会員よりフリー会員に変更

大沼　鉄郎　フリー助監督部会員より企業所属助監督部会員に変更

協会事務局移動のおしらせ

さる二月一日より、当協会事務局の室が移動しました。所在地は従来通りですが、日吉ビル四階の、いちばん奥の室（ショウボート寄り）へ移りました。電話は東京（57）五四一八（直）二八〇一 四四九八（呼）です。

会計報告

十二月分

収入の部

会費	七三、〇〇〇
ボーナスカンパ	一六、八〇〇
合計	八九、八〇〇

支出の部

事務所費	一三、〇〇〇
人件費（12月分）	二〇、〇〇〇
〃（特別分）	三〇、〇〇〇
電話料	六、七三〇
通信費	六、五七九

印刷費	一九、九九八
交通費	一、七八〇
会合費	二、三七〇
用品文具費	六二一
返済金	八二〇
雑費	五、八二〇
合計	一〇七、七三八
差引不足金	一七、九三八

一月分

収入の部	
会費	二九、五九〇
寄付金	一五、〇〇〇
合計	四四、五九〇
支出の部	
事務所費	一三、〇〇〇
人件費	二〇、〇〇〇
電話料	六、八〇二
通信費	一、三一二
交通費	一、六一〇
会合費	一、三〇五
用品文具費	二、〇五五
返済金	六、八二〇
印刷費	五、〇〇〇
雑費	三九〇
合計	五八、二九四
差引不足金	一三、七〇四
累計不足金	三一、六四二

研究活動の充実と仕事あつせんの強化など 助監総会ひらく

助監督部会では、さる一月八日と、つづいて十八日の二回、部会総会をひらき本年度の部会活動について討議した。研究会活動については、会員中よりブロック別に世話人を選出して、その世話人会の運営によつて活動をおし進めてゆくことにした。

またフリー助監督の仕事あつせんの強化については、出席者の意見交換と討議ののち、フリー助監督のうち、仕事あつせん部（仮称）に仕事あつせん、契約事務の代行の依頼を希望するものが登録することとし、仕事あつせん部の運営、活動について討論したが結論は出ず、後日にもち越されることになつた。

つぎに助監督部会の現行会費制度（協会に対して部会ノルマ一万五千円）について、旧助監督部会幹事会より改正案（部会員一名会費月額二百円均等制）が出され検討したが結論を得るに至らず、これも後日の再検討にもち越すことになつた。

また当日、フリー助監督部会員のうちからの運営委員を三名、選出選挙を行つたが別掲のように、高島一男、山本升良、渡辺正己の三氏が当選した。 （事務局）

事務局だより

▽機関誌の創刊とともに、こんご会報はこの程度のものになります。協会の内部的な連絡やおしらせを掲載して月一回、会員のお手許へ届けます。▽機関誌の編集業務はどんどん進んでいます。さる五日には作家と児童文学者と主婦との座談会を映教にて行ないました。また八日には女性会員二名による教育映画対談批評をひらきます。乞御期待▽会費の集りが悪いので事務局では、またまた頭を拘えています。さりとて、ひとりひとり尋ねて歩くことも、実際にはむづかしいので、どうしたらよいものかと弱つています。御一報下されば、すぐ受とりに参上しますから、何とぞよろしく御協力下さいませ。▽三ケ月分以上の会費滞納者は整理されることになりましたので、該当される方は滞納事情についてひとこと御連絡を下さいませんか。御相談を致したく存じます。▽本紙に同封のはがきを、お忘れなく御返送下さい。

会費を払つてください！

一月分の会費を納入されていない方が、いま九四名おります。十二月分より納入されない方が四十五名おります。三ケ月分以上の会費未納の方は三十五名おります。御一報下されば、いつところでも受とりに参上いたしますから、おしらせ下さい。振替送金の場合は本紙同封の用紙を御利用下さい。

1958. 3. 25

教育映画作家協会々報

教育映画作家協会
東京都中央区銀座西 8/5 日吉ビル4階 TeL (57) 5418

No. 33

機関誌の題名を

教育映画作家協会機関誌

「記録映画」として

四月創刊めざして準備中

〃記録映画〃創刊号の内容

写真口絵―(プロダクション紹介・新作品紹介など)

巻頭言　吉見泰

創刊によせて　阿部慎一

日本の記録映画の現状(連載)　吉見泰

前衛記録映画の方法について　松本俊夫

アラン・レネェとフランス記録映画　宮本正名

座談会「教育映画のおもしろさ」　主婦・作家など

優越感について―メソポタミアの経験から　桑野茂

対談月評

「おふくろのバス旅行」と「きよ子ちゃんの日記」　厚木たか・藤原智子

二つの記録映画

「この目で見たソ連」と「新しい大地」　時実象平

プロダクションの製作事情……………

ワイド・スクリーン(仮称)………

読者欄……………

ブック・レビュー………………………………など。

協会機関誌の刊行については、その後、機関誌編集部会を中心として、刊行準備をつづけているが、さる二月中旬に、「アルス児童文庫刊行会」との提携(前号既報)が正式に本決りとなり、印刷と発売の一部を、アルス側が引受けることになつた。なお題名を「記録映画」として、出来上りの体裁はB5判活版印刷三十二頁程度のものとなる。機関誌編集部会では、その後も数度の会合を開いて創刊への具体的な準備をつづけているが、何分にも初めてのことではあり、予定通りに進行せずに創刊が遅れていたが、この程、いよいよあらましの準備を終えて、上記のような創刊号内容をもつて、お目見得する運びになつた。

一九五七年度 教育短篇映画製作状況

日本映画教育協会の調査による一九五七年度の教育短篇映画製作状況がこのほど発表されたが、それによると一九五七年一月より十二月までに製作された教育短篇映画の総作品数は、六八八種、一六二二巻で、製作社数は一八二となる。他にテレビ用映画が、一四四種、二九三巻、一二社という数字となる。これを一九五六年度の作品数に比較すると、本年度は昨年度よりも一二種、九一巻の増加で、製作社は、逆に三社の減になつている。全作品数は前年よりもやや低い伸びかたではあるが、一応増加のあとを示している。しかし、飛躍的な製作量を生んだ五六年の戦後最高の数字をさらに上まわつた五七年は、飛躍的な量産ではないが、製作の活潑さを物語つているものといえよう。

作品の内容別からみると、前年に引きつづいて工学工業系統の作品が他を引き離し、全作品の実に四分の一にあたる製作数を示している。これに次いでは、生活文化、芸術娯楽、歴史地理、社会科学、自然科学、産業、スポーツ、言語の順となつているが、これは前年のオーダー、歴史地理、スポーツ、芸術娯楽、社会科学、生活文化といつた傾向と多少の変化をみせている。

また製作の意図からみた傾向では、まず学校、社会教育等の場で利用されることを目的とした教材的作品が、二四五種（三五・六％）五八〇巻。映画館上映を目的とした記録、文化映画など一九種（二・八％）一〇七巻。その他の、いわゆるPR映画などが四二四種（六一・六％）九三五巻となつている。さらに前記教材作品を分類すると学校教材用は九六種一三四巻。社会教育用は二七種六六巻という数字になる。

（以上「視聴覚教育ニュース」四〇二号より抜萃）

会員の動静

谷川　義雄　都市と住宅。（三井芸術プロ）脚本完成。演出準備中。

河野　哲二　遊んでいます。

八幡　省三　一月一杯で東京シネマを辞めました。これからも頑張りたいと思つています。

上野　大悟　村上プロ（現、東京フイルム）で一年半に及んだ農業シリーズ2本目の「水田と窒素肥料」を完成。

―以上二月十三日―

松本　俊夫　「日本原子力研究所」第二部演出中、スポンサーが原研、三菱（これも六社）、清水建設、鹿島建設の共同出資なのでそのやりにくいこと、全く弱つています。カラー三巻。

西尾　善介　「黒部峡谷」第2部ロケ。トンネル貫通、雪崩等、

―以上二月十四日―

坊野　貞男　二月下旬から北陸電力PR有峰ダム第三部、九頭竜川の撮影に入ります。併せて京極さんの作品の調査の手伝いをしております。

丸山　章治　ヨミウリ映画の「セメント」やつと編集にはいりました。二十一、二十二日録音で、今夜もそのためにテツ夜となります。近来こんなにはげしい仕事をしたことはありません、少くも二本分以上の働きをしています。これが終る頃は、もう食えなくなりますから、よろしく仕事をさがして下さい。

富岡　捷　ここのところ病気勝で仕事にもありついていません。恢復次第、モリモリやり度いと焦つています。

入江　勝也　「電話」クランクアップ。続いて電気通信シリーズ第二篇「電報」（カラー・二巻）準備中（読売映画にて）

―以上二月十五日―

永富映次郎　新理研映画「飛行準備完了。」撮影終了。目下編集中

―以上二月十六日―

盛野　二郎　前略やりかけた仕事中断してしまいました。

豊田　敬太　二月二十日すぎから東映で社会教育映画（女の虚栄心をテーマにした短い劇）の撮影にかゝります。

富沢　幸男　「日本の学校」岩波映画の編集も終りあと音入れを待つています。

英国記録映画

1936年作品16ミリ24分

夜行郵便

NIGHT MAIL

監督 ベイジイル・ライト
ヘンリイ・ウオツト

上記の作品の試写観賞を行なうために、英国大使館を通じてプリントの借用を申しこんでおいたところ、このほど英本国よりプリントが到着いたしましたので、近く試写会をひらきます。
会場、日時、は目下のところ計画中なので、あらためておしらせいたしますが、3月末ごろを予定しています。

中国歌舞団公演

新宿コマ劇場

4月10日より20日まで（ただし日曜日のみ昼間興行）
午後 6時半開演

入場料＝特—1800 A—1500 B—1000 C—800 D—500

毎日新聞社、日中友好協会、日中文化交流協会が招いた中国歌舞団一行65名の民族舞踊の公開が上記のように行なわれます。
主催者より案内が届いておりますので御希望の方は入場券をお取り次ぎいたしますので、協会事務局まで御連絡下さい。

▽フリー助監督会員の方に

裏面記事のように、フリー助監督の生活対策部会についての新しい態勢をつくるために、総会をひらきます。総会では規約の成案、その他、決定したい事項もありますので、ぜひ御出席下さい。万一御欠席なさる場合には、委任、または連絡を下さるよう、おねがいします。

（事務局）

八木 仁平 「生活改善」（2巻）撮影完了。山梨県から帰って来ました。これから編集、録音、来月完成の予定。

深江 正彦 現在、警察の刑事活動をテーマにした劇（二巻）を演出中。二月中旬完成を目ざしています。

—以上二月十七日—

吉田 和雄 漁業協同組の仕事を紹介する二巻ものの準備中。

—以上二月十八日—

榛葉 豊明 NTVで毎週日曜、放送される「楽しい科学」（八幡製鉄提供）用の映画を作っています。数多くやれるので勉強になると思っていますが大変な忙がしさで、すべての方面に全然御無沙汰をしています。

—以上二月十九日—

島谷陽一郎 三井プロ「都市と住宅」四月までクランクインがのびましたので体があいています。新日本映画—第一生命PRの編集。

—以上二月廿一日—

勝田 光俊 大自然に羽搏く。（長編記録。監督古賀聖人）を離れ、「西本願寺」（カラー二巻、演出下村健二）につきました。

村田 達二 新東宝教育映画部「ハワイ練習航海」の編集中です。三月末完成の予定。

—以上二月廿二日—

日高 昭 毎日映画社「日本の味」（演補）二月末完成。次回作未定。何とか本格的なドキュメンタリーを作りたいと考案中

尾山 新吉 三井プロにて仕事中

—以上二月廿四日—

徳永 瑞夫 「機帆船」などの企画を昨年からひき続き準備中ですがすべての面で状勢待ちといつた所で、当面は喰うためにテレビのコマーシャルなどに追い廻されています。何とかしたいところですが—。

—以上二月廿六日—

楠木 徳男 現在岩波映画で「軽量形鋼」の演補をしています。

—以上三月三日—

八木 進 体育教室「徒手体操」（全一巻）完成。次回作準備中。

▽本号の会員動静らんは、動静おしらせ用はがきによつて三月十五日までに到着したものを掲載いたしました。御了解下さい。

フリー助監督 生活対策活動の準備すすむ

フリー助監督の生活対策活動（前号既報）については、その後、助監督部会旧幹事会および新運営委員などが中心となつて、その推進について準備していたが、案が整つたので次のように総会をひらく。

フリー助監督総会のおしらせ！

生活対策部会の強化のために、準備委員と運営委員との間で、新しい組識を作る、具体的なプランを検討していましたが、一応の結論に達しました。ここにフリー助監督の総会をひらいて、これを決定し、軌道にのせたいと思います。

ぜひ、御出席下さいますようにおしらせします。

とき　三月二十五日（火）午後六時より

ところ　中央区銀座東集会所一階会議室（歌舞伎座右横）（TEL(54)六五七九）

フリー助監督生活対策準備委員会

☆健康保険証が交換になります。

芸能人健康保険証をお持ちの方は、三月末日にて期限切れとなりますので、新年度分の保険証と交換いたします。ついては旧保険証を来る三月二十五日までに、事務局まで御返納下さい。郵送でも結構です。折り返し新保険証をお渡しします。尚、保険料未納の方は、ぜひ御完納下さるようおねがい申します。

▽また月末です。会費納入をよろしく願います。

脱会

原口　光人　さる一月末日付にて本人の申出により脱会しました。

その他

韮沢　正　フリー助監督部会員より、フリー会員に変更

相川　竜介　フリー助監督部会員より、賛助会員に変更

会計報告

二月分

収入の部

会費	四一、二五〇
雑費	一〇、〇〇〇
合計	五一、二五〇

支出の部

事務所費	五、〇〇〇
人件費	二〇、〇〇〇
電話料	六、七一九
通信費	二、九七七
交通費	一、四五五
印刷費	一〇、〇〇〇
用品文具費	三、六五〇
返済金	五、七〇〇
雑費	八、五五〇
合計	六四、〇五一
差引不足金	一二、八〇一
累計不足金	四四、四四三

声

永富　映次郎

機関誌の発行については小生も大分以前、会の編集委員に選ばれ、いろいろその時研究してみたのでしたが大体僕等教育映画作家の書いた記事を、お金を出して買つて読む人はとても少なく、随つて採算がとれんのではなかろうかという心配が相当大きく感じられるのです。

坊野　貞男

協会の運営はやはり経済的な自立にあると思います。会費問題の速やかな解決を祈つています。

▽付録に「会員住所録」を添付会員名簿の発行が遅れていて、会員各位に御迷惑をおかけしておりますが、このたび会報本号の付録として、とりあえず「会員住所録」を作成して、本号と同封してお手許へ届けました。

1958・5・25

教育映画作家協会々報

教育映画作家協会
東京都中央区銀座西8の5 日吉ビル4階 TEL(57)5418

No.34

厚木たかさん
ヨーロッパに旅立つ！

きたる六月一日より五日間にわたつて、ウイーンにおいて開かれる国際民主婦人連盟総会に、代表として出席する当協会員厚木たかさんは、さる五月八日午前十時羽田空港発SAS機にて、ヨーロツパに向けて出発した。五月末まではオーストラリヤ各地にて、原水爆禁止のための講演をつづけ、六月はじめ、前記総会に出席し、その後は七月にストツクホルムにて開かれる軍縮と国際協力のための大会にも出席する予定である。尚、協会では、この機会を利用して、厚木さんに海外映画事情の調査や、海外交流についての橋わたしなどをお願いしてある。

機関誌「記録映画」
やつと創刊！

協会機関誌「記録映画」の創刊は本年初頭より準備をしているにも拘らず、その発刊が遅れ、会員ならびに関係者各位に多大の御迷惑をかけておりましたが、主として印刷作業に関する事情などが、その遅刊の理由ではありますが、まつたく申し訳ありませんでした。このほど、やつと発刊することが出来ましたので、会員各位には本紙を添えて、お手許へお届けいたしました。「記録映画」編集部では、つづいて同誌第二号の編集に努力しておりますので、各位の御協力をいただきたく、よろしくおねがい申します。

ごあいさつ

このたび、ウイーンで開かれる国際民婦連総会に、代表をおくりますため、何かと御世話様になりましてありがとうございました。いつものことながら、お心のこもつた御寄附をいただきまして、どんなに励まされましたかわかりません。おかげさまで八日午前十時羽田発SAS機にて元気に出発いたしました。

五月中はオーストリヤ各地をまわつて、原水爆禁止のための講演をいたし、六月一日から五日の総会を了えて、七月にはストツクホルムの軍縮と国際協力のための大会にも出席するはずでございますが、皆様の御支持を力によい勉強をしてまいります。御力添えを心から御礼申しあげます。

一九五八年五月八日

ウイーン世界婦人集会代表　厚木たか

婦人民主クラブ　櫛田ふき

フリー助監督総会の報告

フリー助監督選出の運営委員会

さる四月十六日六時半からフリー助監督の総会が、出席者十八名(委任を含む)で成立し、次の事柄を討論し、決定しました。

○フリー助監督の協会々費を一率に一人二〇〇円にする。

——助監督の会費は、二五〇円、二〇〇円、一五〇円の三ランク制に、フリーの仕事あつせんの手数料二%というのが今までの会費でした。

——フリーの助監督のギャラの段階が、これを決定した時からみて、その差がずつと少なくなつてきています。

個人的に一五〇円を二〇〇円にする様な場合に起るいろいろの問題を、一かつ、事務的に処理するわけです。

○生活対策部会の強化に関する件

——生活対策部会の強化については、去年末の助監督部会の総会以来、準備委員会を作つて検討を重ねて来ました。

——部会を組織化して、登録制を敷くことによつて運営を強化しようという考え方でしたがこれは協会の中に新しい組織を作ることになり、協会全体の問題であるという意見が、運営委員会から出ました。

——そこでこの考えを改め、フリー助監督全員に適用することを先ず決めました。

仕事のあつせん
契約のとり決め
契約書のとりかわし
ギャラのとりたて
あつせん手数料二%さし引き

これが事務局で行なう部会の業務です。

○フリー助監督部会の部会費月二〇〇円を別に徴収する。

——これは、生活対策部会独自の活動費　例えば、部会幹事の交通費などにあて、残りを当面、積みたてることにします。

○生活対策部会の幹事会を強化するべく、三人の幹事に

杉山　正美

会員の動静

野田　真吉　記録映画「忘れられた土地」のロケに青森県下北半島に四月中まいります。(東京フイルム作品)

—以上四月三日—

深江　正彦　やつと短編劇「黒い影」が上つてほつとしていますが、どうも自分の才能の貧しさにほとほとあきれている次第です。

—以上四月五日—

道林　一郎　三月二十五日から日本文化映画の「こんぴらさん」の撮影に出掛けています。

—以上四月九日—

大方　弘男　「甲斐路」第二編、四月一日クランク・イン。「クロレラ」(仮題)四月十五日よりクランク・インの予定。「クルーザー」(仮題)近日撮影のため準備中。「世界に挑む力道山」(仮題)スタッフ近日渡米のため準備中。

豊田　敬太　四月下旬から東映にて「切手のない手紙」(三巻脚本古川良範)社会教育劇映画、一種のPTAものに着手する予定です。

—以上四月十二日—

西本　祥子　視覚教材で仕事をしています。

永富映次郎　新理研映画にて監督中の「飛行準備完了」を「翼をはぐくむ人々」と改題、三月下旬完了。次回もジェット機関係の新企画を研究中。

岩崎　太郎　かねて準備中だつた全農映製作教材映画は、手続上の問題で手間どつていますが、この月中には発足できると思います。

日高　昭　PR映画「日本の竹籐機械」製作中、四月末完成の予定。

—以上四月十五日—

吉見　泰　東京シネマで次回作準備中。

—以上四月十八日—

河野　哲二　「結核」のシナリオをかいています。その他、共同映画社などでいろいろと雑用をやつています。

富岡　捷　精神薄弱児童を主題にした短編の脚本執筆中。

—以上四月十九日—

谷川　義雄　都市と住宅。(三井芸術プロ)演出準備中。

間宮　則夫
川本　博康
の三君が選ばれました。

○運営委員の補充について

協会の運営委員会にフリーの助監督から三人の委員が出ています。その中の一人、高島一男君が、東京フイルムに入社して、フリー助監督部を抜けました。

新しく苗田康夫君が、運営委員に選ばれました。

○企業、フリーを統合する助監督部会の、運営の上で、研究会の仕事は主軸をなすことになります。

旧幹事会によって、「ナイト・メール」や、「戦艦ポチヨムキン」の試写が、企画されてきました。

新らしい研究会は、企業とフリーの研究会委員の連絡会議によって運営されます。

(岩波映画)田中　実
(新理研)二瓶直樹
(記録映画)秦　康夫
(フリー)片桐直樹
(　〃　)小泉　堯

の諸君が、現在までに選ばれた研究会の委員です。

声

永富　映次郎

演出料金等一割に対し、シナリオが一割五分引き（原稿料として）は何十万、何百万と収入のある作家（文士）などと同率では、余りに少ない我々の脚本代からして不合理の様に思いますが、これを引下げることを会で研究してみては如何かと思っています。（尚文士は調査取材費、参考書代などを税から引くことも文芸協会との間に取きめがあるとき丶ました。）或は違ってるかもしれませんからお調べ下さい。

深江　正彦

「記録映画」の創刊、心からお祝い申上ます。そして待ちわびています。おいおい先輩各位のシナリオ・又はコンテなどのせていただけたら……と希望しています。

松本　俊夫

「夜行郵便」「戦艦ポチョムキン」の試写会は大へん有意義な企

丸山　章治　三木映画の社会教育映画シナリオと、桜映画の社会教育映画シナリオを執筆中、仲々書けなくて、いささかノイローゼ。脚本書き位骨が折れて、わりにあわぬ仕事はないとつくづく考えます。両方とも四月上旬には決定稿にしたいと思っています。

—以上四月二十五日—

入江　勝也　読売にて「放射能」カラー二巻もののシナリオ執筆中。（広木正幹氏と共同）「電報」（カラー二巻）撮影準備中。

西尾　善介　「黒部峡谷」第二部製作中。

—以上四月二十六日—

赤佐　政治　仕事と酒。それが毎日。仕事の方は五月で一段落の予定。酒の方は判らない。

—以上四月二十七日—

高綱　則之　低学年向教材映画「消防のおじさん」ようやく完成したので、お百姓さんの本にか丶っています。

—以上四月三十日—

丹生　正　電通映画脚本製作USIS映画撮影中。四月一杯に完了の予定。

—以上四月三十一日—

頓宮　慶蔵　療養中です。

大沼　鉄郎　好調に療養を続けております。

肥田　侃　新名古屋火力発電所の建設記録で毎月十日～十五日間名古屋へ出張です。このため協会への通信や報告も怠りがちになってしまいました。お許し下さい。又東京に帰るとTVの仕事をやっています。

岡本　昌雄　次回作調査及準備中です。なを理科映画大系「天気図」は進行中。

中江　隆介　四月末に科学映画社と人形劇団プークと共同で人形映画「てまりうた」（仮題、「一休さん」の続編）をつくるのに、脚本を書き、演出は西沢周基君と共同でやります。

西浦　伊一　「猿ケ島騒動記」という、選挙啓蒙用映画の製作中（四月末完成予定）。NTVの「婦人ニュース」が今度毎週土曜日毎に、フイルムの特集をすることになったので、その企画、製作演出を担当することになりました。

加藤松三郎　これまでの長期短期のシナリオが片づいて、しばら

画だつたと思います。今後もこのような催しを是非時々やるようにしましよう。

機関誌の発行が二ケ月おくれ、委員の一人として全く申訳けなく思つていますが、現在の主体的条件から考えて、月々発行が遅れがちになつたり、内容が低下したりするよりは隔月刊にした方がよいと思うのですがどうでしようか。

島谷　陽一郎

御無沙汰いたしております。最近TVや、会社のPRをやりながら、作家というものは、どういう態度で、或はどういう姿勢でだれのために作るのか、つくづく反省させられています。研究会活動に是非参加して、もつともつと勉強をしたいと思います。

加藤　松三郎

われわれの機関誌「記録映画」の創刊号も、いよいよ誕生することになるが、いろいろな意味で待たれてならない。それが出されれば、またそこから新しい考えや道も生まれてくることだろう。とにかく何とか育てにやー。あらためて編集部諸公の労を多とします。

肥田　侃

御無沙汰している間にもう春。会報も充実し、いよいよ機関誌として刊行されるとか。非常に心強いと思います。更に読みごたえあり、親しみあるものとして欲しいと大いに期待しています。

大沼　鉄郎

協会の皆様に色々お世話になりありがとうございました。会誌の発刊をたのしみにしております。

丹生　正

作品を見られる機会を一層多くして頂きたいことと、完成後のシナリオでも結構ですから協会で読めるよう各社から集めていただけたらと思います。

高綱　則之

教材映画研究会、最近あまり開かれないようですが、道徳教育の問題も出てきているので、研究会を開いて意見の交換をやりたいものです。どなたかお骨折り願います。

赤佐　政治

機関誌、機関誌と騒ぎたててかくぶりでヒマを味わつています。いや事実は、日一日と「空白感」におびやかされていく、というのがホンネかもしれません。

—以上四月十五日—

島谷陽一郎　三月以来八洲光学映画部にて仕事をしています。「我が家の8ミリコンクール」二巻パートカラー脚本演出。「レンズの使い方」一巻、脚本演出。「やさしい映画のテクニツク」一巻、脚本演出。「8ミリ誕生」カラー二巻演出。

村田　達二　新東宝で働いています。

—以上四月二十六日—

松本　俊夫　相変らず「原子力研究所第二部」演出中です。

—以上四月三十一日—

大野　祐　御無音御許し下され度、あんまり遠いので遂々失礼。小生相変らずTV、PR等の企画調査をやつて居ります。

—三月二十六日—

（以上は動静おしらせ用はがきによつて、事務局におしらせ下さつた分です。）

荒井　英郎　山添　哲　片桐直樹　小野寺　正寿

全農映で仕事をしています。

岩佐　氏寿　岩波「下水」演出。

菅家　陳彦　東映製作所で仕事をしています。

衣笠十四三　三木映画社「約束はしたけれど」演出完成。

京極　高英　矢部　正男　富沢幸男

岩波で仕事をしています。

下村　健二　西沢　豪　苗田康夫　三浦　卓造　山口　淳子　大峰　晴　松本　公雄　中村敏郎

日映新社で仕事をしています。

かんけまり　電通映画部で仕事をしています。

竹内　信次　八木　仁平　杉山正美　川本　博康　渡辺　正巳

東京シネマで仕事をしてい。

柳沢　寿男　芸林プロ「おかあさんの意見、ぼくの意見」演出完成。

韮沢　正　次の仕事の準備をしています。

石田　修　読売映画社「民族の河メコン」製作完成。

木村荘十二　共同映画社「千羽鶴」演出。

（以下六頁三段つづく）

らもうどれほど経つたことだろう。長い冬が明けてもう春だ。間もなく夏さ。作協とは機関誌発行委員会か。それもよかろう。だが昨年も一昨年も各個人に作品歴か何か提出させたりして、あれは一体何だ、と訊きたくなる。会費が惜しくなつたからこんなことをいうのではない。乞御諒承。

入江　勝也

「記録映画」の創刊をたのしみにまつています。いゝものにして下さい。会のためになにもお手伝い出来ず大変申訳ないと思つています。

丸山　章治

「どこかに春が」や「法隆寺」や、羽仁君たちの実験映画や、いろいろ問題作品がでてきましたが、こういう作品をみんなで合評してみたら、いい勉強になると思いますが……。一日も早く機関誌を出すこと。これが第一です。協会の中だるみをけしとばすには、このことを急ぐことです。

お　願　い

戦争中の雑誌「文化映画」に掲載された小生の論文「文化映画シナリオの表現形式について」（五十枚）（昭和十七年一月号？）「文化映画における過去の表現について」（二十枚）（昭和十六年十月号？）お持ちの方はお貸し下さい。責任をもつてお返しします。

谷川　義雄

委員会だより

三月運営委員会

三月二十九日　午後六時

出席　吉見、菅家、西沢、秦、高島、河野（助監督部会より、杉山、川本、苗田、渡辺）

▽フリー助監督部会より生活対策部会の設置案についての経過報告と申入れがあつた。

フリー助監督部会（三十二名）が、生活対策部会を協会内に設置して、部会員の仕事あつせん契約の代行などを積極的に行なつてゆきたいという希望についての準備経過の報告があり、その提案による同部会の設置案を

新入会員

西田真佐雄　大田区馬込東三ノ六九二村上方（東京フィルム所属助監督）昭和三年十一月二十日生、昭和三十一年十一月村上プロダクションに入社、「水田の土、畑の土」「水田と窒素肥料」などの演出助手を担当し現在に至る。（四月一日より）

能登　節雄　世田谷区砧町九九　TEL(41)七四三五（賛助会員・近代映画協会同人・製作者）（六月一日より）

住所移転

西尾　善介　練馬区仲町四ノ二六へ転居

山岸　静馬　大宮市西本郷子ノ上一〇七〇ノ六〇九号へ転居

前田　庸言　新宿区柏木四ノ九二六北村方へ転居

村上　雅英　新宿区三光町九島村アパート武谷方へ転居

頓宮　慶蔵　横浜市金沢区谷津二一六一へ転居

下坂　利春　北区王子町一一八九佐藤方へ転居

長井　泰治　目黒区上目黒八ノ五三三八柳沢アパート一三号へ転居

その他

高島　一男　フリー助監督部会員より企業所属（助監督）会員に変更

おしらせ

このたび、建設中の映画部新社屋が竣功し、移転いたしましたので、おしらせ申します。

株式会社学習研究社映画部
大田区上池上町二六四
TEL(78)七一五八・七一五九

拝啓、陳者小社このたび株式会社第一映画社の業務を継承し、新たに株式会社科学映画社を設立、教育映画、科学技術映画の製作に邁進いたすことになりました。何卒旧第一映画社同様よろしくお引立、御支援の程お願い申上げます。

五月一日　株式会社科学映画社
新宿区三栄町六
TEL(35)〇六六三
代表　堀田　幸一
西沢　周基
古川　良範
厚見　進

検討した。結論としては協会内に別箇の組織をつくることは、規約上からいつても問題点があるので、生対部会なる組織をつくることはやめてもらい、フリー助監督の生活対策（業務あつせん）については協会全体の業務活動の中で行なつてゆく。方法は別途に考える。ということになつた。

四月運営委員会

四月十五日　午後六時

出席　吉見、加藤、樺島、河野渡辺　秦、（厚木さん外遊の歓送準備会より、厚木、かんけ）

▽きたる六月一日より五日間にわたつて開かれる、ウイーンにおける国際婦人民主連盟の総会に代表として、協会員の厚木たかさんが出席するので、この機会に、映画ならびに協会の海外交流、海外事情の調査、わが国の作品の公開、などについて、いろいろと厚木さんに頼みたいので、そのことについて話しあつた。また、四月二十五日に、協会員有志によつて厚木さん渡欧歓送会をひらくことになり、旅費カンパもはじめることになつた。（尚、厚木さんは去る五月八日、オーストリヤに向けて出発した。外遊中のスケジュールは別記「ごあいさつ」にある通りです。）

会計報告

三月分

収入の部	
会費	四一、三五〇
業活礼金	四、一一六
寄付・事業・収入	一〇〇
合計	四五、五六六
支出の部	
事務所費	五、〇〇〇
人件費	二〇、〇〇〇
電話料	四、五二一
通信費	三、五四二
交通費	一、八一五
会合費	三〇〇
印刷費	五、六〇〇
用品文具費	六〇
雑費	三〇五
合計	四一、一四三
差引残金	四、四二三
累計不足金	四〇、〇二〇

四月分

収入の部	
会費	四〇、五五〇
業活礼金	一、五九〇
寄付・事業・収入	五、〇〇〇
入会金	三〇〇
合計	四七、四四〇
支出の部	
事務所費	五、〇〇〇
人件費	二〇、〇〇〇
電話料	三、五二五
通信費	二、七九五
交通費	一、九三〇
会合費	八〇〇
印刷費	九、一五〇
用品文具費	二〇〇
雑費	二二五
寄付金	二、〇〇五
返済金	五、五二〇
合計	五一、一五〇
差引不足金	三、七一〇
累計不足金	四三、七三〇

六

（四頁よりつづいて）

松岡　新也　マツオカプロダクション「いろり学級」製作完成。

村上喜久男　西田真佐雄　高島一男　東京フイルムで仕事をしています。

水木　荘也　高井　達人　安倍成男　三井芸術プロで仕事をしています。

小谷田　亘　小泉　堯　小森幸雄　岩波映画で仕事をしています。

楠木　徳男　日本ドキュメントフイルムで仕事をしています。

前田　庸言　産業映画社で仕事をしています。

山本　升良　三木映画社「約束はしたけれど」完成。

中島日出夫　東映製作所で仕事をしています。

豊富　靖　電通映画部で仕事をしています。

▽フリー助監督で現在待期中△

間宮　則夫　岩崎　鉄也
森田　実　近藤　才司
村上　雅英　坂田　邦臣
牧野　守　伊豆村　豊

▽おことわり・返信用はがきで動静おしらせのなかつた企業所属の会員の方の動静は、スペースの都合により省略させていただきました。御了解下さい。

1958. 7. 11

教育映画作家協会々報

教育映画作家協会
東京都中央区銀座西8-5 日吉ビル4階 TEL(57)5418

号外

事務局の小高美秋君が辞めることになりました

かねて家庭の事情で行き悩んでいた小高君から去る六月二十日に辞任の申出がありました。

辞任についてのきっかけとなったのは、去る六月十六日に開かれた運営委員会、機関誌編集委員会合同会議の席上にて、最近、事務局員に対する不信と反感の声が会員の中に高まっている。殊に若い人たちの中に、それが多い。善処されたい。という発言がありました。この発言に対して運営委員会は、「その間の事情を明らかにしたい。しかしそうした問題が起るとすれば、それは委員会の事務局に対する点検と監督の不行届、怠慢に責任がある。その点、委員会自身の反省の上に立って善処したいし、問題は組織的な話合いで解決したい」と態度を表明し、助監督部会の苗田委員からは「問題は感情問題で、すでに解決した筈」との発言がありました。その後の調査の結果、助監督部会の一、二の会員との間に意見の対立があったことは明らかになりましたが、助監督部会として不信と反感があるわけではないことが判ってきました。けれども、このことは小高君にはたいへんな打撃となり、辞意に拍車をかけた次第です。

もちろん、運営上の不備をはじめ困難な条件のもとで、事務局の活動は充分ではありませんが、そうした事情が一応、明らかになってきましたので、小高君との間に種々、談合を重ねましたが、家庭の切迫した事情とも相まって辞意固く、六月廿八日の運営委員会で、ついに辞任を承認するに至った次第です

一九五八・七・十

運営委員会

あいさつ

小高美秋

突然で申訳ありませんが、こんど協会事務局員の仕事をやめさせていただくことになりました。理由は、妻子を抱えた家庭の経済生活が、なんともならぬアンバランスの破局に至ってしまったことと、もうひとつは、教育映画作家協会という団体の中で仕事をしていて、最近、このような組織の中での、人間の結びつきと信頼という問題について、ある疑問と不安につきあたり、仕事をつづけてゆく意欲と自信を失ってしまったことです。

長い間、面倒をみていただいた協会および会員各位には勝手な申し分をいってまったくすまなく思います。長い間にわたって御厚情を頂いた方々に、ふかく、お礼とおわびを申します。

小高美秋君、退職金カンパのお願い

昭和廿年秋以来、当作家協会の創成の期に、事務局の仕事を中心的に支えてきた小高君に、退職金をお渡ししたいと思います。小高君自身は、協会の困難なときに自分からやめるのだから退職金など受けとれる筋はないと、強く辞退の意を表明していますが、委員会は小高君三年間の労に報いるため、些少ながら退職金について左記のようにきめました。協会の事務活動も、最近に至ってやっと機関紙創刊号を発刊しただけで、全体として不活発なおりから、会員諸氏に負担をかけることは申訳ないのですが、どうかよろしくお願いします。

記

一、退職金額　参万円
一、会員全員一人当り弐百円カンパ（但し、七月、八月、二ヶ月にわたって分納して下さって結構です。）

運営委員会

事務局報告

一、委員会便り

6月16日　運営編集合同委員会

○機関誌創刊号についての検討批判

○委員会は最近怠慢であることを認め、月一回、委員会及び研究会をもつことを確認

出席　吉見、加藤、道林　下坂
樺島　富沢　河野　苗田　渡辺
岩佐　丸山　岡本　松本　小島

6月28日　運営委員会

○小高君辞任の件
○退職金の件
○小高君辞任に伴なう監査の件
（7月4日会計監査樋口氏によって監査完了）
○後任の件
○助監督部会の件（助監督部会再編成に就いての提案）
○教育映画祭主催団体参加の件

一、編集委員会便り

7月7日

○2号遅延の報告、討論の末、7月中2号発行を確認
○3号プラン検討し、準備開始
出席　岩佐　丸山　岡本　谷川
松本　小島　吉見　7名

暑中御見舞申上げます

教育映画作家協会

会計報告

五月分

収入の部	
会費	四〇、四五〇
業活礼金	五、七五八
寄付・事業・収入	四一、三五八
合計	八七、五六六
支出の部	
事務所費	五、〇〇〇
人件費	二八、〇〇〇
電話料	三、七八二
交通費	二、〇六〇
通信費	三、二一八
印刷費	七、六八〇
会合費	一、〇〇〇
用品文具費	三〇〇
返済金	一、六八〇
雑費	一四〇
合計	五一、九六〇
差引残高	三五、六〇六
累計不足金	八、一二四

六月分

収入の部	
会費	三五、〇五〇
業活礼金	五、五六八
寄付・事業・収入	一〇〇
合計	四〇、七一八
支出の部	
事務所費	五、〇〇〇
人件費	二〇、〇〇〇
電話料	四、六六五
交通費	三、三二五
通信費	一、三五〇
印刷費	五、六〇〇
用品文具費	一、八八〇
雑費	一〇〇
合計	四〇、九二〇
差引不足金	二〇二
累計不足金	八、三二六

1958・7・30

教育映画作家協会々報

教育映画作家協会
東京都中央区銀座西8ー5 日吉ビル4階 TEL(57)5418

No.35

機関誌「記録映画」第2号以降の発行について

運営委員会

創刊号は幸い、各方面から思いのほかの好評を博することができました。これに力を得て第2号の編集を進めていたところ、出版を引受けて下さつたアルスが経済的な危機に見舞われ、2号以降の発刊が危ぶまれる事態に直面しました。編集委員会並びに運営委員会は急きよ対策に腐心しましたが、幸い、ベースボール・マガジン社の池田社長が好意的に出版の面倒を引受けて下さることになり、胸をなでおろしました。詳細に就ては折衝中ですが、編集は協会でやり、他の一切をベースボール・マガジン社が引受けられたのです。2号はおくれましたが、おかげで今後は定期的に発行できるようになりました。池田社長も「みんなで、いゝ雑誌になるよう育てて行こう」と言つておられます。詳細決定次第、改めて御報告しますがとりあえず、中間報告かたがた、ベースボール・マガジン社の御好意に深い感謝を表明したいと思います。

☆　☆

今後はおかげで、発行が安定すると共に、定期化します。従つて編集ものんびりはしていられなくなります。みなさんにお願いした原稿は締切を厳守するようこの際改めてお願いしておきます。

暑中御見舞が協会に来ました。

◎丸金醤油株式会社木下元義
◎東京映画愛好会連合
◎東京文化クラブ、長興裕之他四名の連名
◎自映連加盟団体監督クラブ、東京映画助監督協会、日本映画撮影者協会、映画照明協会、録音協会、映画美術家集団、東京スクリプタ協会、東京スチルマン協会、映画編集者集団、製作グループ
◎横川建設株式会社
◎日本ライト社

事務局員に山内重己君。

山内君は、東京の映画サークルの創設以来、その事務局を担当して来られた方です。その経験を協会のために生かして頂きたいと思つています、山内君自身もその点、大きな抱負をもつて七月十五日、就任されました。みなさんの御声援よろしくお願いします。

運営委員会

委員会だより

委員会の新体制。。。。。。

″記録映画″3号の内容きまる

◇七月十一日運営委員会
○事務局員後任の件
○機関誌の問題
○委員会の新体制―二、三名の
　委員の常任制について
　きめられました。

◇″記録映画″第三号の内容決る

″創作理論″″自然科学映画の発展のために″″受胎の科学″″長篇記録の編集″″アニメーション″″上半期から見た短篇映画の傾向″″座談会「黒部」″その他″現場通信″″海外事情″″プロダクション便り″等の内容について七月二一日の編集委員会できめられました。表紙の写真、グラビアの写真については製作レポート用紙を各プロダクシヨンにおくり製作状態を製作中、完成したスチールを同時におくつて載くことがきめられました。

当日出席者は、岩佐氏寿、岡本昌雄、飯田勢一郎、の各氏の他に願門の時実象平氏でした。欠席されると連絡あつた方は諸岡青人さんでした。

◇七月二九日運営委員会議題は、
○財政問題、○委員会組織の問題、○事業活動について、
○機関誌の件で行なわれます。

″記録映画″
（第二号）八月号
発行、一部七〇円

皆さんの期待に答えて第二号がようやく出来ました。今後は定期化し毎月二〇日に発行されます。協会員の友達や記録映画ファンの方々に宣伝して下されば さいわいです。

予約購読あつかいます。三ヶ月二〇〇円、半年四〇〇円、一ヶ年八〇〇円（送料共）、又電話申込も可能です。

″アジアの映画を見る会″
第一回例会のお知らせ

昨今、日本においてアジア・アフリカ諸国に対する関心が日毎に高まりつゝあります。特に映画の面にをける交流も盛になり、未公開の映画、等をふくめて、アジア連帯委員会が中心になり、「アジアの映画を見る会」を開くことゝなりましたので協会員の積極的参加をお願いします。

と　き・八月五日（火）后六時

ところ・虎の門共済会館ホール

内容一、″光と悪魔″三〇分
　　総天然色ソ連グルジヤフイルムバレエ映画

二、″ヴイエトナムの民族の歌と踊り″四〇分
　　総天然色平和回復後のヴイエトナム国民芸術の一端を描く。

三、総天然色″敦煌の壁画″三〇分
　　敦煌は中国の奥地の甘粛省にある。北京電影製作所によるもの

四、総天然色″八・一五解放十周年記念祭典朝鮮民主主義人民共和国の解放十周年の記念″一時間

又この会は定期的につゞけて行います。

以上ですが会員券一枚五〇円で事務局にありますので電話又は直接事務局にをいでになつて申込下さい。

お詫びとお願い

運営委員長　吉見泰

暑中お見舞い申上げます。度々お願いをして、甚だ心苦しいのですが、会費（並びに小高君退職金カンパ）の納入のことです。今までいろいろと問題に追われて、会費納入に価しないような運営状態でまことに申訳ない始末でしたが、幸い今度、機関誌も安定した形で出版できるようになり、また事務局も山之内君に来てもらうことができ、やつと落付いた態勢がとられるようになりました。今后は積極的に意義ある企画をたてて、みなさんの期待に沿えるような運営をはかりたいと計画をたてています。しかしお金が足りなくて、お金のことで追われるのでは全く弱つてしまいます。未納の方はどうか会費の納入を切にお願いいたします。御持参下さりにくい場合は、電話ででも御連絡下さい。どこへでも頂きに出向きます。まずは、お詫びとお願いまで。

協会員の動静

上野大梧、東京フイルム「近郊農業」（社会科教材）。ようやくシナリオの見当がつきました。中間からクランク・インします。

河野哲二、「プロパンガス」（新映画テレビ）が完成しました。「空気バネ」（新世映画社）の脚本ができあがり演出の準備をしています。

岡本昌雄、次回作品準備中です。

松岡新也、①都映協で「生きていた文化財」脚本、演出中、②マツオカ・プロで次回作準備中

西尾善介、八月「黒部峡谷」第二部実行の予定

樺島清一、視覚教材で仕事をしています。

豊田敬太、「切手のいらない手紙」（東映社会教育映画三巻」完成　引続き「お母さんの幽霊」（児童劇五巻）にかゝる予定で目下シナリオ検討中

楠木徳男、日本ドキュメント・フイルム社にて次回作の待機中です。

榛葉豊明、引きつゞき、TV「たのしい科学」の番組の為の映画をつくつています。先月「浮力のはなし」を完成、目下次回作の準備中です。

小谷田亘、中部電力、PR新名古屋水力発電所を岩波映画で撮影致して居ります。

永富映次郎、ジェット機を主題としたもので北辺の護りに日夜身命している我々が殆んど知らないレーダー管制員の苦労を描くカラー映画を企画、近く北海道へ調査に出発する予定です。

中島日出夫、「北の稲、南の稲」（東映製作所）の演補。日本の稲作技術が大変に進んでいることは、現地を見ても、また、自信あり気な農林省のお役人の口調からも十分読みとれます。米の自給自足も実現の域に入ったと云われます。ところで農民の稲の育成に対する。この関心の深さが、人間の生命の問題となると、とたんに冷淡になるのは何故でしよう、人間性の解放が忘れられている限り、農村は、稲作技術の進歩につれて、徒らに自民党の得票を増して行くだけです。ボヤボヤしていられぬと思いました。

村田達二、桜映画社にて仕事をはじめました。

野田真吉、「忘れられた土地」六月中旬完成。次の作品を準備しています。

入江勝也、自動文換機に関する技術映画（英語版三巻）を終りました。続いて電波関係の仕事にかゝります。

水上修行、東日本映画から離別し独立フリーになりました。よろしく。

岩佐氏寿、「下水」（都水道局三巻）撮影ほぼ完了、編集中、「アジア鉄道首脳者会議」（国鉄）十六ミリ編集中以上岩波映画、ほかに道林君の作品のシナリオ執筆中、および東映での次回作品準備中

大鶴日出夫、〇外務省「マラヤ連邦ラーマン首相訪日記録」イーストマンカラー二巻撮影終了編集中、〇慶応義塾百年祭記録映

徳永瑞夫、企画ばかりでいずれも足踏み状態です、不足ながらTVコマーシャルの仕事に追われています。本当の仕事は夏に入つてからということになるでしよう。

真野義雄、賀川映画の準備をして居りましたが都合に依り中止（一ケ月以上にてロケハンも完了その為クランク・インのみ）他に二、三の話はありますが決定して居りません。

加藤松三郎、自宅で桜映画社の仕事をしています。

菅家陳彦、北海道へ仕事で出ています。

吉見泰、東京シネマで仕事中です。

松本公雄、岩波映画の「横須賀火力」の撮影にくり浜へ出かけています。

小高美秋、協会に七月より入会岩波映画の「久保田鉄工」で八月より大阪へ出かけます。

▽本号の会員の動静らんは、今までとどいたはがきと事務局でわかる範囲のものです。御了解下さい。

〃声〃

西尾善介

記録映画創刊号の表紙は予想以上に良い、色調、構成は一級品でありましよう。御努力に敬意を表します。中味で何を言つてるのかわからん論文があつた。私のような頭の悪い協会員もいるから手易に、誰にでも解る文章で書いてもらいたい。

樺島清一

編集委員その他関係された方々の御苦労を感謝いたします。立派な本が出来て喜んでおります。協会員全員の力でどうか美く続刊の増頁の、一般から支持される本にしたいと願つています。

豊田敬太

記録映画、創刊号の対談「おふくろのバス旅行」と「きよちゃんの絵日記」は「きよちゃん」の脚色者田中澄江氏も出して鄭重にすべきであつたと思います。

藤原智子

五月からニュース部に移りました。ニュース映画作成の場からドキュメンタリーの方法をさぐり出したいとゆう考えからです。そのことは又日ましに強まるテレヴイ攻勢にあつて〃苦悩するニュース映画〃自身の新らしい方向を見出すことにもかゝわりあつてゆくのではないかと思います。いろいろむづかしい問題が次から次へと出て来ますが正直の所はじめて映画を自分がつくつているとゆう気持がして来ました。

（協会への意見として）記録映画研究会はすつかり解散してしまつたのでしようか、やる気があるのたか出来ないのだとしたらどんな所に支障があるのでしようか協力は惜しみませんから再開されることを希望します。

岩堀喜久男

機関誌とやらで外への体裁は立派だが、赤字、滞納、研究調査の休業、という中味の方はどうなのか。運営委員は編集委員に食われてしまつてはいけない。さし当り今后半年に何をしようとしているのか、運営委員会の仕事の案を予算を付けて発表したらどうか。多数の要求にかなう案なら、支持するための金も集まるはずだ。滞納数ケ月のN君と話したが、何もしない、しようとしないでは金を出す気にはなれないといつていた。ぼくも滞納四ケ月だが、前作が十一月末上つてからずつと遊び、四月に一巻もの一本では、会費を叩き出す余裕はない。花よりダンゴ、気管支よりは胃袋だ。

新入会員

小高美秋　墨田区太平町二ノ一六　広瀬方（賛助会員）（七月十一日より）

久保田義久　杉並区高円寺七ノ九二三　TEL(38)二七二七（フリー助監督部会）（七月十一日より）

仲原湧作　昭和八年一月三日生　住所　中野区氷川町二番地みどり荘　略歴　昭和三十三年日大芸術科卒業。作品歴　「女の暮し」「約束はしたけれど」「叱るもの叱られるもの」以上三木映画作品助監紹介者、丸山章治、山本升良、（七月十一日より）

川本昌　杉並区下井草町七番地　略歴　昭和三十一年三月早稲田大学第一政経学部経済学科卒業　作品歴　昭和卅二年電通映画部イーストマンカラー短編劇映画「よろこびを共に」全二巻、電通映画部アニスコカラーニュース映画「クロレラ研究所開所式」全二巻、昭和卅三年東映製作所、東芝「富士工場をたずねて」全一巻、「コバルト60治療装置」全一巻、読売映画社、イーストマンカラー「この血液を」全二巻、電通映画部アニスコカラー「クロレラ」全二巻製作中（七月十一日より）

その他

苗田康夫　山添哲　フリー助監督部会員より企業所属（日映新社）会員に変更。（七月一日より）

山本升良　フリー助監督部会員より企業所属（三木映画社）（助監督）会員に変更

三浦卓造　近藤才司　フリー助監督部会員より企業所属（日映新社）（助監督）会員に変更（七月一日より）

住所移転

西沢豪　世田谷区烏山町一四五四ノ四へ転居

富岡捷　杉並区正保町二四都営第二住宅二二〇号へ転居

脱会

清水信夫　本人の申出により五月末日付にて脱会

新庄宗俊　本人の申出により七月末日付にて脱会

1958・7・30

教育映画作家協会々報

教育映画作家協会
東京都中央区銀座西8-5日吉ビル4階TEL(57)5418

No.35号外

フリー助監督緊急総会報告

報告者　川本博康

去る七月十日、フリー助監督部緊急総会を召集しましたが、出席者五名の為正式な総会は成立しませんでした。しかし緊急に話し合いの必要を認めた議題なので、一応次に開かれる助監督部総会に事後報告の形で認めてもらう事として次の如く話し合いをしました。

日時　七月十日　午後六時より
場所　協会事務所
出席者　近藤・松本（公）・小島・片桐・川本
以上　五名

議題①　小高氏辞任に伴う退職金について

協会案とは別に現在迄、最も小高氏に世話になつたのはフリー助監督部自身なのであるからフリー助監督部として協会案二〇〇〇円の他に寸志として金一封を出しては如何。と云う提案が苗田君よりあつたので討議の上、賛同者のみと云う事にして協会案二〇〇〇円とは別に一人一〇〇円を寸志として集める事にしました。

賛同者はなるべく早く、何らかの方法で協会事務局迄送金を願います。

議題②　フリー助監督部再編成の件

フリー助監督部三十三名の中で、現在迄にも、すでに実質的には企業所属なみの会員がおりましたが、更に七月一日付をもつて、日映新社に二名が長期契約をしましたので、これを機会にはつきりフリー助監督部を再編成することに決定しました。

企業転属者　日本映画新社
苗田康夫・小添　哲
近藤才次・三浦卓造
三木映画社
山本升良
以上　五名

議題③　企業転属の為、運営委員、苗田・山本二人が欠員となるので、後任の運営委員選出の件

次の総会迄の暫定処置として、正式な運営委員選出迄の代理運営委員を川本・小島の二名に決定しました。

◎　フリー助監督部に新規加入者が三名ありました。

久保田義久　（推選者　中村敏郎）
川本　昌　（推選者　苗田康夫）
中原湧作　（推選者）丸山章次）
以上三君です

（以上を準総会として討議決定しました）

1958. 8. 27

教育映画作家協会々報

No.36

教育映画作家協会
東京都中央区銀座西8－5 日吉ビル4階 TEL (57) 5418

常任運営委も決り
〃記録映画〃も毎月二七日発行
協会の企画も機動にのりつゝあり！
―委員会だより―

☆七月二九日（火）の運営委員会

(1)常任運営委員を決定、吉見泰、菅家陳彦、富沢幸男、富岡捷、河野哲二、

(2)教育映画祭が十月十八日より開かれること等、協会の活動を豊富にする為に教育映画綜合協議会に入会しました。

(3)財政が確立していませんが、事務局員の要求もあり、次のものは支払うこととしました。小高氏ボーナス一五、〇〇〇円、加藤さんボーナス五、〇〇〇円、七月給料五、〇〇〇円、山之内氏七月（半ケ月分）七、五〇〇円、その他として宮本氏へ（〃記録映画〃原稿料として）二、〇〇〇円を支給することをきめました。

(4)テレビ映画が問題になつている所からひさしぶりに研究会を八月八日映協三階でテレビ映画〃都会の虹〃を見て製作者に来ていただいて話し合うこととなつた。

☆八月六日（水）常任遅営委員会

(1)〃記録映画〃関係について

㋑〃記録映画〃第一号をアルス社よりもらいうけ販売する。

㋺〃記録映画〃の原稿料等を含め財政のことをスポンサーと話しあうこととする。

(2)京都記録映画を見る会等の集りで西陣におきている職業病のことを記録映画化する話しが出ている。

(3)機関紙映画クラブで記録映画研究会を開くので協力方がきている。

(4)記録映画会を協会の事業として行う。これには東京映画社等の移動映写団体と提携して行うとよい。

(5)研究会について教育理論講座を開くことが出され協会員が希望かどうかアンケートを取るとよい。

担当者岩佐氏

☆八月一六日（土）后六時より〃記録映画〃編集委員会を開き次のことをきめました。

十月号の内容――1.〃テレビ映画について〃糸屋寿雄氏に、2.〃長編記録映画の編集〃伊勢長之助氏と〃記録映画の上半期の動勢〃加藤松三郎氏の原稿は今月に出してもらう。3.観客のページとして、映連の槇英輔氏に〃記録映画の観客の動勢〃、4.カメラマン対談を林田重夫、佐伯啓三郎両氏に出ていただくので両氏をつかまえる為に動く。5.その他として、松本、渡辺氏の論文に対しての意見として高島氏に書いていただくことや、花田清輝、佐々木基一諸氏に書いていただくか、評論家と製作者との対談等。又野田真吉氏の作られた〃忘れられた土地〃を中心に記録映画製作についての研究会。アラン・レネー（フランスの記録映画作家）氏が日本へ日仏合作映画「ピカドン」（大映）の製作で来ているので彼との対談。ぶつゝけ本番〃でおなじみの日映新社の水野、小笠原両氏が十月より〃続ぶつゝけ本番〃を掲載して下さることなどをきめ今後は毎月二十日を原稿の〆切とすること。十月号は小島氏が責任担当ということをきめました。

☆八月二二日（金）后六時より運営委員会をウエスタリアで開かれました。

議題は、一、財政問題、二、記録映画関係、三、事業（研究会等）活動について、

一、財政問題では、財政報告後、小高氏の退職カンパの問題が出され集りが悪いので呼びかけを印刷し

て出すこととなりました。
二、〃記録映画〃関係では広告問題及び編集経費及び原稿料のことが討議になり、岩佐氏等編集責任者と話し合い、スポンサーの方と話し合うことがきめられました。
三、事業活動についてはいくつかの案と報告が出されました。(イ)教育理論講座（会員制度がよい）(ロ)テレビ作家との懇談会、(ハ)〃忘れられた土地〃を中心に記録映画研究、以上の具体化の企画についての運営小委員会を開くこととなつた。

×　×　×

報告として①西陣（職業病）の映画化が京都記録映画を見る会と西陣の医師会、部落会で出ていること。②機関紙映画クラブでは第一回記録映画研究会を羽仁進さんを呼んで開いているが今後は協会もそのつどおねがいされゝば出席する。③映画サークルが計画する記録映画会には協会としてフイルムの斡旋をしてあげる。以上でした。

☆…………協会活動日誌（八月）…………☆

八月五日（火）〃記録映画〃第二号編集委員会后六時、事務局
八月六日（水）常任運営委員会后六時、ウイステリア喫茶店
八月八日（木）研究試写会（テレビ映画について）后一時、映協会館三階
八月一一日（月）助監督監事会后六時
八月一二日（火）厚木たかさん帰国報告会、后六時、映協会館三階
八月一六日（土）第四一回朝日文化映画を見る会に〃記録映画〃販売し五〇部出る。〃記録映画〃第四号編集委員会
八月一九日（火）第一回〃記録映画研究会〃機関紙映画クラブ協会より羽仁進氏出席
八月二二日（金）新作教育映画試写会后一時より山葉ホールに一〇〇名招待さる。
運営委員会后六時より、協会事務局にて
八月二三日（土）観光文化ホール友の会八月例会、后三時〜五時、へ出席〃記録映画〃の宣伝と販売に
八月二七日（水）〃記録映画〃九月号発行

暑中見舞が協会に来ました（つゞき）

◎石川　泰紀、みつ子（岡山市北長瀬みずほ住座四番館二三号）
◎映画編集者集団
◎株式会社電通映画社
◎日　アニメーション映画社
◎株式会社虹映（旧名サンコームービースタヂオ）
◎教育映画配給社
◎映画演劇労仂組合総連合
◎株式会社シユウタグチプロダクションズ
◎日活株式会社宣伝部　井上洋二
◎岡田みどり（千代田区神田小川町二ノ三）
◎有限会社桜井広済堂
◎千種　新田アイ子（大阪市北区曽根崎上一ノ三五）
◎ゐなか（新宿店、渋谷店、かほる）
◎大沼鉄郎（新宿区下落合二ノ七二七秋元方）
◎日本文化映画関西製作所
◎映画照明協会
◎東宝プロダクション（港区麻布今井町三五ノ二九）

厚木たかさんを囲み楽しいヨーロッパ帰国報告会

八月十二日の夜、協同組合の後藤さんの協力で映協の三階の会議室で、連盟の方々、各プロダクションの方々、協会員の方、二〇名近くの方々をまねいて開くことが出来ました。当日のために、記録映画社、桜映画社、三井芸術プロ、視覚教材、協同組合、教育映画製作連盟、三木映画、映協等よりビール、お菓子の贈物があり会をよけい賑かにしました。

かんけまりさんの司会で会はすゝめられごんどモスクワで開かれる国際科学映画協会総会に出席される岡田桑三氏も出席されて話しはいよいよはずみ、ヨーロッパではオーストリア、スイス、フランス、西独、東独を廻りそしてチエツコの映画祭に出席された話しをこととこまかくお面白く話していただけました。「世界は狂怖する」を持つて歩かれた苦心談を初め東独で見た「ベートウベンの生涯」の記録映画のスマートなことや、チエツコでは「ハカイノの発見」という人形と、アニメーションと、実写をあわせた映画を見て感心されたこと、トーキーを発明した方の未亡人にあつて昔の話しをきかされたことなど……。

最後に日本にも映画人が気軽にあつまつて話せるフイルムクラブがほしいということ等が出され、后九時に楽しい会をしめました。

（細部については、記録を取りました。〃記録映画〃の第三、四号をおよみ下さい。）

協会員の動静

本名にもどり以後（勝也）を一彰にします。心気一転がんばる心算です。「日本のラジオ、テレビ」（渉外向P・R、色彩二巻）クランクインしました。（読売にて）

入江一彰

日映新社で愛知県政ニュースの仕事をやっています。秋には自分で企画している仕事をなんとかやりたいと思っています。

野田真吉

相変らず産映の「ふじ」ですが予定が延びにのびて目下のところ九月一ぱいということになりそうです。忙しさにまぎれて助監部会その他御無沙汰申訳ない次第

前田庸言

マツオカ・プロで〃南極本観測用建物の記録〃全二巻　完成、次回作準備中

松岡新也

「役に立つカビ」が完成した所です。

西本サチコ

「慶応義塾百年祭記録映画」三巻撮影中、「セメンスレート」天然色三巻撮影開始、「自転車工場」天然色二巻シナリオ執筆中

大鶴日出夫

東京シネマで、ミクロの世界第二部の脚本製作にかゝっています。八月末にはメデイカル・シリーズ「肝臓―生命の化学工場」の録音です。（八月八日現在）

吉見　泰

入院中は皆様に色々御世話いただきまことにありがとうございました。おかげさまで、無事に退院いたすことができました。その間中、機関紙はたいへん面白くまた頼りになりました。七月半ばに退院いたしまして以後うちでぶらぶらしております。ぜひぜひ本を読むつもりです。

大沼鉄郎

機関紙月刊化、軌道にのる由、結構なことです。それが実現してから、内容の点でいろいろ検討されることと思います。

「川崎航空機」（東京シネマ）撮影完了。

小生目下、八洲工業株式会社普及部に勤務カメラの宣伝にたずさわっております。こゝのところTVCMFILM三本上げ、また五つのTV番組のTVCM台本多数のため、少々くさっております。来月からは三和シネマにてLSカラーの分野にも乗り出して見ようかと計画致しております。

島谷陽一郎

「記録映画」その他着きました。ありがとう。いま、いなばの白兎の古事で有名な伯耆の国、鳥取の城下にさんど笠をぬぎました。十一日より三日間、ここの海岸の大砂丘でロケをします。十四、十五、十六日の三日間はまた大阪のタチバナ旅館におります。あとは姫路、堺、尼ケ崎を廻りますが、またしらせます。　岩波映画ロケ隊

小高美秋

全農映「お米はこうして配給される」近く終り、続いて、共同映画の農村の嫁さんを描く社会教育映画に入ります。これは懸案の、農村青婦人の恋愛結婚問題の企画が実を結んだものです。目下、大内田君という若い人（「長崎の子」の原作者）が一生けん命本を書いてくれています。

荒井英郎

日本短篇映画社にて「東京の機械工業」（カラー二巻）を演出、八月末終了

日高　昭

「空気バネ」（新世映画社）完成しました。共同映画社の「海に叫ぶ」（仮題）の脚本をかいています。

河野哲二

今月十三日から岩波映画製作所「醤油」九月一杯はかかる予定です。

川本博康

今度、皆様のお力により新会員になる事が出来ました。何とぞよろしく御指導の程、お願い致します。東映製作所で仕事をしていますが、完成次第、岩波映画の仕事に着く予定です。

川本　昌

三木映画社の「郵便」調査シナリオ中

岡本昌雄

三井プロにて仕事をしております。八月十四日。

安倍成男

岩波映画製作所の「国づくりから米づくりまで」（カラースコープ、四巻、企画久保田鉄工KK）の仕事をしています。しばらくぶりの現場の仕事で、水を得た魚のようにはねています。全国縦断ロケで京、阪、神、尼ケ崎、姫路、鳥取、四国、九州、和歌山、北海道、青森を廻るので十月末まで東京を留守にします。（八月十六日鳥取発）

鳥取市にて小高美秋

〃鶏と卵の話〃（題未定）富士映画、高野プロ作品の演出待期中

谷川義雄

〃記録映画〃
第三号九月号発行

〃記録映画〃も定期的に毎月二七日に発行されます。又雑誌も記録、教育映画ファンには大変評判がよいようです。友人等の方々に宣伝下さい。三ケ月二〇〇円、半年四〇〇円、一ケ年八〇〇円（送料共）電話申込も可能。

△おしらせ▽

☆日本放送協会、編成局放送資料課より「日々の放送に役立てる貴重な資料として活用する為に」といわれ協会の名簿と〃記録映画〃をおくつておきました。（日本放送協会編成局放送資料課）

☆一九五八年教育映画祭の案内がきています。今年で第五回目で、教育映画のコンクールや国際短編映画祭、映画教育の振興、教育映画功労者の表彰などの行事を催します。

一、主催　教育映画総合協議会
二、時期　一〇月一七日〜二三日迄
三、行事　1.教育映画総合振興会議を開催する。
2.優秀教育映画の選賞、この一年間を製作された映画を五部門にわけて優秀作品を選賞。
3.中央大会を十月十八日山葉ホールで開く。
4.国際短篇映画祭十月二〇、二一、二二、二三日の四日間山葉ホールで開く。
5.地方教育映画祭

☆アランレネー（フランスの記録映画作家）が日仏合作映画「ピカドン」大映作品で来日しています。協会ではおいかけています。つかまるといいですが。

××　××

アジアの映画を見る会
オ二回例会の予告

八月五日の第一回映画会は大変な良評でアンケートにも定期化してほしいという意見が多く、次のとおり行いますので協力下さい。
（会費一人五〇円、事務局にあり）

と　き　〇九月二四日（水）后五、后七時二回（予定）
ところ　〇国鉄労仂会館　七階ホール
内　容　一、（セイロン）天然色「魅惑の島セイロン」一五分
二、（アラブ連合）「エジプト革命から三年の歩み」一五分
三、（インド）「カシユラホ一等院彫刻」二〇分
四、（インド）天然色「春のカシユミール」一〇分
五、「起ち上るアジアバンドン会議」三〇分
六、（ソ連）「モスクワの青年平和友好祭」四五分

新入会員

三上章　昭和五年十一月二十三日生、世田ケ谷区太子堂一〇三森方（助監督「企業」）八月より、新理研映画、紹介者、富岡捷、松本俊夫

神馬亥佐雄　昭和十年三月二十一日生中野区本町通五の十一堀越方（フリー助監部会）八月より岩波映画、作品歴、昭和三二年四月一日岩波映画製作所に入社、四月〜八月十六ミリ〃八ミリ幼稚園〃十月〜十二月〃法隆寺〃三十三年一月〜六月〃新鋭火力発電機〃の助監督を経歴

田中平八郎　昭和八年三月二日生文京区初音町一五（フリー助監部会）八月より岩波映画経歴、昭和三二年三月東京外国語大学ロシヤ語科卒、四月岩波映画入社撮影部所属、三三年一月同じく企画演出部に転籍主要作品
動物の国（樋口源一郎氏演出）
奥只見ダム第一部（同じく）

花松正ト　昭和九年四月十九日生、南多摩郡浅川町土方門田一八二（フリー助監部会）八月より岩波映画

七月分会計報告

収入の部	
会費	二五、六五〇
業活礼金	一、八四六
寄付金	三、〇〇〇
小計	三〇、四九六
〃記録映画〃関係より	二一、〇二六
合計	五一、五二二
支出の部	
通信費	三、六四七
交通費	二、三三〇
電話料	四六二〇
用品文具料	七四〇
人件費	三〇、五〇〇
印刷費	三、〇〇〇
事務所費	五、〇〇〇
会合費	五三〇
合計	五一、五二二
差引不足金	二一、〇二六
累計不足金	二九、三五二

あとがき

協会も〃記録映画〃の定期発行と共に活気ずいてきました。これも皆様の活動による所が多いと思います。厚木たかさんの帰国報告会も盛大でした。然しテレビ映画の研究会は失敗しました。今後はそのような事のないよう努力します。（山之内）

1958. 9. 27

教育映画作家協会々報

No.37

教育映画作家協会

東京都中央区銀座西8－5　日吉ビル4階　TEL (57) 5418

これからの記録映画の内容について検討

短編記録映画の劇場上映について

☆ 運営委、編集委合同会議 ☆

九月五日后六時東京シネマにて運営委員、編集委員合同委員会を開き次のことを決定した。

(1)〃記録映画〃十月号及その後の方針について

④「対談」◎テレビについて、OBと新人の対談、◎教材映画について、石本氏、上野氏、それに学研の方々をまねいて対談、◎プロジューサーにものをきく、岩堀さんを呼んで。

「十月号の場合は亀井文夫氏を囲みドキメンタリーについて新人との対談が木村荘十二氏にきく会を計画することとなつた。がそれでもたりぬ場合は岡本氏にアニメーションの作家をたずねて戴き記事にすること」

回その他に、国際短編、教育映画祭について、岡田桑三氏にモスクワの科学映画総会の報告、日本科学映画史を山中氏、緑川氏に書いて戴くことや、シナリオ論をのせること、等が出され、次回編集委員会までに案を作って発表し編集委員会で決定することとなつた。

⑷記録映画の広告及原稿料、販売の問題にふれ至急に経営委員会をつくることが出された。

十月号の広告はインター、日映科学、北辰、東京映画、共同映画、英映画（加藤松三郎氏にお願いする）東映教育部ときめる。

(2)研究会について

④教育理論講座を教育映画とからませて開くように準備する。

回テレビ問題について阿部氏（運盟）におねがいして開くようにする。

(3)短編映画の劇場上映について、吉見氏の方より提案が出された。連盟で入場税免税運動が出されており、（二本立の問題とあわせ、教育映画を併映すれば免税にする運動）これらと関係して映サー移動映写活動等により劇場上映問題をひろめて行く。これに就ては毎日新聞、朝日新聞などジャーナリズムものり出してきている。有志プロダクションでもこれを取り全面的な運動を展開することゝなっている。

◎国民文化会議によびかけて行くことが大切であり、作家側からもよびかけて行くこと。

(4)教育映画綜合協議会入会の件は内定をみた模様。

(5)国民文化会議加盟については、昨年よりきめられていたが、次回運営委員会で討議決定することゝなつた。当日出席運営委員は全員加盟に賛成していました。そこで九月二一日の国民文化会議全国会議にはオブザーバーとして出席することとなつた。

(6)河野哲二氏九月五日より一二月まで事務局長代理、決定

菅家さんが舌癌で三ケ月ぐらい休養されるので常任運営委員の河野哲二氏を事務局長代理、富沢幸男氏をその補佐になって頂くこととなった。

(7)三ケ月以上会費未納の方の退会について

前回総会で三ケ月以上会費未納の方の処理は運営委員会にまかされている。その事務処理を進めるべき時期が来ているとの判断のもとで、事務局長がよく事情を話し合った上、キチンとした手を打って行くこととなった。

〃教育映画祭のことと〃 〃勤評問題と教育映画について〃

——十一月号『記録映画』をよりよく——

編集委員会

九月十八日后六、協会事務局編集委員会を開き次のことを決めました。

(1)△十一月、十二月号の内容

十一月号の内容について

論文ー野田真吉氏に依頼するつづきものとして児童劇についての道林一郎、古川良範両氏にお願い、教育映画祭について岡本氏より加納龍一氏へお願いする。現場通信としては西沢豪氏には〃愛知用水〃を矢部正男氏に〃東海村のこと〃中村麟子さん等にお願い、〃勤評問題と教育映画について〃は母親のたち場から山家和子さんに、〃非選定映画について〃は大島辰雄氏に、助監督部会主催の〃忘れられた土地〃の研究会をいただくこととなっている。その他に九月、十月号よりつづけている岩佐氏寿氏、槇英輔氏の原稿はいただくことになっている。その他に〃テレビ映画について〃は糸屋さんより、又国民文化全国集会報告、〃続ぶっつけ本番〃が掲載されます。

(2)十二月号以後の内容について、美術映画について下村建二氏に依頼、対談〃教材映画について石本、上野、長原諸氏をまねいて開く、モスクワ科学映画総会報告を岡田桑三氏に、PR映画の問題の考え方、石本統吉氏に、シナリオ論について、シナリオを書いている方々に順番に書いて戴く。婦人問題と映画について、女流作家の方々におねがいする。以上のほかに記録映画評ものせて行くようにして行く。

◎十一月号の責任は岡本、谷川両氏があたることとなりました。

◎十二月、一月号は早めに原稿を出し印刷がまにあうように準備を今からかためることなど相談しあいました。

☆……協会活動日誌（九月）……☆

九月五日（金）運営編集合同会議、后六時東京シネマ

〃 新作十六ミリ試写会（山葉ホール）

九月七日（日）第三回児童演劇会議前九時、学芸大学付属[illegible]小学校、協会より杉原せつさん出席

九月八日（月）新作三五ミリ試写会（山葉ホール）

〃 国民文化会議映画部会后一時、都庁支部、（オブザーバー出席）

九月十二日（金）第四二回朝日文化映画会、 伊勢丹（〃記録映画〃販売に）

九月十五日（月）〃新しい航海〃試写会、后四時プレビュー

九月十六日（火）竹内菊代さん（竹内信次氏妻）告別式后二時協会より吉見委員長事務局参列

九月十八日（木）編集委員会后六時、事務局

九月二十一、二二、二三日国民文化会議全国集会、前十時～后六時、専修大学、千代田公会堂にて教育映画の劇場上映をアッピールする。

九月二十二日（月）〃十一人の越冬隊〃試写会新丸地下后五時三〇分、協会員二〇名招待。

九月二十四日（水）第二回アジアの映画を見る会、后五七時国鉄労仂会館

九月二十五日（木）白蛇伝試写会后三時東映本社三名招待

九月二十七日（土）〃記録映画〃十月号発送、観光ホール友の会例会后二、五時

〃記録映画〃に 原稿をおゝくり下さい！

〃記録映画〃も四号をむかえ、三号雑誌の汚名をぬぐうことは出来ましたが編集委員の苦労たるやなみたいていではありません。中々原稿が集まりません。そこで作家の皆さんに一篇づつ書いて戴きたいと思います。

毎月お送りしているハガキに御意見を出して戴けるだけでも大変有難いのですが？

又原稿は一頁四〇〇字づめ原稿用紙で五枚でうまります。二頁で十枚というわけです。短かいものでは三枚程度のものでも結構です。新人の方々の意見を出してほしいという声も出ています。

読者からの声として

「記録映画」を愛読しておりますが左記の事お答え下されば幸です。記録映画（勿論教育映画も児童劇映画も含んで）と云うと我々には何か縁の遠いものゝ様に思われます。縁が遠いと云うよりも見る機会が少ない為、記録映画に対する関心が薄いだけなのでしようが、そこでこの種の映画は如何なる道筋をたどつており、如何なる所で上映され、如何にしたら記録映画を多く見られるかを本誌のはしなりともおのせ下されば幸です。又本誌を通じて見る機会を与えて下されゝば一層嬉しく存じます。（中野区・久保鉄男）

が来ています。おわかりになつている方は答えてあげて戴きたいと思います。

協会員の動静

共同映画社「新しい航海」が完成しました。　（河野　哲二）

桜映画社でストレスについての社会教育映画シナリオの第三稿を書上げ、目下もう一本の「最上川風土記」のシナリオ（加藤松三郎氏執筆）完成をまっているところ。最上川の演出をやって、すぐあと「ストレス」にかゝる予定です。（十月二十日頃まで桜映画さんの世話になる予定）（丸山　章治）

皆様のお蔭で入会した新会員です。よろしく御指導をお願い致します。今三木映画社で「石の上にも三年」を準備中です。（仲原　湧作）

八月一杯大腸カタルで寝てしまいやっとシナリオが出来たところで東映の児童劇映画、岩佐氏寿君に代ってもらいました。佳い作品になるよう念じています。

（豊田　敬太）


家庭の事情で九月十日頃まで家に閉じこもっています。

（久保田義久）


黒部第二部、バチスカーフ録音準備。バチスカーフのプロローグ使用の為大島に行って始めて海底撮影をやってみた。海にもぐると仲々面白い。　（西尾　善介）

「伸びゆく[illegible]」（九州電力カラー二巻）演出。四十日のロケを終えて八月廿一日帰京、納期の都合で翌日から直ちに編集、廿八日から音づけ、卅一日ダビングが終り、ほっとしたところです。ちょっとばかり実験をしたら一八五〇フィートに二四三カットにもなり、ものすごいオーバーカットで、プロデューサーが頭を痛めています。

（杉本　俊夫）


七月「はばとびと高とび」完成、八月「海水のはたらき」完成。現在理科教材映画「まほうびん」の演出を担当。このところ、学校教材映画ヅイています。

（八木　進）


「子供の四季」がやっと終りました。観て下さい。いいものですよ。「青年の結婚」なかなか第二稿が出来ず面白いものになるのも何時の頃やら、でもその中に必ず。

（京極　高英）


ずいぶん御無沙汰しています。いま病気療養中ですがぼつぼつテレビのシナリオを書きはじめました。

（羽田　澄子）


今、日本ドキュメントフィルム社にて原水爆禁止世界大会の記録を撮っています。各地に出かけ炎天下平和行進の人々と歩を共にしながら撮影していますが、沿道のあらゆる人々の心からの歓迎と、励ましと、この人々へのいたわりは、僕にも大きな感動をつたえ、この仕事の意義を今更のように深く感じさせられています。

（楠木　徳男）


ジェット機を主体とした空の護りに関する映画を製作準備中です。

（永富映次郎）


「わたしのおかあさん」（五巻）で九月中東映で仕事をします。何とかして手をぬかない児童劇をつくろうと心がけています。

（小島　義史）


大手町ビルディングのカラー線画をかいて居ります。カラーの線画が多くなるにつれ色彩はむろん材料（セル）撮影の時等色々と欠陥を克服するにつれ、現像がフィルムのミスにはピンピンとこたえます。　（平田　繁治）

「丹沢」の準備に大童のところです。　（深江　正彦）

全農映の教材映画二本「米つくりのしごと」「へやのそうじ」編集を終り、近く録音の予定。別の二本「とりのなかま」「むくどり」撮影進行中。　（岩崎　太郎）

（英映画社にてPR映画製作中。九月～十月中旬の予定。）

（日高　昭）

§§　§　§§

∞協会よりのお知らせ∞

△菅家陳彦氏へお見舞ー事務局長の菅家さんが舌癌で医科歯科大学に入院治療を受け九月五日退院自宅で長期療養中であります。協会よりさゝやかなお見舞をさしあげました。皆さん方もお見舞と共に元気づけてあげて下さい。

△竹内信次氏夫人菊代氏が亡られました。一夫人はじめ子宮癌を手術され一時は経過も良く御家族も愁眉を開いておられましたが、肝臓癌を再発入院中でしたが九月九日午後一時四十分永眠されました。お気の毒に堪えません。九月十六日午後二時、日本基督教会柏木教会にて告別式がおこなわれ協会より吉見委員長はじめ事務局、その他が参列しお花を供えてまいりました。ここにつつしんでお知らせします。

〃記録映画〃
第四号十月号発行

〃記録映画〃も定期的に毎月二七日に発行されます。又雑誌も記録、教育映画ファンには大変評判がよいようです。友人等の方々に宣伝下さい。

三ケ月二〇〇円、半年四〇〇円、一ケ年八〇〇円（送料共）電話申込も可能。

うごき

☆エス・エイゼンシュテイン作品

戦艦ポチョムキン

ー今秋に上映運動をー

昨年より輸入許可上映運動を全国的にひろめてきているエイゼンシュテイン作〃戦艦ポチョムキン〃映画創生以来の最高作、を今秋上映しょうという運動がすゝめられている。学校映研、映画サークル、各研究団体等が中心になって、この十一月開かれる映画観客団体の全国集会に呼びかけられるのを初めとして中央映画貿易社長星野氏は「絶対に組織動員で成功させて見せますと」いきごんでいる。この映画の上映をこばんでいるものとしては大蔵省の洋画割当制度に大きな障害があることをつけくわえておく。

☆試写研究会のお知らせ

とき　十月十日（金）午后六時の予定

ところ　華嬌会館の予定

上映作品

（山に生きる子ら）　国学院映研作品

（エジプト革命から三年の歩み）の

（魅惑の島セイロン）

（春のカシミール）

（アルジエリア解放戦線）

アジア映画

以上を上映の予定、奮つて参加下さい。

運営委員会より

国民文化全国会議に

〃短編映画の現状と普及上映の今後の問題点〃

のパンフレットを発行、提案！

作家協会、東京シネマ、共同映画社協同提案で別紙のパンフレットを発行し国民文化全国会議二一日専修大学において、〃短編映画の劇場上映〃の問題を提案し、各方面特に、労組、地方団体になげかけ、二二日の作品発表会の千代田公会堂に〃ミクロの世界〃三巻と〃法隆寺〃二巻を上映各製作者より製作のいとを発表してもらいました。(協会員は別紙のパンフレットをよみ、劇場上映の内容をつかみとり具体的に運動に協力下さい）

住所変更その他

下坂利春　中野区新山通二丁目二八番地

田部純正　世田谷区代田一ノ三六五番地小野田方

中江隆介　埼玉県北足立郡鳩ケ谷町大字里西鳩ケ谷団地二四号棟七号

電話番号変更

河野哲二　東京七七一局八九一七番丸山呼。

あとがき

秋深い頃となりました。皆様方もいろいろと活躍されていることと思います。ついては〃短編記録映画の劇場上映の問題について〃ぜひとも作家の御意見をどしどし上げて下さい。短編記録映画を見るグループも発展して来ています。又非選定映画の問題、勤務評定と教育映画等々重要な問題がかさなってまいりました。

協会も十二月には総会を開かなくてはなりません。今から事務局はそのことにおわれそうです。皆様方の総会への御出席をおまちしています。

（山[illegible]）

八月分会計報告（協会関係）

収入の部	
会費	三五、五六〇
業活礼金	一、四二八
入会金	九〇〇
合計	三七、八八八
支出の部	
通信費	二、三六一
交通費	二、二三五
電話料	三、二八〇
用品文具	二八〇
人件費	二〇、〇〇〇
印刷費	二、〇〇〇
事務所費	五、〇〇〇
会合費	七二〇
雑費	一六〇
合計	三四、二三六
差引金	三、六五二

〃記録映画〃関係

収入の部	
八七部	五、〇二〇
支出の部	
通信費	二、五九二
交通費	一、四二五
電話料	二、二〇〇
用品文具	一九五
会合費	三七〇
雑費	七五
八七部支払	四、八七二
合計	一一、七二九
差引不足金	六、七〇九
累計不足金	三、〇五七

1958. 10. 27

教育映画作家協会々報

No. 38

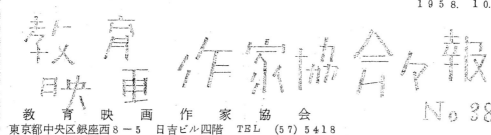

教育映画作家協会
東京都中央区銀座西8－5　日吉ビル四階　TEL　(57) 5418

警職法反対声明を発表

〃作家活動の統制に絶対反対を〃

総会を六分科会にわけて開く

＝緊急運営委員会議＝

十月二三日后六時協会にて運営委員会、報告ならびに審議された。

(1)「記録映画」の報告(イ)編集事務局員候補三名の中より佐々木守氏をきめた。在学中なので四月までアルバイト、作家協会事務局員でベースボールマガジン社嘱託十月十三日に決定、給与はベースボールマガジン社支給、交通費を協会がもつ。(ロ)広告料は十一月号より協会でとり三割が協会に入る。

(2)教育映画綜合協議会に入会決定。委員は吉見泰、富沢幸雄両氏をきめた。綜合協議会の主な仕事は中央及び地方の教育映画祭であり運営費は寄附で行われている。

(3)小高氏のこと、運営委員会の決定をつたえ、七月に仂いた半ケ月分七五〇〇円を支給。日映でのアルバイト分は協会へ寄附する。退職金約一万円は支給する。支払は十一月十日とする。全部を了解しました。

(4)新入会者、小津淳三氏（映星プロダクション）を承認。吉見泰氏紹介者。

(5)会費滞納者について、先に通知した十四名中三名より連絡又は会費の一部が納入され三名が保留となりその他の人々に十月にて脱会の通知を出すこと。次に一月から納入していない人々に勧告することをきめ各運営委員があたることとなった。

(6)子供を守る文化会議が、十一月二、三日長野で開かれるが、岡本、岩佐の両氏が出席されるので協会として一人一、〇〇〇円を補助することをきめた。

(7)製作者連盟などが中心となって行っている、青少年映画対策、入場税減免の陳情運動について討議され、作家協会として劇場上映運動については大いに賛成であり運動をおこすべきであるが、それに減税の問題がからみ映画の認定の問題にふれてくると現在の政府の行き方では官僚統制の危険を持っているので協会は態度を保留する。唯運動にはオブザーバーとして出て劇場上映運動を促進するように呼びかけて行く。

(8)警職法について討議次のことが決定した。(イ)協会は反対の声明書を発表する。各通信社、新聞社、政党その他映画関係におくる。(ロ)会員全員に警職法のアンケートを求める。(ハ)それにひきつゞいて反対の行動をおこす。

(9)教育映画祭入選記念パーテーを開く。但し時期は未定。

(10)〃戦艦ポチョムキン〃非劇場上映運動に協力方があった。具体的になれば協力する。

(11)今回の研究会は教育映画祭、入選社会教育映画について研究することとなった。「切手のいらない手紙」「一枚のふとん」「おらうちの嫁」三本の作品。

(12)総会草案について、分科会方式を取ることとなった。次の六部門に担当者をきめた。

①記録映画　野田真吉
②教材映画　高綱則之
③科学映画　樺島清一
④短編劇映画　道林一郎
⑤アニメーション映画　吉岡宗阿弥
⑥PR映画　加藤松三郎

総会を十二月下旬として十一月十日までにまとめ総会に発表。

運営委員会報告及び事務局報告　吉見泰、河野哲二

(13)新理研の松本俊夫氏の問題については協会としては組合及び社長に事情をきくこととなった。

〃記録映画〃の経営方針きまる。

協会費滞納者について

ー運営委員会ー

十月一日后六時協会事務局にて運営委員会を開き次のことを決定した。

(1) 自映連より教育映画作家協会の方々と会合を持ち交流したいとの申し入れがあった。日時は自映連の方できめ。持つ事が賛成された。

(2) 機関紙映画クラブでは才三回記録映画研究会を十月十三日の后二時よりプレビュで開く、協会の方に協力要請があった(当日は京極高英、岩佐氏寿、厚木たかの諸氏が出席した。内容は労組が作った〃ダ進〃〃少女達の発言〃〃海に生きる〃を上映後、労組の代表者と懇談会がもたれた)

(3) 〃記録映画〃の経営方針について、河野事務局長、吉見運営委員長がベースボールマガジン社々長に面会、次のことを取りきめた。報告がなされ承認した。

イ、広告は三頁分（三万円）取らなくてもよい。取れた分だけでよい。又三〇%を協会の方に入れ編集費にあてる。広告一切の責任は協会がもつ。

ロ、原稿料はとりあえず二〇〇字詰一枚一〇〇円を原則とする。但し協会員外の方に特にお願いした場合はそれ以上とする。原稿料の支払は八月号からさか上って支払う。（注八、九、十月号は基準より低く支払う）原稿料の支払の協会側の責任は河野事務局長又は吉見運営委員長が持つ。

ハ、編集事務員を一名入れる。給料は最低生活費を保障しベースボールマガジン社が持つ。

ニ、座談会等の特別の催しの場合ベースボールマガジン社の方に計画を提出すれば費用は持つ。

ホ、劇場、その他大口の販売は、直接ベースボールマガジン社があつかう。贈呈分は名簿を出せばおくる。

以上より、〃記録映画〃経営委員会をもうけることとなり、岩佐氏寿、加藤松三郎、他に常任運営委員があたることとなった。

(4) 協会費滞納者の処分のことについて報告され会ヒ七ヶ月以上滞納者には今まで〃記録映画〃の発送をストップしていた。事務局で調査した所、十ヶ月以上十四名、九ヶ月四名、八ヶ月三名、〜三ヶ月まで〻五〇名にもなる。そこで十ヶ月以上の人十四名には勧告文を出して返事のないものは申出による脱会という処置をとることをきめ、二〜三名の方をのぞき（充分調査する為に）発送した。

(5) 小高美秋氏の退職金その他について話し合った結果、イ、退職金については十月一パイ呼びかけて十一月上旬に支払う。七月半ヶ月分の給与七、五〇〇円は支払う。ことをきめ河野事務局長より小高氏と話し合うこととなった。

(6) 試写研究会のお知らせ。

十月十日后六時より華僑会館にて〃山に生きる子ら〃〃鳩ははばたく〃〃アジアの映画を上映する

(7) 研究会その他について。

イ、教育講座について岩佐氏が案を作り、計画を具体化する。

ロ、教育映画祭入賞を祝いパーテーを開く。

(8) 総会について。

日時は十二月下旬とし、新聞会館か中央区役所出張所、としたい今回は分科会をつみあげていく総会にしたい。十一月中に草案をつくり、十二月上旬に会員に発送する。十月中にプランを発表する。

十二月号は〃暗い谷間〃を中心に

一月号に亀井文夫氏を囲み

編集委員会

十月二〇日后六時協会にて〃記録映画〃編集委員会、十二月、一月号の編集内容と、編集責任者松本、丸山の両氏を内定した。十二月の内容として警職法の問題が出されている点から、松本氏が評論を書く、又各作家より〃暗い谷間〃にぶつかつた事実を書いていただくこととなつた。アラン・レネエには作家たちが合うことは出来なかつたけれど、大鳥辰雄（評論家）氏とアラン・レネエの対談（NHK第二十八日前七時放送のもの）を載せることゝなつた。〃婦人問題と映画〃については、かんけ・まりさんにお願いする。教育映画祭評を国際短編、最高賞及び試写研究会評をのせることとなつた。海外だよりはブラジルから来ているカメラマン、イルソ・クルス氏にブラジルの短編映画について書いてもらうこととなつた。その他、PR映画（石本統吉氏）教材映画（永原氏）児童劇映画（古川良範氏）テレビ映画（島谷陽一郎氏）子供を守る会報告（岩佐氏寿氏）あと現場通信等。一月号の内容、亀井文夫氏を囲んでの座談会、花田清輝氏に書いてもらうこと。苗田康夫氏の論文、美術映画（下村建二氏）その他。演出ノート、新しく書いたシナリオを載せる。又はアラン・レネーの〃ピカドン〃のシナリオを載せる。そのほかに批評グループの話しも出された。

動静

ＵＳＩＳの「ハワイ大学合唱団」記録音楽短篇の監督を終ったところで、今は新東宝「ガン」の企画に参加調査準備中です。

（村田　達二）

「才五福龍丸」の才二次焼津ロケを終り富士スタジオにセット撮影中です。十一月中旬完成予定。

（能登　節雄）

十月一日より産経八ミリセンターで森田実さんの助手をしています。二月完成の予定。

（前田　庸言）

共同募金ＰＲ映画「よい子になります」（精薄児童）漸く完成、次回作、赤十字社ＰＲ映画「裸足の島」（無医村）準備中。

（富岡　捷）

目下のところ、協会の事務その他の雑用に追われています、そろそろ次の仕事にかかろうかと思っているところです。

（河野　哲二）

どうもはや、教育映画祭に一本も入選しないとあっては、私も三等プロデューサーに転落いたしました。よろしくお手やわらかに御指導願います。

（石本　統吉）

病院療養中ですがテレビのシナリオを少しづつ書いています。

（羽田　澄子）

「国づくりから米づくりまで」（岩波映画）の北海道ロケ中ですあと、青森、淡路島、京、阪、神、九州、愛媛、和歌山、名古屋、などを十一月末までに廻ります。

（十月八日、北見市にて）

（小高　美秋）

昨年から企画していた北海道に於けるスクランブル（緊急出撃）イーストマン・カラー３巻が航空幕僚監部の協力、新東宝教育映画部製作でやっと実現、十月上旬から千歳、襟裳、稚内、根室、その他北海道全道にわたり、大々的にジェット機の撮影を行います。

（永富映次郎）

「日本のラジオとテレビ」（カラー二巻）クランクアップ。「東北ネパール」（カラー五巻）の脚本にかゝります。

（入江　一彰）

「丹沢」の撮影完了。現在編集中。シネスコの場合、なかなかカッティングにむづかしさがあるとあらためて知りました。

（深江　正彦）

依然として三木映画に居ります最近「苦い道」（社会教育三巻、演出道林一郎）完成。次回作品の準備中です。

（山本　升良）

ドクトルにトレイニングを始めなさいと言われるまでになりました。ぼつぼつ歩きまわっております。

（大沼　鉄郎）

全農映の人形劇映画（藤原、中井演出、プーク）の助手をしています。目下、日大ステージにて寧日ありません。

（杉原　せつ）

十月は岩波映画「醬油」の撮影に参加します。

（久保田義久）

共同映画社で「おらうちの嫁」が完成しました。

（荒井　英郎）

岩波映画「東芝59」Ｂ班十月十日クランクアップ十月二十日より日経映画社に長期契約で行くことになりました。今后共よろしくお願いします。

（間宮　則夫）

三和科学映画株式会社ＴＥＬ(56)七二四〇、にて仕事中

（山岸　静馬）

○〃記録映画〃経営委員会○

十月六日（月）〃記録映画〃経営委員会で次のことを決定しました。

イ、編集費を八〇〇〇円程度の枠内で運営する。新しい編集事務員の交通費等の費用はそこから出る。

ロ、広告の収入及取ることについての責任をもつことをきめた。

○〃記録映画〃編集委員会○

十月六日（月）〃記録映画〃編集委員会后六時。

イ、表紙は教育映画祭と関係して「ミクロの世界」の撮影スナップより取る。

ロ、教育映画祭の記事と〃忘れられた土地〃の研究会をのせることを決定。

映画雑誌の紹介

☆「世界映画資料」Ｂ５判タイプ六八頁、一部百円、才四号より十一号まであります。

☆「映画批評」Ａ５判六八頁一部、七〇円、毎月発行される。才一号より才三号は売切。

☆「記録映画」Ｂ５判四〇頁一部七〇円、創刊号、八月号より十一月号はあります。毎月二十七日発行。三ケ月二〇〇円、半年四〇〇円、一ケ年八〇〇円

（送料共）

十月活動日誌

十月一日㈬運営委員会　后六時
四日㈯〃忘れられた土地〃研究会后六時華僑会館、フリー助監督部会主催
六日㈪「記録映画」編集委員会　「記録映画」経営委員会
八日㈬青少年映画対策上映促進委員会后三時映協代表出席。
九日㈭総合協議会后三時映協代表、吉見、富沢出席
十日㈮〃白蛇伝〃東映本社試写会后三時三〇名招待試写研究会后六時、華僑会館、国民文化会議懇談会后一時、代表出席
十七日㈮総合協議会后五時映協朝日文化映画会、后一時より伊勢丹〃記録映画〃販売
十八日㈯〃たのしい科学映画シリーズ〃試写会后一時教配、招待さる。教育映画祭開かる。
十九日㈰教育映画祭最高賞発表会、山葉ホール
二十日㈪〃記録映画〃編集委員会、后六時
二〇、二一、二二日国際短編映画会、山葉ホール
二十三日㈭運営委員会后六時新作十六ミリ試写会后一時山葉ホール
二十四日㈮青少年映画対策上映促進委員会后一時映協
二十七日㈪「記録映画」十一月号発行
三十一日㈮新作試写会后一時、山葉ホール

菅家さんよりお礼の手紙

このたびの入院加療につきましては、皆々様より過分な御見舞、御激励を頂戴致し、厚く御礼申し上げます。

お蔭様をもちまして、経過も頗る良好、目下自宅にて体力の恢復に努めておりますので、遠からず現場への復帰も可能かと思われます。

玆に取敢えず会報紙上を御借りして、経過御報告旁々御礼を申し述べさせて戴きます。

十月二十日　　菅家陳彦

協会員各位

佐々木君が新しく編集事務局員に

佐々木守君が十月十三日より〃記録映画〃編集事務局員として就任されました。明治大学文学部文学科日本文学講座在学中で来年の四月卒業、児童文化を研究されている方で岩佐氏寿氏の推薦もあります。みなさんの御声援よろしくお願いします。

運営委員会

住所変更その他

☆山本竹良　目黒区下目黒三の四九一鈴木匡方TEL(712)六四六二
☆桑野　茂　千葉県東葛飾郡流水町江戸川台東二の二二八
☆富岡　捷　杉並区正保町二七、都営第二住宅二〇号
☆村上雅英　新宿区三光町九二葉アパート武谷方
☆前田庸言　新宿区柏木四の九二六北村方
☆岩崎鉄也　渋谷区千駄ケ谷五の九〇二佐飛方
☆西沢　豪　世田ケ谷区鳥山町一四五四の四
☆渡辺　亨　港区麻布笄町三二佐々木方電(40)六四〇八
☆西尾善介　練馬区仲町四の二六
☆長井泰治　港区赤坂溜池三十公団住宅六〇五号室
☆小野寺正寿　中野区上高田一九三小島方

〔電話新設〕
厚木たか　TEL(九八二)五二三一

〔電話のお知らせ〕
富沢幸男　TEL(三六)六七八七

新入会のお知らせ

☆小津涼三　杉並区和田本町九六六
フリー作家として十月より入会
☆神馬亥佐雄、花松正卜、田中平八郎の三氏は岩波映画の企業所属と訂正します。

九月分会計報告

〔記録映画関係〕

収入の部
〃記録映画〃売上高一二三三三円

支出の部	
交通費	一、二八五
通信費	一、七五四
雑費	三、三二〇
用品文具	一七〇
電話料	九五〇
会合費	五九〇
合計	八、〇六九

〔協会関係〕

収入の部	
会費	三五、三三七
寄附金	一、〇〇〇
雑収入	三〇〇
業活礼金	八、三九八
入会金	六〇〇
合計	四五、六三五

支出の部	
交通費	二、三三五
雑費	八、一三八
通信費	二、三〇九
用品文具	一〇五
電話料	一、一〇〇
印刷費	六、二〇〇
フリー助監督	一、〇〇〇
人件費	一五、〇〇〇
事務所費	五、〇〇〇
会合費	五二〇
合計	四一、七〇七
差引額	四、九二八
累計	九、一九一

1958. 11. 5

教育映画作家協会々報

教育映画作家協会　　号外

東京都中央区銀座西8ー5　日吉ビル四階　TEL　(57) 5418

警職法に対し
アンケートをおゝくり下さい

警職法反対の運動の今までの動きについて、映画関係ではシナリオ作家協会の理事会で一早く反対声明を発表、監督協会では協会員に反対のアンケートを取りその上で理事会で決議することをきめている。その他自映連をはじめ映演総連でも反対声明と共に、二十月二五、二八日の反対国民大会にデモ行進に参加している。

その他文化人懇談会、ジャーナリスト連盟、ペン・クラブ等の文化人をはじめ演劇人もたちあがり、十月二九日には警職法反対国民会議が自治労会館でもたれた。

又十一月一日には国民文化会議映画部会が緊急に開かれ、映画関係団体の動きとして、大映労組では映画スターに呼びかけ反対署名を取ってもらい京マチ子を初め、十数名の方々が協力を申し入れてきているという話も出され、文化人懇談会総会後の静かなデモ行進に加はることをきめた。又全興連でも反対することが出され十一月上旬に理事会にかゝることとなった。

これらのなかで総評をはじめ国民文化会議では、警職法反対のニュース映画（一巻）を作る計画が出され教育映画作家協会として協力することが出されています。

又、映画の観客団体の十一月二、三日名古屋で開かれた全国会議においても警職法反対を決議しました。これらの映画、演劇ジャンルの統一行動は今までにないことであります。日活従組、全映演、とのつながりも出来ました。この統一行動こそが警職法改悪をくいとめる力となり、ひきつゞいて出てくる検閲法、映画法を粉砕する力にもなるのだと思います。

教育映画作家協会においても先におゝくりした手紙のように反対声明を発表、協会員のアンケートを取りました。すでに半数が集ってきていますがまだとゞいていない方々があります。

アンケートで返事を下さるようかさねてお願いします。

☆　☆　☆

警職法改正反対
運動日誌

十月十八日　国会デモ（労仂組合等）

十月二三日　教育映画作家協会運営委員会反対声明発表、会員にアンケート発送をきめる。

〃　二五日　警職法反対国民大会に参加反対声明書を発表。

〃　二七日　作家協会反対声明を新聞社、通信社、協会員に発送。

〃　二八日　国会大デモ（労仂組合の第三次統一行動）

〃　二九日　警職法改悪反対抗議集会（婦人団体、文化人、芸能、映画人もふくむ）に出席、日本著作家組合、美術家グループ、子供を守る会も反対声明発表。

〃　三一日　常任運営委員会で協会員に再度よびかけることをきめた。

〃　〃　警職法反対文化人講演会を后四時から新橋ステージで開かれた（民放労連、新聞

十一月一日

労連などの教育文化産業労組が主催）

警官職務法改悪反対講演会（自由人権協会、警職法反対文化人懇談会共催）

〃

国民文化会議映画部会、映画団体映画人の統一行動、統一体のことで話され、八日頃に会合を開き、十三日頃を行動デーにすることをきめた。又映画製作のことを決定した。

十一月四日

○文芸家協会緊急総会文化人懇談会と合流して〃静かなるデモ行進〃行う協会より参加、

○警職法改悪反対のジャーナリスト集会（日本ジャーナリスト会議、新聞労連、映演総連、日放労、民放労、出版労協）

十一月五日

全国民統一行動の日

○各労組スト又は職場大会に入る。

○母と娘の大行進（婦人団体、文化人部内女子大生、一般婦人議長団に平林たい子）

○作家協会運営委員会として㈠各プロダクション等へ反対の署名運動をおこす㈡映画、演劇関係の統一行動に参加することをきめた。

演劇映画陣 ぞくぞくと反対署名

演劇関係者が去る二十三日から開始した反対署名運動は、約三〇〇名に達した「警職法が実施されたら、戦前のように脚本の検閲制が復活する。劇団の会合に私服警官が入るおそれがある。演劇人及映画人の総意でこれを阻止しよう」と宇野重吉、杉村春子、山本安英、尾崎宏次、戸板康二、東山千栄子、木下順次、等が呼びかけ。

新劇、歌舞伎、新派、放送、舞台関係はいうまでもなく。有馬稲子、香川京子、望月優子、森雅之、津島恵子、フランキー堺、木下恵介、小津安二郎、今井正、榎本健一、小夜福子、三国連太郎、高橋貞二、鏑木清方、大仏次郎等

「荷車の歌」スタッフ一同 警職法反対に声明を発表

十一月一日「荷身の歌」スタッフ一同は未来への暗い谷間に対し憤りをもって、全国民の統一行動に参加する声明を発表しました。

総会、六分科会についての内容のお知らせ！

各分科会を十一月中旬頃に開くこととなりました。②教材映画高網則之はつごうにより担当をおり丸山章治又は西沢豪氏にお願することとなりました。①記録映画野田真吉氏より〃方針と組織について〃の提案が出されました。他分科会についてはつゞいて発表します。協会員はどの分科会に出席されるかをきめ出席下さい。

記録映画分科会の方針と組織

○分科会は本年度の記録映画の作品と評論との動向を分析する。そして、問題点をあきらかにする。（その範囲は協会員の作品や評論にかぎらないようにする。ー長短篇にもかかわらず）

○分科会には参加を希望する協会員によって構成する。

○右の目的のために、分科会運営する委員を五名、選出し運営委員会をつくる。運営委員会は分科会の開催、総会報告の草案をまとめる。

分科会は十一月十二日（水）に才一回の会をひらき、運営委員の選出。フリートーキングで動向の分析、問題点の提出をする。

才二回は運営委員会によって整理された才一回の問題点を組織的に討論する。

十一月二十九日（土）とする。

可能なれば十二月の初旬に同様な分科会をひらき、問題をぜひふかめたい。

才三（または才四）回は十二月十日（水）に、運営委員会でそれまでの討論をまとめた草案を作成し、分科会にかけ、総会に提出する分科会報告を決定する。

○分科会運営委員会と協会運営委員会との連絡事務は協会運営委員（記録映画分科会担当者、野田）と協会事務局があたる。

※　※　※

なお、希望的な私見をつけくわえますとこの分科会がそのまま、協会の記録映画研究会の恒常的な組織として今後のこしていければ大変よいことだと思います。

協会員の皆さんの積極的な参加を御願いします。（野田記）

アニメーション部門計画書

1. ＰＲ映画、教材映画その他の映画の一部門におけるアニメーションの主として、技術上に関しての演出家の意見。
2. 教育映画としての漫画映画のあり方今後の規格についての方針等
3. アニメーション分科会を十一月十八日（火）午后六時より協会事務局にて開く。

右に関し多数の諸作家の意見及批判会を開催して戴きたい。

担当者　吉岡　宗阿彌

1958. 11. 28

教育映画作家協会々報

No.39

教育映画作家協会
東京都中央区銀座西8－5　日吉ビル四階　TEL　(57) 5418

警職法反対短篇映画「悪法」完成

総会草案原稿を十二月十三日までに

＝運営委員会＝

十一月二二日（土）后五時よりの運営委員会で次のことをきめました。

一、〃戦艦ポチョムキン上映促進の会〃について。

十一月一七日后五時より衆議員第一議員会館第五会議室にて、各民主団体、映画観客団体、及び中央映画貿易の方々が集まって開かれ「戦艦ポチョムキン上映促進の会」を作ることをきめ、次回十一月二九日后二時より雑誌会館で具体案をねることとなっている。協会としてその会に入ることをきめました。

二、青少年向映画劇場上映と入場税減税の運動について

十一月一八日后一時より映協の会議室で「子供を守る会」「教育映画製作者連盟」等あつまって青少年向映画を劇場上映する場合は減税にしてもらう運動をおこすこととなり「子供を守る会を初め婦人団体が中心に二四日大蔵省、自民党、政府に陳情すると共に与論に呼びかけて、運動をひろめることとなった。唯教育映画作家協会としてはこの運動に官僚統制の危険のあることから参加を保留しオブザーバーとして出席しているわけであるがこの方向は変えないことを再度あきらかにすると共にオブザーバーとして出席し、その点を会合の中でうったえて行くこととしました。

三、非選定映画会について

先きの会で二月頃開くことが出されていたのですが総会もあるので計画はそれ以後ということで延期になりました。

四、警職法反対の映画「悪法」を作ることが国民文化会議で出され、教育映画作家協会としては、警職法反対の運動の一つとして独立プロ協組と共同で十六ミリ、十二分のものを作りました。すでに四〇本近くが各労組、団体で買われて教宣活動としてつかわれています。製作に参加したことを了承しました。又利益金は今後の労農ニュース製作の方へまわすことも出されています。

五、協会財政健全の為にアッピールを発送する。

現在長期滞納者が三二名で一〇万円以上の滞納があり、すでに長期滞納者に対しては何回もの呼びかけを出しているのですが、このような額がのこっています。十二月は総会もあり、事務局員三名のボーナスをも支払わなくてはなりません。以上より、会費納入呼びかけのアッピールを出すことをきめました。

六、総会草案原稿を十二月十三日までに提出下さい。

十二月二七日（土）后一時中央会館集会所（中央区役所となり）で総会を開くこととなりました。今回は各分科会（六分科会）で討論したものを総会に発表することになりました。そこで各分科会責任者は十二月一三日までに草案原稿を提出していただくことをきめました。

お礼

金　一万九百円也

退職金個人カンパ集計金として

私の協会事務局員退職について右の金額を受領いたしました。カンパ応募の有志の方々およびお世話をかけた関係者の方々にあつくお礼を申します。ありがとうございました。

十一月十二日　小高　美秋

総会各分科会を十一月中に開く

＝運営委員会＝

十一月五日（水）后六時より運営委員会が開かれ次のことがきめられた。

一、総合協議会が十一月六日にもたれるので協会より出席

二、総会分科会について

(イ)各分科会は分科会独自で開くこと

(ロ)来年は二ケ月に一回は開くようにして行く

(ハ)日時は十一月十五日頃より末日頃までに第一回を開くようにする

三、非選定映画会について

共催団体を入れて山葉ホール等で二月下旬か三月上旬に開いてはという意見が出されました。

四、警職法反対運動について

（先会報に知らせてあります）

第五回定例総会お知らせ

今回は六分科会の報告と提案もあり、今までにない活溌なものになりそうです。協会員全員の出席を切に呼びかけるものであります。総会草案を十二月二十日各人に発送しますので熟読の上総会に出席下さい。

とき　十二月二十七日土后一時～九時

ところ　中央会館集会所（中央区役所となり）

活動日誌

十一月一日㈯国民文化会議

警職法反対会議

十一月二、三日（日、月）○第六回子供を守る文化会議（長野）

○第四回映画観客団体全国会議（名古屋）

十一月四日㈫警職法反対文化人デモ行進

〃五日㈬警職法反対統一行動デー

○運営委員会后六

○編集委員会后六

六日㈭総合協議会（映協）

七日㈮警職法反対国民会議后一時国鉄労組

十日㈪常任運営委員会后六

十一日㈫編集委員会后六

十二日㈬総会記録映画部会第一回会合后六時

十三日㈭〃アルプスの少女〃試写会山葉ホール后一時三〇名招待

十四日㈮朝日文化映画の会〃記録映画〃販売

十五日㈯○試写研究会后三時映協

○警職法反対国民大会后一時国技館

十七日㈪○編集委員会后六

○「戦艦ポチョムキン」上映促進準備会后五時衆第一ノ五

○総会PR映画部会第一回会合后六時

十八日㈫○青少年向映画劇場上映、入場税減税の為の会合后一時映協

二十一日㈮総会科学映画部会后六時

○総会アニメーション映画部会后六時

二十二日㈯運営委員会后五時

二十四日㈪○警職法反対国民会議后一時衆一～五

○総会教材映画部会后六時

二十五日㈫新作試写会后一時山葉ホール

二十六日㈬○総会短編劇映画部会后六時

○海外受賞短編映画試写会大和証券ホール

二十七日㈭総会第二回科学映画部会后六時

二十九日㈯○総会第二回記録映画部会后六時

○「戦艦ポチョムキン」上映促進の会準備会后二時雑誌会館

十月分会計報告

〔記録映画関係〕

―収入の部―

記録映画	一〇、七二六

―支出の部―

交通費	三、一四〇
記録映画	一八、〇八八
通信費	一、四〇〇
会議費	五一〇
用品文具	一〇〇
会合費	一〇〇
雑費	六二五
合計	二三、九六三
差引不足金	一三、二三七

〔協会〕

―収入の部―

会費	五一、八六五
業活礼金	二、七三六
雑費	六、一七〇
合計	六〇、七七一

―支出の部―

交通費	二、九九三
人件費	二〇、〇〇〇
通信費	二、八二八
電話料	三、八〇九
雑費	四一二
事務所費	五、〇〇〇
用品文具	六四〇
会場費	一、〇〇〇
合計	三六、六八六
差引残高	二四、〇八五
差引総残高	一〇、八四八

警職法改悪反対の人々
―アンケートより―

協会では会員全員に警職法反対のアンケートを呼びかけました。各位より意見が出されていますので発表します。又署名運動をもおこし、十通近くがすでによせられています。まだ反対のアンケートをとどけられていない方々もありますが。

（岡本　昌雄）

悪法は悪法です。逸絶乱用のおそれあるものは、事前に取りのぞく以外ないと思います。

（丸山　章治）

岸ノブスケ君はこの改正案は一部の自由を制限しても99%の人権と自由を守るため必要だとおつしゃいます。しかしこの改正案によつて、人権と自由を侵される心配のない99%の人というのは、自民党の御連中と、経団連、日経連などの経済界の指導者と、その家来の右翼暴力団だけです。右翼がビラをまいたりして、狂気のごとくサンセイを絶叫してるような法案にサンセイなんかできるもんですか。

（間宮　則夫）

現行の警職法のもとにあつてさえ、幾多の警察官の行き過ぎの事例を身近かに知ります。暗い谷間はもう沢山です。私達は思想を、自由に表現する権利をもつものです。自由をはばむもの、自由をおさえるものに強く反対します。

（富岡　捷）

「案」が提出された理由の底を見極めると、反対せざるを得ない。立案者の言葉のゴマカシを新聞等でみると、益々憤りが胸に突きあげてくる。

（八幡　省三）

これだけの世論の反対にも拘らず強引にその成立を急ぐ今の支配者の目指しているコースははつきりしていると思います。何か私たちの持つている映画の表現力を結集してこの事実に立向う方法はないでしょうか。そういう機会をつくる話合いの必要を痛感します。

（丹生　正）

映画について云えば表現の自由を奪われるから。云い度い事の云えない時代は最も困る。

（羽田　澄子）

こんな法律ができたら憲法で保証されている基本的な人権をおかすことになつて行きます。あらゆる反政府的な行為はおそらく弾圧されることになり保守党の反民主主義的な政策を強行する強力なうしろだてになるでしょう。日本の将来をあやまらせないためにこの法案は出来てはいけないと思います。

（西尾　善介）

歴史をもとに返したくない。

（日高　昭）

今ですらまじめな教育、記録映画（とくに社会性をつよくおり込もうとするもの）を作ろうとすることが中々困難であるのに、この法案によつて更に圧迫されるようになると益々ゆうつになつてきそうだ。ゆうつは今迄で結構だと思います。

（岩佐　氏寿）

いまでさえも警察官は薄気味わるい存在であるのに、これが今以上に権力をもつたら、戦前の警察国家に逆戻りすること必定なり。

（楠木　徳男）

この法案は真実を訴えようとするもののあらゆる口を封じ、目をかくし耳をつんぼにする法案である。真実を訴えることを生命とするわれわれ記録映画作家にとつてこの法案が通ることはカメラを取りあげられるに等しい。カメラ・アイの自由を守ろう！

（八木　仁平）

「警職法改正案」だけでなく岸政府の行つている政治全体に反対の意見を持つものです。

（加藤松三郎）

理由もくそもありません。こんなことをゆるしたら、とんでもないことになります。警察国家への道を防げ！

（永富映次郎）

作家としての活動を少しでも侵害されるおそれのある法案には極力反対しなければなりません。

（徳永　瑞夫）

考えることと表現することの自由が、今以上におかされることが確実ですから。

（桑野　茂）

人間の自由のために

（松本　俊夫）

警察国家の復活、基本的人権の侵害、言論、集会、結社の自由の剝奪、平和と民主主義を守る運動の弾圧、共産党の非合法化、憲法改悪、徴兵制実施、戦争へ、警職法改悪のねらいはこゝにある。絶対阻止！

（荒井　英郎）

この改正案は、われわれの基本的人権への侵害であるだけでなく、戦争への権力政治の復活、強化を企んでいるものと考えます。ゾツトさせるものがあります。映画界としても、いろいろな意味で安閑としていられません。

（苗田　康夫）

現在の警察は自由党政府の手先きのごとく、憲法で保証された正当な労働運動まで妨害、圧迫している。この上法律で取締り活動の自主性を与えたら、国民の自由や人権は完全に破壊されてしまう。犯罪の予防、制止などという精神は、明らかに予防戦争を正当化する動きだ。今こそ国民主権を実証する人権斗争を展開すべきときだ。

（能登　節雄）

平和にくらしたいからです。戦争の道へ行きたくないです。

（肥田　侃）

理由などいうも愚か。もし成立したら、私たちの製作活動も、良心も、すべてが無に等しくなつてしまうのです。どんなことがあつても、成立させたくありません。

（久保田義久）

普通の人間の頭なら、警職法改正等とは云う訳がない。

（杉原　せつ）

この事について、運営委員会が早急に適当な方法で協会の態度をきめられた事誠に結構だと思いました。今後も協会員の意志をまとめながら何卒頑張つて下さい。

（中島日出夫）

この次は、防諜検閲法。そして戦争のコース。絶対反対。

（谷川　義雄）

既に警官の横暴な実情を再三見ている。絶対反対する。

（吉田　和雄）

数年前、チヤタレー裁判の時、或る評論家がこれで一塁を陥しいれた当局はやがてまもなく二塁、三塁をねらつて反撃してくるであろうという事を云つていたがこの警職法こそ三塁であり今こそ最後の塁を守つて、吾々民主的な力を結集しなければ敗戦の貴重な体験も水泡に帰してしまう。

（河野　哲二）

この改正案は「公共の安全と秩序の維持」に名をかりて、個人の自由や権利を不当に制限するおそれがあります。かつては、国の為、天皇の為と称して人権をふみにじることができましたが、今はそれができないので、「公共の安全と秩序」という抽象的な言葉がつかわれるのでしよう。映画製作や研究集会などが制限されないという保障はどこにもないのですし、乱用しないといわれても信用できません。こんな法律をつくるより国民の幸福に役立つ政治や立法を考えてもらいたい。

（矢部　正男）

まさか……と思つていたその「まさか」に向つての現政府の猪突に驚く。全く冗談ではない。民主主義の根底が危い。

（松崎与志人）

この法案が、戦前の治安維持法に発展していくことは、火を見るよりも明らかです。その法案が如何に私達の作家活動を扼殺したかをかえりみれば、今度の職務執行法の改正案に反対せずにはいられません。

（野田　真吉）

ゼツタイ反対。自由と平和のために。

（竹内　信次）

警官の職務に就いては、もつと細かく制限をつけるべきで、いくら制限しても制限しすぎる事がないのに逆にこれを拡大しようとする等はもつての外です。権力は出来るだけ制限する事これが民主主義の第一歩と思います。

（豐田　敬太）

気狂に刃物を持たすようなもんだ。

（大沼　鉄郎）

すておけば、今に作家の頭の中、胸のうち、きつと干渉されることになると思います。今回の改正条文でさえ相当なものですのに。

（小島　義史）

社会主義社会への革命を阻止するための公然たる挑戦であるから、善良な市民であるが故に、かような法案は不用であると願い下げる次第。

（榛葉　豐明）

警職法案についての意見は、必ず岸政府の一連の政策の一環として見なければならない。如何に政府が陳弁説明しようとも相次ぐ政策を見ると、それが如何に詭弁に過ぎないかがわかり、岸信介がかつての戦争責任者から今なお一歩も脱していない事が明白となるばかりだ。必ずこの法案は阻止し、岸内閣に早々に退陣して貰わなくてはならない。

（村田　達二）

行動をもつて反対することに賛成する。協会の協力的作品として、反対を表現するドキユメンタリイを作りたい。それを以つて行動の第一としては如何。その準備委員会を組織してやりましよう。

（豐富　靖）

再び人間の自由を失いたくないからです。〃自由か死か！〃未だ死にたくないから、自由を失いたくないんです。

（大久保信哉）

警職法は軍国に向う明らかな第一歩である。多くの生命の代償として得た高価な自由を再び黒い手にもどさせてはならない。あの無益な死の戦線を誰が歩かないでよいと保証出来よう。

（高綱　則之）

現在の警察官にすでに行きすぎが見られるのに再び警職法が執行されたらば、恐らく権力の拡大解釈のもとに我々の基本的人権がおかされる危険がある。私たちはペンやフイルムなど私たちの武器を持つて警職法をはばもう。

（黒木　和雄）

「文化映画」時代の暗い記憶を絶対に再び繰返さないために、そしてぼくらの生活のためにも―。

（西沢　豪）

多くの犠牲の代償として獲得した自由と人権の尊重がいろいろな面から侵されようとしています。われわれを再びあの暗い時代にひきもどすようなあらゆる企みに反対します。

（渡辺　亨）

戦争への道、原水爆サクレツへの道へと通じそうですから。

（頓宮　慶蔵）

前時代と違つて世論の力も相当強くなつているので、以前のような結果になるようには思わなくとも、矢張り、可能性は多いので、反対です。現法が必ずしも弱いとは思いません。

（諸岡　青人）

映画作家として、創作活動の自由を守る為に、思想、言論、集会を統制支配しようとする謂わば基本的人権を侵害する警職法改悪に対して、絶対に反対する。

（厚木　たか）

お目付制度絶対反対。

（花松　正卜）

今時、このような法案を提出するとは、自民党主流派はいかに目先のきかない一派であるかのよい証左だと思う。民主勢力の巾広い統一行動によつて、現在、極めて有利な情勢にあるが、斗いは、むしろこの先が問題で、現在民主主義に対する我々の基本的態度は、民主主義の防衛から、進んでその強化、拡大という方向にある。戦前の法案に酷似しているからといつて、今回の斗いの方針を、その様なイメージで出すとしたら、それは余りにも現在の情勢を知らなすぎる。又、はじめから共産党を除いて「国民的統一戦線」なんていう考え方も、やはり根本的にどこか狂つているといつてよいだろう。

（諸橋　一）

警察官の職務上の権限をすべて拡張したというのがこんどの改正の特色であり、しかも拡張された範囲が、はなはだ莫然としており解釈の仕方によつては、国民の基本的な人権が危うくなり、思想、言論、集会の自由まで侵害し、統制しようとするくわだてである事は明らかであるので絶対反対をするものです。

（森田　純）

そんな法案が国会に提出されたこと自体が、甚だ不愉快です。

（深江　正彦）

現在の警察の機構の中で、末端にいたる警察官がどれだけ本当の意味の警職法を理解しているか？又理解する能力のある人たちがいるか？　何もわからずやたちと上の命令だとばかりに、昔のやり方でやられては、かなわない。まず警法改正より警察官の教養や情操を高めることが先決だ。

（石田　修）

特高再現絶対反対。これを通したら日本はおしまいだ。

木村荘十二　菅家　陳彦
山本　弁良　かんけまり
西本　祥子　入江　一彰
山岸　静馬　小森　幸雄
岩崎　太郎　島谷陽一郎
高井　達人　西田真佐雄
高島　一男　岩堀喜久男
時枝　俊江　柳沢　寿男
吉見　泰　杉山　正美
道林　一郎　富沢　幸男
川本　博康　渡辺　正己
中村　敏郎　下坂　利春
吉岡宗阿弥　樺島　清一
大野　裕　泰　原夫

七七名

動静

「裸足の島」で「忘れられた土地」の向うをはって……と力んでいましたが、延期になり、目下次回作待期中。

（富岡　捷）

〃第五福龍丸〃の追込みで懸命です。独立プロの真随発揮はこれからと頑張っております。皆様の御支援を。

（能登　節雄）

F I 8 6 Fジェット機による北辺の護りにつく航空自衛隊員の苦労を記録映画風に描く「日本の空を守る人々」（仮題）の秋の北海道ロケを終えました。十二月頃雪になったら再渡道大々的ロケにかゝります。

（永富映次郎）

この処石油ものPR映画の専門になってしまい、やっとのことで二年越しの〃石油を探す〃第二部をクランクアップし、仕上作業を続けているが、十一月末に完成の予定である。現在、別の作品のロケの為、有峯ダムという所に来ているが、さっぱり陽が照ってくれないので毎日、空を眺めては気をもんでいる。

（諸岡　青人）

三木映画で働いています。

（仲原　ㇷ）

「横須賀火力建設」のロケ中です。

（黒木　和雄）

黒部第二部「地底の凱歌」パチスカーフの記録を完成。シネスコ海底長編記録物準備中。

（西尾　善介）

次回作準備中、（機関誌のことが気掛りで仕事どころではありません！　というと少しオオゲサですが）

（岡本　昌雄）

日頃はTVのCMや線画動画に何とはなしに追われて過していますが鬼に気がねしながら来年は自分のものを出したいと考え続けています。

（大久保信哉）

「原子力発電所」を撮りはじめました。四年かゝる仕事です。いろいろな意味で今までの総決算をしてみたいと思ってます。

（矢部　正男）

「窓ひらく」という農村の台所改善の映画をつくったのが機縁で小生の家の台所をつくりなおした。映画の仕事とは又別の勉強になった。

（八木　仁平）

子供はモルモットと違うのですから、こんな教材映画を作ったらどんな反応があるだろうなどと悠長なことは出来ません。今日の一カットが子供達へ直結しているのです。正しい姿勢で仕事をしなければ……そんな気持に追われています。

（高綱　則之）

大かたはうちでぶらぶらしておりますが、脚本の手伝い程度のことを始めるつもりでおります。

（大沼　鉄郎）

〃日本の庭園〃秋の部の撮影をはじめています。

（下村　健二）

全農映にて「荷車の歌」についています。[illegible]予定は十二月二十四日。農婦の10円カンパで出来る映画です。

（小島　義史）

映画を見たいと思っています。教育映画祭でも国際短篇でも全部が全部映画と云えるかなあー。書いたり、話した方がもっと面白かったのになあと云うのが随分あったように思うけど。

（丹生　正）

「最川上風土記」録音を終り「ストレスと人生」（仮題）の撮影準備にかゝりました。十一月中完成の予定です。（十二月にはいったら、又あわてゝ仂き口をさがさないと歳がこせなくなるので今からハラハラしています。一本仕事をしたら、二月位は勉強できるといいですね。）

（丸山　章治）

「海上号建造記録」２巻完成。カラー「赤石の山峡」ロケ。「旭化成富士工場建設記録」カラー「都築約十年の歩み」脚本。

（苗田　康夫）

新東宝でＰＲ映画「ベアリング」二巻演出中。インタナショナルの外務省映画「はたらく家族」シナリオ脱稿しました。

（村田　達二）

今の日本では六つケ敷しい「売春」という問題と取組んでいます。「でんでん虫の歌」は夏子供たちが海へ入るところなどがあるので来春あたたかくなるまで冬眠していなければならない様子です。

（木村荘十二）

暫らくＴＶスポットを製作してましたが、先月よりダイヤモンド広告社製作によるテレビ番組〝そこが見たい〟（フイルム番組一回15分）の演出をしております。第一週目の作品をやっと完了しました。よろしく御指導下さい。

（頓宮　慶蔵）

日本短篇映画社で、巡回保健船を扱った「白い船」（三巻）にかゝりました。京極さんの「西の果て」と殆ど同じ題材なので頭をひねっています。「忘れられた土地」で提出された問題のうるさい時でもあり、之も頭が痛いところです。結局多少安易なセンチかも知れないが、「私なり」になるより仕方がないでしょう。それで好いと思っています。

（荒井　英郎）

只今新理研で「日本の原子力」三巻を作っています。今年一杯かゝる予定です。

（竹内　信次）

ぽつぽつ仕事をしています。協会の方の仕事も警職法などでちょっと多忙です。

（河野　哲二）

教材専門屋みたいになって、先月「米つくりのしごと」「へやのそうじ」を完成し、近く「とりのなかま」を録音します。来月は五月以来撮影をしてきた「ムクドリ」が完成の段取りになるでしょう。そのほかごてごてと全農映で仕事をしています。

（岩崎　太郎）

共同映画社、アニメーション映画社作品「かもとり、ごんべい」が完成しました。次回作品の準備中です。

（諸橋　一）

十月中旬「日本の工業地帯」（地理大系）完成、十月下旬「愛知用水」撮影。十一月中旬まで「山陰」（地理大系）ロケハン。以後十二月上旬まで「愛知用水」残部についての打ち合せをし「山陰」のシナリオ執筆続いて「山陰」の撮影にかゝります。

（西沢　豪）

岩波にて長期記録映画の仕事を致して居ります。

（小谷田　亘）

自分のもの、頼まれたもの、いろんなシナリオの材料をかゝえて右往左往、さて次はどれがものになっていくやら——目下現場は無沙汰中。

（日高　昭）

例の組合問題で社長と激突の結果、仕事の上で全く不当な取扱いをされるに至り、目下演出家としての権利は完全に剥奪され、いわゆる干された状態になっています。明らかに不当労仂行為ですが、私としては、このようなでたらめを強行する社長が社会党の中央執行委員であり、国会議員であるということになによりも深い悲しみと憤りを感じています。

（松本　俊夫）

「国づくりから米づくりまで」（企画　久保田鉄工ＫＫ、製作　岩波映画製作所）の、三ケ月半にわたった地方ロケを終えて、このほど帰京しました。あと十一月末まで都内ロケを行って、この仕事を終ります。

（小高　美秋）

東映教育映画部児童劇映画（私のお母さん）五巻完成。東映教材映画（おさらいのしかた）一巻完東映教材映画（おてつだい）一巻演出中。十一月中旬から岩波映画で美術映画を初めます。

（岩佐　氏寿）

ひきつづき岩波（醤油）撮影に参加中。

（久保田義久）

岩波での仕事、何時の間にか一年たちました。今小高氏と一諸に淡路島で雨のためたちおうじょうしています。こゝが終ると大阪ロケ、帰京は十一月下旬です。

（小森　幸雄）

（スポーツ芸能レポ）ＮＴＶ金夜九時四五分—十時ベイレクター兼、キャメラマンとして毎日とび廻っています。内容はルポルタージュ形式のものが多くこの点得意ですので楽しくやっています。

（渡辺　徹）

仕事としては四作に着手していることになりますが、はっきり進行中なのは一つもありません。おかげでのんびりすべきか、あせるべきかなやんでいます。

（加藤松三郎）

住所変更

小谷田　亘　八王子市緑町二五　いろは荘
馬場英太郎　杉並区東田町一の三　九松本様方
河野　啓二　杉並区方南町三一〇

教育映画作家協会々報

No.40

教育映画作家協会
東京都中央区銀座西8－5　日吉ビル四階　TEL　(57) 5418

今后の協会の方針と編集方針を討議！

＝第一回常任運営委員会＝

オ一回常任運営委員会が一月十六日、全員出席のもとに開かれた

㈠ 協会の今后の運営について。

1. グループ活動

各分科会の運営は、それぞれの特性に応じて、分科会運営委員によって運営され、協会委員会は最大限に協力してゆきたい。

分科会でとりあげられる問題以外の協会共通の問題例えば今年問題となるであろう、テレビ進出にともなう諸問題、製作条件の悪化など特に必要のあるものは特別の会合を持つなどして具体的な話し合ひの場を作ってゆきたい。

2. 会報の強化

日常的なグループ活動が強化し、会員相互の連絡をきん密にするためにも従来の会報を強化してゆきたい。

3. 機関紙発行について

編集方針については、あくまで協会の機関紙として、会員相互の作家としての考え方や課題を交流し合い作家活動の前進のために役立ててゆくことを基本的な方針としたい。

自立体制にともなう具体案は経営委員会で出されるが、基本的には記録、教育映画を見る場を拡げてゆくなかで、読者層を拡大してゆきたい。

㈡ その他の事項として

(イ) 社会教育法改正法案についての懇談会が開かれており協会にも招請状が来た。参加することをきめ、一月二十一日后一時参議員会館オ一会議室で開かれる会に出席することとなった。

(ロ) 教育映画総合協議会の委員選出の件にうつり新運営委員長中村敏郎、新事務局長富沢幸男両氏に決定。

(ハ) 総評文化部主催の映画懇談会のことが報告され労組の自主製作運動への協力等のことからも積極的に参加することとなった。会合は一月二〇日后六時中央会館である。

㈢ 次回運営委員会は一月末に開くことをきめた。

新役員紹介

△運営委員長　中村敏郎
　事務局長　富沢幸男

△常任運営委員（五名）
岡本昌雄、矢部正男、河野啓二、川本博康、苗田康夫

△運営委員（十五名）
かんけまり、柳沢寿男、西沢豪、渡辺正己、岩堀喜久男、西尾善介、樺島清一、樋口源一郎、杉山正美、丸山章治、

△編集長　岩佐氏寿

△常任編集委員（五名）
谷川義雄、吉見泰、大沼鉄郎、松本俊夫、野田真吉、

△編集委員（五名）
八幡省三、西本祥子、長野千秋、秋山矜一、近藤才司、

△経営委員（五名）
丸山章治、樺島清一、杉山正美、高島一男、間宮則夫、

（註・経営委員会は常任運営委員をまじえて開かれる）

☆　☆　☆

協会の方針と〝記録映画〟の自主体制新役員のもと

一月十二日新運営委員会

新春第一回新旧運営委員会を一月十二日後五時より協会事務局で三分の二以上の出席のもとに開かれました。新事務局長富沢幸男、新運営委員長中村敏郎両氏の司会で会は初められ、

(1)規約改正にふれ第六章、組織と運営の五項を〝常任運営委員会は委員長、事務局長を加えた若干名を以て構成し運営委員会の互選により選出する〟と云うことを総会の決定にそってきめた。

(2)国民文化会議の加入については全員で一般加入することを決め、さっそく事務局で手つづきすることゝなった。

(3)常任運営委員が、委員長、事務局長の他に五名選ばれ決定した。岡本昌雄、矢部正男、河野啓二、川本博康、苗田康夫の諸氏。

(4)雑誌〝記録映画〟の問題にふれ、二月号より自主出版体制で発行されることとなり、新編集委員が日時的に選出されなかったので二月号は旧編集委員であたり、自主出版の初めての号でもありますので充分内容を検討し十日間発行を遅れさせたことの説明がなされ、自主出版体制の財政基礎として、

〔収入の部〕広告収入三万円、今までの売上額一六〇部一万円、総会で決定した会員一人、一部の売上金一六〇部一万円、会費増加分一万円、その他広告収入、売上の増加分若干。合計六万円とプラス若干円になる。

〔支出の部〕印刷費四万円、人件費六千円、原稿料一万円、諸費用六千円、合計六万二千円となる。

〇ベースボールマガジン社池田社長の好意によって四万円の印刷費とその他の協力をして戴けることからも新旧役員であいさつに行き今後の協力をお願いしてくることとなった。

㋑　新編集委員の選出と自主出版体制の立場から編集委員互選で編集長をきめることをきめ新編集委員に左記の十二名を選んだ。

吉見泰、岩佐氏寿、松本俊夫、谷川義雄、大沼鉄郎、八幡省三、西本祥子、秋山矜一、近藤才司、野田真吉、厚木たか、長野千秋の諸氏

㋺自主出版体制の立場から経営プランを立て経営を維持して行く為に経営委員を新しくおくこととなり、左記の七名が選ばれた。

丸山章治、樺島清一、杉山正美、高島一男、間宮則夫、加藤松三郎、小高美秋の諸氏。

㋩会員一人々々が読者を持つことについては種々意見が出され、〝試写会の案内状をつける〟等のサービスをつけることが出された。

㋥編集方針を出すべきではないかとの意見も出され、以上のことをふくめて一月十七日に編集、経営の合同会議を開くこととなった。

(5)作家協会の本年度の方針にふれられ、グループ活動の強化とあわせて、㋑雑誌〝記録映画〟の発行㋺研究会活動、そのほかに㋩生活を守ることについての作家協会としての活動、交流、事務局のあり方、等が出され、一月十六日の常任運営委員会で討議して方向をうち出すこととなった。

(6)新旧役員の名前であいさつ状を名方面に出すことをきめ新運営委員長中村敏郎氏があたることとなった。

(7)新しく会員名簿を作ること、作家協会の会員証の発行等が出され作ることとなった。

×××　×××　×××

年賀状が協会に来ました

次の方々から年賀状を頂きました。

理研科学映画株式会社、関西映画株式会社、日本中国文化交流会、東京映画愛好会連合、科学映画社、東京映画社、奈良要、朝日録音株式会社、東京テレビセンター、自由映画人連合会、中部映画友の会、映画美術共同社、日本放送協会赤城正武、新児童劇団、島谷陽一郎、岡本昌雄、神奈川ニュース映画協会、都映画株式会社、教材映画製作協同組合加納龍一、日本ドキュメントフイルム、東和タイプ印刷社安田博、日本教職員組合、たくみ工房、モーション・タイムズ、山田清、劇団こじか、新理研映画株式会社、近代映画協会、東映製作所榊原六郎、城北映画サークル協議会、之盛印刷所、映画照明協会、日本ライト社、劇団ひまわり、機関紙映画クラブ、小律涼三、大方弘男、入江一彰、国学院大学映画研究会花谷晃至、共同映画社、東京映画助監督協会、上野大椿

（順不同）

教育映画作家協会
才五回定例総会報告

と　き　十二月二七日（土）后一
ところ　中央会館集会所
（中央区役所となり）

三〇分おくれて後一時三〇分より河野事務局長代理の開会の辞で総会が始まった。議長団に八幡省三、西本祥子、松本俊夫の三名が選出され、(1)吉見運営委員長より年次報告ならびに岩佐〃記録映画〃編集責任者にかわり、機関誌の編集をかえりみての報告がなされました。

（報告事項は議案書にのっているので省略します）

(2)つづいて河野事務局長代理より事務局報告ならびに財政報告がなされました。

△協会々員数は一六〇名、入会者十名の脱会者十一名で一名減。

1.フリー会員現在数五一名入会一名、脱会七名

2.フリー助監督現在数二三名入会二名、脱会二名、

3.企業会員現在数三四名、入会〇名脱会〇名、

4.企業助監督現在数三四名入会五名、脱会〇名

5.賛助会員、現在数一八名、入会二名、脱会二名、

つづいて樋口会計監査より監査報告があり、承認されました。

(3)助監督部会報告を川本博康氏よりなされました。

こゝで河野事務局長代理より、総会出席数及びメッセージ、祝電、来賓の紹介がありました。

出席者、会員四二名、賛助会員一名、委任者、会員三六名、賛助会員五名、合計七八名で過半数の七七名を一名増で総会の成立したことが報告されました。

〇メッセージとして国民文化会議、日本児童文学者協会、日本映画教育協会、北欧映画株式会社、

〇祝電として新世界プロ矢野さん自映連小林郁夫さん、東京映愛連、城北映サ協、

〇来賓として機関紙映画クラブ山岸一章、共同映画社高林公毅、大島辰雄、

(4)来年度の方針に関する提案書、の提案が吉見運営委員長よりなされ次のことが決定されました。

一、グループ活動の強化、二、作家の諸権利と作家の主体性の確立を目指してについては二、三の方々より意見が出されました（記録映画二月号誌上にのります）が承認されました。

三、機関誌発行の自主体制について

〇会員一人一人が、最底一名の固定読者を作るという体制について討論され、原則的に賛成し、方法については新運営委員会で検討することとなった。

〇自主体制を敷くため、組織的には、雑誌発行のために編集部と経営部を置くことが決定された。

四、常任委員会の成文化—規約改正

〃運営委員会の互選による若干名の委員と委員長、書記長によって常任委員会を構成し、日常の執行権を与え、機動的運営をはかる〃を規約に追加することが決定された。

五、助監督部会の廃止

助監督間の交流友好、研究のためのグループ活動は積極的にすゝめる。ということで助監督部会を廃止することを決定した。

六、会費の調整

従来、一本立ちの作家は五〇〇円、三〇〇円、助監督は部会の内部処理で、二五〇円、二〇〇円、一五〇円のランクがあったが、助監督部会のノルマ制の廃止にともない、ランクの再調整を行う。

1.一本立ちの作家は原則として五〇〇円

2.助監督はフリーは三〇〇円、企業は二〇〇円とし、仕事の斡旋に対する礼金の%を廃止、

3.賛助会員の会費ランクの再調整

但し以上はすべて会員個々との話合いによる。

これらの目的は、機関誌活動を含めたすべての協会活動を一層強化するためであることをきめ、会員一人一人に連絡することを決定した。

七、国民文化会議への加入

昨年の総会で、助監督部会より加入提案があり、委員会付託となっていたが、日常活動を通じて接触してきた経験から見て、記録、教育映画の普及、観客組織の一つの力となり得ることを考え、委員会では加入をきめたことの発表があり、加入を決定した。

(5)六分科会報告が、記録映画分科会報告は野田真吉氏より、教材映画部会報告は岡本昌雄氏、PR映画部門報告は加藤松三郎氏、アニメーション部会報告は岡本昌雄氏が吉岡宗阿弥氏に変って報告、科学映画部会報告を樺島清一氏がそ

れぞれ簡単な報告があり、質疑応答があり、今後共分科会を開いて行くことを話し合い、一月五、六、八日の三日間映協会館にて後一時〜六時まで記録映画分科会を映画上映後、研究会を開くことが野田真吉氏より発表された。

(6)ひきつづいて役員改選と新旧役員のあいさつが行なわれた。

先づ運営委員会推薦候補者による選挙で行なうか全員から行なうかで討議になり、全員投票ということに決定、

第一番に運営委員長一名単記で行なわれ、次の結果となった。

中村　敏郎　二八票
樋口源一郎　一六票
厚木　たか　一六票
吉見　泰　六票
赤佐　政治　一票

で中村敏郎氏が新運営委員長に選ばれた。

つづいて事務局長一名単記で行なわれ、

富沢　幸男　二八票
河野　啓二　二八票
苗田　康夫　一一票

となり、富沢幸男、河野啓二両氏が同点で決選投票となり、

富沢　幸男　三八票
河野　啓二　三一票

で富沢幸男氏が新事務局長に選ばれた。

ひきつづいて運営委員十五名連記で行なわれた。そこで、

矢部　正男　四二票
かんけ・まり　四一票
河野　啓二　三三票
柳沢　寿男　三三票
川本　博康　三二票
苗田　康夫　三二票
西沢　豪　三一票
渡辺　正己　二九票
岩堀喜久男　二七票
岡本　昌雄　二七票
西尾　善介　二六票
樺島　清一　二六票
樋口源一郎　二六票
杉山　正美　二五票
丸山　章治　二五票
(次)豊田敬太　二四票

の十五名が選ばれた。

(7)つづいて会計監査に、八幡省三、西本祥子の両氏が全員に推薦決定した。

旧役員を代表して前運営委員長吉見泰氏と新事務局長の富沢幸男氏のあいさつがあって会は終った。

閉会の辞が議長団よりのべられて第五回定例総会は無事おわった。

〇……〇

〇……〇

〝声〟

谷川義雄

本年度の方針の二の項に「…自衛隊の宣伝映画、生産性向上本部を背景にした宣伝映画の製作を前にしての作家の苦悩は深い。」とふれている。総会では大して問題にならなかったが、私は重大な恐怖を感じている。

経営者が自衛隊の仕事を受入れて、それを会員に―企業、フリーをとわず― 仕事をもってきた場合どういうことになるか。

なにか当りさわりのない事情をのべて辞退できればいい。もし、経済的にのっぴきならない事態を背負っている会員に白羽の矢がたてられた場合、それは災難ですまされない。良心を捨てて引受ければ、それは非難をうけなければならない。たとえ辞退する勇気があっても誰が彼を援助できるだろうか。

昔とった杵柄を再びふりあげた場合、あたら有為の若人たちを戦争教育のただ中へ足をむけさせるための仕事を我々が引受けることになりかねない。

今日の自衛隊教育がいかに愚劣な人間をつくり上げるために努力しているか——それは私自身、時々、練馬自衛隊の近辺のバーで見かけているからその限りでいうことができるのだが——何としても自衛隊の宣伝映画に対してだけは背を向けたいものである。

「社会状勢は、作家をますますそうした映画製作に追いこもうと強要してくる。そして作家の苦悩はますます深刻になる。」ことが明白ならば、運営委員会では、後手とならないよう調査活動も充分にやれる体制をとり、対策をたててほしい。

作家の自由、作家の主体性の確立の斗いの問題のなかで、当面、最も具体的であり、且つ重大であるから。

会費調整について

今回の総会において左記のように会費を調整しました。

1、一本立の作家原則として五〇〇円

2、助監督のフリー三〇〇円、企業二〇〇円、礼金を廃止

3、賛助会員は会費ランクの再調整にきまりました。会費の変動のあられる方々に別にハガキを同封しましたので了承下さった方々は事務局へおゝくり下さい。会費の変動のない方にはハガキを同封しませんから御了承下さい。

動静

大鶴日出夫　今迄撮影したもの四本の編集仕上げにかゝりました。

上野大梧　記録映画社「畑地かんがい」三巻完成。三井芸術プロ「熔接技術」（仮題）準備中

西尾善介　海のものロケハン準備中です。日映新社

馬場英太郎　家族計画についての記録映画「母の合唱」三巻の完成後「北海道風物誌」（ヤンマープロ）編集、TVスポット二本目下「メートル法ものがたり」準備中（マツオカプロ）

八木仁平　「日本のマスコミ」（仮題）2巻東京シネマ撮影中

丸山章治　桜映画での社会教育映画「心と病気」（ストレス）2巻十二月三日アフレコ終了。目下日映科学のシノプシスを書くことだけ決っています。

岡本昌雄　三木映画社作品「郵便シリーズ」ロケ準備

赤佐政治　富士山を撮りまくった写真が一年半ぶりで完成した、と思ったら、もうお正月だ。せめて雑煮餅くらい食える、と思ったが、オツユをすするのがせいぜいだ。以って瞑すべしか。

荒井英郎　日本短篇の「白い船」（三巻）連日好天気に恵まれています。もうじき一月になるというのに、照りっぱなしなのです。有難すぎるのですが、冬の陽差しは案外早く、海上の仕事が多いので進行はその割ではありません。因みにロケ場所は瀬戸内海の岡山県側

永富映次郎　「日本の空を守る人々」（スクランブル）の北海道ロケは暖冬のため雪が少なく止むなく引揚げました。また一月か二月に再出発する予定で目下「雪待ち」といったところです。

尾山新吉　東映教育映画部にて仕事をやっております。

榛葉豊明　むづかしかった「管楽器」（たのしい科学シリーズ）をやっとのことで完成し、いま次回作の準備中。

豊田敬太　軽い気持でとりかゝったのが間違いで、ファスト映画社の「農村の病気」で約半年かゝってしまった。やっとこの程ダビングまで漕ぎつけ、完成の運びになった。おかげで今年は三本しか出来なかった。これでは飯の食えよう筈がない。

河野啓二　次の仕事の準備をしています。

吉田六郎　たのしい科学シリーズの「冬に咲く華」（雪の結晶）の脚本を書き、目下撮影中テレビ向け映画は製作期間がみじかいのでかないません。

深江正彦　次回作、準備中です。又今年も城ケ島大橋の記録をとるべく三崎でクリスマスをすごすことになりそうです。

吉見泰　今度は「癌」（ガン）をはじめます。またミクロの世界に分けいるわけですがその探究過程に興味を感じています。

入江一彰　読売にて新作品の脚本にかゝります。クランクインが来春の予定なのでその間、TV映画一本撮る予定です。

杉原せつ　人形劇団プークのNHKテレビ学校放送をてつだっております。

小高美秋　昨年末より電通本社映画部にて「花模様」（カラー三巻PR劇映画）の仕事をしています。製作大方弘男、脚本監督丹生正、助監督豊富靖の諸氏と一諸です。一月末クランク・インします。

大沼鉄郎　東京シネマにて、ぼつぼつ吉見さんの手伝いなどはじめました。

谷川義雄　「縫製工場」（日映

科学）完成次回作待期中。

日映新社地理映画大系の内の〝瀬戸内海〟にて二ケ月のロケを終り編集、録音作業中です。瀬戸内海地方の農村は必ずしも貧しくはありません。漁業は貧しい、特に漁期以外を兼業的な対策を考えない人達は。

近藤　才司

事務局よりお願い

△今回新しく会員名簿を作ります今回新しく会員名簿を作りますので別にハガキに〝名簿録調査表〟を全員に同封しますので名簿録調査表に住所、氏名、職能、所属を書きこんで事務局にかならずおゝくり下さい。（一月三一日までにおゝくり下さい）

△前売券があります。

①〝第五福龍丸〟近代映協、新世紀作品、大映二月十八日より封切築地大映一七〇円の処一三〇円の前売券あり。

②〝白痴〟ドフトエフスキー原作ソ連映画、一月三一日より東劇、ロードショウ二百円の処一五〇円事務局へ現金持参お申込下さい。

〝記録映画〟二月号 ―一月末日に発行―

自主体制にきりかわった初めての号でもあるので、二七日発行が少々おくれ内容を充実することとなり月末となりました。会員一人一人が固定読者獲得下さればそれ以後は事務局で扱います。固定読者は六ケ月四〇〇円になります。

会員変動のお知らせ

新入会員

塚原孝一　練馬区北町三ノ九七九第六都営住宅内　助監督部会　フリー会員

退会

渡辺　享　個人の申し出により退会しました。

フリー会員

高島一男　都合により十二月三一日付をもって東京フィルムを退社、フリーとなりました。

住所変更

近藤才司　新宿区百人町三ノ二八五竹川善次郎方

小森幸雄　世田谷区松原町四ノ一九一柄沢方

小高美秋　千葉県松戸市幸谷二三六

松本俊夫　世田谷区玉川奥沢町三ノ二九六松川方

「松川事件」公正裁判を ―行え、の決議をきめる―

今総会に緊急動議として「松川事件」の裁判が行われるにあたり、公正な裁判を行うよう最高裁判所の裁判官に要請書をおくることを決議し左記の要請書を発送すると共に総会において「松川事件」被告及び公正裁判を行うよう激励のカンパを行った。合計二、一〇〇円を松川事件対策本部にとゞけました。

要　請　書

私たちは人権と自由をまもるという立場から「松川事件」の裁判についてふかい関心をもっています。よって「松川事件」の最終判決にあたっては事実にもとづいた取調べをもって無実の者を殺さない公正な裁判をされることを切に要請いたすものであります。

一九五八年十二月二十七日

教育映画作家協会第五回総会

〝記録映画〟財政十二月分

収入の部	
売上高	四、〇八六円
予約購読者	三、七〇〇〇円
広告料	四二、五〇〇〇円
計	五〇、二八六円
支出の部	
電話料	二、四五九円
通信費	八四〇円
交通費	三、二四〇円
用品文具費	一六〇円
協会財政へ	一七、五〇〇円
印刷費	一〇六四〇〇円
広告代支払	一七五〇〇円
計	五二、三三九円
差引不足金	二、〇五三円

協会財政十二月分

収入の部	
会費	六五、八〇〇円
雑収入	一二、五〇〇円
入会金	三〇〇円
礼金	三、二九四円
計	八一、八九四円
支出の部	
通信費	三、六二二円
雑費	三、六八〇円
印刷費	一六、三〇〇円
ボーナス分	二一、〇〇〇円
人件費	二〇、〇〇〇円
電話代	三、四八〇円
交通費	二、九九三円
用品文具	九一四円
事務所費	五、〇〇〇円
会合費	一〇〇円
会場費	二七五円
計	七七、三六四円
差引残高	四、五三〇円

1959・2・10 発行

教育映画作家協会々報

No41

教育映画作家協会
東京都中央区銀座西8ー5 日吉ビル四階 TEL (57) 5418

会報を有効に生し

会費の額の原則は変へない！

―第二回運営委員会報告―

一月三一日 運営委員会報告、

富沢幸男事務局長より、新編集委員、経営委員、及編集委員会、経営委員会の報告がされました。（前回の会報及今回の編集委員会及経営委員会報告を参照されたし）

つゞいて議題に入り次のことが討論され問題になりました。

(1)雑誌〃記録映画〃のことと会報について

(イ)雑誌〃記録映画〃を二月号より会員に一部よけいにおくるので、それを固定読者に還元してもらうようにする。（試写会のことも至急実行すること）

(ロ)二月号及三月号の原稿料、オーバー分 一五、〇〇〇円分について対策を考えなくてはならない。

(ハ)アンケート用紙等を利用して読者の希望又意見をきく方法を取るべきである。

(ニ)会報をもつと活用し、意見交換の場所とするように、投稿及解説等をのせるようにする。

(2)会費の問題について

(イ)総会で決定した、会費の原則を各協会員に承認してもらうように話し合。

(ロ)規約にもとづいて三ケ月以上滞納者には警告をし、六ケ月以上滞納者には雑誌発送を中止し、会にのこるか、退会するかについて運営委員が話し合にあたる。会費が三ケ月近く納入されれば又雑誌の発送はする。

(3)総評の映画製作について

一月二九日に国民文化会議映画部会で、自主映画製作の話しがあり常任運営委員の富沢、苗田両氏と記録映画研究会の委員、野田、松本、大沼の諸氏が出席、自主映画製作としての協力ならば積極的に協力して行くことをきめて会合に参加したが、総評の方からは総評がかゝげているスローガン映画を作るということで意見のくいちがいが出来、国民文化会議としても企画に参加しないということになつた為、作家協会としては、総評の映画製作ということでスタッフの協力者を出すことで話しがまとまり、常任運営委の方でその任にあたることとなつた。

唯今後の問題として労働ニュース製作の方向も出ているので総評文化部主催の映画懇談会には出席して自主映画製作への協力については話し合つて行くことだけは決めた。

(4)グループ活動について

自主映画作品の脚本検討会のことや、テレビ問題まで出され、又協会として実験映画を作ろうという話しまで出されましたが、結論としては、

(イ)自主映画作品の脚本検討会を開くこと、

(ロ)テレビ研究会をテレビプロデューサーを呼んで開くこと。

(ハ)今までもたれている科学、及記録映画研究会を二月中に開くよう各グループ委員に呼びかけ十日発行の会報に発表することをきめた。

(5)新入会者、松本俊夫、二瓶直樹両氏推せんの松川八洲男氏（新理研企業助監督）を入会をきめた。

(6)今国会で問題になつている社会教育法案改正については会報に解説してのせることをきめた。

固定読者拡大と当面の雑誌予算をたてる！

＝経営委員会報告＝

一月二八日　経営委員会報告、

(1)原稿料について

二月分、合計九、三五〇円、(大島辰雄氏、加納龍一氏は謝礼、長谷川龍生と続ぶつつけ本番の方々に原稿料を出す)

三月分、合計五、四〇〇円(花田清輝、他一名に原稿料を出す)

四月以向については全体の予算と考えあわせて支払うようにして行く。

(2)当面の予算案

＜収入の部＞広告収入三五、〇〇〇円、寄附七、〇〇〇円、市場販売(一三〇部×五〇円)六、五〇〇円、会員増加販売分三、〇〇〇円、会費増収分三、〇〇〇円、固定読者(六〇部×五〇円)三、〇〇〇円、合計　五七、五〇〇円

＜支出の部＞印刷費四〇、〇〇〇円、事務費七、〇〇〇円、人件費六、〇〇〇円、別通信費(試写券発送)一、五〇〇円、原稿料三、〇〇〇円、合計五七、五〇〇円

(3)会員が増加する固定読者に対して試写券を雑誌につけることから関係方面に交渉し三〇〇枚を一ケ月にかくほする。

(4)固定読者をふやす方法

(イ)運営委員は全員固定読者拡大にあたる(一人十部程度固定を取るように働きかける)

(ロ)各プロダクション及職能団体にあたる。(独立プロ関係、自映連、その他)

(ハ)アッピールを会報に出す。

(ニ)交換広告により宣伝を拡めて行く。

(5)経営・編集合同会議を開く、

二月号が発行され、三月、四月号の計画がねられて行く頃に経営委員会を開き、その後経営のバランスなどを見て合同委員会を開く、次回は二月十四日(土)后五時。

(6)広告内容について

(イ)固定しているもの、　六件

(ロ)寄　附　二件

(ハ)隔月のもの　七件

(ニ)今後取つて行くもの　九件

以上ですがこれは今後の経営活動の中で重要なものになります。経営委員及協会員の協力をおねがいします。

(7)書店及映画館販売金額について

(イ)一部売七〇円なので五〇円でおろすことを決定

(ロ)映研及映サのような団体にも五〇円でおろす。

(8)地方及労組等の方面に売る場合

(イ)共同映画社の各支社をつうずる方法

(ロ)労組は機関紙映クを通して行く

(ハ)国民文化会議をとおす方法もある。

(9)チラシの配布方法について

(イ)会員に一枚づつ入れる。(ロ)映研映サ関係に配布、(ハ)機関紙映ク関係、(ニ)連盟関係、(ホ)固定読者及各映画雑誌の読者欄の人々におくる。

映画研究会お知らせ

記録映画

一月五、七、八日の三日間開かれた"記録映画研究会"は今迄になく活溌で各方面の方々の出席があり討論も今迄になく熱のはいったものでありました。

その内容については"記録映画運動についての"という題で雑誌"記録映画"二月号に野田真吉氏が書かれております。

ついては二月例会を左記により行います。

多数御参加下さい。

記

一、日　時　二月十九日(木)
午后五時より

一、会　場　映教試写室(虎の門映協会館三階)

一、上映番組イ、たのしい版画
ロ、道の果て
ハ、九十九里の子供たち。

(註上映後研究会を開きます)

主催は"記録映画研究会"

試写会のお知らせ

今回より短篇試写会の日時、場所をお知らせします。御都合つけて御出席下さい。

〇　二月十九日(木)予定
十二時三十分　山葉ホール
十六ミリ新作教育映画試写会
(内容不明)　連盟主催

〇　二月二十日(金)十一時、一時、三時。
白木屋ホール映協試写室
(内容不明)映協兼読売主催

科学映画研究会は日時、会場がまだ定まりませんのでおってお知らせいたします。

✿✿✿

解説

社会教育法一部改正案と社会教育の自主性を守る運動について

社会教育法の一部改正により、民主主義を支える底辺として地域で育っている青年団、婦人会、サークル等の民間団体の学習活動を抑圧し、これに対する官僚統制と政党支配の強化をねらっている危険な傾向がひそんでいる。

反対の点は次の諸点である。

一、第十三条を削除して国や県市町村から社会教育関係団体に補助金が出せるようにしたのは、憲法第八十九条の「公金及その他の公の財産は…公の支配に属しない慈善教育若しくは博愛の事業に対し、之を支出し又はその利用に供してはならない」に違反すると共に団体をひもつきにするおそれがある。

二、第九条の五の改正によって従来大学に委嘱されていた社会教育主事の講習を、文部大臣及都道府県教育委員会でも行い得る事としたのは、官僚統制と社会教育主事の質の低下となるおそれがある。

三、第十七条に第三項を追加する事によって、従来教育委員会に対する助言機関にすぎなかった社会教育委員に対し、青少年教育に関する特定の事項について、直接、団体や指導者に対し助言と指導を与える事が出来るとした事は、地方政治に直接、間接関係のある社会教育委員が少くない現状のもとでは、社会教育の中立性をあやうくするおそれがある。

四、第二十三条の二を新に設け、文部大臣が公民館の運営上必要な基準を定め、教育委員と共に指導助言する事としたのは公民館に対し官僚統制を加えんとするものである。

◎以上ですが日青協では補助金が出るということで全員一致で反対するまでにいっていない。又静岡県の各団体でも研究集会を持っているが一般に財政難の折から補助金に魅力をもっている。

◎又地方においては公民館活動が重要な社会教育を拡める場になっている。その点から文部大臣の直接指導によることでは大きな動揺と反対が出ており、一例として教育映画関係では社会教育映画、教材映画のライブラリーの問題にふれられ官僚によるライブラリーの選定にまでおよんでくるし、現在ですらその方向があらわれているのであるから、よりいっそう強まるということである。

参議院議員市川房枝氏が一早く自主性をハク奪されるというので反対にのり出し、十月中旬に婦人研究懇談会が結成され、十二月中旬に、社会教育の自主性をまもる青年婦人懇談会を結成、一月に全国代表者会議への方向をきめ一月二十一日に参議院議員会館で五六団体参加のもとに開かれた。各婦人団体、青年団体、文化団体、労組が参加され、要請書が決定、総理大臣、文部大臣、国会文教委員に提出の準備がなされた。

ひきつづき二月二日参院議員会館で開かれ、当面の運動として、

1. 政府及び国会に対する陳情、要請を二月六日行う。
2. 中央、地方における集会を開く
3. パンフレットについては社会党が作成したパンフレットを利用する。

今後の運営について、世話人会を設けた。

子供を守る会から発言があり、文部省が現在準備し、すでに実施しようとしている「良書の選定制度」を検討する会を開く。良書の選定制度は、必然的に文部省の認定から認めずに発展するものがある。このことからも社会教育法改正と同じ問題がふくまれていることとして発表された。(註、今後の動き、及内容がわかれば会報にひきつゞきのせて行きます。以上は〃社会教育の自主性を守る懇談会〃の資料より)

〃記録映画〃 三月号予告

特集、マスコミにおける記録、教育映画

サイフォン的コミュニケーション（仮題） 花田清輝
メカニズムとしてのマスコミ攻勢の現状（仮題） 不明
ルポルタージュ・テレビ映画 菅家陳彦
反動攻勢下のマスコミ、映画を中心に 桑野茂
女流作家の記録 厚木たか 大沼鉄郎 杉原せつ かんり・まり 山村麟子
現場通信 伊勢長之助 永富映次郎 近藤才司
作品評 教材映画 苗田康夫
地底の凱歌 羽仁進
豊田佐吉の少年時代 柳沢寿男
（主体性論の提言・2 花松正卜）
映画関係文献目録 松本俊夫
書評「裁かれる記録」安部公房 野田真吉
「裸の日本人」佐藤忠男 杉山正美
最近の記録映画（3） 岩佐氏寿

発行予定は三月上旬です。

動静

苗田康夫
「赤石の山峡」「旭化成富士工場」それぞれ二月ロケ別に農村もの二巻脚本執筆中。日映新社

西尾善介
セミドキ「海もの」長編準備中
日映

花松正卜
岩波の職場を中心に「今日の芸術」の内容と方法とに関してのオーソドックスな研究会誕生の機運が濃厚です。こうした、活動の展開に際して「組織方針」や「経済方針」などは二次的なもので綱領、及至は運動方針こそが一次的だというのは全くの自明の理なのですが、その綱領作成が仲々むずかしい。連月、頭を悩ましています。

日高昭
日本短篇映画社にて「日本のフイルム」（フジカラー二巻）の脚本演出中。二月完成予定。

村上雅英
桜映画社で「最上川風土記」三十五㎜三巻「おやじの日曜日」三十五㎜三巻終りました。

村田達二
新東宝、教育映画部「ベアリング製造」二月初旬完成の予定

能登節雄
〃第五福龍丸〃の封切が二月十八日大映系なのでその前売と宣伝で一生県命です。

松本俊夫
新理研映画を昨年一ぱいで退職し、フリーとなりました。現在、新世界プロダクションで全国中学校卒業生のぶつかつている就職問題をあつかつた映画をシナリオ、演出ですゝめています。

吉見泰
「癌」と「結核」2部とを追つています。このような科学的な作品は探険的な要素を沢山もつていながら、昔からその面白さがなかなか出ません。それをなんとかつかまえたいと思つています。

古川良範
いま記録映画社で社会教育映画「おやじ」（仮題）のシナリオを書いています。あわせて東映の児童劇を進めています。

楠木徳男
現在日本ドキユメントフイルムにて次の仕事の待機中です。

深江正彦
「大気汚染」（シネスコ）準備中「城ケ島大橋建設記録」撮影、最終段階に入りました。

豊田敬太
東映で児童劇「なまはげ」5巻の準備中、先日なまはげの本場男鹿半島へロケハンしたら雪が少くて駄目なので山形新庄方面へロケハンやり直しの予定。シナリオは長谷部慶治氏で原作は柴田北彦氏の戯曲。

丹生正
日映科学の脚本中、教配作品の脚本中。

永富映次郎
航空幕僚監部、新東宝製作映画「日本の空を守る人々」撮影完了、「緊急出撃・スクランブル」と改題目下編集中。

前田庸言
産経映画社にて森田さんのお手伝です。二月中完成。忙しさにとりまぎれお知らせもしませんでしたが、昨年末結婚致しました。簡略で申訳ありませんが、この欄をかりてお知らせします。今後とも先輩諸兄姉の御指導をお願い致します。

小高美秋
電通映画部で仕事をしています。

川本昌
日経映画社の第一回作品のロケハン中です。

間宮則夫
日経映画社にて働いています。

河野哲二
日経映画社の仕事をしています。

黒木和雄
「横須賀火力」前篇のロケ中です

山本升良
中央教育研究所作品「都市と交通」第一部撮影中、和歌山市委託「新しい和歌山市」編集了。「和歌山城再建記録」編集中、次回自主社会教育映画準備中、何れも三木映画社にて

八木仁平
コミユニケーション・ジャパン一月末録音

西田真佐雄
次作待機

杉原せつ
共同映画でシナリオを書いております。浦和市で働くお母さんたちの手によつて託児所がつくられた話をテーマとした三巻の劇ものです。

菅家陳彦
ようやく健康をとりもどしました。二月からは記録映画社で社会教育用映画を一本撮る予定です。永い間の御声援に心から感謝致します。

かんけ・まり
本年始めから日経映画社で社会科教材をつくることになり、目下準備中です。

秦康夫
PR映画「オートメーション第二部」の資料調査

入江一彰
〃僕らは文化をつくる〃二巻クランク・アップ（電通映画部）〃宇宙の言葉〃EK二巻準備（読売映画）

小森幸雄

一月で岩波の仕事が終り二月一日付けで今度出来たフジテレビの映画部で仕事をする事になりました。今後共宜敷くお願いします。

渡辺正己

東京シネマの科学映画で東大伝染病研究所へ通つてます。

岡本昌雄

「郵便シリーズ」で九州方面へロケ中

塚原孝一

電通の仕事が十二月で打切りました。一月二九日日経映画社に契約し二十日ぐらいと思います。

岩崎鉄也

昨年十二月末迄電通にて仕事していましたが其の後体の状態が少々思わしくなく数日前迄家にて休んでおりました。現在待期中です。

吉田六郎

「窓の霜」のため零下二十度の低温室でテツ夜を五・六日やつたため、冷え込み「リユーマチ」につてしまいまして目下静養中です。しばらく冬眠して、春めいて来たら仕事を始めようと思います。

上野耕三

☆製作中の作品歴史教材映画大系「東山文化」「貴族の生活」「京のみやこ」社会教育映画「おやじ」企画中のもの「オートメーション」(中篇)「横河電機紹介」

岩崎太郎

去年からの仕掛けの仕事を全部終つて目下宮々と準備中。数えてみると、去年一年に一巻物二巻物とりまぜて六本(脚本演出)オートスライド二本(演出)トレクラーフイルム三本(脚本)つくつた勘定。いやはや全くの便利屋と申すべきでしょうな。

徳永瑞夫

『トカラ群島』(記録)企画中、脚本第一稿撮影三月より、『醤油』(ニビシ醤油、フンドーキン醤油、PR、各カラー)脚本・演出二日撮影―共同映画

『博多の話題』『私の一日(仮題)』撮影中いずれも十五分もの十三回分(一クール)RKR毎日、九州朝日テレビより三月から九州電通

『八幡化学』(PR)カラー四巻五月より(準備中)『若松戸畑間架橋工事記録』(PR)四月より(準備中)―新文化プロ

川崎健史

「淡水の貝」一巻、「みんなでつくる公民館」二巻、「江州平野」三巻、製作中

会費調整について

フリー

返事下さつた方々

河野哲二、谷川義雄、富沢幸男、永富映次郎、杉山正美、間宮則夫松本俊夫、八幡省三、高島一男、九名

まだ返事のない方々

馬場英太郎、韮沢正、小津淳三、三名

フリー助監督

返事下さつた方々

日高昭、楠木徳男、川本博康、島谷陽一郎、中島日出夫、渡辺正己、岩崎鉄也、杉原せつ、小森幸雄、村上雅英、仲原湧作、塚原孝一、十二名

まだ返事のない方々

森田実、片桐直樹、豊富靖、小泉堯、小島義史、小谷田亘、小野寺正寿、頓宮慶蔵、安倍成男、松本公雄、坂田邦臣、久保田義久、十二名

企業

返事下さつた方々

吉田六郎、黒木和雄、藤原智子、奥山大六郎、中村麟子、清家武春岡本昌雄、樺島清一、西本祥子、山添哲、苗田康夫、前田庸言、近藤才司、秦康夫、深江正彦、徳永瑞夫、西田真佐雄、大沼鉄郎、山本升良、花松正卜、神馬寿佐雄、大島正明、川本昌、大野祐、松本治助　二五名

まだ返事のない方々

高村武次、羽仁進、羽田澄子、時枝俊江、各務洋一、肥田侃、椎葉豊明、田中実、秋山矜一、坊野貞男、二瓶直樹、岸光男、草門達夫、清水進、三上章、田部純正、諸岡青人、下坂利春、飯田勢一郎、長野千秋、長井泰治、平田繁治、諸橋一、三浦卓造、山口淳子、田中堯平、森田純、高綱則之、吉田和雄、西沢周基、大久保信哉、八木進、本間賢二、高井達人、田中平八郎　三五名

以上です。まだ返事の出していない方は、至急事務局へ返事を下さるか運営委員と話し合つて会費の額をきめて下さい。

又運営委員会では会費調整と共に三ケ月以上滞納の方には会費納入の警告書をおくり、六ケ月以上になつた時は〃記録映画〃をおくらず、誠意のないものは理由をきき、退会してもらうこととなりました。

＝事務局よりお知らせ＝

△会費調整について

(1)今回総会において左記のように会費を調整し、1.一本立の作家原則として五〇〇円、2.助監督のフリー三〇〇円、企業二〇〇円、礼金を廃止、3.賛助会員は会費ランクの再調整にきまりました。以上ですがまだ別に同封したハガキにて返事がとどいていない方々がありますが至急事務局へ御返事下さるか運営委員の方へお話し下さるようお願します。

(2)規約にもとづいて三ケ月以上滞納者には警告をし、六ケ月以上滞納者には雑誌発送を中止し、会にのこるか、退会するかについて運営委員が話し合にあたる。会費が三ケ月近く納入されゝば又雑誌の発送はする。

△今回新らしく会員名簿を作ります。

別にハガキに〝名簿録調査表〟をすでに同封しましたが、今だにとどいていない方があります。会員名簿を作りますので至急事務局へ書きこんで事務局へおおくり下さい。

△雑誌〝記録映画〟の固定読者を

総会の決定により雑誌〝記録映画〟を会員一人一人に一部づつよけいに同封します。一冊の場合は七〇円、固定読者として紹介下さつた方には半ケ月分四〇〇円になります。一部の場合は三月分会費と共に又固定読者の場合には、電話にて事務局へ住所と氏名をお知らせ下されば事務局よりおゝくりします。

（註、いづれも大切なものですので熟読下さい）

△前売券があります。

①〝第五福龍丸〟近代映協、新世紀作品、大映二月十八日より封切築地大映一七〇円の処一三〇円の前売券あり。

②〝白痴〟ドフトエフスキー原作ソ連映画、一月三一日より東劇、ロードショウ二〇〇円の処一五〇円事務局へ現金持参お申込下さい。

△映画雑誌の紹介

(1)〝映画批評〟二月号一部七〇円

(2)〝世界映画資料〟＝科学映画とは何か＝二月号　一部一〇〇円

いずれも事務局にあり申込下さい。

△健保に加入されている方々へ、四月で保険証が変ります。保険料納入の節は納入印をおしますので月末には保険料と保険証を事務局までおとどけ下さい。

住所変更

小泉　尭　新宿区淀橋六七一深沢方

花松正ト　杉並区天沼三の八八九宗政方

岩崎鉄也　渋谷区千駄ケ谷五の九〇二　佐飛方

坊野貞雄　武蔵野市西窪緑町住宅三二ー一三〇

安部成男　市川市大州町四〇八三

会員変動のお知らせ

新入会員

田中　徹（フリー）杉並区天沼三ー六九三

大内田圭弥（フリー助監督）世田ケ谷区代田一ー五九三

松川八洲雄（企業助監督）世田ケ谷区玉川奥沢町三の二九六

フリー会員

松本俊夫、都合により十二月三一日付をもつて新理研を退社、フリーとなりました。

企業会員

河野啓二、間宮則夫、前田庸言、川本昌、森田実の諸氏は日経映画所属になりました。

小森幸雄氏はフジテレビ所属になりました。

協会財政会計報告　一月分

収入の部

会費納入	四三、六〇〇円
寄附	一、六〇〇
雑収入	六、八八〇
計	五二、〇八〇

支出の部

事務局費一月分	五、〇〇〇円
雑費	七、三三五
通信費	三、八八〇
電話料	三、六七九
交通費	三、三五二
人件費	二〇、〇〇〇
文具費	四三〇
会合費	七〇〇
印刷費	五、〇〇〇
計	四九、三七六
差額	二、七〇四

〝記録映画〟会計報告

収入の部

広告料	二九、五〇〇円
予約読者	一〇、九四〇
売上額	四、六八〇
計	四五、一二〇

支出の部

交通費	三、〇三二円
人件費	六、〇〇〇
通信費	二一七
電話料	三、三二八
会議費	一〇〇
雑費	五、六九〇
印刷費	九、五七六
文具品	一六五
計	二八、一〇八
差額	一七、一一二

（註、今回残額が多いのはベースボールマガジン社に支払う広告代がふくまれているからです。）

1959・3・10　発行

教育映画作家協会々報

No42

教育映画作家協会
東京都中央区銀座西8―5　日吉ビル四階　TEL (57) 5418

固定読者をふやし
雑誌財政を確立しよう！
＝二月二〇日常任委員会報告＝

①会費の問題について

一月現在会費納入率は平均七五%であったものが八〇%、四五〇〇円近く入っている。この増加は〃記録映画〃の発行と、グループ活動の成果ではあるが、値上げに対し、まだ一部で未解決の企業があり、二月中には解決の為に常任運営委員があたる。又アニメーションの場合も同じ。

②雑誌の問題について

A〇固定読者については二月下旬で一〇〇名をこえる（一月下旬では六〇名であった）がまだ全体の方々の協力にまでいたっていない。ある人は十名も紹介してきているが、多くの方々は返事がないのが実情である。

〇そこで特定の号にかぎり多く読者を取って戴くこともよいこととする。

〇六ケ月先のことをも充分考え、ひきつづいて取ってもらう工作もつづける。こと等がきめられた。

B当面の雑誌財政として

〇要請されている二月号印刷費四万円を支払い、原稿料、その他は三月にまわし金繰する。

〇今後の金繰としては、㋑広告を多く取ること、㋺その他による寄附によってまかなう。又協力者との懇談会（〃記録映画〃を良くして行こうと云われている協会外の方々）を開くことも出されている。

③総評映画について

協会として協会のタイトルを入れることゝなり、記録映画研究会としてシナリオ研究等を考え協会員全員に反映するようにすること。題名は〃日本の政治〃ということで二巻もの。総評の文化部と、共同映画社で作られ、脚本、演出に作家協会所属の方が参加している。

④新入会者　渡辺大年、原田勉、藤田幸平が承認されました。

⑤会報に〃社会教育法改正について〃〃十六ミリ・フイルムの物品税〃〃戦艦ポチョムキン〃等のことを解説としてのせることとなった。

⑥会費の納入率及び雑誌の財政等の判明する時を見て次回運営委員会を三月十日に開くこととなった。

××　××

自主出版にあたり
計画を充つに！

二月十四日経営委員会報告

☆編集委員会で経営委の方から出した原稿料毎月三〇〇〇円以内で行くことが確認された。

☆固定読者について二〇名増で二月十四日現在八〇名となる。（注三月五日現在一二〇名となる）

☆会費値上に対する増収分はどうか、まだ未解決の企業もあるので話し合って行く。

☆試写会の発送はすでにはじめている。

☆本屋への販売について、一部五〇円でおろす。有楽町、渋谷、新宿、池袋、神田等の本屋へおくよう工作中。

☆広告について

協力するプロダクションも出てきており又その他にもあたって四万円近くを目標とする。

☆贈呈先について

各新聞、通信社、出版社関係に一二〇通近く発送又はとどけるようにする。

☆販売について、大学映研、映サ等については三ケ月間贈呈をつづけその中で固定をとって行くようにする。

☆映画会について

読者拡大の為の映画会の計画を立てる。学校映研とむすび会場を、大使館又は協力なプロより

フイルムを借用して四月より行う。

〃TVと映画界の現状〃についての話し合い

フェスティバルを国内でも開く！

国民文化会議映画部会

二月二七日後二時国民文化会議映画部会報告。

①安保条約研究会が開かれ三月一日にパンフレット作り、大衆集会を開く。

②二月二一、二二日三多摩文化集会を開く。

③サークル交流雑誌の発行のこと

④全国代表者会議を開く。

☆フェスティバル関係について

今年ウイーンで七月に青年学生平和友好祭が開かれる。

(イ)美術→国内運動のこと、実行委員会もつ。

(ロ)舞踊→文化関係だけ切はなしたい。国内運動してほしい。

(ハ)音楽→実行委員会できめる。

(ニ)生活文化→分科会に入ってもらう。

☆各ジャンルの報告をまとめると、

(イ)民主団体の割引活動の調整

(ロ)東映、教配の十六ミリ配給網の進出

(ハ)映演総連の大会四月八、九日に開く。

(ニ)シナリオ作家にも六社協定のようなものがおゝいかぶさって来ている。

(ホ)独立プロの今後の問題

今後の運動について

☆フェスティバルについて

三月十八日（水）後一時サボイ（松竹会館地下）実行委員会とし、国内運動、その他をきめる。

☆定例映画部会

三月二四日（水）後六時、新聞会館、テーマー〃マスコミについて〃TVと映画界の現状、を各方面の方々と話し合う。

研究会お知らせ

○記録映画研究会を二月十九日に開きましたが集まりがわるく、こんごはハガキをもつて各人に通知することとなりました。皆さん方の協力をおねがいします。

又科学映画研究会についても同じようにハガキにて連絡をとります。総会においてきめられた、グループ活動強化の点からも協会員の参加はなによりも大切なことです。

〃TVと映画界の現状について〃懇談会

と き○三月二四日（火）後六時

ところ○新聞会館（銀座二丁目松屋裏）

会 費　一〇〇円

内容〃TVと映画界の現状について〃懇談会

当日は労組文化部、団体関係の方々も出席されますので、作家協会としてはテレビ映画にたずさわれている方々は出席して現状を話していただきたいと思います。

主催・国民文化会議映画部会

試写会のお知らせ

◎特別試写会のお知らせ

〃戦艦ポチョムキン〃

(イ)三月十二日（木）後五・三〇　後七・〇〇

虎の門共済ホール

(ロ)三月二十一日（土）前一〇　後一・〇〇時　後三・〇〇

豊島公会堂

いずれも会費一五〇円（パンフ付）

※短編として〃世界は屋根の下〃〃つぐみ〃

◎短編試写会のお知らせ

短編試写会の日時、場所をお知らせします。内容についてはハガキで知らせます。御都合つけて出席下さい。

○三月十七日（火）十二時三十分

山葉ホール　新作試写会、連盟主催

○三月二十五日（水）前十時　後一時　三時、白木屋ホール、映協主催

〃記録映画〃4月号（予告）

☆特集「映画と教育」☆

視聴覚的人間形成と教育　乾　孝

マス・コミ時代における映画

教育と映画について　岩崎　昶

教育映画の方法　高桑康雄

岩佐氏寿

教育映画製作体験と意見

丸山章治　岡本昌雄

柳沢寿男　石田　修

現場の教師として教育映画を見る　鈴木喜代春

子どものファンタジーと児童劇映画　佐野美津男

倒錯者の論理　松本俊夫

座談会・社会教育映画と社会教育法改悪

重松敬一　荒川英郎

豊田敬太　田中　徹

（文献）ポールルータ〃記録映画の歴史〃

訳　厚木たか

作品評　稲と機関車

野田真吉

その他不明

現場通信

間宮則夫

谷川義雄

解説（1）

社会教育法改正案について（その２）

　前回の会報に反対運動にふれて書きましたが今回はその内容にふれて見ます。細部については〃記録映画〃四月号に座談会としてふれられていますので、大切な面のみにふれます。

①この改正案は「国及び地方公共団体は、社会教育関係団体に対し補助金を与えてはならない」という現行社会教育法一三条を削ろうとしている。そして、そのために、補助金を通じて社会教育を統制しようとするものである。

　この規定は憲法八九条から来ているもので「公の支配に属しない慈善、教育……の事業」に対して公金を支出してはいけないと定めている。この規定を削ろうというところに問題がある。公の支配に属しない社会教育関係団体に対して公金を出せる道を開こうとするものであり、憲法八九条を無視しようとするものであり、国家統制への道を開くものだと評されるところである。

　又現に社会教育に関係する人たちからは前回のように強い反対が唱えられている。その反対をおしきってまでその改正を断行する必要がいったいどこにあるのであろうか。ところが実際は多くの社会教育関係団体には金がないから、とかく公金をほしがる。その弱味につけこんで、補助金を通じて社会教育関係団体を多かれ少なかれ事実上「公の支配」の下に置こうという考えが出てきている。

②社会教育主事の養成、任命に対する、文部大臣、都道府県教育委員会の権限を強めることが出されている。この社会教育主事の養成は研究の蓄積がある大学で行うべきであり、政党出身の文部大臣が認めた機関や任命制の教育委員会が行うことは政党支配をもちこむことになる。例えば文部省が日青協理事会を傍聴して、発言の内容次第で各県の社会教育課長を通じて注意を促がすというやり方からもこの懸念が裏書きされている。また社会教育委員の権限を強めることは、町の有力者につながる社会教育委員の実情からみて危険である。このことは社会教育委員に青少年問題に対する直接権限を与えることとなる。

③公民館の設置だけではなく運営の基準まで決めようとすることは公民館活動を制約するもので親切の押しつけになり、統制への方向をもっている。

（２）文部省良書認定制度にたいする反対声明（案）

（この度、日本子どもを守る会の文部省良書認定制度反対の会合において次の声明書を出すことを決定。各団体に賛成するむねの要請があり常任運営委員会としてその趣旨に賛成し作家協会の名を連ねることになったのでその声明書を掲載します。）

　このたび文部省の青少年向良書認定制度がいよいよ実施されることとなり、昨年末に十二名の委員の名と共に発表されました。

　優良図書選定は現に民間諸団体により、さかんに行われているにもかゝわらず、更に役所がこれを新しく行うということには問題があります。

　児童図書の悪書追放がやかましかった頃には、悪書を追放する方法として図書の検閲統制の意見が出たのに対して、心ある人々の意見として、それは戦争中の官僚の思想統制を招く危険が少くないという理由で反対されました。文部省の図書選定も、子どもたちによい本をとか、思想の善導という美名にかくれて、文化の自由が失われ、思想統制が行われることは火をみるより明かです。

　戦争中、出版統制の緒を作ったものが、児童図書の選定であったことを考え併せるときに、私たちは反対せざるを得ません。

　殊に、社会教育法改正、勤務評定、道徳教育、警職法等にみられるような最近の政府の動きを考えると、文部省の図書選定もそれにつながる一つとして私どもは黙って見過すことは出来ません。

　子どもによい本を与えるためには、民間諸団体の図書選定事業を助け、それを周知徹底させることこそ大切であると思います。

　教育、児童文化の自由な、民主的な発展を願う私どもは、それをさまたげるおそれのある文部省の図書選定には、絶対反対いたします。

一九五九年　月　日

四一団体（主な団体名）

日本児童文学者協会
日本図書館協会
日本児童文芸家協会
日本子どもを守る会
日本青年団協議会
国民文化会議
全日本教育大学児童文化連盟
草の実会　　等々

（3） 十六ミリ・生フィルムの物品税改正について

教育映画製作者連盟は二月十七日、政府と国会に「映画業務用一六ミリ・生フィルムの物品税改正に関する陳情書」を提出した。

その理由は現行法では三五ミリ、十六ミリフィルムは同一の税率を適用、同一取扱であったものを、大蔵省の三十四年度税制改革にもとづく物品税改正案は、従来政令により免税措置となっていた天然色ポジ・フイルムのうち、三五ミリに一〇％、一六ミリに三〇％課税し、またネガ・フイルムは黒白、天然色とも三五ミリは免税、一六ミリは三〇％課税され、改正案は三五ミリ・フイルムだけ優遇しているという差別課税に反対したものである。

では十六ミリの現状をのぞいて見れば、

天然色ポジ・フイルム

(一) 一六ミリ映画製作社が一〇〇あり、三二年度の製作本数六八八種、一六二二巻、のうち一六ミリ製作は四七％（三二六種）を占めプリント売上高も黒白、天然色あわせて一〇億円を上げている。

(二) 一六ミリは価格の点でも技術の点でも業務用である。

(三) 一六ミリフィルムに対する報道、教育用の特殊用途免税制度は、三五ミリも同様に適用が受けられるもので、一六ミリだけを区別すべきものでない。

(四) 物品税を三五ミリと一六ミリによって差別をつけるのは技術的にみても公正を欠く。三五ミリから一六ミリに縮写する方式も行われ、また「マナスルに立つ」などのように一六ミリで撮影し、三五ミリに拡大するものもある。

☆撮影用フイルム

(一) 映画は映画館で上映される映画の製作のみが映画産業の使命ではなく、農山漁村、学校、公民館、団体工場で映画を教育の手段として活用する一六ミリ映画があり、学校、社会、職能教育、さらに青少年の娯楽に役立っている。三三年現在全国の一六ミリ映写機の所有台数は一九八〇〇台、年間観客動員数五億九千四百万人と推定されている。

(二) これからの映画の製作は、はじめから一六ミリで撮影し、密着で一六ミリにプリントされるものと、三五ミリで撮影し、一六ミリに縮写プリントされるものと二つの方式がある。三三年上半期（一～六月）の製作数は三二七種七六〇巻（テレビ用を除く）の四〇・七％（一二九種、二二九巻）が一六ミリ・ネガで製作されたものである。

以上からみて、三五ミリと一六ミリを区別して課税するのは不合理で、とくにアメリカを除く他の世界各国は映画館の上映にたよらず、一六ミリの非劇場用の教育記録映画を製作するものを保護育成しているのに、興行用三五ミリフィルムのみに減税することが差別課税であるとして反対のむね陳情書を提出したものである。

"戦艦ポチョムキン" 上映促進会報告

二月二三日、国鉄有楽町国鉄クラブで開かれ、横浜の二月二一日の促進会結成の報告があり、三月中旬の特別試写会の発表がなされ又パンフレット（一部五〇円）の完成されたことの報告があった。

〇三月十二日（水）後五、三〇、後七〇〇虎の門共済ホール

〇三月十三日（木）後六、〇〇、千代田丸事件、共済ホール

〇三月十五日（日）砂防会館
　前十時　松川事件
　後一時　三・一五事件
　後六時　アカハタ

〇三月二〇日（金）アカハタ、杉並公会堂

（注、十二日以後は各団体がうけもつ）

会費はいずれも一五〇円（パンフレット付）

一般公開を四月上旬新宿名画座、テアトル銀座で行う予定。

人世座労組より資金カンパの為映画会にプリントを借してほしいということとなり二八日の世話人会できめることとなった。

二月二八日世話人会で次のことがきめられた。

〇静岡県における上映委員会を作ることが出され沼津、三島、静岡で四月上旬に行うこと。

〇劇場上映のことが出され、新宿名画座で一般一〇〇円、団体八〇円、四月六日～十一日、その他としてテアトル銀座をあたる。

〇"戦艦ポチョムキン"上映促進会の事務局をもうけることともめ、一六ミリ化の問題、エイゼンシュタイン研究フイルム（新しいもの）幻灯等のことが出された。

〇世界映画協会と促進会との関係をはっきりさせて行くこと。

〇人世座労組オーエンの映画会決定三月二十一日（土）祭日、前十時、後一時、後三時、豊島公会堂で開く。

××　××

動静

河野 哲二

日経映画社で仕事をしています。撮影が終って編集中です。

深江 正彦

「大気汚染」撮影中「相模川」の撮影にもかゝりました。両方シネスコです。記録映画こそワイド化さるべきことを知りました。

八木 仁平

『キャノン・シンクロリーダ』撮影準備中

荒井 英郎

新世界プロダクションで「東京の生活」というのをつくっています。

頓宮 慶蔵

昨年十二月より三井芸術にて〃東京アイソトープセンター〃の建設記録の仕事をしています。近日、〃東海村国産原子炉〃の建設記録が並行してクランクする予定。

上野 大梧

三井芸術プロ「電弧の世界」の（仮題）神戸ロケ一応終了、帰京、中旬松山ロケの予定。

藤原 智子

二月三日を以て新理研映画を退社しフリーになりました。理由はよくある〃争議の結末〃という奴で、これ以上会社にとどまっても仕事をする条件がなくなってしまったものですから。

この際じっくりと根をおろして仕事をつづけてゆきたいと思っています。よろしく御指導下さい。

島谷陽一郎

あい変らずTVCMとかCMFILMとかPRの仕事で毎日毎日あくせくと暮しております。仲々研究会にも出られずごぶさたいたしておりますが皆様によろしくお伝え下さい。

山口 淳子

昨年末から「チョゴリザ」ー（花嫁の峰）伊勢長之助氏編集の助手をしています。

諸岡 青人

一月十九日より二月十一日まで九州方面にロケに行きました。

山本 升良

中央教育研究所作品「都市の交通」第一部撮影中、和歌山市委託「新しい和歌山市」編集了、同じく「和歌山城再建記録」編集中、次回自主社会教育映画準備中、右何れも三木映画社にて。

吉見 泰

なおひきつづき「湿」と「TB2部」の仕事に集中しています。現場のテストの材料とにらみ合せながら、台本の具体化をすゝめて行くのです。そのほか二、三の新企画をたてゝいます（東京シネマにて）

村田 達二

新東宝、教育映画部で仂いています。

肥田 侃

○新名古屋火力編集中
○東芝奥只見用発電機調査中
○最近質的な向上の見られないPR映画に、新風を吹き込みたいと念願して或自動車用シノプレスを書きましたが、どうも陽の目を見られそうにありません。
○どうも岩波の人間はもちろん私もふくめて、協会に対する積極性に欠けているようです。自分たちだけに罪があるのか、協会に魅力がないのか、おそらくその両方なのでしょうが。

野田 真吉

「この人たちを」東京映研社という記録映画を演出します。身体障害者の問題をあつかったものです。三月上旬には完成の予定です。

久保田義久

三井芸術プロダクション「暮しのせんい」ロケ中です。

豊田 敬太

三月中旬より〃お母さんの耳は買えない〃（児童劇三巻）にかゝる予定で準備中です。脚本、古川良範なお二月から、一年間東映と契約しました。

榛葉 豊明

〃たのしい科学〃シリーズの「鏡のふしぎ」を完成。次回作の準備中です。

＝会費納入曲線＝

※10月の100％　12月の130％なのは滞納者より会費を要請し会費の滞納分が入つた為です。
※その他の月が会費の納入の平常のありさまです。

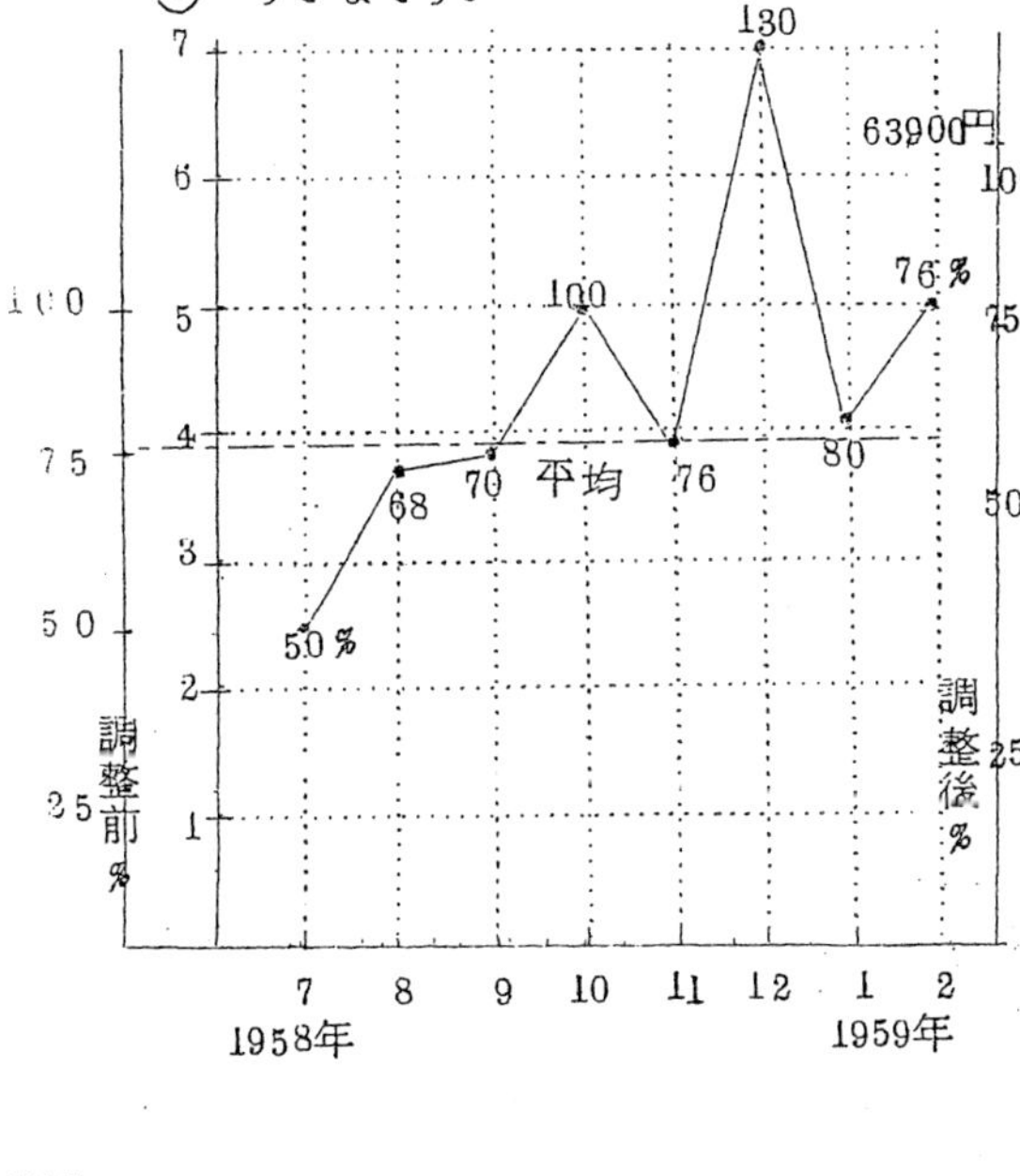

事務局よりお知らせ

△会費調整につきましては常任運営委員の呼びかけもあり、原則的にみとめて戴き、会費もそのように入りつゝあります。まだ少数の方々が会費調整のことで賛成されていませんので常任運営委員が話し合っています。近々にかいけつするはこびになっています。

(1)今までの会費（調整前）の総額は五〇、六五〇円となり、平均納入率は七五%、四二、〇〇〇円になります。

(2)調整後の総額は六三、九〇〇円となり、二月分の納入額が四八、六〇〇円なので七六%となり%では調整前より一%上になります。額として上っているし、納入曲線から見ても増加していることがわかります。（五頁の曲線を参照のこと）

△雑誌〃記録映画〃の

固定読者を！

総会において雑誌〃記録映画〃を拡大する為に一部づつしきうけて戴くこととなりました。その方法については運営委員会で審議した結果、一応皆さんに〃記録映画〃を一部づつよけいに同封し、おのおのが読者をみつけて戴く方法をきめ今実行していいます。然しまだよく内容のおわかりになっていない方もおいでなので簡単に説明します。

(イ)同封の雑誌〃記録映画〃を読者になるよう紹介下されゝば、すぐ事務局へ電話し、その方の住所と氏名をきかせて戴ければその方の所へ今後〃記録映画〃をおゝくりします。但し代金は半ケ年分四〇〇円、一ケ年八〇〇円をその方の所へ請求するようになります。

(ロ)一冊づつそのつど売って戴く場合は七〇円を会費と共に戴くようになります。

以上の方法ですが御批判、御意見がありますれば事務局の方へ申し出て下さい。

△映画雑誌の紹介

(1)〃映画批評〃は二月号より一時発行中止になりました。

(2)〃世界映画資料〃バックメンバーもそろっています。

二月号—「科学映画とは何か」

三月号—

で一部一〇〇円です。事務局にあります。

△健保に加入されている方々へ、四月で保険証が変ります。保険料納入の節は納入印をおしますので月末に保険料と保険証を事務局までおとどけ下さい。

〇…………〇

〇…………〇

会員変動のお知らせ

住所変更

西本祥子　杉並区東田町一ノ五一　清水方

新入会員

原田　勉（企業所属）世田ケ谷区北沢二ノ二七三和泉アパート

藤田幸平（企業所属）福岡市藤崎二丁目一二六番地

渡辺大年（企業所属助監督）渋谷区代々木山谷町一四四横山方

いずれも三月より。

協会財政会計報告　二月分

収入の部

会費	四八、六〇〇円
雑収入	四、一四八
計	五二、七四八

支出の部

事務所費	五、〇〇〇円
交通費	二、四九〇
用品文具費	六七五
人件費	二六、〇〇〇
通信費	二、三〇四
電話料	三、二五二円
印刷費	九、〇〇〇
雑費	一三、三三五
計	六一、九五六
差引不足金	九、二〇八

〃記録映画〃会計報告二月分

収入の部

予約金	一二、九七〇円
売上	五、四九〇
広告料	二七、五〇〇
雑収入	六、〇〇〇
計	五一、九六〇

支出の部

交通費	三、八四〇円
電話料	二、八六二
雑費	七、一〇〇
印刷費	四一、四〇〇
通信費	四、八〇一
用品文具費	二〇〇
雑誌代	一〇、〇八〇
計	七〇、二八三
差引不足金	一八、三二三

（注、今回不足金の多いのは常任運営委員会の決定によりベース・ボールへ三月号の印刷費四万円を支払った為であります）

××××　××××　××××

1959. 4. 10 発行

教育映画作家協会々報

教育映画作家協会　No43
東京都中央区銀座西８－５　日吉ビル四階　TEL (57)5418

"記録映画"財政確立月間と事務局体制と給与改正について

拡大常任運営委員会

三月二五日（水）後五時、協会事務局で拡六常任運営委員会を開き次のことが報告及び内定した。

㈠ "ふだん見られない映画会"について

"記録映画"を販売し宣伝する一つとして前々から経営委員会で計画されていたもので、チエッコ大使館、日映科学の協力によつて具体化し、東京映愛連の協力もあつて、四月二一日、日比谷図書館地下ホールで四〇〇名動員（半部は東京映愛運動員しきうける費用も半々）二〇〇名の内、一〇〇名を今までの固定読者に、あとの一〇〇名を協会で動員することとなつた。一枚会費三〇円、これで費用をまかない赤子を出さないことになつている。

㈡ 国民文化会議報告

(イ) テレビと映画研究会（"動き"欄にのつている）、(ロ)フエ・シュバルについては富沢事務局長、大沼鉄郎氏が出席、次回は四月三日に行われる。

㈢ 8ミリ映画研究会報告、（"動き"欄にのつている）

㈣ 新映倫のこと（解説にのつている）

㈤ ソヴエット映画人来日について
（"動き"の欄にあり）

㈥ 事務局員給与値上と
"記録映画"及び"協会財政"について

佐々木守氏が学校を卒業、給与の要求として一〇、〇〇〇円が出ており、又山之内、加藤両氏よりも値上げしてほしいとの要求がある。協会財政及び"記録映画"財政とを検討の上次のような財政基礎案が出され討議された。

◎協会財政案

収入の部

会　費　五〇、〇〇〇円（会費七六％）
雑収入　七、〇〇〇円（寄　附）
計　五七、〇〇〇円

支出の部

人件費　三一、〇〇〇円（値上してある）
（内訳は加藤五、七五〇　山之内一七、二五〇、佐々木八、〇〇〇予定です）
印刷費　五、〇〇〇円
事務所　五、〇〇〇円
電話代　三、〇〇〇円
通信費　三、五〇〇円
交通費　三、五〇〇円
文具費　一、〇〇〇円
会合費　一、〇〇〇円
雑　費　四、〇〇〇円（ボーナス含む）
計　五七、〇〇〇円

◎記録映画財政案

収入の部

広告費　四〇、〇〇〇円
売上代　六、五〇〇円（一三〇部）
予　約　八、〇〇〇円（一ケ月分として一六〇部）
計　五四、五〇〇円

支出の部

印刷費　四〇、〇〇〇円
交通費　三、〇〇〇円
通信費　三、五〇〇円
電話代　三、〇〇〇円
会合費　一、〇〇〇円
文具費　五〇〇円
原稿料　三、〇〇〇円
雑　五〇〇円
計　五四、五〇〇円

以上の案が出され、

(イ) 六月まで先の人件費三一、〇〇〇円でやつてもらう。唯佐々木氏については一〇、〇〇〇円という点もあるのでボーナスの先払い毎月二、〇〇〇円増という点が出されている。六月以後は、その時の財政によつて検討する

(ロ) 唯、"記録映画"関係は四万円の運転資金がないと運営出来ないので一万円でも二千円でもよいから毎月協力してもらえる協力者をさがし出し、四万円を、三万、二万とへらして行くようにして行くことで六月まで突撃月間としてがんばる。

(ハ) "ふだん見られない映画会の大きなもの計画して事業収入をも考える。

㈡ 事務局体制をも確立して行く。

以上について四月十五日頃運営委員会を開いて決定する。

×××　　×××　　×××

編集に新鮮みを持たせ　販売拡大の為の〝ふだん見られない映画を見る会〟を！

経営、編集合同会議

三月三〇日（月）後五時より、協会事務局で〝記録映画〟編集及経営合同会議が開かれた。

㈠編集関係について

㋑原稿料について、四月号乾考氏の依頼原稿には三、〇〇〇円を払い、他の方々には出来ればお礼を出したいむねいわれた。

五月号は関根弘氏に三、〇〇〇円を払う。

又社会教育法案座談会の経費が五、〇〇〇円近くかゝっており、以上からも原稿料として三、〇〇〇円以外のものは編集部として責任をもって広告収入をふやして行くことを再確認した。

㋺五月号責任者を、谷川義雄氏、西本祥子さんがあたる。

㋩六月号を創刊一周年号として、名刺広告等取って増頁にする案も出された。

㋥五月号に(A)皇太子御成婚について(B)〝恋人たち〟検閲問題等をつけくわえることが出された。

㈡経営関係について

㋑経営としてはどこからでも広告収入として入ったものは四万円の運転資金の方にまわることを原則とする。

㋺特に編集委から希望があってその月内に資金がつごうつく場合にかぎり原稿料をふやすことが出来るとした。

㋩経営委員会を月末にもち、会計報告を出し経営、編集合同会議を月初めに開くようにする。

㋥販売を拡めることについて

(A)各地方新聞、及地方テレビ局に贈呈分をおくるようにする。

(B)定期的に映画会（ふだん見られない映画を見る会）を開く。

五月は労組関係の映画というように、系統のあったものを組合せる。

戦前、戦後のレジスタンス映画、実験映画、等々、よびかけ団体は映サ、労組、文学サークル、又雑誌の内容もそれと関係あるものにして行く。

(C)書店販売をもっとおしすゝめ、小売から日教販、日販、栗田書店へつきあげてもらうようにする。

㋭広告とりについて

四万円以上の広告及スポンサーを見つける為に中心は各プロダクションに協力してもらう。年に隔月一回又　広告を出さないが、一千円近くを毎月寄附してくれるというの協力をおねがいする。そこで調査表を出して、そのつど協力をおねがいに行くようにする。

短編映画のワクがはずれた

解説 (1)

大蔵省は、二十七日為替局長室で「輸入部会」を開き、三十四年度外画輸入方針の大綱を決定、その中で、短編映画のワクがはずれ次のようにきまりました。

封切状況が悪く自由化しても大勢に影響はないという観点から日本短編の本数制（一〇〇本）教育文化短編映画の審査輸入制のいずれも廃止する。たゞし申請資格者は映画専業者に限られ、配給業者以外は委託配給者との国内配給契約書を添付させる。また長編を二分割して短編のワクで公開することは認めない。長さは一作品四千フート以内、定額制の場合は一本三千ドル以内とすることにかわりない。

以上より、各社では優秀な短編映画を入れている。

☆東和映画では、

○〝トロイの美女〟（長篇影絵映画）英ファンタジアプ　クション　二巻　一五分

○〝蜂の国の驚異〟ハンガリー・ハンガロフィルム二巻　一八分

○〝無痛分娩〟仏現代フイルム、三巻　二七分

○〝潮の合い間〟英トランスポート・フイルム　二巻　二一分

○〝ハレムの一夜〟（長篇影絵映画）英ファンタジアプロダクション　二巻　一五分

○〝小さな島〟（動く抽象絵画）ヴエニス短編部門賞　五巻　三〇分

○〝馬術の妙技〟、セントローパ・フイルム　二巻一六分

☆イタリアより

○カーボデイモンテ美術館（カラー）

○映画都市チネッタ

○映画実験センター

○ヘリコプターのサンバ

○一滴の水

○ガラスの職人（カラー）

○ブレーシャの湖（シネスコ）

その他チエッコ、ポーランド等のものがある。

×……×　×……×

解説 (2)

新映画倫理規程改正案と
独立プロ協組からの意見

終戦当日進駐軍検閲があり前の映倫がひきついで六社の勢力分野の中でコードが作られたが、太陽族映画が市場にはんらんするや、官僚統制の問題が出され、地方においては地方条令までが出来、内務省官僚検閲の問題が出された。そこで六社からはなれた新映倫が出来あがり、今までのコードの改正の必要をみとめこゝに改正案が出された。すでに独立プロ協同組合では前映倫のコードをきめる時、意見をきゝただそうとしなかった点について申入れをおこなっていたが新映倫より改正案がとどき意見ぐしんの要請があり、それに対して意見が出されている。又この新映倫の規程については外部から特に見る人々からの意見、観客代表の意見を聞こうとしていない点はあるが、この新映倫が官僚機関ではなく民主的にそだって行く立場から意見を上げて行くように与論を上げて行くようのぞまれている。そこで規程改正案の一部と独立プロ協組よりの意見を提示します。

× ×

映画倫理規程の改正は去る昭和卅二年より続けられ、その構想立案に足かけ三年を費しているが、目下、映倫維持委員会が作成した改正草案を関係者間に持寄り意見聴取を続け、最後の仕上げに急いでいる。と、まえおきしている。

映画倫理規程　改正案

（前文）

日本国憲法によって言論と表現の自由を保障されている。

しかし自由はまた、おのずから責任をともなわなければならないことは当然である。

われわれは映画が娯楽として、また芸術として国民生活に対し精神的に、また道徳的に大きな影響を及ぼしていることに責任を感じている。われわれが映画について倫理規程を制定し、観客の道徳水準を低下させるような映画の製作及び提供の防止を計ろうとするのはこのためである。そしてこの目的達成のために管理機関を設けて、映画倫理規程の完全な実施を自主的に管理するのである。

しかし、この目的達成は単にわれわれのみの努力によってなるものではなく、倫理規程の目的達成のためには一般大衆の理解と愛情と支持とが必要であって、映画が娯楽としてまた芸術とし、更に進歩する機会はそこから生れ、映画の自由は確保される。

（一般原則）

本規程は映画の内容、題名、予告篇及び宣伝広告に対して適用する。

一、日本国憲法を厳守する。即ち映画は諸国民との平和的協力、基本的人権の尊重及び自由に基く福祉の確保をその基本原則とする。

二、社会の道義心を低下させないようにする。したがって観客の同情を悪や不正に向けない。

三、社会秩序の維持を妨げないようにする。

四、正しい生活の規準に反する行為を正当化しない。

五、法を軽侮したり、違法を正当化したりしない。

以上の他に施行細則がもうけられた。独立プロ協組からの意見として、

△一般原則は一、二、の二項目とし、三、四、五は原則としては細部にわたりすぎるのでけずるといわれている。

（施行細則）

一、国家及び社会

①イ、ロ、②略

③暴力は肯定しない。④軍国主義や侵略戦争を正当化しない。⑤武力や暴力による解決を正当化しない。⑥正しい社会通念を否定しない。⑦正当な職業を蔑視しない。

独立プロ協組の意見として

△施行細則の一、国家及び社会の⑤⑥をけずる。

④の戦争映画に対し前の規程では否定していたにもかゝわらず、正当化しない。にかわって来ている。

二、法及び正義

①イ、ロ、ハ、ニ、ホ、略

②訴訟及び裁判の手続を正しく表現し司法制度の尊厳を損うような表現をしない。

③　イ、ロ、ハ、ニ、ホ、略

④現代における復　を正当化しない。

独立プロ協組の意見として、

△②は訴訟及び裁判の手続を正しく表現する。という前の規程の表現のまゝにしたい。

④をけずる。

三、宗　教

①　イ、ロ、略

②牧師、僧　、神官、及びこれに準ずる者を故意に愚弄したり故意に悪人として表現しない。

独立プロ協組の意見として

△宗教の②をけずる。

四、教育　①イ、ロ、略　②イ、ロ、ハ、略　③略

五、性及び風俗　全部略

六、題名 ①略
この規程はシナリオ作家協会及監督協会でも問題にされている。

解説(3)

「恋人たち」の税関カットは違憲
「夜と霧」は日のめを見なかつた

国会の参院大蔵委員会、文教委員会において〃恋人たち〃のカット問題が審議されると共に、映画界をはじめ各界で問題にされている。そこで参院の〃大蔵委〃及文教委の中での問題点を、まとめてお知らせしておきます。

大蔵委で小林孝平委員が「税関は輸入映画を関税定率法二十一条第三号（公安または風俗を害する恐れのある書籍、彫刻その他の輸入差押え）の規定によって〃検閲〃している。卅一年には仏映画「夜と霧」がきわめて残虐であるとの理由で輸入禁止となり、又仏映画「恋人たち」がベネチア映画祭で最優秀監督賞を得たほどの作品であるにもかゝわらず、エロだということで相当部分がカットされた。このことは憲法二十一条の検閲禁止規定に違反しないか」との質問に対し、政府側は「関税法六十七条で、輸入品は申告し、検査を受けた上で許可をうけ、定率法で公安、風俗を害するオソレのあるものは輸入を禁止することが出来るとある」といい、つづいて、「外国映画だけが税関で〃検閲〃されるのはおかしい。映倫で自主的に検討すればよいではないか」に対しては「申しわけないが勉強不足で」とにげている。

ひきつづき文教委では相馬助治委員長が調査の結果次のことが税関審議委員会（会長阿部真之助氏）資料としてわかった「関税定率法第二十一条第三号によって削除した作品は次の六ケースであることが発表された。「神秘の国インド」（大映配給一カ所四十二呎）「吸血鬼ドラキュラー」（東和配給、二カ所十九呎）「月夜の宝石」（コロンビア配給、一カ所十八呎）「美と自由のパリ」（東和配給、十三カ所百九十一呎）テレビ用ニュース（キューバ革命裁判と処刑、一カ所五十呎、NHK・TV、NTV、KR・TV、共同TV）フォックス・ムービートン・ニュース（同一カ所五呎）

相馬委員長は「過去にも『夜と霧』（新外映入荷）が税関で押えられ、はっきり日のめを見ないことがあった。又「恋人たち」の監督ルイ・マルはベニス映画祭で監督賞をとっている。カットするなら監督として全部とりさげるという言い分は当然だ。この映画についていえば、ムード映画をあちこち切られては芸術性をそこなうし音楽も当然切れるわけだ。若い人はよく知っているのだから、むしろあのまゝ見せたいと思う」と云っている。

研究会その他映画会のお知らせ

△〃第二回TVと映画界の現状について〃研究会

とき〇四月十四日（火）後六
ところ〇新聞労連会議室（京橋交叉点パイロット本社うら田口ビル四階）
会費五〇円（資料代）
内容は皇太子御成婚にマスコミがいかに動員されたか、ということを中心に行います。

△戦艦ポチョムキン上映促進会東京総会

主催〇国民文化会議映画部会
とき〇四月十八日（土）後二〜七時
ところ〇三階映協会議室予定
内容一、経過報告
二、今後の問題
三、全国会議について
四、当日参加者に〃エイゼンシュタイン研究フィルム〃を上映します。
（註、全国総会を五月二　に開く予定で運動がすゝめられています）

☆試写会及映画会のお知らせ！

◎ふだん見られない映画を見る会
（チェッコ短編映画とその他）

とき〇四月二一日（火）後六時
ところ〇日比谷図書館地下ホール
内容一、二等兵シュベーク（十八分）チェッコ
二、ガラスの雲（二〇分）チェッコ
三、太陽を独占するもの（二〇分）チェッコ
四、東京一九五八（二〇分）実験映画
五、砂漠の果て（六七分）シエル石油PR
主催　教育映画作家協会、東京映愛連、中部映画友の会
協賛　株式会社日映科学映画製作所、シネマ五九同人、チエッコ・スロバキヤ大使館、新日本文学会
会費　一人　三〇円
（註、これは〃記録映画〃読者拡大の為に開く映画会ですから各協会員は読者の方々をおさそい下さい。）

◎短編試写会のお知らせ

短編試写会の日時、場所をお知らせします。内容についてはハガキで知らせます。この試写会は記録映画〃読者拡大の為にやくだゝせて固定読者の方々へ案内ハガキをお[illegible]りしています。

〇四月十七日（金）前十一時、一時、三時、白木屋ホール主催映協

〇四月十五日（水）十二時三十分山葉ホール、新作試写会、主催運盟

動き

△テレビと映画研究会

さる三月二四日後六時より国民文化会議映画部会主催で新聞労連会議室で日放労、民放労、新聞労連、映演総連、独立プロ協組、教育映画作家協会からは五名も出席映愛連、機関紙映ク、その他現場の方々、南博氏等五十余名が参加して、系列化について討議され、資本系列、国家権力、政党人等のつながり等の問題にまでふれ、四月十日の皇太子御成婚にマス・コミ、特にテレビがどのように動員されるかという問題にまでふれられた。皇太子御成婚がマス・コミ動員の予行演習になるのではないか、又この力をかりて、選挙をおしきり自民党は安保条約を改正しようとするのではないかという問題にまでふれられたが、今だに充分なる資料がない為に大きな成果を[illegible]まだ深められなかった点がある。うけみの側からの問題、下からのマス・コミの問題等のことについてもふれてほしいという提案が出されていた。

△8ミリ映画研究会と自主製作について

東宝商事（移動映写、配給公社）の武田氏より、8ミリ研究会を学校の先生をよんで開いているのでぜひとも教育映画作家協会よりお手伝してほしいといわれ三月二八日（土）後二時よりの研究会には協会より、竹内信次氏と自映連撮影部の高橋　次氏が出席、先生方より出されたコメント、一、きたない手きれいな手　二、おとしもの、を中心に熱心な討議がされ四月は二五日（土）後二時より同じ所で開かれる。

又それとは別に小岩にある本州製紙の労組で8ミリ自主製作運動がおきており三月二一日の夜、協会より大沼鉄郎氏がおもむいて〃春斗〃を題材にしたものを作る為に組合文化部の方々と懇談し、具体化の方向へ話しがすゝめられている。

△「悪法」及「日本の政治」で記録映画研究会盛大

三月二八日（土）後六時より映協で開かれた、記録映画研究会で、ノーマン・マクラレン監督の〃つぐみ〃〃数のリズム〃を上映つづいて作家協会協力になる「悪法」「日本の政治」を上映した。協会員三〇名の他に協会員会友も参加今までにない人数でした。

上映後、「悪法」と「日本の政治」についての問題にふれ討論された。『記録映画製作協議会でまなんできたものから一歩も前進せず、又作家自身不勉強でかえってこうたいしているとさえいえる。又問題は、もっとみじかな所にあり、現代感覚をふんまえていないのではないか。総評たりとも、協力というタイトルが入っている以上、ねばりにねばって、作家のもっているアクチャルナ問題をつかみ出してこなくてはならない』と大変作家協会としては作家自身のことゝして重要な問題にふれられていたことをつけ加えておく。

△総評と中国総工会とで日中合作映画製作の問題提起

総評文化部では中国の総工会と共同で日中合作映画を製作することを国民文化会議に協力方を申入れてきている。この問題は[illegible]本と中国と国交回復していない時にどのような規模と力をもって運動にあたるかについての問題が大きくひかえている。この運動をどのようにすゝめて行くか総評では日中友好のあらゆる団体に呼びかけ、そこで問題を提起し、各専門人はその中でどう協力して行くかということで話しをまとめて行こうとしている。国民文化会議に加盟している協会としてはこの問題にどのように協力して行くか、又この製作運動の意義がどこにあるのかを検討する必要があると思う。

△戦艦ポチョムキン上映促進運動すゝむ

〃戦艦ポチョムキン上映促進の会の運動が全国的なきほとなった。北は北海道から南は九州まで上映促進の運動がすゝめられてきている。この運動の中心になっているのが映画サークル、労映、大学映研、労組、民主団体であることは外国ですゝめられた、フランス、アメリカの運動とおもむきをことにしているが、この運動の特長として映画各職能団体及個人とみるものゝ集りである映画サークルとのむすびつきが強まっている。東京で開かれた、特別試写会にはソ連大使館から出席して特にこの運動の成功を祝うあいさつがあった又東京では四月七日より新宿京王

名画座で、四月十五日よりテアトル・ニュースで会員制で会費八〇円で上映される。この運動は不公平な外国映画輸入の割当制度に対しての下からの与論をおこして行くものであり、〃戦艦ポチョムキン〃以外にほおむられた映画を取あげて行き、研究会をもってこの運動をひろめるのを目的としている。作家協会もこの運動の一員として参加しているので協力を節にねがうものである。

△京都の〃記録映画を見る〃会の運動

京都の〃記録映画を見る会〃では三月二七日定例会を開き、ノーマン・マクラレン監督作品と、東京一九五八、松川事件の映画をうつし、会員八〇〇名を集めて開かれた。当日は協会、事務局員佐々木氏がおもむき〃記録映画〃の購読をおねがいし一〇〇部をあづかってくれることゝなった。又四月二四、二五日に映画サークル、労映、京都市の共同で〃戦艦ポチョムキン〃を上映することをきめ、運動をひろめている。

△ソヴエット映画人との懇談会の予告

日本へ五月上旬ソヴエットの文化人が観光団として、記録映画の大家シュネードロフ、ゲラシーモフ、ドンスコイ、パロジエスキー、等の映画人がこられ日本の記録映画作家と懇談会を開きたいといわれ、吉見泰氏が中心になって計画をすゝめている。

〇日時は五月十一、二、三日の内いつか

〇場所はほんそう中、おってお知らせする。

△三十三年度教育映画〃文部大臣賞〃決定

文部大臣賞

△教材映画「ミクロの世界」（東京シネマ、賞金四万円）

△教育劇映画「若き日の豊田佐吉」（東映、賞金五万円）

文部大臣奨励賞

△教材映画「カブトムシの研究」（学習研究社、賞金七千円）

△「二十四時間の情事」仏側からカンヌ映画祭出品

〃記録映画〃紙上にのせた（「ひろしま、わが恋人よ」）「二十四時間の情事」大映と仏パテ・オーバーシーズ社との合作映画は仏側からカンヌ映画祭に出品されることになった。

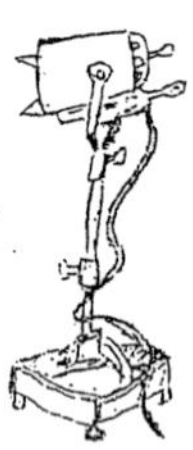

〃記録映画〃を紹介

〃記録映画〃が「読売新聞」三月上旬号に写真入で、日本の短編記録映画作家が編集している雑誌として特長があると、「アカハタ」毎月、月中号にもくじをのせて紹介している。その他各映画サークル機関紙、誌で紹介されている。その中の宮崎映サ協〃シネ・フレンド〃の二月号に紹介されているので掲載する。

映画の最も大きな特性である『記録』は、その忠実なる体現者である「記録映画」の分野で、純粋に熱情的に追究されているのである。すなわち、只ひたすらに真実を求めて、戦前には「雪国」「小林一茶」「医者のいない村」などの秀れた遺産を生み出し、戦後には「生きていてよかった」「ひとりの母の記録」「日鋼室蘭」「法隆寺」などの素晴らしく巨大な結晶をつくりあげているのだ。

この、記録映画を愛し、記録映画を愛する、すべての人々の機関誌が標題の「記録映画」なのである。理論上の色々な問題、実践上の色々な障ガイ、これらが提起され解明されているだけでなく、記録映画のあらゆる側面をうつし出して映画そのものの本質と未来をも描いて見せてくれる。『しかしどの時代を通じても、記録映画が楽々と製作されたことは一度も無かったということです…作家もプロダクションも貧困につきまとわれながら苦しい仕事を続けてきたというわけです。只ひたすらに真実を追求する映画を作る喜びだけを心に抱いて――』これは「時評」の言葉であるが、これらの人々の中には「ぶっつけ本番」の松本カメラマンも含まれているのであり、「ぶっつけ本番」の感銘と混同するのではないが、ひしひしと胸をしめつけられる思いがする。

内容を大雑把に検討すると、私達素人にも参考になるものが多い。

専門的な知識を必要とする部分もないではないが、これの勉強は映画の理解を深めるために必ず役立つだろう。作品評には「ペリ」「シャンソン・ド・パリ」「影」があるが、これは視点をかえた映画評と言う意味でも興味がある。値段から言ってもそう負担額ではないし、向学の士はもとより、各職場で一冊はとって読むようにしたいものである。』

×××　×××　×××

動静

（西田真佐雄）

東京フイルムで国語の教室シリーズ第2篇「話のしかた」16日から都内で10日間ロケ。

（大沼　鉄郎）

東京シネマにて、相かわらず吉見さんの手伝い。

（谷川　義雄）

「日本の政治」共同映画作品完成。「肺機能の回復療法」（新世界プロ）脚本完成撮影準備中。

（野田　真吉）

記録映画「この人たちを」四月上旬完成予定。四月より日映新社で地理大系を二本演出の予定。

（丸山　章治）

日映科学さんで、新三菱さんのシナリオを完了し、諾岡さんに演出してもらうことになりました。その後は「日本の建築」の海外紹介映画の演出を目下待期しています。去年の十二月からこの三月まで、脚本一本しか書いていないので、そろそろひぼしになりかゝっています。中途半端な状態でこまっています。

（入江　一彰）

「宇宙の言葉」E・K2巻撮影（読売にて）

（大内田圭弥）

岩波　画「飛鳥美術」（演出、岩佐氏寿）クランクイン、助監督につく。十六日朝、大和地方ロケアップで帰京。引続き三月末まで仕上げ。

（豊田　敬太）

三月十八日から「お母さんの年は買えない」（三巻児童劇）撮影のため、高崎、小川町方面に約十五日間ロケに出ます。

（藤田　幸平）

「酒のできるまで」撮影中、あわせて次回作の準備をもすゝめています。

（永富映次郎）

航空幕僚監部作品、新東宝教育映画部撮影の「緊急出撃、スクランブル」をやっと六カ月ぶりに完成ほっとしたところです。目下次回作品研究中。

（深江　正彦）

「大気汚染」やっと終りました。次回作を準備中ですが「相模川」の撮影に、一ヵ月二回の割合で出かけます。

（岩堀喜久男）

今年の生産目標は、広告映画は一本ぐらいで教育映画を三、四本やりたい。従って収入も減るのは覚悟の上。だが、一月も収入なし、二月もなし、三月も二七日過ぎてナシとあっては女房にシリを叩かれるのも当然だ。三カ月も生活費を持ち出すのは、やはり[illegible]い。しかし、やせ我慢のついでだ。今年こそは、やりたい仕事だけをやろうと思う。生活を理由に、つまらない広告映画に飛びつかないことだ。

（日高　昭）

日本短篇映画社にて「日本のフイルム」（フジカラー二巻）の編集、録音中。

（岩崎　太郎）

全農映で教材映画を準備しています。

（吉見　泰）

仕事は相変らず東京シネマで、「　」と「ミクロ」の第2部を追っています。六月が予定で今度子供ができることになりました。目下女房は八ケ月のはじめです。はじめてなので、二人でやけに緊張しています。

（岡本　昌雄）

☆三木映画社作品演出

「日本の郵便」「鉄道郵便車」完成。

☆日本視覚教材にて次回作品準備中です。

☆

☆

☆

協会員住所その他変動のお知らせ

○小谷田　亘　八王子市緑町二九イロハ荘

○長野　千秋　台東区上根岸七五高田学方

○石田　修　港区赤坂青山南町一　都営住宅一一三号

○神馬亥佐雄　北多摩小平町小川一六五六青木方

○花松　正ト　杉並区天沼三ノ八九九泉政方

仲原涌作氏　は三木映画所属となりました。

吉田六郎氏は岩波映画をやめられフリーとなり、東映教育映画部へ

事務局よりお知らせ

△毎月の会費を月内に納入下さい

会費調整も順調に進み毎月七八%以上の納入となり五万円近くが集まって来ています。四月より事務員、給与の値上げ及びボーナスそれに〃記録映画〃の独立採算等のことからも八五%以上である六万円近く集めたいと思っていますのでぜひとも毎月の会費はその月内に納入下さるよう協力下さい。事務局へ電話下されば取りにうかゞいます。又振替等でおゝくり下さい。

△雑誌〃記録映画〃の固定読者を会員一人に対し一人取る

このことは何回もお知らせしているのでごぞんじとは思いますが再度お知らせします。

(イ)同封の雑誌〃記録映画〃を読者になるよう紹介下されゝば、すぐ事務局へ電話し、その方の住所と氏名をきかせて戴ければその方の所へ今後〃記録映画〃をおゝくりします。但し代金は半ケ年分四〇〇円、一ケ年八〇〇円をその方の所へ請求するようになります。

(ロ)一冊づつそのつど売って戴く場合は七〇円を会費と共に戴くようになります。

(ハ)固定読者には会報二頁にのせられている、月二回開かれている短編試写会に直接招待状をおゝくりしています。

△映画雑誌〃世界映画資料〃のあつかいをしています

〃世界映画資料〃が毎月末に発行されます。一部一〇〇円です。又予約申込もうけています。半ケ月六〇〇円、一年一、〇〇〇円です。事務局へ申込み下さい。

△健保が四月から変りました

先に各人にハガキでお知らせしましたが四月から芸能人健保が次のようになりましたから協力下さい。

(イ)健保料が四月より当人が五〇円より二五〇円になりました。

(ロ)保険証が四月より変りますから旧いものは返却下さい。新しいものをさしあげます。

(ハ)又家族の方で加入されていない方は至急加入下さい。

(ニ)健保料はいつも一ケ月前分を戴いています。まだの方は至急四月分納入下さい。

☆映画会及び割引券のあつかい

(一)〃ふだん見られない映画を見る会〃

とき〇四月二一日(火)後六

ところ〇日比谷図書館地下ホール

内容 チエッコ短編映画と〃東京一九五八〃他

会費 一人 三〇円

内容は会報二頁を参照のこと

(二)〃青銅の顔〃スイス長篇記録映画

〇四月十一日～二十日

〇渋谷パンテオン

〇四月十四日～新宿ミラノ座

〇一般二〇〇円の処一五〇円

(三)〃戦艦ポチョムキン〃

〇四月十五日～二十一日

〇銀座三原橋下テアトルニュース

〇会員制 会費八〇円

いづれも事務局に会員券及び割引券があります。

☆事務局整備について

山之内重巳、佐々木守、加藤喜恵子の三名が事務局員として会計、会合の内容は全部つかんでいますが、担当は。

山之内重巳＝全体を見るが全部の渉外活動にあたる

佐々木 守＝〃記録映画〃編集と経営をもつ

加藤喜恵子＝会計全般にあたる

協会財政会計報告 三月分

収入の部

会費	四九、〇九五円
雑収入	六、一六〇
計	五五、二五五円

支出の部

事務所費	五、〇〇〇
通信費	一、六八四
電話料	三、六〇六
人件費	二六、〇〇〇
用品文具	二八五
交通費	四、五四〇
雑費	一、一六五
(薪代、記録映画研究会会場費、振替払込その他)	
計	四二、二八〇
差引金額	六、八一五

〃記録映画〃会計報告三月分

収入の部

予約金	一四、三九〇円
売上	一〇、二一一
広告代	二七、五〇〇
雑費	一、一四〇
計	五三、二四一

支出の部

交通費	三、五五〇
通信費	三、二八〇
電話料	三、一三五
雑費	三、九三〇
(写真代、運搬代、速記代、協会財政へ)	
原稿料	三、七四〇
計	一七、六三五
差引金額	三六、六〇六

(註、ベースボールの三月分印刷費四万円がまだ支払ってないので差額が出ています。)

1959.5.10 発行

教育映画作家協会々報

No 44

教育映画作家協会

東京都中央区銀座西８ー５　日吉ビル四階　ＴＥＬ (57) 5418

〝記録映画〟一八〇部の固定読者を持ち一周年記念号を迎える！

—経営委員会—

〝記録映画を見る会〟第二回を美術映画とドキュメンタリーで

四月二十八日、経営委員会で決定されていること。

(A) 雑誌の費用の件

① 今までの売上状況について

	部数	%
イ 印刷部数	一、五〇〇部	一〇〇
ロ 贈呈先	一〇八部	七、二
会員送付	一六五	十一
固定読者	一八〇	十二
二部会員	一〇〇	六、七
固定販売	九八	六、五
不定販売	二五	一、七
残　本	五五〇	三七、

サークル、学校三〇〇ー三五〇

その他団体個人　二〇ー二四

② 固定販売部数と売上金について

委託先　二一ケ所

〇二月号　配本一六五部、売上九六部、収入金額四、八一一円

〇三月号　配本二四五部四月二五日売上九八部、収入金額三、七〇〇円

〇四月号　配本三二〇部、売上部数、収入金はまだ。

以上よりみて、二月頃固定読者一〇〇部より見て八〇部増、又販売もふえて来ていることがわかり、四〇〇部が売れており全体の二六%になっている。

② 編集雑費を上げること。

③ 六月号は一週年記念号として出すそこで名刺広告を取り（二七、〇〇〇円程度）今までの赤字分をまかなう。

名刺広告予定のプロダクションは（岩波映画、記録映画、三井芸術、読売映画、全農映、中日ニュース、理研科学、民芸映画新理研、近代映協、日本短篇映画、産経映画、新東宝教育、農文協、芸術映画、近代プロ）

④ 七月以降は半年間の別予算を立てる。

編集雑費をふやす等の事など。

(B) 〝記録映画を見る会〟について

① 美術映画について、西武デパート、伊勢丹、で行う希望が出されている。

② 映愛連中部映画友の会と共同で美術、ドキメンタリー映画会を開く。

③ 内容について

Ⓐ 美術映画特集

室町美術、二巻、飛鳥美術二巻

広重四巻、ゲルニカ一巻、ゴッホ二巻

Ⓑ 美術及ドキメンタリー

ゲルニカ一巻、飛鳥美術二巻、西の果三巻、忘れられた土地三巻、朝鮮の子三巻

④ その他、労仂組合とマス、コミの研究会にて川鉄、鶴鉄、にて記録映画の会を開く計画に出されている。

「記録映画」

六月号　予告

時評〇一周年をむかえて

論文〇マスコミ時代の教育映画ーテレビ番組ー　佐藤　忠男

〇教育映画の自由（２）　岩佐　氏寿

〇児童劇映画論　吉田足日

〇死体解剖と生体解剖　石子　順造

〇創作への条件　吉見　泰

〇到錯者の論理　松本　俊夫

〇ドキュメンタリーの行方。　厚木たか訳

座談〇キャメラマンを囲んで　林田重雄、瀬川順一、白井　茂、岩佐氏寿（司会）

作品評〇「おやじ」（共同）　西本祥子

〇「飛鳥美術」（岩波）　樋口源一郎、他

現場通信、書評、作家の消息など。

基本財政を確立し 研究会活動を 活潑に

―運営委員会―

四月一五日　運営委員会できめられたこと。

☆雑件

(A)①国民文化会議の会費値上八割にともない三六〇円を七月より上納することをきめた。

②四月二四日後一時国民文化会議映画部会（TV研究会のことについて）開かれた。

③世界青年学生平和友好祭、実行委員会に大沼氏出席。

(B)〃沈清伝〃朝鮮映画四月十七日に試写会を前九、三〇分映協会館にて上映。

(C)〃チョゴリザ〃四月十七日後一時、日比谷公会堂にて試写会あり。

(D)東和映画配給、短編試写会には、編集委、経営、運営委員を対照とする。

(E)〃記録映画〃編集関係

①　五月号時評―運営委員長中村氏

②記録映画一周年記念号について

☆基本財政について

1.給与値上について、四月から上げる。各運営委の方々の承認を取りました。

2.三月の繰越金一二、九七五円となる。

3.事務局長と話し合い、体制をつくる。

4.給与値上決定額は山之内一七、二五〇円、佐々木八、〇〇〇円加藤五、七五〇円

☆記録映画財政について

1.〃ぶっつけ本番〃の原稿料の残額を支払

2.未払原稿料、未収金の一覧表をつくる。

3.予約のアッピールを出す。六月から行うようにする。

4.売上げデーターをつくること。

☆研究会について

1.教材関係―岡本、河野両氏できめる。

2.科学関係―吉見、樺島、大沼諸氏できめる。

四月末日から五月初に行う。作品を写しながら行う。山葉ホール試写会のあとで室をか て行うことも考える。

×××　×××

××××

研究会 その他映画会の お知らせ

△第三回TVと映画研究会

とき〇五月廿日　後六時　頃

ところ〇NHK会議室（内幸町下車）日放労荒川氏をたずねる事。

内容〇受け手側に対し送り手側がマス・コミにどう対処しているか。＝野田真吉

〇経営者側から見たマス・コミを分析する。＝新聞労連

会費　五〇円（資料代）

主催　国民文化会議映画部会

△ソヴエット映画人とのパーテーと懇談会

日本へ五月十一日ソヴエットの文化人観光団の中に記録映画の大家、シュネードロフ、ゲラシーモフ、ドンスコイ、パロジエスキー等の映画人がこられ日本記録映画作家とパーテー、懇談会を開くことがきめられました。

＝パーテーのお知らせ＝

〇五月十三日（水）時間及び場所は別にハガキでお知らせします。

会費　一、〇〇〇円

＝懇談会のお知らせ＝

〇五月十四日（木）時間及び場所は別にハガキでお知らせします。連盟と共同で持たれます。唯〃記録映画〃編集部ではテーマ―及び当日ソヴエット映画人に日本の記録映画を見せることになっています。

△〃記録映画を見る会〃（ふだん見られない映画を見る会）

（美術映画とドキメンタリー）

(A)とき〇五月二二日（金）後六時

ところ〇日比谷図書館地下ホール

内容一、ゲルニカ十分（美術）

二、飛鳥美術二十分（〃）

三、西の果三十分（ドキメンタリ）

四、忘れられた土地三十分（〃）

五、朝鮮の子三十分（〃）

(B)とき〇五月二三日（土）前十一時～一時（自由）後一時～三時（会員制）（二回）

ところ〇西武デパート七階リーデインクルーム

美術映画特集日本篇

内容一、室町美術　二巻

二、飛鳥美術　二巻

三、広　重　四巻外国篇

四、ゲニカル　一巻

五、ゴッホ　二巻

両日とも大島辰雄氏（評論家）

に美術映画特に〃ゲルニカ〃の解説をしていただきます。
主催　教育映画作家協会
二二日＝東京映愛連、中部映画友の会
二三日＝西武デパートリーデイグ・ルーム
協賛　東京映愛連城北映サ協、岩波映画製作所、日仏学院、東京フイルム、共同映画社、日映科学映画製作所
会費一人三〇円
（註〃記録映画〃読者が往復はがきをおくって下された時は無料とします。その他の方々は協会員でも会場費がかゝりますので会費三〇円を戴きます。）

△短編試写会のお知らせ

短編試写会の日時、場所をお知らせします。内容についてはハガキで知らせます。

この試写会は〃記録映画〃読者拡大の為にやくだたせて固定読者の方々へもおくっています。
○五月十一日（月）二六日（火）後一時、山葉ホール、新作試写会、主催連盟
○五月二一日（木）前十一時、一時、三時、白木屋七階ホール
主催、映協

△教材研究会の予告

岡本昌雄、河野啓二両氏が責任者になって五月中旬に映協三階、会議室で教材映画の試写をうつして研究会を計画中です。

△協会主催の国際短編映画の試写

研究会を五月下旬に計画中です。ポーランドの〃同じ空の下で〃〃夜と霧〃に匹敵する作品。

〃たゝかうワルソー〃ベルギーの〃黒いマスク〃〃ポールデルボ〃等です。

△法政大学土曜講座映画教育のお知らせ

日時○四月二五日～六月二七日
毎土曜日一時開場
場所○法政大学（国電飯田橋下車、映写室（八三五番教室）
聴講料一テーマ＝一五〇円
＝すんだもの＝
○優秀映画特別観賞会
戦艦ポチョムキン
講師　瓜生忠夫
四月二七日（月）前九時
新宿京王名画座
特別会費八〇円
○第四回トーキー初期優秀作品集
四月二五日　舞踏会の手帖
五月二日小林一茶　或る日の千潟
五月九日大いなる幻影
＝これからのもの＝
五月十六日　赤西蠣太
五月二三日　特別試写会
〃青春群像〃
五月三〇日　五人の斥候兵
六月六日　格子なき牢獄
六月十三日　風の又三郎
六月二〇日　不思議なビクトル
六月二七日　特別試写会
申込先は千代田区富士見町三の一　TEL（33）七九三九法政大学編集室

記録映画財政報告　四月分

収入の部	
売上	八、五三〇円
予約金	九、〇〇〇円
広告代	三八、〇〇〇円
雑費	四〇〇円
繰越金	三六、六〇六円
計	九二、九三六円
支出の部	
電話代	二、四七〇円
通信費	三、二一四円
交通費	四、九一五円
雑費	一一、四七二円
（編集費として出ている）	
用品文具	一五〇円
印刷費	四〇、〇〇〇円
計	六二、二二一円
差引金額	三〇、〇一八円

×××　×××　×××

動き

△第二回TVと映画研究会

さる、四月十四日後六時、新聞労連にて、〃皇太子御成婚にマス・コミがいかに動員されたか〃について話された。稲葉氏より、新聞にあらわれた皇太子御成婚の内容、二木氏よりテレビの当日のあらわれ方、について話され。討論にうつり、新聞関係、テレビ関係の方から、宮内庁との関係があきらかにされた。大衆天皇制論が松下氏より出され、日本憲法上の矛盾等についてふれられ、最後に労働者が職場では労働者意識をうえつけられながらも一たび職場を出れば新聞、週刊誌、ラジオ、テレビにおかされている事実に対してのうけての問題について討論を広めることが提起された。

△労組自主製作とマス・コミ研究会について

東宝商事と、機労等の労組の主催で四月二五日の労組自主製作とマス・コミ研究会が新聞労連で開かれた。こゝでは川鉄、鶴鉄の方々も出席、そこで出されたことは記録、教材映画の現状と自主作品の問題については野田真吉氏が〃荷車の歌〃を中心に自主製作運動については山本薩夫氏より報告がされたあと、マス・コミに対する労組（うけ手側）の意見が出され、労組としての自主作品及び記録映画の上映計画等が出されており、教育の面に考え方がむけられている。等、今後、作家協会として、〃記録映画〃の普及と作家との交流を深めて行くことが大切であるのではないかという点が出されている。今後、総評主催の映画活動家懇談会と共に重要なやくわりを持ってきている。

△第七回世界青年労生平和友好祭「映画部門」
実行委員会

国際映画コンクール及映画祭等に向けて、コンクール応募候補作品の中劇映画三本、8ミリ二、三本が上りました。

〇国際映画コンクール規則

1. 各国の今日の青年の生活を描いた劇映画（製作者に対する年令制限なし）
2. 三十五才以下の製作者によって作られた劇映画、テーマの制限なし。
3. 三十五才以下の製作者による短篇記録映画、科学普及映画、漫画、三五ミリ、十六ミリ、八ミリ。
4. 応募者はプロ、アマチュアの別は問わない。
5. 各国から応募する作品数は五本以内。
6. 届書と細目は六月一日迄送付の事、フイルムは七月十五日迄送付の事。
7. 費用は応募者負担

〇 代表派遣について

∧渡航経路往復共∨、伏木港—ナホトカ——シベリア経由——ハンガリー——ウインーン

∧費用∨渡航費、手続費その他一切含め、十六万円

∧所要日数∨フェステイヴアル参加期間も含め約五十日

映画部会実行委員会としては、映演総連と独立映画協組より一名づつ代表をおくることとなった。

〇 国際コンクールに応募作品選定について映画部門実行委員会及牛原虚彦氏があたる。

△国民文化会議運営委員会
サークル交流誌その他決定

四月八日、後一時より衆議院第一会館第五号室にて国民文化会議の運営委員会が開かれました。

国民文化会議の今後のあり方、について討議され、つづいて、全国会議の日時、図書推薦委員会設置、機関誌の隔日発行等のあとサークル交流誌の問題にふれ、サークルをそだてて行くことゝ創造的エネルギーをとの交流誌にぶつけて行く立場から問題が出された。具体化について三月二九日の全国サークル活動家会議で出された点にふれられ、日高六郎氏の説明を承認。国民文化会議としても協力して行くこととなった。

つづいて会計報告、予算案が出され、八割の値上げが討議されたが、各加盟団体で審議することとなり、役員選出にうつり今までと同じ方々が選ばれました。

こゝで特に大切なことは、国民文化会議の労組のもつ比重の重さをしると共に、文化団体の協力の弱さを知り、もっと文化団体、個人の参加を強め、国民文化運動を強めて行く必要にせまられていることを感じました。

△各プロダクションとの
野球大会

四月十二日の日曜日、岩波映画と作家協会の若い連中と伝研グランドで開かれ、岩波映画が大勝した。

ひきつづき日経映画との対戦が五月五日の子供の日駒場のグランドで開かれ、作家協会は又もや負けました。

△雨のメーデーに二〇余名参加

今年も作家協会は映演総連の短編連合、自映連の後につき朝八時三〇分に集合、雨の中に二〇余名が参加。作家協会の赤旗二つと、安保条約破棄、マス・コミとの対決等のプラガードをかゝげ青山から芝へのコースへデモ行進し十二時に芝で解散した。ひどい雨にもかゝわらず二〇余名もの参加は、労働者の祭典として大きな意義を持ったことをつけ加えておく。

△〃戦艦ポチョムキン〃上映
促進全国連絡会議報告

五月二、三日の二日間を押上ホテルで〃戦艦ポチョムキン〃上映促進の会全国連絡会議が開かれた。一日目は後五時より〃エゼインシユテイン伝記〃映画を上映、つづいて各地方の報告があり、動員数の報告がなされ、すでに日本全国で二〇数回の上映がされ、ひきつづいて四〇数回の上映の計画がされている。その中で東京の劇場上映をぬかし、京都の記録映画を見る会の活動が四年間の活動の成果として出されていた。二日目の朝九時より、世界映画協会（セールス団体）との関係について討論、ひきつづき、今後の運動の問題にうつり。戦艦ポチョムキン〃だけにとどまらず今まで上映されなかった名画を上映させる運動団体にすることが出され、〃地の塩〃〃夜と霧〃等の輸入されなかったものに対しての調査及び促進の運動を全世界的にひろめる。又見い出されなかった内外の劇及び記録映画を上映する会にするなどがきめられた。

ひきつづいて規約と会費の問題が出され、小委員会にまわされ、そこで決定され、各団体にながす。又全国センターをもうけることについても、決定された。

こゝで重要なのは、観客団体が上映促進ならびに自主製作への方向にふみきりつゝあり、そういう客観的条件がうまれつゝある点を認識し、京都の記録映画を見る会がいかに重要なやくわりをはたしているかゞうかゞわれた。

△四月二一日の
〃ふだん見られない映画を見る会〃の報告

中部映画友の会と共催で入場者は会場に立つほどの盛大さであった。こられた人々は〃二等兵シュベーク〃と〃東京一九五八〃に感心をよせていた。当日松山善三夫婦が見に来ていた。最後に上映した〃世界の果て〃のフイルムが上映中に切れて大変批判された。

〃記録映画〃の売上げが十部と固定が二部あったことは自信をふかめさせた。一読者から〃世界の果て〃はイギリスのドキメンタリーの行き方、ボールローサーの〃ドキメンタリー論を見せられているようだ〃という貴重な意見もきかされた。

中部映画友の会からは外国の短編にスーパーのないのは映画の良さを半減するといわれた。

上映後、この映画を私のサークル、職場で上映したいという所や雑誌を見て、京都の記録映画を見る会から、チエッコの人形劇及びアニメーション映画で五月は例会を開きたいという要望が出されたことも大きなことの一つであろう。作家協会の方々から会費の点について明確にしてなかった点が指摘された。

△「灰とダイヤモンド」について

ポーランド映画「影」につぐ作品「地下水道」を作った監督のもの。第二次大戦終了直後のポーランド首都におきた反人民政府運動とそれに参加したテンエージャーがその矛盾の中で、反政府陰謀からぬけ出せず反政府のごろつき共に殺されて行くぎりぎりの生命力をアクチヤルに画いた作品でNCCが配給権を持ち、六月にロードショウなる作品〃記録映画〃にのせて行く。ひきいれられる作品。

△各方面の記録映画会
の計画に協力

(イ)工大の大学祭が五月二三、二四日に開かれ科学映画として〃モスクワの大学〃が上映される予定。

(ロ)映愛連山之手映画友の会では、五月二五日、農研で〃二等兵シュベーク〃を上映の予定。

(ハ)映愛連中部映画友の会ではこの五月一三日、後一時化織検査所サークルで短編映画二〇分ぐらいのものを選んではしいと要請された。

(ニ)京都記録映画を見る会より五月中旬、チエッコの人形劇映画を選んでほしいとの要請がきている。今後このような計画に答えられるだけの準備が必要になって来ている。

会報へ意見

岩堀喜久男

これは「会報の方ですが、正月の委員会でも、またその直後の会報四一号でもハッキリしたはずですが、機関誌に出しにくい裏話の待遇や、条件や、生活などの交換の場を会報でする、ということ。その後どうなっているのですか。改めて原稿募集の掲示をしそういう欄を設けるべきですネ。

動静

富岡　捷

去年は精薄児童と親しみましたが今度は当分母子寮へ乗り込んでの仕事です。題名「春待つ母子」（二巻白黒）

藤田　幸平

四月二十七日から「ひらけゆく日向神」E・K二巻撮影で十日ほど山ごもりします。ナベカマ持参です。

永富映次郎

「緊急出撃、スクランブル」を完成、次回作品研究中尚この映画は五月に新東宝系で劇映画と併映される由、空幕映画としては初めてのケースである。だが併映される劇映画との組合せがどんな結果になるか、これも研究課題の一つ。

深江　正彦

日大にて「日本大学の歩み」の演出をやらせていただいています。

野田　真吉

なにやかやとやっています。

原田　勉

農文協で製作をはじめた「日本一の米作グループ」について岩佐さんの手伝いをしています。石川県川北村で、第一回のロケをおわり、あと秋まで稲作とグループ活動を追う予定。

西尾　善介

「エラブの海」仮題五月中旬より八月末までロケ（シネスコ）予定

能登　節雄

第五福竜丸の海外輸出にかゝっております。

村田　達二

光洋精工PR「ベアリング」三巻完成し目下テレビ用映画準備中です。

テレビ用映画〃リビイングイングリッユ〃製作中

丸山　章治

日映科学さんで「No.23572」という映画をつくることになり、第一稿を岡野薫子さんとでっちあげたところです。決定稿までまだかゝりそうです。

岩佐　氏寿

「飛鳥美術」二巻完成（岩波）社会教育映画「うわさ」三巻脚本完成、四月下旬クランクイン。

入江　一彰

「宇宙の言葉」クランク中

岡本　昌雄

花巻方面ロケ（読売ニテ）次回作準備中

間宮　則夫

日経映画社「生れかわる商店街」演出の準備をしています。

諸岡　青人

丸山さんに書いて頂いた。「花を追って」という密蜂の生態を描く作品の撮影の為、みちのくの旅をしています。蜂というやつは、仲々扱いにくいやつで、御きげんが悪いと、ちくりとさゝれる。演出をしようにもさっぱり、いうことをきいてくれないので、こっちが蜂のいう事をきかなければなりません。四月二十五日夜

日高　昭

日本短篇映画社、アジア映画社の仕事を相ついで終え、近く記録映画社「オートメーション」にかゝる予定。

岩堀喜久男

今年の第一作、国語の教室シリーズ二篇「話のしかた」が、やっと四月二八日初号に漕ぎつけました。計画より二〇日も遅れ、二五日現在の収入計六万円。正月から四ケ月で割ると月一万五千円では、えらい赤字です。残金が入っても、二巻の脚本演出が税こみの十五万だから、月割のカネは三万四千の実収。しかし、それでも、ワガ道ヲ行コウ。第二作は科学映画社で「ウワサはひろがる」を五月早々開始、下旬に完成の予定。六月以後の第三作は目下予約募集中。

×……×

×……×

原水爆戦争においやる
安保条約改定をくいとめ破棄
の運動に協力しよう！

国際短編紹介

△京和映画配給試写会について

とき○五月六日（水）後三時

録々館ビル二階、内容一、蜂の国の驚異 二、潮の合い間 三、ハレムの一夜 四、トロイの美女 五、セーヌの歌、を二〇名の方々を招待して開かれました。〃記録映画〃紙上にも紹介されます。

△ポーランド及ベルギーの短編映画を紹介

☆ポーランド大使館所有

一、おしゃべりあひる（漫画）
二、星の下のサーカス（人形映画）
三、ある日曜の朝（記録映画）
四、ポーランドの山々（〃）
五、六、七、ポーランド、民族舞踊の紹介
八、それは昔のことだった（漫画）
九、のろまのスタニ（児童映画）
十 ポーランドの炭坑建設の記録
十一、人形劇場訪問（人形ー記録）
十二、グダンスク港（記録）
十三、バルチック海（〃）
十四、鳥の母性本能（〃）
十五、こうもり（〃）
十六、たたかうワルソウ（戦時中のワルソウ市の記録）
十七、ポーランドの画家カナレット（美術）
十八、同じ空の下に（ワルシャワのゲットー地区の悲劇）（記録）
十九、巨匠ストウオシュー彫刻家ーの作品（美術）
二十 画を描くために（美術）
二一、鷹の記録映画
二二、ジョンと小鳥（教育記録）
二三、天気予報（科学）
二四、新しい牧場（記録）
二五、フイルテック教授の夢（漫画）
二六、猫とねずみ（漫画）

☆ベルギー大使館所有

一、黒いマスク十分（女の立場から）
二、ポールデルボ十分（ベルギー絵画、彼の作品は人を驚かす。
三、或るグループ 五巻（五〇年前のベルギーの絵画の或るグループを作品をとおして画く）
四、あやつり人形 七巻（ブラセルの下町のある劇場のあやつり人形劇団の記録）
五、テッカットの訪問 三巻（老絵画を訪問してのスケッチ）
六、ブリース 三巻（ブリースの風景が写されている音楽だけ）

△東ドイツ、デーファ映画 ドキュメンタリイ「シュパイデル将軍」

この記録映画（十六ミリ）は東ドイツより関西国民文化会議に寄贈されたもの。

原名「チュートンの剣」計画、昨年度チェッコ国際映画祭で第一等賞をもらった。この映画は現在の北大西洋条約機構中部ヨーロッパ陸軍最高司令官ハンス・シュパイデル将軍の経歴を焦点に、ヒットラーの暗殺計画、等々を証拠資料によって曝き出してゆく、五十分ものです。

事務局よりお知らせ

△会ヒ滞納の方々へ おねがい

会費の納入も非常に良くなって来ていますが、まだ三十名近くの方々が長期滞納のまゝになっています。そこでそれらの方々には〝記録映画〟はおくられていません、いくらかなりとも納入されるか、話し合うことによって、その問題を解決して行くよう事務局として呼びかけています。

△機関紙〝記録映画〟の固定読者を会員一人に対し一名取つて下さい

(イ)同封しているもう一部の機関誌〝記録映画〟の読者を取って下さい。固定読者を取られ住所、氏名を紹介下されゝば直接、読者の方にお送りします。

(ロ)そのつど売って戴く場合は七〇円を会費と共に載くようになります。

(ハ)固定読者の方々には毎月の短編試写会の招待状を直接おくっています。

△健保について

先に芸能人健保の当人の分が五〇円値上になったことをお知らせしましたが。

(イ)健保料は毎月末までに次の月分の前納をお守り下さい。

(ロ) 家族の方で加入されていない方は区の国民健保に強制的に入れられますので芸能人健保にお入り下さい。

(ハ)又協会の方で健保に入られていない方々も加入下さい。当人は一ケ月二五〇円、家族は一人一二〇円です。

△映画雑誌〝世界映画資料〟のあつかいをしています

〝世界映画資料が毎月末に発行されています。一部一〇〇円です。又予約申込もうけています。半ケ月六〇〇円、一年一、〇〇〇円です。事務局へ申込下さい。

△映画界の案内

(一)記記録映画を見る会〟（ふだん見られない映画を見る会）

㋑ とき　五月二二日（金）
午后　六時

ところ　日比谷図書館地下ホール。

内容　美術映画とドキメンタリ。

㋺とき　五月二三日（土）
前十一時～一時（自由）
后一時～三時（会員制）

ところ　西武デパート七階リーデイング・ルーム。

内容　美術映画特集

会費　一人　三〇円（会員券あり。）

(二) 法政大学映画教室、毎土曜一時、一テーマ、会ヒ一五〇円
申込先は法政大学企画編集室へ。

△事務局より中元手当にあたりおねがい

事務局体制もととのい、今後は協会の為、会員の皆様の為につくして行くべく努力してまいります。そのこととあいまって六月の末には事務局員の中元手当のこともありますので会費納入おくれませんよう御協力下さることをお願いします。

△〝戦艦ポチョムキン〟〝眼〟機関紙を贈呈されました

一、〝戦艦ポチョムキン〟（上映促進機関紙）創刊号

二、〝眼〟（京都記録映画を見る会機関紙）オ二〇号

が贈呈されましたので各人におゝくりします。

住所変更

原本　透　港区青山高樹町一四

池上　史郎　杉並区井萩二ノ一二六真原様方

神馬亥佐雄　北多摩小平町小川一六五六　青木様方

小森　幸雄　名古屋市中区新栄町中部日本放送内CBCテレビ映画社

高島　一男　中野区桃園町二四浅野様方

八木　進　世田ケ谷区玉川町一、六六ー六一

渡辺　正己　二子玉川公団住宅二ー一〇二号　豊島区長崎三ノ二〇西岡様方

前田　庸言　渋谷区幡ケ谷中町一四四大同アパート十号

新入会員

飯田　総　埼玉県南埼玉郡久喜町東町七二二（日映科学）

附田　博　練馬区江古田二、一四八　寺田様方（日映科学）

松尾　一郎　練馬区小竹町二、三〇〇　小竹町住宅（日映科学）

協会財政報告

四月分

収入の部	
会費	五八、三九四円
雑収入（映画会収入その他）	一一、三一五円
計	六九、七〇九円
支出の部	
人件費	三三、〇〇〇円
事務所費	五、〇〇〇
印刷費	五、〇〇〇
電話料	二、七二九
文具品	九四八
通信費	二、七一六
雑費	九、四九〇（映画会支出）
交通費	二、九六〇円
計	六一、八四三円
差引金額	七、八五五円

1959.6.10 発行

教育映画作家協会々報

No45

教育映画作家協会
東京都中央区銀座西8—5　日吉ビル　TEL (57)5418

"記録映画"財政赤字解消と七月以向の予算決定
―経営委員会―

五月二一日（木）后六時、経営委員会を開き次のことをきめた。

一、財政の問題

四月の経営委員会の決定にしたがい一周年記念名刺広告の成果も上り次の結果が出された。

普通広告四六、〇〇〇円
名刺広告二五、〇〇〇円

以上の内四〇、〇〇〇円は印刷費にまわる赤字分として原稿料その他。

一一、六〇〇円を支払つたのこり、一三、四〇〇円は増収分として記録映画の今後の号にまわることとなる。今までの赤字分はこれでおさまることとなつた。（然しこれの精算は七月五日すぎとなる）

二、"記録映画を見る会"について

㋑ 今後収益が出た場合は別会計として映画会の費用につかう。

㋺ 読者及見に来る人々との懇談会を開く計画をたてている。

㋩ 六月例会を「日本の風土と生活」とし内容を選んだ。

"黒潮の洗う地方"二巻　（西沢豪）
"本州の屋根"　二巻　（野田真吉）
"東北のまつり"（3）二巻　（野田真吉）
"北海道"　四巻　（桑野茂）

その他"はなれ島""大都会の生活"等が選ばれた。

又今後として"女性をあつかつた映画""国際短編映画"等が出された。

三、七月以降の雑誌"記録映画"予算決定

収入の部

予約（二〇〇部）	一〇、〇〇〇円
売上（一三〇部）	六、五〇〇円
広告	四〇、〇〇〇
計	五六、五〇〇

支出の部

印刷費	四〇、〇〇〇円
電話料	三、〇〇〇
通信費	三、五〇〇
交通費	三、〇〇〇
会合費	二、五〇〇
文具費	五〇〇
原稿料	三、〇〇〇
雑	一、〇〇〇
計	五六、五〇〇

会合費が今まで一、〇〇〇円であつたものを二、五〇〇円にして座談会等の費用とした、又雑、五〇〇円を一、〇〇〇円としたのも緊急費として入れた、ものです。

交換ノートの原稿募集

今回、岩堀さんからの要請もあり、委員会の決定により事務局としておそくなりましたが、"交換ノート"という名前で皆さんから原稿を募集することとなりました。岩堀さんもいわれているように、機関誌に出しにくい裏話、待遇、条件、生活などの交換の場とします。小さなことは動静をかゝれているハガキに又長いものは四〇〇字詰原稿用紙、二枚程度にまとめ事務局へおゝくり下さい。

次号よりのせてゆきます。

××……××

ソ連映画人との懇談会のことと
会費滞納者対策を！
ー常任運営委員会ー

五月七日（木）后六時より常任運営委員会が開かれ次のことをきめました。

一、第七回世界青年平和友好祭の実行委員会に、富沢、大沼両氏が出席、出品映画候補作品を次のように決めた。

△劇映画「裸の太陽」（東映）「第五福竜丸」（近代映協）

△短編映画「ミクロの世界」（東京シネマ）「五人の仲間」（芸術映画）「オモニと少年」（民芸）「稲と機関車」（東宝商事）

二、ソ連映画人との懇談会への出席について

十三日赤坂プリンスホテルでパーテーに富沢氏が出席会費一、〇〇〇円協会持ち。

十四日懇談会産経九階ホールにて教育映画関係者と共に吉見、厚木西沢、大沼、中村、富沢の諸氏六名が出席、作家からの意見を出すこと。

三、〃記録映画のつくり方〃単行本を発行、委員会をもうける、富沢、岩佐、吉見の三名の諸氏があたる、この本が発行、販売されて印税が入った場合協会へ寄附される。

四、映画会について

第二回目をむかえ、今後共に常任運営委員の協力が必要になってきている。

五、五月中に教材映画研究会を開く、岡本、河野両氏が中心になり近ごろ作られた作品を上映して開く

六会費滞納者に対する対策を事務局長に一任して行うこととなった。

研究会その他映画会のお知らせ

△国際短編映画試写と映サ活動家懇談会

〃記録映画を見る会〃の第二回も終り、第三回目をむかえるにあたり、今後の計画の為の試写会をかね、映画会に協力して下さっている映サ活動家との懇談会を開きますので御出席下さい。

とき　六月十五日（月）后五時
ところ　虎の門映協会館三階
内容
第一部　国際短編試写后五時ー七時
(イ)小さなボールちゃん（二巻）（チエコ）
(ロ)同じ空のもとで（二巻）（ポーランド）
(ハ)戦うワルソー（二巻）（ポーランド）
(ニ)エゼインシユタン伝記映画（ソヴエット）（五巻）
第二部　映サ活動家懇談会　后七時ー八時
第一、二回映画会について、今後協会員の出席をおまちします。

△記録映画を見る会
六月例会のお知らせ

(A)ー日本の風土と生活ー
とき　六月二六日（金）后六時
ところ　日比谷図書館地下ホール
内容　特別上映
イーストマンカラーー
○富士の見える国（五巻）
新東宝教育映画部
一、黒潮洗う地方（二巻）
日映新社　西沢剛作品
二、本州の屋根（二巻）
日映新社　野田真吉作品
三、イーストマンカラーー
東北のまつり(3)（二巻）
東京シネマ　野田真吉作品
イーストマンカラーー
四、北海道（四巻）
岩波映画　桑野　茂作品

(B)六月中旬、西部デパート、リーディングルームでも右の中から抜萃して行います。日時はおって開きます。

主催　教育映画作家協会、中部映画友の会、官公庁映サ協。
協賛　岩波映画、日映新社、東京シネマ、新東宝教育映画部
会費　一人三〇円
（協会員及友人等会場費に七、〇〇〇円近くかかりますので会費三〇円を載くことになっています）

△短編試写会のお知らせ

短編試写会の日時、場所をお知らせしますから、作家協会といってお入り下さい。（ハガキの必要な方は協会に取りにおいで下さい）

○六月五廿（金）后一時山葉ホール十六ミリ　試写会、主催連盟

○六月十九日（金）前十一時、一時、三時、白木屋ホール、映協試写会、主催映協。

△アルジエリアのレジスタンス劇映画の試写映画会予告

国民文化会議映画部会と、自主上映促進会共催で、六月中旬に、アルジエリアのレジスタンス劇映

画の試写映画会を計画中です。
と　き　六月中旬　后六時
ところ　日比谷図書館ホールか国鉄労働会館の予定
内　容　①「恐りの焔」二〇分ヴエトナムのニュース
②〃ヴエトナム民主共和国のすがた〃三〇分記録映画
③アルジエリアレジスタンス劇映画　二時間
会費は〃アルジエリアへの救援カンパをふくめて五〇—三〇円取る予定。

△第二回労組映画活動研究会のお知らせ

労組の要望もあつて、労組の映画運動、労組の視聴覚センターのことで、鶴鉄、川鉄、全電通、国鉄、機労の方々が出席されます。
と　き　六月八日（月）后六時
ところ　新聞労連会議室
（京橋交又点パイロット本社裏田口ビル内）
会　費　一人百円（コヒーつき）
○研究テーマ労組に於ける映画運動。
㈠話し合うこと1、労働者視聴覚教育協会について
2　労働組合視聴覚教育全国大会準備について等です。
作家協会員の出席を希望します。

動き

直接的

五月例会五月二三日　二四日 記録映画を見る会について

第二回の〃記録映画〃を見る会は第一回と同じように盛大でした、今回は二ケ所で開かれた点もあり準備は大変でしたが、〃美術映画とドキユメンタリー〃映画の組合せもよく、美術家の方々の協力もあり、美術作家の人々には〃ゲルニカ〃が大変に強い感銘をあたえました。映画サークルの人々からは、〃忘れられた土地〃〃朝鮮の子〃が心にうつたえたようです。

西武デパートの方は室がせまく見にこられた方々に大変暑いおもいをさせてしまいました。

当日大島辰雄氏の解説があるはずでしたが、急病でたおれてしまい皆さんに申訳ないことをしました。紙面をとおしおわびします。〃記録映画〃は九部の売上と二部の固定がありました。

又当日映サの活動の方と作協の役員とが話し合つた中でぜひとも話し合をしたいということが出されました、又住宅公団労組、日大映研から〃忘れられた土地〃を日映科学では〃ゲルニカ〃を上映したいむねの連絡があり、それぞれの所を紹介、連絡をもつこととしました。

このことは会を重ねていった成果と見ていいでしょう。

ソヴエト映画人との懇談会

五月十三日のパーテーには富沢事務局長が出席、十四日の夜は、産経九階ホールで教育映画関係のプロジユーサー、カメラマン、作家等が集まつて、団長のシユネードロフ氏と御婦人のカメラマンとで懇談会を開きました、作家協会からは、吉見、大沼、中村、厚木富沢、西沢の六名の諸氏が出席作家のことでは吉見氏より質問を出した。ソヴエツトにおける作家は創造方法における将来への展望、ならびに官報的映画からの脱却についてその答は日本の作家を充分に満足させるものとはならなかつたが、確信と真情あふるる話し方でした。女性カメラマンに対しての質問には、〃日本には女性のカメラマンがいないそうですが〃と恥らはしく答え〃女性でもカメラマンになれることを、ソヴエットには二五名以上の女性がカメラマンになつて働いていること、自分は三〇年もやつていること等について話してくれました。会がおわつてから日本の岐阜提灯を贈り、一人一人に握手してさられて行つた。（〃記録映画〃六月号にのります）

教材映画研究会 〃春を呼ぶ子等〃等のことで

四月二七日（水）后三時より、映協三階にて、〃ネンネコおんぶ〃〃東京の生活〃〃鉄道郵便車〃〃春を呼ぶ子等〃の四本を試写したあと、研究会を丸山氏の司会で行なわれました。

〃東京の生活〃〃鉄道郵便車〃についてはさほどふれられず、唯〃東京の生活〃はあつめすぎの点が出されていた。〃ネンネコおんぶ〃については新生活運動をいじす、るものであり、おしばいをしているという人と、よく画けているという点が出されたが、前者の意見の方が多いようであつた。〃春を呼ぶ子等〃は製作者も来ていた点もあり、最後に〃集団就職の為に汽車でおくられて行く長いシーンの意図するもの、農村の少年が、薪を割るのと大東京の写真のダブり、大企業から中、小企業へうつつて行く就職した少年少女、の姿これらの中に……問題がかくされていること等が話された。配給社との斗いについてもふれられ、シナリオの書きかえ、ラツシユで二つカツトされたこと等が出された。

〃戦艦ポチヨムキン上映促進会〃 「自主映画上映促進会」と名称

（＊）全国会議後、規約等きめられ、今後の運動についても審議され六月五日（金）后六時に東鉄クラブで東京総会を開くこととなつた。ここに規約をしめし作家協会の方々の協力を希望します。

規　約

第一章　名　称

第一条この会は自主映画上映促進会全国協議会といい、事務所を東京神田司町東京促進会内におく。

第二章　目的と事業

第二条この会は、現行外画輸入制度の不合理、事実上の検閲行為、あるいは興業的諸事情その他の理由にり、一般公開を妨げられている内外映画の自主上映を促進し、映画鑑賞の向上及び国際的な文化交流をはかる。

第三条第二条の目的を達成するために左の諸事業を行う。

1公開をはゞまれている優秀映画の自主上映並びに配給網の確立。

2,現行外画輸入制度是正の運動。

3観客自身の手によるフィルムライブラリーの設置運営。

4,出版、調査研究の活動。

5,その他必要な諸事業

第三章　構成・機関

第四条この会の目的に賛同する全国各地の促進会並びにその他の団体によつて構成する。

第五条　略

第六条　略

第七条　略

第四章　役　員

第八条　略

第五章　会　計

第九条　略

第十条　略

附　則

第十一条この会則は一九五九年五月三日より発効する。

具体的には戦艦ポチョムキンにつづき〃アルジエリアのレジスタンス劇映画〃又は〃アンネの日記〃（記録映画東ドイツ）〃夜と霧〃（アラン・レネ）等の上映運動の調査活動がすゝめられている。

第三回マスコミ研究会
「労働者とマスコミ」と対し

五月三十日后六時三〇分より、NHK会議室において開かれた。

原　新聞労連副委員長より〃独占資本のマスコミ支配〃について話され、日経連の労働対策、経済再建懇談会の政治対策、もう一つ文化対策部というものがありマスコミを支配していること、産経への水野成夫乗り込みによる自民党の党派性をろこつに出してきたことや、朝日新聞の右翼化の方向と、フジコンツエルンのあらわれ等具体的な解説があり、野田真吉氏より〃受け手の意識の内部に眼をむけること〃に対し討論の中で出されることとなり、日放労の浜田さんの席長で会はすゝめられた。

NHKの方からテレビ、ラジオの中にもマスコミにもたれかかつて仕事をして行く方向がある。

マス・コミは国民をふくめた全体のものであるのに独占資本のものだという意識がある。それはちがうのではないか。

おくり手側の抵抗を受け手側がいしき的に守つて行くこと。

現在は独占資本にマスコミがにぎられているのであるから非常に暗いのだそのことと職場でいためつけられている労働者とのぶつかりあい、即ち、おくり手と受け手とが同じ所にあることを自覚すること、働きかけること、が今非常に重要である。

今ある。戦艦ポチョムキン上映促進運動、労働者視聴覚センターなどもおくり手側とぶつかりあう下からのマス・コミの芽ではないか、おくり手側のいしき、受け手側の組織化の問題について次回はふれて行くこととなつた。

「動――き」（その二）

間接的

△

「東大五月祭で〃下からのマスコミ〃映画は誰れのもので、一体誰が作るか〃公開討論会」

五月二三日（土）后三時より東大五月祭の一つ法文経三六番教室において、山本薩夫、望月優子、今村太平、山田和夫氏を呼んで公開討論会が開かれた。

〃戦艦ポチョムキン〃と〃荷車の歌〃の問題を取りあげて話された。

そして〃大衆の大衆による大衆の為の映画、大衆の中から生れ出た映画はこうして大衆の中に帰らねばならない〃とむすんでいる。

作家。学者等が中心に安保条約改定問題研究会生る。又総評で安保改定反対の映画製作。

二九日朝学士会館で城戸幡太郎亀井勝一郎、その他日高六郎、南博等が集つて八十四人の連名で「政府の安保条約改定の構想には危険な点がある」と声明、していたが、藤山外相の発言が刺激となり、

全国民に真相を伝える為に世話人会では

解説

労働組合視聴覚活動の動き！

「映画教育通信」労働版が三二年四月十五日より発行三四年で十号まで出している。これは、共同映画社、東宝商事の有志の方々が編集しているものである。

これには労組の映写活動、視聴覚教育の問題が三年間の歩みとしてのせられている、その報告をのせ、今後の、労組の視聴覚運動へ作家としていかに協力して行くか又、作家としての創作上の問題として考えて載きたいと思う。

① 労組視聴覚関係会議報告

△昭和三二年三月三十日第一回労組映写活動懇談会が、東武交通労組、東京交通労組、国鉄労組東京地方、全国電気通信労組関東地方本部、全日本造船鶴見造船分会、全日本造船労組石川島造船分会、日本鋼管鶴見製鉄所労組、日本鋼管川崎製鉄労組、移動映画共同映画社、東宝商事が出席して開かれている。

△昭和三二年三月十五日第一回労組フィルムセンターこん談会が、（5）国鉄、全電通、全日通、全専売、出席のもとに開かれた。全電通ー8ミリ撮影がさかん斗争をうつす。国鉄ーフィルムセンター二九年より設置役の話し、「日鋼室蘭」「永遠なる平和」が出発他はこれから、

△第二回労組フィルムセンターこん談会、で将来は組合ニュース映画製作のことが出された。全逓ー機関紙によつて優秀映画を知らせている。労働講座、地区労関係に流している。全専売ー映写機、フイルムもなく、かりて行つている。機労ー分会集会、家族組合こん談会、等に活用している。全鉱連ー会社側PR攻勢がつよく会社でやられている唯「日鋼室蘭」を二本購入して全国巡回している。

出た意見として総評が中心になつて組合の特色を生かした記録映画をつくるべきだ。

△第四回映写活動懇談会開かる。

昭和三三年三月に開かれ次のことが話されている。

鶴見造船労組ー〝夜あけ朝あけ〟を十七日間巡回映画、家族のしようばんよい。工場内では昼休みに映画会、時間短かいので一本の映画を二日間で上映している。

東交労組ー視覚教育に注目四年前に映写機購入、各　を中心に家族組合結成にやくだつた。

川鉄労組ー映写活動四年　になる、社宅、　を対象にやつている

① 安保改定問題をめぐる情報の収集と組織的、系統的な研究。
② 講演や出版による啓発運動、又十五日から始めた署名運動をさらに広げることとなつた。

仮事務所は新宿区四谷三栄町二五の社会心理研究所。

作家協会としても参加すべきである。又総評では〝日本の政治〟が六十本売れたのを期にひきつゞき安保改定反対の映画を作るべく準備をすゝめている。

原水爆禁止
五〇〇〇キロ平和大行進
六月十日東京出発

日本原水協は八月五日より広島で第五回原水爆禁止世界大会が開かれ「五〇〇〇キロ平和大行進のスケジユールを発表した。東海道、北陸、九州コースで、運動は六月一日から八月五日までの国民運動月間とする、浜井広島市長は全世界三百市の市長、市議会代表あて大会参加の招請状を出す。東京は六月十日日比谷野外音楽堂に約一万五千人が参加、東京大会を開き行進にうつることになつている。

☆　☆　☆

「記録映画」へ意見

三冊分ほど配布していますが、あうたびにむずかしすぎる、機関紙的でありすぎるという声を聞きます。御一考下さるよう。

西沢　豪

記録映画を見たいがどうしたらいいかという声を各界からきゝます。映画会のやり方や、すでに定例になつている各種の映画会等をまとめて読者にしらせ、他にもひらくアッピールする運動をしたいものです。

大沼鉄郎

ー四月号ーの鈴木喜代春さんの教室と映画を結ぶもの、はやわらかで面白い考察と思います。雑誌を展げるには、どうしてもやわらかいものを組込むことを忘れてはいけないでしょう。私も文学の友と同人法を出しています。編集の皆様のご苦労を大いに感謝しています。

藤田幸平

先づ第一に執筆者の身分が分らぬので読んでいてもピンとこないこともありますので、文章の末尾にそれを記入して下さい。それからなるべく会員に多く執筆のスペースを与えるよう考慮して欲しいです。

永富映次郎

地域の各団体からの申し込みも受付けている。神奈川新聞にとりあげられ、増々申込がふえている。現在三〇ケ所を数えている。

△一九五八、第二回労組映写懇談会、　二月二五日

東武ー年予算三五万円、春季五〇日、秋季五〇日沿線の地域として五〇日回している。

鶴鉄ー十八万円位予算が出ている寮を単位に映写を行い一〇二回上映。

川鉄ー地域活動の強化に使用されている、映写活動の限界が労組内で問題になつている。

△一九五九、二月十六日近畿労組映写活動者懇談会開く。関西地方で労組映画活動の組織化として一労組月一〇〇円の会費で六月頃よりすゝめる。働く者の映画のつくり方教室を計画。

△労組視聴覚センター会議結成か四月初旬にむかつて次のような方向がうち出されている。

昨年末、宮崎における全日本視聴覚教育大会が開かれた際、労働運動のチャンピオン国鉄の星加氏が社会教育関係の委員として出席「視聴覚手段によつて労組運動をマツ殺することができる」と豪語しているがそれにひきかえ労組側の視聴覚手段を活用した教宣文化活動もとみに高まつている。その一例は、労組映写活動懇談会、労組フイルムセンター会議で経験交流がされている。又総評の映画活動者懇談会、それらの中で国鉄、全電通、全逓、機労の中央四単産が発起団体となつて労組視聴覚センター会議がうまれている。組織的に一貫した活動がない所からうまれた。組合にフイルムセンターを持ち、映写活動の活溌化に力を注いでいる。

△以上の動きの中で六月八日第二回労組映画活動研究会が開かれるそこには労働者視聴覚教育協会の設立のことと、労働組合視聴覚教育全国大会準備について話されることとなつている。

＝労視協予想図＝

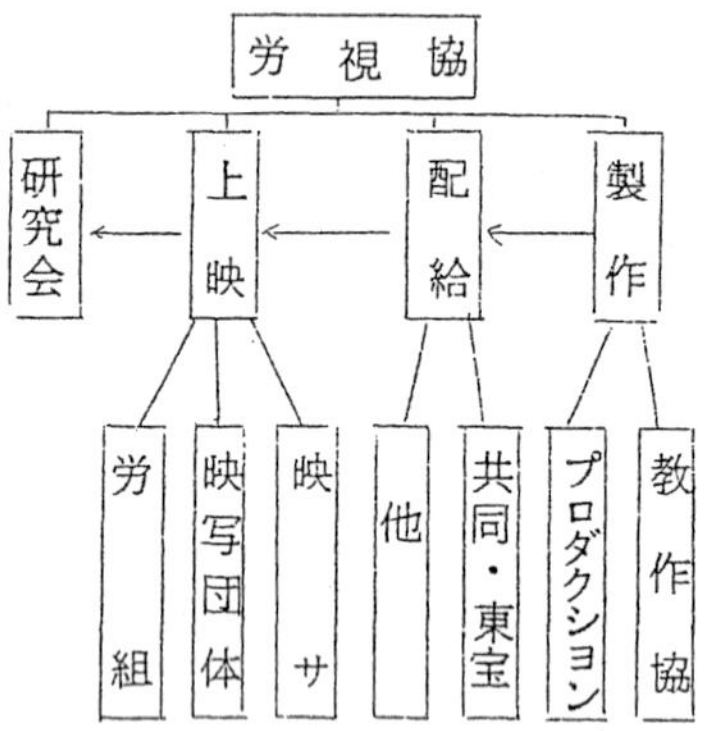

② 単産活動報告

(イ)日本鋼管鶴見製作所労組映写活動アンケート報告（その一）

○映写回数表

年(昭和)	上映番組	上映日数(A)
28	27	51
29	15	69
30	9	67

上映日数(B)	動員数
114 57 67	23950

○　映画会の中から主婦の会

日鋼室蘭の斗いの影響もあり組合で記録映画〝日鋼室蘭〟を購入し活用。

○寮社宅ごとに映写技術者を養成、組合執行部六名、職場二三名。

○他組合によびかけている。旭ガラス、芝浦ダービン、自動車鋳物、鶴見造船、川崎製鉄、日本鋼管本社。

(ロ)日本鋼管の鶴鉄労組の映画会調査（その二）

十二ケ所の寮社宅、五〇〇枚の内三九一枚回収、五二枚男性あとは全部主婦。

一、組合の映画はどの程度みられているか。

必らずみる　二三九
ときどき　一二九
みない　九

二　組合映画のみないときの理由

面白くないからみない。　九
みたくとも家事のためみられない　一四八
その他　四九

三、組合映画の内容はどうか

非常によい　五五
よいほうだ　一七〇
あたりまえ　一三六
あまり感心しない　四
よくない　一

四、一番良いと思つた映画は

しいのみ学園（五月）　一四六
女中ツ子（六月）　一三一
柿の木のある家（七月）　九五
野菊の如き君なりき（九月）　七七
月夜の傘（十月）　五二
その他

五、これからみたいと思う映画は

黄色いからす　二一
米　二一
教育映画　一五
時代劇　一二
さゝえさん　一一
その他

(ハ)　全電通の現状

おもに労働講座、オルグ、選対に映写活動がつかわれる関東近畿の使用が大きい。三三年の六月の関東地方大会で映写機の購入、フイルムの講入、技術者講習会を決定、六三万円の予算を決定。

動静

地理大系「山陰地方の生活」を六月中に、「愛知用水オ一部」を七月中に仕上げます。この間をぬつて、最高裁の弘報映画を現在シナリオ執筆中です（日映新社）

西沢　豪

東京シネマの「ガン細胞」クランクアップです。

ワタナベ

日大の仕事がまだまだ続いています。多少うんざり気味。たゞし社に帰つて〃相模川〃をやりますが、これは大いに張切るつもりです。

深江　正彦

東京フィルム「尿素」東日本ロケ中

上野　大梧

日本ドキュメント、フイルムにて新しい苗作りをテーマにした「保温折衷苗代」の一年間の記録を撮つています。

楠木　徳男

航空映画「スクランブル」（新東宝教育映画部作品）完成。次回作品企画準備中。尚「スクランブル」は「緊急出撃」として六月、新東宝系劇映画館封切決定した。

永富映次郎

東映「おかあさんの耳は買えない」（児童劇四巻）完成。東映「大地に根をおろせ」（仮題、児童劇二巻）シナリオ準備中　五月下旬から六月初旬にかけてクラン

豊田　敬太

「学校保健」（健康優良校）（新世界プロ）シナリオ完成演出準備中

谷川　義雄

日経映画社で「日本の農業」の仕事をしています。五月二十三日から新潟県へロケにいきます。撮影は五月中に終了し、それから仕上作業にかゝります。

河野　哲二

十五日で今迄の作品が完成したので現在浪人です。

塚原　孝一

「エラブの海」ロケ三ケ月間東京不在します。

西尾　善介

現在

☆毎週金曜日PM九時〜九時十五分「ニッポン拝見」最近の作品では（集団就職、今に残るキリシタンの島村の嫁つ子、谷川警備隊、東京のパトロールカー等々）今週は（大阪商人）来週が（祇園の女）の予定と

☆木曜日PM十時三十五分〜四十五分迄「東京プロフィル」の編集をやつております。

作品例S・K・Dの踊子日記、地下にしぐる東京、ミスばやり埋立地、オールひとすじに等々です。

渡辺　大年

四、二七ドキュメントで「日本の建築」初号試写以後自宅で休養中、

小島　義央

「リビング・イングリッシュ」TV映画を製作中

村田　達治

日経映画社にて仂いています。

間宮　則夫

全農映の仕事で、二十日間位長野県と愛媛県に出かけてきます。

荒井　英郎

（五月十六日）

四月から名古屋のCBCテレビ映画社に来ました、都落ちと云う事で随分悩みましたが、フジテレビの編集室の中よりは生きがいを感じるだろうと決心した訳けです。名古屋にいらつしやつたら、是非お寄り下さい。

小森　幸雄

五月十七日から全農映「伸びるための力」（監督荒井英郎）ロケのため長野県および愛媛県に出張。六月中旬完成予定。

大内田　圭彌

東京シネマで企画を出して実現しようと、調査中です。

大沼　鉄郎

日向神ダム、EK二巻の撮影を終え、ほっとひと息したところです。二十二日ごろから編集、東京では、東映TV映画の田中研さんにお会いするのが楽しみです。

藤田　幸平

小生去る五月十六日に結婚し、左記に転居致しました。よろしくお願い致します。

新宿区上落合一ノ四八〇

寛谷治男様方

榛葉　豊明

日本教育テレビ毎週金曜日夜六時半から十五分番組「武蔵野風土記」を毎日映画社で撮影しております。九月迄続く予定です。

馬場英太郎

協会財政報告　五月分

収入の部

会費	六四、九一五円
雑収入	一一、三〇五
計	七六、二二〇

支出の部

通信費	三、七〇五
交通費	三、六三〇
電話料	二、六二〇
用品文具	四八五
雑費（映画会その他）	一三、一一五
印刷費	五、〇〇〇
事務所費	五、〇〇〇
人件費	三三、〇〇〇
計	六六、五五五
差引残高	九、六六〇円

記録映画　五月分財政

固定読者	七、八〇〇
売上	七、〇一〇
雑収入	一、〇〇〇
広告料	三八、五〇〇
繰越金	三〇、〇一八
計	八四、三二八
通信費	三、二一二
交通費	二、九五五
印刷費	三、〇〇〇
電話代	二、五六九
編集費及雑費	四九、六四九
計	六一、三八五
差引残高	二二、九四三

事務局よりお知らせ

会ヒ滞納の方々へ おねがい

会費の納入も非常に良くなって来ていますが、まだ三十名近くの方々が長期滞納のまゝになっています。そこでそれらの方々には〝雑誌記録映画〟はおくられていません、いくらかなりとも納入されるか、話し合うことによって、その問題を解決して行くよう事務局として今回各人に会を続けられるかどうか、のお問合せと会費納入について前滞納分を月賦払よし、今月より会費をきちんと納入してもらえるかどうか、おうかゞいします。

機関紙〝記録映画〟の固定読者を会員一人に対し一名取って下さい

(イ)同封しているもう一部の機関紙〝記録映画〟の読者を取って下さい。固定読者を取られ住所、氏名を紹介下されば直接、読者の方にお送りします。

(ロ)そのつど売って載く場合は七〇円を会費と共に載くようになります。

(ハ)固定読者の方々には毎月の短編試写会の招待状を直接おくっています。

(ニ)固定読者へアンケートと継続のお願いを発送しましたので協力方をお願いします。

事務局より中元手当にあたりおねがい

事務局体制もととのい、今後は協会の為、会員の皆様の為につくして行くべく努力してまいります。六月の末には事務局員の中元手当のこともありますので会費納入、六月分は六月二五日頃に納入下さるようお願いします。電話又はお問合せがあれば取りにまいります。皆様の協力を節にお願いします。

映画会及映画割引の御案内

①六月例会〝記録映画を見る会〟
とき　六月二六日（金）后六時
ところ　日比谷図書館地下ホール
内容　日本の風土と生活
　イーストマンカラ　三本
　（内容は二頁に）
会費　一人三〇円

②テアトルニュース六月十七日より七月九日までベストワン特集上映
六月十七日ー二十日エデンの東
二一日ー二三日二十四の瞳
二四ー二六日恐怖の報酬
二七日ー二八日にごりえ
二九日ー七月二日居酒屋
三日ー五日　道
六日ー九日真昼の暗黒
一般五〇円、前売三五円に

③ロードショー割引のお知らせ
○ニューヨークの王様六月二〇日より二週間予定パンテオン、ミラノ座共通券二一〇円の処一二〇円
○すゞらん祭六月六日ー十九日パンテオン、ミラノ座二一〇円の処一五〇円
○二十四時間の情事（ひろしまわが恋）六月十七日ー二三日渋谷大映、新宿大映一三〇円の処一一〇円シネマ・パレス一二〇円の処七〇円
○悪魔の発明六月八日ー十四日新宿劇場、一七〇円の処一二〇円
○素晴しき娘たち六月十六日ー二二日銀座東映、新宿東映、渋谷東映一七〇円の処九〇円

住所変更

穠葉　豊明　新宿区上落合一ノ四八〇寛谷治男方
西本さち子　新宿区柏木町五の一、一一二伊藤方
大沼　鉄郎　中野区沼袋三九三ノ四
杉原　せつ
原田　勉　北多摩郡久留米町ひばりケ丘団地五〇ー二〇一
神馬亥佐雄　文京区本郷四の四七 本多方

新入会紹介

青木　徹　（企業所属）中日ニユーステレビ助監督
　愛知県名古屋市昭和区天神町二の十五桜アパート十五号
青野　春雄（フリー）助監督
　都内杉並区高円寺二ノ四三〇
井内　久（企業所属）新東宝脚本
泉水　剛（企業所属）新理研助監督
　世田ケ谷区　町三一二

岩崎太郎さんの実父が亡くなられました

岩崎太郎さんのお父さんが亡なられました。会報を通じて御悔み申し上げます。協会員の皆さんへおつたえします。

教育映画作家協会
運営委員会

1959.7.10発行

教育映画作家協会々報

No46

教　育　映　画　作　家　協　会

東京都中央区銀座西8ー5日吉ビル　TEL(57) 5418

安保条約改定反対と映画製作のこと

後任運営委員長代理を！

ー六月三十日運営委員会ー

六月三十日運営委員会できめられたこと出席者は矢部、川本、河野、西本、八幡、杉山、中村、富沢、（委任、丸山、岡本、樋口、苗田、西沢、）

一、撮影者協会よりの申入に対して、

自映連の所属団体である撮影者協会がこんど事務所を銀座の華僑会館に持つことをきめ、その事務所に作家協会と同居したいむねの申入があった。一つは作家協会との関連をもち勉強して行きたいということゝ、二、事務所が広いので同居しないかということである。唯作家協会としても特に今の事務局を出る理由もないことから、現在の家賃と同じであればかんがえてもいいのでわないか、ということを返事することとなった。

二、安保条約問題について

先きの運営委員会で少し問題になったことですが、今回「安保問題研究会」よりの改定反対声明の支持の署名参加の要請と、共同映画社よりの安保改正反対の映画製作の準備会を作家協会が中心になって持ち各労組に呼びかけないかとの提唱がなされました。

◎　先づ安保問題研究会の改定反対の声明を運営委員会としては全面的に支持し運動をすゝめて行くことをきめ、まず会員全員に安保条約改定の解説をのせ、全員から反対の署名又は意見をもらうことを決定、会報にのせることゝなった。又〃記録映画〃の中にもそのことを反映させるよう編集部によびかけることとなった。

◎　つゞいて映画製作の問題については、〃日本の政治〃についての反省が出され『運営委員会として積極的でなく一部委員に荷をかけすぎてしまい、作家協会としての協力がなかった点、そのことから今回の問題は協会全体の問題にして行くことがなによりも大切でありそのことが前進になる。そのことからも製作のかくを運営委員会が掴み、常任運営委員会が具体的行動にあたることである。その為に、㋑　準備委員会を持つこと、そこには常任運営委員があたり委員会をたえず開くこと、㋺　作家協会員全員に改正反対の映画製作の構想をあげさせる運動をおこし、準備会の会報又は〃記録映画〃にどしどし掲載し問題をひろめて行く活動をアッピールする』以上が出ました。このことは非常に重要なことと思います。

三、後任運営委員長代理の問題

先きに、協会員全員に後任の運営委員長のことで往復ハガキにて臨時総会を開き運営委員長を選ぶ（オ一案）運営委員会の中で運営委員長代理を選ぶ（オ二案）についての信任投票をこうた処、次のような結果が出ました。

○　投票総数七三票（選挙権のある人員は一四〇名）有効七〇票、無効一票、白紙一票、オ二案六五票、オ一案六票、

以上より半数以上となり、運営委員会は信任されたことゝなり、この投票により、オ二案の運営委員会の中より運営委員長代理を選挙により矢部正男氏を選びました。

中村運営委員長辞任と後任について
安保条約問題！
―六月十七日運営委員会―

六月十七日運営委員会を開き次のことをきめました出席者（矢部、岩堀、八幡、樋口、河野、富沢、川本、岡本、中村、委任杉山、かんけ、西沢）

一、新入会者の承認　青木徹（企業所属助監督）、青野春雄（フリー助監督）、井内久（企業所属脚本）、泉水剛（企業所属助監督）、斎藤茂夫（フリー助監督）、山元敏之（フリー助監督）、山下為男（フリー助監督）、

二、防野貞男氏が今回プロジユサーとなられ脱会したいむね申し出がありましたが賛助会員になってもらうよう交渉することとなつた。

三、基本財政について、

収入が三月四万九千円（七六％）四月五万八千円（八〇％）五月六万七千円（八五％）というようにふえてきている。理由としては滞納者が少なくなってきていること、雑誌〝記録映画〟が出て読まれていること、協会によりどころをもとめてきている。

支出の方も収入増と共にいくらかふえてはいるが基本的には予算にそっている。又映画会は独立採算でやっている。

四、長期滞納者について、

長期滞納者が十二名いましたがその中五名の方より協会をつゞけて行きたいむねの申し出があったのでその他の方七名は七月より脱会したことになる。

五、〝記録映画〟関係について

◎会員に二冊づゝ〝記録映画〟が配布されている（予約を取った方は別です）収入は四〇％までいっている八月までそのまゝでつゞけ調査する。会費と共に代金をもらう。

◎読者への試写会招待は白木屋ホールと記録映画を見る会の二つとしあとは協会員に配布する。

◎宣伝用に多くつかうこととなった。

六、中村運営委員長辞任の件について。

中村敏郎氏の勤務先である日映新社において機構改革があり、中村氏が才二製作次長となられ、作家の立場をはなれたことで作家協会を脱会したいむねの要望が出されました。そこで種々討議のすえ辞任はやもうえないということになり、脱会をみとめました。

そこで後任の問題が出され、菅家前事務局長が病気の時、事務局長代理をたてたこと（河野氏）や、事務局長が代理を勤めることなど出ましたが、運営委員会としては信任投票を全員にあおぐこととなりました。その方法としましては、原則どおり臨時総会を開きそこで運営委員長を選ぶか、運営委員会の中から運営委員長代理を選ぶかについて往復ハガキで行うこととなった。十九日に発送し〆切を二十七日におき三十日にハガキの集った所で運営委員会を開きそこで討議して決定することをきめた。

七、安保条約問題について

安保問題については運動が協会としてもおこしていない、職能法より政治的に大きな問題である。然し安保問題の国民会議が動き出せばそのスケージュールの中に入り、勉強し、又呼びかけがあればまず運営委員会としてうけとめるようにする。

半ケ年分の映画会レパートリーを〝記録映画〟切替に協力方を
六月十三日経営委員会

六月十三日経営委員会で次のことをきめた。

出席者（中村、富沢、岡本、高島、門宮）

一、映サ活動家と二ケ月に一回は座談会を開くようにする。

二、七月映画会レパートリーをきめた。尾瀬（二）東京シネマ、丹沢（一）神奈川ニュース、三原山（二）作協、雪国（四）日映科学、基地の子（三）共同映画、春を呼ぶ子等（二）新世界プロ

〝山〟と記録映画の山として、次回の経営委員会で半ケ年のレパートリーを組む

川鉄の方は様子を見てからきめて行く、

三、〝記録映画〟切替時にあたり呼びかけを出す。

招介者にも誌代切になったことの挨拶状を出すこと、又毎号アンケートを出して調査すること、映画会との関係をもっと密接にすること。会報にも切替時なので紹介者へ呼びかけの記事をのせることとなった。

〃記録映画〃一冊分代金納入と〃映画会〃との関係について

六月五日午后六時より常任運営委員会が開かれ次のことがきめられた。

一、中村運営委員長辞任について、
中村運営委員長が今回日映新社の機構改革により才二製作次長になられることにより、運営委員長を辞任したいむねの要望が出されました。そこで常任運営委員会としては、至急運営委員会を開きそこで辞任の問題と今後の問題を審議し決定することとなった。

二、〃記録映画〃を会員に一冊分よけいに送っていることについて、
総会で決定された〃記録映画〃を会員に一冊分よけいに送っています（予約を取ってくれた方は送っていません）友人等に呼びかけ売って載くようになっています。そこで会費を載く時に共に雑誌代七〇円をもらうことを確認した。

四、記録映画を見る会について
〇レパートリーと機関誌〃記録映画〃との関係をもっと強めて行くようにすること、出来れば〃記録映画〃に上映作品をとりあげるようにして行くように編集部へ要請すること。

五、雑件
◎国民文化会議のこと、
常任運営委員をきめることが出され作家協会としては、共同映画社の荒木さんを推薦することとなった（独立協同の能登さんが決定した）
◎自主上映促進会のこと、
◎十一団体で常任委員会をもちそこで方向をうち出すこと、
◎税管へ抗議文をわたす。

研究会その他記録映画会のお知らせ

△第四回マス・コミ研究会
「週刊誌」はいかに読まれているか

マス・コミ研究会も才四回を迎え受け手と送り手とのぶっつかりあいの問題にまできましたが、今回は週刊紙の問題を取りあげ庶民とつながりの深い点からも受け手と送り手の問題をさぐることとなった。

と き 七月十三日（月）后六時
ところ ＮＨＫ本館会議室（冷房あり）
内 容 「週間誌がどう読まれているか」南博、「週間誌はどう作られているか」週間誌編集部、「組合月刊誌はどうか」組合教宣部長

作家協会の方々の出席は特におまちします。当日パンフレット配布

△記録映画を見る会
七月例会のお知らせ

(1) 〃山〃特集と戦中、戦後、現代話題作
と き 七月十九日(日)后一時・三時
ところ 伊勢丹七階婦人ホール
内 容
一、イーストマンカラ
尾 瀬 一巻
西沢 豪作品（東京シネマ）
二、雪国（戦中） 四巻
石本統吉作品（芸術映画社）
四、シネマスコープ
丹 沢 二巻
深沢正彦作品（神奈川ニュース映画会）
三、春を呼ぶ子等（現代） 二巻
松本俊夫作品（新世界プロ）

(2) 城北映画サークル協議会
第三回優秀映画会
と き 七月三十一日（金）后六時
ところ 滝之川区民会館（トロリー都電、西巣鴨下車）
一、〃おやじ〃 二巻
菅家陳彦作品（共同映画社）
二、丹沢、三、春を呼ぶ子等、四、尾瀬、五、基地の子
六、イーストマン・カラー
アンデス縦断三万キロ 三巻
トヨダ自動車
主催 教育映画作家協会、中部映画友の会、官公庁映サ協、機関紙映ク、伊勢丹、城北映サ協、
会費 一人三〇円（どの会場も三〇円です、会員券は事務局にあり）

△短篇試写会のお知らせ
短編試写会の日時、場所をお知らせしますから、作家協会といって入場下さい。（ハガキの必要な方は協会事務局へ取りにおいで下さい。）

〇七月十四日(火) 午後一時
山葉ホール、十六ミリ試写会 主催 連盟

〇七月二十八日(金) 午後六時
白木屋ホール、主催 映協

△記録映画研究会のお知らせ！
今回日大映研製作になる〃釘と靴下の対談〃という実験映画と、その他のものを上映、ひさしぶりに研究会を開きます。

とき 七月中旬后六時（予定）
ところ 映協か中日ニュース
内容 〃釘と靴下の対話〃日大映研三巻
〃東京一九五八〃シネマ五九 一巻
〃同じ空のもとで〃ポーランド（[illegible]
主催 記録映画研究会

動き（その1）

△映サ活動家懇談会にて　もつと話し合うこと

六月十五日（日）国際短篇の試写後、映サの活動家と作協の会員との懇談会が行なわれた。映サの方は四名しか出席がなかったが、その中で、映画サークルの活動家の〃記録映画の見方にふれることが出来た、「ものめずらしさで見ている」、「観光、知らなかった所をおしえてくれる」等のことが出され、今まで知らされているがPR映画、長篇記録映画である点がわかり、映画サークルとの話し合の重要性がわかった。きながに話し合をつゞけて行くことゝ、今までやられていなかったことの反省も出された。又作協と映サで共催している〃記録映画を見る会〃をつゞけて行くことの重要性にまでおよんでいる。

△六月二六日の「日本の風土と生活」の映画会の反省

〃記録映画を見る会六月例会は、〃日本の風土と生活〃ということで開かれ、映画サークルの方々は二〇〇名以上も参加しているのに作協の方は四〇名たらず今までにない少なさです。こゝで一、映サののぞんでいる点がわかったと共にこれではいけないのでわないかと思った。二、作協の人々は見ているから少ないという意見もあったが、番組の中に作家として問題にしている作品が入る必要があること三、映サと作家との話し合をつゞけて行くことで作家の協力をおねがいすることの必要性を感じた。

△〃釘と靴下の対話〃を日大映研と研究会開く

〃記録映画〃編集部では六月十九日、日大映研製作になる〃釘と靴下の対話〃と〃春を呼ぶ子等〃（松本俊夫）〃〃私のお母さん〃（岩佐氏寿）を上映、岩佐氏寿をはじめ作家五名ぐらいと、日大映研八名とで研究会を開いた。

そこで出された点では、時間もなく深まらなかったが「ひとりよがりの処がある」「ショットが短い」等のことが出されたが〃東京一九五八〃におとらぬ作品として話題を呼んでいる。

動き（その2）

△教育映画総合協議会の解消

教育映画総合協議会が発展的解消をして、日本映画教育協会と合併することとなった。これまで協議会に加盟していた当作家協会は今後は日本映画教育協会という共通の広場の中で連繫を深めて行くことゝなった。

△日本証券投資協会で産業文化映画祭を開催

PR映画の普及発展を図り、日本証券投資協会では東京都教育委員会、教育映画製作者連盟後援のもとで、「産業文化映画祭」を七月六日より九月四日まで約二ヵ月間、日比谷の東宝演芸場（午后〇時三〇分より一回上映）で一回三時間以内、毎週ニュース、文化映画など一本加えて、

△近ごろの劇映画作家の動きあれこれ

○　今井正監督は東映で立身出世のために手段をえらばぬ男を主人公の映画「白い崖」にかゝる。

○　家城巳代治監督も同じく「素晴しき娘たち」につゞき戦後日本の姿を画く〃フイリツピンにうめた黄金を日本とフイリツピンを舞台に黄金をさぐる話〃〃ジラード事件の陰の人々をあつかった映画〃を計画中

○　山本薩夫監督は新東宝配給で石川達三原作の「人間の壁」製作に入りロケハンを行っている。

○　亀井文夫監督はひさびさに松本プロで部落問題を杉浦民平にシナリオしてもらい、特に製作に入る。

△京都〃記録映画を見る会〃の運動

作家協会の松本俊夫氏をまねいて六月二十五日に京大楽友会館で〃商業主義とたゝかう記録映画作家たち〃という主題で〃春を呼ぶ子等〃〃おやじ〃〃飛鳥美術〃を上映して、会を開いた。

ひきつゞいて七月七日には同じ京大楽友会館で亀井文夫作品集を七月十三日は府医大ホールで〃世界の科学映画特集〃を又八月八日は府医大ホールで富士銀行のサークルの協力で〃富士〃を又九月十六日は府医大ホールで例会に〃エイゼンシュテインの生涯〃〃シュパイデル将軍〃を上映することゝなっている。このような積極的活動は記録映画作家としても高く評価すべきでありもっともっと協力すべきものである。〃記録映画〃もそのような中で大変なうれゆきを見せ、運動のつながりがのぞまれている。

△自主映画運動と徳島では妨害をけつて上映運動へ

東京、関西をはじめ戦艦ポチヨムキンの運動は各県にひろまり前橋、高崎ではハタ興業と話し合って劇場を映サで管理して上映する運動になっている。又この運動がこのように広まったのはまがりなりにも映画サークルという組織があり運動していたことによるものであり今年の九月に開かれる映画観客団体の全国会議の議題になろうとしている。然しかならずしも全部が全部成功したわけでわない、徳島市のような封建的な町では市の四高校が団体動員を準備した所県教育委員会が中止するようにと校長会議にかけたという。このことが地方新聞にのり問題が大きくなり、上映運動はそのことによって成功したが、これらのことは別な面で関西の大阪のように促進会を解散して、運動資金をわけてしまったということや、東京のように〃上映運動をしたけれど映サの会員はふえない〃等のキヨク論すら出ている。以上のことからこの運動は、京都の〃記録映画を見る会〃当協会が行っている〃記録映画を見る会〃のような下からの運動のつみかさねがなければ成功しないことはあきらかである。

安保条約改定についての声明

私たちはサンフランシスコ講和会議に際し、国際間の緊張を緩和するためにも、また日本の安全を確保するためにも、世界のあらゆる国々と平等な立場に立つ全面的な平和条約の成立を主張して参りました。

ところが不幸にも私たちの希望は実現されませんでした。そして一部の諸国との間に締結されたサンフランシスコ講和条約にともなって、日米安全保障条約及び日米行政協定が成立し、わが国は平和憲法の精神に反し、軍事ブロックに参加せざるをえないことになりました。

現在、岸内閣の方針として日米安全保障条約改定の問題が起り、私たちは再び重大な事態に直面しようとしております。改定案の構想はいろいろあるように伝えられていますが、そのいづれも本質的には現在の安保条約及び行政協定がふくんでいる問題点を解決するものではないと思われます。

私たちは主として次の理由から安保条約改定の方針にたいして深い危惧の念を表明せざるを得ません。

一　改定案は条約における不平等性、片務性を解消することが目的だといわれていますが、現実には日本がアメリカとさらに積極的な軍事的相互援助関係にはいることになるものと憂慮されます。

二　日本国内にアメリカ軍事基地が存在するかぎり、またヴアンデンバーグ決議の内容からみても、アジアに軍事紛争がおこった場合、日本はそれにまきこまれる危険が多いと思われます。

三　この改定は、すでに進行中の核兵器の持込み、自衛隊の核武装化をすこしも阻止するものではありません。

四　このようにして、日本国憲法にふくまれる平和の精神は完全にふみにじられてしまうことになります。

五　改定案は、着々と進行しつつある再軍備をますます強め、その結果は警職法改正、秘密保護法、防諜法などの反民主主義的立法が促進され、基本的人権、言論・学問・思想の自由が侵害されるおそれがあります。

ＩＣＢＭ、原水爆などのおそるべき超兵器が出現した今日、私たちは核武装せず、いかなる軍事ブロックにも参加せず、アメリカ、ソ連、中華人民共和国をふくむすべての近隣諸国との友好、平等の関係をうちたてることによって、日本の安全は確保されると信じます。そしてこのことがひいては、人類を戦争の惨禍から救い、世界の平和を樹立するために、日本国民が貢献しうるただひとつの道であると信じます。

一九五九年三月二十三日

安保条約問題研究会

以上の声明を支持した学者、文学者、芸術家がすでに六百名にたっしています。この声明に対しては作家協会の運営委員会としても支持することを決定、それと共に安保改定阻止国民会議へ加入して運動に参加し、映画製作への準備を行うこととなりました。又会員全員に安保条約改定を知って戴くことから、各種資料より抜萃したものをのせることとなりましたので、お読み下さい。又、映画製作についての構想をおよせ下さい。

安保条約改定の解説(その一)

それでは、これほど、日本の政局を動かしている日米安保条約の改定というのは、どんな内容のものであろうか。

日本国民は、はじめから、日米安保条約そのものについて、強い不満をもっていた。それは今まで日本国民が日本領土内にあって、米占領時代と同様に、米軍兵士にママさんおいでで殺されたり、または裁判権が日本によるのかどうかでもめて、犯人は無罪同様で本国に帰ったり、帰ったジラルドは日本人妻をけったりなぐったりして、日本に追い帰したりしていること(ジラルド事件)ジエット機が農家につい落したり、そのため恐怖がその地帯一帯にひろがったりしていること(埼玉、鶴見、浜松など)砂川、百里原その他の基地拡張が強行されようとしていることなど、毎日の生活そのものがこういう不安にさらされているからでもあるが、また大きく日本の政治経済全体についても、たとえばいわれなく日中国交回復が行われず、岸の中国敵視政策で貿易が中絶して中小企業はひどい打撃をうけたり、平和憲法下で再軍備増強をおしつけられたり、朝鮮や台湾海峡の険悪な状態のとき、一度誤れば、米軍基地下にある日本がどんなことになるか、国民は本能的に生命の危険を感じているからにほかならない。もちろん国民のなかにも保守びいきのひともあり、また日米安保条約も悪いことだがしかたがないという弱気のひともいる。しかし、保守系のそうしたひとでも、現在の日米安保条約が、きわめて不平等のものであって、なんとか改定しなくてはならないものであるということでは殆んど一致している。

たとえば、保守勢力のなかからも、現在の日米安保条約の才一条では、在日米軍は日本国内及びその周辺に駐留の権利だけもっていて、日本防衛の義務を負わず、不公平だという議論が出されている。それはたとえば、次の場合である。米軍出動は条約によると、①日本に対する直接侵害、②日本政府の要請による間接侵略、③極東における平和と安全に寄与するための三つの場合であるが、①の場合では、最初、米軍が出動して、原水爆十分間戦争をやったら、あとは、さっさと逃げてしまう。あとは原爆の落ちたあとに日本軍だけでやらなくてはならないことになる。(現に今年の夏、台湾海峡が険悪となったとき、沖縄の米軍家族は本国引揚げをやっている)米軍は逃げてはいけないという規定はない。②の場合では、日本の保守内閣が無理非道な反動政治を強行して、日本の革命運動や独立闘争が激しくなった場合、これを弾圧するために米軍が出動する。これは内政干渉になる。③の場合は一番ひどい、たとえば、台湾や韓国で米軍と戦争を始めたとき、米軍は日本の基地から出動し爆撃をはじめることができる、これでは現条約のもとでも日本は戦争にまきこまれてしまうわけである。

もう一つ重大な問題がある。在日米軍の配備、使用について、米軍はあらかじめ日本政府にことわらなくてもよい、したがって、核兵器が持ちこまれても、この条約のもとでは、なんとも文句の云いようがないという重大問題がある。

才二回の藤山、マツカーサー会談では以上の改定項目を整理して次のようにまとめている。

① 米国が日本防衛の義務を負うことを明らかにする。
② 日本には大規模な内乱騒擾が発生した時、米軍が鎮圧に出動する条約を削除する。
③ 米国の許可なしに日本が才三国に基地の提供を行うことを禁ずる条約を削除する。
④ 条約期限を定める。
⑤ 新条約の適用範囲を明らかにする。
⑥ 在日米軍の配備、使用に対する事前協議をとりきめる。

およそ以上の六項目であり、見たところ、おそらく善良な国民は、これは一歩一歩独立へ向っているような錯覚を起させるように仕組まれて発表されたものである。ところが、実際には、そんな甘いものではなかった。これらの改定項目のうち、⑥をのぞいては、いずれも、国民を油断させるエサであり、わなであったのである。本当の狙いは⑤の条約適用範囲にあった。

"交換ノート"

編集のため二〇日ほど滞京しました。スタジオには絶えず数名の人が出入りしていたし、このうちの大半は会員に違いないと考え、仕事の合間にはいろんな話をしてみたいと思ってもなかなかキツカケがないものです。そんなときに簡単なバツヂみたいなものでもあれば、われわれ地方の会員に便利です。

(福岡市)　藤田幸平

動静

次回作準備中です。「相模川」梅雨で一応打切り七月再びクランク開始します。　深江　正彦

七月一日より八月末までの予定で「のびゆく中部日本」（カラーシネスコ　二巻、企画中日新聞社、製作中日ニュース映画社）の仕事をしています。また東京を留守にして、中部地方の各地を廻って歩きます。　小高　美秋

日映新社で柳沢さんの作品につきます。　久保田義久

五月十一日より大映テレビ映画「少年ジェット」十三本製作中　大鶴日出夫

記録映画社にて「オートメーション」（ＥＦカラー三巻）の脚本演出、目下撮影中　日　高　昭

六月二十日より、日経映画社の仕事にて新潟県に来ています、月末には帰京予定ですから帰京次才協会事務所にお邪魔いたします。　池上　史郎

トヨペットシナリオ、椿本チェーンのシナリオ執筆中、　大野　祐

「醤油」（日本調味料ＰＲＩＥＫ）のダビングが終り、また九州に戻りました。「トカラ群島」の脚本調査を詩人の谷川雁氏に依頼それをまとめています。今年中に共同映画で仕上げる予定です。　徳永　瑞夫

次回作準備中　藤田　幸平

「越後平野の米つくり」才一部が完成。「越後平野の米作り」才二部の脚本をかいています。才二部の演出は前田庸言君と共同でやります。　河野　哲二

① 飯塚市オートレースＥＫカラー三巻編集中
② 少年消防隊劇映画クランクイン　山下　為男

此の度、新たに協会に入会致しました。ＣＢＣテレビ映画社でテレビ用短篇映画を製作して居りますのでよろしくお願いします。　青木　徹

次回作品いろいろと研究中です。　永富映次郎

「東北の農村」を六月完成。「この人たちを」をなんとか完成にしたいと思っています。　野田　真吉

今年も原水協の世界大会の記録を撮ることになり、去る十日東京を出発した平和行進の撮影から始めています。　楠木　徳男

安保条約改定反対の事実がこゝにある

七月二日の朝日朝刊の〝天声人語〟に『その瞬間「戦争だっ」とさけんで学童たちは外へ飛び出したそうである。』そして『沖縄の小学校に米軍ジェット機が墜落した時である』と、死者十六人、負傷者百二十人、その大部分が学童たちで、半狂乱の父母たちが我が子をさがす目を覆う惨状だというそして、三面記事のトップに厚木、立川、横田、板付そして沖縄（全島が基地）基地と出され〝基地の恐怖〟として大々的にのせられている。それにひきかえて二頁の衆院本会議の中村高一氏（社）の沖縄小学校の緊急質問は隅の方においやられている、これが日本の現状である。中村高一氏（社）は三十日沖縄の小学校への米軍ジェット機墜落惨事に政府はどういう対策を講ずるかに対しては岸首相はなにも答えず藤山外相が米軍ジェット機の墜落の被害について目下調査中なので、今後の情勢にみて、適当な対策を立てたい。と人ごとのように云っている。同じ新聞を見ただけで日本の問題でありながら、ジャーナリズムと政府との間にはこんなにもひらきを知らされた。

安保条約改定反対
―映画製作の構想を！

今回運営委員会では安保条約改定反対を支持、活動をおこすことゝなり安保条約改定阻止国民会議及安保条約問題研究会に参加することゝなりましたそのことゝあいまって作家協会員全員に安保条約改定の解説を流すと共に共同映画社よりの呼びかけのある映画製作に対して準備会を開くことを運営委員会としても決議し全員に呼びかけ映画製作の構想を出してもらうこととなりました。大変に大きな問題であり、それでいて重要なことでありますので、全員の意見を運営委員会まで七月一パイかけ、いやあるいはもっとかゝるかもしれませんがおこすこととなりましたのでぜひとも協力をお願いします。

昭和三十四年六月二十日
運営委員会

協会財政報告　六月分

収入の部	
会費	四九、六九〇円
雑収入（記録映画財政より映画会より）	三三、六三五円
合計	八三、三二五円
支出の部	
通信費	二、五八二円
交通費	二、九九五円
印刷費	八、〇〇〇円
事務所費	五、〇〇〇円
電話代	三、七三三円
人件費	三三、〇〇〇円
用品文具	五五五円
雑費（記録映画に返金映画会費）	二八、七四二円
合計	八四、六〇七円
差引赤字	一、二八二円

記録映画財政　六月分

収入の部	
固定読者	二〇、八〇〇円
売上	一一、五四〇円
広告料	三七、〇〇〇円
雑収入（協会より返金寄附金）	一六、五七〇円
繰越金	二二、九四三円
合計	九八、九一〇円
支出の部	
通信費	四、八四三円
交通費	三、六六五円
印刷費	四〇、〇〇〇円
電話代	三、七三二円
編集費	五、〇〇〇円
雑費（協会へ借用）	一九、八五五円
合計	八二、六四四円
差引残高	一六、二六五円

住所変更

渡辺　正己　練馬区向山町一六六
仲原　渢作　新宿区柏木四の九七　六青木喜司方
田中　舜平　練馬区下石神井二の一〇五四山中様方

新入会紹介

山元　敏之（フリー助監督）
渋谷区中通二ノ三六　平田アパート
斎藤　茂夫（フリー助監督）
川崎市中幸町三ノ二六　公社住宅一三七

"交換ノート"

九州地区の会員を御知らせ下さい、会員証はありませんかあれば御送附下さい。

山下　為男

藤田幸平、福岡市藤崎二丁目一二六
徳永瑞夫、福岡市平尾山荘通り三ノ六四

会員証は昔は出しましたが今はありません。

事務局

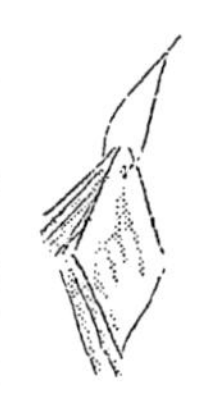

ほかの会員諸君はそうでもないでせうが小生は作品が少ないのでとても生活がつらくこのままでは現在の仕事を続けてゆけないのではないかと不安です。飛行機映画も企画から上映までまる一ケ年かゝるのです。会費の値下げを御願いしたいと思っています。

永富映次郎

◎中元手当のお礼

協会員の御協力によりまして、七月六日に中元手当一ケ月分を事務局員三名載きました。会報をつうじお礼申させて載きます。

◎会員住所録を作りました。

前々から住所録を作ることになっていましたが、長期滞納者のこともあり、六月で整理がつきましたので新しい住所録を作りました。出来あがりが七月十日頃になります。次回会報と共にお送りします。

◎交換ノートの原稿募集と"動静"お送り下さい

同封のハガキに"交換ノート"入れてあります、又"動静"がこのごろあまり来ません。どちらも事務局までおゝくり下さい。

事務局よりお知らせ

会ヒ滞納の方々へ　おねがい

会費の納入も非常に良くなって来ていますが、まだ三十名近くの方々が長期滞納のまゝになっています。そこでそれらの方々には"雑誌記録映画"はおくられていません、いくらかなりとも納入されるか、話し合うことによって、その問題を解決して行くよう事務局として今回各人に会を続けられるかどうか、のお問い合せと会費納入について前滞納分を月賦払いし、今月より会費をきちんと納入してもらえるかどうか、おうかゞいします。

機関紙"記録映画"の固定読者を会員一人に対し一名取つて下さい

(イ)同封しているもう一部の機関紙"記録映画"の読者を取って下さい。固定読者を取られ住所、氏名を紹介下されば直接、読者の方にお送りします。

(ロ)そのつど売って載く場合は七〇円を会費と共に載くようになります。

(ハ)固定読者の方々には毎月の短篇試写会の招待状を直接おくっています。

(ニ)固定読者へアンケートと継続のお願いを発送しましたので協力方をお願いします。

1959・8・1 発行

教育映画作家協会々報

教育映画作家協会　No47

東京都中央区銀座西8－5　日吉ビル四階　TEL (57) 5418

動き

安保改定反対映画
製作は具体的に進んでいる（その1）

安保条約改定反対してたゝかう映画が総評などによって製作委員会が組織された、委員会の構成は総評、教育映画作家協会、共同映画社、東宝商事、自映連、独立プロ協組、国民文化会議、で、作家協会がシナリオを担当、十一日に正式に委員会を発足して内容を決定することになった。

完成期日は八月十日が目標とされている。総評ではこれまでに警職法反対斗争など「悪法」「日本の政治」を製作し、労働などにひろく運用してきたが、その製作に当って作家側と意思の統一を欠く点があった。こんど関係団体により製作委員会の責任ですゝめられることになったことは、これまでの経験からの発展として注目される。資金は約七十万円、総評が出資する。

十一日の製作委員会にては、シナリオ委員会のようなものを作り総評、共同映画社、作協がその任にあたり、十一日～十四日シノップス検討し、十八日脚本完了、十九～二十八日撮影、二十九～十日編集というプランを立てゝ見た。内容については、山中教宣部長より「合理化で苦しめられている労働者、農民、漁民等の問題を取りあげ、ふたたびおきている軍事同盟の問題を強く出していってほしい」とのべられ、二十日の拡大製作委員会にもちこむこととなった（唯し総評の方のつごうでこれは二日おくれ二十二日に開かれた。）

二十二日の製作委では作協側で討議して作られたシナリオ（未完）を中心に松本俊夫氏より構成が話された。

「一、安保条約締結の象徴

二、安保によってなにをもたらしたか、(イ)アメリカの基地、(ロ)国民の生活を犠牲にした再軍備化、(ハ)どのような方向にもって行こうとしているか（歴史的に）

三、然し世界の方向はどのようにすゝんでいるか(イ)ソ、中の社会主義の道、(ロ)アジア、アフリカの立ち上っている姿、(ハ)原水禁の運動、(ニ)軍事力の点からも戦争出来なくなっている。

四、安保改定の本質をしめす、(イ)アメリカの独占資本、日本の独占資本のむすびつき、(ロ)国民の生活に対する弾圧、憲法改正、(ハ)合理化による首切、(ニ)ミサイル基地、そして人類破滅軍事同盟へ、

五、破滅の道に行く、破滅の道を出すことにより、意識化させ破滅の道を強くはぎ取るイメージをあらわす。」

以上に対し山中教宣部長より、「労働者は身近な合理化のことで苦しんでいる。この中に安保があるのだということを強くうったえてほしい」と云はれそれをふくめて、二十五日完成シナリオで常任製作委を開き、総評の常幹にかけ製作に入ることを決定した。

交換ノート

地方の方で撮影する度ごとに上京して録音をしていますが、会員の方で、ラッシュ編集したものと、シナリオを送りますが、音入れをアルバイトにしていたゞける方はありませんか。

山下為男

安保改定反対映画の
シナリオ完成と
意見を
―七月二〇日常任運営委―

七月二十日常任運営委（出席矢部、河野、岩堀）

一、合同委員会（編集、経営、常任運営委）を七月二十八日（火）に開く。

二、事務局長代理を二ケ月間おく富沢事務局長が仕事で地方へ二ケ月出かけるので、安保改定映画製作のこともあり、河野啓二、杉山正美両氏を事務局長代理としてその間、矢部運営委員長代理を補佐する。

三、安保改定映画製作に対し協会内宣伝について、

シナリオが二十二日に印刷されるので二十三日頃会員全員に発送し意見をあげてもらうようにハガキを同封する。（この決定はシナリオ完成が二十八日頃になった為におくれる）製作ニュース及協会としての意見も同時に発表する。

安保阻止映画製作
シナリオ製作に入る
―七月十五日シナリオ委―

七月十五日安保改定映画シナリオ委員会を（当日出席者、大沼、松本、矢部、岩堀、木村（荘）、京極）開き集ったシノップスを中心に安保の内容についてそれぞれの方より意見が出された。中立主義の問題、日常生活と安保との関係、社会主義国との関係等にふれられた。各の人々の仕事との関係をも考えあわせ十六日より十九日までの間にシナリオをねりあげ、大沼、松本両氏が中心に書く。

そのほか完成日数、及製作費等の問題についてもプロジューサーと話し合う。

安保改定反対映画
製作にシナリオ委を作る
―七月十三日緊急運営委―

七月十三日緊急運営委員会を開きました。（出席者、矢部、富沢、杉山、大沼、柳沢、岩堀、河野、）

一、安保改定映画製作について、

十一日の製作委員会の報告（〝動き〟（その一）参照のこと）

シノップスが十五日に集ってくるので、作協としてシナリオ委員会のようなものを作り、そこで検討する。

候補者として、岩堀、松本、岩佐、野田、吉見、豊田、八木(仁)、大沼、木村（荘）、厚木、京極の諸氏に呼びかけ十五日に作協としてのシナリオの基礎をつくる。

そのあと亀井文夫氏にも参加してもらうように呼びかけが出された。（呼びかけたが原水禁の映画製作で参加して載けなかった）

二、記録映画と映画会について

再度問題が出され、運営委員会が〝記録映画〟の編集及経営に責任を持つよう合同会議を開くよう再度確認した。

三、労映研から自主製作の経験報告をパンフレットにしたいとの申し出が出され、作協として七月三十一日までにまとめることとなった。河野氏が中心に、杉山氏も書く。

〝平和テーマー〟に
八月例会と
読者との研究会を

七月十七日経営委員会（出席者、杉山、高島）

こゝで

一、西武デパートリーデンゲルームの〝記録映画を見る会〟八月例会の話が出され「平和をテーマ」として毎週土曜十二時四〇分、二時十分の二回開くことを決定、八日、無限の瞳(2)、永遠なる平和(3)、十五日、鳩ははゞたく(4)、九十九里浜(1)、二二日、原爆の図(2)、警鐘(3)、二九日、基地の子(3)未定、をきめた。主催は教育映画作家協会と城北映サ協、

二、八月〝記録映画〟を見る会研究会について八月十日頃、新聞労連で后六時頃、テーマーは今までの映画会と今後の映画会についての映画サークルと作協との話し合をする

当日の試写は一、日鋼室蘭、おやじ、おやじの日曜日を予定、こゝで九月十日の映画会のレパートリをきめるようにする あげられたおもな作品は（九十九里浜の子供たち、谷間の学校、海に生きる、どこかで春が、雪ふみ、愛することと生きること等）以上の作品を印刷して十日の当日配布する。

安保阻止映画製作委に作協加盟

ー常任運営委補充等ー

7月8日運営委

七月八日運営委員会（出席者、杉山、河野、川本、矢部、岩堀、富沢、苗田）

一、常任運営委員の補充について矢部さんが運営委員長代理になられたので常任運営委員を一名補充、岩堀喜久雄氏を推選決定した。

二、経営委員会よりの報告と討論内容、

（先きの七月三日経営委の報告を参照のこと）雑誌"記録映画を見る会"との関係を持つように作品評又は、研究発表等のつながりを持つようにする必要がある等のことから、経営と編集及常任運営委との合同会議を持ち、経営のことについての編集部の方からの意見等も出してもらうこととなった。

三、安保改定阻止映画製作について、

先づ七日に開かれた製作委員会の報告があった。

製作委員会は総評、作協、共同映画社、独立プロ協、自映連、国民文化会議、映演総連、東宝商事、の八団体となった。

総評として映画製作を決定、国民文化会議に問題を出して、具体化された。"悪法""日本の政治"の問題もあるので製作委員会を作り、その中で問題を解決して行くようにした。

総評の常幹では安保阻止カンパニヤ運動で一、四〇〇万円の中から七〇万円を製作資金として、七月一パイで作り上げるということが出されていたが、又山中教宣部長より「"悪法""日本の政治"の系列として考える、又今までの作品の内容質の問題又作り方についての批判も持っている」と出された。

又製作について話され、七月一パイは無理なので八月十日頃までにという意見になった。

十月の通常国会に岸は通そうとしている、そこで八月九月と宣伝につかいたいと。

◎協会の運営委員会はこの製作に対してまず製作委員会をバックアップするようにする。シノップスをまず出す。

十一日の后一時の会合までに、又おそくなるが会員全員に会報と共に呼びかけた十五日までに出してもらう、シノップスもふくめるようにする。

◎先づ十一日までにシノップスを出してもらうよう呼びかけた人々は岩佐氏寿、大沼鉄郎、厚木たか、松本俊夫、岩堀喜久雄等の方々です。

◎"雑誌記録映画"八月号に反映させ取り上げるよう編集部に呼びかける。

四、新入会者　浅野タツオ（フリー）を承認、

五、事務局員給与を七月より、山之内一七、五〇〇円、佐々木九、〇〇〇円、加藤六、〇〇〇円の昇給を決定した。

八月の研究会と（七月三日経営委）九、十月記録映画を見る会レパートリー

七月三日経営委員会を開き次のことを決めた。

一、八月は映画サークル及読者との研究会を開く、こゝで映画サークル及読者と作家側との話合を深めて行き、今後の"記録映画を見る会"のあり方のようなものを作り出して行く。

"記録映画を見る会"の当日アンケートを取る、"雑誌記録映画"に反映して行くようにする、なぞ出された。八月の研究会には記録映画製作協議会時代の作品"京浜労働者"又は"日鋼室蘭"等を上映する。

二、九月、十月の"記録映画を見る会"はなにをテーマとして行うか、という点で話され、種々出されたあと、九月は社会的題材をあつかった記録映画（例えば"おやじ""おらうちの娘""ネンネコおんぶ"等）社会教育と斗った映画を十月は"社会教育を勝ちとった映画を（"町の政治""雪ふみ""ある保の記録"）

以上のリストについては事務局で調査して次回経営委で具体化をきめる。

解説

安保改定阻止・破棄の道

岸内閣と自民党は、参議院選挙後「安保条約改定のための挙党態勢」をめざして、内閣改造と党首脳部の入れかえをおこなった。それによって、それまで自民党反主流派の中心であった池田勇人の入閣となったが、一方、河野一郎一派が岸主流から離れ去って、「挙党強力態勢」の実現は失敗に終った。しかし、岸首相、藤山外相らは安保改定をあくまで強行しようとしている。

安保改定阻止、条約破棄の運動は拡大している。六月二十五日の安保反対才三次全国統一行動をはさんで開かれた才三十二臨時国会の論議は安保改定問題に集中し、社共両党は自民党内閣の戦争と従属の政策をきびしく追及した。きたる七月二十五日の才四次、八月六日の才五次全国統一行動へと、労働者階級の実力行動を中心とする安保反対闘争はますます規模を広げつつある。この情勢は政府と自民党の内部へも深刻に影響を与えており、改定条約の七月調印、九ー十月批准という政府の当初のおもわくは少なくとも三、四カ月のずれを生ずるに至った。政府と自民党は内部の意見調整と国民へ向っての宣伝工作に努力を集中しており、各級地方議会がぞくぞく安保改定反対の決議をおこないそうな情勢を恐れて地方議会に圧力を加えはじめている。

軍国主義の夢いま一度
合理化・兵器生産増大へ?

日本をアジアの兵器工場に

才二に、独占資本は日米軍事同盟の強化、日本の軍備拡張による軍需の増大をつよく希望している。三十四年度予算で軍事費は軍人恩給を除いても一千五百三十億円、予算総額の一〇・八%に達したが、それによって発注される軍艦、飛行機をはじめとする軍需は独占資本のふところを肥えさせている。

〝一千億円の買物〟といわれる次期戦闘機の機種決定をめぐって新三菱重工、川崎航空、伊藤忠、三井物産などの大メーカー、商社が自社での生産、輸入をねらって岸、河野など自民党の大物をまきこみ、必死の争奪戦をくりひろげているのもこのためである。戦前、戦時中に百万人の労働者を使い、十万機の軍用機生産をおこなった航空機資本が〝夢よもう一度〟とねらっているわけである。艦船にしても同様である。先日神戸の川崎造船で進水した国産潜水艦才一号〝おやしお〟の建造費は約二十七億円であったが、三十四年度には新造分八十億円（ほかに継続費三十億円）で警備艇二、掃海艇四、駆潜艇二、救命艇一などの軍艦の建造が三井造船、三菱造船、日立造船、三菱日本重工などでおこなわれる予定である。船台の拡張がおこなわれる一方、船舶輸出の伸びなやみに苦しんでいる造船資本にとって軍艦建造のもつみ力は次才に高まってきている。現在計画されているミサイル生産に至ってはその金額がさらに大きくなるだけでなく（たとえば地対空ミサイル「ボマーク」などは機体だけで一発二億二千万円もする）電子産業をふくむより広範な独占資本に膨大な市場を提供することになる。

また、独占資本は日本をアジアの兵器工場とし、アメリカがSEATO（東南アジア条約機構）諸国をはじめ台湾、韓国、南ベトナムなど反共諸国に与える軍事援助を日本製兵器をもってあてることをのぞんでいる。

経団連副会長植村甲午郎氏がかって提唱したこの〝植村構想〟が安保改定交渉のなかでふたたび息を吹きかえそうとしているのである。

軍事費の増加は必至

こうした独占資本と岸内閣のもくろみを許したら国民の生活はどうなるだろうか。安保条約の改定、新しい相互防衛条約の締結となれば、アメリカは日本の軍事力の増強を要求する。アメリカのバンデンバーゲ決議は「相手国が相互防衛に寄与する度合に応じて、アメリカが相手国との共同防衛の義務を負う」という趣旨を規定している。現行の安保条約では、アメリ力は日本の防衛力の「漸増」を期待するにとどまっているが、改定条約ではその才三条に「日米両国は、……継続的かつ効果的な自助および相互援助により、武力攻撃に対抗する能力を維持し、かつ発展させる」と規定することになっていると伝えられている。現に岸内閣はこうした事態に対応して「才二次防衛力整備計画」の策定を進めている。

防衛庁が作成している才二次防衛力整備計画の最終案といわれるものによれば、一九六五年（昭和四十年）の軍事費は二千九百五十億円にのぼる見込みである。これは本年度の軍事費の約二倍である。岸内閣と自民党は中小企業への減税とか、社会保障の拡充とかをしきりに宣伝しているが、このような軍事費の増額が行こなわれるならば、そのような「公約」を実現できるはずがない。軍国主義と福祉国家は絶対に両立しない。こうした軍事費の増加が国民生活をさらにひどく圧迫するようになることは明らかである。

さらに合理化の強化、軍国主義の復活は、これに反対してたたかう労働者階級はじめ人民大衆のたたかいを押しつぶすことなしには不可能である。だから岸内閣はこんどの安保改定で「内乱条項」を削除するといいながら実は「間接侵略」という言葉に書きかえ、アメリカ軍の力を借りてまで民主勢力をおさえつけようとしているのである。

研究会その他記録映画を見る会お知らせ

記録映画を見る会
八月例会
「平和をテーマ」

（毎週土西武デパートリーデングルームで）

先に美術映画を西武デパートリーデングルームにて開きました。今回再び「平和をテーマ」として毎週土曜、十二時四〇分、二時十分の二回上映します。作家協会の方は自由においで下さい。

ときと内容

八月八日、無限の瞳(2)
永遠なる平和(3)
十五日、鳩ははばたく(4)
九十九里浜(1)
二十二日、原爆の図(2) 警鐘(3)
二十九日、基地の子(3) 未定

（註、上映作品の変更があるかもしれません。）

ところ。西武デパート八階リーデングルーム（冷房完備）

主催、教育映画作家協会、共同映画社、城北映サ協、

記録映画を見る会
第二回研究会

先きに才一回研究会を開きましたが、充分なる討論がされませんでした。今回は今までの会の反省と今後の会のあり方について、〃記録映画〃読者の方々及映画サークルそれに作家の方をまじえて、社会教育映画等、今後上映するレパートリについて話し合いたいと思います。

とき○ **八月十日（月）**
后六時ー九時

ところ○ **新聞労連会議室**
（中央区京橋二ノ一田口ビル四階TEL(56)二二七〇、二九一九、京橋交叉点パイロット万年筆裏そば、地下鉄、都電、京橋下車）

内容、一、試写（社会問題をテーマにした教育映画）

○ **日鋼室蘭** 二巻
○ **おやじ** 二巻（共同映画社）
○ **おやじの日曜日** 二巻
（桜映画社）

二、今までの映画会と今後の映画会について

（註、当日は社会問題をあつかった教育映画のリストを配布します）

この会合にて九、十月の〃記録映画を見る会〃をきめます。積極的に参加下さい。

会費 一人二〇円（会場費）
主催 教育映画作家協会、中部映画友の会、機関紙映画クラブ、共同映画社、

〃記録映画研究会〃
お知らせ

七月は実験映画をテーマに行いました、八月は〃政治と映画〃をテーマに八月下旬に開きます。

とき。八月下旬
ところ。新聞労連か映協
内容一、安保阻止映画 二巻
（仮題）
二、ある侵略者の話 二巻
（ソ連）
三、怒れる焰 二巻（ヴエトナム）

の予定です、日時はわかり次才お知らせします。

〃短篇試写会のお知らせ〃

短篇試写会の日時、場所をお知らせしますから、作家協会といって入場下さい。（ハガキの必要な方は協会事務局へ取りにおいで下さい。）

○八月五日(水)午後一時山葉ホール
○八月中旬 午後一時山葉ホール
○八月中旬 十二時、一時、四時
白木屋ホール

主催 映協

動き（その2）

◇　が十月五、六、七日三日間国際短篇映画祭、八日、中央大会が日本教育映画協会主催で開かれることとなった。

第三回教育映画コンクール決定

東京都教育委員会主催の才三回教育映画コンクールの各部門の金銀、特別賞がきまりました。

才一部門（学校教材映画）
（金賞）ぼくは走らない（共同映画社）、（銀賞）ミノムシの生活（学習研究社）
才二部門（児童向映画）
（金賞）若き日の豊田佐吉（東映）
（銀賞）チビデカ物語（民芸教配）
才三部門（一般教養映画）
（金賞）愛することと生きること（桜映画）
（銀賞）飛鳥美術（岩波映画）
才四部門（産業教育映画）
（金賞）機械開墾才二部（新理研映画）
（銀賞）生れかわる商店街（日経映画）
才五部門（記録映画）
（特別賞）チョゴリザ（日映新社）

表彰式は八月十三日（木）午後　神田共立講堂

チエコ映画製作者　第五福龍丸一等賞

チエコの映画製作者たちは二十日世界平和を推進させる映画として日本の「才五福龍丸」（近代映協）に一等賞を与えた。

モスクワ国際映画祭「千羽鶴」など出品

八月三日から十七日まで、モスクワで国際映画祭が開かれる、参加国は四十二ケ国が予定、日本からは「いつか来た道」（大映）、「千羽鶴」（共同映画社）記録映画「日本の庭園」（日映新社）、招待作品として「才五福龍丸」（近代映協）など

一九五九年　産業文化映画祭

七月十三日～九月四日開催

日本証券投資協会主催で日、土をぬかして七月十三日～九月四日まで十二時より、東宝演芸場（日比谷、東京宝塚劇場五階）で開いている。一回二時間位のプログラムで組まれている。

○七月二七日～三一日
世紀の祝典、新三菱の全貌、南氷洋捕鯨、軽量形鋼の家、ぴよぴよ大学旭化成へ行く、キリンレモンの生い立ち、パンザーマスト、空洞を探る。
○八月三日～八日
地底の凱歌、明るいガラス、ダイナマイト、カシミロン誕生、オートメーション、す、造船、雅楽
○八月十一日～十五日
人工衛星のはなし、大井川、板硝子、セメント、南鯨、オートメーションと工業計器、巨船誕生、人類の敵、
○八月十七日～二二日
愛することと生きること、大地に挑むもの、テトロンとみなさま、テーブル・マナ、窓ひらく、幸せは愛の鐘の下に、特急あさかぜ、
○八月二四日～二九日
教室の子供たち、新しい鉄の時代、美しくなるために、伸びゆく神鋼、ウイスキーのふるさと、東芝、
○八月三一日～九月四日
瀬戸内海、日本鋼管、東北のまつり才一、二、三部、こうして米は運ばれる、青い炎、クレーンとコンベア、建設譜、

これはいづれも入場無料です、このさい見そこなったPR映画はどうぞ

〃人間の壁〃日教組と山本プロとで製作委員会を作り製作へ

石川達三氏の小説「人間の壁」の映画化について、東映、日活から話しがあったが六社ではメロドラマになるおそれがあり独立プロにきまった。さいわい日教組が製作にのりだしたので独立プロと手をとって行くことになりシナリオも八木保太郎氏の才二稿が出来、職場や地域にまわし意見を出してもらうことなぞいわれている、尾崎先生には香川京子がきまり製作は八月下旬になる予定、日教組の教育新聞七月十三日号外にシナリオが掲載されている。

自主映画促進第二回上映作品として「アンネの日記」「エイゼンシュテイン」等

青年友好祭に参加した山本プロの名和克良氏に帰途フランスを訪問「夜と霧」の配給会社と直接交渉をおねがい又「ジャミラ」についてもエジプト現地の折衝方を依頼した。東独の記録映画「アンネの日記」は六月下旬フエニックス・フイルムの岩淵さんのほねおりで入荷、上映準備に入っている。八月のモスクワ映画祭に中映貿の星野社長が参加するのでプトフキンの「母」エックの「人生案内」プトフキンの「アジアの嵐」ドヴジエンコの

「大地」など候補に折衝してもらう。又関西国民文化会議所有の「シュパイデル将軍」ソ連大使館「エイゼンシュテインの生涯」（五巻）贈呈を内定した。

京都記録映画を見る会 〝現代の眼〟をテーマーに大集会

〝現代の眼〟をテーマーに八月十七、十八、十九、二五、二六、二七日の六日間を安部公房等をまねいて講演と映画の会を計画中

プロ・キノ映画研究会を〝機関紙映ク〟より呼びかけ

先の労映研の研究会でプロモノ時代の話しが出され、機関紙映クより〝雑誌記録映画〟として、プロキノ時代の映画をうつし研究会を開くよう申し入れがなされた。〝記録映画〟編集部として取り上げることになっている。

動静

〝ミクロの世界〟の才二部についています。　大島　正明

東京シネマで「海の雪」という空想科学映画を一年がかりでとる予定です。　野田　真吉

東映児童劇映画「子鹿物語」(5)にかゝります。七月下旬から八月一ぱい奈良にロケします。九月初旬は農文協の映画「グループ米つくり日本一」のロケと仕上げ　岩佐　氏寿

「強くあかるく」（新世界プロ）編集中　谷川　義雄

「海壁」を完成、ひきつゞいて才二部をクランクします。　黒木　和雄

東映教育映画「村の休日」（田中徹監督）の仕事で奥秩父出張。八月上旬完成予定　大内田圭彌

此の頃はいろいろなシナリオを書いてすごしています。　羽田　澄子

七月十六日から〝素晴らしき主婦たち〟（三巻社会教育映画）のクランクインの予定です。　豊田　敬太

名古屋に来て四ケ月ＴＶ映画を二本作りましたが、明日から又全国ネット（予定）の「土管の街」にかゝります、日数のない事、予算の少い事で、頭を痛めています。　小森　幸雄

「裁判のＡＢＣ」二五日完成。引つゞき地理大系「山陰地方の生活」の仕上げにかゝります。八月上旬完成予定。　西沢　豪

六月二十八日より関西へ行っております、今月末に帰京の予定でございます。　道林　一郎

1テレビ映画〝少年消防隊完成
2〝愛の一円塔〟準備中
3修学旅行の唄編集中　山下　為男

「街路樹」の脚本を書きあげて「相模川」のロケに出かけます。　深江　正彦

〝記録映画〟意見

反論がきた場合、たとえ談話でもいいから「被告」のいい分をきいてのせるべきではないでしょうか。今度のことだけではないようですので。　大島　正明

担当者として、現場から創作実践の原稿を得られないのをまことに残念に思っています。ラクな気持で書いて頂けないでしょうか。　――岩佐　氏寿

文章がむずかしくてわけのわからないのが毎号二、三本あり、頭の悪いのをなげいています。

七月号の日大の学生さんのも、先輩のえいきようをうけてるのでしょうか。もう少し電話で話してわかるような文章にして下さい。

フランスでは教養とはむずかしいことをやさしくわかりやすく表現することだそうです。　原田　勉

日高君という方よ世の中にはシヤレだとか冗談があり作家となるからにはその位いのことが分らなくては困ります。もう一度岩堀君の文を読んでその中の本筋をじっくり考えては如何です。私には書方の方が少しおかしいように感じられました。もっと頭を冷して現在の我々の有り方を考えて下さい　京極　高英

だんだん面白くなりました。いろいろな人たちの創作に関する理論が出てきて、毎号たのしみにしています。　羽田　澄子

私、現在ＴＶ映画の製作にたづさわっていますがどうも企画面でいいものが得られません、

ＴＶ映画を見る人が多い現在、どう云った企画が大衆に喜こばれ意義があるか？

そう云った事で現職のＴＶプロジウサーを囲んで「ＴＶ映画」についての座談会や特集をお願いします。　小森　幸雄

＝事務局より お知らせ＝

住所変更

山元　敏之　新宿区柏木四の六六一　三宮方
苗田　康夫　横浜市保土ケ谷区神台公団住宅三五号館四〇四号
近藤　才司　中野区城山町五一　菅家方

新入会紹介

泉水　剛　練馬区南町一の三五一　飯倉方
浅野タツオ　住所未定

安保改定反対映画 シナリオに意見を

別紙に訴えと共にシナリオを同封しました。受取人ばらい切手不用の同封のハガキに意見を書きおおくり下さることを節にお願いします。

会費滞納の方々へ おねがい

会費の納入も非常に良くなって来ていますが、まだ三十名近くの方々が長期滞納のまゝになっています。そこでそれらの方々には〝雑誌記録映画〟はおくらいていません、いくらかなりとも納入されるか、話し合うことによって、その問題を解決して行くよう事務局として今回各人に会を続けられるかどうか、のお問い合せと会費納入について前滞納分を月賦払いし、今月より会費をきちんと納入してもらえるかどうか、おうかゞいします。

機関紙〝記録映画〟の固定読者を会員一人に対し一名取って下さい

(イ)同封しているもう一部の機関紙〝記録映画〟の読者を取って下さい。固定読者を取られ住所、氏名を紹介下されば直接、読者の方にお送りします。

(ロ)そのつど売って載く場合は七〇円を会費と共に載くようになります。

(ハ)固定読者の方々には毎月の短篇試写会の招待状を直接おくっています。

(ニ)固定読者へアンケートと継続のお願いを発送しましたので協力方をお願いします。

会員住所録を作りました

前々から住所録を作ることになっていましたが、長期滞納者のこともあり、六月で整理がつきましたので新しい住所録を作りました。会報と共にお送りしました。

交換ノートの原稿募集と〝動静〟お送り下さい

同封のハガキに〝交換ノート〟入れてあります、又〝動静〟がこのごろあまり来ません。どちらも事務局までおゝくり下さい。

原水爆戦争においやる
安保条約改定をくいとめ
破棄の署名運動を
おこそう

交換ノート

待遇、条件、生活のことをこの欄に書くことより、話しあう会を開いていただけたら、何をおいても参加します。

谷川　義雄

七月号「記録映画」の日大平野氏の論文をめぐって、岩波の企画室ではケンケンガクガクの討論が行われました。大方の一致した見解は平野氏の文について、あゝまでむつかしく書かなくたっていいだろう要するに何が何だかわからないということですが、実はそれを土台にして、映画というものについてみんな大いに討論しました。吉野取締役は「何はともあれ記録映画の論文でこんなにみんなのさわいだことはないからね」と意味深長ないみをもらしていました。

①安保条約映画の製作立派なものができるよう期待します。「日本の政治」のようなツギハギでなく最初からじっくりかゝって下さることを希望します。

②日本歴史の一大汚点「レッド・パージ」の企画、考えてみませんか。文芸春秋六月の記事など力のこもったものでしたが私たちとして取組んでよいテーマーだと思います。

徳永　瑞夫

1959. 9. 1 発行

教育映画作家協会々報

No.48

教育映画作家協会
東京都中央区銀座西八ー五　日吉ビル四階　TEL.(57)5418

動き

映画〃安保条約〃完成
作家協会の協力で！
（その1）

安保改定反対映画は〃安保条約〃という名前に決定しました。八月十九日の后六時よりデリバリーで第一回のオールラッシュがありました協会より七名程度しか参加はありませんでしたが総評、国民文化会議、関根弘等が見、そのあとで検討会があり、部分的な修正があり二〇日の日もう一度総評が見てＯＫとなりました。

内容は大変シナリオと近いもので、新しい方法によるプロパガンダ映画であることがにじみ出ています。多くのフィルムのモンタージュそこに作家の創作の主体制がつらぬかれています。きっと〃春を呼ぶ子等〃を否定した上での松本俊夫氏の発展と見てよいでしよう。完成は八月三〇日で三一日に国労会議室で第一回試写会が開かれます。

雑誌〃記録映画〃に「意見」

生活を守る懇談会を！

八月七日運営委員会を開く。

◇記録映画の問題について

先づ雑誌が出たあと運営委員会で検討し合同委員会にその意見を発行する。

(1) 八月号について、戦後体験は本当のことを言っていてよい。

○論文については抽象論でなく作品活動を通しての作品論をやるべきである。

○新しい型での製作協議会への問題が提起されてこなくてはならない。

○安保条約につゞく作品活動をおこす必要にせまられてきている。

○〃記録映画を見る会〃との関係についてはパンフレット（内容製作者のことが書かれているもの）等の発行の必要が出てきている又サークルの中での作家の協力及発言が重要になって来ている。

○ＰＲ映画の問題についてもっと本質論にふれてＰＲ映画の性格にまでおよぶべきだ。

◇安保条約の映画について

(1) ギヤラの問題を審議した

(2) オールラッシュを八月二五日頃完成なのでその前に作協の会員全員に見てもらうよう呼びかけて最後の協会としての協力を行う。

◇職員の件

(1) 加藤さんが今回一身上の都合で退職したいむね申し出がありそのことを承認退職金を一ケ月分として二回ばらいとする。

(2) 後任の候補者を八月十二日迄にきめて十四日に銓衡することゝなった。

◇雑誌〃記録映画〃の広告の問題

販売を一、〇〇〇部迄のばすか、広告の契約を年間又は三ケ月に一回というようなものをきめて行くようにと出されたが具体さくはなかった。

◇生活権の問題について

会報の交換ノートに生活の問題についての話し合を開こうと出されているように機関紙〃記録映画〃をよくしようという点ではなされて来たのであるからそろそろ生活の問題をとりあげて行くことがのぞまれていると思う。「作家の権利と生活を守る懇談会」を九月中に開きたい。ゲラの問題、著作権のことなどについて、会報にその呼びかけを運営委員会として出すこととなった。

○……………………○

(2)

運営委員会は〃記録映画〃に対する方針をもて

—七月二八日第一回合同委員会—

七月二八日第一回合同委員会を開く。

◇運営委員会は雑誌〃記録映画〃に対し方針を持つべきである。

(1)巻頭言、(2)記録映画を見る会に対し、(3)経営面に対し、検討し発表してほしい。毎号発行したあとで、検討してほしい。そこで雑誌〃記録映画〃が発行後運営委員会を開き、その後、合同委員会を開くとよい。

◇合同委員会には常任編集委員、経営委員、常任運営委員が出席する。

◇友の会について話され大島辰雄氏のような協力者もいるのであるから八月中に準備会を開くようにする。自主的集りなのであるから援助する方向がよい。

◇記録映画を見る会も読者友の会の協力で開くようにすべきである。

研究会その他映画会のお知らせ

△記録映画を見る会 九月例会のお知らせ

社会問題を扱った作品を中心に

とき○九月二五日(金)后六時

ところ○京橋公会堂(都電築地二丁目三分、西銀座二丁目七分)

(1)〃美しくなるために〃イーストマンカラー三巻 資生堂

たのしみながら、美しくなることができる夢のような話。

(2)〃あゆの一生〃一巻 神奈川ニュース映画協会

〃鮎の一生〃二巻 映画日本社小林プロ

アユの特徴ある産卵から、ふ化して海にたった稚魚が人の力を借りて川に放流されるまでを……

(3)〃うわさはひろがる〃二巻、第一映画、演出岩堀喜久男一九五九年作品

デマの心理、デマの対策を描いた社会教育映画。

(4)〃日本刀物語〃イーストマンカラー三巻、教育映画配給社提供。

日本のもっともすぐれた芸術品として日本刀のできあがるまでをくわしくえがき、時代とともにかわっていった日本力の歴史にふれて行く……

(5)〃荒海に生きる〃三巻、日本ドキュメントフイルム演出亀井文夫、一九五八年作品

(6)〃段々畑の人々〃三巻 新理研映画。

急傾斜地帯と呼ばれる地方の農民達が恵まれぬ立地条件の下で米麦や甘諸等の作物を作るのにどれ程の苦労をしているか……一九五四年作品、一九五五年教育映画祭特別賞キネマ旬報ベストテン入賞、

主催、教育映画作家協会、中部映画友の会、機関紙映画クラブ、提供、北辰商事KK

世界の記録映画作家研究

先の八月例会では〃平和をテーマで行いましたが、九月例会は解説者をまじえ〃世界記録映画作家研究〃を開く、

五日、二六日の土曜、毎回十二時三〇分、二時の二回開く。

九月五日〃エイゼンシュテイン研究

(映画・エイゼンシュテインの生涯)解説山田和夫(世界映画資料)

九月二十六日〃シュパイテル将軍(東ドイツ)解説大島辰雄(評論家)

ところ **西武デパート八階リーディングルーム。**

主催、教育映画作家協会、城北映画サークル協議会

(註、いずれも会場も一人三〇円のカンパを戴きます。)

〃安保条約〃試写会 お知らせ

製作協議会を持ち、総評の企画になった〃安保条約〃の映画も作家協会の製作への参加協力により、八月三十日に完成になり、左記で試写会を開く予定です。

とき○九月三日頃 后六時

ところ○ 未定

主催 国民文化会議、労映研

九月記録映画研究会 お知らせ!

先の八月二五日、安保条約の映画が完成すると思って計画した。研究会は他のものとなってしまいましたそこであらためて九月に記録映画研究会を開きます。

と き○九月十四日~十八日間 后五時~

ところ○未定

内 容 〃安保条約〃〃世界の河〃

自主製作運動の話しも出ている

おりから多数出席下さい。

主催教育映画作家協会
記録映画研究会

短篇試写会のお知らせ

短篇試写会の日時、場所をお知らせしますから、作家協会といってお入り下さい。（ハガキの必要な方は協会に取りにおいで下さい）

〇九月十一日（金）后一時山葉ホール　十六ミリ新作試写会
主催　連盟

〇九月中旬　前十一時、一時、三時、白木屋ホール、映教試写会、主催　映教

動き（その2）

記録映画を見る会
第二回研究会で！

八月十日、后六時より新聞労連で開かれた。第二回記録映画を見る会研究会は二十名近い〝記録映画〟読者、映画サークル、協会員で開かれた。「おやじの日曜日」「おやじ」「日鋼室蘭」と写し、おわったあと懇談会を開き、その中から出されたことで。〝作家のこうたいを感じたということからはじまり、「おやじの日曜日」の会社の合理化の面、を「おやじ」の中の農村の画き方のうそについてふれられ、「日鋼室蘭」の作家のエネルギーの発露が賞嘆されたこの点から社会教育映画の重要性にふれられ、九、十月の映画会のレパートリーにふれられ、友の会の呼びかけを発表して会をおえた。この中で作家の参加少なかったことは残念でならない。

「にあんちゃん」日活で今村昌平により映画化

「にあんちゃん」は十才の少女安本末子さんの日記で、ベストセラーになった。両親をなくした朝鮮人の四人兄妹が極貧に耐え、苦しさを分けあって強く生き抜いてゆく姿を綴ったもの。

イギリスの核武装反対映画東和「生れくる者のために」

イギリスの核武装反対運動を撮った記録映画「生れくる者のために」が東和で上映される。ロンドンの労仂者や市民が核武装反対のために、オールダーマストンへデモ行進をおこなったもの四巻

八月二日から二週間第一回モスクワ国際映画祭

祭は十七日におわりグランプリはソ連モス、フイルム「人間の運命」（ショーワホフ原作、ボンダルチューク監督）第一金メタル賞「放とう息子たち」（西独）日本映画では大映の「いつか来た道」に審査委員会から賞状が、「千羽鶴」に特別平和賞がおくられた。

アジアアフリカ連帯全国会議で国際映画製作案可決

平和共存と反植民主義のたちばからAA連帯国民運動として映画を製作する案がAA連帯全国会議で日本ヴィエトナム友好協会の大島辰雄氏の提案が全員によって可決、そして今年末に開かれるアジア映画祭に提案することや、「安保条約」をAA各国におくる話が出されている。

京都記録映画を見る会
九月の計画

◇第三八回府立医大記録映画の会
九月十三日夕6時於府立医大ホール、プログラム未定

◇記録映画を見る会例会、
九月十六日后四時半、七時二回
映画、エイゼンシュテインの生涯、シュパイデル将軍

◇現代の映画の会第一回例会
九月下旬、二時、四時、六時、八時（予定）於四条河原町、ムツミ堂（予定）
特集ポーランドの実験映画、二人の男とタンスの話
同じ空の下に　他

映画観客団体全国会議
九月二〇、二一日に
宝塚市にて

毎年一回開かれている映画観客団体の全国会議が九月二一、二十一日の二日間宝塚市で開かれる。今回は〝戦艦ポチョムキン〟の上映運動の成果もあり、各方面で自主上映運動がおこされてきている年だけに今後の観客団体の仂きが注目されている。労映、記録映画を見る会等からも代表又はオブザーバーを出す動きがある。作家協会としても〝安保条約〟その他の作品を観客団体の代表に見せて自主上映運動への一翼として協力すべきだと思う。

交換ノート

脚本料の税金一割五分は我々にはたいへん痛い。我々僅少な、スズメの涙程のシナリオ代も、吉川英治や山手樹一郎と同率では如何です。尚、作家並みの取材費その他の控除の方法はないものでしょうか、あったらおしらせください。

永富映次郎

解説

〃記録映画の友の会〃の呼びかけ

趣意（なぜつくるか）

「ドキュメンタリー」というのはいちばん初めはフランス語で観光映画をいみしていました。一九二六年に、イギリスのロバート・フラハーティが南海（ポリネシア）の島人たちの生活を記録した映画「モアナ」を、ジョン・グリアスンが「記録としての価値をもっている」と評したことから、記録映画という呼びかたがはじまったのです。それがのちに「アクチュアリテイの創造的処理」と定義され、ほゞ二十年の間に、社会分析のため映画を広汎に利用するものとなり、さらに今日では自然と人類のいとなみをあらゆる角度から記録する創造的な仕事となっているのです。

　いまや映画芸術は、こうした記録性なしには芸術として成立しないといえましょう。それが一つのヒューマン・ドキュメント（人間記録）であるとしたら、もはや劇映画と記録映画といった区別は無意味だとさえ思われます。少くとも私たちはそのように考えているのです。

　こうして私達は、こういう意味でのドキュメンタリー・フイルム（記録映画）を日本でもっと大きく成長させ発展させたいと念願しているのです。教育映画作家協会の機関誌「記録映画」を中心に、日本のドキュメンタリスト（記録映画作家）たちのよき友として、私たちは、戦争と平和のわかれみちである今こそ、この記録映画の友の会を力強くスタートさせたいと思います。オランダのシネ・クラブは今から四十年も前にヨーリス・イヴエンスという世界的な記録映画作家をうみだしました。私たちの会も、そのようなものでありたいと考えます。

事業（なにをするか）

右の目的で、この会はつぎのことをやってゆきたいと思います。

記録映画を見る会（例会月一回）
研究会、座談会、懇談会等（作家をまじえて）
新作発表会への招待
内外の長短篇試写会への招待
講習会、「自主映画大学」の開催。
各種の地域活動
移動映画のあっせん。その他

構成と運営（どう組織するか）

「記録映画」の読者を中心に構成され、関心と興味のある人なら誰でも参加できます。運営は読者の手で教育映画作家協会事務局の協力のもとにおこなわれます。

　そのために世話役数名をえらびいっさいの運営に当るようにします。

　会費を誌代とも月百円とします雑誌購読だけ、あるいは例会その他に参加するだけでも自由で、その場合は、それだけの実費をお払込み下さい。なお詳細は左記事務所宛ご照会願います。

　事務所は東京・中央区銀座西八の五（日吉ビル）教育映画作家協会内におきます。

一九五九年八月
記録映画友の会準備会

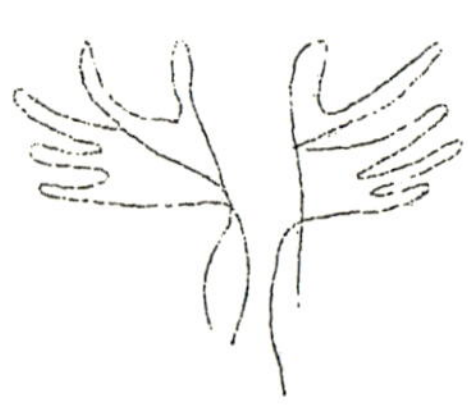

「記録映画」十月号予告

特集映画運動

☆観客運動
　活動報告
　京都記録映画を見る会　浅井栄一
　神戸映サ協議会　木崎敬一郎
　東京の映画観客団体　長岡　秀子
☆製作運動
　学生映画製作運動について　日大芸術科
　総評を中心に労仂者映画運動　若林　理
　戦後映画製作運動（記録映画運動）　協議会成立迄　未定
　協議会活動の頃　未定
　それから今日迄　大沼鉄郎
☆上映運動
　移動映写協議会活動について　中村利一
☆巻頭論文、主体的運動論　針生一郎
☆科学映画特集号批判　加納竜一
☆ドキュメンタリーの行方
☆「破滅への行進」シナリオ　ポール・ローサ
☆作品評　新作試写会から　松本俊夫
☆現場通信
☆友の会、見る会の呼びかけ、記事
　以上

動静

①テレビ映画修学旅行の歌完成
② 〃 愛の一円塔クランクイン
③ 〃 みどりのそよ風準備中
山下　為男

〃らくがき黒板〃の全国配給で広島教組に手伝っております。新しい配給方法のケースとして頑張っております。
能登　節雄

TV映画「故郷の横顔シリーズ」の一つ「土管の街」のシナリオ完成、三、四日後ロケ出発です。
小森　幸雄

再び大映テレビ「少年ジェット」紅さそりの巻十三本の製作です二ケ月間、九月末完成。
大鶴日出夫

ファースト教育映画で農村映画監督準備中、航空映画研究中
永富映次郎

「海の雪」(東京シネマ作品)の演出。
野田　真吉

☆「紀勢線の全通」三巻撮影終了
編集録音の準備中
☆「美しき実りとネオンの蔭に」二巻鬼怒川水系を中心とした一年間の記録撮影中
岸　光男

安保映画の仕事かげながらお手つだいをしています。
徳永　瑞夫

記録映画社にて「のびゆくオートメーション」(ＥＫカラー三巻)の脚、演、目下撮影中
日高　昭

あいかわらずＣＭＦＩＬＭとＴＶ用ＦＩＬＭの制作です。しかしけしてぼけません。将来へ希望をもって張切っています。
島谷陽一郎

「記録映画」へ意見

本号はたいへんよくなった様に思います。編集担当者兄の労を多とします。然しまだいわゆる議論倒れみたいな記事が多い実際の仕事の研究をうんとやりたいです。尚会員動静のないのが淋しい、ガリ版が懐しい。
永富映次郎

特集〃記録映画の戦後体験〃京極、桑野両氏の報告をそれぞれに感銘深く読みました。とくに京極さんのふれている協議会の問題はもっと深く、そして多くの人々と考え、そして方向をあきらかにして行きたい、と思っています。
徳永　瑞夫

誌上にて討論が出てきてよいことです。色々の人々の参加が出来るよう御配慮こう。
能登　節雄

編集委員として一言
最近不作法な論文がのって「教育映画作家協会」機関誌としての品位がおちているという投書がありましたが僕はおゝいに直言をもって論争するのがよいと思います。デマや中傷はこまります。その意味で不作法な論争をさかんにしたいと思います。
野田　真吉

雑誌〃記録映画〃の方針と財政について

——事務局より——

八月十七日(月)合同委員会を開いたが、二名の出席で流会になりました。大変に残念です。当日は雑誌「記録映画」の方向及経営面等にふれることになっていました。

当日の為に事務局としてデーターを集めましたので報告しておきます。

◇記録映画の部数及財政について。

〇固定読者は二四四部となり四四名増となりました。又売上は一六〇部でさほどふえていません、合計しますと四〇四部となり一部五十円となり二万円近い収入があります。

〇予算とくらべて五、六、七月の決算を見ると、支出の方は予算と近い支出ですが収入の方では広告代が四万円入らねばならぬのが、一ケ月から二ケ月おくれる所があり平均して三七、〇〇〇円で三、〇〇〇円不足しています。そのおぎないを七月の七二、〇〇〇円の広告代(名刺広告等あって三二、〇〇〇円多く入り、今までの不足分及手当にあてた)

今後は四万円の広告が毎月入らないと苦しくなる。

〇広告について調査すると毎月の固定が二八、〇〇〇円なのであとの一二、〇〇〇円を毎月取らねばならない、そこで隔月取れるところ、映画が出れば出すところ、年に一回～二回おつきあいする所、等を二〇ヶ所は見つけないとやって行けない。

◇記録映画の今後の大きな方針については八月七日に出された運営委員会を中心に討議してほしい。

事務局より お知らせ

会費滞納の方々へ おねがい

会費の納入も非常に良くなって来ていますが、まだ三十名近くの方々が長期滞納のまゝになっています。そこでそれらの方々には"雑誌記録映画"はおくられていません、いくらかなりとも納入されるか、話し合うことによって、その問題を解決して行くよう事務局として今回各人に会を続けられるかどうか、のお問い合せと会費納入について前滞納分を月賦払いし、今月より会費をきちんと納入してもらえるかどうか、おうかゞいします。

機関紙"記録映画"の固定読者を会員一人に対し一名取つて下さい

(イ)同封しているもう一部の機関紙"記録映画"の読者を取って下さい。固定読者を取られ住所、氏名を紹介下されば直接、読者の方にお送りします。

(ロ)そのつど売って載く場合は七〇円を会費と共に載くようになります。

(ハ)固定読者の方々には毎月の短篇試写会の招待状を直接おくっています。

(ニ)固定読者へアンケートと継続のお願いを発送しましたので協力方をお願いします。

交換ノートの原稿募集と"動静"お送り下さい

同封のハガキに"交換ノート"入れてあります、又"動静"がこのごろあまり来ません。どちらも事務局までおゝくり下さい。

住所変更と新入会

◇住所変更

泉水　剛　新宿区百人町二ノ二三七、八代方

松本公雄　台東区坂本町一ノ十二町田方

村田達治　横浜市戸塚区上倉田十七号の三〇三

◇新入会

西江孝之　豊島区　名町六ノ二〒二八三TEL(95)五九六六

移転のお知らせ

○全国農村映画協会新TEL東京(30)局代表三一五一、夜間直通三一五五

○目黒スタジオ、東京録音現像株式会社新TEL目黒局(七一二)一五六五

○東京映画社、中央区銀座東一ノ八広田ビル内

○モーション・タイムズ(吉田美彦)目黒区下目黒二ノ四二七(大鳥神社裏)TEL大崎(49)五七一〇

○科学映画社、中央区銀座三ノ二北星商事内TEL(54)六一五二、七一一五

○ニッポン・シネマ・コーポレーション、千代田区内幸町二ノ一大阪ビル一号館八階TEL(59)〇二五一〜〇二五七

○浅野プロダクション、世田谷区世田谷五ノ二八二二

○東映教育映画部、中央区銀座一ノ二山種ビル三階TEL(535)二〇七八、二〇七九

事務局員加藤せつ子さんにきまる!

加藤(喜恵子)さんが一身上の都合で退められ十四日の銓衡の結果、喜恵子さんの妹、加藤せつ子さんが十七日より協会の事務局員として仂いて載くこととなりました。昭和十一年生れですから二三才の大変ほがらかな方です。前のお姉さんと同じように協会員の方々の御協力をお願いします。

協会財政報告　七月分

収入の部

会費　五一、九二八円

雑費　五三、七九〇円

(記録映画財政より入金)

合計　一〇四、七一八円

支出の部

雑費　八、〇六〇円

(中元、ベースボールの会合費、その他)

用品文具　三三五

通信費　三、一〇四

文通費　二、四七〇

事務所費　五、〇〇〇

印刷費　一三、〇〇〇

電話代　二、六二九

人件費　五八、五〇〇

(手当をふくむ)

合　計　九三、〇八八

差引残高一二、六三〇

記録映画財政報告

収入の部

固定読者　一三、一三〇円

売　上　六、九七〇

広告料　七二、〇〇〇

繰越金　一三、一九八

合　計　一〇五、二九八

支出の部

交通費　四、一二七

通信費　二、七九九

用品文具　一〇五

印刷代　四五、〇〇〇

電　話　二、六三〇

雑　費　五〇、〇三五

(原稿料及協会財政へ繰入)

合　計　一〇四、六九六

差引残高　六〇二

1959. 10 1 発行

教育映画作家協会々報

No.49

教育映画作家協会
東京都中央区銀座西八ー五　日吉ビル四階　TEL.(57)5418

炭労合理化反対映画製作へ協力

菅家さんえお見舞を
—九月二十三日常任運営委員会—

九月二十三日常任運営委員会後六時より全員出席のもとに開かれました。

一、菅家陳彦さんが舌癌で家庭療養中ですので常任運営委全員の名前で見舞カンパを行います。有志の方々の協力をお願いいすることとしました。常任運営委を代表して富沢幸男氏が二十四日の日に見舞に行かれた。

二、〃安保条約〃映画完成につづき、炭労の合理化を問題に失業反対の映画製作運動について、総評の教宣部長会議できめられたもので、炭鉱の合理化がおし進められ、失業問題がおこっており、全労仂者に合理化、失業反対の問題をなげかけるもので、〃安保条約〃の製作委員会にひき続き二十一日（月）後二時からの会合で発表されたものである。

製作完成予定　十月中旬
製作費　七〇万円（総評、炭労で半々、九炭労では実費で協力する）

製作委員会は今までの総評、自映連、独立プロ協組、映演総連国民文化会議、共同映画、東宝商事の他に、フィルム購入のこともふくめ労組より、国鉄、炭労、全電通、機労、九炭労、全テ、新聞労連が入る。

才一回製作委員会を九月二十五日（金）後一時より炭労本部で開くこととなった。

作家協会として審議した結果、製作委員会で運動をすすめて行くようにして行くこと。作家協会側のスタッフを出し、いつも連絡をとること。製作委員会え費用、プロジュサー等の要求を出すこと。以上は〃安保条約〃の運動の訓である。作家協会側連絡員は矢部、富沢、岡本の三人の諸氏があたる。おくりこむスタッフは京極、徳永の両氏を希望する。

三、その他の事項

(イ)十月十二日安保改定反対講演と映画の夕べを日本美術協会及平和展と共に作家協会が共催団体となることを決定。

(ロ)十月例会記録映画を見る会を〃どこかで春が〃七巻の社会教育映画を中心に十月二十七日に国労会館で開く。

(ハ)十月十四日プロキノ時代の記録映画研究会のお知らせ。

(ニ)教育映画祭の十月五日〜九日までの招待券を、日本映画教育協会に申込んだこと。

(ホ)国民文化会議全国集会が大阪で十月二十三、二十四、二十五の三日間開かれ映画部会より四名の代表をおくる。作家協会、より映画作家の立場から一名代表を出すこととなっており（費用は国民文化会議のカンパで七、五〇〇円交通費、宿泊が出る）その頃出られる人を選ぶ。

交換ノート

どなたか「パブロフ選集」上下を売っている古本屋を知りませんか？おしえて下さい。

丸山章治

社会性を問題にする作品をも上映

―記録映画を見る会打合せ会―

九月十八日（金）後六時より、中部映画友の会と共に記録映画を見る会の打合せ会を中部映画友の会の近くの喫茶店で開きました。そこで出されたことは〃記録映画〃はなんなのかということ、それと共に作家協会側としては〃記録映画〃の中に作家のいとした社会性が問題にされている作品を見てもらい、作家側からその作品について話し合い、意見を出してもらい、問題を出して行くことをいとして開いている点を強張し、唯いそいでそれだけを見てもらうということでない点をつけ加え、十月のプランを決定した。

と　き。十月二十七日（火）後六
ところ。国鉄労仂会館七階ホール
内　容。才一部
ガン細胞、三巻、ピアノえの招待、三巻
才二部
〃どこかで春が〃七巻、脚本厚木たか、演出柳沢寿男（の作品を取り上げる事となった）

合同委員会三回開き意見を出しあう

―九月八日合同委員会―

九月四日運営委員会は出席者少なく映画〃安保条約〃の批判会が共同映画労組主催で開かれそれに全員四名が出席した。（細部は映画〃安保条約〃の方で）

九月八日第三回合同委員会を開きました。出席者少なく第一回、第二回の報告プリントを中心に審議しましたが、まとまった意見は出されませんでした。唯、今回の総会に於いて決められた雑誌〃記録映画〃をそでてゝ行くことゝ、自主製作運動えの参加の一つのことに運動を集約して行けたことでは評価されよう、〃記録映画〃の方向もそれにそっている。

唯、グループ活動では〃記録映画〃研究会は毎月開かれてはいるが、他が全然開かれていない点が指摘されるが、これはグループ活動の必然性のなかった点であろう。等のことが話された。

大きな芸術運動の中で作家が高まるものとして

―八月二十六日第二回合同委員会―

八月二十六日（水）第二回合同委員会が開かれ出席者は少なかったが、重要な討論がされた。

一、財政問題について

記録映画財政を確立する為に事業活動を考える（脚本　幹施し脚本を書いて寄附する方法等）原稿料は遅れないようにする。毎月協会員の会費の納入表を会員に送る事。

二、記録映画の内容について

(イ)作品論というようにすりかえたり、印象批判ではまずい、芸術の世界はきびしいのであるからもっと運営委員の方々が雑誌〃記録映画〃に対し、意見を出し、方向ずけを持ってほしい。

(ロ)なぜ雑誌〃記録映画〃が出されているのかという点で意見が出され一つは作家が高まる為に、もう一つは大きな芸術運動の指点の中で作家が高まるものとしてその為に巻頭論文がある。

松本論文の様な出し方は編集委員会の戦術でもある。

芸術情勢の中で記録映画の批判として出されてくるべきである。

(ハ)八月号の戦後体験として出て来ていることを評価すべきであろう。

(ニ)合同委員会は各運営、編集、経営の諸委員会で討論されたものを持ちよってやり、深められて行かねばならない。

三、〃記録映画〃友の会について

友の会は友の会独自として進むべきではあるが希望としては生産団体になってもらいたい。友の会と作家側との話し合いをして行くべきであろう。又友の会は独自の機関紙を持つべきだ、その中から良いものを〃記録映画〃に掲載すべきだ。

記録映画「部落」製作で資金募集

―動き―

日本ドキコメント、芸術映画社松本プロの三社で製作する記録映画「部落」（五巻、亀井文夫監督）製作委員会では、製作資金三百万円のうち、不足額の一五〇万円を調達する資金カンパを訴えている。

映画会及研究会のお知らせ

十月例会
記録映画を見る会

◎社会問題を扱った作品を中心に（その二）

とき　十月二十七日（火）午六時

ところ　国鉄労働会館七階ホール（国電、都電、地下鉄、東京八重洲口南）

才一部

1、ピアノえの招待、三巻カラー
奥山大六郎作品（日映科学）

2、ガン細胞、三巻カラー
渡辺正己作品（東京シネマ）

才二部

3、〃どこかで春が〃七巻（奥商会）

脚本、厚木たか、

演出、柳沢寿男、

ある中学校の実話に取材し演劇部の少年少女が演劇活動を通じて貧困にもめげず暴力にも屈せず伸びて行く……

主催、教育映画作家協会、中部映画友の会、機関紙映画クラブ、

（会費一名三〇円、今回は三十五ミリで写しますので画面が明るいと思います。）

フランス美術映画特集

今回は世界の記録映画作家研究につづき〃フランス美術映画〃をもってきました。十二月は世界の児童映画を上映の予定。

十月三、十、十七、二十四、三十一日の土曜毎回十二時三〇分、二時の二回です。

三日、印象派（色）ロダン

十日、ゴッホ、ゴオガン

十七日、ユトリロの世界、ル・コルビユジエ

二十四日、ルソー、マチス

三十一日、ビユツフエ（色）ゲルニカかマイヨール

ところ。西武デパート八階リーデイングルーム

主催、教育映画作家協会、城北映画サークル協議会。

安保改定反対講演と映画の夕べ

日美、平和展、と共催で作家協会の映画〃安保条約〃製作と共に安保改定に反対の集会を持つ事となりました、多数参加下さい。

とき　十月十二日（月）午六時

ところ　小原会館ホール

TEL（40）一〇五一、六四〇二（都電青山六丁目、地下鉄神宮外苑前下車）

内容、講演、松岡洋子（評論家）

映画一、チエッコ映画　二巻
2ツのヒモ（人形劇）
ミイチャーはどこにいる、（マンガ）

二、〃海壁〃　六巻（シネスコカラー）
黒木和雄作品（岩波映画）

三、〃おなじ空のもとに〃二巻（ポーランド映画）

四、〃安保条約〃　二巻
松本俊夫作品（総評）

会費一人五〇円作家協会の方々は全員参加する様にして下さい。

主催、日美、平和展、作家協会

十月記録映画研究会お知らせ

〃安保条約〃につづきプロキノ時代をふりかえり新たに現代における作家の主体制の問題にたちかえって載きたいと思い開きます。

とき　十月十四日（水）午六時―

ところ　デリバリー試写室

TEL（57）六三八〇、六三七八（高速道路ビル土橋そば地下）

内容、一、山宣葬儀　一巻

二、戦前のメーデー　一巻

三、市電スト　一巻

四、軍事教練　一巻

試写後新橋より国電ガード下ブルボン喫茶店にて研究会を開きますから出席下さい。

会費一人五〇円（コーヒー代）

主催、〃記録映画〃研究会

一九五九年教育映画祭行事

才六回を迎えた中央行事が十月五日より山葉ホールで開かれます。作家協会も主催団体として招待券がまいります。左記の内国際短編映画会と最高賞入選上映会に招待されます。

十月五日、六日、七日、八日、国際短編映画会各四〇枚（時間未定なるべくおそい回）

十月九日、最高入選作品上映会一七〇枚（時間未定なるべくおそい回）

これに対する答は招待券発送によりかえさせて載きます。

短篇試写会のお知らせ

短編試写会の日時、場所をお知らせしますから、作家協会といってお入り下さい。

〇十月　後一時
山葉ホール　主催、連盟

〇十月中旬　十二時、三時
白木ホール、主催、映教

映画〃安保條約〃の上映運動と成果（中間報告）

動き（その1）

◇九月一日完成試写会を後四時、日比谷図書館でスタッフ製作委関係の人々をまねいて約一〇〇名参加開かれた。

◇九月一日後六時才一回試写会を国労会館ホールで〃世界の河〃と共に五〇〇名近く参加して総評主催で開かれた。

◇九月二日後六時国労会館会議室にて労映研主催で研究会が開かれた。こゝで製作者側と映画サークル、労組、配給社等から出席して討論され、極論が出された。「安保条約ではない」（映画サークル）「大衆にはわからない」（労組）「七〇万もかけて実験性をためされてはこまる」「農村のおばあさんにはわからない」（配給会社）

これにひきかえ「あれでよい、戦争反対が安保条約をくいとめる」「悲壮観を感じさせる映画だ」等あり松本俊夫監督より映画製作のいとがのべられた。

◇九月四日共同映画社労組と作協との批判会が持たれた。

労組側より、配給社としてこのフイルムを、普及する立場から話された。シナリオの時から解説映画になると思っていたこと又試写会で労組代表より「おれにはわかるが大衆にはわからない」といわれ普及に対しての体制が組まれていなかった点にふれられた。又「〃破滅えの行進〃という前の題そのものだ」という意見も出され作家も普及に協力することをやくし、配給社としての立場を明らかにして終った。

◇九月十日、日美主催の朝倉さん等平和友好祭帰国報告会が、お茶の水雑誌記念会館で開かれ、そこえ〃安保〃を持ちこんだ。出席していた美術家達の感激は大きく、それを機に安保反対の映画と講演の夕べが十日に開かれることとなった。

記録映画研究会

映画〃安保条約〃について

九月十一日、評論家、作家等七〇名近く出席、討論には四十五名が参加した。主な意見をのせる。

渡辺正己ーシナリオの時は技巧だけが目立ったが戦争というものとの直載的な対比があっていい。珍らしい技巧についての効果が見なれていない人々にどう受けとられるか疑問だ。

西江孝之ー仲々面白い。今までの総評を母胎とした映画がいろいろあったが、安保という大きな問題にあたったスタッフに敬意を表する。問題は労仂者の生活の中身と安保との出し方がまずかった。主婦と生活社のスローガンはとらえられていたが、やはり生活にもっとウエイトがおかれた方がよかった。又日本の労仂者と外（ソ連、中国）の労仂者との位置のちがいがすっきりしない。

苗田康夫ー社会主義国家の出るまではすなおについて行けた。その後浸透性がうすい。太陽と風の寓話を思い出した。

川本博康ー脚本の時感じていたのだが観客対象を、どう考慮して作られたか疑問だ。番線にかけられるのならこういう実験精神はいいだろう。気になったのはエピローグで破壊で終っているのは、とりようによっては重大である。我々がいくらじたばたしても最後は破壊で終るんだというように感じられる。

羽田澄子ー親切ではない。手法その他の上では非常に参考になった。しかし安保反対のための映画ということになると不親切だ。戦争反対、それが又準備されている、ということはよくわかるだろうが、映画だけでなく演説をきかなくては安保はそのものゝこわさがわからぬ、そのこわさを理性にうったえるものがほしかった。

武井昭夫（評論家）ーあれでいいんだ。今いわれている親切という意味は政治家の責任で、それを説明的に芸術家の上に課すのはまちがっていて、そこをなまけていて二巻の映画で解説しようとするのはちがう。いやな感じ、ショックという形であらわれるのはまったくいい。

河野啓二ー感じがはげしい。一つ一つのカットのはげしさが、戦争のこわさを減殺しているような気がする。それは一つ一つのデューブをしっているので気になるのかもしれないが、マイナスに感ずる。いやな感じはうけるが、それは胸をうたない。ラストが気にくわない、マスコミ、無関心が戦争にむすびつくと理屈はわかるが、画面からは伺えない。

杉原せつ—どんな人が見るのか何も知らない人が見た場合びっくりしたものを感じるだろう、それだけでいいんじゃないかな。しかし疑問としてはその上にもう少し深く話して上げるところがあってもよかったんじゃないか。

長野千秋—戦争に対する恐怖は感じられる、歴代首相が戦争はしないというにも拘らず自衛隊増強されていることが国際的資本主義との結びつきの中で出された（うち側にかくれたたくらみ）方が、映画が現実を変革できるかという課題に答えたろう。

征木恭介（評論家）—大衆に対することとして、見ている人がみな大衆なんで、こゝにいる人が不満ならそれを大衆にかぶせない方がいいだろう。松本氏の手法では前衛的手法が不足だから不満も出る。日常性をハクダツするというドキユメンタリイの方法がナマツたんじゃないか（パチンコ、その他）全体として啓蒙のための映画を多く見たがこれは独特で、こういう映画が不満足だけれど出て来たのは大切なことで、短篇による宣伝方法を今後考えて行く上で重要な作品だと思う。

花松正卜—松本君らしい「傑作」である。小さな利己心、無関心な大衆は安保をさゝえている。それをふっきれというのは優等生の論理だ。これを見た大衆が組織されるのかどうかは疑問だ僕自身安保改定について関心がない。パチンコ、つり、駅、などにおける大衆の非合理的部分に関心があり、味方の弱点はこういった大衆にしっぺ返しされるのでこういった非合理的な中にある論理をわれわれの側にひきつけることだ。無関心をふっきれといってもしようがない、そういう着目が必要だ。

徳永瑞夫—

①題名「破滅えの……」は余り評判がよくありません。反対に「独立えの道」の方がよいそうです。

②撮影の一部を担当して、二、三ケ所を廻りましたが、その度に云われたことですが、否定面だけが強く出すぎているということです。

③私もそう思います。

＊以上は研究会当日の要点速記ですので不充分な点がありま す。

◇九月十七日後六時〃詩人がコメンタリーに参加した映画会と名って明大記念講堂で明大の学生と作家協会員参加で〃安保〃と〃海壁〃を上映した。明大自治会では美術家と同じように感明が大きくもう一度上映する計画をたてると云っている。当日は爪生忠夫氏も参加、自分の授業をその為にさき生徒全員を参加させた。又〃安保〃のことで講議するといっている。

◇九月二十二日後一時は共同映画社で後五時はデリバリーで試写を行い、雑誌〃記録映画〃の〃安保条約〃えのアンケートに答えてくれる。評論家、作家、美術家、プロジユーサーの方々に見て載いた。

◇その他に九月十日には港区役所の映サの短編映画会で上映。日大映画部では二十四、二十五日の両日に、自主製作〃釘と靴下〃と共に上映、研究会を開く、又十月九日中郵の映サで他の記録映画と共に上映、又九月二十六日は清瀬の地方機関紙主催で上映される。

◇九月二十一日後一時〃安保条約〃製作委員会が開かれ、全役員参加で次の事が話された。

(一)製作費は六万円オーバし、七六万円かゝった。

(二)フイルムの出ている数は、計一〇四本でまだまだ出る。製作費は回収出来た。出ていった組合は単産では全電通十本、動力車労七本、全造船六本、合化労連五本、私鉄五本、国鉄二本、全林野一本、全日通一本、あとは下部組合が買っている。こんだの場合特徴は下部組合が多く買っていることだ。

(三)この映画を活用する為の指導書をつくること。

(四)この二ケ月間、十一月下旬までに各団体での運動の成果、映画の意見をまとめて総活を出すこと。

〃記録映画〃え意見

◇じっさいの仕事の記事や研究のあれこれをウンと読みたい。「雑誌を取りたいが、ちよっと固いんでね」—とアマチユア君達が云っています。

藤田　幸平

◇毎号のことながらも少しレイアウトを緊密にしたいものです。執筆者もなるべく多く会員に呼びかけて書かせたらどうでしよう。

メンバーがきまってしまっては面白くありません。協会から執筆依頼があれば書くでしよう。尚劇映画のスチールは不用です。あくまで記録映画のためにスペースをさいて下さい。

永富映次郎

動き（その2）

失業合理化反対の「記録映画製作」

総評では〃安保条約〃につづき教宣部長会議で炭労を中心とした大量の失業が出て来ているがこれは炭鉱合理化を押し進める資本家政府の政策で、炭労の協力のもとに合理化失業の問題を中心の映画を製作することゝなった。

費用は七〇万円（総評、炭労半々）製作完成十月中旬とし、十月十日から二〇日の斗争とからませたい。製作委員会は今までのメンバーに国鉄、炭労、全電通、動力車労組、九炭労、全逓、新聞労連が参加し普及の為にも協力してもらう。以上を決定した。

「国民文化全国集会 十月中旬に大阪で開催」

毎年一回開かれる国民文化全国集会が今回大阪で十月二十三、二十四、二十五の三日間、八ツの分科会に分かれて大阪の大阪府職員会館で開かれる。〃サークルの創造活動をどう進めるか〃の分科会には作協より松本俊夫氏が〃マスコミとどうとりくむか〃の分科会には作協より野田真吉氏が出席するが映画部会として四名の代表をカンパで送ることゝなり共同映画社独立プロ協組、映愛連、作家協会より一名ずつ出す事となった。

二十三日（金）午前　記念講演「文化と政治」上原専祿氏。午後は作品発表およびその討論、映画部会としては、動力車労組の映画一本と「悪法」「日本の政治」「安保条約」の中一本を出すことをきめた。

夜、映画特別試写会には「シユパイデル将軍」その他の作品をあてることゝなっている。

二十四日（土）午前と午後　問題別分科会

夜、ジャンル別交流懇親会

二十五日（日）午前　問題別分科会

午後、全体会議、その後有志懇談会

以上。

第三回対外日本紹介映画「コンクール」

日本映画海外普及協会、教育映画製作者連盟主催で開催されたコンクールで入賞作品は

優秀作品賞

「佐久間ダム総集編」（岩波映画）

外務大臣賞「ピアノえの招待」（日映科学）通産大臣賞「日本の造船」（日映新社）運輸大臣賞「富士」（日本産業映画）朝日新聞社賞「ガン細胞」（東京シネマ）日本映画海外普及協会賞

「一九五九年教育映画祭」「入選作品発表さる。」

○才一部門学校教育映画

「あさりの観察」二巻（学研）

「瀬戸内海」二巻（日映新社）

「僕は走らない」二巻（共同映画社）

○才二部門社会教育映画

『うわさはひろがる』二巻（才一映画）

『幼児のまね』二巻（富士映画社）

「ある主婦たちの記録」三巻（東映）

○才三部門一般教養映画

「新しい製鉄所」四巻（岩波映画）カラーワイド

「ガン細胞」三巻（東京シネマ）カラーワイド

「ピアノえの招待」三巻　カラーワイド（日映科学）

○才四部門動画映画

「こねこのスタジオ」二巻　カラー（東映）

「ボロンギター」三巻（学研）カラー

「王様になったキツネ」二巻（電通映画社）

○才五部門児童劇映画

「チビデカ物語」五巻（民芸）

「すみ子先生」五巻（東映）

「六人姉妹」（東映）

最高賞は審査委員や学識経験者の投票により十月七日夜に決定される。

「記録映画」十一月号予告

特集方法の問題

☆記録映画論…………西江孝之

☆安保映画について

1. 製作して………松本俊夫
2. アンケート……各方面著名人

☆プロキノ運動について

プロキノ運動について思う　爪生忠夫

座談会、プロキノ運動

岩崎昶、能登節雄、吉見泰等

☆「月の輪古墳」から(2)杉山正美

☆沖縄報告……………間宮則夫

☆「Z団革命」撮影記…大峰晴

☆ジャーナリスト会議報告

☆作品評「ひろしまの声」「東北の農村」「山陰の生活」「たくましき仲間たち」「ガン細胞」

☆現場通信

☆友の会、見る会の呼びかけ

動静

◇目下日映科学の「チーズ」録音待ち。社会教育映画のシナリオを書いています。　丸山　章治

◇アアースト教育映画社作品「落合さんの卵つくり」製作準備中　永富映次郎

◇TV映画「ふるさとの横顔」シリーズの「玄海灘のうに」の脚本完成、　徳永　瑞夫

◇現在、今年の平和行進と才五回原水爆禁止世界大会の記録を編集中です。中間にダビング、これが完成したら近く「部落」に入る予定です。　楠木　徳男

◇オシツケの月給の暮しを離れ、フリーで仕事を続けることにしました。九州では仕事もマバラなので、ほかに何かをしながら記録映画を読むことになりそうです。　藤田　幸平

◇教材映画〃近畿地方〃〃住まいの移りかわり〃編集中、九州電力PR映画〃九州〃脚本完成（八月一日現在で）　石田　修

◇〃日本のエレクトロニックス〃（E.K 3巻）海外版、クランク中、〃符号の世界〃（E.K 2巻）録音待ち、〃東パキスタン〃中間編輯、　入江　一彰

◇①テレビ映画、みどりのそよ風完成、②テレビ映画、稲尾投手の休日イン、③劇映画、怒りの海準備中　山下　為男

前略　御無沙汰致しました。今頃、東京も残暑猛烈な頃と存じます。当地の暑さは、まだまだ物すごく、しよっちゆう暑さぼけで物忘れをしております。鹿児島にて台風六号で一週間足止めをくい、十一日ようやく、那覇に着き、入国手続をすませ、直ちに最南端、波照間島に行きました。全島千三百名小じんまりした島でした。部落の生活は、共同組織が実によく発達しております。自給自足の島の生活がしからしめたものだと思います。カツオ節の製造が島の主産業ですが、生魚の貯蔵施設がないため、漁が揚がると戦場のようなさわぎを演じます。十七日は年一度の島をあげての豊年祈願祭それも無事終了、二十一日に石垣に帰つてきました。これから約十日間に渡つて、石垣島内をとりあるき九月の六日か七日頃那覇に帰りたいと思つております。まとまりのない近況報告で申し訳けなく思つております。いずれまた。

沖縄・八重山石垣市八洲旅館早大学術調査団　間宮　則夫

◇「歩く人」（関西電力）シナリオ完成。「川崎」才二篇（読売映画）準備中。「マグダラのマリヤたち」執筆中。「街」美術画社　八木　仁平

事務局より　お知らせ

所属変更のお知らせ

前田　庸言ー九月よりフリー助監から企業所属へ（日経映画）

渡辺　正巳ー九月よりフリー助監から企業所属へ（東京シネマ）

大沼　鉄郎ー九月より企業よりフリー作家へ

西本　祥子ー十月より企業よりフリー作家になりました。（日本視覚教材をやめられました）

協会財政報告

八月分

収入の部

会費	四八、一〇〇円
雑費	六、七〇〇円
合計	五四、八〇〇円

支出の部

交通費	二、三二二円
通信費	二、五九四円
電話料	二、四八九円
事務所費	五、〇〇〇円
用品文具費	二四三円
人件費	三三、五〇〇円
雑費	一二、六八〇円
合計	五七、八二八円
差引赤字	三、〇二八円

記録映画財政報告

八月分

収入の部

固定読者	一〇、七〇〇円
売上	八、四三五円
広告料	四一、〇〇〇円
繰越金	六〇二円
合計	六〇、七三八円

支出の部

交通費	四、二九五円
通信費	三、一八四
雑費（原稿料他）	七、九〇〇
用品文具費	二三〇
電話料	二、四八九
印刷費	四〇、〇〇〇
合計	五八、〇九八
差引残高	二、六四〇

会費滞納の方々え

会費の納入も非常に良くなって来ていますが、まだ三十名近くの方々が長期滞納のまゝになっています。そこでそれらの方々には〃雑誌記録映画〃はおくられていません、いくらなりとも納入されるか、話し合うことによって、その問題を解決して行くよう事務局として今回各人に会を続けられるかどうか、のお問い合せと会費納入について前滞納分を月賦払いし、今月より会費をきちんと納入してもらえるかどうか、おうかゞいします。

機関誌〃記録映画〃の固定読者を

(イ)同封しているもう一部の機関誌〃記録映画〃の読者を取つて下さい。固定読者を取られ住所、氏名を紹介下されば直接、読者の方にお送りします。

(ロ)そのつど売って載く場合は七〇円を会費と共に載くようになります。

(ハ)固定読者の方々には毎月の短篇試写会の招待状を直接おくっています。

(ニ)固定読者へアンケートと継続のお願いを発送しましたので協力方をお願いいします。

菅家陳彦さんえお見舞金

すでに御存知とは思いますが菅家陳彦さんが舌癌にかゝられ手術されて良い方向にむかつていました。再度手術入院中経過が良く現在家庭に帰られ御療養中であります。病状は良い方にむかつてをります。常任運営委として話しあい、お見舞金を集めることゝなりました。有志の方々は事務局にお見舞カンパ帳をおきますから協力下さい。

昭和三十四年九月二十三日

矢部正男
富沢幸男
岩堀喜久男
岡本昌雄
河野哲二
苗田康夫
川本博康

各位様

十月〃記録映画〃研究会のお知らせ!

九月は映画〃安保条約〃を中心に評論家及協会員多数出席のもとで賛否両論が出されました。今回十月はプロキノ運動をふりかえり戦前のドキメンタリストの斗いの姿をさぐって見たいと思います。

とき　十月十四日(水)午六時 ー

ところ　デリバリー試写室 (57)六三八〇、六三七八
(土橋そば高速道路ビル地下)

内容　一、山宣葬儀　二、戦前のメーデー
三、市電スト　四、軍事教練

試写後新橋より国電ガード下ブルボン喫茶店にて研究会を開きます。

会費　一人　五〇円

主催　〃記録映画〃研究会

安保改正反対
講演と映画の夕べ

日美、平和展と共催で安保改正反対の集会を開きます。多数参加下さい。

とき　十月十二日(月)午六時

ところ　小原会館ホール

TEL(40)一〇五二、六四〇二

(都電青山六丁目、地下鉄神宮前下車)

内容　講演　松岡洋子(評論家)

映画　一、チエコ映画　二巻
○二ツのヒモ(人形劇)
○ミイチャーはどこにいる(マンガ)
二、〃海壁〃六巻(シネスコカラー)
三、同じ空のもとに　二巻
(ポーランド映画)
四、〃安保条約　二巻

○会費一人五〇円です。案内状をおくりますから当日会場へはらうようにして下さい。

○共催ですので全員参加するよう協力下さい。

〃記録映画〃え意見

◇杉山君の「月の輪」の記録は大変面白い。出来るだけ微に入り細をうがって書いてほしい。つゞけて下さい。

丸山章治

1959. 10 / 20発行

教育映画作家協会々報

教育映画作家協会
東京都中央区銀座西八ー五　日吉ビル四階　TEL (57) 5418

号外

雑誌〃記録映画〃独立採算と発行基金募集について

—十月十四日　緊急常任運営経営委員会　報告—

十月十四日、緊急常任運営経営委員会が開かれました。

一、「安保批判の会」へ入会をすることを決定。

二、今年の総会は十二月二十七日（日）前十時～後三時、昨年と同じ中央会館で開くことを決定。

三、◎　十一月西武デパート八階、リーディングルームの毎週土曜の会は、一九五九年度教育映画祭入選作品を上映。

◎　十一月中旬〃記録映画〃友の会の研究会を、

◎　十月の日美との共催の〃講演と映画の夕〃に成功したので十一月にも映画会を計画する。

四、雑誌〃記記映画〃について、

今まで二万円近く援助して下さっていたベースボールマガジン社の社長さんより十一月号の〃記録映画〃より援助を打ち切るという申入れがありました。申入れの内容はベースボールマガジン社の経営の為だということがわかりました。そこで十一月号より、独立採算で出さなくてはならなくなりました。編集委員会及事務局、経営委の中では緊急に対策の為の小会議を持っていろいろと方針をねり具体的に行動しました。

経営委と事務局では今までの〃記録映画〃の予算を独立採算の立場から今までの販売と支出から再度の検討した結果次の様になりました。

◇　収入の部

固定読者（二四〇部）	一五、〇〇〇円
売上高	八、〇〇〇円
広告収入	四〇、〇〇〇円
会計	六三、〇〇〇円

◇　支出の部

交通費	三、五〇〇円
通信費	三、〇〇〇円
原稿料	三、〇〇〇円
座談会費	一、五〇〇円
文具品	一、〇〇〇円
電話代	二、五〇〇円
印刷費	六〇、〇〇〇円
会計	七四、五〇〇円
差額	一一、五〇〇円

以上となり、印刷費が今まで四万円であったものが、六万円となり一一、五〇〇円の不足となります。

そこで出された案として

（一）、一五、〇〇〇円程度の毎取れるスポンサーをさがすこと。

（二）、販売を拡大すること（東販等へよびかける）

（三）、基金募集をする。

以上です。

東販へ事務局として出かけ、五〇〇部を販売することの契約をして来た。但し三ケ月目でないと現金の入らないこと、東販とは六割五分とする。返本は一部に対し一円四〇銭支払うこと、以上の契約でも一〇〇部から二〇〇部出る見通しがあるので一ケ月二、九〇〇円のプラスとなる。直接の資金にはならないが実行することとした。

とりあえず十一月号は今までのスタイルで出すことを決定、資金として、前助監部会の事業資金の利益金と、作協として協力した事業資金によって出す。

（2）以上のことの上に立って、資金の都合がつかぬ場合は才二案として口絵四頁をなくしても出版することなどが出されている。

そこで今年一パイの案がざんてい的に出された。

○ 支出の部

十一月号不足金　一三、〇〇〇円
十二月号　〃　一三、〇〇〇円
一月号　〃　一三、〇〇〇円
合計　三九、〇〇〇円

○ 収入の部

助監督事業資金　約七、〇〇〇円
作協事業資金　約二〇、〇〇〇円
広告費増収分　約一〇、〇〇〇円
宣伝用ポスター広告　〇〇
約五、〇〇〇円
合計　四二、〇〇〇円

でまかなうよう、宣伝用ポスター広告及広告増収をはかる為の運動を行う。そして二月号以後のことは総会においてきめて行くようにする。

〃記録映画〃発行基金募集について、

但しこゝで問題になったのは、先にも出ているが基金募集についての案が出されているので検討して戴きたい。どっちみち、今までの〃記録映画〃の資金のやりくりはベースボールマガジン社の社長さんの二万円の資金と印刷屋も同じ関係の所でお願いしていたので支払も後払いであったことと、収入いつも特に、広告収入は二ケ月あと、固定読者もおくれている。

所が独立採算になると印刷屋もこちらで見つけなくてはならず、初めの三ケ月は先払になることや印刷諸雑費が現金でかゝることから印刷費の一ケ月分六万円の半額から三分の二以上の資金が手元にないと運転しないことから雑誌〃記録映画〃独立採算発行基金が必要になってきたわけであります。

そこで、

○ 一口五〇〇円で、一年間おかりする。

○ 一年目に返却、但し無利子のこと。

○ 集める期間は一ケ月間とします。

× ×

以上のことをきめ現在、具体的に矢部運営委員長代理富沢事務局長　杉山経営委と、事務局とで〃記録映画〃の十一、十二、一月分の広告主と今後、東販に販売網を伸ばす為の広告ポスターを作る運動を行っています。ぜひとも以上のきめられたことに対し、協会員の皆さんの積極的な御意見と参加をおねがいする次才であります。

……　……

合理化と失業に反対する
―記録映画製作―

炭鉱合理化との斗い
〃失業〃三巻の構成

この構成（案）は手がかりにすぎず現地の実状に即応じて、思い切って変更される。

＝ プロローグ ＝

祖父代からの山、親父たちの血と汗の固り、労仂の積、然し資本家はもうけ、そしてもうける。そしておれたちの喜びと苦しみ、よりいっそうの苦しみと斗いの物語があるのだ。

＝ 物語の一 ＝

初老坑夫の話。

戦争中は朝鮮人、多勢いて突貫作業をした炭抗が、今度は合理化で山は買いつぶされるという。昭和二十四年又、二十八年の時も整備、合理化だといったがちっともよくならない、そして今度だ。

八月までの合理化法による買上状況は九州で契約ずみ七十四件、買上げ八〇、申込み中五十四件、全国の半数、そして離職する労仂者約四万名だ。

＝ 物語の二 ＝

失業者の話。

失業保険が貰えるのは良い方だ、若い者はながれて仕事しているが永続しない。炭坑者はだんだんと安くなる賃金で小さな方へ流れ落ちる。又買い上げと同時に立退きをせまられる住宅。

＝ 物語の三 ＝

子供は学校へも行けない、教科書、ノートが買えない、長欠は普通のこと、親の犠牲が子供の上にまでしかゝって来ている。

＝ 物語の四 ＝

若松から阪神まで、石炭を運ぶことを仕事としているたくさんの機帆船も、貯炭の山の前に空しく滞船している。これは政府の重油切換え政策で、石炭の需要は目に見えて減ってきた。機帆船の船主の生活も苦しくなってきている。合理化のテンポは早い。

＝物語の五＝

中小鉱主は山を売ってしまっている。合理化法は三井、三菱の大手に吸いとられていっている。独占集中化である。中小鉱の事業所は閉鎖しても組合は斗いぬいている。全労仂者への塞となり、炭労をいや全労仂者の統一の為、然し独占資本家は集中的に攻撃をかけてきている。

＝物語の六＝

国鉄志免炭鉱、戦争中は海軍の軍属として炭を掘り、今日まで国鉄一家の家族の一人として機関車の炭を掘ってきた。炭はまだ四十年は良いのが出るというのに政府はヤミ取引きで売りとばし、おれたちの首を切ろうとしている。なぜか。

こゝに合理化の波が、失業が、そして、反対の運動が、ねばりずよくつづくのだ。

～終り～

（３）

〃炭鉱合理化〃映画 撮影隊九州へ 完成十一月!!

作家協会では、九月二十九日の製作委員会に二名のスタッフをおくりこみ、十月六日より撮影開始し、九州炭田地帯を中心に、二班にわかれて連日撮影をすすめている。撮影終了は十月一パイにし十一月初めは完成、各労組、その他民主団体に売り出し、安保改定反対、合理化反対の一大斗争にやくだたせたいと、はり切っている。すでに、大手、中小炭鉱、失業者農民の斗う姿がカメラにおさめられており、「安保条約」についていく記録映画として、作家協会としては協力している。協会員は心からの協力を。

十一月初旬に協会員をまねいての試写を行う予定でいる。これらの製作運動は作家協会が、自主製作運動へ一歩ふみ出し協会としての体制を作ることにせまられていることだと思う。

◇　◇

〔安保批判の会〕 加入と、内容について!!

石川達三、江藤淳、亀井勝一郎中島健蔵、松岡洋子、等が世話人になって「安保批判の会」を作り各方面に呼びかけています。

申合せとして、一、戦争回避と軍備縮少あるいは撤廃への道が開けつゝある。二、中国を仮想敵とみなす態度をまずなくすこと。三日米安全保障条約の改定により主導権を握るのはアメリカ軍部であること、戦争の危機の有無にかゝわらず、秘密保護法、軍事費の膨張、徴兵制度の復活さえ考えられる。四、日本の独立を念願するものである。五、国連の保障により相互不可侵条約の締結により平和地帯たる独自の条件を日本国民の総意としてつくりあげる。

この会には広津和郎、開高健、深尾須磨子の他映画人としては岩崎 等、四〇名近い文化人の名がつらねられている。

そして、昨年の警職法の〃文化団体連絡協議会を作ったように「安保問題研究会」が各方面の学術関係者を中心に一千人の人々が反対声明をしています。

「安保批判の会」は学術関係以外の広く文化関係者の間にある強い批判の声と阻止への希望を一つにしたものです。

才二回の会合が十月十九日（月）後六時、産経会館八階文芸協会会議室で開かれます。

以上のことゝあいまって日本美術会、平和展との共同で十月十二日開いた〃安保条約講演と映画の夕べ〃で松岡洋子さんの訴えを聞きまして、十月十四日の役員会で加入することをきめました。今後なにかと〃批判の会〃としての行動があるかと思いますので、その節は作家として一人一人が協力下さるようおねがいする次第であります。

革命を間接的に 煽動する自民

〃安保批判の会〃の一員であれる亀井勝一郎氏は朝日新聞紙上で次のことをいわれている。

ところで自民党の一番心配しているのは、言うまでもなく日本の共産化である。中ソとの友好とか安保反対とか、中立を叫ぶこと、それは共産主義国の思うツボだと言うし、だれかれの区別なく「アカ」というレッテルをはりたがる。

日本国民は、それほどばかだろうか。ここで一言しておきたいことがある。日本を共産化させる原因は、一方では革命勢力にちがいないが、他方では、革命を起さざるをえないようにしむける保守派の悪政であるということだ。

これは常識だ。たとえば自民党が、派閥争いもせず、買収とか汚職もやらず、ただ誠心誠意をもって国民生活の安定をはかったら、革命勢力のつけこむ余地はない。共産化の第一原因は、国外ではなく、国内にあるのだ。

「直接侵略」「間接侵略」という言葉があるが、私は「直接扇動」「間接扇動」という言葉を使いたい。日本の革命化のために、共産党が直接扇動しているなら、自民党は間接扇動しているようなものではなかろうか。派閥あるを知って、日本あるを知らないような行動がくりかえされると、国民はあいそをつかして、革命的気分になるのは当然である。

私は自民党の皆さんにお願いしたい。間直扇動をやめてもらいたい。それこそ中ソの思うツボになっては困るではないか。私がもし短気な人間なら、今の自民党を、「アカ」とよびたいくらいである。

戦争になつたら 主導権は米に

今度の改定案をみると、日本の安全だけでなく「極東」が問題になっている。海外派兵の可能性も考えられるし、とくに心配なのは核兵器や作戦行動についての「事前協議」という大へんあいまいな言葉があることだ。

そして国民のひとり残らず心配しているのは、万が一にも戦争になったら、主導権をにぎるのはアメリカ軍で、日本人は自己の意志に反して、犠牲になるのではないか、という点だろう。国民は敏感だから、かんじんのことは知っているのである。

《事務局よりお知らせ、とおねがい!!》

十月例会記録映画を見る会へ参加下さい。

来る十月二十七日(火)後六時国鉄労仂会館七階ホール(カジ橋そば)いずれも三十五ミリです。

内容、第一部　一般教養映画

"ガン細胞"三巻。カラー　東京シネマ

"ピアノへの招待"三巻。カラー、日映科学

第二部　社会教育映画

お話"どこかで春が"について、　厚木たか

映画"どこかで春が"七巻。　大阪教組、奥商会

カンパ三〇円です。事務局まで申込下さい。

十一月例会記録映画を見る会。

一九五九年度教育映画祭入選作品発表会。

(1)とき、十一月毎週土、十二時三〇分、二時。

ところ。西武デパート八階リーディングルーム。

七日、あさりの観察。ある主婦たちの記録。

十四日、ガン細胞。ボロンギター

二十一日、ぼくは走らない。うわさはひろがる。こねこのスタジオ。

二十八日、幼児のまね。六人姉妹(予定)

(2)とき。十一月二十二日(日)

西武リーデングルーム。

第一回十時三〇分、十二時。

瀬戸内海。ピアノへの招待。

第二回二時三〇分、四時。

王様になったきつね。新しい製鉄所。

十一月美術映画会のお知らせ。

日美と平和展及作協の共催で開く。

とき。十一月二十五日(水)午後六時予定。

ところ。高円寺会館(中央線高円寺駅構内)

第一部　美術映画

イ"ロダン"二巻。

ロ　ル・コルビジェル二巻。

第二部　レジスタンス映画

"鉄路の斗い"九巻。

ルネクレマン監督。

会費一人五〇円の予定。

"記録映画"友の会準備会。

十二日に友の会を結成するため左記に準備会を開きます。

とき。十一月十二日(木)午後五時半。

ところ。東電銀座サービスステーション(銀座六丁目神戸銀行となり)

内容。①映画会。②研究。

①イ、炭鉱合理化の斗い又は九州炭田三巻。

ロ、"サン・トロベーズ夏休みの宿題"

"偶像もまた死ぬ"二巻。

アラン・レネエ演出によるもの

②イ、十二月記録映画を見る会の映画選定。

ロ、結成会のもち方について。

1959. 11. 1 発行

教育映画作家協会々報

教育映画作家協会

No:50

東京都中央区銀座西八ー五　日吉ビル四階　TEL. (57) 5418

〃失業〃

炭鉱合理化の斗い
十一月九日頃完成試写予定
総評主催の視聴覚全国会議

〔動き〕

〃失業〃（炭鉱合理化の斗い）は京極高英、徳永瑞夫、両氏の参加により、撮影もをわり、才一回のラッシュー後現在、編集中、初めの構成とずいぶんかわってをり、先の十月の炭労の斗争を中心にもりあげてをり、ＮＨＫテレビの「ボタ山は訴える」以上の迫力を持っている。

完成を十一月九日にむかって進められている。

完成試写は十一月九日頃の予定である。作協の会員を全員呼ぶ予定です。

又総評では一月中旬に、教宣部長会議の決定にそって、総評主催による、視聴覚全国大会を八百名近くの各労組の教宣部、文化人、及記録映画作家、配給社関係の人々を呼んで開き、新しい労働者を基盤とした視聴覚センターの方向をもくろんでいる。これには、労映研が大変な熱の入れ方をしてをり作協にも呼びかけて来ている。

十二月総会も近づきつつある

総会の月も近づいています。作家協会の活動の一年をかえり見る必要があるでしょう、雑誌〃記録映画〃発行とサークル活動をきめてより、今日まで、サークル活動のことから〃安保条約〃〃失業〃の映画製作まで来ました、然し現在のまゝですゝむことに対し、いろいろと意見もあると思います。作家の権利の問題、雑誌〃記録映画〃の性格等についても意見があられると思います。十一月、十二月上旬はその準備にあたります。総会は十二月の二六日か二七日、一日がかりで昨年と同じに中央会館で開く予定です。皆さんの意見を出せるよう、協会員の方々も準備されることをおねがいします。

ー事務局ー

交換ノート

TV映画「故郷の横顔」シリーズＣＢＣ担当才三作、〃織姫の街〃シナリオ完成、十月初旬からロケに入ります。全国ネット放送ですから番組が若し目にとまりましたら、才一作〃土管の街〃とともに見て頂きたく、又御批評も下さいますよう、会員皆様にお願い致します。

アテ先
名古屋市中区新栄町四の十五　中部日本放送内
ＣＢＣテレビ映画社まで

青木徹

動き

安保批判の会創立総会へ参加 ―と今臨時国会の重要性―

先きの会報号外にも発表したように、「安保批判の会」準備会が生まれ作協としてもその会に加盟することを決定しましたが、常任世話人会が出来、十一月上旬に創立創会を左記で開くことになりましたので作協としても参加し、具体的行動に参加することとなりました。常任世話人の名は、石川達三、江藤　淳、亀井勝一郎、小林雄一、滝沢　修、中島健蔵、松岡洋子、三宅艶子、吉野源三郎で

十一月九日（日）　后五時
霞山会館一号室（虎の門）
ＴＥＬ（58）〇四〇一
会費　二百円（夕食）

ところで十月二十六日臨時国会が召集され、会期は四十日間もつづくといわれている。政府はこんどの臨時国会は災害国会だといって、いま大きな問題となっている安保改定問題や日中国交回復や炭鉱合理化問題をまじめに国会でとりあげようとはしていない。たしかに災害問題は重大な切実な問題である。だが災害問題にせよ、日中問題や炭鉱合理化問題にせよ、安保改定にせよ、元をたゞせば一つの問題で、一つも切りはなせない問題である。まして、安保改定によって、日本がますます苦しめられようとしているときに、安保改定問題をそのまゝにしておいて、緊急な問題も解決を見出すことはできないと思います。そのことからも、今回の臨時国会の持ついぎの重大性を知り、共に安保改定阻止にむかってすゝむことだと思います。

「記録映画」１２月号予告

評　論
最大の加害者となれ　　柾木　恭介
松本俊夫に反論する　　丸山　章治
Ｐ・Ｒ映画論　　松川八洲雄
児童劇映画論　　岩佐　氏寿
科学映画論（予　定）　　加納　龍一
記録映画論　　西江　孝之
ドキユメンタリーはどこへ行く　　ポール・ローサ　厚木たか・訳
座談会
プロキノ運動の検討（２）
岩崎昶、岩崎太郎、能登節雄
教育映画祭作品をめぐって
矢部正男、宇田頼弘、他二氏
読み物
沖繩での感想　　間宮　則夫
「月の輪古　」（２）　　杉山　正美
外国短篇映画を見て　　渡辺　正己
作品評
「黄色い大地」　　田畑　正一
「ヒロシマの声」　　西江　孝之
現場通信
西田真佐雄、山口淳子、岩佐氏寿
プロダクション・ニユースなど

安保条約改定反対と文化創造を中心に ―第４回国民文化全国集会開かる―

才四回国民文化全国集会が十月二三日前十時から大阪市大手町会館に全国各地の地域、サークル、文化人、労組など一千名をこえる文化活動家を集めて開かれました。当作協よりは野田真吉氏が常任として〃マスコミ部会〃へ出席した。南博事務局長の開会のあいさつにつゞいて上原専祿議長の「文化と政治」の記念講演のあと作品発表にうつり、演劇は大阪市職演劇研究会の「求める人」、国鉄労組大阪地方本部のシュプレヒコール、映画は作協の協力になる「安保条約」る上映、夜は「にあんちゃん」を観賞して才一回目をおわり、二十四日は八つの分科会にわかれ、二十五日は問題別分科会に入り、アピールを発表、〇新しい大衆芸術のイメージを築く、〇創造と鑑賞の活動は新しい文化創造の車の両輪である、〇「新雑誌」の実現に活動家の力を結集しよう、〇労働者階級は文化政策のにない手となろう、〇マス・コミ対策のセンターをつくろう、「人間の壁」への圧迫に抗議、民主的映画製作を支援しよう、〇安保条約改定に反対し、文化攻勢、思想攻勢、自民政策をはねかえそう、をきめた。

マス・コミを握る運動と自主上映運動のきがまえ

参加した野田氏はマス・コミ部会にをいて出されたものとして新聞代値上反対運動がひろまり全国で二五万になり、物価値上反対の問題にまでなってきている。又松川事件の最高裁判のようにマス・コミの巻返しがあらわれていることや、鉄鋼関係労組では各寮内でおかみさんまでふくめての学習活動がおきてをりオートメ化と合理化に対して斗う対策をくんでいる。こと等が出されていると、又映画サークル活動についても、〃記録映画を見る運動〃いわゆる自主上映運動のきがまえが、各地方にあらわれていること等が話された。

動静①

事務局調査

松岡新也ー「立坑」二巻、「マモスキルン」二巻、「呉造船」二巻「新己斐橋建設」二巻撮影中

柳沢寿男ー三木映画で「書くべえ読むべえ話すべえ」撮影完成近し、三井芸術プロで「ボクの兄ちゃん」四巻、脚本、演出中

水木荘也ー三井芸術プロで「奈良美術二巻、脚本演出中

古川良範ーファースト教育映画で「落合さんの卵づくり」三巻脚本、新理研の「紀勢線の全通」脚本中、

永富映次郎ーファースト教育映画で「落合さんの卵づくり」三巻演出、

河野哲二ー日経映画社で社会教育映画「結婚の条件」二巻十一月初より入る。

間宮則夫ー日経映画社で「沖縄」仮題三巻演出中

丹生　正ー電通映画社で「コロンボプラン」脚本、演出中

樋口源一郎ー電通映画社で「椿本チエーン」仮題脚本と岩波映画の「日本特殊鋼管」の演出中

道林一郎ー記録映画社の「嫁の発言」の演出中、東京フイルムにて仕事中、

杉原せつー桜映画社で「再起の療法」二巻演出中

厚木たかー記録映画社の「嫁の発言」、三木映画社の「書くべえ読むべえ話すべえ」の脚本にあたっでいる。

岩佐祝寿ー農文協の「日本一の米つくりグループ」が完成、日映新社で「松方コレクション」脚本、演出にあたる。

八木仁平ー三木映画社で「歩く人」三巻脚本中、

丸山章治ー日経映画社にて「家計簿をめぐって」二巻の演出を十一月中旬より入る。

杉山正美ー日経映画社で教材映画自動車工業シリーズ才三部作の演出にあたる。

伊勢長之助ー岩波映画で「戸畑建設」七巻　脚本、日映新社「日立造船記録」の演出中

矢部正男ー岩波映画で「三菱造船所」三巻と、年輪のひみつの「伊予の水引」の演出中、

桑野　茂ー岩波映画で〃たのしい科学シリーズの「赤土のひみつ」「鐘乳洞」「プラスチック」の演出中

渥美輝男ー岩波映画でたのしい科学シリーズの「きのこ」演出中、又シュウ・タグチプロの「新しい力発電」と「原子力平和利用」の演出、完成、

日高　昭ー記録映画社にて「のびゆくオートメーション」三巻の脚本、演出中、又新映画実業にて「ジャパンアワー」演出中、日本短篇映画社の「銀座の紙風船」脚本担当、

赤佐政治ー新理研にて「ひろしま観光」三巻脚本、演出中

岩堀喜久夫ー新理研にて「アイソトープ」の脚本、演出中、

荒井英郎ー新理研にて「し尿のゆくえ」演出完成、

野田真吉ー東京シネマで「石油の起原」演出中、８ミリセンターーでも仕事中、

松本俊夫ー８ミリセンターーで仕事中、

西沢　豪ー日映新社で「愛知用水」「青い鳥学園」「離れ島の生活」を演出中、

西尾善介ー日映新社で「エラブの海」八巻演出中、

石田　修ー東映教育映画部で「九州電力」の脚本を担当、近く完成、

（註ーまだ調査出来なかったプロダクションもありますので一部です、もれた方々は次号にのせるようにします。）

動静②

ファースト教育映画社作品「鶏に生きる」演出準備中

永富映次郎

最近（九月十二日）私達の職場で組合を作りました。四十名程度の従業員がおります。新しいこの組合を応援して下さい。

青木　徹

「日本のエレクトロニックス」（E・K 3巻）渉外版クランクアップ日本語版製作中、

「トランジスタ」製作準備（E・K二巻）英語版、

「ハーバー・サービス」（E・K二巻）脚本執筆中、

（以上読売にて）　入江　一彰

「暮しと家具」のダビング待ちです。才一回作品ではあるし、スポンサーが二組もついている仕事なのでだいぶこづきまわされました。

長野　千秋

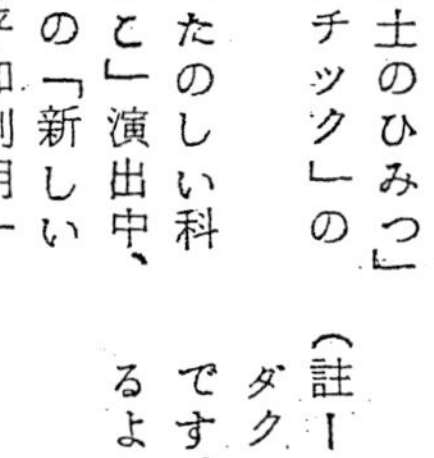

研究会および映画会のおしらせ

◇"記録映画"友の会準備会

十二月に友の会を結成するため左記に準備会を開きますから、協会の方々も参加下さい。

とき○十一月十二日（木）后五時三〇分

ところ○東電銀座サービスステーション（銀座六丁目神戸銀行となり）

内容1.映画

㋑"失業"又は"京浜労働者"

㋺"人類の境界"アラン・レネ演出（生物科学映画）

2.研究

㋑十二月記録映画を見る会映画選定

㋺結成会の持ち方

先きに"偶像もまた死ぬ"はまちがいにつき訂正します。

"記録映画"友の会準備会世話人

第十四回芸術祭主催映画公演

（十一月十七・八・九日、后六時銀座ガスホール）内容不明、招待券が各回、十枚づつきます、希望者に配布します。

ドイツ映画の歴史を見る会

「ファウスト」など（十一月三十日、十二月一日、后一時、后五時二回、虎の門共済ホール）は各二十枚づつ招待券がきますので希望者は申込下さい。

西ドイツ映画祭十一月二十五日から三十日までテアトル東京で開催

上映作品

劇映画「グランド・ホテル」（オフニア映画）「死の船」ウフア映画、「泥沼に生きる」（クルト・ウーリツヒ社）「美しき冒険」（ビショップ社）「最後の沈黙」（レアルフイルム）「橋」（グロリア映画）

短篇「裏側」「アルミニユム」「小さなサーカス」「裸の朝」「ベルリン問題」「世界のベルリンを創る」以上　現在申込中

安保批判と講演と映画の夕

とき　十二月十五日㈫午后六時

ところ　日比谷図書館地下ホール

一、映画　短篇「太陽を独占するもの」（チエッコマンガ）十分

二、講演　安保批判　中島健蔵氏か石川達三氏　一時間

三、映画　長篇「世界の河は一つの歌をうたう」（監督ヨリス・イベンス編集）一時間三十分

会費　一人　五十円

主催　日本美術会、平和展実行委員会、教育映画作家協会

近代美術館の映画講座

ところ　国立近代美術館

とき　午后五時三〇分～八時三〇分

十一月十九日　映画の革命と革命の映画－岩崎昶

上映「戦艦ポチヨムキン」

十一月二十四日　「建設の讃美」　岡田桑三

上映「トウルクシブ」「生存の斗争」

十一月二十六日　社会主義映画のレイ明－袋一平

上映「チヤーエフ」「人生案内」

十二月一日　英雄の時代　岩崎昶　「虹」

十二月三日　ソ連映画の現在　牛原虚彦

上映「戦争と貞操」

全会費　三百円

一回　六十円

雑誌"記録映画"基金募金映画会（予定）

雑誌"記録映画"の基金運動としての計画で準備中です。

とき○十一月下旬か十二月上旬

ところ○共済ホールを申込中

内容　映画①忘れられた人々"　九巻（メキシコ映画）

②"二十四時間の情事"（日仏合作映画）

雑誌"記録映画"基金一口一〇〇円に協力して下さった方を招待するものです。

十一月記録映画研究会（予定）

毎日開いているものですが十一月は"二十四時間の情事"か"失業"（炭鉱合理化の斗い）を上映して研究会を開く予定

とき○十一月二十六日頃　后　六時

ところ○岩波映画試写室交渉中

短篇試写会のお知らせ

短篇試写会の日時、場所をお知らせしますから、作家協会といって入場して下さい。

○十一月二五日（水）后一時　山葉ホール主催連盟

○十一月十二日（木）十二時　三時　白木屋ホール　主催　映教

〃記録映画〃へ意見

この協会の皆さんも同じフィルムの仕事とは云え、いろいろと分かれていると思います。私達テレビ映画の関係から、一度、テレビに於けるフィルムについての特集（例えばそれぞれの制作条件、態度、主題、他）をのせて下さればと思っています。勿論私達の場合も資料をよせたいと思っています。

青木　徹

大変面白くなってきました。外国の新らしい記録映画の論文がほしいと思います。

長野　千秋

暫くロケが続いたので最近の作品にふれていません、〃安保条約〃も残念ながら拝見出来ませんでしたが、そのシナリオから察して、大変必要な実験だと感じとりました。（普及に対しての体制が組まれていない）そうですが単んに（悲壮観（？）を感じさせる）だけの（実験性をためした）映画であったとしても（おれにはわかるが大衆にはわからない）映画であったにしても、もっと多くのひとたちに見てもらってその反響をみるべきでしょう。

いたづらに決論をいそがず、又すぐ次のテーマにとり組まずに、せっかく完成した作品を、とことんまで研究することと、ともに、生かしてゆくことが大切なことでしよう。製作条件や、目的は違いますがかって矢部君の作った〃自転車〃が貴重な実験だけに終ったことが残念に思われてなりません。

入江　一彰

広い範囲の記録映画探究の方向から逸れて〃争斗の武器〃としての「記録映画」はアメリカの廻し者になり度くないと同様にソ連、中共のサンド・イツチマンにもなり度くない、愚生なぞには無用の雑誌となりつゝあるようです。

丹生　正

最近雑誌の色彩が大分一方へかたよった様に感じます。お金をとって他人に売る雑誌ですからいろいろ考えねばならんのぢやないかと思います。安保条約シナリオは以前プリントで出てるので再び出すことは蛇足の様に感じます。劇映画のスチールに貴重な一頁を潰すのはどうかと思います。記録映画でももっと出さねばならぬ写真がある筈です。一度全会員に編集方針について意見を出す会をやったりスッキリするのではないでしようか？

永富映次郎

永富映次郎氏の〃記録映画〃の意見へお答へ

―編集部より―

編集委員は次の二点に基づき劇映画にスペースをさいています。

①ドキュメンタリー運動そのものを内外の大きな芸術運動の中でとらえ位置づけるという観点において、私達の芸術運動と同様な目的、問題意識のもとに創造されているものをえらんでのせている。これは単に劇映画のみではなく、演劇、美術、文学等あらゆる芸術の分野にも目をむけなければならないと思うし、そういう方向に進むつもりです。

②今年度発行分をごらんいただけばわかるように、広告の中で劇映画の広告がかなりの比重をもっています。毎月最低四万円という広告ノルマは事実劇映画にかなり依存しているわけです。しかし広告は決してただとれるわけではなく、本文中における取り上げいかんにかかわります。そのつみ重ねにかかっています。だからといって無原則的に何でも広告にとってくるわけではなく、①の点とのかかわりにおいて選んでのせているわけです。

以上の諸点御了察の上もう一度本誌バックナンバーをお読み返し下さい。（文責・事務局佐々木）

映画関係書籍雑誌の紹介

書籍

⑴ドキメンタリー映画論

ポール・ロサ
シンクレア・ロード共著
厚木たか訳

本書はみすゞ書房より十二月に発行、六〇〇円以上の予定、〃記録映画〃誌上に一部を紹介、

⑵PR映画年鑑第二巻

日本証券投資協会刊で才二巻が来年の二月発行、作家協会の作家の作品歴と、住所がのる予定、

一部　九〇〇円

⑶レンズからみる日本現代史

佐藤忠男・羽仁進他著

現代思潮社発行、B6二七七頁、三〇〇円、若い執筆者たちが日本映画史をふりかえって書いている。

（裏へつゞく）

事務局よりお知らせ

機関誌〃記録映画〃の固定読者を

(イ)同封しているもう一部の機関誌〃記録映画〃の読者を取って下さい。固定読者を取られ住所、氏名を紹介下されば直接、読者の方にお送りします。

(ロ)そのつど売って戴く場合は七〇円を会費と共に戴くようになります。

(ハ)固定読者の方々には毎月の短篇試写会の招待状を直接おくっています。

(ニ)固定読者へアンケートと継続のお願いを発送しましたので協力方をお願いします。

所属及住所変更のお知らせ

小谷田亘―十月よりフリー助監より企業所属に（日経映画）
羽田澄子―新宿区戸塚一ノ四一〇面影橋住宅二一三二に変更
小泉　―渋谷区北谷町三十一土屋政子方

会費滞納されている方々へ

会費をぜひおさめ下さい

今回あらためて会費三ケ月以上滞納者を調査しました所、三七名いました。特に昨年より会費をおさめていない方は十名もいます。現在非常に会が活動していますので資金が必要になっています。お心あたりの方はぜひとも会費を納入下さい。　事務局より

協会財政報告

九月分

収入の部

会費	四一、八〇〇円
雑費（映画会その他）	七、八一二円
合計	四九、六一二円

支出の部

事務所費	五、〇〇〇円
交通費	四、一八一
用品文具費	一七〇
通信費	五、二五八
電話料	二、四七五
人件費	三三、五〇〇
印刷費	五、〇〇〇
雑費（映画会その他）	三、四二四
合計	五八、九九〇円
差引赤字	九、三七八円

記録映画十一月号独立採算で発行なる

記録映画が独立採算になった為印刷屋及広告等のことで事務局としてもかけずりまわりましたが発行が遅くれました。十二月号よりはもとにもどります。あしからず、紹介された方々もそのように紹介者にお知らせ下さい。

菅家陳彦氏お見舞カンパ合計

松本俊夫、高島一男、入江一彰、柳沢寿男、時枝とし江、能登節雄、杉山正美、間宮則夫、苗田康夫、川本博康、西本祥子、矢部正男、岩佐氏寿、西江孝之、大沼鉄郎、厚木たか、事務局（山之内、佐々木、加藤）、杉原せつ、吉見泰

合計　壱万壱千円也

記録映画財政報告

収入の部

固定読者	一七、三五〇円
売上	八、八七五円
広告料	四四、〇〇〇円
繰越金	二、六四〇円
合計	七二、八六五円

支出の部

交通費	四、三六六円
通信費	六、六五〇
用品文具費	三九五
印刷費	四八、〇〇〇
原稿料	九、〇〇〇円
電話料	二、四五七
座談会費	一、五六〇
合計	七二、四二八
差引残高	四三七円

―雑　誌―

(1)映画教育通信　月刊、二〇頁一部二〇円　労映研究行
共同映画社、東宝商事の中の若い活動家による視聴覚研究誌、

(2)朝日ジャーナル十月十八日号に岩崎昶氏の〃日本の映画産業の肖像〃という題で七頁にわたって映画界を分　している。作家側から見て問題を持っているので読む必要があると思う。

(3)〃文学〃岩波書店発行一部一〇〇円の十月号　サークル特集十一月号記録的方法とリアリズム問題を提起している。

(4)〃キネマ旬報〃十月下旬号の〃新しい映画は生まれたか〃特集、十一月上旬号の〃映画と日本の政治〃特集は、若い映画評論、の活躍がめだちます。

(5)〃世界映画資料〃十一月号が出ました、バックナンバーも事務局にあります。一部一〇〇円です。